Apariția unei ediții în limba română a operei lui Swami Bhaktivedanta, *Bhagavad-gītā As It Is*, constituie un eveniment ce se anunță a fi de o importanță majoră pentru națiune. Pentru prima oară, românii vor putea citi în propria lor limbă cel mai popular text al hinduismului, în versiunea și cu comentariul omului care, mai mult decât oricare altul, a făcut din hinduismul *vaiṣṇava* (*bhakti*) o religie universală.

Cred că Mircea Eliade, dacă ar fi fost în viață, ar fi aplaudat publicarea operei lui Swami Bhaktivedanta, *Bhagavad-gītā așa cum este ea*. Fără a fi o traducere directă din sanscrită, ea e realizată după versiunea autentică din limba engleză a unui *guru vaiṣṇava* autorizat dintr-o linie recunoscută de succesiune. În plus, „comentariile" constituie o explicație pură asupra textului sacru.

Prezența acestei cărți într-o asemenea traducere in limba română are ca efect faptul că încă 23 de milioane de oameni vor putea înțelege acum învățăturile *Bhagavad-gītei* și motivul pentru care această carte este atât de iubită de multe alte milioane de oameni. Pe lângă valoarea ei pentru misiunea ISKCON, această traducere va promova cauza înțelegerii internaționale și, astfel, a păcii în lume.

Profesor dr. Mac Linscott Ricketts,
profesor și președinte al
Departamentului pentru Religie și
Filozofie de la Colegiul Louisberg,
Carolina de Nord, S.U.A. și cunoscut
traducător american al operelor lui
Mircea Eliade

AF215413

BHAGAVAD GĪTĀ

AȘA CUM ESTE EA

Ediția a doua

Textul original sanscrit,
transcrierea cu caractere romane,
echivalentele românești, traducere
și comentarii detaliate

de

GRAȚIA SA DIVINĂ
A. C. BHAKTIVEDANTA SWAMI PRABHUPĀDA

Fondatorul-ācārya al Societății Internaționale a Conștiinței de Kṛṣṇa

THE BHAKTIVEDANTA BOOK TRUST

Bhagavad-gītā As It Is (Romanian)

Cărţi apărute în editura "Bhaktivedanta Book Trust" şi
informaţii despre Societatea Internaţională a Conştiinţei
de Kṛṣṇa (ISKCON) puteţi primi de la următoarele adrese:

Societatea Internaţională a Conştiinţei de Kṛṣṇa
Str. Ciprian Porumbescu nr. 92
Timişoara—300489

România
tel.: 0256–454776
e-mail: contact@studiivedice.ro

www.studiivedice.ro

Bun de tipar: 2007

Lui
Śrīla Baladeva Vidyābhūṣaṇa
autorul minunatelor comentarii
Govinda-bhāṣya
la filozofia Vedānta

Cuprins

CAPITOLUL UNU

Oștirile pe câmpul de luptă de la Kurukșetra   33

În timp ce armatele inamicului se pregăteau pentru luptă, Arjuna, puternicul luptător, observă rudele apropiate, învățătorii și prietenii săi în ambele armate gata să lupte și să-și sacrifice viața. Copleșit de tristețe și jale, Arjuna își pierde puterile, mintea i se tulbură și renunță la hotărârea de a lupta.

CAPITOLUL DOI

Conținutul din Gītā în rezumat   73

Arjuna este înduplecat de Domnul Kṛṣṇa să devină discipolul Lui și Kṛṣṇa își începe învățăturile către Arjuna prin explicarea deosebirii fundamentale dintre corpul material temporar și sufletul spiritual etern. Domnul explică procesul transmigrării, natura slujirii cu dăruire de sine Supremului și trăsăturile caracteristice ale unei personalități realizate de sine.

CAPITOLUL TREI

Karma-yoga   165

Fiecare trebuie să se angajeze într-o activitate în această lume materială. Însă activitatea îl poate lega sau elibera pe om de această lume materială. Activând pentru plăcerea Supremului, fără motive egoiste, omul se poate elibera de legea karmei (acțiunea și reacția) și să ajungă la cunoașterea transcendentă a sinelui și a Supremului.

CAPITOLUL PATRU

Cunoașterea transcendentă   217

Cunoașterea transcendentă — cunoașterea spirituală a sufletului, a lui Dumnezeu și a relațiilor reciproce — este atât purificatoare cât și eliberatoare. O asemenea cunoaștere este rodul slujirii cu dăruire de sine și cu devotament (*karma*-yoga). Domnul prezintă vechea istorie a *Gītei*, scopul și importanța coborârii Lui periodice în lumea materială și explică necesitatea apropierii de un *guru*, un maestru spiritual realizat de sine.

vieţi, omul poate ajunge în locaşul Lui suprem, ce se află dincolo de această lume materială.

CAPITOLUL NOUĂ
Cea mai confidenţială cunoaştere 451

Domnul Krṣṇa este Personalitatea Supremă a Divinităţii şi obiectul suprem pentru venerare. Sufletul este etern legat de El prin slujirea transcendentă cu devoţiune (*bhakti*). Reînviindu-şi devotamentul său pur, omul se întoarce la Krṣṇa în împărăţia supremă.

CAPITOLUL ZECE
Opulenţa Absolutului 505

Toate fenomenele uimitoare ce demonstrează puterea, frumuseţea, grandoarea sau sublimul atât în lumea materială, cât şi în cea spirituală, nu sunt decât manifestările parţiale ale energiilor divine şi ale opulenţei lui Krṣṇa. Fiind cauza supremă a tuturor cauzelor, spiritul şi esenţa a tot ce există, Krṣṇa este obiectul suprem de venerare pentru toate fiinţele vii.

CAPITOLUL UNSPREZECE
Forma universală 555

Domnul Krṣṇa îl înzestrează pe Arjuna cu o viziune divină şi îşi dezvăluie forma Sa nelimitată spectaculoasă a universului cosmic. Astfel, El îşi stabileşte ferm divinitatea Sa. Krṣṇa explică forma Lui minunată de om ca formă originară a lui Dumnezeu. Omul poate percepe această formă numai prin slujirea cu devoţiune pură.

CAPITOLUL DOISPREZECE
Slujirea devoţională 615

Bhakti-yoga, slujirea cu devoţiune pură a lui Krṣṇa, este cel mai bun şi mai eficient mijloc pentru a ajunge la dragostea pură faţă de Krṣṇa care este ţelul suprem al existenţei spirituale. Cei care urmează această cale supremă manifestă calităţi divine.

CAPITOLUL TREISPREZECE

Cel ce realizează diferența dintre corp, suflet și Suprasufletul ce se află mai presus de ele, obține eliberarea de această lume materială.

CAPITOLUL PAISPREZECE

Toate sufletele întrupate se află sub controlul celor trei moduri, sau tendințe ale naturii materiale: virtute (bunătate), pasiune și ignoranță. Domnul Kṛṣṇa explică ce sunt aceste moduri, cum acționează ele asupra noastră, cum pot fi depășite și arată semnele caracteristice ale omului care s-a ridicat la starea transcendentă.

CAPITOLUL CINCISPREZECE

Scopul final al cunoașterii vedice constă în eliberarea omului din încătușarea lumii materiale și în realizarea Domnului Kṛṣṇa ca Personalitate Supremă Divină. Cel care înțelege identitatea supremă a lui Kṛṣṇa se încrede în El și se angajează în slujirea Lui cu devoțiune.

CAPITOLUL ȘAISPREZECE

Cel care posedă calități demonice și care își duce viața conform propriilor capricii, fără a respecta preceptele scripturii, obține proveniență inferioară în următoarele vieți și, în continuare, încătușare materială. Acei, însă, care posedă calități divine și duc o viață regulată, prescrisă de scripturile autorizate obțin treptat perfecțiunea spirituală.

CAPITOLUL ȘAPTESPREZECE

Există trei feluri de credințe ce corespund celor trei moduri ale lumii materiale și care decurg din ele. Acțiunile săvârșite de cei a căror credință ține de modurile pasiunii și ignoranței, obțin numai rezultate materiale temporare, în timp ce acțiunile săvârșite în virtute în acord cu preceptele scripturilor, purifică inima și duc spre o credință pură în Domnul Kṛṣṇa și spre devotament față de El.

CAPITOLUL OPTSPREZECE
Perfecțiunea renunțării   801
Kṛṣṇa explică sensul renunțării și acțiunea modurilor naturii asupra conștiinței și activității omului. El explică realizarea Brahman, gloria *Bhagavad-gītei* și concluzia finală a *Gītei*: cea mai elevată cale a religiei este dăruirea de sine absolută, necondiționată și plină de dragoste Domnului Kṛṣṇa, care îl eliberează pe om de toate păcatele, îl aduce la o lumină completă și face posibilă întoarcerea la locașul spiritual al lui Kṛṣṇa.

APENDICE

Cadrul scenei descrise
în Bhagavad-gītā

Deşi publicată şi citită mai ales ca o carte de sine stătătoare, la origine *Bhagavad-gītā* este un episod din *Mahābhārata*, istoria epică sanscrită a lumii vechi. *Mahābhārata* ne vorbeşte despre evenimentele care au condus la prezenta epocă a lui Kali. La începutul acestei epoci, acum vreo cinci mii de ani, *Bhagavad-gītā* a fost vorbită de către Domnul Kṛṣṇa prietenului şi devotului Său Arjuna.

Discuţia lor—unul dintre cele mai măreţe dialoguri filosofice şi religioase cunoscute omului—a avut loc chiar înainte de începutul unui război, un mare conflict fratricid între cei o sută de fii ai lui Dhṛtarāṣṭra şi, de partea opusă, verii lor, Pāṇḍava sau fiii lui Pāṇḍu.

Dhṛtarāṣṭra şi Pāṇḍu erau fraţi născuţi în dinastia Kuru, descinzând din regele Bharata, cel dintâi domnitor al pământului, de la care îşi trage numele şi *Mahābhārata*. Deoarece Dhṛtarāṣṭra, fratele mai mare, se născuse orb, tronul care altfel i-ar fi revenit lui a fost dat fratelui mai mic, Pāṇḍu. Când Pāṇḍu a murit la o vârstă timpurie, cei cinci copii ai săi—Yudhiṣṭhira, Bhīma, Arjuna, Nakula şi Sahadeva—au rămas în grija lui Dhṛtarāṣṭra, care de fapt devenise pe moment rege. Astfel fiii lui Dhṛtarāṣṭra şi cei ai lui Pāṇḍu au crescut în acelaşi palat regal. Cu toţii au fost instruiţi în arta militară de către iscusitul Droṇa şi sfătuiţi de către veneratul „străbun" al clanului, Bhīṣma.

Totuşi fiii lui Dhṛtarāṣṭra, şi mai ales fiul cel mare, Duryodhana, îi urau şi îi invidiau pe fraţii Pāṇḍava, iar orbul şi rău-intenţionatul Dhṛtarāṣṭra dorea ca proprii săi fii să moştenească regatul, şi nu cei ai lui Pāṇḍu. Astfel Duryodhana, cu consimţământul lui Dhṛtarāṣṭra, a uneltit să-i ucidă pe tinerii fii ai lui Pāṇḍu, şi numai prin ocrotirea plină de grijă a unchiului lor Vidura şi a vărului lor Śrī Kṛṣṇa au reuşit fraţii Pāṇḍava să scape de multele atentate la viaţa lor.

Însă Śrī Kṛṣṇa nu era un om obişnuit, ci Însuşi Suprema Divinitate, care a descins pe pământ şi juca rolul unui prinţ dintr-o dinastie din acea vreme. În acest rol El era nepotul soţiei lui Pāṇḍu care se numea Kuntī sau Pṛthā şi care era mama fraţilor Pāṇḍava. Deci atât în calitate de rudă, cât şi de etern susţinător al religiei, Kṛṣṇa i-a favorizat pe virtuoşii fii ai lui Pāṇḍu şi i-a protejat. Până la urmă, şiretul Duryodhana i-a provocat pe fraţii Pāṇḍava la un joc de zaruri. În cursul acestei întreceri fatidice, Duryodhana şi fraţii săi au câştigat-o pe Draupadī, devotata şi casta soţie a fraţilor Pāṇḍava şi în mod insultător au încercat să o dezbrace în faţa întregii adunări a prinţilor şi regilor. Intervenţia divină a lui Kṛṣṇa a salvat-o, însă jocul de noroc care era aranjat dinainte i-a alungat pe fraţii Pāṇḍava din regatul lor, silindu-i să plece într-un exil de treisprezece ani. La întoarcerea din exil, fraţii Pāṇḍava şi-au cerut pe bună dreptate regatul de la Duryodhana care însă refuza în mod grosolan să-l înapoieze. Având datoria ca, în calitate de prinţi, să slujească în administraţia publică, cei cinci Pāṇḍava şi-au limitat cererea la numai cinci sate. Dar Duryodhana le-a răspuns cu aroganţă că nu le cedează nici măcar atâta pământ cât să înfigă un ac. De-a lungul tuturor acestor întâmplări fraţii Pāṇḍava au rămas destul de îngăduitori şi răbdători, însă acum războiul părea inevitabil.

Cu toate acestea, întrucât prinţii din întreaga lume s-au divizat, unii trecând de partea fiilor lui Dhṛtarāṣṭra, iar alţii de partea fraţilor Pāṇḍava, Kṛṣṇa Însuşi a luat rolul de mesager al fiilor lui Pāṇḍu şi s-a dus la curtea lui Dhṛtarāṣṭra să pledeze pentru pace. După respingerea apelului Său, războiul era deja sigur.

Fraţii Pāṇḍava, oameni cu cea mai înaltă statură morală, L-au recunoscut pe Kṛṣṇa ca fiind Personalitatea Supremă a Divinităţii, dar nu şi fiii lui Dhṛtarāṣṭra cei lipsiţi de pietate. Totuşi Kṛṣṇa S-a oferit să ia parte la război conform dorinţei părţilor adverse. Fiind Dumnezeu, nu ar fi vrut să lupte în persoană; dar cel care ar fi dorit, putea să se folosească de armata lui Kṛṣṇa, iar cealaltă parte l-ar fi putut avea pe Kṛṣṇa Însuşi ca sfătuitor şi ajutor. Duryodhana, geniul politic, a înhăţat forţa armată a lui Kṛṣṇa, în vreme ce fraţii Pāṇḍava erau la fel de dornici să-L aibă pe Kṛṣṇa Însuşi.

În acest fel, Kṛṣṇa a devenit vizitiul lui Arjuna, asumându-Şi sarcina de a conduce carul fabulosului arcaş. Astfel ajungem în momentul în care începe Bhagavad-gītā, cu cele două oştiri aranjate în linie de bătaie, gata de luptă, şi cu Dhṛtarāṣṭra întrebându-l plin de îngrijorare pe secretarul său Sañjaya „Ce-au făcut?“.

Scena este astfel pregătită, fiind necesară doar o scurtă notă privitoare la această traducere şi la comentariu.

Schema generală pe care traducătorii au urmat-o la redarea Bhagavad-gītei în limba engleză a fost aceea de a da de-o parte persoana lui Kṛṣṇa pentru a face loc propriilor concepții și filosofii. Istoria *Mahābhāratei* este luată ca o mitologie ciudată, iar Kṛṣṇa devine un artificiu poetic pentru prezentarea ideilor unui oarecare geniu anonim sau în cel mai bun caz devine un personaj istoric minor. Însă persoana lui Kṛṣṇa este atât țelul cât și substanța *Bhagavad-gītei*, după cum ne spune *Gītā* însăși.

Deci această traducere, ca și comentariul care o însoțește, își propune să-l îndrepte pe cititor *către* Kṛṣṇa mai degrabă, decât să-l îndepărteze de El. În acest demers, *Bhagavad-gītā așa cum este ea* apare unică. Și tot unic este și faptul că *Bhagavad-gītā* devine în acest fel cu totul consistentă și comprehensibilă. Întrucât Kṛṣṇa este cel care rostește *Gītā*, și în același timp este și țelul ei ultim, în mod necesar această traducere este singura care prezintă măreața scriptură în adevărata sa lumină.

Prefață

Inițial am scris *Bhagavad-gītā așa cum este ea* în forma în care apare acum. Când această carte a fost publicată pentru prima oară, manuscrisul inițial a fost din nefericire scurtat la mai puțin de 400 de pagini, fără ilustrații și fără explicații la cele mai multe din versetele originare din *Śrīmad Bhagavad-gītā*. În toate celelalte cărți ale mele—*Śrīmad-Bhāgavatam, Śrī Īśopaniṣad* etc.—am adoptat sistemul de a da strofa originală, transliterarea sa engleză, echivalentele englezești pentru fiecare cuvânt sanscrit, traducerea și explicațiile. Acest lucru face cartea să fie foarte autentică și științifică și face ca sensul să apară de la sine. De aceea, nu am fost foarte fericit când a trebuit să minimalizez manuscrisul meu original. Însă mai târziu, când cererea pentru *Bhagavad-gītā așa cum este ea* a crescut considerabil, mi s-a cerut de către mulți specialiști și devoți să prezint cartea în forma ei originară. Am încercat deci să ofer acum manuscrisul inițial al acestei mari cărți, cu întreaga explicație *parampară*, pentru a stabili mai profund și tot mai mult mișcarea conștiinței de Kṛṣṇa.

Mișcarea noastră pentru conștiința de Kṛṣṇa este autentică, autorizată istoric, naturală și transcendentă datorită faptului că se bazează pe *Bhagavad-gītā așa cum este ea*. Treptat ea devine cea mai populară mișcare din întreaga lume, în special în rândul generației tinere. Ea devine din ce în ce mai interesantă și pentru generația vârstnică. Oamenii mai în vârstă sunt atât de mult interesați, încât tații și bunicii discipolilor mei ne încurajează devenind membri susținători ai marii noaste Societăți Internaționale pentru Conștiința de Kṛṣṇa. La Los Angeles mulți tați și mame obișnuiau să vină să mă vadă pentru a-și exprima sentimentele lor de recunoștință pentru că am dus în întreaga lume mișcarea pentru conștiința de Kṛṣṇa. Unii dintre ei spuneau că este un mare noroc pentru americani faptul că am început mișcarea pentru conștiința de Kṛṣṇa în America. Dar de fapt părintele originar al acestei mișcări este Kṛṣṇa Însuși, întrucât ea a fost pornită cu mult timp în urmă, dar s-a perpetuat în societatea umană prin succesiunea de discipoli. Dacă am vreun merit în legătură cu aceasta, el nu-mi aparține mie, ci se datorează eternului meu maestru spiritual, Grația Sa Divină Oṁ Viṣṇupāda Paramahaṁsa Parivrājakācārya 108 Śrī Śrīmad Bhaktisiddhānta Sarasvatī Gosvāmī Mahārāja Prabhupāda.

Dacă am vreun merit personal în această privință, este doar acela de a fi încercat să prezint *Bhagavad-gītā așa cum este ea*, fără nici o alterare. Înainte de a fi prezentat eu *Bhagavad-gītā așa cum este ea*, aproape toate edițiile engleze ale *Bhagavad-gītei* au fost introduse pentru a satisface ambiţia personală a cuiva. Dar noi am încercat ca prin prezentarea *Bhagavad-gītei* să prezentăm misiunea Personalităţii Supreme a Divinităţii, Krşna. Misiunea noastră este de a prezenta voinţa lui Krşna, nu pe cea a vreunui speculant lumesc sub formă de politician, filosof, sau om de ştiinţă, deoarece ei au o cunoaştere foarte redusă despre Krşna, în ciuda întregii lor cunoaşteri în alte domenii. Când Krşna spune *man-manā bhava mad-bhakto mad-yājī mām namaskuru* etc., noi, spre deosebire de aşa-numiţii erudiţi, nu spunem că între Krşna şi spiritul Său intern este vreo diferenţă. Krşna este absolut şi nu există diferenţe între numele lui Krşna, forma lui Krşna, calităţile lui Krşna, petrecerile lui Krşna etc. Această poziţie absolută a lui Krşna este greu de înţeles pentru orice om care nu e devot al lui Krşna în sistemul *paramparā* (succesiunea de discipoli). În general aşa-numiţii erudiţi, politicieni, filosofi şi *svāmī*, fără să aibă cunoaşterea desăvârşită a lui Krşna, încearcă să-L înlăture sau să-L ucidă pe Krşna când scriu comentarii la *Bhagavad-gītā*. Aceste comentarii neautorizate la *Bhagavad-gītā* sunt cunoscute ca *Māyāvāda-bhāşya*, iar Śrī Caitanya ne-a avertizat asupra acestor oameni neautorizaţi. Śrī Caitanya spune foarte clar că oricine încearcă să înţeleagă *Bhagavad-gītā* din punctul de vedere *Māyāvādī* comite o mare eroare. Rezultatul acestei erori va fi faptul că acela care studiază în mod greşit *Bhagavad-gītā* se va rătăci în mod cert pe calea îndrumării spirituale şi nu va fi în stare să se întoarcă înapoi acasă, înapoi la Divinitate.

Singurul nostru scop este acela de a prezenta *Bhagavad-gītā aşa cum este ea*, astfel încât să-l îndrume pe cel condiţionat care o studiază către acelaşi ţel pentru care Krşna descinde pe această planetă o singură dată într-o zi a lui Brahmā sau o dată la 8 600 000 000 de ani. Acest ţel este declarat în *Bhagavad-gītā* şi trebuie să-l acceptăm aşa cum este; altminteri nu există nici un temei în încercarea de a înţelege *Bhagavad-gītā* şi pe Cel ce o rosteşte, Domnul Krşna. Domnul Krşna a rostit prima oară *Bhagavad-gītā* către zeul-soare acum câteva sute de milioane de ani. Trebuie să acceptăm acest lucru şi astfel să înţelegem semnificaţia istorică a *Bhagavad-gītei*, fără interpretări greşite, pe baza autorităţii lui Krşna. A interpreta *Bhagavad-gītā* fără nici o referinţă la voinţa lui Krşna este cea mai mare ofensă. Pentru a ne salva de această ofensă trebuie să-L înţelegem pe Domnul ca fiind Personalitatea Supremă a Divinităţii, aşa cum a fost El înţeles în mod direct de Arjuna, primul discipol al Domnului Krşna. O asemenea înţelegere a *Bhagavad-gītei* este cu adevărat profitabilă şi autorizată pentru binele societăţii umane în împlinirea misiunii vieţii.

Mişcarea pentru conştiinţa de Krşna este esenţială în societatea umană, căci ea oferă cea mai înaltă desăvârşire a vieţii. Cum de este aşa, se explică pe larg în *Bhagavad-gītā*. Din nefericire, cei angajați în dispute lumești au profitat de *Bhagavad-gītā* pentru a-și promova înclinațiile demonice și a-i rătăci pe oameni în ce privește înțelegerea corectă a principiilor simple ale vieții. Fiecare om trebuie să știe cât de măreț este Dumnezeu sau Kṛṣṇa și fiecare trebuie să cunoască poziția reală a entităților vii.

Oricine trebuie să știe că entitatea vie este în mod etern slujitoare și că până ce nu-L slujește pe Kṛṣṇa omul trebuie să slujească iluziei în diferitele varietăți ale celor trei calități ale naturii materiale și astfel să rătăcească perpetuu în ciclul nașterii și morții; chiar și speculanții Māyāvādī, așa-numiții eliberați, trebuie să se supună acestui proces. Această cunoaștere constituie o știință foarte însemnată și orice ființă vie trebuie să o audă, în propriul său interes.

Oamenii în general, mai ales în această epocă a lui Kali, sunt vrăjiți de energia externă a lui Kṛṣṇa și cred în mod eronat că prin progresul confortului material fiecare om va fi fericit. Ei nu știu că natura materială sau externă este foarte puternică, căci fiecare este puternic legat de legile stringente ale naturii materiale. Entitatea vie este, din fericire, o parte integrantă a Domnului și deci funcția sa naturală este aceea de a a-L sluji nemijlocit pe Domnul. Prin vraja iluziei, cineva încearcă să fie fericit devenind slujitorul propiei satisfaceri a simțurilor în diferite forme, ceea ce nu-l va face niciodată fericit. În loc să-și satisfacă propriile simțuri materiale, el trebuie să satisfacă simțurile Domnului. Aceasta este cea mai înaltă desăvârșire a vieții. Domnul dorește acest lucru și ni-l cere. Trebuie să înțelegem această idee centrală din *Bhagavad-gītā*. Mișcarea noastră pentru conștiința de Kṛṣṇa propovăduiește această idee centrală în întreaga lume și, pentru că noi nu pângărim tema din *Bhagavad-gītā așa cum este ea*, oricine e cu adevărat interesat să profite de pe urma studierii *Bhagavad-gītei* trebuie să caute ajutor în mișcarea pentru conștiința de Kṛṣṇa, pentru înțelegerea practică a *Bhagavad-gītei* sub îndrumarea directă a Domnului. Sperăm deci ca oamenii să obțină un beneficiu maxim prin studierea *Bhagavad-gītei așa cum este ea*, prezentată astfel de noi aici, iar dacă fie și un singur om devine un devot pur al Domnului vom socoti că încercarea noastră este un succes.

A.C. Bhaktivedanta Swami

12 mai 1971
Sydney, Australia

Introducere

oṁ ajñāna-timirāndhasya
jñānāñjana-śalākayā
cakṣur unmīlitaṁ yena
tasmai śrī-gurave namaḥ

śrī-caitanya-mano-'bhīṣṭaṁ
sthāpitaṁ yena bhū-tale
svayaṁ rūpaḥ kadā mahyaṁ
dadāti sva-padāntikam

M-am născut în cea mai întunecată ignoranță, iar maestrul meu spiritual mi-a deschis ochii cu torța cunoașterii. Lui îi ofer plecăciunile mele respectuoase.

Când oare Śrīla Rūpa Gosvāmī Prabhupāda, care a întemeiat în această lume materială misiunea pentru împlinirea dorinței Domnului Caitanya, îmi va da adăpost la picioarele sale de lotus?

vande 'haṁ śrī-guroḥ śrī-yuta-pada-kamalaṁ śrī-gurūn vaiṣṇavāṁś ca
śrī-rūpaṁ sāgrajātaṁ saha-gaṇa-raghunāthānvitaṁ taṁ sa-jīvam
sādvaitaṁ sāvadhūtaṁ parijana-sahitaṁ kṛṣṇa-caitanya-devaṁ
śrī-rādhā-kṛṣṇa-pādān saha-gaṇa-lalitā-śrī-viśākhānvitāṁś ca

Ofer plecăciunile mele respectuoase la picioarele de lotus ale maestrului meu spiritual și la picioarele tuturor celor ce sunt Vaiṣṇava. Ofer plecăciunile mele respectuoase la picioarele lui Śrīla Rūpa Gosvāmī împreună cu fratele său mai mare Sanātana Gosvāmī, lui Raghunātha Dāsa, Raghunāta Bhaṭṭa, Gopāla Bhaṭṭa și Śrīla Jīva Gosvāmī. Aduc plecăciunile mele respectuoase Domnului Kṛṣṇa Caitanya și Domnului Nityānanda împreună cu Advaita Ācārya, Gadādhara, Śrīvāsa și celor dimpreună cu ei. Aduc plecăciunile mele respectuoase către Śrīmatī Rādhārāṇī și către Śrī Kṛṣṇa împreună cu însoțitoarele Lor, Śrī Lalitā și Viśākhā.

he kṛṣṇa karuṇā-sindho
dīna-bandho jagat-pate
gopeśa gopikā-kānta
rādhā-kānta namo 'stu te

1

O, dragul meu Kṛṣṇa, Tu eşti prietenul celui năpăstuit şi originea creaţiei. Tu eşti stăpân peste *gopī* şi iubitul lui Rādhārāṇī. Ţie Îţi aduc plecăciunile mele respectuoase.

tapta-kāñcana-gaurāṅgi
rādhe vṛndāvaneśvari
vṛṣabhānu-sute devi
praṇamāmi hari-priye

Aduc cinstire lui Rādhārāṇī a cărui ten este asemenea aurului topit şi care este Regină în Vṛndāvana. Tu eşti fiica regelui Vṛṣabhānu şi eşti mult îndrăgită de Domnul Kṛṣṇa.

vāñchā-kalpatarubhyaś ca
kṛpā-sindhubhya eva ca
patitānāṁ pāvanebhyo
vaiṣṇavebhyo namo namaḥ

Ofer plecăciunile mele respectuoase către toţi devoţii Vaiṣṇava ai Domnului. Ei pot împlini dorinţa oricui, ca şi copacii dorinţelor, şi sunt plini de compasiune pentru toate sufletele căzute.

śrī-kṛṣṇa-caitanya
prabhu-nityānanda
śrī-advaita gadādhara
śrīvāsādi-gaura-bhakta-vṛnda

Ofer plecăciune lui Śrī Kṛṣṇa Caitanya, Prabhu Nityānanda, Śrī Advaita, Gadādhara, Śrīvāsa şi tuturor celorlalţi aflaţi pe calea devoţiunii.

hare kṛṣṇa hare kṛṣṇa
kṛṣṇa kṛṣṇa hare hare
hare rāma hare rāma
rāmā rāma hare hare

Bhagavad-gītā mai este cunoscută şi ca *Gītopaniṣad*. Ea este esenţa cunoaşterii vedice şi una dintre cele mai importante *Upaniṣade* din literatura vedică.

Desigur că există multe comentarii în limba engleză la *Bhagavad-gītā* şi s-ar putea pune la îndoială necesitatea unui alt comentariu. Ediţia prezentă poate fi explicată în următorul fel. Recent o doamnă americană mi-a cerut să-i recomand o traducere engleză a *Bhagavad-gītei*. Desigur că în America există o mulţime de ediţii din *Bhagavad-gītā*, ce pot fi procurate în limba engleză, dar din câte am văzut, nu numai în America, ci şi în India, nici una nu poate fi considerată ca fiind strict autoritativă, deoarece aproape în fiecare din ele comentatorul şi-a exprimat propriile opinii fără să atingă spiritul *Bhagavadgītei* aşa cum este ea.

Spiritul *Bhagavad-gītei* este menţionat chiar în *Bhagavad-gītā*. Este exact la fel ca atunci când vrem să luăm un anumit medicament: trebuie să urmăm prescripţiile scrise pe etichetă. Nu putem să luăm un medicament de capul nostru sau după indicaţiile vreunui prieten, ci după indicaţiile de pe etichetă sau după cele date de medic. În mod similar *Bhagavad-gītā* trebuie luată sau acceptată aşa cum indică cel ce o rosteşte. Cel ce rosteşte *Bhagavad-gītā* este Domnul Śrī Kṛṣṇa. El este menţionat pe fiecare pagină din *Bhagavad-gītā* ca fiind Personalitatea Supremă a Divinităţii, Bhagavān. Desigur că uneori cuvântul *bhagavān* se referă la orice persoană puternică sau la un semizeu puternic şi desigur că aici cuvântul *bhagavān* Îl desemnează pe Domnul Śrī Kṛṣṇa ca fiind o mare personalitate, dar în acelaşi timp trebuie să ştim că Domnul Śrī Kṛṣṇa este Personalitatea Supremă a Divinităţii, aşa cum confirmă toţi marii *ācārya* (maeştrii spirituali) precum Śaṅkarācārya, Rāmānujācārya, Madhvācārya, Nimbārka Svāmī, Śrī Caitanya Mahāprabhu şi multe alte persoane cu autoritate în cunoaşterea vedică din India. Domnul Însuşi se afirmă pe Sine ca fiind Personalitatea Supremă a Divinităţii în *Bhagavadgītā*, şi este acceptat ca atare în *Brahma-saṁhitā* şi în toate *Purāṇele*, mai ales în *Śrīmad-Bhāgavatam*, cunoscută şi ca *Bhāgavata Purāṇa* (*kṛṣṇas tu bhagavān svayam*). De aceea trebuie să luăm *Bhagavad-gītā* aşa cum ne indică Însăşi Personalitatea Divinităţii.

În capitolul patru din *Gītā* (4.1-3) Domnul spune:

imaṁ vivasvate yogaṁ
proktavān aham avyayam
vivasvān manave prāha
manur ikṣvākave 'bravit

evaṁ paramparā-prāptam
imaṁ rājarṣayo viduḥ

sa kāleneha mahatā
yogo naṣṭaḥ parantapa
sa evāyaṁ mayā te 'dya
yogaḥ proktaḥ purātanaḥ
bhakto 'si me sakhā ceti
rahasyaṁ hy etad uttamam

Aici Domnul îl informează pe Arjuna că acest sistem de yoga, *Bhagavad-gītā*, a fost spus mai întâi zeului-soare, iar zeul-soare l-a explicat lui Manu, Manu l-a explicat lui Ikṣvāku şi astfel, prin succesiune de discipoli, de la unul la altul, acest sistem de *yoga* a descins. Dar în decursul timpului el s-a pierdut. În consecinţă, Domnul trebuie să-l rostească din nou, de data asta către Arjuna, pe câmpul de luptă de la Kurukṣetra.

El îi spune lui Arjuna că îi descrie această taină supremă deoarece Arjuna este devotul şi prietenul Său. Semnificaţia acestei afirmaţii este aceea că *Bhagavad-gītā* este un tratat destinat în mod special devoţilor Domnului. Există trei categorii de transcendentalişti, anume *jñānī, yogī* şi *bhakta* sau impersonalişti, meditatori şi devoţi. Aici Domnul îi spune clar lui Arjuna că El îl face să fie primul care primeşte o nouă *paramparā* (succesiune de maeştri şi discipoli), deoarece vechea succesiune fusese întreruptă. Deci Domnul a dorit să stabilească o altă *paramparā* în aceeaşi linie de gândire ce pornea de la zeul-soare către ceilalţi, şi El a dorit ca învăţătura Sa să fie răspândită din nou de către Arjuna. El a dorit ca Arjuna să devină autoritatea în înţelegerea *Bhagavad-gītei*. Vedem deci că *Bhagavad-gītā* este predată lui Arjuna în special pentru că Arjuna era un devot al Domnului, un elev direct al lui Kṛṣṇa şi prietenul Său intim. Deci *Bhagavad-gītā* este cel mai bine înţeleasă de cineva cu aceleaşi calităţi precum Arjuna. Aceasta înseamnă că trebuie să fie un devot în relaţie directă cu Domnul. De îndată ce un om devine devot al Domnului, are şi el o relaţie directă cu El. Acesta este un subiect foarte vast, dar pe scurt se poate spune că devotul poate fi în relaţie cu Personalitatea Supremă a Divinităţii în unul din aceste cinci feluri:

1. Devot în stare neutră sau pasivă;
2. Devot în stare de slujire activă;
3. Devot în relaţie de prietenie;
4. Devot în relaţie de părinte;
5. Devot în relaţie de dragoste conjugală.

Arjuna era în relaţie de prietenie cu Domnul. Desigur că există o diferenţă imensă între prietenia sa și prietenia din lumea materială. Aceasta este o prietenie transcendentă, ce nu poate fi dobândită de oricine. Desigur că fiecare are o anumită relație particulară cu Domnul, iar acea relație este evocată de perfecțiunea slujirii devoționale. Dar în starea prezentă a vieții noastre, nu numai că am uitat de Domnul Suprem, ci am uitat și relația noastră eternă cu Domnul. Orice ființă vie din multele miliarde de ființe vii are o anumită relație cu Domnul în mod etern. Aceasta poartă numele de *svarūpa*. Prin procesul slujirii devoționale se poate reînvia acest *svarūpa* iar acest stadiu se numește *svarūpa-siddhi*—perfecțiunea propriei poziții constitutive. Deci Arjuna era devot și se afla în contact cu Domnul Suprem în relație de prietenie.

Este de notat felul în care Arjuna a acceptat *Bhagavad-gītā*. Felul său de acceptare este arătat în capitolul zece (10.12-14):

arjuna uvāca

param brahma param dhāma
pavitram paramam bhavān
puruṣam śāśvatam divyam
ādi-devam ajam vibhum

āhus tvām ṛṣayaḥ sarve
devarṣir nāradas tathā
asito devalo vyāsaḥ
svayam caiva bravīṣi me

sarvam etad ṛtam manye
yan mām vadasi keśava
na hi te bhagavan vyaktim
vidur devā na dānavāḥ

„Arjuna a spus: Tu ești Personalitatea Supremă a Divinității, sălașul ultim, cel mai pur, Adevărul Absolut. Tu ești persoana originară eternă și transcendentă, cea nenăscută și cea mai măreață. Toți marii înțelepți precum Nārada, Asita, Devala și Vyāsa confirmă acest adevăr despre Tine și Tu Însuți mi-l declari mie. O, Kṛṣṇa, accept tot ceea ce mi-ai spus Tu ca fiind adevărat. Nici semizeii, nici demonii, o, Doamne, nu pot să-Ți înțeleagă personalitatea."

După ce a ascultat *Bhagavad-gītā* de la Personalitatea Supremă a Divinității, Arjuna L-a acceptat pe Kṛṣṇa ca *param brahma*, Supremul Brahman. Orice ființă vie este Brahman, dar ființa supremă sau Personalitatea Supremă a Divinității este Supremul Brahman. *Param dhāma* înseamnă că El este supremul loc de repaos sau sălașul tuturor; *pavitram* înseamnă că El este pur, nepătat de contaminarea materială; *puruṣam* înseamnă că El este supremul care se bucură; *śāśvatam*, originar; *divyam*, transcendent; *ādi-devam*, Personalitatea Supremă a Divinității; *ajam*, cel nenăscut; iar *vibhum*, cel mai măreț. Unii ar putea crede că deoarece Kṛṣṇa era prietenul lui Arjuna, Arjuna Îi spunea toate aceste lucruri ca să-L flateze, dar Arjuna, tocmai spre a alunga această îndoială din mințile cititorilor *Bhagavad-gītei*, dovedește aceste laude în strofa următoare când spune despre Kṛṣṇa că este acceptat ca Personalitatea Supremă a Divinității nu numai de către el, ci și de autorități precum Nārada, Asita, Devala și Vyāsadeva. Aceștia sunt mari personalități care au răspândit cunoașterea vedică așa cum este acceptată de toți *ācārya*. De aceea Arjuna îi spune lui Kṛṣṇa că acceptă orice spune El ca fiind cu totul perfect. *Sarvam etad ṛtaṁ manye:* „Accept tot ce spui Tu ca fiind adevărat." Arjuna mai spune că personalitatea Domnului este foarte greu de înțeles și că El nu pote fi cunoscut nici chiar de marii semizei. Aceasta înseamnă că Domnul nu poate fi cunoscut nici măcar de personalități mai măreţe decât ființele umane. Deci cum oare ar putea o ființă umană să-L înțeleagă pe Domnul Śrī Kṛṣṇa fără a deveni devotul Său?

Deci *Bhagavad-gītā* trebuie abordată într-un spirit de devoțiune. Omul nu trebuie să se creadă egalul lui Kṛṣṇa și nici să creadă că, Kṛṣṇa este o personalitate oarecare sau chiar o mare personalitate. Domnul Śrī Kṛṣṇa este Personalitatea Supremă a Divinității. Astfel, potrivit afirmațiilor din *Bhagavad-gītā* sau conform afirmațiilor lui Arjuna care încearcă să înțeleagă *Bhagavad-gītā*, noi trebuie măcar teoretic să-L acceptăm pe Śrī Kṛṣṇa ca Personalitatea Supremă a Divinității și în acest spirit de supunere putem înțelege *Bhagavad-gītā*. Până ce nu citim *Bhagavad-gītā* în spirit de supunere, este foarte greu să înțelegem *Bhagavad-gītā*, căci ea este un mare mister.

Ce este de fapt *Bhagavad-gītā*? Scopul *Bhagavad-gītei* este acela de a izbăvi omenirea din neștiința existenței materiale. Orice om are tot felul de dificultăți, așa cum și Arjuna se afla în dificultate, trebuind să lupte în bătălia de la Kurukṣetra. Arjuna s-a predat lui Śrī Kṛṣṇa și ca urmare a acestui fapt a fost rostită *Bhagavad-gītā*. Nu numai Arjuna, ci oricare dintre noi este plin de griji din pricina existenței materiale. Însăși existența noastră are loc în atmosfera non-existenței. În realitate noi nu suntem destinați să trăim sub amenințarea non-existenței. Existența noastră este eternă. Dar într-un fel sau altul suntem puși în *asat*. *Asat* se referă la ceea ce nu există.

Dintre atât de multe ființe umane care suferă, doar câțiva își pun în mod real întrebări asupra poziției lor, asupra a ceea ce sunt, de ce sunt puși în această poziție incomodă ş.a.m.d. Până ce omul nu se deşteaptă, ajungând la această stare de a-și pune întrebări asupra suferinței sale, până ce nu realizează că nu vrea să sufere, ci mai degrabă să găsească o rezolvare pentru toate suferințele, el nu poate fi considerat o ființă umană deplină. Viața umană începe atunci când în mintea cuiva se deșteaptă acest tip de întrebare. În *Brahmasūtra* această întrebare se cheamă *brahma-jijñāsā*. *Athāto brahma-jijñāsā*. Orice activitate a ființei umane trebuie socotită un eșec atâta timp cât nu-și pune întrebări despre natura Absolutului. Deci aceia care încep să se întrebe de ce suferă sau de unde au venit și unde se duc după moarte sunt pregătiți să înțeleagă *Bhagavad-gītā*. Discipolul sincer trebuie să aibă și un respect ferm pentru Personalitatea Supremă a Divinității. Un asemenea discipol era Arjuna.

Domnul Kṛṣṇa descinde pentru a restabili adevăratul țel al vieții atunci când omul uită acest țel. Chiar și atunci, dintre foarte multele ființe umane care se deșteaptă, poate doar unul pătrunde de fapt în spiritul înțelegerii propriei poziții, iar pentru el a fost rostită această *Bhagavad-gītā*. În realitate cu toții suntem înghițiți de tigrii neștiinței, însă Domnul este foarte milostiv cu entitățile vii, mai ales cu ființele umane. Pentru aceasta El a rostit *Bhagavad-gītā*, făcând din prietenul Său Arjuna discipolul Său.

Fiind un asociat al Domnului Kṛṣṇa, Arjuna era deasupra oricărei ignoranțe, dar Arjuna a fost pus în starea de ignoranță pe câmpul de luptă de la Kurukṣetra tocmai pentru a pune întrebări Domnului Kṛṣṇa despre problemele vieții, astfel încât Domnul să le poată explica în beneficiul generațiilor viitoare de ființe umane și să descrie planul vieții. Astfel omul va putea să acționeze în conformitate cu el și să împlinească misiunea vieții umane. Subiectul *Bhagavad-gītei* implică înțelegerea a cinci adevăruri fundamentale. Mai întâi este explicată știința de Dumnezeu și apoi poziția constitutivă a entităților vii, *jīva*. Există pe de-o parte *īśvara*, cel care controlează, și *jīva*, entitățile vii care sunt controlate. Dacă o entitate vie spune că nu este sub controlul cuiva, ci este liberă, ea și-a pierdut mințile. Entitatea vie este controlată în toate privințele, cel puțin în viața sa condiționată. Astfel în *Bhagavad-gītā* subiectul principal este *īśvara*, supremul care controlează, și *jīva*, entitățile vii controlate de el. De asemenea, se vorbește și despre *prakṛti* (natura materială), despre timp (durata existenței întregului univers sau manifestarea naturii materiale) și despre *karma* (activitate). Manifestarea cosmică este plină de tot felul de activități. Toate entitățile vii sunt angajate în diferite activități. Din *Bhagavad-gītā* trebuie să învățăm ce este Dumnezeu, ce sunt entitățile vii, ce este *prakṛti*, ce este manifestarea cosmică, cum este ea controlată de timp și ce sunt activitățile entităților vii.

În afara acestor cinci subiecte principale, în *Bhagavad-gītā* se stabilește faptul că Divinitatea Supremă, sau Kṛṣṇa, sau Brahman, sau supremul care controlează, sau Paramātmā—puteți folosi orice nume vă place—este cel mai măreț dintre toate. Ființele vii sunt asemănătoare în calitate cu supremul care controlează. De exemplu, Dumnezeu controlează fenomenele universale ale naturii materiale, așa cum se va explica în ultimele capitole din *Bhagavad-gītā*. Natura materială nu este independentă. Ea acționează potrivit poruncilor Domnului Suprem. Așa cum spune Domnul Kṛṣṇa, *mayādhyakṣeṇa prakṛtiḥ sūyate sa-carācaram:* „Această natură materială acționează la comanda Mea". Când vedem lucrurile uimitoare ce au loc în natura cosmică, trebuie să știm că dincolo de manifestarea cosmică se află cineva care o controlează. Este un lucru pueril să nu-l iei în considerare pe cel care controlează. De pildă, un copil poate să creadă că este un lucru cu totul uimitor ca un automobil să se poată deplasa fără să fie tras de cal sau de alt animal, dar un om cu judecată cunoaște natura dispozitivului tehnic al automobilului. El știe întotdeauna că în spatele mașinăriei se află un om, șoferul care conduce. La fel și Domnul Suprem este șoferul sub conducerea căruia funcționează totul. Entitățile vii, *jīva*, au fost acceptate de Domnul, așa cum vom arăta în ultimele capitole, ca părțile Sale integrante. O bucățică de aur este tot aur, un strop de apă din ocean este tot sărat; la fel și noi, entitățile vii, fiind părți integrante ale supremului care controlează, *īśvara* sau Bhagavān, Domnul Śrī Kṛṣṇa, avem toate calitățile Domnului Suprem în cantități infime, căci noi suntem niște *īśvara* minusculi, niște *īśvara* subordonați. Noi încercăm să controlăm natura, așa cum încercăm în prezent să controlăm spațiul sau planetele, iar această tendință de a controla apare datorită faptului că ea există și în Kṛṣṇa. Dar deși avem tendința de a domni asupra naturii materiale, trebuie să știm că nu suntem supremul care controlează. Acest lucru este explicat în *Bhagavad-gītā*.

Ce este natura materială? Acest lucru este explicat de asemenea în *Gītā* ca *prakṛti* de tip inferior sau natura inferioară. Entitatea vie este explicată ca fiind *prakṛti* de tip superior. *Prakṛti* se află întotdeauna sub control, fie că este inferioară sau superioară. *Prakṛti* este feminină și este controlată de Domnul așa cum activitățile soției sunt controlate de soț. *Prakṛti* este întotdeauna subordonată, dominată de Domnul care este cel care predomină. Atât entitățile vii cât și natura materială sunt dominate, controlate de Domnul Suprem. Conform cu *Gītā*, deși entitățile vii sunt părți integrante ale Domnului Suprem, ele trebuie socotite ca fiind *prakṛti*. Acest lucru este menționat clar în capitolul șapte din *Bhagavad-gītā. Apareyam itas tv anyāṁ prakṛtiṁ viddhi me parām/ jīva-bhūtām:* „Această natură materială este o *prakṛti* a Mea de tip inferior, dar dincolo de ea se află o altă *prakṛti—jīva-bhūtām*, entitatea vie".

Natura materială însăși este alcătuită de către cele trei calități: modul bunătății, modul pasiunii și modul ignoranței. Deasupra acestor trei moduri se află timpul etern, iar prin combinarea acestor moduri ale naturii și sub controlul și influența timpului etern apar activitățile ce poartă numele de *karma*. Aceste activități se desfășoară din timpuri imemoriale iar noi suferim sau beneficiem de fructele faptelor noastre. De pildă, să presupunem că eu sunt un om de afaceri și am trudit din greu și cu inteligență și am adunat un mare cont în bancă. Atunci sunt cel care se bucură. Dar să spunem că mi-am pierdut toți banii în afaceri; atunci eu voi fi cel care suferă. În mod similar, în orice domeniu al vieții noi ne bucurăm de rezultatele muncii noastre sau suferim de pe urma sa. Aceasta se numește *karma*.

Īśvara (Domnul Suprem), *jīva* (entitatea vie), *prakṛti* (natura), *kāla* (timpul etern) și *karma* (activitatea) sunt toate explicate în *Bhagavad-gītā*. Dintre acestea cinci, Domnul, entitățile vii, natura materială și timpul sunt eterne. Manifestarea lui *prakṛti* poate fi temporară, dar nu este falsă. Unii filosofi spun că manifestarea naturii materiale este falsă, dar potrivit filosofiei din *Bhagavadgītā* sau conform filosofiei adepților Vaiṣṇava, acest lucru nu este adevărat. Manifestarea lumii nu este acceptată ca fiind falsă; ea este acceptată ca reală, dar temporară. Ea este asemănată cu norul ce străbate cerul sau cu sosirea anotimpului ploilor, care hrănește grânele. De îndată ce se sfârșește anotimpul ploilor și de îndată ce norii se duc, toate holdele care au fost hrănite de ploaie se usucă. La fel și manifestarea materială are loc într-o anumită perioadă, se menține un timp și apoi dispare. Astfel au loc manifestările lui *prakṛti*. Dar acest ciclu se desfășoară veșnic. Prin urmare *prakṛti* este eternă; ea nu este falsă. Domnul se referă la ea ca la „*prakṛti* a Mea". Natura materială este energia separată a Domnului Suprem și la fel și entitățile vii sunt și ele energia Domnului Suprem, deși ele nu sunt separate, ci se află într-o relație eternă cu El. Deci Domnul, entitatea vie, natura materială și timpul sunt toate corelate și sunt toate eterne. Însă cealaltă componentă, *karma*, nu este eternă. Efectele *karmei* pot fi desigur foarte vechi. Noi suferim sau ne bucurăm de rezultatele faptelor noastre din timpuri imemoriale, dar putem schimba rezultatele *karmei* sau activității noastre, iar această schimbare depinde de perfecțiunea cunoașterii noastre. Noi suntem angajați în diferite activități. Fără îndoială că nu știm ce fel de activități trebuie să adoptăm pentru a dobândi eliberarea de acțiunile și reacțiunile acestor activități, dar și acest lucru este explicat în *Bhagavad-gītā*.

Poziția lui *īśvara*, Domnul Suprem, este aceea de conștiință supremă. Entitățile vii sau *jīva*, fiind părți integrante ale Domnului Suprem, sunt și ele conştiente. Atât entităţile vii cât şi natura materială sunt definite ca *prakṛti*, energia Domnului Suprem, dar una din cele două, adică *jīva*, este conştientă. Cealaltă *prakṛti* nu este conştientă. Aceasta este diferenţa. De aceea *jīva-prakṛti* este superioară, pentru că *jīva* are conştiinţă similară celei a Domnului. Însă cea a Domnului este conştiinţa supremă şi nimeni nu trebuie să susţină că *jīva*, entitatea vie, este de asemenea conştientă la modul suprem. Fiinţa vie nu poate fi conştientă în mod suprem în nici un stadiu al desăvârşirii sale, iar teoria că ar putea să fie astfel este o teorie greşită. Ea poate fi conştientă, dar nu conştientă în mod perfect sau suprem.

Distincţia între *jīva* şi *īśvara* va fi explicată în capitolul treisprezece din *Bhagavad-gītā*. Domnul este *kṣetra-jña*, conştient, la fel cum este şi fiinţa vie, dar fiinţa vie este conştientă de corpul său particular, în timp ce Domnul este conştient de toate corpurile. Deoarece El trăieşte în inima fiecărei fiinţe, El este conştient de toate mişcările psihice ale unui anume *jīva*. Acest lucru nu trebuie uitat. Se mai explică faptul că Paramātmā, Personalitatea Supremă a Divinităţii, trăieşte în inima fiecăruia ca *īśvara*, ca cel care controlează, şi El dă îndrumări pentru entitatea vie pentru a acţiona aşa cum doreşte. Entitatea vie uită ce să facă. Mai întâi ia o hotărâre de a acţiona într-un anume fel iar apoi este prinsă în capcana acţiunilor şi reacţiunilor propriei sale *karma*. După ce părăseşte un anumit tip de corp, ea intră într-un alt tip de corp, la fel cum ne îmbrăcăm şi ne dezbrăcăm de haine. Migrând astfel, sufletul suportă acţiunile şi reacţiunile faptelor sale trecute. Aceste activităţi pot fi schimbate atunci când fiinţa vie se află în modul bunătăţii, cu mintea sănătoasă, şi înţelege ce fel de activităţi trebuie să adopte. Dacă face astfel, atunci toate acţiunile şi reacţiunile faptelor sale trecute pot fi schimbate. În consecinţă, *karma* nu este eternă. De aceea am afirmat că dintre cele cinci componente (*īśvara*, *jīva*, *prakṛti* timpul şi *karma*) patru sunt eterne, în timp ce *karma* nu este eternă.

Īśvara care este conştient în mod suprem se aseamănă cu entitatea vie în această privinţă: atât conştiinţa Domnului cât şi cea a entităţii vii sunt transcendente. Conştiinţa nu este generată de combinaţiile materiei. Aceasta este o idee greşită. Teoria care susţine ideea dezvoltării conştiinţei în anumite circumstanţe ale combinaţiilor materiale nu este acceptată în *Bhagavad-gītā*. Conştiinţa poate fi reflectată în mod pervertit de învelişul circumstanţelor materiale, la fel cum lumina ce trece prin sticla colorată poate părea că are o anumită culoare, însă conştiinţa Domnului nu este afectată de materie. Domnul Kṛṣṇa spune *mayādhyakṣeṇa prakṛtiḥ*. Când El descinde în universul material, conştiinţa Sa nu este afectată material. Dacă El ar fi afectat în acest mod, atunci n-ar mai fi calificat să vorbească despre subiecte transcendente așa cum face El în *Bhagavad-gītā*. Nimeni nu poate spune nimic despre lumea transcendentă fără a avea o conștiință liberă de contaminarea materială. Deci Domnul nu este contaminat material. În prezent însă, conștiința noastră **este** contaminată material. *Bhagavad-gītā* ne învață că trebuie să ne purificăm această conștiință contaminată de materie. În conștiința pură faptele noastre se vor identifica voinței lui *īśvara*, iar aceasta ne va face fericiți. Nu trebuie nicidecum să renunțăm la toate activitățile. Mai degrabă trebuie să ne purificăm activitățile, iar activitățile pure sunt numite *bhakti*. Activitățile în *bhakti* par a fi la fel ca activitățile obișnuite, însă ele nu sunt contaminate. Un om ignorant poate vedea că devotul acționează sau lucrează la fel ca omul obișnuit, dar acest om cu o cunoaștere limitată nu știe că activitățile unui devot al Domnului nu sunt contaminate de conștiința impură sau de materie. Ele transcend cele trei moduri ale naturii. Trebuie deci să știm că în acest moment conștiința noastră este contaminată.

Când suntem contaminați material, se spune că suntem condiționați. Conștiința falsă se ivește sub impresia că eu sunt produsul naturii materiale. Aceasta se numește falsul ego. Cel ce este absorbit în gândirea concepției corporale nu-și poate înțelege situația. *Bhagavad-gītā* a fost rostită pentru a-l elibera pe om de concepția corporală asupra vieții, iar Arjuna se pune pe sine în această situație cu scopul de a primi această informație de la Domnul. Omul trebuie să se elibereze de concepția corporală asupra vieții; aceasta este acțiunea preliminară pentru un transcendentalist. Cel ce dorește să fie liber, să ajungă la eliberare, trebuie mai întâi să învețe că nu este corpul material. *Mukti* sau eliberarea înseamnă a fi liber de conștiința materială. În *Śrīmad-Bhāgavatam* se dă de asemenea o definiție a eliberării. *Muktir hitvānyathā-rūpaṁ svarūpeṇa vyavasthitiḥ: mukti* înseamnă eliberarea de conștiința contaminată a lumii materiale și situarea în conștiința pură. Toate învățăturile din *Bhagavad-gītā* sunt destinate să trezească această conștiință pură, și de aceea în ultimul stadiu al învățăturilor din *Gītā* aflăm că, Kṛṣṇa îl întreabă pe Arjuna dacă acum conștiința sa este purificată. Conștiința purificată înseamnă a acționa potrivit cu învățăturile Domnului. Acesta este întregul conținut și substanța conștiinței purificate. Conștiința este deja prezentă, deoarece noi suntem părți integrante ale Domnului, dar noi suntem înclinați să fim afectați de modurile inferioare. Însă Domnul, fiind Supremul, nu este niciodată afectat. Aceasta este diferența între Domnul Suprem și sufletele individuale minuscule.

Ce este conștiința? Conștiința înseamnă „eu sunt". Deci ce sunt eu? În conștiința contaminată „eu sunt" înseamnă „eu sunt stăpânul a tot ceea ce văd; eu sunt cel care se bucură". Lumea se învârtește pentru că fiecare ființă crede că este stăpânul și creatorul lumii materiale. Conștiința materială are două diviziuni psihice: pe de-o parte concepția că eu sunt creatorul, pe de altă parte, că eu sunt cel care se bucură. Dar în realitate, Domnul Suprem este și creatorul și cel care se bucură, iar entitatea vie, fiind parte integrantă a Domnului Suprem, nu este nici creator, nici cel care se bucură, ci cooperant. Ea este cea creată și cea de care se beneficiază. De exemplu, o piesă a unui mecanism cooperează cu întregul mecanism; o parte a corpului cooperează cu întregul corp. Mâinile, picioarele, ochii și celelalte sunt cu toate părți ale corpului, dar nu ele sunt de fapt cele care se bucură. Stomacul este cel care se bucură. Picioarele se mișcă, mâinile aduc mâncarea, dinții o mestecă și toate părțile corpului sunt angajate să satisfacă stomacul, căci stomacul este principalul factor ce hrănește alcătuirea corporală. De aceea toate sunt date stomacului. Copacul se hrănește udându-i rădăcina, iar corpul este hrănit dându-se hrană stomacului, căci dacă vrem corpul să fie sănătos, părțile corpului trebuie să coopereze pentru a hrăni stomacul. În mod similar, Domnul Suprem este beneficiarul și creatorul iar noi, ca ființe subordonate, suntem destinați să cooperăm pentru a-L satisface pe El. Această cooperare ne va ajuta de fapt pe noi, așa cum hrana mistuită de stomac va ajuta toate celelalte părți ale corpului. Dacă degetele mâinilor ar crede că ar trebui să primească ele însele hrana, în loc s-o dea stomacului, ar fi desigur frustrate. Figura centrală a creației și a bucurării de ea este Domnul Suprem, iar entitățile vii sunt cooperanți. Prin cooperare ele se bucură. Relația se aseamănă și cu cea dintre stăpân și servitor. Dacă stăpânul este mulțumit, atunci și servitorul este mulțumit. La fel și Domnul Suprem trebuie să fie mulțumit, deși tendința de a deveni creator și de a se bucura de lumea materială există și în entitățile vii, căci aceste tendințe există în Domnul Suprem care a creat lumea cosmică manifestată.

Vom afla deci din *Bhagavad-gītā* că întregul complet este format din supremul care controlează, entitățile vii pe care el le controlează, manifestarea cosmică, timpul etern și *karma* sau activitățile; toate aceastea sunt explicate în acest text. Toate acestea luate laolaltă formează întregul complet, iar întregul complet se numește Adevărul Absolut Suprem. Întregul complet și Adevărul Absolut complet sunt completa Personalitate a Divinității, Śrī Kṛṣṇa. Toate manifestările se datorează diferitelor Sale energii. El *este* întregul complet.

Se mai explică în *Gītā* că impersonalul Brahman este și el subordonat Persoanei Supreme complete *(brahmaṇo hi pratiṣṭhāham)*. Brahman este explicat mai clar în *Brahma-sūtra* ca fiind asemenea razelor soarelui. Impersonalul Brahman este strălucirea razelor Personalității Supreme a Divinității. Impersonalul Brahman este realizarea incompletă a întregului absolut și la fel este și concepția despre Paramātmā. În capitolul cincisprezece se va vedea că Personalitatea Supremă a Divinității, Puruṣottama, este deasupra și de impersonalul Brahman și de realizarea parțială a lui Paramātmā. Personalitatea Supremă a Divinității se numește *sac-cid-ānanda-vigraha*. *Brahma-saṁhitā* începe astfel: *īśvaraḥ paramaḥ kṛṣṇaḥ sac-cid-ānanda-vigrahaḥ/ anādir ādir govindaḥ sarva-kāraṇa-kāraṇam.* „Govinda, Kṛṣṇa, este cauza tuturor cauzelor. El este cauza primordială și adevărata formă a eternității, cunoașterii și beatitudinii." Realizarea impersonalului Brahman este realizarea aspectului Său de *sat* (eternitate). Realizarea lui Paramātmā este realizarea lui *sat-cit* (cunoașterea eternă). Însă realizarea Personalității Divinității, Kṛṣṇa, este realizarea tuturor aspectelor transcendente: *sat, cit* și *ānanda* (eternitate, cunoaștere și beatitudine) în *vigraha* (forma) completă.

Oamenii cu inteligență limitată consideră Adevărul Suprem ca fiind impersonal, dar El este o persoană transcendentă, acest fapt fiind confirmat în toate scrierile vedice. *Nityo nityānāṁ cetanaś cetanānām. (Kaṭha Upaniṣad 2.2.13).* Așa cum noi suntem ființe individuale și avem propria individualitate, la fel și Adevărul Suprem este în ultimă instanță o persoană, iar realizarea Personalității Divinității este realizarea tuturor aspectelor transcendente în forma Sa completă. Întregul complet nu este lipsit de formă. Dacă este lipsit de formă sau este mai puțin decât orice alt lucru, atunci El nu poate fi întregul complet. Întregul complet trebuie să aibă tot ceea ce intră în câmpul experienței noastre și ceea ce este dincolo de experiența noastră, altfel nu poate fi complet.

Întregul complet, Personalitatea Divinității, are potențialități imense *(parāsya śaktir vividhaiva śrūyate).* Felul în care Kṛṣṇa acționează în diversele potențialități este de asemenea explicat în *Bhagavad-gītā.* Lumea fenomenală sau materială în care suntem plasați este și ea completă în sine, căci cele douăzeci și patru de elemente a căror temporară manifestare este universul material, conform filosofiei Sāṅkhya, sunt complet adaptate pentru a produce resursele complete necesare pentru menținerea și subzistența acestui univers. Nu există nimic de prisos și nici nu este nevoie de nimic altceva. Această manifestare are propriul său timp stabilit de energia întregului suprem iar când timpul s-a împlinit, manifestările acestea temporare vor fi anihilate de către aranjamentul desăvârșit al celui complet. Există complete înlesniri pentru unitățile minuscule complete, care sunt entitățile vii, pentru a realiza completitudinea, iar orice fel de incompletitudine este experimentată datorită incompletei cunoașteri a completului. Deci *Bhagavad-gītā* conține cunoașterea completă a înțelepciunii vedice.

Întreaga cunoaştere vedică este infailibilă iar hinduşii acceptă cunoaşterea vedică ca fiind completă şi infailibilă. De exemplu, balega de vacă este excrementul unui animal, iar conform cu *smṛti* sau poruncile vedice, dacă cineva atinge excrementele unui animal trebuie să facă o baie pentru a se purifica. Dar în scripturile vedice balega de vacă este considerată a fi un agent purificator. Acest lucru poate părea cuiva contradictoriu, dar el este acceptat datorită poruncii vedice, şi într-adevăr, acceptând acest lucru, omul nu greşeşte; ştiinţa modernă a dovedit că balega de vacă conţine toate proprietăţile antiseptice. Deci cunoaşterea vedică este completă, căci este dincolo de orice îndoieli şi greşeli, iar *Bhagavad-gītā* este esenţa întregii cunoaşteri vedice.

Cunoaşterea vedică nu ţine de cercetare. Munca noastră de cercetare este imperfectă, căci noi cercetăm lucrurile cu simţuri imperfecte. Trebuie să acceptăm cunoaşterea desăvârşită care ajunge la noi, aşa cum se afirmă în *Bhagavad-gītā*, prin *paramparā*, succesiunea de discipoli. Trebuie să primim cunoaşterea din sursa corectă, în succesiunea de discipoli, începând cu maestrul spiritual suprem, Domnul Însuşi, şi transmisă printr-o succesiune de maeştri spirituali. Arjuna, elevul care a luat lecţii de la Domnul Śrī Kṛṣṇa, acceptă orice spune El, fără să-L contrazică. Nu ne este îngăduit să acceptăm o parte din *Bhagavad-gītā*, iar alta nu. Nu. Trebuie să acceptăm *Bhagavad-gītā* fără interpretări, fără omisiuni şi fără să amestecăm propriile păreri subiective în cuprinsul ei. *Gītā* trebuie luată ca fiind cea mai perfectă prezentare a cunoaşterii vedice. Cunoaşterea vedică este primită din surse transcendente, iar primele cuvinte au fost rostite de Domnul Însuşi. Cuvintele rostite de Domnul se numesc *apauruṣeya*, ceea ce înseamnă că ele sunt diferite de cuvintele rostite de o persoană din lumea profană, afectată de cele patru defecte. O persoană profană (1) este sigur că va comite greşeli, (2) este negreşit iluzionată, (3) are tendinţa de a-i înşela pe alţii şi (4) este limitată de simţurile imperfecte. Cu aceste patru imperfecţiuni omul nu poate furniza informaţii perfecte despre cunoaşterea atotcuprinzătoare.

Cunoaşterea vedică nu este conferită de asemenea entităţi imperfecte. Ea a fost pusă în inima lui Brahmā, prima fiinţă creată, iar Brahmā la rândul său a răspândit această cunoaştere fiilor şi discipolilor săi, aşa cum o primise la început de la Domnul. Domnul este *pūrṇam*, atotdesăvârşit, şi nu este cu putinţă ca El să fie supus legilor naturii materiale. De aceea omul trebuie să fie destul de inteligent pentru a înţelege că Domnul este singurul proprietar a tot ce există în univers şi este creatorul originar, creatorul lui Brahmā. În capitolul unsprezece Domnul este numit *prapitāmaha*, deoarece lui Brahmā i se spune *pitāmaha*, străbun, iar El este creatorul străbunului. Deci nici un om nu trebuie să declare că este proprietarul tuturor lucrurilor, ci să accepte doar acele lucruri ce sunt puse de-o parte pentru el de către Domnul, drept porție a sa necesară subzistenței.

S-au dat multe exemple despre felul în care trebuie să folosim acele lucruri lăsate pentru noi de către Domnul. Acest lucru este explicat și el în *Bhagavad-gītā*. La început Arjuna hotărâse că nu va lupta în bătălia de la Kurukṣetra. Aceasta era propria sa decizie. Arjuna i-a spus Domnului că nu putea să se bucure de regat după uciderea propriilor rude. Această decizie se baza pe corp, căci el considera corpul său ca fiind el însuși și că legăturile sale corporale sau expansiunile sale erau frații, nepoții, cumnații, bunicii și așa mai departe. De aceea dorea să-și satisfacă cerințele corpului. *Bhagavad-gītā* a fost rostită de Domnul tocmai pentru a schimba această opinie, iar la sfârșit Arjuna decide să lupte sub comanda Domnului, atunci când spune *kariṣye vacanaṁ tava*: „Voi acționa potrivit cuvântului Tău".

Oamenii în această lume nu sunt meniți să se certe precum câinii cu pisicile. Oamenii trebuie să fie inteligenți ca să realizeze importanța vieții umane și să refuze să se poarte ca animalele. O ființă umană trebuie să realizeze țelul vieții sale, iar această poruncă îi este dată în toate scrierile vedice, esența ei fiind cuprinsă în *Bhagavad-gītā*. Scrierile vedice sunt destinate oamenilor, nu animalelor. Animalele pot să ucidă alte animale fără ca să păcătuiască, dar dacă un om ucide un animal pentru plăcerea gustului său nestăpânit, va fi răspunzător de încălcarea legilor naturii. În *Bhagavad-gītā* se explică în mod clar că există trei feluri de activități, corespunzând diferitelor moduri ale naturii: activități ale bunătății, ale pasiunii și ale ignoranței. În mod similar există trei feluri de alimente: alimente ce țin de bunătate, de pasiune și de ignoranță. Toate acestea sunt descrise în mod clar, și dacă folosim în mod corect instrucțiunile din *Bhagavad-gītā* întreaga noastră viață va fi purificată iar în final vom fi în stare să atingem destinația aflată dincolo de cerul material *(yad gatvā na nivartante tad dhāma paramaṁ mama)*.

Această destinație se numește cerul *sanātana* sau cerul etern, spiritual. Vedem că în lumea materială totul este trecător. Lucrurile iau ființă, se mențin o vreme, dau naștere unor produse derivate, decad și apoi pier. Aceasta este legea lumii materiale, fie că luăm ca exemplu corpul, un fruct sau orice altceva. Dar dincolo de lumea temporară există o altă lume despre care avem știință. Acea lume are o altă natură, care este *sanātana*, eternă. *Jīva* este de asemenea descris ca fiind *sanātana*, etern, iar Domnul este de asemenea descris ca *sanātana* în capitolul unsprezece. Noi avem o legătură intimă cu Domnul, și pentru că suntem una din punct de vedere calitativ—*sanātana-dhāma* sau cerul, Suprema Personalitate *sanātana* și entitățile vii *sanātana*—întregul scop al *Bhagavad-gītei* este acela de a reînvia ocupația noastră *sanātana* sau *sanātana-dharma*, ocupația eternă a entității vii. Noi suntem angajați temporar în diverse activități, dar toate aceste activități pot fi purificate când renunțăm la toate activitățile temporare și ne dedicăm activităților prescrise de Domnul Suprem. Aceasta este ceea ce se numește viața noastră cea pură.

Atât Domnul Suprem cât și sălașul Său transcendent sunt ambele *sanātana*, la fel cum sunt și entitățile vii, iar asocierea combinată a Domnului Suprem și a entităților vii în sălașul *sanātana* este perfecțiunea vieții umane. Domnul este foarte bun cu entitățile vii pentru că sunt fiii Săi. Domnul Kṛṣṇa declară în *Bhagavad-gītā, sarva-yoniṣu...ahaṁ bīja-pradaḥ pitā:* „Eu sunt tatăl tuturor". Desigur că există toate felurile de entități vii, după diferitele feluri de *karma*, dar aici Domnul declară că El este tatăl tuturor acestora. Prin urmare Domnul descinde pentru a revendica toate aceste suflete căzute, suflete condiționate, să le cheme înapoi în eternul cer *sanātana*, astfel încât aceste *sanātana* entități vii să-și poată recâștiga eternele lor poziții *sanātana*, în eternă asociere cu Domnul. Domnul vine El Însuși în diferite încarnări, sau trimite pe slujitorii Săi confidențiali ca fii sau asociați ai Săi sau *ācārya*, pentru a chema înapoi sufletele condiționate.

Prin urmare, *sanātana-dharma* nu se referă la nici un proces religios sectarian, ci este funcția eternă a entităților vii în relație cu Domnul Suprem cel etern. *Sanātana-dharma* se referă, așa cum s-a afirmat anterior, la eterna ocupație a entității vii. Śrīpāda Rāmānujācārya a explicat cuvântul *sanātana* ca fiind „ceea ce nu are nici început, nici sfârșit"; deci când vorbim de *sanātana-dharma* trebuie să socotim că ea nu are nici început și nici sfârșit, având drept garanție autoritatea lui Śrīpāda Rāmānujācārya.

Cuvântul englezesc *religion* (religie) este puțin diferit de *sanātana-dharma*. *Religion* implică ideea de credință, iar credința se poate schimba. Cineva poate crede într-un anume lucru, iar apoi își poate schimba credința și poate adopta o alta, dar *sanātana-dharma* se referă la acea activitate ce nu poate fi schimbată. De exemplu, lichiditatea nu poate fi luată din apă și nici căldura din foc. La fel și funcția eternă a entității vii nu poate fi luată de la entitatea vie. *Sanātana-dharma* este integral cu entitatea vie în mod etern. Deci având drept garanție autoritatea lui Śrīpāda Rāmānujācārya, când vorbim de *sanātana-dharma* trebuie să considerăm că nu are nici început, nici sfârșit. Ceea ce nu are nici sfârșit, nici început nu poate să fie sectarian, căci nu poate fi limitat de nici un hotar. Cei ce aparțin unei anume credințe sectare vor considera în mod greșit că și *sanātana-dharma* este ceva sectar, dar dacă vom aprofunda acest subiect și-l vom examina în lumina științei moderne, vom putea vedea că *sanātana-dharma* este ocupația tuturor oamenilor din lume—ba chiar, a tuturor entităților vii din univers.

Credința religioasă ne-*sanātana* poate avea un început în analele istoriei umane, dar nu există un început al istoriei lui *sanātana-dharma*, căci acesta rămâne în mod etern împreună cu entitățile vii. Cât privește entitățile vii, scripturile *(śāstra)* autorizate afirmă că entitatea vie nici nu se naște, nici nu moare. In *Gītā* se afirmă că entitatea vie nu se naște niciodată și nu moare niciodată. Ea este eternă și indestructibilă și continuă să trăiască după nimicirea corpului său material temporar. Referitor la conceptul de *sanātana-dharma*, trebuie să încercăm să înțelegem conceptul de religie din sensul rădăcinii sanscrite a acestui cuvânt. *Dharma* se referă la ceea ce există în mod permanent împreună cu un anumit obiect. Deducem că acolo unde este foc există căldură și lumină; fără căldură și lumină cuvântul foc nu are sens. În mod similar, trebuie să descoperim partea esențială a ființei vii, acea parte care o însoțește în mod permanent. Acest însoțitor permanent este calitatea sa eternă, iar această calitate eternă este religia sa eternă.

Când Sanātana Gosvāmī l-a întrebat pe Śrī Caitanya Mahāprabhu despre *svarūpa* fiecărei ființe, Domnul a răspuns că *svarūpa* sau poziția constitutivă a ființei vii este slujirea Personalității Supreme a Divinității. Dacă analizăm această afirmație a Domnului Caitanya, putem vedea cu ușurință că fiecare ființă este angajată permanent în slujirea unei alte ființe. O ființă slujește altor ființe în diferite calități. Făcând astfel, entitatea vie se bucură de viață. Animalele inferioare servesc ființele umane așa cum servitorii îl servesc pe stăpân. A îl servește pe stăpânul B, B îl servește pe stăpânul C, C îl servește pe stăpânul D, și așa mai departe. În aceste circumstanțe, vedem că un prieten îl servește pe altul, mama își servește copilul, soția își servește soțul, soțul își servește soția ș.a.m.d. Dacă vom continua astfel, vom vedea că nu există nici o excepție la această activitate de servire în societatea ființelor vii. Politicianul își prezintă programul publicului pentru a-l convinge de capacitatea sa de a servi. Deci alegătorii își dau votul lor politicianului, gândindu-se că el va aduce un serviciu valoros societății. Comerciantul îl servește pe client iar meseriașul îl servește pe capitalist. Capitalistul își servește familia iar familia servește statul potrivit capacității eterne a eternei entități vii. În acest fel vedem că nici o ființă vie nu este scutită de servirea altor ființe și deci putem concluziona cu certitudine că acest serviciu este însoțitorul permanent al ființei vii și că îndeplinirea serviciului este religia eternă a ființei vii.

Totuși omul mărturisește că aparține unui anume tip de credință, cu referinţă la un anumit timp şi împrejurare şi astfel se declară a fi hindus, musulman, creştin, buddhist sau adept al oricărei alte secte. Astfel de desemnări sunt non-*sanātana-dharma*. Un hindus îşi poate schimba credinţa pentru a deveni musulman sau musulmanul îşi poate schimba credinţa, devenind hindus, sau un creştin îşi poate schimba credinţa, ş.a.m.d. Dar în toate circumstanţele, schimbarea credinţei religioase nu afectează ocupaţia eternă de a aduce servicii altora. Hindusul, musulmanul sau creştinul rămâne în toate împrejurările servitorul cuiva. Astfel, a profesa un anumit tip de credinţă nu înseamnă a profesa *sanātana-dharma*. *Sanātana-dharma* înseamnă a aduce slujire. De fapt noi suntem legaţi de Domnul Suprem în slujire. Domnul Suprem este supremul beneficiar iar entităţile vii sunt servitorii Săi. Noi suntem creaţi spre bucuria Sa şi dacă luăm parte la această bucurie supremă împreună cu Personalitatea Supremă a Divinităţii, vom ajunge să fim fericiţi. Nu putem fi fericiţi în alt mod. Nu putem fi fericiţi în mod independent, aşa cum nici o parte a corpului nu poate fi fericită fără a coopera cu stomacul. Entitatea vie nu poate fi fericită fără slujirea transcendentă cu dragoste a Domnului Suprem.

În *Bhagavad-gītā* nu este aprobată adorarea diferiţilor semizei sau slujirea lor. În capitolul şapte, versetul douăzeci, se spune:

kāmais tais tair hṛta-jñānāḥ
prapadyante 'nya-devatāḥ
taṁ taṁ niyamam āsthāya
prakṛtyā niyatāḥ svayā

„Cei a căror inteligenţă a fost răpită de dorinţele materiale se predau semizeilor şi urmează legile şi rânduielile specifice de adorare, potrivit cu propia natură." Se spune deci în mod direct că acei ce sunt conduşi de pofte adoră pe semizei, şi nu pe Domnul Suprem Kṛṣṇa. Când menţionăm numele Kṛṣṇa, nu ne referim la nici un nume sectar. *Kṛṣṇa* înseamnă cea mai înaltă plăcere şi este un fapt confirmat că Domnul Suprem este rezervorul sau tezaurul întregii plăceri. Noi toţi tânjim după plăcere. *Ānanda-mayo 'bhyāsāt (Vedānta-sūtra* 1.1.12). Entităţile vii, la fel ca şi Domnul, sunt pline de conştiinţă şi caută fericirea. Domnul este în mod perpetuu fericit iar dacă entităţile vii se asociază cu Domnul, cooperează cu El şi iau parte în asocierea Sa, ajung şi ele fericite.

Domnul coboară în această lume muritoare pentru a-Şi arăta petrecerile în Vṛndāvana, care sunt pline de fericire. Când Domnul Śrī Kṛṣṇa era în

Vṛndāvana, activitățile Sale împreună cu prietenii Săi păstorii, cu domnițele prietene ale Sale, cu alți locuitori din Vṛndāvana și cu vacile erau toate pline de fericire. Toată populația din Vṛndāvana nu știa nimic altceva decât Kṛṣṇa. Însă chiar Domnul Kṛṣṇa a descurajat pe tatăl Său Nanda Mahārāja de a-l adora pe semizeul Indra, căci dorea să stabilească faptul că oamenii nu trebuie să adore nici un semizeu. Ei au nevoie să-L adore doar pe Domnul Suprem, căci țelul lor ultim este acela de a se întoarce în sălașul Său.

Sălașul Domnului Śrī Kṛṣṇa este descris în *Bhagavad-gītā*, capitolul cincisprezece, versetul șase:

na tad bhāsayate sūryo
na śaśāṅko na pāvakaḥ
yad gatvā na nivartante
tad dhāma paramaṁ mama

„Acel sălaș suprem al Meu nu este iluminat de soare sau lună, nici de foc sau electricitate. Cei ce ajung acolo nu se mai întorc niciodată în lumea materială."

Acestă strofă face o descriere a cerului spiritual. Desigur că noi avem o concepție materială despre cer și ne gândim la el în legătură cu soarele, luna, stelele și așa mai departe, dar în această strofă Domnul afirmă că în cerul etern nu este nevoie de soare, nici de lună și nici de electricitate sau vreun fel de foc, căci cerul spiritual este deja iluminat de *brahmajyoti,* razele ce emană de la Domnul Suprem. Noi încercăm cu greu să ajungem pe alte planete, dar nu este greu să înțelegem sălașul Domnului Suprem. Acest sălaș este desemnat ca Goloka. În *Brahma-saṁhitā* (5.37) acesta este minunat descris: *goloka eva nivasaty akhilātma-bhūtaḥ.* Domnul locuiește veșnic în sălașul Său Goloka, dar ne putem apropia de El din această lume, și în acest scop Domnul vine să-Și manifeste forma Sa reală, *sac-cid-ānanda-vigraha.* Când El Își manifestă această formă, nu mai este nevoie să ne imaginăm felul în care arată. Pentru a descuraja astfel de speculații imaginare, El descinde și Se înfățișează pe Sine așa cum este, ca Śyāmasundara. Din nefericire, cei cu inteligență redusă Îl iau în derâdere pentru că vine la fel ca unul dintre noi și se joacă cu noi la fel ca o ființă umană. Dar nu trebuie ca din această pricină să Îl considerăm pe Domnul ca unul dintre noi. Doar prin atotputernicia Sa El se prezintă pe Sine în forma Sa reală înaintea noastră și Își manifestă petrecerile, care sunt replica acelor petreceri ce se găsesc în sălașul Său.

În lumina orbitoare a razelor din cerul spiritual plutesc nenumărate planete. *Brahmajyoti* emană din sălaşul suprem, Kṛṣṇaloka, iar planetele *ānanda-maya, cin-maya,* care nu sunt materiale, plutesc în aceste raze. Domnul spune *na tad bhāsayate sūryo na śaśāṅko na pāvakaḥ/ yad gatvā na nivartante tad dhāma paramaṁ mama.* Cel ce poate să ajungă în acest cer spiritual nu mai trebuie să coboare din nou în cerul material. În cerul material, chiar dacă ajungem la cea mai elevată planetă (Brahmaloka), ca să nu mai vorbim despre lună, vom găsi aceeaşi condiţie a existenţei, adică naştere, moarte, boală şi bătrâneţe. Nici o planetă din universul material nu este lipsită de aceste patru principii ale existenţei materiale.

Entităţile vii călătoresc de la o planetă la alta, dar asta nu înseamnă că putem merge pe orice planetă ne place, printr-un simplu dispozitiv mecanic. Dacă dorim să mergem pe alte planete, există un proces prin care se ajunge acolo. Acesta este şi el menţionat: *yānti deva-vratā devān pitṝn yānti pitṛ-vratāḥ.* Nici un dispozitiv mecanic nu este necesar dacă dorim să facem o călătorie interplanetară. *Gītā* ne învaţă: *yānti deva-vratā devān.* Luna, soarele şi planetele superioare se cheamă Svargaloka. Planetele au şi ele statute diferite: sisteme planetare superioare, medii şi inferioare. Pământul aparţine sistemului planetar mediu. *Bhagavad-gītā* ne învaţă cum să călătorim pe sisteme planetare superioare (Devaloka) printr-o formulă simplă: *yānti deva-vratā devān.* Trebuie doar să-l adorăm pe semizeul unei anumite planete, şi astfel mergem pe lună, în soare sau în oricare din sistemele planetare superioare.

Totuşi *Bhagavad-gītā* nu ne sfătuieşte să ne ducem pe nici una din planetele din lumea materială, căci chiar dacă ajungem în Brahmaloka, cea mai elevată planetă, printr-un anumit fel de dispozitiv mecanic, călătorind poate timp de patruzeci de mii de ani (dar cine poate trăi atât de mult?), vom găsi totuşi acolo aceleaşi inconveniente materiale legate de naştere, moarte, bătrâneţe şi boală. Dar cel ce doreşte să ajungă pe planeta supremă, Kṛṣṇaloka, sau oricare altă planetă din cerul spiritual, nu va mai întâlni aceste inconveniente materiale. Printre toate planetele din cerul spiritual există o planetă supremă numită Goloka Vṛndāvana, care este planeta originară în sălaşul Personalităţii originare a Divinităţii, Śrī Kṛṣṇa. Toate aceste informaţii sunt date în *Bhagavad-gītā,* şi prin învăţăturile sale ni se dau instrucţiuni despre felul în care să părăsim lumea materială şi să începem o viaţă cu adevărat plină de beatitudine în cerul spiritual.

În capitolul al cincisprezecelea din *Bhagavad-gītā* se înfăţişează tabloul real al lumii materiale. Acolo se spune:

ūrdhva-mūlam adhaḥ-śākham
aśvattham prāhur avyayam

chandāṁsi yasya parṇāni
yas taṁ veda sa veda-vit

Lumea materială este descrisă aici ca un copac cu rădăcinile în sus și crengile în jos. Toți avem experiența vizuală a unui copac cu rădăcinile în sus: dacă stăm pe malul unui râu sau al oricărei ape putem vedea copacii reflectați în apă sub formă răsturnată. Crengile sunt în jos și rădăcinile în sus. La fel și lumea materială este o reflexie a lumii spirituale. Lumea materială nu este decât o umbră a realității. Umbra nu are realitate sau substanțialitate, dar din umbra unui lucru putem înțelege că există o realitate sau substanțialitate. În deșert nu există apă, dar mirajul sugerează că există un lucru precum apa. În lumea materială nu există apă, nu există fericire, dar apa reală a adevăratei fericiri există în lumea spirituală.

Domnul sugerează că noi atingem lumea spirituală în felul următor (*Bg.* 15.5):

nirmāna-mohā jita-saṅga-doṣā
adhyātma-nityā vinivṛtta-kāmāḥ
dvandvair vimuktāḥ sukha-duḥkha-saṁjñair
gacchanty amūḍhaḥ padam avyayaṁ tat
(*Bg.* 15.5)

Acest *padam avyayam* sau împărăția eternă poate fi atinsă de cel ce este *nirmāna-moha*. Ce înseamnă asta? Noi toți umblăm după denumiri. Unul vrea să devină „sir", altul să devină „lord", un altul vrea să fie președinte, un om bogat, rege sau altceva. Atâta timp cât suntem atașați de aceste denumiri, suntem atașați și de corp, căci denumirile aparțin corpului. Dar noi nu suntem tot una cu corpurile noastre, iar realizarea acestui fapt este primul stadiu în realizarea spirituală. Noi suntem asociați cu cele trei moduri ale naturii materiale, dar trebuie să ne detașăm de ele prin slujirea devoțională a Domnului. Dacă nu ne atașăm de slujirea devoțională a Domnului, nu putem să ne detașăm de modurile naturii materiale. Denumirile și atașamentele se datorează poftelor și dorințelor noastre, voinței de a domni asupra naturii materiale. Atâta vreme cât nu vom renunța la înclinația de a domni asupra naturii materiale, nu există posibilitatea de a ne reîntoarce în împărăția Supremului, *sanātana-dhāma*. Această împărăție eternă, care nu piere niciodată, poate fi atinsă de cel ce nu este tulburat de atracțiile falselor bucurii materiale, care este situat în slujirea Domnului Suprem. Cel ce este situat astfel, poate să ajungă cu ușurință în sălașul suprem.

În altă parte în *Gītā* (8.21) se afirmă:

> *avyakto 'kṣara ity uktas*
> *tam āhuḥ paramāṁ gatim*
> *yaṁ prāpya na nivartante*
> *tad dhāma paramaṁ mama*

Avyakta înseamnă nemanifestat. Nici chiar lumea materială nu este manifestată în totalitate în faţa noastră. Simţurile noastre sunt atât de imperfecte, încât nu putem să vedem nici măcar toate stelele din universul acesta material. Din scrierile vedice primim multe informaţii despre toate planetele, pe care putem să le credem sau nu. Toate planetele importante sunt descrise în scrierile vedice, mai ales în *Śrīmad-Bhāgavatam,* iar lumea spirituală, care se află dincolo de cerul acesta material, este descrisă ca *avyakta,* nemanifestată. Omul trebuie să dorească şi să tânjească după această împărăţie supremă, căci atunci când ajunge în această împărăţie el nu mai trebuie să se întoarcă în lumea materială.

Apoi, cineva ar putea întreba despre modalitatea de a ajunge să te apropii de acest sălaş al Domnului Suprem. Despre aceasta se dau informaţii în capitolul opt. Acolo se spune:

> *anta-kāle ca mām eva*
> *smaran muktvā kalevaram*
> *yaḥ prayāti sa mad-bhāvaṁ*
> *yāti nāsty atra saṁśayaḥ*

„Oricine îşi părăseşte corpul la sfârşitul vieţii amintindu-şi de Mine, dobândeşte imediat natura Mea; de aceasta nu este nici o îndoială" (*Bg.* 8.5). Cel ce se gândeşte la Kṛṣṇa în momentul morţii, se duce la Kṛṣṇa. Omul trebuie să-şi amintească forma lui Kṛṣṇa; dacă îşi părăseşte corpul gândindu-se la această formă, va ajunge cu siguranţă în împărăţia spirituală. *Mad-bhāvam* se referă la natura supremă a Fiinţei Supreme. Fiinţa Supremă este *sac-cid-ānanda-vigraha*—adică forma Sa este eternă, plină de cunoaştere şi beatitudine. Corpul nostru prezent nu este *sac-cid-ānanda.* El este *asat,* nu *sat.* Nu este etern, ci pieritor. Nu este *cit,* plin de cunoaştere, ci plin de ignoranţă. Noi nu cunoaştem împărăţia spirituală, nici măcar nu cunoaştem în mod perfect această lume materială, unde sunt atâtea lucruri necunoscute nouă. Corpul este şi *nirānanda;* în loc să fie plin de beatitudine, este plin de suferinţă. Toate suferințele pe care le experimentăm în lumea materială se ivesc din corp, dar cel ce-și părăsește corpul gândindu-se la Domnul Kṛṣṇa, Personalitatea Supremă a Divinității, dobândește dintr-o dată un corp *sac-cid-ānanda*. Procesul părăsirii acestui corp și al obținerii unui alt corp în lumea materială este și el organizat. Un om moare după ce a fost hotărât ce formă de corp va avea în viața următoare. Această decizie este luată de autorități superioare, nu de către entitatea vie însăși. Potrivit cu faptele noastre din această viață, fie ne înălțăm, fie ne afundăm. Viața aceasta este o pregătire pentru viața viitoare. Prin urmare, dacă putem să ne pregătim în această viață pentru a obține promovarea în împărăția lui Dumnezeu, atunci în mod sigur, după ce vom părăsi acest corp material, vom dobândi un corp spiritual, la fel cu cel al Domnului.

Așa cum s-a explicat anterior, există diferite feluri de transcendentaliști—*brahma-vādī, paramātma-vādī* și devoți—și, așa cum s-a menționat, în *brahmajyoti* (cerul spiritual) există nenumărate planete spirituale. Numărul acestor planete este cu mult mai mare decât toate planetele din lumea materială. Lumea materială a fost aproximată la doar un sfert din creație *(ekāṁśena sthito jagat).* În acest segment material există milioane și miliarde de universuri, cu trilioane de planete, sori, luni și stele. Dar toată această creație materială este doar un fragment din întreaga creație. Cea mai mare parte a creației este în cerul spiritual. Cel ce dorește să se contopească în existența Supremului Brahman este transferat de îndată în *brahmajyoti* a Domnului Suprem și astfel ajunge în cerul spiritual. Devotul care dorește să se bucure de asocierea cu Domnul intră în planetele Vaikuṇṭha, care sunt nenumărate, iar Domnul Suprem prin expansiunile Sale plenare, cum este Nārāyaṇa cu patru brațe și cu diferite nume ca Pradyumna, Aniruddha și Govinda, se asociază cu el acolo. Prin urmare, la sfârșitul vieții transcendentaliștii se gândesc fie la *brahmajyoti*, la Paramātmā sau la Personalitatea Supremă a Divinității Śrī Kṛṣṇa. In toate cazurile ei intră în cerul spiritual, dar numai devotul sau cel aflat în contact personal cu Domnul Suprem intră în planetele Vaikuṇṭha sau pe planeta Goloka Vṛndāvana. Domnul adaugă în continuare că „despre asta nu este nici o îndoială". Acest lucru trebuie crezut cu fermitate. Nu trebuie să respingem ceea ce nu se potrivește cu imaginația noastră; atitudinea noastră trebuie să fie cea a lui Arjuna: „cred tot ceea ce ai spus Tu". Deci când Domnul spune că oricine se gândește la El în momentul morții ca la Brahman, sau Paramātmā, sau Personalitatea Supremă a Divinității intră cu siguranță în cerul spiritual, nu este nici o îndoială asupra acestui lucru. Nici nu se pune problema să nu credem acest lucru. *Bhagavad-gītā* (8.6) mai explică principiul general care face posibilă intrarea în cerul spiritual prin simpla gândire la Cel Suprem în momentul morții:

yaṁ yaṁ vāpi smaran bhāvaṁ
tyajaty ante kalevaram
taṁ tam evaiti kaunteya
sadā tad-bhāva-bhāvitaḥ

„Oricare ar fi starea de existență pe care și-o amintește cineva atunci când își părăsește corpul prezent, în viața viitoare în acea stare va ajunge negreșit." Deci, în primul rând trebuie să înțelegem că natura materială este manifestarea uneia dintre energiile Domnului Suprem. În *Vișnu Purāṇa* (6.7.61) sunt enumerate toate energiile Domnului Suprem:

vișnu-śaktiḥ parā proktā
kșetra-jñākhyā tathā parā
avidyā-karma-saṁjñānyā
tṛtīyā śaktir ișyate

Domnul Suprem are diverse și nenumărate energii ce sunt dincolo de închipuirea noastră; cu toate acestea, marii înțelepți eruditi sau sufletele eliberate au studiat aceste energii și le-au clasificat în trei categorii. Energiile în întregul lor țin de *vișnu-śakti,* adică sunt diferitele potențe ale Domnului Vișnu. Prima energie este *parā,* transcendentă. Entitățile vii aparțin și ele energiei superioare, așa cum s-a explicat. Celelalte energii, energiile materiale, țin de modul ignoranței. În momentul morții putem rămâne fie în energia inferioară a lumii materiale, fie ne putem transfera în energia lumii spirituale. Astfel, *Bhagavad-gītā* (8.6) spune:

yaṁ yaṁ vāpi smaran bhāvaṁ
tyajaty ante kalevaram
taṁ tam evaiti kaunteya
sadā tad-bhāva-bhāvitaḥ

„Oricare ar fi starea de existență pe care și-o amintește cineva atunci când își părăsește corpul prezent, în viața viitoare în acea stare va ajunge negreșit."
    În timpul vieții ne gândim de obicei fie la energia materială, fie la cea spirituală. Dar cum putem să ne întoarcem gândurile de la energia materială

către energia spirituală? Există atâtea scrieri care ne umplu mintea de ener-
gie materială—ziare, reviste, romane etc. Gândirea noastră care este absorbită
acum în aceste scrieri trebuie întoarsă către scrierile vedice. De aceea, marii
înțelepți au lăsat o mulțime de scrieri vedice, cum sunt *Purāṇele*. *Purāṇele*
nu sunt imaginare; ele sunt înregistrări ale istoriei. În *Caitanya-caritāmṛta*
(Madhya 20.122) se află următoarea strofă:

> *māyā-mugdha jīvera nāhi svataḥ kṛṣṇa-jñāna*
> *jīvere kṛpāya kailā kṛṣṇa veda-purāṇa*

Entitățile vii supuse uitării sau sufletele condiționate și-au uitat relația cu
Domnul Suprem și au fost acaparate de activitățile materiale. Tocmai pentru
ca ele să-și poată întoarce forța gândirii către cerul spiritual, Kṛṣṇa-dvaipāya-
na Vyāsa a lăsat un mare număr de scrieri vedice. Mai întâi el a divizat *Vedele*
în patru părți, apoi le-a explicat în *Purāṇe*, iar pentru cei mai puțin înzes-
trați a scris *Mahābhārata*. Din *Mahābhārata* face parte și *Bhagavad-gītā*. Apoi
toate scrierile vedice au fost rezumate în *Vedānta-sūtra*, iar drept îndrumare
pentru viitor el ne-a dat comentariul firesc la *Vedānta-sūtra*, numit *Śrīmad-
Bhāgavatam*. Trebuie să ne angajăm întotdeauna mințile în citirea acestor
scrieri vedice. Așa cum materialiștii își cufundă mințile în citirea ziarelor,
revistelor și a altor numeroase scrieri materialiste, noi trebuie să ne transfe-
răm lectura către aceste scrieri ce ne-au fost date de Vyāsadeva; în acest fel
ne vom putea aminti de Domnul Suprem în momentul morții. Aceasta este
singura cale sugerată de Domnul, și El îi garantează rezultatul: „Nu este nici
o îndoială".

> *tasmāt sarveṣu kāleṣu*
> *mām anusmara yudhya ca*
> *mayy arpita-mano-buddhir*
> *mām evaiṣyasy asaṁśayaḥ*

„De aceea, o, Arjuna, trebuie să te gândești mereu la Mine în forma de Kṛṣṇa
și în același timp să-ți îndeplinești datoria prescrisă de a lupta. Cu faptele tale
dedicate Mie și cu mintea și inteligența fixate asupra Mea, vei ajunge la Mine,
fără nici o îndoială." *(Bg.* 8.7)

El nu-l sfătuiește pe Arjuna doar să-și amintească de El și să-și aban-
doneze ocupația. Nu, Domnul nu sugerează niciodată un lucru impractica-
bil. În lumea materială, omul trebuie să lucreze pentru a-și menține corpul.

În funcție de îndeletniciri, societatea umană este împărțită în patru diviziuni sau ordine ale societății: *brāhmaṇa, kṣatriya, vaiśya* şi *śūdra*. Brahmanii *(brāhmaṇa)* sau clasa intelectuală are o anumită îndeletnicire, *kṣatriya* sau clasa administrativă are alt tip de îndeletnicire, iar clasa comercianților şi cea a muncitorilor îşi exercită datoriile lor specifice. În societatea umană, fie că eşti muncitor, negustor, funcționar sau țăran, sau chiar dacă aparții celei mai înalte clase, fiind scriitor, om de ştiință sau teolog, trebuie să munceşti pentru a-ți câştiga existența. De aceea Domnul îi spune lui Arjuna că nu trebuie să-şi părăsească îndeletnicirile, ci atâta timp cât este ocupat cu munca sa, trebuie să-şi amintească de Kṛṣṇa *(mām anusmara)*. Dacă nu practică amintirea de Kṛṣṇa în timp ce trudeşte pentru a-şi câştiga existența, nu va putea să-şi amintească de Kṛṣṇa în momentul morții. Şi Domnul Caitanya ne sfătuieşte acelaşi lucru. El spune *kīrtanīyaḥ sadā hariḥ*: omul trebuie să practice necontenit cântarea numelor Domnului. Numele Domnului nu diferă de Domnul. Deci instrucțiunile Domnului Kṛṣṇa către Arjuna, în care se spune „aminteşte-ți de Mine", şi porunca Domnului Caitanya de „a cânta mereu numele Domnului Kṛṣṇa" sunt de fapt aceeaşi instrucțiune. Nu este nici o deosebire, întrucât Kṛṣṇa şi numele lui Kṛṣṇa nu diferă. La modul absolut, nu există deosebire între referire şi referent. De aceea trebuie să practicăm amintirea de Domnul mereu, douăzeci şi patru de ore pe zi, cântând numele Sale şi alcătuindu-ne în aşa fel activitățile vieții încât să ne putem aminti mereu de El.

Cum este posibil acest lucru? *Ācārya* ne dau următorul exemplu. Dacă o femeie măritată are o legătură cu un alt bărbat, sau un bărbat are o legătură cu o altă femeie decât soția sa, această legătură trebuie considerată ca foarte puternică. Cel ce are o astfel de legătură se gândeşte mereu la cel iubit. Soția care se gândeşte la iubitul ei, se gândeşte mereu cum să-l întâlnească, chiar şi atunci când îşi îndeplineşte treburile casnice. De fapt ea îşi îndeplineşte treburile casnice cu şi mai multă grijă, astfel ca soțul să nu bănuiască legătura ei. În mod similar, noi trebuie să ne amintim mereu de supremul iubit, Śrī Kṛṣṇa, şi în acelaşi timp să ne îndeplinim îndatoririle materiale foarte bine. Este nevoie de un puternic sentiment de dragoste. Dacă sentimentul nostru de dragoste față de Domnul Suprem este foarte puternic, atunci putem să ne îndeplinim datoria şi în acelaşi timp să ne amintim de El. Dar trebuie să ne dezvoltăm acest sentiment de dragoste. Arjuna, de exemplu, se gândea mereu la Kṛṣṇa; el era însoțitorul permanent al lui Kṛṣṇa şi în acelaşi timp era şi războinic. Kṛṣṇa nu l-a sfătuit să renunțe la luptă şi să meargă în pădure să mediteze. Când Domnul Kṛṣṇa îi descrie lui Arjuna sistemul yoga, Arjuna spune că nu poate practica acest sistem.

arjuna uvāca

yo 'yaṁ yogas tvayā proktaḥ
sāmyena madhusūdana
etasyāhaṁ na paśyāmi
cañcalatvāt sthitiṁ sthirām

„Arjuna a spus: O, Madhusūdana, sistemul yoga pe care L-ai rezumat îmi pare inaplicabil și de nesuportat pentru mine, căci mintea este fără odihnă și nestatornică" (*Bg.* 6.33).
Însă Domnul a spus (*Gītā* 6.47):

yoginām api sarveṣāṁ
mad-gatenāntarātmanā
śraddhāvān bhajate yo māṁ
sa me yuktatamo mataḥ

„Dintre toți yoghinii, cel ce este plin de credință, care sălășluiește întotdeauna în Mine, se gândește la Mine înăuntrul său și se dedică slujirii transcendente în iubire către Mine, acela este cel mai intim unit cu Mine în yoga și este cel mai mare dintre toți. Aceasta este opinia Mea" (*Bg.* 6.47). Deci cel ce se gândește mereu la Domnul Suprem este cel mai mare yoghin, cel mai desăvârșit *jñānī* și cel mai mare devot în același timp. Domnul îi spune mai departe lui Arjuna că, în calitate de *kṣatriya*, nu poate abandona lupta, dar dacă luptă amintindu-și de Kṛṣṇa, va fi în stare să-și amintească de Kṛṣṇa în momentul morții. Dar cineva trebuie să se predea cu totul în slujirea transcendentă în iubire a Domnului.

În realitate noi nu lucrăm cu corpul, ci cu mintea și inteligența. Deci dacă mintea și inteligența sunt mereu angajate cu gândurile la Domnul Suprem, atunci în mod firesc și simțurile sunt angajate în slujba Lui. La suprafață cel puțin, activitățile simțurilor rămân aceleași, dar conștiința se schimbă. *Bhagavad-gītā* ne învață cum să ne adâncim mintea și inteligența în gândurile despre Domnul. O asemenea adâncire ne va face capabili să ne mutăm în împărăția Domnului. Dacă mintea este angajată în slujba lui Kṛṣṇa, atunci și simțurile sunt automat angajate în slujba Lui. Aceasta este arta și de asemenea și secretul *Bhagavad-gītei*: totala absorbție în gândurile despre Śrī Kṛṣṇa.

Omul modern a făcut eforturi nemaipomenite să ajungă pe lună, dar nu s-a trudit prea tare să se înalțe spiritual. Când cineva are în față cincizeci de ani de viață, trebuie să-și dedice această scurtă perioadă de timp practicării

amintirii Personalității Supreme a Divinității. Această practică este procesul
devoțional:

> śravaṇaṁ kīrtanaṁ viṣṇoḥ
> smaraṇaṁ pāda-sevanam
> arcanaṁ vandanaṁ dāsyaṁ
> sakhyam ātma-nivedanam
> (Bhāg. 7.5.23)

Aceste nouă procese, dintre care cel mai ușor este *śravaṇam,* ascultarea
Bhagavad-gītei de la o persoană realizată, ne va întoarce gândul către Ființa
Supremă. Acest lucru va conduce la amintirea Domnului Suprem și îl va face
pe om ca atunci când își părăsește corpul să obțină un corp spiritual care este
cu adevărat potrivit pentru a se asocia cu Domnul Suprem.
Domnul spune mai departe:

> abhyāsa-yoga-yuktena
> cetasā nānya-gāminā
> paramaṁ puruṣaṁ divyaṁ
> yāti pārthānucintayan

„Cel ce meditează la Mine ca la Personalitatea Supremă a Divinității, cu
mintea permanent angajată în amintirea Mea, neabătându-se din cale, o,
Arjuna, este sigur că va ajunge la Mine" (*Bg.* 8.8).

Acest proces nu este foarte dificil. Totuși el trebuie învățat de la o persoană
experimentată. *Tad vijñānārthaṁ sa gurum evābhigacchet:* trebuie să ne apro-
piem de cineva care a practicat deja. Mintea zboară mereu de la una la alta,
dar trebuie să practicăm permanent concentrarea minții asupra formei Dom-
nului Suprem, Śrī Kṛṣṇa, sau asupra sunetului numelui Său. Mintea este în
mod firesc nestatornică, mișcându-se de ici colo, dar ea se poate fixa în vibra-
ția sonoră a lui Kṛṣṇa. Astfel omul trebuie să mediteze asupra lui *paramaṁ
puruṣam,* Personalitatea Supremă a Divinității din împărăția spirituală sau
cerul spiritual, și astfel să ajungă la El. Căile și mijloacele pentru realiza-
rea sau desăvârșirea ultimă sunt enunțate în *Bhagavad-gītā* iar porțile acestei
cunoașteri sunt deschise tuturor. Nimeni nu este lăsat afară. Toate categoriile
de oameni se pot apropia de Domnul Kṛṣṇa gândindu-se la El, căci oricine
poate să asculte despre El și să se gândească la El.

În continuare, Domnul spune (*Bg.* 9.32-33):

māṁ hi pārtha vyapāśritya
ye 'pi syuḥ pāpa-yonayaḥ
striyo vaiśyās tathā śūdrās
te 'pi yānti parāṁ gatim

kiṁ punar brāhmaṇāḥ puṇyā
bhaktā rājarṣayas tathā
anityam asukhaṁ lokam
imaṁ prāpya bhajasva mām

Astfel, Domnul spune că până și un negustor, o femeie decăzută, un munci-
tor sau o ființă umană din cea mai josnică stare de viață poate să ajungă la
Cel Suprem. Nu este nevoie de o inteligență deosebit de dezvoltată. Ideea este
că oricine acceptă principiul *bhakti-yoga*, și Îl acceptă pe Domnul Suprem ca
summum bonum al vieții, ca ținta cea mai înaltă, țelul ultim, poate ajunge
la Domnul în cerul spiritual. Cel ce adoptă principiile enunțate în *Bhagavad-
gītā* poate să-și desăvârșească viața și să găsească o soluție definitivă tuturor
problemelor vieții. Aceasta este suma și substanța întregii *Bhagavad-gītā*.

În concluzie, *Bhagavad-gītā* este o scriere transcendentă care trebuie citită
cu mare grijă. *Gītā-śāstram idaṁ puṇyaṁ yaḥ paṭhet prayataḥ pumān*: cel
ce urmează în mod exact învățăturile din *Bhagavad-gītā* poate fi eliberat de
toate suferințele și grijile vieții. *Bhaya-śokādi-varjitaḥ*. Omul va fi eliberat de
orice teamă în această viață, iar viața sa următoare va fi spirituală (*Gītā-
māhātmya* 1).

Mai există de asemenea un avantaj:

gītādhyāyana-śīlasya
prāṇāyama-parasya ca
naiva santi hi pāpāni
pūrva-janma-kṛtāni ca

„Dacă cineva citește *Bhagavad-gītā* în mod foarte sincer și cu toată seriozita-
tea, prin grația Domnului reacțiile faptelor sale rele din trecut nu vor mai
acționa asupra lui" (*Gītā-māhātmya* 2). Domnul spune cu foarte mare tărie
în ultima porțiune din *Bhagavad-gītā* (18.66):

sarva-dharmān parityajya
mām ekaṁ śaraṇaṁ vraja

aham tvāṁ sarva-pāpebhyo
mokṣayiṣyāmi mā śucaḥ

„Abandonează toate varietăţile de religie şi doar predă-te Mie. Eu te voi elibera de toate reacţiile păcătoase. Nu te teme." Deci Domnul Îşi asumă întreaga responsabilitate pentru cel ce I se predă Lui şi îl pune la adăpost de toate reacţiile păcatelor.

maline mocanaṁ puṁsāṁ
jala-snānaṁ dine dine
sakṛd gītāmṛta-snānaṁ
saṁsāra-mala-nāśanam

„Cineva se poate curăţa zilnic făcând baie în apă, dar dacă cineva se îmbăiază fie şi o singură dată în apa sfântă a Gangelui *Bhagavad-gītei,* pentru el murdăria vieţii materiale este îndepărtată în întregime" (*Gītā-māhātmya* 3).

gītā su-gītā kartavyā
kim anyaiḥ śāstra-vistaraiḥ
yā svayaṁ padmanābhasya
mukha-padmād viniḥsṛtā

Deoarece *Bhagavad-gītā* este rostită de Personalitatea Supremă a Divinităţii, nu mai este nevoie să citim nici o altă scriere vedică. Trebuie doar să citim şi să ascultăm *Bhagavad-gītā* cu atenţie şi în mod regulat. În epoca actuală oamenii sunt atât de absorbiţi în activităţi lumeşti, încât nu le este posibil să citească toate scrierile vedice. Dar acest lucru nu este necesar. Această singură carte, *Bhagavad-gītā,* va fi suficientă, căci ea este esenţa tuturor scrierilor vedice şi mai ales pentru că este rostită de Personalitatea Supremă a Divinităţii (*Gītā-māhātmya* 4). Cum s-a mai spus:

După cum este spus:

bhāratāmṛta-sarvasvaṁ
viṣṇu-vaktrād viniḥsṛtam
gītā-gaṅgodakaṁ pītvā
punar janma na vidyate

„Cel ce bea apă din Gange dobândeşte mântuirea, ce să mai spunem atunci despre cel ce bea nectarul *Bhagavad-gītei*? *Bhagavad-gītā* este nectarul ce constituie esenţa *Mahābhāratei* şi este rostită de Domnul Kṛṣṇa Însuşi, care este

Viṣṇu cel originar" (*Gītā-māhātmya* 5). *Bhagavad-gītā* provine din gura Personalității Supreme a Divinității, iar Gangele se spune că izvorăște din lotusul picioarelor Domnului. Desigur că nu este nici o diferență între gura și picioarele Domnului Suprem, dar printr-o studiere imparțială putem aprecia că *Bhagavad-gītā* este chiar mai importantă decât apa Gangelui.

> *sarvopaniṣado gāvo*
> *dogdhā gopāla-nandanaḥ*
> *pārtho vatsaḥ su-dhīr bhoktā*
> *dugdhaṁ gītāmṛtaṁ mahat*

„Acest *Gītopaniṣad, Bhagavad-gītā*, esența tuturor *Upaniṣadelor*, este întocmai asemenea unei vaci, iar Domnul Kṛṣṇa, vestitul copil-păstor, mulge această vacă. Arjuna este asemeni unui vițel, iar învățații erudiți și devoții puri beau laptele nectarian al *Bhagavad-gītei*" (*Gītā-māhātmya* 6).

> *ekaṁ śāstraṁ devakī-putra-gītam*
> *eko devo devakī-putra eva*
> *eko mantras tasya nāmāni yāni*
> *karmāpy ekaṁ tasya devasya sevā*
> (*Gītā-māhātmya* 7)

În ziua de azi, oamenii sunt foarte dornici să aibă o singură scriptură, un singur Dumnezeu, o singură religie și o singură ocupație. Deci *ekaṁ śāstraṁ devakī-putra-gītam:* să fie o singură scriptură, o scriptură comună întregii lumi—*Bhagavad-gītā. Eko devo devakī-putra eva:* să fie un singur Dumnezeu pentru întreaga lume—Śrī Kṛṣṇa. *Eko mantras tasya nāmāni:* și un imn, o *mantra,* o rugăciune—cântarea numelui Său: Hare Kṛṣṇa, Hare Kṛṣṇa, Kṛṣṇa Kṛṣṇa, Hare Hare/ Hare Rāma, Hare Rāma, Rāma Rāma, Hare Hare. *Karmāpy ekaṁ tasya devasya sevā:* și să existe o singură activitate—slujirea Personalității Supreme a Divinității.

Succesiunea de discipoli

evaṁ paramparā-prāptam
imaṁ rājarṣayo viduḥ
(*Bg.* 4.2)

Bhagavad-gītā aṣa cum este ea am primit-o prin această succesiune de discipoli:

1. **Kṛṣṇa**	18. Vyāsa Tīrtha
2. Brahmā	19. Lakṣmīpati
3. Nārada	20. Mādhavendra Puri
4. Vyāsa	21. Īśvara Puri, (Nityānanda,
5. Madhva	Advaita)
6. Padmanābha	22. Śrī Caitanya
7. Nṛhari	23. Rūpa, (Svarūpa, Sanātana)
8. Mādhava	24. Raghunātha, Jīva
9. Akṣobhya	25. Kṛṣṇadāsa
10. Jaya Tīrtha	26. Narottama
11. Jñānasindhu	27. Viśvanātha
12. Dayānidhi	28. (Baladeva), Jagannātha
13. Vidyānidhi	29. Bhaktivinoda
14. Rājendra	30. Gaurakiśora
15. Jayadharma	31. Bhaktisiddhānta Sarasvatī
16. Puruṣottama	32. A.C. Bhaktivedanta Swami
17. Brahmaṇya Tīrtha	Prabhupāda

Oștirile pe câmpul de luptă de la Kurukșetra

TEXTUL 1

धृतराष्ट्र उवाच
धर्मक्षेत्रे कुरुक्षेत्रे समवेता युयुत्सवः ।
मामकाः पाण्डवाश्चैव किमकुर्वत सञ्जय ॥ १ ॥

dhṛtarāṣṭra uvāca
dharma-kṣetre kuru-kṣetre
samavetā yuyutsavaḥ
māmakāḥ pāṇḍavāś caiva
kim akurvata sañjaya

dhṛtarāṣṭraḥ uvāca—regele Dhṛtarāṣṭra a spus; *dharma-kṣetre*—în locul de pelerinaj; *kuru-kṣetre*—în locul numit Kurukṣetra; *samavetāḥ*—adunați;

yuyutsavaḥ—dornici de luptă; *māmakāḥ*—ai mei (fii); *pāṇḍavāḥ*—fiii lui Pāṇḍu; *ca*—şi; *eva*—desigur; *kim*—ce; *akurvata*—au făcut; *sañjaya*—o, Sañjaya!.

Dhṛtarāṣṭra a spus: O, Sañjaya, ce au făcut fiii mei şi fiii lui Pāṇḍu după ce s-au adunat în locul de pelerinaj de la Kurukṣetra, dornici de luptă?

COMENTARIU

Bhagavad-gītā este cea mai răspândită lucrare despre ştiinţa teistică, rezumată în *Gītā-māhātmya* (*Glorificarea Gītei*). Aici se spune că trebuie să citim *Bhagavad-gītā* cu multă atenţie, cu ajutorul unei persoane care este un devot al lui Śrī Kṛṣṇa, încercând să o înţelegem fără a introduce interpretări personale. Exemplul unei înţelegeri clare se află chiar în *Bhagavad-gītā*, în felul în care învăţătura este înţeleasă de Arjuna direct de la Domnul. Cel care are norocul să înţeleagă *Bhagavad-gītā* pe firul acestei succesiuni disciplice, fără interpretări personale, va ajunge mai presus de studierea întregii înţelepciuni vedice şi a tuturor scripturilor lumii. În *Bhagavad-gītā* se găseşte tot ceea ce este cuprins în celelalte scripturi, dar cel ce o citeşte va afla şi lucruri ce nu se află niciunde în altă parte. Aceasta este trăsătura specifică pentru *Gītā:* ea este ştiinţa teistă desăvârşită, căci este transmisă direct de Suprema Personalitate a Divinităţii, Domnul Śrī Kṛṣṇa.

Subiectele discutate de Dhṛtarāṣṭra şi Sañjaya, aşa cum sunt descrise în *Mahābhārata*, constituie punctul de pornire al acestei mari filosofii. Se arată că această filosofie a fost elaborată pe câmpul de luptă din Kurukṣetra, loc sfânt de pelerinaj din cele mai vechi timpuri ale perioadei vedice. Ea a fost rostită de Domnul în vremea când se afla prezent în persoană pe această planetă, spre a călăuzi omenirea.

Cuvântul *dharma-kṣetra* (loc în care se îndeplinesc ritualurile religioase) este semnificativ, deoarece pe câmpul de bătălie de la Kurukṣetra, alături de Arjuna se afla Suprema Personalitate a Divinităţii. Dhṛtarāṣṭra, tatăl fraţilor Kuru, avea mari îndoieli asupra posibilităţii victoriei finale a fiilor săi. De aceea, el îl întreabă pe secretarul său, Sañjaya: „Ce au făcut ei?". Era încredinţat că atât fiii săi, cât şi fiii fratelui său mai tânăr Pāṇḍu, se adunaseră pe acest câmp din Kurukṣetra pentru o înfruntare decisivă, iar întrebarea sa este cu atât mai semnificativă. El nu dorea să se ajungă la un compromis între veri şi fraţi ci dorea să cunoască exact soarta fiilor săi pe câmpul de luptă. Întrucât se convenise ca bătălia să se desfăşoare la Kurukṣetra—menţionat in *Vede* ca loc de închinăciune chiar și pentru locuitorii cerului—Dhṛtarāṣṭra se temea foarte mult de influența acestui loc sfânt asupra rezultatului bătăliei. El știa foarte bine că acest fapt va influența în mod favorabil pe Arjuna și pe fiii lui Pāṇḍu, căci toți erau foarte virtuoși din fire. Sañjaya fusese elevul lui Vyāsa și de aceea, grație lui Vyāsa, el era în stare să vadă câmpul de luptă din Kurukṣetra chiar aflându-se în odaia lui Dhṛtarāṣṭra; așa se face că Dhṛtarāṣṭra îl întreabă despre situația de pe câmpul de luptă.

Aici se dezvăluie gândurile lui Dhṛtarāṣṭra: atât fiii lui Pāṇḍu, cât și fiii lui Dhṛtarāṣṭra aparțin aceleiași familii, dar el declară în mod deliberat că doar fiii săi fac parte din dinastia Kuru, excluzându-i astfel pe fiii lui Pāṇḍu de la moștenirea familiei. Se poate deci vedea poziția exactă a lui Dhṛtarāṣṭra față de nepoții săi, fiii lui Pāṇḍu. Așa cum dintr-un lan de orez sunt smulse plantele nefolositoare, la fel ne așteptăm încă de la început ca din câmpul sacru de la Kurukṣetra, unde se afla părintele religiei, Śrī Kṛṣṇa, plantele nedorite precum Duryodhana, fiul lui Dhṛtarāṣṭra și aliații săi să fie smulse, iar persoanele profund religioase, conduse de Yudhiṣṭhira, să fie reașezate de către Domnul la locul cuvenit. Aceasta este semnificația cuvintelor *dharma-kṣetre* și *kuru-kṣetre*, pe lângă importanța lor vedică și istorică.

TEXTUL 2

सञ्जय उवाच
दृष्ट्वा तु पाण्डवानीकं व्यूढं दुर्योधनस्तदा ।
आचार्यमुपसङ्गम्य राजा वचनमब्रवीत् ॥ २ ॥

sañjaya uvāca
dṛṣṭvā tu pāṇḍavānīkaṁ
vyūḍhaṁ duryodhanas tadā
ācāryam upasaṅgamya
rājā vacanam abravīt

sañjayaḥ uvāca—Sañjaya a spus; *dṛṣṭvā*—după ce a văzut; *tu*—dar; *pāṇḍava-anīkam*—oastea fiilor lui Pāṇḍu; *vyūḍham*—desfășurată în linie de bătaie; *duryodhanaḥ*—regele Duryodhana; *tadā*—atunci; *ācāryam*—de învățător; *upasaṅgamya*—apropiindu-se; *rājā*—regele; *vacanam*—cuvinte; *abravīt*—a rostit.

Sañjaya a spus: O, rege, după ce a văzut oştirea desfăşurată în linie de bătaie de către fiii lui Pāṇḍu, regele Duryodhana s-a apropiat de învăţătorul său şi a rostit următoarele cuvinte.

COMENTARIU

Dhṛtarāṣṭra era orb din naştere. Din nefericire, el era lipsit şi de viziune spirituală. El ştia foarte bine că fiii săi erau de asemenea orbi din punct de vedere spiritual şi era sigur că nu vor ajunge niciodată la o înţelegere cu fiii lui Pāṇḍu, care erau cu toţii pioşi încă de la naştere. Cu toate acestea, avea îndoieli în ce priveşte influenţa locului de pelerinaj, iar Sañjaya înţelege motivul pentru care este întrebat asupra situaţiei de pe câmpul de luptă. Din această cauză, Sañjaya vrea să-l încurajeze pe deznădăjduitul rege, asigurându-l că fiii săi nu vor face nici un fel de compromis sub influenţa locului sfânt. Astfel, Sañjaya îl înştiinţează pe rege că fiul său Duryodhana, văzând forţele militare ale fiilor lui Pāṇḍu, s-a dus de-ndată la căpetenia oştirii sale, Droṇācārya, spre a-l informa asupra situaţiei reale. Deşi Duryodhana era rege, trebuia totuşi să se ducă la căpetenia oştirii, din pricina gravităţii situaţiei. Era deci un foarte bun politician. Dar sub poleiala diplomaţiei, Duryodhana nu-şi poate ascunde teama pe care o resimţea văzând desfăşurarea oştilor fraţilor Pāṇḍava.

TEXTUL 3

पश्यैतां पाण्डुपुत्राणामाचार्य महतीं चमूम् ।
व्यूढां द्रुपदपुत्रेण तव शिष्येण धीमता ॥ ३ ॥

paśyaitāṁ pāṇḍu-putrāṇāṁ
ācārya mahatīṁ camūm
vyūḍhāṁ drupada-putreṇa
tava śiṣyeṇa dhīmatā

paśya—priveşte; *etām*—această; *pāṇḍu-putrāṇām*—a fiilor lui Pāṇḍu; *ācārya* —o, învăţătorule; mahatīm—mare; camūm—oştire; *vyūḍhām*—aranjată; *drupada-putreṇa*—de fiul lui Drupada; *tava*—al tău; *śiṣyeṇa*—discipol; *dhī-matā*—foarte inteligent.

O, învăţătorule, priveşte marea oştire a fiilor lui Pāṇḍu, desfăşurată cu atâta iscusinţă de către priceputul tău discipol, fiul lui Drupada.

COMENTARIU

Fiind un mare diplomat, Duryodhana vrea să scoată în evidență defectele lui Droṇācārya, marele *brāhmaṇa* ce comanda oștirea. Droṇācārya avusese niște disensiuni politice cu regele Drupada, tatăl lui Draupadī care era soția lui Arjuna. În urma acestui conflict, Drupada a săvârșit un mare sacrificiu, prin care a dobândit binecuvântarea de a avea un fiu care să fie capabil să-l ucidă pe Droṇācārya. Droṇācārya știa foarte bine acest lucru, însă, fiind un brahman plin de mărinimie, el n-a ezitat să împărtășească toate tainele artei sale militare fiului lui Drupada, Dṛṣṭadyumna, atunci când acesta i-a fost încredințat spre a-l educa în arta militară. Acum, pe câmpul de bătălie de la Kurukṣetra, Dṛṣṭadyumna era de partea fraților Pāṇḍava, el fiind cel care realizase desfășurarea oștirii în linie de bătaie, după ce învățase această artă de la Droṇācārya. Duryodhana scoate în evidență această greșeală a lui Droṇācārya, pentru a-l face să devină vigilent și fără șovăială în bătălie. Deasemenea, el dorește să sublinieze că Droṇācārya nu trebuie să se arate la fel de indulgent în bătălie față de frații Pāṇḍava, care fuseseră și ei elevii săi îndrăgiți, mai ales Arjuna, care fuse elevul său cel mai drag și cel mai strălucit. Duryodhana îl mai avertizează că o asemenea indulgență în luptă ar duce la înfrângere.

TEXTUL 4

अत्र शूरा महेष्वासा भीमार्जुनसमा युधि ।
युयुधानो विराटश्च द्रुपदश्च महारथः ॥ ४ ॥

atra śūrā maheṣv-āsā
bhīmārjuna-samā yudhi
yuyudhāno virāṭaś ca
drupadaś ca mahā-rathaḥ

atra—aici; *śūrāḥ*—viteji; *mahā-iṣu-āsāḥ*—mari arcași; *bhīma-arjuna*—lui Bhīma și Arjuna; *samāḥ*—asemenea; *yudhi*—în luptă; *yuyudhānaḥ*—Yuyudhāna; *virāṭaḥ*—Virāṭa; *ca*—și; *drupadaḥ*—Drupada; *ca*—și; *mahā-rathaḥ*—mare luptător.

Aici, în această oștire, sunt mulți arcași viteji, de-o seamă în luptă cu Bhīma și Arjuna, mari luptători precum Yuyudhāna, Virāṭa și Drupada.

COMENTARIU

Chiar dacă Dṛṣṭadyumna nu era un obstacol prea mare în calea marii iscusin-
ţe în arta militară a lui Droṇācārya, erau însă mulţi alţi războinici de temut.
Ei sunt pomeniţi de Duryodhana ca niște piedici imense în calea victoriei,
pentru că fiecare era la fel de straşnic precum Bhīma sau Arjuna. El cunoştea
puterea lui Bhīma şi Arjuna şi de aceea îi compară pe ceilalţi cu ei.

TEXTUL 5

धृष्टकेतुश्चेकितानः काशिराजश्च वीर्यवान् ।
पुरुजित्कुन्तिभोजश्च शैब्यश्च नरपुङ्गवः ॥ ५ ॥

dhṛṣṭaketuś cekitānaḥ
kāśirājaś ca vīryavān
purujit kuntibhojaś ca
śaibyaś ca nara-puṅgavaḥ

dhṛṣṭaketuḥ—Dhṛṣṭaketu; *cekitānaḥ*—Cekitāna; *kāśirājaḥ*—Kāśirāja; *ca*—şi;
vīrya-vān—foarte puternic; *purujit*—Purujit; *kuntibhojaḥ*—Kuntibhoja; *ca*
—şi; *śaibyaḥ*—Śaibya; *ca*—şi; *nara-puṅgavaḥ*—erou între oameni.

**De asemenea mai sunt şi alţi mari eroi, luptători puternici precum
Dhṛṣṭaketu, Cekitāna, Kāśirāja, Purujit, Kuntibhoja şi Śaibya.**

TEXTUL 6

युधामन्युश्च विक्रान्त उत्तमौजाश्च वीर्यवान् ।
सौभद्रो द्रौपदेयाश्च सर्व एव महारथाः ॥ ६ ॥

yudhāmanyuś ca vikrānta
uttamaujāś ca vīryavān
saubhadro draupadeyāś ca
sarva eva mahā-rathāḥ

yudhāmanyuḥ—Yudhāmanyu; *ca*—şi; *vikrāntaḥ*—curajos; *uttamaujāḥ*—
Uttamaujā; *ca*—şi; *vīrya-vān*—foarte puternic; *saubhadraḥ*—fiul lui Sub-

hadrā; *draupadeyāḥ*—fiii lui Draupadī; *ca*—și; *sarve*—toți; *eva*—desigur; *mahā-rathāḥ*—mari luptători cu carul.

Mai este și curajosul Yudhāmanyu, preaputernicul Uttamaujā, fiul lui Subhadrā și fiii lui Draupadī. Toți aceștia sunt mari războinici cu carul de luptă.

TEXTUL 7

अस्माकं तु विशिष्टा ये तान्निबोध द्विजोत्तम ।
नायका मम सैन्यस्य संज्ञार्थं तान् ब्रवीमि ते ॥ ७ ॥

*asmākaṁ tu viśiṣṭā ye
tān nibodha dvijottama
nāyakā mama sainyasya
saṁjñārthaṁ tān bravīmi te*

asmākam—al nostru; *tu*—dar; *viśiṣṭāḥ*—deosebit de puternic; *ye*—cei care; *tān*—pe ei; *nibodha*—cunoaște-i; *dvija-uttama*—o, cel mai bun dintre brahmani; *nāyakāḥ*—căpetenii; *mama*—al meu; *sainyasya*—a oștenilor; *saṁjñā-artham*—pentru înștiințarea (ta); *tān*—pe ei; *bravīmi*—ți-i spun; *te*—ție.

Dar spre știrea ta, O, cel mai bun dintre brahmani, am să-ți vorbesc acum despre căpeteniile care sunt deosebit de iscusite în a-mi conduce oștirea.

TEXTUL 8

भवान् भीष्मश्च कर्णश्च कृपश्च समितिंजयः ।
अश्वत्थामा विकर्णश्च सौमदत्तिस्तथैव च ॥ ८ ॥

*bhavān bhīṣmaś ca karṇaś ca
kṛpaś ca samitiṁ-jayaḥ
aśvatthāmā vikarṇaś ca
saumadattis tathaiva ca*

bhavān—domnia ta; *bhīṣmaḥ*—străbunul Bhīṣma; *ca*—și; *karṇaḥ*—Karṇa; *ca*—și; *kṛpaḥ*—Kṛpa; *ca*—și; *samitim-jayaḥ*—întotdeauna învingători în bătălie; *aśvatthāmā*—Aśvatthāmā; *vikarṇaḥ*—Vikarṇa; *ca*—şi; *saumadattiḥ* —fiul lui Somadatta; *tathā*—de asemenea; *eva*—desigur; *ca*—şi.

Aceştia sunt oameni vestiţi precum domnia ta, Bhīşma, Karṇa, Kṛpa, Aśvatthāmā, Vikarṇa şi fiul lui Somadatta numit Bhūriśravā, întotdeauna învingători în bătălii.

COMENTARIU

Duryodhana menţionează aici pe neîntrecuţii viteji în bătălie, cei ce sunt întotdeauna învingători. Vikarṇa este fratele lui Duryodhana, Aśvatthāmā este fiul lui Droṇācārya iar Saumadatti sau Bhūriśvā este fiul regelui ce stăpânea peste poporul Bhālika. Karṇa este fratele vitreg al lui Arjuna, născut de Kuntī înainte de căsătoria ei cu regele Pāṇḍu. Sora geamănă a lui Kṛpācārya era măritată cu Droṇācārya.

TEXTUL 9

अन्ये च बहवः शूरा मदर्थे त्यक्तजीविताः ।
नानाशस्त्रप्रहरणाः सर्वे युद्धविशारदाः ॥ ९ ॥

anye ca bahavaḥ śūrā
mad-arthe tyakta-jīvitāḥ
nānā-śastra-praharaṇāḥ
sarve yuddha-viśāradāḥ

anye—alţi;; *ca*—şi; *bahavaḥ*—în număr mare; *śūrāḥ*—eroi; *mat-arthe*— pentru mine; *tyakta-jīvitāḥ*—gata să-şi rişte viaţa; *nānā*—multe feluri de; *śastra*—arme; *praharaṇāḥ*—echipaţi cu; *sarve*—cu toţii; *yuddha-viśāradāḥ* —pricepuţi în arta militară.

Şi mulţi alţi eroi ce sunt gata să-şi dea viaţa pentru mine, echipaţi cu felurite arme, fiind cu toţii foarte pricepuţi în arta militară.

COMENTARIU

În ce-i priveşte pe ceilalţi războinici, precum Jayadratha, Kṛtavarmā şi Śalya, aceştia sunt cu toţii hotărâţi să-şi dea viaţa pentru Duryodhana. Cu alte cuvinte, ei sunt deja cu toţii condamnaţi să moară în bătălia de la Kurukṣetra pentru că trecuseră de partea păcătosului Duryodhana. Însă Duryodhana era desigur încrezător în victoria sa, bazându-se pe forțele reunite ale prietenilor săi, menționate mai sus.

TEXTUL 10

अपर्याप्तं तदस्माकं बलं भीष्माभिरक्षितम् ।
पर्याप्तं त्विदमेतेषां बलं भीमाभिरक्षितम् ॥१०॥

aparyāptaṁ tad asmākaṁ
balaṁ bhīṣmābhirakṣitam
paryāptaṁ tv idam eteṣāṁ
balaṁ bhīmābhirakṣitam

aparyāptam—nemăsurată; *tat*—aceasta; *asmākam*—a noastră; *balam*—putere; *bhīṣma*—de către străbunul Bhīṣma; *abhirakṣitam*—ocrotit în mod desăvârșit; *paryāptam*—limitată; *tu*—însă; *idam*—aceea; *eteṣām*—a fraților Pāṇḍava; *balam*—putere; *bhīma*—de Bhīma; *abhirakṣitam*—ocrotit cu grijă.

Nemăsurată este puterea noastră și suntem în mod desăvârșit ocrotiți de către străbunul Bhīṣma, în vreme ce puterea fraților Pāṇḍava, cei ocrotiți cu grijă de Bhīma, este limitată.

COMENTARIU

Duryodhana face aici o estimare comparativă a forțelor. El crede că puterea forțelor sale armate este nemăsurată, fiind protejată în mod special de cel mai priceput general, străbunul Bhīṣma. Pe de altă parte, forțele fraților Pāṇḍava sunt limitate, fiind lăsate în seama unui general mai puțin priceput, Bhīma, care pălea în fața lui Bhīṣma. Duryodhana îl ura dintotdeauna pe Bhīma pentru că știa că, dacă ar fi să fie ucis, acest lucru nu ar putea să se întâmple decât de mâna lui Bhīma. Însă în același timp, era încrezător în victoria sa, datorită prezenței lui Bhīṣma, care era cel mai mare general. Deci concluzia sa că va ieși victorios din bătălie era bine întemeiată.

TEXTUL 11

अयनेषु च सर्वेषु यथाभागमवस्थिताः ।
भीष्ममेवाभिरक्षन्तु भवन्तः सर्व एव हि ॥११॥

ayaneșu ca sarveșu
yathā-bhāgam avasthitāḥ
bhīșmam evābhirakșantu
bhavantaḥ sarva eva hi

ayaneșu—în punctele strategice; *ca*—şi; *sarveșu*—peste tot; *yathā-bhāgam*—oricum aţi fi aranjaţi; *avasthitāḥ*—aşezaţi; *bhīșmam*—pe străbunul Bhīşma; *eva*—desigur; *abhirakșantu*—trebuie să îl ajutaţi; *bhavantaḥ*—domniile voastre; *sarve*—cu toţii; *eva hi*—cu-adevărat.

Trebuie, deci, ca voi toţi, oriunde aţi fi aşezaţi în punctele strategice de intrare în linia de bătaie, să-l ajutaţi pe străbunul Bhīşma.

COMENTARIU

După ce a lăudat vitejia lui Bhīşma, Duryodhana, gândindu-se că ceilalţi ar putea crede că sunt consideraţi mai puţin importanţi, încearcă cu diplomaţia sa obişnuită să dreagă lucrurile prin cuvintele de mai sus. El subliniază că Bhīşma era, fără îndoială, cel mai mare dintre eroi, dar, fiind un om bătrân, fiecare trebuie să se gândească în mod deosebit la protejarea lui din toate părţile. Fiind angajat în bătălie pe unul din flancuri, duşmanul ar putea să profite de acest lucru. De aceea, era important ca ceilalţi viteji să nu-şi părăsească punctele strategice, căci altfel ar fi permis duşmanului să străpungă linia de bătaie. Era limpede pentru Duryodhana că victoria celor din dinastia Kuru depindea de prezenţa lui Bhīşmadeva. El avea încredere în sprijinul deplin al lui Bhīşmadeva şi Droṇācārya în bătălie, căci ştia bine că aceştia nu scoseseră nici măcar o vorbă când Draupadī, soţia lui Arjuna, lipsită de ajutor, le-a cerut să-i facă dreptate atunci când fusese forţată să apară dezbrăcată în faţa tuturor marilor generali aflaţi în adunare. Deşi ştia că cei doi generali aveau o anume simpatie pentru fraţii Pāṇḍava, spera totuşi că cei doi generali au renunţat de-acum complet la ea, aşa cum făcuseră şi în timpul jocurilor de noroc.

TEXTUL 12

तस्य सञ्जनयन् हर्षं कुरुवृद्धः पितामहः ।
सिंहनादं विनद्योच्चैः शङ्खं दध्मौ प्रतापवान् ॥१२॥

tasya sañjanayan harṣaṁ
kuru-vṛddhaḥ pitāmahaḥ
siṁha-nādaṁ vinadyoccaiḥ
śaṅkhaṁ dadhmau pratāpavān

tasya—al său; *sañjanayan*—sporind; *harṣam*—bucuria; *kuru-vṛddhaḥ*—cel mai bătrân din dinastia Kuru (Bhīṣma); *pitāmahaḥ*—străbunul; *siṁha-nādam*—răcnet ca al leului; *vinadya*—vibrând; *uccaiḥ*—foarte puternic; *śaṅkham*—scoica; *dadhmau*—suflă; *pratāpa-vān*—viteazul.

Atunci Bhīṣma, marele viteaz, cel mai bătrân din dinastia Kuru, străbunul luptătorilor, a suflat foarte puternic din scoică, scoțând un sunet ca răcnetul leului, spre bucuria lui Duryodhana.

COMENTARIU

Străbunul dinastiei Kuru putea să înțeleagă tot ce era în sufletul nepotului său Duryodhana și, din milă față de el, încearcă să-l îmbărbăteze sunând puternic din scoică, așa cum se cădea din partea celui ce avea renumele unui leu. În mod indirect, prin simbolul scoicii, el îl înștiințează pe Duryodhana că nu are vreo șansă de izbândă în luptă, pentru că Domnul Suprem Kṛṣṇa, se afla de cealaltă parte. Însă datoria sa era să conducă lupta și de aceea nici o suferință nu l-ar fi împiedicat în a și-o îndeplini.

TEXTUL 13

ततः शङ्खाश्च भेर्यश्च पणवानकगोमुखाः ।
सहसैवाभ्यहन्यन्त स शब्दस्तुमुलोऽभवत् ॥१३॥

tataḥ śaṅkhāś ca bheryaś ca
paṇavānaka-gomukhāḥ
sahasaivābhyahanyanta
sa śabdas tumulo 'bhavat

tataḥ—apoi; *śaṅkhāḥ*—scoicile; *ca*—și; *bheryaḥ*—tobele mari; *ca*—și; *paṇava-ānaka*—tobele mici și timpanele; *go-mukhāḥ*—cornuri sau goarne;

sahasā—dintr-o dată; *eva*—chiar; *abhyahanyanta*—au fost sunate simul-tan; *saḥ*—acest; *śabdaḥ*—sunet combinat; *tumulaḥ*—clocotitor; *abhavat*—deveni.

Apoi scoicile, tobele mari, goarnele, trâmbiţele şi cornurile răsunară toate deodată, iar vuietul lor era clocotitor.

TEXTUL 14

ततः श्वेतैर्हयैर्युक्ते महति स्यन्दने स्थितौ ।
माधवः पाण्डवश्चैव दिव्यौ शङ्खौ प्रदध्मतुः ॥१४॥

tataḥ śvetair hayair yukte
mahati syandane sthitau
mādhavaḥ pāṇḍavaś caiva
divyau śaṅkhau pradadhmatuḥ

tataḥ—apoi; *śvetaiḥ*—cu albi; *hayaiḥ*—cai; *yukte*—înhămaţi; *mahati*—într-un mare; *syandane*—car de luptă; *sthitau*—aşezaţi; *mādhavaḥ*—Kṛṣṇa (soţul zeiţei norocului); *pāṇḍavaḥ*—Arjuna (fiul lui Pāṇḍu); *ca*—şi; *eva*—desigur; *divyau*—transcendente; *śaṅkhau*—scoici; *pradadhmatuḥ*—suflară.

De cealaltă parte, Domnul Kṛṣṇa şi Arjuna, aşezaţi în marele lor car de luptă tras de cai albi, suflară în scoicile lor transcendente.

COMENTARIU

Spre deosebire de scoica în care a suflat Bhīṣmadeva, scoicile din mâinile lui Kṛṣṇa şi Arjuna sunt numite transcendente. Sunetul scoicilor transcenden-te indică faptul că nu era nici o nădejde de izbândă pentru cealaltă tabără, căci Kṛṣṇa se afla de partea fraţilor Pāṇḍava. *Jayas tu pāṇḍu-putrāṇāṁ yeṣāṁ pakṣe janārdanaḥ.* Victoria este întotdeauna de partea celor asemenea fiilor lui Pāṇḍu, pentru că Domnul Kṛṣṇa este alături de ei. Oriunde şi oricând este Domnul prezent, zeiţa norocului este şi ea acolo, căci ea nu trăieşte niciodată despărţită de soţul ei. De aceea, pe Arjuna îl aşteptau norocul şi victoria, aşa cum arată transcendentul sunet scos de scoica lui Viṣṇu, sau Domnul Kṛṣṇa. În afară de aceasta, carul în care erau aşezaţi cei doi prieteni fusese dăruit lui Arjuna de Agni, zeul focului, ceea ce însemna că acest car era în stare să învingă totul, oriunde ar fi fost condus prin cele trei lumi.

TEXTUL 15

पाञ्चजन्यं हृषीकेशो देवदत्तं धनञ्जयः ।
पौण्ड्रं दध्मौ महाशङ्खं भीमकर्मा वृकोदरः ॥१५॥

pāñcajanyaṁ hṛṣīkeśo
devadattaṁ dhanañjayaḥ
pauṇḍraṁ dadhmau mahā-śaṅkhaṁ
bhīma-karmā vṛkodaraḥ

pāñcajanyam—scoica numită Pāñcajanya; *hṛṣīka-īśaḥ*—Hṛṣīkeśa (Kṛṣṇa, Stăpânul care călăuzește simțurile devoților); *devadattam*—scoica numită Devadatta; *dhanam-jayaḥ*—Dhanañjaya (Arjuna, cuceritorul bogățiilor); *pauṇḍram*—scoica numită Pauṇḍra; *dadhmau*—suflă; *mahā-śaṅkham*—strașnica scoică; *bhīma-karmā*—cel ce săvârșește fapte supraomenești; *vṛka-udaraḥ*—cel lacom ca un lup (Bhīma).

Domnul Kṛṣṇa suflă în scoica Sa numită Pāñcajanya, Arjuna sună în scoica sa Devadatta, iar Bhīma cel lacom ca un lup, cel ce săvârșește fapte supraomenești, suflă în scoica sa înspăimântătoare numită Pauṇḍra.

COMENTARIU

Domnul Kṛṣṇa este numit în această strofă Hṛṣīkeśa, deoarece El este stăpânul tuturor simțurilor. Ființele sunt părțile Sale integrante și deci și simțurile acestor ființe sunt părți integrante ale simțurilor Sale. Impersonaliștii nu pot să justifice simțurile viețuitoarelor și de aceea au întotdeauna grijă să descrie aceste viețuitoare ca lipsite de simțuri sau impersonale. Domnul, fiind situat în inima tuturor viețuitoarelor, le călăuzește simțurile. Dar această îndrumare depinde de felul în care acea ființă I se încredințează Lui, iar în cazul unui devot pur, El este cel ce îi controlează direct simțurile. Aici pe câmpul de bătălie din Kurukșetra Domnul controlează direct simțurile spirituale ale lui Arjuna și de aici vine numele de Hṛṣīkeśa. Domnul este numit în multe feluri, după activitățile pe care le săvârșește. De exemplu, El este numit Madhusūdana deoarece l-a ucis pe demonul numit Madhu; El este numit Govinda pentru că El face plăcere vacilor şi simţurilor; El este numit Vāsudeva pentru că a apărut pe Pământ ca fiu al lui Vasudeva; El este numit Devakī-nandana pentru că a acceptat-o ca mamă pe Devakī; El este numit Yaśodā-nandana pentru că şi-a petrecut copilăria alături de Yaśodā, în Vṛndāvana; este numit Pārtha-sārathi pentru că a condus carul de luptă al prietenului Său Arjuna. Şi tot aşa, este numit Hṛṣīkeśa pentru că l-a îndrumat pe Arjuna pe câmpul de luptă de la Kurukṣetra. Arjuna este numit în această strofă Dhanañjaya pentru că l-a ajutat pe fratele său mai mare să adune averea de care acesťa avea nevoie pentru cheltuielile necesare diverselor sacrificii. De asemenea, Bhīma este cunoscut ca Vṛkodara pentru că era la fel de capabil de a mânca plin de lăcomie ca şi de a îndeplini sarcini herculeene, precum uciderea demonului Hiḍimba. Astfel, diferitele tipuri de scoici în care au suflat diversele personalităţi aflate de partea fraţilor Pāṇḍava, începând cu a lui Srī Kṛṣṇa, erau deosebit de încurajatoare pentru soldaţii luptători. În tabăra cealaltă nu existau asemenea avantaje şi nici prezenţa lui Srī Kṛṣṇa, supremul călăuzitor, nici a zeiţei norocului. De aceea ei erau predestinaţi să piardă bătălia; acesta era mesajul transmis de sunetul scoicilor.

TEXTELE 16-18

अनन्तविजयं राजा कुन्तीपुत्रो युधिष्ठिरः ।
नकुलः सहदेवश्च सुघोषमणिपुष्पकौ ॥१६॥

काश्यश्च परमेष्वासः शिखण्डी च महारथः ।
धृष्टद्युम्नो विराटश्च सात्यकिश्चापराजितः ॥१७॥

द्रुपदो द्रौपदेयाश्च सर्वशः पृथिवीपते ।
सौभद्रश्च महाबाहुः शङ्खान्दध्मुः पृथक्पृथक् ॥१८॥

anantavijayaṁ rājā
kuntī-putro yudhiṣṭhiraḥ
nakulaḥ sahadevaś ca
sughoṣa-maṇipuṣpakau

kāśyaś ca parameṣv-āsaḥ
śikhaṇḍī ca mahā-rathaḥ

dhṛṣṭadyumno virāṭaś ca
sātyakiś cāparājitaḥ

drupado draupadeyāś ca
sarvaśaḥ pṛthivī-pate
saubhadraś ca mahā-bāhuḥ
śaṅkhān dadhmuḥ pṛthak pṛthak

ananta-vijayam—scoica numită Anantavijaya; *rājā*—regele; *kuntī-putraḥ*—
fiul lui Kuntī; *yudhiṣṭhiraḥ*—Yudhiṣṭhira; *nakulaḥ*—Nakula; *sahadevaḥ*—
Sahadeva; *ca*—și; *sughoṣa-maṇipuṣpakau*—scoicile numite Sughoṣa și Maṇi-
puṣpaka; *kāśyaḥ*—regele din Kāśī (Vārāṇasī); *ca*—și; *parama-iṣu-āsaḥ*—
marele arcaș; *śikhaṇḍī*—Śikhaṇḍī; *ca*—și; *mahā-rathaḥ*—cel ce poate lupta
singur cu mai multe mii; *dhṛṣṭadyumnaḥ*—Dhṛṣṭadyumna (fiul regelui Dru-
pada); *virāṭaḥ*—Virāṭa (prințul care i-a adăpostit pe frații Pāṇḍava atunci
când erau deghizați); *ca*—și; *sātyakiḥ*—Sātyaki (un alt nume al lui Yuyud-
hāna, vizitiul Domnului Kṛṣṇa); *ca*—și; *aparājitaḥ*—cel ce n-a fost vreodată
învins; *drupadaḥ*—Drupada, regele din Pāñcāla; *draupadeyāḥ*—fiii lui Drau-
padī; *ca*—și; *sarvaśaḥ*—toți; *pṛthivī-pate*—o, rege; *saubhadraḥ*—Abhima-
nyu, fiul lui Subhadrā; *ca*—și; *mahā-bāhuḥ*—cel cu braț puternic; *śaṅkhān*—
scoicile; *dadhmuḥ*—suflară; *pṛthak pṛthak*—fiecare separat.

**Regele Yudhiṣṭhira, fiul lui Kuntī, suflă în scoica sa Anantavijaya, iar
Nakula și Sahadeva suflară în Sughoṣa și Maṇipuṣpaka. Marele arcaș,
regele din Kāśi, marele războinic Śikhaṇḍī, Dṛṣṭadyumna, Virāṭa,
Sātyaki cel de neînvins, Drupada, fiii lui Draupadī și alții încă, o, rege,
precum fiul lui Subhadrā cel cu braț puternic, suflară cu toții pe rând
în scoicile lor.**

COMENTARIU

Sañjaya îl înștiințează cu mult tact pe regele Dhṛtarāṣṭra că politica sa neso-
cotită de a-i înșela pe fiii lui Pāṇḍu și strădania de a-i înscăuna pe fiii săi
pe tronul regatului nu erau lucruri demne de laudă. Semnele arătau limpe-
de că întreaga dinastie Kuru va pieri în marea bătălie. Începând cu străbunul
Bhīṣma, până la nepoți ca Abhimanyu și alții, incluzând regi din multe țări
ale lumii, toți cei ce erau prezenți acolo erau sortiți pieirii. Întreaga catastrofă
se datora regelui Dhṛtarāṣṭra, pentru că încurajase politica fiilor săi.

TEXTUL 19

स घोषो धार्तराष्ट्राणां हृदयानि व्यदारयत् ।
नभश्च पृथिवीं चैव तुमुलोऽभ्यनुनादयन् ॥१९॥

sa ghoṣo dhārtarāṣṭrāṇām
hṛdayāni vyadārayat
nabhaś ca pṛthivīṁ caiva
tumulo 'bhyanunādayan

saḥ—această; *ghoṣaḥ*—vibraţie; *dhārtarāṣṭrāṇām*—fiilor lui Dhṛtarāṣṭra; *hṛdayāni*—inimile; *vyadārayat*—a zdrobit; *nabhaḥ*—cerul; *ca*—şi; *pṛthivīm*—suprafaţa pământului; *ca*—şi; *eva*—desigur; *tumulaḥ*—copleşitor; *abhyanunādayan*—răsunând.

Sunetul acestor felurite scoici deveni copleşitor, răsunând atât în cer cât şi pe pământ, sfâşiind inimile fiilor lui Dhṛtarāṣṭra.

COMENTARIU

Când Bhīṣma şi ceilalţi din tabăra lui Duryodhana suflaseră în scoicile lor, inimile celor din tabăra fraţilor Pāṇḍava n-au fost deloc mişcate, acest lucru nefiind menţionat. Însă în această strofă se spune că inimile fiilor lui Dhṛtarāṣṭra au fost sfâşiate de sunetul scos de cei din tabăra fraţilor Pāṇḍava. Acest lucru se datorează numai fraţilor Pāṇḍava şi încrederii lor în Domnul Kṛṣṇa. Cel ce-şi caută refugiul în Domnul Suprem nu are de ce să se teamă, chiar în mijlocul celor mai mari nenorociri.

TEXTUL 20

अथ व्यवस्थितान्दृष्ट्वा धार्तराष्ट्रान् कपिध्वजः ।
प्रवृत्ते शस्त्रसम्पाते धनुरुद्यम्य पाण्डवः ।
हृषीकेशं तदा वाक्यमिदमाह महीपते ॥२०॥

atha vyavasthitān dṛṣṭvā
dhārtarāṣṭrān kapi-dhvajaḥ
pravṛtte śastra-sampāte
dhanur udyamya pāṇḍavaḥ

hṛṣīkeśaṁ tadā vākyam
idam āha mahī-pate

atha—în acel moment; *vyavasthitān*—așezat; *dṛṣtvā*—privind la; *dhārtarāṣṭrān*—fiii lui Dhṛtarāṣṭra; *kapi-dhvajaḥ*—cel al cărui stindard purta semnul lui Hanumān; *pravṛtte*—gata să înceapă; *śastra-sampāte*—să lanseze săgețile; *dhanuḥ*—arcul; *udyamya*—apucând; *pāṇḍavaḥ*—fiul lui Pāṇḍu (Arjuna); *hṛṣīkeśam*—către Domnul Kṛṣṇa; *tadā*—atunci; *vākyam*—cuvinte; *idam*—aceste; *āha*—spuse; *mahī-pate*—o,rege.

Atunci Arjuna, fiul lui Pāṇḍu, așezat în carul de luptă și purtând stindardul ce avea ca semn pe Hanumān, apucă arcul, gata să-și lanseze săgețile. O, rege, privind la fiii lui Dhṛtarāṣṭra așezați în linie de bătaie, Arjuna grăi către Domnul Kṛṣṇa aceste cuvinte.

COMENTARIU

Lupta sta să înceapă. Așa cum am văzut, fiii lui Dhṛtarāṣṭra erau mai mult sau mai puțin descurajați de neașteptata desfășurare a forțelor militare ale fraților Pāṇḍava, care erau îndrumați pe câmpul de luptă chiar de sfaturile Domnului Kṛṣṇa. Emblema lui Hanumān de pe stindardul lui Arjuna este un alt semn al victoriei, deoarece Hanumān se aliase cu Domnul Rāma în bătălia dintre Rāma și Rāvaṇa, din care Domnul Rāma a ieșit victorios. Deci atât Rāma cât și Hanumān erau prezenți în carul lui Arjuna pentru a-l ajuta. Domnul Kṛṣṇa este Rāma Însuși și oriunde se află Domnul Rāma, se află și eternul său slujitor Hanumān, ca și eterna sa consoartă Sītā, zeița norocului. De aceea Arjuna nu avea de ce să se teamă de nici un vrăjmaș. Iar mai presus de toate, era prezent Domnul Kṛṣṇa, Stăpânul simțurilor în persoană, pentru a-i da îndrumările necesare. Deci, în ce privește bătălia, Arjuna beneficia de cele mai competente îndrumări. Astfel, semnele unei victorii neîndoielnice se întemeiază pe aceste condiții extrem de favorabile, pregătite de către Domnul pentru eternul Său devot.

TEXTELE 21–22

अर्जुन उवाच
सेनयोरुभयोर्मध्ये रथं स्थापय मेऽच्युत ।
यावदेतान्निरीक्षेऽहं योद्धुकामानवस्थितान् ॥२१॥

कैर्मया सह योद्धव्यमस्मिन् रणसमुद्यमे ॥२२॥

arjuna uvāca
senayor ubhayor madhye
ratham sthāpaya me 'cyuta
yāvad etān nirīkṣe 'ham
yoddhu-kāmān avasthitān

kair mayā saha yoddhavyam
asmin raṇa-samudyame

arjunaḥ uvāca—Arjuna a spus; *senayoḥ*—al oștirilor; *ubhayoḥ*—amândouă; *madhye*—în mijlocul; *ratham*—carul de luptă; *sthāpaya*—te rog oprește-l; *me*—al meu; *acyuta*—o, tu cel nesupus greșelii; *yāvat*—atâta timp cât; *etān* —pe toți aceștia; *nirīkṣe*—să pot vedea; *aham*—eu; *yoddhu-kāmān*—dornici de luptă; *avasthitān*—aliniați pe câmpul de luptă; *kaiḥ*—cu care; *mayā* —de mine; *saha*—împreună; *yoddhavyam*—trebuie luptat; *asmin*—în această; *raṇa*—înfruntare; *samudyame*—prins în.

Arjuna a spus : O, Tu cel nesupus greșelii, condu-mi Te rog carul de luptă între cele două oștiri, ca să-i pot vedea pe cei aflați aici, dornici de luptă, cu care mi-e dat să mă războiesc în marea înfruntare a armelor.

COMENTARIU

Deși Domnul Kṛṣṇa este Suprema Personalitate a Divinității, prin mila Sa fără de cauză, S-a angajat în slujirea prietenului Său. El este numit aici „Cel nesupus greșelii" deoarece nu dă niciodată greș în afecțiunea Sa pentru devoții Săi. Ca vizitiu al lui Arjuna, El trebuie să îndeplinească poruncile acestuia și, întrucât nu ezită să o facă, este numit aici „cel nesupus greșelii" sau infailibil. Chiar dacă El acceptă rolul de vizitiu al devotului Său, poziția Sa supremă nu este pusă la îndoială. El este Suprema Personalitate a Divinității, Hṛṣīkeśa, Stăpânul tuturor simțurilor. Relația dintre Domnul și slujitorul Său este foarte tandră și transcendentală. Slujitorul este întotdeauna pregătit să slujească Domnului și la fel și Domnul caută mereu prilejul să-l slujească pe devot. Plăcerea Sa este mult mai mare atunci când devotul Său își asumă o poziție mai avantajoasă, în care să-I poruncească, decât atunci când El este cel care poruncește. Întrucât El este Stăpânul, toți ceilalți sunt supuși poruncilor Sale și nimeni nu este deasupra Sa pentru a-I porunci. Și totuși, atunci când vede un devot pur care-I poruncește, dobândește o plăcere transcendentală, chiar dacă El este stăpânul infailibil al tuturor circumstanțelor. Ca pur devot al Domnului, Arjuna nu dorea să lupte cu verii și frații săi, dar fusese obligat să vină pe câmpul de luptă datorită încăpățânării lui Duryodhana, care se opusese oricăror tratative de pace. De aceea era foarte nerăbdător să vadă cine erau conducătorii aflați pe câmpul de luptă. Deși nu mai putea fi vorba de un nou efort de a încheia pacea, dorea totuși să-i mai vadă odată, pentru a-și da seama cât erau de înclinați spre acest război pe care nu-l dorea nimeni.

TEXTUL 23

योत्स्यमानानवेक्षेऽहं य एतेऽत्र समागताः ।
धार्तराष्ट्रस्य दुर्बुद्धेर्युद्धे प्रियचिकीर्षवः ॥२३॥

yotsyamānān avekṣe 'ham
ya ete 'tra samāgatāḥ
dhārtarāṣṭrasya durbuddher
yuddhe priya-cikīrṣavaḥ

yotsyamānān—cei ce vor lupta; *avekṣe*—să-i văd; *aham*—eu; *ye*—cei care; *ete*—aceștia; *atra*—aici; *samāgatāḥ*—adunați; *dhārtarāṣṭrasya*—pentru fiul lui Dhṛtarāṣṭra; *durbuddheḥ*—rău intenționat; *yuddhe*—în luptă; *priya*—pe plac; *cikīrṣavaḥ*—doritori.

Vreau să-i privesc pe cei adunați să lupte, dornici să-i facă pe plac rău-voitorului fiu al lui Dhṛtarāṣṭra.

COMENTARIU

Nu mai era un secret pentru nimeni faptul că Duryodhana dorea să uzurpe regatul fraților Pāṇḍava, uneltind împreună cu tatăl său, Dhṛtarāṣṭra. De aceea, toți cei care au trecut de partea lui Duryodhana trebuie să fi fost de același soi cu el. Arjuna dorea să-i vadă pe câmpul de bătălie, înainte de începerea luptei, tocmai pentru a-și da seama cine sunt de fapt aceștia, fără însă să aibă intenția de a le propune negocieri de pace. De asemenea, mai dorea să-i vadă și pentru a-și da seama de forța cu care trebuie să dea piept, chiar dacă era pe deplin încrezător în victorie, datorită faptului că Domnul Kṛṣṇa se afla de partea sa.

TEXTUL 24

सञ्जय उवाच

एवमुक्तो हृषीकेशो गुडाकेशेन भारत ।
सेनयोरुभयोर्मध्ये स्थापयित्वा रथोत्तमम् ॥२४॥

sañjaya uvāca
evam ukto hṛṣīkeśo
guḍākeśena bhārata
senayor ubhayor madhye
sthāpayitvā rathottamam

sañjayaḥ uvāca—Sañjaya a spus; *evam*—astfel; *uktaḥ*—spunându-i-se; *hṛṣīkeśaḥ*—Domnul Kṛṣṇa; *guḍākeśena*—de către Arjuna; *bhārata*—o, urmaş al lui Bharata; *senayoḥ*—al oştirilor; *ubhayoḥ*—amândouă; *madhye*—în mijlocul; *sthāpayitvā*—oprind; *ratha-uttamam*—neasemuitul car.

Sañjaya a spus: O, urmaş al lui Bharata, după ce Arjuna I-a spus aceste cuvinte, Domnul Kṛṣṇa a condus neasemuitul car între oştirile celor două tabere.

COMENTARIU

În acest verset Arjuna este numit Guḍākeśa. Guḍākā înseamnă „somn" iar cel care învinge somnul este numit *guḍākeśa*. Somnul semnifică şi ignoranţa, de aceea Arjuna este cel ce a învins atât somnul, cât şi ignoranţa, datorită prieteniei sale cu Kṛṣṇa. Ca mare devot al lui Kṛṣṇa , Arjuna nu-L poate uita nici măcar o clipă; aceasta este firea devotului. Fie că veghează, fie că doarme, devotul Domnului nu poate niciodată să se lipsească de gândul la numele lui Kṛṣṇa, la forma, însuşirile şi petrecerile Sale. Astfel devotul lui Kṛṣṇa poate să învingă atât somnul, cât şi ignoranţa, prin simplul fapt de a se gândi mereu la Kṛṣṇa. Această stare se numeşte conştiinţa de Kṛṣṇa sau *samādhi*. Ca Hṛṣī-keśa sau stăpân al simţurilor şi minţii fiecărei fiinţe, Kṛṣṇa putea înţelege intenţiile lui Arjuna atunci când voia să-şi aşeze carul între cele două armate. Îndeplinind aceasta, Kṛṣṇa rosti cele ce urmează.

TEXTUL 25

भीष्मद्रोणप्रमुखतः सर्वेषां च महीक्षिताम् ।
उवाच पार्थ पश्यैतान् समवेतान् कुरूनिति ॥२५॥

bhīṣma-droṇa-pramukhataḥ
sarveṣāṁ ca mahī-kṣitām
uvāca pārtha paśyaitān
samavetān kurūn iti

bhīṣma—străbunul Bhīṣma; *droṇa*—Droṇa învățătorul; *pramukhataḥ*—în fața; *sarveṣām*—tuturor; *ca*—și; *mahī-kṣitām*—stăpânitorilor lumii; *uvāca*—a spus; *pārtha*—o, fiu al lui Pṛthā; *paśya*—privește; *etān*—pe aceștia; *samavetān*—adunați; *kurūn*—membrii dinastiei Kuru; *iti*—astfel.

În fața lui Bhīṣma, Droṇa și a tuturor celorlalți stăpânitori ai lumii, Domnul a spus: O, Pārtha, privește-i pe toți cei din dinastia Kuru ce sunt adunați aici!

COMENTARIU

În calitate de Suprasuflet al tuturor ființelor, Domnul Kṛṣṇa putea înțelege ceea ce se petrecea îm mintea lui Arjuna. Folosirea cuvântului Hṛṣīkeśa în acest context indică faptul că El cunoștea totul, iar cuvântul Pārtha sau fiu al lui Kuntī ori Pṛthā este de asemenea semnificativ în ce-l privește pe Arjuna. Ca prieten, Kṛṣṇa voia să-l înștiințeze pe Arjuna că, întrucât Arjuna era fiul lui Pṛthā, sora propriului Său tată Vasudeva, El a acceptat să fie conducătorul carului său. Dar de ce îi cere Kṛṣṇa lui Arjuna să-i privească pe cei din dinastia Kuru? Nu cumva Arjuna dorea să se oprească aici și să nu mai lupte? Desigur că nu asta aștepta Kṛṣṇa de la fiul mătușii Sale Pṛthā. Astfel, glumind prietenește, Kṛṣṇa prevestește ceea ce se petrece în mintea lui Arjuna.

TEXTUL 26

तत्रापश्यत्स्थितान् पार्थः पितॄनथ पितामहान् ।
आचार्यान्मातुलान् भ्रातॄन् पुत्रान् पौत्रान् सखींस्तथा ।
श्वशुरान् सुहृदश्चैव सेनयोरुभयोरपि ॥२६॥

tatrāpaśyat sthitān pārthaḥ
pitṝn atha pitāmahān
ācāryān mātulān bhrātṝn
putrān pautrān sakhīṁs tathā
śvaśurān suhṛdaś caiva
senayor ubhayor api

tatra—acolo; *apaśyat*—putu să vadă; *sthitān*—aşezaţi; *pārthaḥ*—Arjuna; *pitṝn*—părinţi; *atha*—precum şi; *pitāmahān*—bunici; *ācāryān*—învăţători; *mātulān*—unchi din partea mamei; *bhrātṝn*—fraţi; *putrān*—fii; *pautrān*—nepoţi; *sakhīn*—prieteni; *tathā*—de asemenea; *śvaśurān*—socri; *suhṛdaḥ*—binevoitori; *ca*—şi; *eva*—desigur; *senayoḥ*—al oştirilor; *ubhayoḥ*—celor două tabere; *api*—inclusiv.

Atunci Arjuna putu să-i vadă acolo, în rândul oştirilor ambelor tabere, pe părinţii, bunicii, învăţătorii, unchii, fraţii, fiii, nepoţii şi prietenii săi, ca şi pe socrii săi şi cei ce s-au arătat binevoitori cu el.

COMENTARIU

Pe câmpul de bătălie Arjuna descoperă tot felul de rude. Unii, precum Bhū-riśrava, erau de-o seamă cu tatăl său, alţii îi erau bunici, precum Bhīşma şi Somadatta, apoi învăţători precum Droņācārya şi Kṛpācārya, unchi din partea mamei ca Śalya şi Śakuni, fraţi precum Duryodhana, fii precum Lakşmaņa, prieteni ca Aśvatthāmā, binefăcători ca Kṛtavarmā etc. Deasemenea, printre oşteni putea să-i zărească pe mulţi dintre prietenii săi.

TEXTUL 27

तान् समीक्ष्य स कौन्तेयः सर्वान् बन्धूनवस्थितान् ।
कृपया परयाविष्टो विषीदन्निदमब्रवीत् ॥२७॥

tān samīkṣya sa kaunteyaḥ
sarvān bandhūn avasthitān
kṛpayā parayāviṣṭo
viṣīdann idam abravīt

tān—pe aceștia; *samīkṣya*—după ce i-a văzut; *saḥ*—el; *kaunteyaḥ*—fiul lui Kuntī; *sarvān*—tot felul de; *bandhūn*—rubedenii; *avasthitān*—aflate acolo; *kṛpayā*—de milă; *parayā*—peste măsură; *āviṣṭaḥ*—copleșit; *viṣīdan*—lamentându-se; *idam*—astfel; *abravīt*—a vorbit.

Când Arjuna, fiul lui Kuntī, îi văzu pe toți acești prieteni și felurite rude, fu copleșit de milă și vorbi astfel.

TEXTUL 28

अर्जुन उवाच
दृष्ट्वेमं स्वजनं कृष्ण युयुत्सुं समुपस्थितम् ।
सीदन्ति मम गात्राणि मुखं च परिशुष्यति ॥२८॥

arjuna uvāca
dṛṣṭvemaṁ sva-janaṁ kṛṣṇa
yuyutsuṁ samupasthitam
sīdanti mama gātrāṇi
mukhaṁ ca pariśuṣyati

arjunaḥ uvāca—Arjuna a spus; *dṛṣṭvā*—văzând; *imam*—pe toți aceștia; *svajanam*—cei apropiați; *kṛṣṇa*—o, Kṛṣṇa; *yuyutsum*—cu toții foarte bătăioși; *samupasthitam*—fiind prezenți; *sīdanti*—tremură; *mama*—ale mele; *gātrāṇi* —membre ale corpului; *mukham*—gura; *ca*—și; *pariśuṣyati*—se usucă.

Arjuna a spus: O, dragă Kṛṣṇa, văzându-mi prietenii și rudele stând în fața mea atât de dornici să lupte, simt cum îmi tremură mădularele trupului și gura mi se usucă.

COMENTARIU

Orice om care este pătruns de o adevărată devoțiune față de Dumnezeu, este înzestrat cu toate virtuțile ce se găsesc la oamenii sfinți sau la semizei, pe când cei ce nu sunt devoți, oricât ar fi de avansați din punct de vedere material, prin educație și cultură, sunt lipsiți de aceste însușiri divine. Ca atare, Arjuna, de îndată ce i-a văzut pe cei apropiați, prieteni și rude, pe câmpul de bătălie, fu de îndată copleșit de compasiune pentru acei ce hotărâseră să lupte între ei. În ce-i privește pe soldații săi, el era plin de simpatie pentru ei chiar de la început, însă simțea compasiune chiar și pentru soldații din tabăra opusă, presimțind moartea lor iminentă. Cugetând astfel, mădularele corpului au început să-i tremure iar gura i se uscase. Era uimit de dorința lor de a lupta, căci practic întreaga comunitate, toate rudele de sânge ale lui Arjuna veniseră să lupte împotriva sa. Acest lucru l-a copleșit pe blândul devot care era Arjuna. Deși nu se spune aici, putem ușor să ne imaginăm că Arjuna nu numai că tremura și i se uscase gura, dar și că plângea de milă. Aceste semne vizibile la Arjuna nu se datorau slăbiciunii, ci blândeții inimii sale, specifică unui pur devot al Domnului. De aceea se spune în *Śrīmad-Bhāgavatam* (5.18.12):

> *yasyāsti bhaktir bhagavaty akiñcanā*
> *sarvair guṇais tatra samāsate surāḥ*
> *harāv abhaktasya kuto mahad-guṇā*
> *mano-rathenāsati dhāvato bahiḥ*

„Cel a cărui devoțiune față de Personalitatea Divinității este neclintită, este înzestrat cu toate virtuțile semizeilor. Dar cel care nu este devot al Domnului, nu are decât însușiri materiale ce nu au mare preț. Aceasta se datorează faptului că rătăcește la nivelul mentalului, fiind neîndoielnic atras de strălucirea energiei materiale."

TEXTUL 29

वेपथुश्च शरीरे मे रोमहर्षश्च जायते ।
गाण्डीवं स्रंसते हस्तात्त्वक्चैव परिदह्यते ॥२९॥

> *vepathuś ca śarīre me*
> *roma-harṣaś ca jāyate*
> *gāṇḍīvaṁ sraṁsate hastāt*
> *tvak caiva paridahyate*

vepathuḥ—cutremurarea corpului; *ca*—și; *śarīre*—pe corp; *me*—al meu; *roma-harṣaḥ*—ridicarea părului; *ca*—și; *jāyate*—are loc; *gāṇḍīvam*—arcul Gaṇḍīva al lui Arjuna; *sraṁsate*—alunecă; *hastāt*—din mână; *tvak*—pielea; *ca*—și; *eva*—chiar; *paridahyate*—arde.

Întregul corp mi se cutremură și se împăroșează, arcul Gāṇḍīva îmi alunecă din mână și pielea îmi arde.

COMENTARIU

Există două feluri de tremurat al corpului și două feluri de împăroșare. Asemenea fenomene se produc fie în cazul marilor extazuri spirituale, fie din pricina unei frici foarte mari datorată unor cauze materiale. În realizarea spirituală nu există frică. Semnele pe care le prezintă Arjuna în această situație provin din frica materială—anume, pierderea vieții. Acest lucru se vădește și prin alte semne; el era atât de neliniștit, încât faimosul său arc Gāṇḍīva îi căzuse din mână și, deoarece inima îi ardea în piept, simțea că și pielea parcă îi arde. Toate acestea se datorează unei concepții materiale asupra vieții.

TEXTUL 30

न च शक्नोम्यवस्थातुं भ्रमतीव च मे मनः ।
निमित्तानि च पश्यामि विपरीतानि केशव ॥३०॥

na ca śaknomy avasthātuṁ
bhramatīva ca me manaḥ
nimittāni ca paśyāmi
viparītāni keśava

na—nici; *ca*—și; *śaknomi*—sunt în stare; *avasthātum*—să stau; *bhramati*—rătăceşte; *iva*—ca și cum; *ca*—și; *me*—a mea; *manaḥ*—minte; *nimittāni*—prilejuri; *ca*—și; *paśyāmi*—văd; *viparītāni*—potrivnice; *keśava*—o, ucigător al demonului Keśī.

O, Kṛṣṇa, ucigător al demonului Keśī, nu mai sunt în stare să stau aici nici măcar o clipă. Nu mai sunt stăpân pe mine și mintea mi se rătăcește. Văd numai prilejuri de nenorocire.

COMENTARIU

Datorită neliniștii sale, Arjuna nu era în stare să mai rămână pe câmpul de luptă și nu mai era stăpân pe sine din pricina slăbiciunii minții sale. Atașamentul excesiv față de lucrurile materiale îl aduce pe om într-o astfel de stare de tulburare. *Bhayaṁ dvitīyābhiniveśataḥ syāt (Śrīm. Bhāg.* 11.2.37): o asemenea frică și pierdere a echilibrului mental are loc la persoanele care sunt afectate în mod excesiv de condițiile materiale. Arjuna are în vedere doar aspectele funeste ale bătăliei, gândindu-se că n-ar fi fericit nici dacă și-ar învinge duşmanii. Cuvintele *nimittāni viparitāni* sunt semnificative. Când omul vede doar frustrarea aspiraţiilor sale, se întreabă: „Pentru ce mă aflu aici?" Oricine este preocupat doar de sine şi de propria bunăstare. Nimeni nu se preocupă de Sinele Suprem. Prin voinţa lui Kṛṣṇa, Arjuna se dovedeşte a fi ignorant în ceea ce priveşte interesul său real. Interesul nostru real se află în Viṣṇu, sau Kṛṣṇa. Sufletul condiţionat uită acest lucru şi de aceea este chinuit de suferinţele materiale. Arjuna ajunge să creadă că victoria sa în bătălie nu îi va fi decât prilej de lamentare.

TEXTUL 31

न च श्रेयोऽनुपश्यामि हत्वा स्वजनमाहवे ।
न काङ्क्षे विजयं कृष्ण न च राज्यं सुखानि च ॥३१॥

na ca śreyo 'nupaśyāmi
hatvā sva-janam āhave
na kāṅkṣe vijayaṁ kṛṣṇa
na ca rājyaṁ sukhāni ca

na—nu; *ca*—şi; *śreyaḥ*—bun; *anupaśyāmi*—văd; *hatvā*—ucigând; *sva-janam*—pe cei apropiaţi; *āhave*—în luptă; *na*—nu; *kāṅkṣe*—doresc; *vijayam*—victoria; *kṛṣṇa*—o, Kṛṣṇa; *na*—nu; *ca*—şi; *rājyam*—regatul; *sukhāni*—plăcerile acestuia; *ca*—şi.

Nu văd la ce bun să-mi ucid rudele în această bătălie şi nici nu pot, dragul meu Kṛṣṇa, să doresc victoria, regatul şi fericirea dobândite în acest fel.

COMENTARIU

Necunoscând faptul că adevăratul lor interes se află în Viṣṇu (sau Kṛṣṇa), sufletele condiţionate sunt atrase de relaţiile trupeşti, sperând ca astfel să fie fericite. Orbiţi de o asemenea concepţie asupra vieţii, aceştia uită chiar şi cauza fericirii materiale. Arjuna pare să fi uitat chiar şi codurile morale ale unui *kṣatriya*. Se spune că există două categorii de oameni care au calităţile necesare pentru a ajunge după moarte pe planeta solară, care este atât de puternică şi strălucitoare: *kṣatriya* care mor pe câmpul de luptă la porunca nemijlocită a lui Kṛṣṇa şi cei ce aparţin ordinului renunţării, fiind profund devotaţi cultivării spiritualităţii. Arjuna şovăie să-şi ucidă chiar şi duşmanii, ca să nu mai vorbim de rudele sale. El crede că ucigându-și rudele nu poate să aibă o viață fericită și de aceea nu vrea să lupte, la fel cum cel ce nu este flămând nu simte nevoia să gătească. Astfel, el se hotărăște să plece în pădure și să ducă o viață retrasă și plină de lipsuri. Dar, în calitate de *kṣatriya*, el are nevoie de un regat pentru a-și duce viața, căci cei din casta *kṣatriya* nu pot avea nici o altă ocupație. Dar Arjuna nu are regat. Singura sa șansă de a obține un regat este lupta cu verii și frații săi, recâștigându-și astfel regatul moștenit de la tatăl său, lucru pe care nu vrea să-l facă. De aceea socotește că este mai bine pentru el să plece în pădure, pentru a duce o viață retrasă și plină de privațiuni.

TEXTELE 32–35

किं नो राज्येन गोविन्द किं भोगैर्जीवितेन वा ।
येषामर्थे काङ्क्षितं नो राज्यं भोगाः सुखानि च ॥३२॥

त इमेऽवस्थिता युद्धे प्राणांस्त्यक्त्वा धनानि च ।
आचार्याः पितरः पुत्रास्तथैव च पितामहाः ॥३३॥

मातुलाः श्वशुराः पौत्राः श्यालाः सम्बन्धिनस्तथा ।
एतान्न हन्तुमिच्छामि घ्नतोऽपि मधुसूदन ॥३४॥

अपि त्रैलोक्यराज्यस्य हेतोः किं नु महीकृते ।
निहत्य धार्तराष्ट्रान्नः का प्रीतिः स्याज्जनार्दन ॥३५॥

kiṁ no rājyena govinda
kiṁ bhogair jīvitena vā
yeṣām arthe kāṅkṣitaṁ no
rājyaṁ bhogāḥ sukhāni ca

ta ime 'vasthitā yuddhe
prāṇāṁs tyaktvā dhanāni ca
ācāryāḥ pitaraḥ putrās
tathaiva ca pitāmahāḥ

mātulāḥ śvaśurāḥ pautrāḥ
śyālāḥ sambandhinas tathā
etān na hantum icchāmi
ghnato 'pi madhusūdana

api trailokya-rājyasya
hetoḥ kiṁ nu mahī-kṛte
nihatya dhārtarāṣṭrān naḥ
kā prītiḥ syāj janārdana

kim—ce folos; *naḥ*—nouă; *rājyena*—regatul; *govinda*—o, Kṛṣṇa; *kim*—ce; *bhogaiḥ*—plăcere; *jīvitena*—trăind; *vā*—sau; *yeṣām*—cărora; *arthe*—spre folosul; *kāṅkṣitam*—este dorit; *naḥ*—de noi; *rājyam*—regatul; *bhogāḥ*—plă- cerile materiale; *sukhāni*—toate bucuriile; *ca*—şi; *te*—ei toţi; *ime*—aceş- tia; *avasthitāḥ*—aşezaţi; *yuddhe*—pe acest câmp de luptă; *prāṇān*—vieţi- le; *tyaktvā*—părăsindu-şi; *dhanāni*—averile; *ca*—şi; *ācāryāḥ*—învăţătorii; *pitaraḥ*—părinţii; *putrāḥ* fiii; *tathā*—ca şi; *eva*—desigur; *ca*—şi; *pitāmahāḥ*—străbunicii; *mātulāḥ*—unchii din partea mamei; *śvaśurāḥ*— socrii; *pautrāḥ*—nepoţii; *śyālāḥ*—cumnaţii; *sambandhinaḥ*—rubedeniile; *tathā*—precum şi; *etān*—pe aceştia; *na*—nicidecum; *hantum*—să-i ucid; *icchāmi*—doresc; *ghnataḥ*—aş fi ucis; *api*—chiar dacă; *madhusūdana*—o, tu ucigător al demonului Madhu (Kṛṣṇa); *api*—chiar dacă; *trai-lokya*—celor trei lumi; *rājyasya*—domnia; *hetoḥ*—în schimb; *kim nu*—darămite; *mahī-kṛte*— pentru pământ; *nihatya*—prin uciderea; *dhārtarāṣṭrān*—fiilor lui Dhṛtarāṣṭ- ra; *naḥ*—a noastră; *kā*—ce; *prītiḥ*—plăcere; *syāt*—ar fi; *janārdana*—o, tu cel ce susţii toate fiinţele.

O, Govinda, la ce ne foloseşte regatul, fericirea sau chiar viaţa însăşi, dacă toţi cei pentru care le-am putea dori sunt acum aliniaţi pe acest câmp de luptă? O, Madhusūdana, când în faţa mea se află învăţătorii, părinţii, fiii, bunicii, unchii, socrii, nepoţii, cumnaţii şi alte rude, gata să renunţe la viaţă şi averi, cum aş putea să le doresc moartea, chiar de-ar fi să mă omoare ei? O, Tu susţinătorul tuturor fiinţelor, nu sunt pregătit să mă lupt cu ei, nici măcar în schimbul celor trei lumi, darămite pentru acest pământ. Ce plăcere am avea ucigându-i pe fiii lui Dhṛtarāṣṭra?

COMENTARIU

Arjuna Îl numeşte aici pe Domnul Kṛṣṇa „Govinda", deoarece Kṛṣṇa este obârşia plăcerii pentru vaci şi pentru simţuri. Folosind acest cuvânt semnifi- cativ, Arjuna vrea să-L facă pe Kṛṣṇa să înţeleagă ce anume i-ar putea satis- face lui simţurile. Însă rostul lui Govinda nu este satisfacerea simţurilor noas- tre. Dacă, dimpotrivă, noi suntem cei care încercăm să satisfacem simţurile lui Govinda, atunci sunt satisfăcute și simțurile noastre. La nivel material, fiecare ființă încearcă să-și satisfacă simțurile, dorind ca Dumnezeu să fie Cel care să-i împlinească cererile pentru asemenea satisfacții. Domnul satisface simțurile ființelor în măsura în care acestea o merită, însă nu pe măsura lăcomiei lor. Dar când cineva apucă pe calea opusă—încercând satisfacerea simțurilor lui Govinda, fără a dori să-și satisfacă propriile simțuri—atunci, grație lui Govinda, toate dorințele sale sunt împlinite. Profunda afecțiune a lui Arjuna față de comunitatea din care face parte și față de membrii familiei sale este înfățișată pe de-o parte ca datorându-se compasiunii sale firești față de aceștia. El este, prin urmare, nepregătit pentru luptă. Oricine dorește să-și arate bunăstarea în fața prietenilor și rudelor; Arjuna însă se teme că toate rudele și prietenii săi vor fi uciși pe câmpul de luptă și nu va avea cu cine să împartă bunăstarea obținută în urma victoriei. Acesta este un calcul tipic pentru viața materială. În viața spirituală însă lucrurile sunt complet diferite. Din moment ce devotul dorește să împlinească dorințele Domnului, cu voia Domnului el poate să accepte orice fel de bogății pentru slujirea Domnului, iar dacă Domnul nu vrea, devotul nu trebuie să accepte nici cel mai neînsemnat lucru. Arjuna nu dorea să-și ucidă rudele, dar dacă acestea trebuiau totuși să fie ucise, ar fi dorit ca acela ce le ucide să fie Kṛṣṇa Însuși. În acel moment el nu știa că acestea erau deja ucise de Kṛṣṇa, chiar înainte de a ajunge pe câmpul de bătălie și că el nu va fi decât instrumentul lui Kṛṣṇa. Acest fapt se va dovedi în capitolele următoare. Având o fire de devot, Arjuna nu găsea nici o plăcere să se răzbune pe netrebnicii săi veri și frați, dar, conform cu planul Domnului, aceștia trebuiau să fie cu toții uciși. Devotul Domnului nu se răzbună pe cei ce-i fac rău, dar Domnul nu îngăduie nici un prejudiciu adus devoților de către răufăcători. Domnul poate să-l ierte pe cel ce-I greșește Lui, însă nu-l iartă pe cel ce-i face rău devotului Său. De aceea Domnul hotărâse să-i ucidă pe răufăcători, deși Arjuna ar fi dorit să-i ierte.

TEXTUL 36

पापमेवाश्रयेदस्मान् हत्वैतानाततायिनः ।
तस्मान्नार्हा वयं हन्तुं धार्तराष्ट्रान् सबान्धवान् ।
स्वजनं हि कथं हत्वा सुखिनः स्याम माधव ॥३६॥

*pāpam evāśrayed asmān
hatvaitān ātatāyinaḥ*

tasmān nārhā vayaṁ hantuṁ
dhārtarāṣṭrān sa-bāndhavān
sva-janaṁ hi kathaṁ hatvā
sukhinaḥ syāma mādhava

pāpam—nelegiuirile; *eva*—desigur; *āśrayet*—se vor abate; *asmān*—asupra noastră; *hatvā*—ucigând; *etān*—pe aceşti; *ātatāyinaḥ*—agresori; *tasmāt*—de aceea; *na*—nicidecum; *arhāḥ*—se cuvine ca; *vayam*—noi; *hantum*—să ucidem; *dhārtarāṣṭrān*—pe fiii lui Dhṛtarāṣṭra; *sa-bāndhavān*—împreună cu prietenii; *sva-janam*—rubedeniile; *hi*—cu-adevărat; *katham*—cum oare; *hatvā*—ucigând; *sukhinaḥ*—fericiţi; *syāma*—am fi; *mādhava*—o, Kṛṣṇa, soţul zeiţei norocului.

Ucigându-i pe aceşti agresori, păcatul s-ar abate asupra noastră. Nu se cuvine să-i ucidem pe fiii lui Dhṛtarāṣṭra şi pe prietenii noştri. O, Kṛṣṇa, soţul zeiţei norocului, ce-am dobândi dacă ne-am ucide propriile rude şi cum am mai putea fi fericiţi?

COMENTARIU

Potrivit învăţăturilor vedice, există şase feluri de agresori: 1) cel care otrăveşte; 2) cel care dă foc casei; 3) cel care atacă cu arme ucigătoare; 4) cel care jefuieşte averea cuiva; 5) cel care ocupă pământul altuia; şi 6) cel care răpeşte soţia cuiva. Aceşti agresori trebuie ucişi pe loc, fără ca uciderea lor să atragă păcatul. Uciderea acestor agresori este un lucru normal pentru oamenii obişnuiţi, însă Arjuna nu era o persoană obişnuită. Fiind foarte pios din fire, Arjuna dorea să se poarte cu duşmanii precum un sfânt. Dar acest fel de sfinţenie nu se potriveşte unui *kṣatriya*. Deşi cel ce-şi asumă responsabilitatea administrării unui stat trebuie să fie pios, el nu trebuie totuşi să devină un laş. De exemplu, Domnul Rāma era atât de pios, încât chiar şi astăzi oamenii sunt dornici să trăiască în regatul lui Rāma (*rāma-rājya*), însă Rāma n-a arătat niciodată vreo urmă de laşitate. Rāvaṇa era un agresor faţă de Rāma, deoarece îi răpise soţia, pe Sīta, însă Domnul Rāma i-a dat o lecţie fără seamăn în istoria lumii. Dar în cazul lui Arjuna trebuie să ţinem seama de faptul că agresorii săi erau de un tip cu totul special, fiind vorba de propriul său bunic, de profesorul său, de prietenii săi, fiii, nepoţii, etc. Datorită acestora, Arjuna credea că n-ar trebui să ia măsurile aspre necesare împotriva agresorilor obişnuiţi. În afară de asta, oamenilor credincioşi li se recomandă să ierte. Asemenea recomandări destinate oamenilor sfinţi sunt mult mai importante decât

imperativele politice. Decât să-și ucidă propriile rubedenii din motive poli-
tice, Arjuna considera că ar fi mai bine să-i ierte, pe temeiul religiei și com-
portamentului pios. El nu lua deci în considerare doar profitul pe care i l-ar
aduce aceste omoruri din punctul de vedere al trecătoarei fericiri trupești. La
urma urmei, regatul și plăcerile domniei nu sunt veșnice; de ce, dar, să-și riște
viața și mântuirea eternă ucigându-și propriile rude? Felul în care Arjuna se
adresează lui Kṛṣṇa cu numele de Mādhava sau „soțul zeiței norocului" este
de asemenea semnificativ în acest context. El dorea să-i arate lui Kṛṣṇa că, în
calitatea Sa de soț al zeiței norocului, n-ar trebui să-l împingă pe Arjuna să se
apuce de un lucru care i-ar fi adus în final nenorocire. Kṛṣṇa însă nu aduce
niciodată nenorocirea nimănui și cu atât mai puțin devoților Săi.

TEXTELE 37–38

यद्यप्येते न पश्यन्ति लोभोपहतचेतसः ।
कुलक्षयकृतं दोषं मित्रद्रोहे च पातकम् ॥३७॥

कथं न ज्ञेयमस्माभिः पापादस्मान्निवर्तितुम् ।
कुलक्षयकृतं दोषं प्रपश्यद्भिर्जनार्दन ॥३८॥

yady apy ete na paśyanti
lobhopahata-cetasaḥ
kula-kṣaya-kṛtaṁ doṣaṁ
mitra-drohe ca pātakam

katham na jñeyam asmābhiḥ
pāpād asmān nivartitum
kula-kṣaya-kṛtaṁ doṣaṁ
prapaśyadbhir janārdana

yadi—dacă; *api*—chiar; *ete*—aceștia; *na*—nu; *paśyanti*—văd; *lobha*—lăco-
mie; *upahata*—cuprinși de; *cetasaḥ*—inimile; *kula-kṣaya*—prin uciderea
familiei; *kṛtam*—săvârșită; *doṣam*—greșeala; *mitra-drohe*—prin cearta cu
prietenii; *ca*—și; *pātakam*—urmările păcatului; *katham*—de ce; *na*—nu;
jñeyam—trebuie să se știe; *asmābhiḥ*—de către noi; *pāpāt*—de păcat; *asmāt*
—de la aceasta; *nivartitum*—să se oprească; *kula-kṣaya*—prin pieirea dinas-
tiei; *kṛtam*—săvârșită; *doṣam*—fărădelegea; *prapaśyadbhiḥ*—de către cei ce
pot să vadă; *janārdana*—o, Kṛṣṇa.

O, Janārdana, deşi aceşti oameni cu inima cuprinsă de lăcomie nu văd nici un rău în a-ţi ucide propria familie sau în cearta cu prietenii, de ce oare noi, care înţelegem fărădelegea de a-ţi nimici familia, trebuie să săvârşim aceste activităţi pline de păcat?

COMENTARIU

Un *kṣatriya* nu poate să refuze să lupte sau să se ia la întrecere cu un adversar atunci când este provocat. Datorită acestei obligaţii, Arjuna nu putea refuza să lupte, căci fusese provocat de către cei aflaţi de partea lui Duryodhana. În această privinţă, Arjuna consideră că cei din tabăra adversă ar putea să fie orbi la efectele unei asemenea provocări. Însă Arjuna poate să prevadă efectele nocive ale acestei provocări şi de aceea n-o poate accepta. Nu suntem legaţi de o anume obligaţie decât atunci când efectele ei sunt pozitive, dar în cazul efectelor contrare, nimeni nu mai este legat de acea obligaţie. Luând în considerare argumentele pro şi contra, Arjuna hotărăşte să nu lupte.

TEXTUL 39

कुलक्षये प्रणश्यन्ति कुलधर्माः सनातनाः ।
धर्मे नष्टे कुलं कृत्स्नमधर्मोऽभिभवत्युत ॥३९॥

kula-kṣaye praṇaśyanti
kula-dharmāḥ sanātanāḥ
dharme naṣṭe kulaṁ kṛtsnam
adharmo 'bhibhavaty uta

kula-kṣaye—prin nimicirea familiei; *praṇaśyanti*—sunt distruse; *kula-dharmāḥ*—tradiţiile familiei; *sanātanāḥ*—veşnice; *dharme*—religia; *naṣṭe*—fiind nimicită; *kulam*—familia; *kṛtsnam*—întreagă; *adharmaḥ*—fărădelegea; *abhibhavati*—transformă; *uta*—s-a spus.

Distrugând dinastia, tradiţia eternă a familiei este distrusă şi astfel fărădelegea pune stăpânire pe întreaga familie.

COMENTARIU

În sistemul *varṇāśrama* există numeroase principii legate de tradiţia religioasă, care să-i ajute pe membrii unei familii să se dezvolte aşa cum se cuvine şi să ajungă să asimileze valorile spirituale. Cei mai vârstnici membri ai familiei sunt răspunzători de îndeplinirea acestui proces de purificare, începând de la naștere și până la moarte. Însă prin moartea celor vârstnici, aceste tradiții familiale de purificare pot să se întrerupă, iar membrii mai tineri ai familiei pot să capete apucături nelegiuite, pierzându-și astfel șansa unei salvări spirituale. De aceea, membrii mai vârstnici ai unei familii nu trebuie să fie uciși sub nici un motiv.

TEXTUL 40

अधर्माभिभवात्कृष्ण प्रदुष्यन्ति कुलस्त्रियः ।
स्त्रीषु दुष्टासु वार्ष्णेय जायते वर्णसङ्करः ॥४०॥

adharmābhibhavāt kṛṣṇa
praduṣyanti kula-striyaḥ
strīṣu duṣṭāsu vārṣṇeya
jāyate varṇa-saṅkaraḥ

adharma—fărădelegea; *abhibhavāt*—devenind atotstăpânitoare; *kṛṣṇa*—o, Kṛṣṇa; *praduṣyanti*—se depravează; *kula-striyaḥ*—femeile din familie; *strīṣu*—când femeile; *duṣṭāsu*—ajung depravate; *vārṣṇeya*—o, urmaș al lui Vṛṣṇi; *jāyate*—se naște; *varṇa-saṅkaraḥ*—progenitura nedorită.

O, Kṛṣṇa, când în familie stăpânește fărădelegea, femeile se depravează, iar din depravarea femeilor, o, descendent a lui Vṛṣṇi, se nasc urmași nedoriți.

COMENTARIU

O populație sănătoasă formează temelia păcii, prosperității și progresului spiritual al vieții în societatea umană. Principiile religioase din sistemul *varṇāśrama* au fost astfel concepute, încât populația sănătoasă să predomine în societate, slujind astfel progresului spiritual general al statului și comunității. O astfel de populație depinde de castitatea și fidelitatea femeilor sale. Așa cum un copil poate fi cu ușurință înșelat, la fel și femeile sunt predispuse la depravare. De aceea, atât copiii cât și femeile au nevoie de ocrotirea membrilor mai în vârstă ai familiei. Fiind angajate în felurite practici religioase, femeile nu vor putea să comită adulter. După opinia lui Cāṇakya Paṇḍita, de obicei femeile nu sunt prea inteligente și de aceea nu sunt demne de încredere. Prin urmare, ele trebuie să fie angajate în diverse tradiții familiale legate de activitățile religioase și astfel, păstrându-și castitatea și devoțiunea, vor da naștere unei populații sănătoase, capabilă să participe la sistemul *varṇāśrama*. Prin destrămarea sistemului *varṇāśrama-dharma* este firesc ca femeile să devină libere în purtări și să se amestece cu bărbații, dedându-se adulterului, cu riscul apariției unor urmași nedoriți. Bărbații iresponsabili provoacă de asemenea adulterul în societate și astfel copiii nedoriți invadează omenirea, cu riscul apariției războaielor și epidemiilor.

TEXTUL 41

सङ्करो नरकायैव कुलघ्नानां कुलस्य च ।
पतन्ति पितरो ह्येषां लुप्तपिण्डोदकक्रियाः ॥४१॥

saṅkaro narakāyaiva
kula-ghnānāṁ kulasya ca
patanti pitaro hy eṣāṁ
lupta-piṇḍodaka-kriyāḥ

saṅkaraḥ—acești copii nedoriți; *narakāya*—le fac viața infernală; *eva*—cu siguranță; *kula-ghnānām*—celor ce distrug familia; *kulasya*—pentru familie; *ca*—de asemenea; *patanti*—se prăbușesc; *pitaraḥ*—străbunii; *hi*—cu-adevărat; *eṣām*—acestora; *lupta*—oprită; *piṇḍa*— a ofrandei de hrană; *udaka*—și apă; *kriyāḥ*—săvârșire.

Creșterea populației nedorite aduce în mod sigur o viață de infern, atât pentru familie, cât și pentru cei ce distrug tradiția familiei. Străbunii acestor familii decăzute se prăbușesc, căci îndeplinirea ritualului de a le oferi hrană și apă încetează cu totul.

COMENTARIU

Potrivit cu legile și îndatoririle celui ce urmărește câștiguri materiale, este necesar să se ofere periodic hrană și apă străbunilor familiei. Această ofrandă este săvârșită prin adorarea lui Viṣṇu, deoarece consumarea rămășițelor hranei oferite lui Viṣṇu eliberează pe cineva de toate urmările activităților păcătoase. Uneori strămoșii pot să sufere din pricina diverselor tipuri de reacții datorate păcatelor, iar câteodată unii din ei nu se pot nici măcar reîncarna într-un corp material grosier, fiind forțați să rămână în corpul subtil, în chip de stafie. Astfel, dacă urmașii oferă strămoșilor rămășițele de hrană numită *prasādam*, aceștia pot fi izbăviți de existența de stafie sau de alte feluri de viață la fel de groaznice. Asemenea ajutor acordat strămoșilor este o tradiție a familiei, iar cei ce nu au o viață în devoțiune trebuie să îndeplinească aceste ritualuri. Cel ce se angajează în viața devoțională nu mai trebuie să îndeplinească aceste acțiuni. Prin simpla îndeplinire a slujirii cu devoțiune omul poate să izbăvească de toate suferințele sute și mii de strămoși. În *Śrīmad Bhāgavatam* (11.5.41) se spune:

> *devarṣi-bhūtāpta-nṛṇāṁ pitṝṇāṁ*
> *na kiṅkaro nāyam ṛṇī ca rājan*
> *sarvātmanā yaḥ śaraṇaṁ śaraṇyaṁ*
> *gato mukundaṁ parihṛtya kartam*

„Oricine care-și găsește adăpost la picioarele de lotus ale lui Mukunda, cel ce dăruiește eliberarea, renunțând la toate îndatoririle și angajându-se pe acest drum cu toată hotărârea, nu mai are nici o îndatorire sau obligație față de semizei, înțelepți, celelalte ființe, membrii familiei, omenire sau strămoși." Aceste obligații sunt automat îndeplinite prin slujirea cu devoțiune față de Suprema Personalitate a Divinității.

TEXTUL 42

दोषैरेतैः कुलघ्नानां वर्णसङ्करकारकैः ।
उत्साद्यन्ते जातिधर्माः कुलधर्माश्च शाश्वताः ॥४२॥

> *doṣair etaiḥ kula-ghnānāṁ*
> *varṇa-saṅkara-kārakaiḥ*
> *utsādyante jāti-dharmāḥ*
> *kula-dharmāś ca śāśvatāḥ*

doṣaiḥ—prin astfel de greșeli; *etaiḥ*—toate aceste; *kula-ghnānām*—ale distrugătorilor familiei; *varṇa-saṅkara*—copiilor nedoriți; *kārakaiḥ*—care sunt cauza; *utsādyante*—sunt devastate; *jāti-dharmāḥ*—rânduielile comunității; *kula-dharmāḥ*—tradițiile familiei; *ca*—și; *śāśvatāḥ*—eterne.

Prin faptele rele ale celor ce distrug tradiția familiei, dând astfel naș-tere copiilor nedoriți, toate rânduielile comunității, ca și cele destinate bunăstării familiei se destramă.

COMENTARIU

Rânduielile comunității pentru cele patru categorii ale societății umane, com-binate cu activitățile care asigură bunăstarea familiei, așa cum sunt stipula-te în sistemul *sanātana-dharma* sau *varņāśrama-dharma,* sunt destinate să-l ajute pe om să atingă eliberarea finală. De aceea, întreruperea tradiției aces-tui *sanātana-dharma* de către conducătorii iresponsabili ai societății aduce haosul în societate și, ca urmare, oamenii uită de țelul vieții—Vișnu. Ase-menea conducători sunt numiți „orbi", iar cei care-i urmează pot fi siguri că se îndreaptă spre haos.

TEXTUL 43

उत्सन्नकुलधर्माणां मनुष्याणां जनार्दन ।
नरके नियतं वासो भवतीत्यनुशुश्रुम ॥४३॥

utsanna-kula-dharmāṇāṁ
manuṣyāṇāṁ janārdana
narake niyataṁ vāso
bhavatīty anuśuśruma

utsanna—distrusă; *kula-dharmāṇām*—a căror tradiție familială; *manuṣyāṇām*—a acelor oameni; *janārdana*—o, Kṛṣṇa; *narake*—în infern; *niyatam*—întotdeauna; *vāsaḥ*—sălașul; *bhavati*—le este; *iti*—astfel; *anuśuśruma*—am aflat prin succesiune disciplică.

O, Kṛṣṇa, susținătorul oamenilor, prin succesiunea disciplică am aflat că acei ce distrug tradițiile familiei rămân pe veci în infern.

COMENTARIU

Arjuna nu-și întemeiază argumentele pe propria experiență, ci pe ceea ce a aflat din surse autorizate. Aceasta este modalitatea de a dobândi o cunoaște-re reală. Nimeni nu poate ajunge pe adevărata culme a cunoașterii efective fără ajutorul unei persoane pricepute, care este deja bine stabilită în această cunoaștere. In cadrul instituției *varṇāśrama* există un sistem prin care înaintea morții o persoană parcurge procesul de ispășire a faptelor sale păcătoase. Cel ce este mereu implicat în activități păcătoase trebuie să recurgă la procesul de ispășire numit *prāyaścitta*. Altfel el va ajunge cu siguranță pe planetele infernale, supus existențelor pline de suferință ce rezultă din activitățile păcătoase.

TEXTUL 44

अहो बत महत्पापं कर्तुं व्यवसिता वयम् ।
यद्राज्यसुखलोभेन हन्तुं स्वजनमुद्यताः ॥४४॥

> *aho bata mahat pāpaṁ*
> *kartuṁ vyavasitā vayam*
> *yad rājya-sukha-lobhena*
> *hantuṁ sva-janam udyatāḥ*

aho—vai; *bata*—cât de ciudat; *mahat*—mare; *pāpam*—păcate; *kartum*—să facem; *vyavasitāḥ*—am hotărât; *vayam*—noi; *yat*—deoarece; *rājya-sukha-lobhena*—atrași de dorința plăcerilor domniei; *hantum*—să ucidem ; *sva-janam*—rudele; *udyatāḥ*—încercând.

Vai, cât de ciudat este că ne pregătim a săvârși aceste mari păcate! Atrași de dorința de a ne bucura de plăcerile domniei, suntem gata să ne ucidem propriile rude.

COMENTARIU

Împinsă de motive egoiste, o persoană poate ajunge la astfel de activități păcătoase, cum ar fi uciderea propriului său frate, tată sau propriei mame. Există destule exemple în istoria lumii. Dar Arjuna, fiind un sfânt devot al Domnului, este mereu conștient de principiile morale și de aceea are grijă să ocolească asemenea fapte.

TEXTUL 45

यदि मामप्रतीकारमशस्त्रं शस्त्रपाणयः ।
धार्तराष्ट्रा रणे हन्युस्तन्मे क्षेमतरं भवेत् ॥४५॥

> *yadi mām apratīkāram*
> *aśastraṁ śastra-pāṇayaḥ*
> *dhārtarāṣṭrā raṇe hanyus*
> *tan me kṣemataraṁ bhavet*

yadi—chiar dacă; *mām*—pe mine; *apratīkāram*—fără a opune rezistenţă; *aśastram*—dezarmat; *śastra-pāṇayaḥ*—cei cu arme în mâini; *dhārtarāṣṭrāḥ*—fiii lui Dhṛtarāṣṭra; *raṇe*—pe câmpul de luptă; *hanyuḥ*—ar ucide; *tat*—aceasta; *me*—pentru mine; *kṣema-taram*—mai bine; *bhavet*—ar fi.

Ar fi mai bine pentru mine dacă fiii lui Dhṛtarāṣṭra, cu arma în mână, m-ar ucide pe câmpul de luptă neînarmat şi fără să mă împotrivesc.

COMENTARIU

Potrivit principiilor de luptă ale unui *kṣatriya*, un duşman neînarmat şi care nu vrea să lupte, nu trebuie să fie atacat. Arjuna însă hotărăşte să nu lupte nici chiar dacă este atacat de duşman în această situaţie dezavantajoasă, neluând în seamă cât de mare era dorinţa adversarilor săi de a lupta. Această atitudine se datorează blândeţii inimii sale, semn că era un mare devot al Domnului.

TEXTUL 46

सञ्जय उवाच
एवमुक्त्वार्जुनः सङ्ख्ये रथोपस्थ उपाविशत् ।
विसृज्य सशरं चापं शोकसंविग्नमानसः ॥४६॥

> *sañjaya uvāca*
> *evam uktvārjunaḥ saṅkhye*
> *rathopastha upāviśat*
> *visṛjya sa-śaraṁ cāpaṁ*
> *śoka-saṁvigna-mānasaḥ*

sañjayaḥ uvāca—Sañjaya a spus; *evam*—astfel; *uktvā*—zicând; *arjunaḥ*—Arjuna; *saṅkhye*—pe câmpul de luptă; *ratha*—carului; *upasthe*—pe scaunul; *upāviśat*—s-a aşezat din nou; *visṛjya*—lăsând de-o parte; *sa-śaram*—cu săgeţile; *cāpam*—arcul; *śoka*—de lamentare; *saṁvigna*—îndurerat; *mānasaḥ*—în minte.

Sañjaya a spus: Vorbind astfel pe câmpul de luptă, Arjuna lasă de-o parte arcul și săgețile și se așează în car, cu mintea copleșită de mâhnire.

COMENTARIU

Atâta timp cât observase situația din tabăra dușmană, Arjuna stătuse în picioare în car, dar acum, cuprins de mâhnire, se așează din nou, lăsând de-o parte arcul și săgețile. O persoană atât de bună și blândă la inimă, slujind cu devoțiune Domnului, este pregătită să primească cunoașterea de sine.

Astfel se încheie comentariul lui Bhaktivedanta la capitolul întâi din Śrīmad Bhagavad-gītā, numit „Oștirile pe câmpul de luptă de la Kurukșetra".

Conținutul din Gītā în rezumat

TEXTUL 1

सञ्जय उवाच
तं तथा कृपयाविष्टमश्रुपूर्णाकुलेक्षणम् ।
विषीदन्तमिदं वाक्यमुवाच मधुसूदनः ॥ १ ॥

sañjaya uvāca
taṁ tathā kṛpayāviṣṭam
aśru-pūrṇākulekṣaṇam
viṣīdantam idaṁ vākyam
uvāca madhusūdanaḥ

sañjayaḥ uvāca—Sañjaya a spus; *tam*—pe Arjuna; *tathā*—astfel; *kṛpayā*—de milă; *āviṣṭam*—copleșit; *aśru-pūrṇa-ākula*—plini de lacrimi; *īkṣaṇam*—ochii; *viṣīdantam*—lamentându-se; *idam*—aceste; *vākyam*—cuvinte; *uvāca*—rosti; *madhu-sūdanaḥ*—cel ce l-a ucis pe Madhu.

Sañjaya a spus: Văzându-l pe Arjuna cuprins de milă, deprimat, cu ochii plini de lacrimi, Madhusūdana, Kṛṣṇa, rosti următoarele cuvinte.

COMENTARIU

Compasiunea pentru cele materiale, lamentarea şi lacrimile, toate sunt semne ale ignoranţei asupra sinelui real. Compasiunea pentru sinele real înseamnă realizare de sine. Cuvântul „Madhusūdana" este semnificativ în acest verset. Arjuna ar dori ca Śrī Kṛṣṇa, cel ce l-a ucis pe demonul Madhu, să ucidă acum demonul neînţelegerii ce l-a cuprins când trebuia să-şi împlinească datoria. Nimeni nu ştie unde să-şi folosească compasiunea. N-are nici un rost să-ţi pară rău de hainele unui om care se înneacă. Cel căzut în oceanul ignoranţei nu poate fi salvat doar prin salvarea veşmântului exterior—corpul material grosier. Cel ce nu ştie acest lucru, plângând după veşmântul exterior, este numit *śūdra*, cel ce se lamentează fără rost. În calitatea sa de *kṣatriya*, purtarea lui Arjuna era neaşteptată. Însă Domnul Kṛṣṇa poate să risipească lamentările celui ignorant; acesta este scopul pentru care a fost cântată *Bhagavad-gītā* de către El. Acest capitol ne învaţă despre realizarea de sine, prin studierea analitică a corpului material şi a sufletului spiritual, aşa cum a fost explicată de autoritatea supremă, Domnul Śrī Kṛṣṇa. Această realizare este posibilă atunci când omul acţionează fără să se ataşeze de fructul activităţilor, rămânând mereu cu gândul fixat asupra sinelui real.

TEXTUL 2

श्रीभगवानुवाच
कुतस्त्वा कश्मलमिदं विषमे समुपस्थितम् ।
अनार्यजुष्टमस्वर्ग्यमकीर्तिकरमर्जुन ॥ २ ॥

śrī-bhagavān uvāca
kutas tvā kaśmalam idaṁ
viṣame samupasthitam
anārya-juṣṭam asvargyam
akīrti-karam arjuna

śrī-bhagavān uvāca—Suprema Personalitate a Divinităţii a spus; *kutaḥ*—de unde; *tvā*—la tine; *kaśmalam*—necurăţenie; *idam*—această lamentare;

viṣame—în această clipă de cumpănă; *samupasthitam*—a sosit; *anārya*—cei ce nu știu să prețuiască viața; *juṣṭam*—săvârșite de; *asvargyam*—care nu duce spre planetele superioare; *akīrti*—defăimare; *karam*—pricină de; *arjuna*—o, Arjuna.

Suprema Personalitate a Divinității a spus: Dragul Meu Arjuna, de unde au venit aceste gânduri necurate asupra ta, cu totul nedemne de un om ce știe să prețuiască viața? Acestea nu te îndreaptă spre planetele superioare, ci doar spre propria-ți defăimare.

COMENTARIU

Kṛṣṇa și Suprema Personalitate a Divinității sunt unul și același lucru. De aceea, peste tot în *Gītā* Śrī Kṛṣṇa este numit Bhagavān. Bhagavān este aspectul ultim al Adevărului Absolut. Adevărul Absolut se realizează în trei etape de cunoaștere: Brahman sau spiritul impersonal atotpătrunzător; Paramātmā sau aspectul Supremului situat în inima tuturor ființelor; Bhagavān sau Suprema Personalitate a Divinității, Śrī Kṛṣṇa. În *Śrīmad Bhāgavatam* (1.2.11) această concepție asupra Adevărului Absolut este explicată astfel:

> *vadanti tat tattva-vidas*
> *tattvaṁ yaj jñānam advayam*
> *brahmeti paramātmeti*
> *bhagavān iti śabdyate*

„Adevărul Absolut este realizat în trei etape de înțelegere de către cel ce a ajuns la această cunoaștere și toate aceste etape sunt identice. Aceste etape ale Adevărului Absolut sunt exprimate ca Brahman, Paramātmā și Bhagavān." Aceste trei aspecte ale divinului se pot ilustra prin exemplul soarelui care are de asemenea trei aspecte și anume: lumina soarelui, suprafața soarelui și planeta solară propriu-zisă. Cel ce studiază doar lumina soarelui este un începător, cel ce înțelege ceea ce se petrece la suprafața soarelui este ceva mai avansat, iar cel ce poate să pătrundă în planeta solară este cel mai avansat. Învățații obișnuiți, care se mulțumesc doar cu cunoașterea luminii soarelui, a atotpătrunderii sale și a orbitoarei sale străluciri impersonale, pot fi comparați cu cei ce reușesc să realizeze doar aspectul de Brahman al Adevărului Absolut. Învățatul mai avansat poate cunoaște discul soarelui, cunoaștere comparată cu cea a aspectului de Paramātmā al Adevărului Absolut. Iar învățatul care pătrunde în inima planetei solare este comparat cu cei ce realizează trăsăturile personale ale Adevărului Absolut Suprem. De aceea *bhakta* sau transcendentaliştii care au realizat aspectul de Bhagavān al Adevărului Absolut sunt cei mai avansaţi dintre transcendentalişti, chiar dacă toţi cei ce sunt angajaţi în studierea Adevărului Absolut sunt cuprinşi în acelaşi domeniu. Deşi lumina soarelui, discul solar şi interiorul planetei solare nu pot fi separate, totuşi cei ce studiază cele trei aspecte distincte nu fac parte din aceeaşi categorie.

Cuvântul sanskrit *bhagavān* a fost explicat de o mare autoritate în acest domeniu, Parāśara Muni, tatăl lui Vyāsadeva. Persoana Supremă care posedă toate bogăţiile, toate puterile, toată faima, toată frumuseţea, toată cunoaşterea şi toată renunţarea este numită Bhagavān. Există multe persoane foarte bogate, foarte puternice, foarte frumoase, foarte renumite, foarte învăţate şi foarte detaşate, dar nici una dintre ele nu poate să spună că posedă toate bogăţiile, toate puterile etc. în întregul lor. Numai Kṛṣṇa poate spune acest lucru, căci El este Suprema Personalitate a Divinităţii. Nici o fiinţă, inclusiv Brahmā, Śiva sau Nārāyaṇa, nu poate să aibă atât de multe bogăţii în aceeaşi măsură ca Śrī Kṛṣṇa. De aceea în *Brahma-samhita* Brahmā însuşi ajunge la concluzia că Śrī Kṛṣṇa este Suprema Personalitate a Divinităţii. Nimeni nu este egalul Său sau mai presus de El. El este Domnul primordial sau Bhagavān, cunoscut şi ca Govinda, fiind suprema cauză a tuturor cauzelor:

īśvaraḥ paramaḥ kṛṣṇaḥ
sac-cid-ānanda-vigrahaḥ
anādir ādir govindaḥ
sarva-kāraṇa-kāraṇam

„Mulţi sunt cei care posedă calităţile lui Bhagavān, dar Kṛṣṇa este suprem, căci nimeni nu poate să-L întreacă. El este Persoana Supremă iar corpul Său este etern, plin de cunoaştere şi beatitudine. El este Domnul Govinda cel primordial şi cauză a tuturor cauzelor." (*Brahma-samhita*, 5.1).

În *Śrīmad Bhāgavatam* există de asemenea o listă a mai multor încarnări ale Supremei Personalităţi a Divinităţii, dar Kṛṣṇa este descris ca fiind Personalitatea originară a Divinităţii, din care foarte multe încarnări şi Personalităţi ale Divinităţii expandează:

ete cāmśa-kalāḥ pumsaḥ
kṛṣṇas tu bhagavān svayam
indrāri-vyākulam lokam
mṛḍayanti yuge yuge

„Toate încarnările Divinității înfățișate în această listă sunt fie expansiuni plenare, fie părți ale acestor expansiuni plenare ale Supremei Divinități, dar Kṛṣṇa este Însăși Suprema Personalitate a Divinității" (Śrīm. Bhāg. 4.3.28). Deci Kṛṣṇa este Suprema Personalitate originară a Divinității, Adevărul Absolut, sursa atât a Suprasufletului cât și a impersonalului Brahman.

În prezența Supremei Personalități a Divinității, lamentările lui Arjuna pentru rudele sale sunt cu siguranță neavenite, de aceea Kṛṣṇa Își exprimă surprinderea prin cuvântul kutaḥ, „de unde". Asemenea lucruri nedemne nu erau de așteptat din partea unei persoane aparținând categoriei de oameni civilizați numiți āryan. Cuvântul āryan se aplică persoanelor care cunosc prețul vieții și au o civilizație întemeiată pe realizarea spirituală. Persoanele ce se conduc după concepția materială asupra vieții nu știu că scopul vieții este realizarea Adevărului Absolut, Viṣṇu, sau Bhagavān, fiind prinși în capcana aspectului exterior al lumii materiale și din acest motiv ei nu înțeleg ce înseamnă eliberarea. Cei ce nu știu nimic despre eliberarea de legăturile materiale sunt numiți ne-āryan. Deși Arjuna era un kṣatriya, el se abătuse de la datoriile sale prescrise, prin refuzul de a lupta. Acest act de lașitate este descris ca fiind demn de cei ce sunt ne-āryan. Această abatere de la datorie nu-l ajută pe om să progreseze în viața spirituală și nici nu-i dă prilejul să ajungă renumit în această lume. De aceea Śrī Kṛṣṇa nu aprobă așa numita compasiune a lui Arjuna față de rudele sale.

TEXTUL 3

क्लैब्यं मा स्म गमः पार्थ नैतत्त्वय्युपपद्यते ।
क्षुद्रं हृदयदौर्बल्यं त्यक्त्वोत्तिष्ठ परन्तप ॥ ३ ॥

klaibyaṁ mā sma gamaḥ pārtha
naitat tvayy upapadyate
kṣudraṁ hṛdaya-daurbalyaṁ
tyaktvottiṣṭha parantapa

klaibyam—de neputință; mā sma—să nu cumva; gamaḥ—să te lași cuprins; pārtha—o, fiu al lui Pṛthā; na—nicidecum; etat—aceasta; tvayi—la tine; upapadyate—se cade; kṣudram—josnică; hṛdaya—a inimii; daurbalyam—slăbiciune; tyaktvā—alungând; uttiṣṭha—ridică-te; param-tapa—o, tu cel ce-ți pedepsești dușmanii.

O, fiu al lui Pṛthā, nu te lăsa cuprins de-această neputinţă degradantă, ce nu ţi se cade. Alungă această josnică slăbiciune a inimii şi ridică-te, o tu cel ce-ţi pedepseşti duşmanii.

COMENTARIU

Arjuna este numit aici „fiu al lui Pṛthā", cea care era sora tatălui lui Kṛṣṇa, Vasudeva. Deci Arjuna avea acelaşi sânge ca şi Kṛṣṇa. Dacă un fiu de *kṣatriya* refuză să lupte, el este *kṣatriya* doar cu numele, iar dacă fiul unui *brāhmaṇa* are o purtare lipsită de pietate, el este brahman doar cu numele. Asemenea *kṣatriya* şi brahmani sunt fii nedemni ai părinţilor lor; de aceea, Kṛṣṇa nu doreşte ca Arjuna să ajungă un fiu nedemn al unui *kṣatriya*. Arjuna era cel mai apropiat prieten al lui Kṛṣṇa, iar Kṛṣṇa, aflat în carul de luptă, îl îndruma în mod direct; dar, în ciuda tuturor acestor recunoaşteri ale meritelor sale, dacă Arjuna ar fi părăsit lupta, ar fi săvârşit o faptă nedemnă. De aceea Kṛṣṇa spune că o asemenea atitudine din partea lui Arjuna nu se potriveşte personalităţii sale. Arjuna ar putea să argumenteze că renunţă la luptă din pricina atitudinii sale generoase faţă de venerabilul Bhīṣma şi faţă de rudele sale, dar Kṛṣṇa consideră că o atare generozitate este doar slăbiciune a inimii. O asemenea falsă generozitate nu era încuviinţată de nici un fel de autoritate. Din această cauză, o astfel de generozitate sau aşa numită nonviolenţă trebuie abandonată de persoanele de felul lui Arjuna, aflate sub directa îndrumare a lui Kṛṣṇa.

TEXTUL 4

अर्जुन उवाच
कथं भीष्ममहं सङ्ख्ये द्रोणं च मधुसूदन ।
इषुभिः प्रतियोत्स्यामि पूजार्हावरिसूदन ॥ ४ ॥

arjuna uvāca
katham bhīṣmam aham saṅkhye
droṇam ca madhusūdana
iṣubhiḥ pratiyotsyāmi
pūjārhāv ari-sūdana

arjunaḥ uvāca—Arjuna a spus; *katham*—cum; *bhīṣmam*—pe Bhīṣma; *aham* —eu; *saṅkhye*—în luptă; *droṇam*—pe Droṇa; *ca*—şi; *madhu-sūdana*—o, ucigător al lui Madhu; *iṣubhiḥ*—cu săgeți; *pratiyotsyāmi*—voi contraataca; *pūjā-arhau*—cei demni de venerație; *ari-sūdana*—o, ucigaș al vrăjmașilor.

Arjuna a spus: O, Tu care-ți ucizi vrăjmașii, Cel ce l-ai ucis pe Madhu, cum aș putea să-i lovesc cu săgeți în bătălie pe oameni ca Bhīṣma și Droṇa, care sunt demni de venerarea mea?

COMENTARIU

Superiorii respectabili, precum străbunul Bhīṣma sau învățătorul Droṇācārya trebuie să fie întotdeauna venerați. Chiar când atacă, nu trebuie să li se riposteze. Eticheta cere ca superiorii să nu fie jigniți nici măcar prin atacuri verbale. Chiar dacă uneori au o comportare severă, ei nu trebuie tratați cu duritate. Cum ar putea atunci Arjuna să răspundă atacului lor? Oare Kṛṣṇa l-ar fi atacat pe propriul Său bunic, Ugrasena, sau pe învățătorul Său, Sāndīpani Muni? Acestea sunt câteva din argumentele înfățișate de Arjuna.

TEXTUL 5

गुरूनहत्वा हि महानुभावान्
श्रेयो भोक्तुं भैक्ष्यमपीह लोके ।
हत्वार्थकामांस्तु गुरूनिहैव
भुञ्जीय भोगान् रुधिरप्रदिग्धान् ॥ ५ ॥

gurūn ahatvā hi mahānubhāvān
śreyo bhoktuṁ bhaikṣyam apīha loke
hatvārtha-kāmāṁs tu gurūn ihaiva
bhuñjīya bhogān rudhira-pradigdhān

gurūn—pe superiori; *ahatvā*—neucigând; *hi*—cu siguranță; *mahā-anubhāvān*—marile suflete; *śreyaḥ*—este mai bine; *bhoktum*—să ne bucurăm de viață; *bhaikṣyam*—cerșind; *api*—chiar; *iha*—în această viață; *loke*—în această lume; *hatvā*—ucigând; *artha*—câștigul; *kāmān*—dorind; *tu*—chiar; *gurūn*—pe superiori; *iha*—în această lume; *eva*—desigur; *bhuñjīya*—se va bucura de; *bhogān*—lucrurile desfătătoare; *rudhira*—sânge; *pradigdhān*—pătate cu.

Mai bine să trăiesc cerșind în această lume, decât să rămân în viață cu prețul vieții marilor suflete care sunt învățătorii mei. Chiar dacă ei

doresc câştiguri lumeşti, rămân totuşi superiori. Ucigându-i pe ei, toate lucrurile de care ne-am bucura ar fi pătate cu sânge.

COMENTARIU

Conform principiilor scripturii, un învăţător care comite o faptă abominabilă, pierzându-şi capacitatea de a discerne, poate să fie abandonat. Bhīşma şi Drona fuseseră obligaţi să treacă de partea lui Duryodhana datorită sprijinului financiar acordat de acesta, deşi ei n-ar fi trebuit să accepte acest compromis doar din motive financiare. În aceste împrejurări, ei şi-au pierdut demnitatea de învăţători. Însă Arjuna consideră că, în ciuda acestui fapt, ei rămân superiorii săi, iar faptul de a se bucura de câştiguri materiale în urma morţii lor înseamnă a se bucura de un câştig pătat cu sânge.

TEXTUL 6

न चैतद्विद्मः कतरन्नो गरीयो
यद्वा जयेम यदि वा नो जयेयुः ।
यानेव हत्वा न जिजीविषाम-
स्तेऽवस्थिताः प्रमुखे धार्तराष्ट्राः ॥ ६ ॥

na caitad vidmah kataran no garīyo
yad vā jayema yadi vā no jayeyuh
yān eva hatvā na jijīviṣāmas
te 'vasthitāh pramukhe dhārtarāṣṭrāḥ

na—nici; *ca*—şi; *etat*—acesta; *vidmah*—ştim; *katarat*—care; *nah*—pentru noi; *garīyah*—mai bun; *yat vā*—sau dacă; *jayema*—să-i învingem; *yadi*—dacă; *vā*—sau; *nah*—noi; *jayeyuh*—înfrânţi de ei; *yān*—pe cei care; *eva*—desigur; *hatvā*—ucigând; *na*—niciodată; *jijīviṣāmah*—am dori să trăim; *te*—ei toţi; *avasthitāh*—sunt aşezaţi; *pramukhe*—dinainte; *dhārtarāṣṭrāḥ*—fiii lui Dhṛtarāṣṭra.

Şi nici nu ştim ce-ar fi mai bine pentru noi—să-i înfrângem ori să fim înfrânţi de ei. Dacă i-am ucide pe fiii lui Dhṛtarāṣṭra, n-am mai dori să trăim. Totuşi ei stau în faţa noastră pe câmpul de luptă.

COMENTARIU

Arjuna nu știa dacă trebuie să lupte, riscând o violență inutilă, chiar dacă datoria unui *kṣatriya* este să lupte, sau să se abțină și să trăiască din cerșit. Dacă n-ar fi reușit să-și înfrângă dușmanul, singurul său mijloc de subzistență ar fi fost cerșitul. De altfel, victoria nici nu era certă, căci oricare tabără putea să iasă învingătoare. Chiar dacă se puteau aștepta la victorie (cauza lor fiind dreaptă), totuși, dacă fiii lui Dhṛtarāṣṭra mureau în bătălie, ar fi fost foarte greu de trăit fără ei. În aceste împrejurări victoria n-ar fi fost decât un alt fel de înfrângere. Toate aceste considerații din partea lui Arjuna demonstrează faptul că nu era doar un mare devot al Domnului, ci și un mare iluminat, cu mintea și simțurile perfect controlate. Un alt semn al detașării sale este dorința de a trăi din cerșit, deși era născut într-o familie regală. Așa cum arată aceste calități, ca și increderea sa în cuvintele de pildă ale maestrului său spiritual, Śrī Kṛṣṇa, el era cu adevărat virtuos. Se poate trage concluzia că Arjuna era cu totul pregătit pentru eliberare. Până când simțurile nu se află sub control, nu este nici o șansă de înălțare la nivelul cunoașterii, iar fără cunoaștere și devoțiune nu există șanse de eliberare. Arjuna era foarte bine înzestrat cu toate aceste calități, pe lângă nenumăratele sale calități în domeniul relațiilor materiale.

TEXTUL 7

कार्पण्यदोषोपहतस्वभावः
पृच्छामि त्वां धर्मसम्मूढचेताः ।
यच्छ्रेयः स्यान्निश्चितं ब्रूहि तन्मे
शिष्यस्तेऽहं शाधि मां त्वां प्रपन्नम् ॥ ७ ॥

kārpaṇya-doṣopahata-svabhāvaḥ
pṛcchāmi tvāṁ dharma-sammūḍha-cetāḥ
yac chreyaḥ syān niścitaṁ brūhi tan me
śiṣyas te 'haṁ śādhi māṁ tvāṁ prapannam

kārpaṇya—jalnică; *doṣa*—de slăbiciunea; *upahata*—afectate; *sva-bhāvaḥ*—însușirile; *pṛcchāmi*—întreb; *tvām*—pe Tine; *dharma*—religia; *sammūḍha*—tulburată; *cetāḥ*—în inimă; *yat*—ce anume; *śreyaḥ*—mai bine; *syāt*—ar fi; *niścitam*—confidențial; *brūhi*—spune; *tat*—aceasta; *me*—mie; *śiṣyaḥ*—discipol; *te*—al Tău; *aham*—eu sunt; *śādhi*—învață; *mām*—pe mine; *tvām*—către Tine; *prapannam*—predat.

Nu-mi mai dau seama care mi-e datoria şi mi-am pierdut cumpătul din pricina acestei jalnice slăbiciuni. În această stare, Îți cer să-mi spui desluşit ce este mai bine pentru mine. Acuma sunt discipolul Tău, suflet predat cu totul Ție. Te rog, învață-mă.

COMENTARIU

În conformitate cu legile naturii, întregul sistem al activităților materiale este o sursă de încurcături pentru toată lumea. La fiecare pas apare o încurcătură, de aceea trebuie să ne apropiem de un maestru spiritual autentic, care poate să ne îndrume aşa cum se cuvine pentru îndeplinirea scopului vieții. Toate scrierile vedice ne sfătuiesc să ne apropiem de un maestru spiritual autentic, pentru a ne elibera de încurcăturile ce apar în viața noastră fără să vrem. Ele sunt ca focul într-o pădure, care arde uneori fără ca nimeni să-l fi aprins. Acelaşi lucru se întâmplă şi în lume, unde încurcăturile vieții apar automat, fără ca noi să le dorim. Nimeni nu doreşte ca pădurea să ia foc şi totuşi el apare iar noi rămânem perplecşi. De aceea, înțelepciunea vedică ne sfătuieşte să ne apropiem de un maestru spiritual aflat în descendența unei succesiuni disciplice, pentru a rezolva încurcăturile vieții şi a învăța ştiința soluționării lor. Nu trebuie deci să rămânem în mijlocul încurcăturilor materiale, ci trebuie să căutăm un maestru spiritual. Acesta este sensul acestui text.

Cine este cuprins de încurcătura materială? Este cel ce nu înțelege problemele vieții. În *Bṛhad-āraṇyaka Upaniṣad* (3.8.10) omul dezorientat este descris astfel: *yo vā etad akṣaraṁ gārgy aviditvāsmāl lokāt praiti sa kṛpaṇaḥ.* „Este avar cel ce nu-şi rezolvă problemele vieții ca om şi care părăseşte această lume precum câinii sau pisicile, fără a înțelege ştiința realizării de sine." Pentru entitatea vie, forma umană de viață este comoara cea mai de preț pe care o poate folosi pentru a rezolva problemele vieții; de aceea, cel ce nu foloseşte acest prilej aşa cum se cuvine este un om zgârcit. La polul opus se situează brahmanul, cel ce este destul de inteligent pentru a folosi acest corp la rezolvarea tuturor problemelor vieții. *Ya etad akṣaraṁ gārgy viditvāsmāl lokāt praiti sa brāhmaṇaḥ.*

Oamenii avari sau *kṛpaṇa*, dominați de concepția materială asupra vieții, îşi irosesc timpul, fiind excesiv de ataşați față de familie, societate, țară etc. Adeseori omul se ataşează de familie, adică de soție, copii şi ceilalți membri, doar pe baza unei atracții față de aspectul exterior al corpului. Cel ce este un *kṛpaṇa* crede că este capabil să-i scape de moarte pe membrii familiei sale, sau că propria familie sau societatea îl pot scăpa de gheara morții. Acest atașament față de familie se găsește chiar și la animalele inferioare care au grijă de puii lor. Fiind un om inteligent, Arjuna poate să înțeleagă că afecțiunea sa față de membrii familiei, ca și dorința de a-i feri de moarte erau cauzele descumpănirii sale. Deși își dă seama că îl așteaptă datoria de a lupta, el nu-și poate îndeplini această datorie din pricina jalnicei sale slăbiciuni. De aceea Îi cere Domnului Kṛṣṇa, maestrul spiritual suprem, să-i dea o soluție definitivă. El se oferă pe sine lui Kṛṣṇa ca discipol și dorește să întrerupă discuția prietenească. Discuțiile între maestru și discipol sunt foarte serioase, iar Arjuna dorește acum să vorbească foarte serios, aflându-se în fața maestrului spiritual recunoscut. Kṛṣṇa este deci cel dintâi maestru spiritual în știința cuprinsă în *Bhagavad-gītā*, iar Arjuna este primul discipol în înțelegerea *Gītei*. Felul în care Arjuna înțelege *Bhagavad-gītā* este cel stabilit chiar în *Gītā*. Cu toate acestea, învățații laici lipsiți de minte explică faptul că nu este nevoie să ne predăm lui Kṛṣṇa ca persoană, ci doar „celui nenăscut dinăuntrul lui Kṛṣṇa“. Nu există nici o diferență între interiorul și exteriorul lui Kṛṣṇa. Cel ce încearcă să înțeleagă *Bhagavad-gītā* fără a fi în stare să priceapă acest lucru este cel mai mare neghiob.

TEXTUL 8

न हि प्रपश्यामि ममापनुद्याद्
यच्छोकमुच्छोषणमिन्द्रियाणाम् ।
अवाप्य भूमावसपत्नमृद्धं
राज्यं सुराणामपि चाधिपत्यम् ॥ ८ ॥

na hi prapaśyāmi mamāpanudyād
yac chokam ucchoṣaṇam indriyāṇām
avāpya bhūmāv asapatnam ṛddhaṁ
rājyaṁ surāṇām api cādhipatyam

na—nu; *hi*—cu siguranță; *prapaśyāmi*—văd; *mama*—a mea; *apanudyāt*—poate să îndepărteze; *yat*—care; *śokam*—mâhnirea; *ucchoṣaṇam*—secătuirea; *indriyāṇām*—simțurilor; *avāpya*—înfăptuind; *bhūmau*—pe pământ; *asapatnam*—fără rival; *ṛddham*—îmbelșugat; *rājyam*—regat; *surāṇām*—a semizeilor; *api*—chiar; *ca*—și; *ādhipatyam*—supremație.

Nu pot găsi nimic ce mi-ar putea alunga mâhnirea care-mi secătuieşte simţurile. N-aş fi în stare s-o risipesc nici dacă aş dobândi un regat îmbelşugat şi fără rival pe pământ, sau chiar o suveranitate precum a semizeilor din ceruri.

COMENTARIU

Deşi Arjuna avansase atâtea argumente, bazate pe cunoaşterea principiilor religioase şi a codurilor morale, se poate observa că nu era în stare să-şi rezolve problemele sale reale fără ajutorul maestrului spiritual, Domnul Śrī Kṛṣṇa. El îşi dă seama că aşa numita sa cunoaştere era nefolositoare pentru înlăturarea problemelor care-i secătuiau întreaga existenţă şi că-i era imposibil să rezolve aceste încurcături fără ajutorul unui maestru spiritual precum Domnul Kṛṣṇa. Cunoaşterea academică, erudiţia, titlurile, rangurile etc., toate sunt fără de folos în rezolvarea problemelor vieţii; ajutorul poate veni doar din partea unui maestru spiritual precum Śrī Kṛṣṇa. Deci ajungem la concluzia că un maestru spiritual care este sută la sută conştient de Kṛṣṇa este un maestru spiritual autentic, care poate rezolva problemele vieţii. Śrī Caitanya spunea că acela care este maestru în ştiinţa conştiinţei de Kṛṣṇa, indiferent de poziţia sa socială, este adevăratul maestru spiritual.

> *kibā vipra, kibā nyāsī, śūdra kene naya*
> *yei kṛṣṇa-tattva-vettā, sei 'guru' haya*

„Nu are importanţă dacă omul este un *vipra* (erudit în înţelepciunea vedică) sau este născut într-o familie de rând, ori dacă face parte din ordinul renunţării—dacă este un maestru în ştiinţa de Kṛṣṇa, este un maestru spiritual desăvârşit şi demn de încredere" (*Caitanya-caritāmṛta, Madhya* 8.128). Deci fără a fi maestru în ştiinţa conştiinţei de Kṛṣṇa, nimeni nu poate fi un maestru spiritual autentic. Tot în scrierile vedice se mai spune:

> *ṣaṭ-karma-nipuṇo vipro*
> *mantra-tantra-viśāradaḥ*
> *avaiṣṇavo gurur na syād*
> *vaiṣṇavaḥ śva-paco guruḥ*

„Un brahman învăţat, foarte priceput în tot ceea ce ţine de cunoaşterea vedică, nu este potrivit să devină un maestru spiritual fără să fie un *vaiṣṇava*, sau expert în ştiinţa conştiinţei de Kṛṣṇa. Însă cel născut într-o familie dintr-o castă inferioară poate deveni un maestru spiritual dacă este *vaiṣṇava* sau conștient de Kṛṣṇa" (*Padma Purāṇa*). Problemele existenței materiale—naștere, bătrânețe, boală și moarte—nu pot fi contracarate prin acumulare de bogății sau prin dezvoltare economică. În multe părți ale lumii există state suprasaturate de tot felul de înlesniri ale vieții, pline de bogăție și dezvoltate din punct de vedere economic, însă problemele existenței materiale sunt încă prezente. Oamenii de acolo își caută pacea în diferite feluri, dar adevărata fericire o vor putea dobândi doar dacă vor cere sfatul lui Kṛṣṇa, sau vor consulta *Bhagavad-gītā* și *Śrīmad Bhāgavatam*—care constituie știința de Kṛṣṇa—prin intermediul unui reprezentant autentic al lui Kṛṣṇa, aflat în conștiința de Kṛṣṇa. Dacă dezvoltarea economică și confortul material ar putea înlătura lamentările pricinuite de grijile familiale, sociale, naționale sau internaționale, atunci Arjuna n-ar fi spus că nici măcar un regat fără rival pe pământ sau o stăpânire precum cea a semizeilor de pe planetele cerești nu va fi în stare să-i alunge lamentările. De aceea, el își caută adăpost în conștiința de Kṛṣṇa, acesta fiind drumul cel drept către pace și armonie. Dezvoltarea economică sau suprremația asupra lumii pot fi distruse în orice moment de cataclismele naturii materiale. Chiar și situarea la nivelul unei planete mai înalte, pe care o caută acum oamenii pe lună, se poate sfârși dintr-o dată. *Bhagavad-gītā* confirmă acest lucru: *kṣīṇe puṇye martya-lokaṁ viśanti*. „Când rezultatele activităților pioase se sfârșesc, omul cade din nou din culmea fericirii în stadiul cel mai de jos al vieții." Mulți dintre politicienii lumii au căzut în acest fel. Aceste căderi constituie noi pricini de lamentare.

De aceea, dacă vrem cu adevărat să curmăm lamentările, trebuie să ne luăm adăpost în Kṛṣṇa, așa cum caută să facă Arjuna. Astfel, Arjuna I-a cerut lui Kṛṣṇa să-i rezolve problemele odată pentru totdeauna, aceasta fiind calea conștiinței de Kṛṣṇa.

TEXTUL 9

सञ्जय उवाच
एवमुक्त्वा हृषीकेशं गुडाकेशः परन्तपः ।
न योत्स्य इति गोविन्दमुक्त्वा तूष्णीं बभूव ह ॥९॥

sañjaya uvāca
evam uktvā hṛṣīkeśaṁ
guḍākeśaḥ parantapaḥ

na yotsya iti govindam
uktvā tūṣṇīm̐ babhūva ha

sañjayaḥ uvāca—Sañjaya a spus; *evam*—astfel; *uktvā*—spunând; *hṛṣīkeśam*—către Kṛṣṇa, stăpânul simţurilor; *guḍākeśaḥ*—Arjuna, maestrul înfrângerii ignoranţei; *parantapaḥ*—cel ce-şi înfrânge duşmanii; *na yotsye*—nu voi lupta; *iti*—astfel; *govindam*—către Kṛṣṇa, cel ce dă plăcere simţurilor; *uktvā*—spunând; *tūṣṇīm*—tăcut; *babhūva*—deveni; *ha*—desigur.

Sañjaya a spus: Vorbind astfel, Arjuna, cel ce-şi înfrânge vrăjmaşii, Îi spuse lui Kṛṣṇa „Govinda, eu nu voi lupta", apoi rămase tăcut.

COMENTARIU

Desigur că Dhṛtarāṣṭra era foarte mulţumit să audă că Arjuna, în loc să meargă la luptă, se pregătea să părăsească câmpul de bătălie pentru a se duce să trăiască din cerşit. Dar Sañjaya îl dezamăgeşte din nou atunci când îi spune că Arjuna era capabil să-şi ucidă duşmanii (*parantapaḥ*). Chiar dacă Arjuna fusese o vreme copleşit de falsa mâhnire datorată afecţiunii faţă de familie, el s-a încredinţat ca discipol lui Kṛṣṇa, supremul maestru spiritual. Aceast lucru arată că în curând se va elibera de falsele lamentări pricinuite de dragostea faţă de familie şi va fi iluminat de cunoaşterea desăvârşită a realizării de sine sau conştiinţa de Kṛṣṇa, iar atunci cu siguranţă că va lupta. Deci bucuria lui Dhṛtarāṣṭra va fi din nou umbrită, căci Arjuna, iluminat de Kṛṣṇa, se va duce până la urmă să lupte.

TEXTUL 10

तमुवाच हृषीकेशः प्रहसन्निव भारत ।
सेनयोरुभयोर्मध्ये विषीदन्तमिदं वचः ॥१०॥

tam uvāca hṛṣīkeśaḥ
prahasann iva bhārata
senayor ubhayor madhye
viṣīdantam idaṁ vacaḥ

tam—către el; *uvāca*—spuse; *hṛṣīkeśaḥ*—Kṛṣṇa, stăpânul simţurilor; *prahasan*—zâmbitor; *iva*—parcă; *bhārata*—o, Dhṛtarāṣṭra, urmaş al lui Bharata; *senayoḥ*—oștirilor; *ubhayoḥ*—celor două tabere; *madhye*—în mijlocul; *viṣīdantam*—celui ce se lamenta; *idam*—aceste; *vacaḥ*—cuvinte.

O, urmaș al lui Bharata, în acel moment Kṛṣṇa, zâmbitor, stând între cele două oștiri, rosti aceste cuvinte către Arjuna cel copleșit de mâhnire.

COMENTARIU

Discuția de mai sus avea loc între prieteni foarte apropiați, Hṛṣīkeśa și Guḍākeśa. Ca prieteni, amândoi erau egali, dar unul dintre ei a devenit de bună voie elevul celuilalt. Kṛṣṇa zâmbea pentru că un prieten a ales condiția de discipol. În calitatea Sa de Domn al tuturor, El se situează întotdeuna pe poziția superioară de maestru al fiecăruia; cu toate acestea, Domnul se învoiește să devină prieten, fiu sau iubit pentru un devot care-L dorește în acest rol. Dar în momentul când a fost acceptat ca maestru, El Și-a asumat de îndată acest rol, vorbind cu discipolul Său cu gravitate, așa cum se cuvine unui maestru. Se observă că discuția dintre maestru și discipol se desfășura în mod deschis, în prezența ambelor armate, astfel încât toți beneficiau de ea. Deci ceea ce se discută în *Bhagavad-gītā* nu este destinat doar anumitor persoane, societăți sau comunități, ci este destinat tuturor oamenilor și atât prietenii cât și dușmanii au dreptul să asculte.

TEXTUL 11

श्रीभगवानुवाच
अशोच्यानन्वशोचस्त्वं प्रज्ञावादांश्च भाषसे ।
गतासूनगतासूंश्च नानुशोचन्ति पण्डिताः ॥११॥

śrī-bhagavān uvāca
aśocyān anvaśocas tvaṁ
prajñā-vādāṁś ca bhāṣase
gatāsūn agatāsūṁś ca
nānuśocanti paṇḍitāḥ

śrī-bhagavān uvāca—Suprema Personalitate a Divinității a spus; *aśocyān*—pentru cei care nu merită să plângi; *anvaśocaḥ*—te lamentezi; *tvam*—tu; *prajñā-vādān*—vorbe înțelepte; *ca*—și; *bhāṣase*—spunând; *gata*—pierdută;

asūn—viaţa; *agata*—nepierdută; *asūn*—viaţa; *ca*—şi; *na*—niciodată; *anuśocanti*—se lamentează; *paņḍitāḥ*—cei învăţaţi.

Suprema Personalitate a Divinităţii a spus: Spunând vorbe pline de înţelepciune, îi plângi pe cei ce nu trebuie plânşi. Înţelepţii nu-i jelesc nici pe cei vii, nici pe cei morţi.

COMENTARIU

Śrī Kŗşņa S-a situat de îndată pe poziţia unui profesor şi Şi-a mustrat cu asprime elevul, numindu-l indirect, nechibzuit. Domnul îi spune: „Vorbeşti ca un învăţat, dar nu şti că un învăţat—adică acela care cunoaşte diferenţa dintre corp şi suflet—nu se lamentează pentru nici unul din stadiile prin care trece corpul, nici în viaţă, nici în moarte." Aşa cum se va explica în capitolele următoare, este limpede că a cunoaşte înseamnă cunoaşterea materiei şi spiritului şi a Celui ce le controlează pe amândouă. Arjuna susţinea că trebuie dată mai multă importanţă principiilor religioase decât celor politice sau sociale, fără să ştie însă că cunoaşterea materiei, a sufletului şi a Supremului este cu mult mai importantă decât dogmele religioase. Lipsindu-i această cunoaştere, el n-ar fi trebuit să se prezinte ca un mare învăţat. Şi cum nu s-a nimerit să fie un mare învăţat, a ajuns să se lamenteze pentru ceva ce nu merita lamentare. Corpul se naşte spre a pieri mai devreme sau mai târziu; de aceea, corpul nu este la fel de important ca sufletul. Cel ce ştie acest lucru este adevăratul învăţat, iar pentru el nu există vreun motiv de lamentare, indiferent de starea corpului material.

TEXTUL 12

न त्वेवाहं जातु नासं न त्वं नेमे जनाधिपाः ।
न चैव न भविष्यामः सर्वे वयमतः परम् ॥१२॥

> *na tv evāhaṁ jātu nāsaṁ*
> *na tvaṁ neme janādhipāḥ*
> *na caiva na bhaviṣyāmaḥ*
> *sarve vayam ataḥ param*

na—nicicând; *tu*—dar; *eva*—desigur; *aham*—Eu; *jātu*—vreodată; *na*—să nu fi; *āsam*—existat; *na*—nici; *tvam*—tu; *na*—nici; *ime*—toţi aceşti;

jana-adhipāḥ—regi; *na*—niciodată; *ca*—și; *eva*—desigur; *na*—să nu; *bhaviṣyāmaḥ*—mai existăm; *sarve vayam*—noi toți; *ataḥ param*—după aceea.

N-a fost nici o vreme când Eu să nu fi existat, nici tu și nici acești regi; nici în viitor nu va înceta cineva dintre noi să existe.

COMENTARIU

În *Vede*—în *Kaṭha Upaniṣad* precum și în *Śvetāśvatara Upaniṣad*—se spune că Suprema Personalitate a Divinității este susținătorul nenumăratelor ființe aflate în diverse situații, în funcție de activitățile lor și reacțiile acestor activități. Această Personalitate Supremă a Divinității, sub forma porțiunilor Sale plenare, trăiește în inima fiecărei ființe. Doar oamenii sfinți, care pot să-L vadă pe Domnul Suprem atât înăuntru, cât și în afară, pot să ajungă la pacea eternă și desăvârșită.

> *nityo nityānāṁ cetanaś cetanānām*
> *eko bahūnāṁ yo vidadhāti kāmān*
> *tam ātma-sthaṁ ye 'nupaśyanti dhīrās*
> *teṣāṁ śāntiḥ śāśvatī netareṣām*
> *(Kaṭha Upaniṣad 2.2.13)*

Aceleași adevăruri vedice dăruite lui Arjuna sunt dăruite tuturor oamenilor din întreaga lume, oameni care se consideră învățați, dar de fapt nu au decât un foarte sărac bagaj de cunoștințe. Domnul spune în mod limpede că El Însuși, precum și Arjuna și toți regii adunați pe câmpul de luptă sunt ființe individuale eterne și că Dumnezeu este veșnicul susținător al entităților vii individuale, atât în starea lor condiționată, cât și în starea de ființe eliberate. Suprema Personalitate a Divinității este suprema persoană individuală, iar Arjuna, eternul însoțitor al Domnului, ca și toți ceilalți regi adunați acolo sunt persoane individuale eterne. Nu se poate susține că aceștia n-au existat ca individualități în trecut și nici că nu vor rămâne veșnic persoane. Individualitatea lor a existat în trecut și va continua să existe în viitor, fără întrerupere. Prin urmare, nu există nici un motiv de lamentare pentru nimeni. Teoria *māyāvādī*, conform căreia după eliberare sufletul individual, scăpat de sub vălul iluziei (*māyā*), se contopește cu impersonalul Brahman, pierzându-și existența individuală, este contrazisă aici de către Śrī Kṛṣṇa, autoritatea supremă, la fel ca și teoria conform căreia noi credem doar că suntem individuali din cauza stării noastre condiționate. Kṛṣṇa afirmă aici foarte limpede că individualitatea lui Dumnezeu și a celorlalte ființe va continua să existe și în viitor, în mod etern, așa cum se confirmă în *Upaniṣade*. Această declarație a lui Kṛṣṇa este pe deplin autorizată, deoarece Kṛṣṇa nu poate fi supus iluziei. Dacă individualitatea n-ar fi fost un fapt real, Kṛṣṇa n-ar fi insistat atât de mult asupra existenței sale, chiar și în viitor. Susținătorii teoriei *māyāvādī* ar putea argumenta că individualitatea de care vorbește Kṛṣṇa nu este spirituală, ci materială. Dacă acceptăm argumentul că individualitatea este materială, atunci cum ar putea cineva să deosebească individualitatea lui Kṛṣṇa? Kṛṣṇa Îşi afirmă individualitatea în trecut și confirmă că individualitatea Sa va exista și în viitor. El Îşi confirmă individualitatea în diferite moduri, declarând că impersonalul Brahman Îi este subordonat. Kṛṣṇa Îşi susține individualitatea spirituală încă de la început; dacă se admite că El este un suflet condiționat obișnuit, cu o conștiință individuală, atunci *Bhagavad-gītā* rostită de El nu are nici o valoare ca scriptură autorizată. Un om obișnuit, având toate cele patru defecte ce țin de slăbiciunile firii omenești, nu este în stare să învețe pe alții lucruri demne de a fi ascultate. Dar *Gītā* este mult deasupra altor scrieri și nici o carte profană nu se poate compara cu *Bhagavad-gītā*. Dacă se admite că Kṛṣṇa este un om obișnuit, atunci *Gītā* își pierde întreaga importanță. Filosofii *māyāvādī* argumentează că pluralitatea menționată în acest verset este convențională și se referă la corp. Dar înaintea acestei strofe, această concepție corporală fusese deja condamnată. Cum oare ar putea Kṛṣṇa să plaseze din nou o propoziție convențională asupra corpului, după ce tocmai condamnase concepția corporală asupra entităților vii? Prin urmare, individualitatea este susținută pe temeiuri spirituale, acest lucru fiind confirmat și de marii *ācārya*, precum Rāmānuja și alții. În multe locuri din *Gītā* se menționează clar că această individualitate spirituală este înțeleasă de către cei ce sunt devoți ai Domnului. Cei ce sunt invidioși pe Kṛṣṇa ca Personalitate Supremă a Divinității nu pot să pătrundă sensul autentic al acestor scrieri mărețe. Abordarea învățăturilor din *Gītā* de către cel ce nu este devot se aseamănă cu lingerea unui borcan cu miere de către o albină. Nimeni nu poate să guste mierea până ce nu deschide borcanul cu miere. În mod similar, învățătura mistică din *Bhagavad-gītā* poate fi înțeleasă doar de către devoți și nimeni altcineva n-o poate gusta, așa cum se afirmă în capitolul patru al acestei cărți. Nici nu poate fi *Gītā* atinsă de cei care invidiază însăși existența lui Dumnezeu. De aceea, explicația dată *Gīteī* de către filosofii *māyāvādī* este cea mai greșită prezentare a întregului adevăr. Śrī Caitanya ne-a interzis să citim comentariile făcute de filosofii *māyāvādī*, avertizându-ne că cel care adoptă interpretarea filosofilor *māyāvādī* își pierde capacitatea de a înțelege adevărata taină a *Gītei*. Dacă individualitatea se referă la universul empiric, atunci nu este nevoie de învățăturile lui Dumnezeu. Caracterul multiplu al sufletului individual și al lui Dumnezeu este un fapt etern și este confirmat în *Vede*, așa cum s-a menționat mai sus.

TEXTUL 13

देहिनोऽस्मिन् यथा देहे कौमारं यौवनं जरा ।
तथा देहान्तरप्राप्तिर्धीरस्तत्र न मुह्यति ॥१३॥

dehino 'smin yathā dehe
kaumāraṁ yauvanaṁ jarā
tathā dehāntara-prāptir
dhīras tatra na muhyati

dehinaḥ—a celui întrupat; *asmin*—în acest; *yathā*—așa cum; *dehe*—în corp; *kaumāram*—copilăria; *yauvanam*—tinerețea; *jarā*—bătrânețea; *tathā*—în mod similar; *deha-antara*—schimbării corpului; *prāptiḥ*—îndeplinirea; *dhīraḥ*—chibzuit; *tatra*—la aceasta; *na*—niciodată; *muhyati*—este amăgit.

Așa cum sufletul întrupat trece mereu, în acest corp, de la copilărie la tinerețe și bătrânețe, la fel și sufletul după moarte trece într-un alt corp. Cel înțelept nu se lasă amăgit de o astfel de schimbare.

COMENTARIU

Întrucât orice entitate vie este un suflet individual, fiecare își schimbă corpul în orice moment, manifestându-se uneori sub formă de copil, alteori ca tânăr sau ca bătrân. Însă în toate aceste faze este prezent același suflet spiritual care nu suferă vreo schimbare. Acest suflet individual își schimbă în final corpul odată cu moartea, transmigrând într-un alt corp; și deoarece este sigur că omul va obține un alt corp la următoarea naștere—fie material, fie spiritual—nu există nici un motiv de lamentare din partea lui Arjuna, nici pentru Bhīṣma, nici pentru Droṇa, cei pentru care își făcea atâtea griji. Mai degrabă ar fi trebuit să se bucure pentru că aceștia urmau să-și schimbe corpurile vechi cu altele noi, reînnoindu-și astfel energia. Aceste schimbări ale corpului sunt răspunzătoare de feluritele plăceri sau suferințe, potrivit cu activitățile

îndeplinite în timpul vieții. Astfel Bhīṣma şi Droṇa, suflete nobile, ar fi obți-
nut în mod cert corpuri spirituale în viața următoare, sau cel puțin o viață
în corpuri cereşti, destinate unor bucurii superioare în existența materială. În
oricare din aceste situații ar fi ajuns, nu erau motive de lamentare.

Orice om care are o cunoaştere perfectă asupra constituției sufletului indi-
vidual, a Suprasufletului şi a naturii—atât materiale, cât şi spirituale—este
numit *dhīra*, sau cel mai chibzuit dintre oameni. Acest om nu este niciodată
amăgit de schimbarea corpurilor. Teoria filosofilor *māyāvādī* despre unicitatea
sufletului spiritual nu poate fi susținută doar pe temeiul faptului că sufletul
spiritual nu poate fi tăiat în bucăți, devenind parte fragmentară. O astfel de
împărțire în diferite suflete individuale ar însemna că Supremul poate fi desfă-
cut şi modificat, contrazicând principiul referitor la caracterul neschimbător
al Sufletului Suprem. Dar aşa cum confirmă *Gītā*, porțiunile fragmentare ale
Supremului există veşnic (*sanātana*), fiind numite *kṣara*, adică având tendința
să cadă în natura materială. Aceste porțiuni fragmentare rămân veşnic astfel
şi chiar şi după eliberare sufletul individual rămâne acelaşi—fragmentar. Dar
odată eliberat, el duce o viață eternă, în beatitudine şi cunoaştere, împreună
cu Personalitatea Divinității. Teoria reflexiei se poate aplica Suprasufletului,
care este prezent în fiecare corp individual şi este cunoscut ca Paramātmā. El
este diferit de ființa individuală. Când cerul se reflectă în apă, reflexiile sale
înfățişează atât soarele şi luna, cât şi stelele. Stelele pot fi comparate cu entită-
țile vii, iar soarele şi luna cu Domnul Suprem. Sufletul spiritual individual şi
fragmentar este reprezentat de Arjuna, iar Sufletul Suprem este Personalitatea
Divinității, Srī Kṛṣṇa. Ei nu sunt situați la acelaşi nivel, aşa cum vom vedea
la începutul capitolului patru. Dacă Arjuna ar fi la acelaşi nivel cu Kṛṣṇa,
iar Kṛṣṇa nu ar fi superior lui Arjuna, atunci relația dintre ei, de învățător şi
discipol, devine lipsită de sens. Dacă amândoi sunt amăgiți de energia iluzo-
rie (*māyā*), atunci nu mai este nevoie ca unul să fie învățătorul iar celălalt să
fie cel ce învață. O asemenea învățătură ar fi inutilă, căci în ghearele iluziei
(*māyā*) nimeni nu poate fi un învățător autorizat. În aceste condiții, trebuie
să admitem că Srī Kṛṣṇa este Domnul Suprem, aflat într-o poziție superioară
față de entitatea vie, Arjuna, sufletul care-a uitat, fiind amăgit de *māyā*.

TEXTUL 14

मात्रास्पर्शास्तु कौन्तेय शीतोष्णसुखदुःखदाः ।
आगमापायिनोऽनित्यास्तांस्तितिक्षस्व भारत ॥१४॥

mātrā-sparśās tu kaunteya
śītoṣṇa-sukha-duḥkha-dāḥ
āgamāpāyino 'nityās
tāṁs titikṣasva bhārata

mātrā-sparśāḥ—percepția senzorială; *tu*—doar; *kaunteya*—o, fiu al lui Kuntī; *śīta*—iarnă; *uṣṇa*—vară; *sukha*—fericire; *duḥkha*—și durere; *dāḥ*—dătătoare; *āgama*—apărând; *apāyinaḥ*—dispărând; *anityāḥ*—nepermanente; *tān*—pe acestea; *titikṣasva*—încearcă să înduri; *bhārata*—o, urmaș al dinastiei Bharata.

O, fiu al lui Kuntī, vremelnica ivire a fericirii și nefericirii, ca și dispariția lor la vremea cuvenită, sunt ca venirea și plecarea iernilor și verilor. O, vlăstar al lui Bharata, ele se nasc din percepția senzorială și omul trebuie să învețe să le tolereze fără să fie tulburat.

COMENTARIU

Pentru a-și îndeplini datoria așa cum se cuvine, o persoană trebuie să învețe să îndure trecătoarele apariții și dispariții ale fericirii și nefericirii. Potrivit prescripțiilor vedice, cineva trebuie să facă baie dimineața devreme, chiar și în luna Māgha (ianuarie-februarie). Deși în acest anotimp este foarte frig, omul care ține la principiile religioase nu ezită să facă baie. Tot așa și femeile nu șovăie atunci când trebuie să gătească în bucătărie în lunile mai și iunie, care în India sunt cele mai calde din timpul verii. Omul trebuie să-și îndeplinească datoria, în ciuda neajunsurilor climei. În mod similar, datoria religioasă a unui *kṣatriya* este lupta și chiar dacă trebuie să lupte cu prieteni sau cu rude, el nu se poate abate de la datoria prescrisă. Omul trebuie să urmeze legile și regulile prescrise de principiile religioase, astfel încât să se înalțe la nivelul cunoașterii, căci numai prin cunoaștere și devoțiune se poate elibera din ghearele iluziei (*māyā*).

Cele două nume cu care Kṛṣṇa se adresează lui Arjuna sunt și ele semnificative. Numele de Kaunteya semnifică nobilele legături de rudenie din partea mamei, iar Bhārata semnifică descendența înaltă din partea tatălui. Deci din ambele părți ar trebui să moștenească calități deosebite. O astfel de moștenire importantă implică responsabilitate în ce privește împlinirea datoriilor așa cum se cuvine; de aceea, el nu poate să evite lupta.

TEXTUL 15

यं हि न व्यथयन्त्येते पुरुषं पुरुषर्षभ ।
समदुःखसुखं धीरं सोऽमृतत्वाय कल्पते ॥१५॥

yaṁ hi na vyathayanty ete
puruṣaṁ puruṣarṣabha
sama-duḥkha-sukhaṁ dhīraṁ
so 'mṛtatvāya kalpate

yam—cel căruia; *hi*—cu adevărat; *na*—niciodată; *vyathayanti*—îi aduc tulburare; *ete*—toate acestea; *puruṣam*—omul; *puruṣa-ṛṣabha*—o, cel mai ales dintre oameni; *sama*—neschimbat; *duḥkha*—la nefericire; *sukham*—şi fericire; *dhīram*—îndurând; *saḥ*—acela; *amṛtatvāya*—pentru eliberare; *kalpate*—este socotit a fi pregătit.

O, cel mai ales dintre oameni [Arjuna], persoana care nu este tulburată de fericire şi nefericire şi rămâne neclintită în ambele, este cu certitudine demnă de a fi eliberată.

COMENTARIU

Cel ce este neclintit în hotărârea de a atinge stadiul avansat al realizării spirituale şi poate să tolereze deopotrivă asalturile fericirii şi nefericirii este cu siguranţă o persoană demnă de a atinge eliberarea. În cadrul sistemului *varṇāśrama*, al patrulea stadiu al vieţii, adică ordinul renunţării (*sannyāsa*), este o stare care cere multă trudă, dar cel ce este hotărât să-şi desăvârşească viaţa va adopta în mod sigur stadiul vieţii de *sannyāsa*, în ciuda tuturor dificultăţilor. De obicei dificultăţile apar datorită obligaţiei de a fi neîndurător cu relaţiile familiale, de a abandona legăturile cu soţia şi copiii. Dar atunci când cineva este în stare să îndure aceste dificultăţi, drumul său înspre realizarea spirituală va fi cu siguranţă îndeplinit. La fel şi în cazul îndeplinirii datoriei de *kṣatriya* de către Arjuna, el este sfătuit să persevereze, chiar dacă îi este greu să lupte cu membrii familiei sale, sau cu alte persoane îndrăgite. Srī Caitanya a acceptat *sannyāsa* la vârsta de douăzeci şi patru de ani, iar cei ce depindeau de El, tânăra Sa soţie şi bătrâna Sa mamă, nu aveau pe nimeni altul care să aibă grijă de ele. Însă pentru o cauză mai înaltă El a acceptat *sannyāsa* şi a rămas neclintit în îndeplinirea datoriilor superioare. Aceasta este calea de a dobândi eliberarea din legăturile materiale.

TEXTUL 16

नासतो विद्यते भावो नाभावो विद्यते सतः ।
उभयोरपि दृष्टोऽन्तस्त्वनयोस्तत्त्वदर्शिभिः ॥१६॥

nāsato vidyate bhāvo
nābhāvo vidyate sataḥ
ubhayor api dṛṣṭo 'ntas
tv anayos tattva-darśibhiḥ

na—niciodată; *asataḥ*—a nonexistentului; *vidyate*—există; *bhāvaḥ*—dăinuire; *na*—niciodată; *abhāvaḥ*—schimbare; *vidyate*—există; *sataḥ*—a celui etern; *ubhayoḥ*—a celor doi; *api*—desigur; *dṛṣṭaḥ*—observare; *antaḥ*—concluzia; *tu*—cu adevărat; *anayoḥ*—acestora; *tattva*—adevărului; *darśibhiḥ*—de către văzătorii.

Cei ce văd adevărul au stabilit că nu există dăinuire pentru cel nonexistent [corpul material] și nici schimbare pentru cel etern [sufletul]. Aceasta este concluzia la care au ajuns ei prin studierea naturii amândurora.

COMENTARIU

Nu există dăinuire pentru corpul cel schimbător. Știința medicală modernă admite schimbarea în corp în fiecare moment prin acțiunile și reacțiunile diferitelor sale celule, producându-se astfel creșterea și îmbătrânirea corpului. Însă sufletul spiritual există în mod permanent, rămânând același, în ciuda tuturor schimbărilor corpului și minții. Aceasta este diferența dintre materie și spirit. Prin natura sa, corpul este mereu schimbător, iar sufletul este etern. Această concluzie a fost stabilită de toate categoriile de văzători ai adevărului, atât impersonaliști, cât și personaliști. În *Viṣṇu Purāṇa* (2.12.38) se afirmă că Viṣṇu și sălașurile Sale au o existență spirituală care-și generează propria lumină (*jyotīṁṣi viṣṇur bhuvanāni viṣṇuḥ*). Cuvintele *existent* și *nonexistent* se referă doar la spirit şi materie. Aceasta este versiunea tuturor văzătorilor adevărului.

Acesta este deci începutul învățăturii date de Dumnezeu entităților vii, rătăcite din pricina influenței ignoranței. Înlăturarea ignoranței cuprinde restabilirea eternei legături dintre adorator şi cel ce trebuie adorat, ca şi înțelegerea diferenței dintre Suprema Personalitate a Divinității şi entitățile vii ce sunt doar părțile Sale integrante. Omul poate să înțeleagă natura Supremului prin studierea atentă a propriului sine, înțelegând diferența dintre sine şi Suprem ca relație între parte şi întreg. În *Vedānta-sūtra* şi în *Śrīmad Bhāgavatam* Supremul a fost acceptat ca fiind originea tuturor emanațiilor. Aceste emanații sunt experimentate prin raporturile naturale ale superiorului şi inferiorului. Aşa cum se va arăta în capitolul al şaptelea, entitățile vii aparțin naturii superioare. Deşi nu există vreo diferență între energie şi sursa energiei, totuşi se acceptă că sursa energiei este Supremul, iar energia sau natura este subordonată. Deci entitățile vii sunt întotdeauna subordonate Domnului Suprem, ca în cazul servitorului şi stăpânului sau învățăcelului şi învățătorului. Această cunoaştere clară este imposibil de înțeles pentru cei cuprinşi de magia ignoranței. Pentru a îndepărta această ignoranță, Dumnezeu ne transmite *Bhagavad-gītā*, pentru iluminarea tuturor ființelor din toate timpurile.

TEXTUL 17

अविनाशि तु तद्विद्धि येन सर्वमिदं ततम् ।
विनाशमव्ययस्यास्य न कश्चित्कर्तुमर्हति ॥१७॥

avināśi tu tad viddhi
yena sarvam idaṁ tatam
vināśam avyayasyāsya
na kaścit kartum arhati

avināśi—de nedistrus; *tu*—dar; *tat*—acesta; *viddhi*—să ştii; *yena*—cu care; *sarvam*—întregul corp; *idam*—acesta; *tatam*—pătruns; *vināśam*—distrugerea; *avyayasya*— a celui nepieritor; *asya*—a sa; *na kaścit*—nimeni; *kartum*—să îndeplinească; *arhati*—este capabil.

Cel ce pătrunde întregul corp, să ştii că este indestructibil. Nimeni nu este în stare să distrugă acest suflet nepieritor.

COMENTARIU

Acest verset explică în mod clar natura sufletului, care este răspândit în întregul corp. Oricine poate înţelege ce anume este răspândit în întregul corp: aceasta este conştiinţa. Orice om este conştient de durerile sau plăcerile ce au loc într-o anumită parte a corpului sau în întregul corp. Această răspândire a conştiinţei este limitată doar la propriul corp. Durerile şi plăcerile unui corp rămân necunoscute altuia. Deci fiecare corp este întruparea unui suflet individual, iar semnul prezenţei sufletului este perceput sub forma conştiinţei individuale. Acest suflet este descris ca având dimensiunea de a zecea mie parte din grosimea vârfului firului de păr. Acest lucru este confirmat în *Śvetāśvatara Upaniṣad* (5.9):

$$\text{bālāgra-śata-bhāgasya}$$
$$\text{śatadhā kalpitasya ca}$$
$$\text{bhāgo jīvaḥ vijñeyaḥ}$$
$$\text{sa cānantyāya kalpate}$$

„Dacă vârful unui fir de păr este împărţit în o sută de părţi şi din nou fiecare parte în alte o sută de părţi, fiecare din aceste părţi este de mărimea sufletului spiritual." Acelaşi lucru este afirmat în *Śrīmad Bhāgavatam*:

$$\text{keśāgra-śata-bhāgasya}$$
$$\text{śatāṁśaḥ sādṛśātmakaḥ}$$
$$\text{jīvaḥ sūkṣma-svarūpo 'yaṁ}$$
$$\text{saṅkhyātīto hi cit-kaṇaḥ}$$

„Există nenumărate particule de atomi spirituali de mărimea celei de-a zecea mia parte din grosimea vârfului firului de păr." Prin urmare, particula individuală a sufletului spiritual este un atom spiritual mai mic decât atomii materiali, iar aceşti atomi sunt nenumăraţi. Această minusculă scânteie spirituală este principiul de bază al corpului material şi influenţa acestei scântei spirituale se răspândeşte în întregul corp, aşa cum influenţa principiului activ dintr-un medicament se răspândeşte în tot corpul. Acest şuvoi al sufletului spiritual este resimţit în tot corpul sub forma conştiinţei, aceasta fiind dovada prezenţei sufletului. Chiar şi un nespecialist poate înţelege că corpul material fără conştiinţă este doar un corp mort şi că această conştiinţă nu poate fi reînviată în corp prin nici un mijloc material. Prin urmare, conştiinţa nu se datorează nici unui fel de acumulare de combinații materiale, ci sufletului spiritual. În *Muṇḍaka Upaniṣad* (3.1.9) dimensiunile sufletului spiritual atomic sunt explicate și mai amănunțit:

> *eṣo 'ṇur ātmā cetasā veditavyo*
> *yasmin prāṇaḥ pañcadhā samviveśa*
> *prāṇaiś cittaṁ sarvam otaṁ prajānām*
> *yasmin viśuddhe vibhavaty eṣa ātmā*

„Sufletul are dimensiunea unui atom și poate fi perceput de către o inteligență perfectă. Acest suflet atomic plutește în cele cinci feluri de aere (*prāṇa, apāna, vyāna, samāna și udāna*), este situat în interiorul inimii și își întinde influența asupra întregului corp al entităților vii întrupate. Când sufletul se purifică de contaminarea celor cinci tipuri de sufluri materiale, atunci se manifestă influența sa spirituală."

Sistemul *haṭha-yoga* este destinat controlării celor cinci tipuri de sufluri care învăluie sufletul pur, adoptând diferite posturi de așezare, nu pentru vreun profit material, ci pentru eliberarea sufletului minuscul de legăturile atmosferei materiale.

Astfel, constituția atomică a sufletului este admisă în toate scrierile vedice și este de asemenea resimțită în mod direct în experiența practică a oricărui om sănătos la minte. Doar un om nesăbuit poate să conceapă acest suflet atomic ca fiind atotpătrunzătorul *viṣṇu-tattva*.

Influența sufletului atomic se poate răspândi asupra unui anumit corp în întregul său. Potrivit cu *Muṇḍaka Upaniṣad* acest suflet atomic este situat în inima oricărei entități vii, dar pentru că dimensiunea sufletului atomic depășește puterea de apreciere a savanților materialiști, unii dintre ei afirmă prostește că nu există suflet. Sufletul atomic individual se află neîndoielnic în inimă, împreună cu Suprasufletul și astfel toate energiile necesare mișcărilor corporale emană din această parte a corpului. Globulele care transportă oxigenul de la plămâni își iau energia de la suflet. Când sufletul își părăsește locul din corp, activitatea circulatorie și celelalte funcții ale sângelui încetează. Știința medicală acceptă importanța globulelor roșii, dar nu ne poate asigura că sursa energiei lor este sufletul, chiar dacă admite că inima este sediul tuturor energiilor corporale.

Aceste particule atomice ale întregului spiritual sunt comparabile cu moleculele luminii solare. În lumina solară există nenumărate molecule radiante. În mod similar, părțile fragmentare ale Domnului Suprem sunt scânteile atomice ale razelor Domnnului Suprem, cunoscute sub numele de *prabhā*, sau energia superioară. Deci, fie că urmăm cunoașterea vedică, fie știința modernă, nu putem nega existența sufletului spiritual în corp; această știință a sufletului este descrisă explicit în *Bhagavad-gītā* de către Însăși Personalitatea Divinității.

TEXTUL 18

अन्तवन्त इमे देहा नित्यस्योक्ताः शरीरिणः ।
अनाशिनोऽप्रमेयस्य तस्माद्युध्यस्व भारत ॥१८॥

antavanta ime dehā
nityasyoktāḥ śarīriṇaḥ
anāśino 'prameyasya
tasmād yudhyasva bhārata

anta-vantaḥ—pieritoare; *ime*—toate aceste; *dehāḥ*—corpuri materiale; *nityasya*—având existență eternă; *uktāḥ*—se spune că; *śarīriṇaḥ*—ale sufletului întrupat; *anāśinaḥ*—de nedistrus; *aprameyasya*—de nemăsurat; *tasmāt*—de aceea; *yudhyasva*—luptă; *bhārata*—o, urmaș al lui Bharata.

Trupul material al entității vii indestructibile, de nemăsurat și eterne va ajunge cu siguranță la un sfârșit; de aceea, luptă, o, descendent al lui Bharata!

COMENTARIU

Prin natura sa, corpul material este pieritor, putând să moară imediat sau după o sută de ani. Este doar o problemă de timp. Nu există nici o șansă să dureze la nesfârșit. Dar sufletul spiritual este atât de mic, încât nici măcar nu poate fi văzut de un dușman, darmite să fie omorât. Așa cum s-a menționat anterior, sufletul este atât de mic, încât nici nu ne dăm seama cum l-am putea măsura. Deci, din ambele puncte de vedere, nu există motiv de lamentare, căci entitatea vie așa cum este ea în realitate nu poate fi ucisă, tot așa cum nici corpul material nu poate fi menținut oricât sau ocrotit în mod permanent. Minuscula particulă a întregului spiritual dobândește acest corp material potrivit cu activitățile sale și de aceea trebuie respectate principiile religioase. În *Vedānta-sūtra* entitatea vie este caracterizată ca lumină, pentru că este parte integrantă din lumina supremă. Așa cum lumina soarelui susți-ne întregul univers, la fel și lumina sufletului susține acest corp material. De-ndată ce sufletul spiritual iese din corpul material, corpul începe să se des-compună; prin urmare, sufletul este cel care menține corpul. Trupul în sine este lipsit de importanță. Arjuna este sfătuit să lupte și nu să sacrifice cauza religiei din considerente materiale sau corporale.

TEXTUL 19

य एनं वेत्ति हन्तारं यश्चैनं मन्यते हतम् ।
उभौ तौ न विजानीतो नायं हन्ति न हन्यते ॥१९॥

ya enaṁ vetti hantāraṁ
yaś cainaṁ manyate hatam
ubhau tau na vijānīto
nāyaṁ hanti na hanyate

yaḥ—cel care; *enam*—pe acesta; *vetti*—cunoaște; *hantāram*—ucigaș; *yaḥ*—cel care; *ca*—și; *enam*—pe acesta; *manyate*—consideră; *hatam*—ucis; *ubhau*—amândoi; *tau*—aceștia; *na*—nicidecum; *vijānītaḥ*—sunt în cunoaștere; *na*—nici; *ayam*—acesta; *hanti*—ucide; *na*—nici; *hanyate*—este ucis.

Nici acela care crede că entitatea vie este ucigașă, nici cel care o crede ucisă, nu are cunoaștere, deoarece sinele nu ucide și nici nu este ucis.

COMENTARIU

Trebuie știut că atunci când o entitate vie întrupată este rănită de o armă mortală, entitatea vie care trăiește în corp nu este ucisă. Sufletul spiritual este atât de mic, încât este imposibil să fie ucis cu vreo armă materială, așa cum se va vedea în strofele următoare. Entitatea vie nu poate fi ucisă, din pricina constituției sale spirituale. Ceea ce este ucis sau se presupune că este ucis, este doar corpul. Acest lucru nu încurajează nicidecum uciderea corpului. Porun-ca vedică este: *mā hiṁsyāt sarvā bhūtāni*: niciodată să nu comiți vreo violență împotriva nimănui. Iar faptul că entitatea vie nu este ucisă nu înseamnă că se încurajează omorârea animalelor. Uciderea corpului oricărei ființe în mod neautorizat este o faptă abominabilă, care este pedepsită atât de către legile statului, cât și de legea lui Dumnezeu. Însă Arjuna este nevoit să ucidă pentru respectarea principiilor religioase și nu din propriul său capriciu.

TEXTUL 20

न जायते म्रियते वा कदाचिन्
नायं भूत्वा भविता वा न भूयः ।
अजो नित्यः शाश्वतोऽयं पुराणो
न हन्यते हन्यमाने शरीरे ॥२०॥

na jāyate mriyate vā kadācin
nāyaṁ bhūtvā bhavitā vā na bhūyaḥ
ajo nityaḥ śāśvato 'yaṁ purāṇo
na hanyate hanyamāne śarīre

na—niciodată; *jāyate*—se naște; *mriyate*—moare; *vā*—sau; *kadācit*—oricând (trecut, prezent sau viitor); *na*—niciodată; *ayam*—acesta; *bhūtvā*—a luat ființă; *bhavitā*—va lua ființă acum; *vā*—sau; *na*—nu; *bhūyaḥ*—va lua din nou ființă; *ajaḥ*—nenăscut; *nityaḥ*—etern; *śāśvataḥ*—permanent; *ayam*—acest; *purāṇaḥ*—cel mai vechi; *na*—niciodată; *hanyate*—este ucis; *hanyamāne*—fiind ucis; *śarīre*—corpul.

Sufletul nu se naște și nu moare niciodată. El n-a luat cândva ființă, nu ia ființă și nici nu va lua ființă. El este nenăscut, etern, existând dintotdeauna și primordial. El nu este ucis atunci când corpul este ucis.

COMENTARIU

Din punct de vedere calitativ, micul atom care este parte fragmentară a Spiritului Suprem este una cu Supremul. El nu suferă vreo schimbare, așa cum se întâmplă cu corpul. Uneori sufletul este numit și „cel statornic", *kūṭastha*. Trupul este supus la șase feluri de transformări. El se naște din pântecele mamei, crește, se menține o vreme, produce anumite efecte, apoi treptat decade și până la urmă piere, căzând în uitare. Însă sufletul nu trece prin aceste transformări. Sufletul nu se naște, dar, întrucât el ia un corp material, corpul este cel care se naște. Sufletul nu se naște odată cu corpul, așa cum nici nu moare. Tot ceea ce se naște trebuie să și moară. Dar pentru că sufletul nu are parte de naştere, el nu are nici trecut, prezent sau viitor. El este etern, existând dintotdeauna şi primordial, adică nu se află în istorie nici o urmă a apariţiei sale. Sub influenţa corpului, noi căutăm să aflăm istoria naşterii şi devenirii sufletului. Sufletul nu îmbătrâneşte niciodată, aşa cum se întâmplă cu corpul. Aşa-numitul om bătrân se simte în aceeaşi stare de spirit ca în copilărie, sau tinereţe. Schimbările corpului nu afectează sufletul. Sufletul nu se deteriorează ca un copac sau orice alt lucru material şi nici nu produce urmaşi. Urmaşii produşi de corp, adică copiii, sunt suflete individuale diferite, însă datorită corpului ei apar ca şi copii ai unui om anume. Corpul se manifestă din cauza prezenţei sufletului, dar sufletul nu are nici urmaşi şi nici nu se transformă. Deci sufletul este liber de cele şase transformări ale corpului. În *Kaţha Upanişad* (1.2.18) se găseşte un pasaj similar care spune:

> *na jāyate mriyate vā vipaścin*
> *nāyaṁ kutaścin na babhūva kaścit*
> *ajo nityaḥ śāśvato 'yaṁ purāṇo*
> *na hanyate hanyamāne śarīre*

Sensul şi explicaţia acestei strofe este aceeaşi ca în *Bhagavad-gītā*, dar există aici un cuvânt special, *vipaścit*, care înseamnă învăţat sau înzestrat cu cunoaştere.

Sufletul este plin de cunoaştere sau întotdeauna plin de conştiinţă. Deci conştiinţa este simptomul sufletului. Chiar dacă nu putem descoperi sufletul în inimă, acolo unde este de fapt situat, putem totuşi să-i cunoaştem prezenţa prin simpla existenţă a conştiinţei. Uneori, datorită norilor sau din alte motive, nu putem vedea soarele pe cer, dar lumina soarelui este mereu prezentă şi astfel putem fi convinşi că ne aflăm în timpul zilei. De îndată ce apare o cât de mică geană de lumină pe cerul dimineţii, putem să ştim că soarele se află pe cer. În mod similar, întrucât în toate corpurile—fie de om, fie de animal—există o oarecare conştiinţă, putem să deducem existenţa sufletului. Această conştiinţă a sufletului este însă diferită de conştiinţa Supremului, deoarece conştiinţa supremă cunoaşte totul—trecut, prezent şi viitor. Conştiinţa sufletului individual este înclinată spre uitare. Când îşi uită natura reală, ea obţine învăţătură şi iluminare din elevatele lecţii ale lui Kṛṣṇa. Dar Kṛṣṇa nu se aseamănă sufletului care uită. Dacă ar fi aşa, atunci învăţăturile lui Kṛṣṇa din *Bhagavad-gītā* ar fi inutile.

Există două feluri de suflet—şi anume minuscula particulă de suflet (*aṇu-ātmā*) şi Suprasufletul (*vibhū-ātmā*). Acest fapt este confirmat şi în *Kaţha Upanişad* (1.2.20):

aṇor aṇīyān mahato mahīyān
ātmāsya jantor nihito guhāyām
tam akratuḥ paśyati vīta-śoko
dhātuḥ prasādān mahimānam ātmanaḥ

„Atât Suprasufletul [Paramātmā], cât și sufletul atomic (*jīvātmā*) sunt situate în același copac al trupului, înăuntrul aceleiași inimi a entității vii și doar cel eliberat de toate dorințele materiale și de toate lamentările poate, prin grația Supremului, să înțeleagă gloria sufletului." Kṛṣṇa este și obârșia Suprasufletului, așa cum se va arăta în capitolele următoare, iar Arjuna este sufletul atomic care și-a uitat natura reală; de aceea este nevoie de iluminarea dată de Kṛṣṇa sau de reprezentantul Său autorizat (maestrul spiritual).

TEXTUL 21

वेदाविनाशिनं नित्यं य एनमजमव्ययम् ।
कथं स पुरुष: पार्थं कं घातयति हन्ति कम् ॥२१॥

vedāvināśinaṁ nityam
ya enam ajam avyayam
kathaṁ sa puruṣaḥ pārtha
kaṁ ghātayati hanti kam

veda—cunoaște; *avināśinam*—indestructibil; *nityam*—existând veșnic; *yaḥ*—cel care; *enam*—acest (suflet); *ajam*—nenăscut; *avyayam*—neschimbător; *katham*—cum oare; *saḥ*—acest; *puruṣaḥ*—om; *pārtha*—o, Pārtha (Arjuna); *kam*—pe cineva; *ghātayati*—face să ucidă; *hanti*—ucide; *kam*—pe cineva.

O, Pārtha, cum poate un om care știe că sufletul este indestructibil, etern, nenăscut și neschimbător să ucidă pe cineva sau să facă pe cineva să ucidă?

COMENTARIU

Orice lucru are propria sa utilitate, iar omul care este situat în deplina cunoaștere știe cum și unde să aplice un lucru în folosul său. La fel și violența are rostul său, iar felul în care trebuie aplicată depinde de oamenii înzestraţi cu cunoaştere. Când judecătorul dă pedeapsa capitală unei persoane condamnată pentru crimă, nimeni nu poate să-l blameze, pentru că el ordonă violenţa faţă de o altă persoană în conformitate cu codul penal. În *Manu-saṁhitā*, codul de legi destinat oamenilor, se aprobă faptul ca un criminal să fie condamnat la moarte, pentru ca în viaţa viitoare să nu trebuiască să sufere pentru marele păcat pe care l-a comis. Prin urmare, condamnarea de către rege a unui criminal la spânzurătoare este de fapt benefică pentru el. În mod similar, atunci când Kṛṣṇa îi porunceşte lui Arjuna să lupte, trebuie să înţelegem că violenţa este în slujba justiţiei divine şi de aceea Arjuna trebuie să urmeze această cerinţă, ştiind bine că o asemenea violenţă comisă în timpul luptei pentru Kṛṣṇa nu este nicidecum violenţă, pentru că de fapt omul, sau mai degrabă sufletul, nu poate fi ucis. Deci pentru administrarea justiţiei, aşa-numita violenţă este îngăduită. O operaţie chirurgicală nu este destinată să-l ucidă pe pacient, ci să-l vindece. Lupta ce trebuia dată de Arjuna la instrucţiunea lui Kṛṣṇa este îndeplinită în deplină cunoaştere, aşa că nu există posibilitatea de a comite păcate şi de a suferi consecinţele acestora.

TEXTUL 22

वासांसि जीर्णानि यथा विहाय
नवानि गृह्णाति नरोऽपराणि ।
तथा शरीराणि विहाय जीर्णा-
न्यन्यानि संयाति नवानि देही ॥२२॥

vāsāṁsi jīrṇāni yathā vihāya
navāni gṛhṇāti naro 'parāṇi
tathā śarīrāṇi vihāya jīrṇāny
anyāni saṁyāti navāni dehī

vāsāṁsi—veşminte; *jīrṇāni*—vechi şi ponosite; *yathā*—exact aşa cum; *vihāya*—lepădând; *navāni*—veşminte noi; *gṛhṇāti*—primeşte; *naraḥ*—omul; *aparāṇi*—alte; *tathā*—în acelaşi fel; *śarīrāṇi*—corpurile; *vihāya*—abandonând; *jīrṇāni*—vechi şi nefolositoare; *anyāni*—alte; *saṁyāti*—întru adevăr primeşte; *navāni*—noi rânduri; *dehī*—cel întrupat.

Așa cum un om îmbracă veșminte noi, lepădându-le pe cele vechi, la fel și sufletul primește noi corpuri materiale, lepădându-le pe cele vechi și nefolositoare.

COMENTARIU

Schimbarea corpului de către sufletul individual este un fapt evident. Chiar și oamenii de știință moderni, care nu cred în existența sufletului, dar în același timp nu pot să explice originea energiei din inimă, trebuie să accepte schimbările continue ale corpului, ce apar de la copilărie la adolescență, de la adolescență la maturitate și apoi din nou de la maturitate la bătrânețe. De la bătrânețe, schimbarea este transferată altui corp. Acest lucru a fost deja explicat într-un verset anterior (2.13).

Transferarea sufletului individual atomic într-un alt corp este făcută posibilă grație Suprasufletului. Suprasufletul împlinește dorința sufletului atomic, așa cum un prieten împlinește dorința altuia. Atât *Vedele* cât și *Mundaka Upanișad*, la fel ca și *Śvetāśvatara Upanișad* compară sufletul și Suprasufletul cu două păsări prietene care stau în același copac. Una dintre păsări (sufletul individual) mănâncă fructele copacului, iar cealaltă pasăre (Krșna) privește doar la prietena Sa. Dintre aceste două păsări—deși din punct de vedere calitativ ele sunt la fel—una este captivată de fructele pomului material, în timp ce cealaltă privește doar activitățile prietenei Sale. Krșna este pasărea care privește, iar Arjuna este pasărea care mănâncă. Chiar dacă sunt prieteni, totuși unul este stăpânul, iar celălalt slujitorul. Uitarea acestei relații de către sufletul atomic este cauza mutării dintr-un copac în altul sau dintr-un corp în altul. *Jīva*, sufletul, se trudește și luptă din greu în copacul trupului material, dar de îndată ce se învoiește să accepte pe cealaltă pasăre ca maestru spiritual suprem—așa cum a acceptat Arjuna, predându-se de bunăvoie lui Krșna pentru a fi instruit—pasărea subordonată se eliberează de îndată de toate lamentările. Acest lucru este confirmat atât în *Mundaka Upanișad* (3.1.2), cât și în *Śvetāśvatara Upanișad* (4.7):

> *samāne vṛkṣe puruṣo nimagno*
> *'niśayā śocati muhyamānaḥ*
> *juṣṭaṁ yadā paśyaty anyam īśam*
> *asya mahimānam iti vīta-śokaḥ*

„Deși cele două păsări sunt în același copac, pasărea care mănâncă, bucurându-se de fructele copacului, este copleșită de griji și amărăciune. Dar dacă cumva într-un fel sau altul îşi întoarce faţa către prietenul său, care este Domnul şi Îi cunoaşte slava, atunci dintr-o dată pasărea care suferă se eliberează de toate anxietăţile." Arjuna şi-a întors acum faţa către eternul său prieten Kṛṣṇa şi învaţă *Bhagavad-gītā* de la El. Şi astfel, ascultându-L pe Kṛṣṇa, el poate să înţeleagă suprema măreţie a lui Dumnezeu şi să se elibereze de lamentare.

Arjuna este sfătuit aici de către Domnul să nu se tânguiască din pricina schimbării corpurilor de către bătrânul său bunic şi de către profesorul său. Ar trebui mai degrabă să fie fericit să le omoare corpurile în lupta cea dreaptă, astfel încât să fie curăţaţi pe dată de toate reacţiile activităţilor îndeplinite în corp. Cel ce-şi dă viaţa pe altarul de sacrificiu sau pe câmpul de bătălie, luptând drept, este pe dată purificat de toate reacţiile activităţilor îndeplinite în corp şi este ridicat la o viaţă cu un statut superior. De aceea nu exista nici un motiv pentru lamentarea lui Arjuna.

TEXTUL 23

नैनं छिन्दन्ति शस्त्राणि नैनं दहति पावकः ।
न चैनं क्लेदयन्त्यापो न शोषयति मारुतः ॥२३॥

nainaṁ chindanti śastrāṇi
nainaṁ dahati pāvakaḥ
na cainaṁ kledayanty āpo
na śoṣayati mārutaḥ

na—niciodată; *enam*—pe acest suflet; *chindanti*—pot să-l taie în bucăţi; *śastrāṇi*—armele; *na*—niciodată; *enam*—pe acest suflet; *dahati*—arde; *pāvakaḥ*—focul; *na*—niciodată; *ca*—şi; *enam*—pe acest suflet; *kledayanti*—udă; *āpaḥ*—apa; *na*—niciodată; *śoṣayati*—veştejeşte; *mārutaḥ*—vântul.

Sufletul nu poate fi niciodată tăiat în bucăţi de nici un fel de armă, nici ars de foc, nici înmuiat de apă şi nici veştejit de vânt.

COMENTARIU

Nici un fel de arme—fie săbii, arme de flăcări, arme de ploi, arme de uragane etc.— nu pot ucide sufletul spiritual. Se dovedeşte că în acea vreme existau

multe feluri de arme, făcute din pământ, apă, aer, eter etc., pe lângă armele
de foc moderne. Chiar şi armele nucleare moderne intră în categoria armelor
de foc, dar se pare că existau în vechime şi alte arme, făcute din toate feluri-
le de elemente materiale. Armele de foc erau combătute cu arme de apă, care
acum nu mai sunt cunoscute de ştiinţa modernă, la fel cum nu sunt cunos-
cute armele sub formă de tornadă. În orice caz, sufletul nu poate fi nicioda-
tă tăiat în bucăţi, nici anihilat cu oricât de multe arme, indiferent de perfor-
manţele ştiinţei.

Filosofii *māyāvādī* nu pot să explice cum anume şi-a început existenţa
sufletul individual datorită ignoranţei şi în consecinţă a fost acoperit de ener-
gia iluzorie. Ar fi fost imposibil ca sufletele individuale să fie desprinse din
Sufletul Suprem originar; mai degrabă sufletele individuale sunt părţi veşnic
separate ale Sufletului Suprem. Deoarece ele sunt suflete individuale atomice
în mod etern (*sanātana*), au tendinţa de a se lăsa acoperite de energia iluzorie,
desprinzându-se astfel din asocierea cu Domnul Suprem, la fel cum scânteile
focului, deşi sunt de aceeaşi natură cu focul din punct de vedere calitativ, au
tendinţa de a se stinge când ies afară din foc. În *Varāha Purāṇa* entităţile vii
sunt descrise ca părţi integrante ale Supremului. Iar *Bhagavad-gītā* confirmă
că ele rămân veşnic în această stare. Deci chiar şi după eliberarea de iluzie,
entitatea vie rămâne cu o identitate distinctă, aşa cum reiese în mod evident
din învăţăturile Domnului către Arjuna. Arjuna a ajuns să fie eliberat prin
cunoaşterea primită de la Kṛṣṇa, dar n-a devenit niciodată una cu Kṛṣṇa.

TEXTUL 24

अच्छेद्योऽयमदाह्योऽयमक्लेद्योऽशोष्य एव च ।
नित्यः सर्वगतः स्थाणुरचलोऽयं सनातनः ॥२४॥

acchedyo 'yam adāhyo 'yam
akledyo 'śoṣya eva ca
nityaḥ sarva-gataḥ sthāṇur
acalo 'yaṁ sanātanaḥ

acchedyaḥ—de nesfărâmat; *ayam*—acest suflet; *adāhyaḥ*—de nears; *ayam*—
acest suflet; *akledyaḥ*—de nedizolvat; *aśoṣyaḥ*—de neuscat; *eva*—desigur;
ca—şi; *nityaḥ*—veşnic; *sarva-gataḥ*—atotpătrunzător; *sthāṇuḥ*—neschim-
bător; *acalaḥ*—nemişcător; *ayam*—acest suflet; *sanātanaḥ*—veşnic acelaşi.

Acest suflet individual este incasabil şi insolubil şi nu poate fi nici ars, nici uscat. El este etern, prezent pretutindeni, neschimbător, imobil şi veşnic acelaşi.

COMENTARIU

Toate aceste calificative ale sufletului atomic dovedesc în mod definitiv că sufletul individual este veşnic o particulă din întregul spiritual şi că rămâne veşnic acelaşi atom, fără vreo schimbare. Teoria monismului este foarte dificil de aplicat în acest caz, deoarece sufletul individual nu intră niciodată într-o unitate omogenă. După eliberarea de contaminarea cu materia, sufletul atomic poate prefera să rămână ca scânteie spirituală în razele strălucitoare ale Supremei Personalităţi a Divinităţii, dar sufletul inteligent va pătrunde în planetele spirituale, pentru a se asocia cu Personalitatea Divinităţii.

Cuvântul *sarvagata* („atotpătrunzător") este semnificativ, pentru că, fără îndoială, entităţile vii sunt răspândite în întreaga creaţie a lui Dumnezeu. Ele trăiesc pe uscat, în apă, în aer, în pământ şi chiar în foc. Convingerea că fiinţele vii sunt nimicite în foc nu poate fi acceptată, deoarece se afirmă clar aici că sufletul nu poate fi ars de foc. Deci nu este nici o îndoială că există fiinţe vii şi în soare, cu corpuri adaptate vieţii de acolo. Dacă globul solar este nelocuit, atunci cuvântul *sarvagata*—„existând pretutindeni"—devine lipsit de sens.

TEXTUL 25

अव्यक्तोऽयमचिन्त्योऽयमविकार्योऽयमुच्यते ।
तस्मादेवं विदित्वैनं नानुशोचितुमर्हसि ॥२५॥

avyakto 'yam acintyo 'yam
avikāryo 'yam ucyate
tasmād evaṁ viditvainaṁ
nānuśocitum arhasi

avyaktaḥ—invizibil; *ayam*—acest suflet; *acintyaḥ*—de neconceput; *ayam*—acest suflet; *avikāryaḥ*—neschimbător; *ayam*—acest suflet; *ucyate*—se spune; *tasmāt*—de aceea; *evam*—astfel; *viditvā*—cunoscându-l; *enam*—pe acest suflet; *na*—nu; *anuśocitum*—să te lamentezi; *arhasi*—se cuvine.

Se spune că sufletul este invizibil, inconceptibil și imuabil. Cunoscând aceasta, nu trebuie să te îndurerezi pentru corp.

COMENTARIU

Așa cum s-a arătat anterior, dimensiunile sufletului sunt atât de mici pentru măsurătorile noastre materiale, încât nu poate fi văzut nici cu cel mai puternic microscop; de aceea se spune că este invizibil. În ce privește existența sufletului, nimeni nu o poate stabili în mod experimental, fără dovezile din *śruti*, înțelepciunea vedică. Trebuie să acceptăm acest adevăr, pentru că nu există altă sursă pentru cunoașterea existenței sufletului, chiar dacă acesta poate fi perceput în mod real. Există multe lucruri pe care le acceptăm bazându-ne doar pe o autoritate superioară. Nimeni nu poate contesta existența propriului tată, bazându-se pe mărturia mamei. Nu există nici o altă sursă de a cunoaște identitatea tatălui, decât pe baza mărturiei mamei. În mod similar, nu există nici o altă sursă de înțelegere a sufletului în afară de studierea *Vedelor*. Cu alte cuvinte, sufletul este de neconceput pentru cunoașterea umană experimentală. Sufletul este conștiință și este conștient—această afirmație aparține de asemenea *Vedelor* și trebuie s-o acceptăm ca atare. Spre deosebire de schimbările corpului, sufletul nu se schimbă. Fiind veșnic neschimbător, sufletul rămâne atomic în comparație cu Sufletul Suprem care este infinit. Sufletul Suprem este infinit iar sufletul atomic este infinitezimal. De aceea, fiind neschimbător, sufletul infinitezimal nu poate să devină niciodată egal cu sufletul infinit sau cu Suprema Personalitate a Divinității. Acest concept este repetat în *Vede* în diferite feluri, tocmai pentru a confirma concepția bine întemeiată asupra sufletului. Repetarea unor lucruri este necesară tocmai pentru ca să înțelegem subiectul în mod complet, fără greșeală.

TEXTUL 26

अथ चैनं नित्यजातं नित्यं वा मन्यसे मृतम् ।
तथापि त्वं महाबाहो नैनं शोचितुमर्हसि ॥२६॥

atha cainaṁ nitya-jātaṁ
nityaṁ vā manyase mṛtam
tathāpi tvaṁ mahā-bāho
nainaṁ śocitum arhasi

atha—chiar dacă; *ca*—și; *enam*—acest suflet; *nitya-jātam*—întotdeauna
născut; *nityam*—pentru totdeauna; *vā*—sau; *manyase*—așa crezi; *mṛtam*—
mort; *tathā api*—totuși; *tvam*—tu; *mahā-bāho*—o, tu cel cu braț puternic;
na—nicidecum; *enam*—pentru suflet; *śocitum*—să te lamentezi; *arhasi*—ți
se cuvine.

**O, tu cel cu braț puternic, chiar dacă crezi că sufletul [sau simptome-
le vieții] se naște întotdeauna și moare pentru totdeauna, nu ai totuși
motive să te lamentezi.**

COMENTARIU

Există întotdeauna o categorie de filosofi, de felul buddhiștilor, care nu cred
în existența separată a sufletului în afara corpului. Se dovedește că atunci
când Śrī Kṛṣṇa a rostit *Bhagavad-gītā* existau asemenea filosofi, cunoscuți
ca *lokāyatika* și *vaibhāṣika*. Acești filosofi susțin că semnele vieții apar
într-un anumit stadiu de evoluție a combinațiilor materiale. La fel cred și
savanții materialiști moderni, ca și filosofii materialiști. După părerea lor,
corpul este o combinație de elemente fizice, iar într-un anumit stadiu, prin
interacțiunea elementelor fizice și chimice apar semnele vieții. Știința antro-
pologiei se bazează pe această filosofie. Adeseori foarte multe pseudo-religii—
ce sunt la modă acum în America—aderă și ele la această filosofie, ca și la
sectele buddhiste nedevoționale și nihiliste.

Chiar dacă Arjuna n-ar fi crezut în existența sufletului—ca în filosofia
vaibhāṣika—tot n-ar fi avut motive de lamentare. Nimeni nu se tânguieș-
te pentru pierderea unui amalgam de elemente chimice și nu încetează să-și
îndeplinească îndatoririle. Pe de altă parte, în știința modernă și în războiul
dus cu mijloacele acestei științe se aruncă tone de substanțe chimice pentru
a obține victoria asupra dușmanului. Potrivit filosofiei *vaibhāṣika*, așa numi-
tul suflet sau *ātmā* piere odată cu distrugerea corpului. Deci în orice caz, fie
că Arjuna acceptă concluziile vedice asupra existenței unui suflet atomic, fie
că nu crede în existența sufletului, nu are motive să se lamenteze. Potrivit
teoriei *vaibhāṣika*, deoarece din materie sunt generate atât de multe viețăți în
fiecare clipă și în fiecare clipă sunt nimicite o mulțime de viețăți, nu are nici
un rost să te întristezi pentru asemenea incidente. Dacă sufletul nu ar renaș-
te, Arjuna n-ar avea nici un motiv să-i fie teamă de faptul că ar suferi de pe
urma păcatului de a-și ucide bunicul și învățătorul. În același timp, Kṛṣṇa se
adresează în mod sarcastic lui Arjuna cu cuvintele *mahā-bāhu*, „cel puternic

înarmat", întrucât El cel puțin nu accepta filosofia *vaibhāṣika*, care nu ține seama de înțelepciunea vedică. În calitate de *kṣatriya*, Arjuna aparținea culturii vedice și se cuvenea să urmeze în continuare principiile acesteia.

TEXTUL 27

जातस्य हि ध्रुवो मृत्युर्ध्रुवं जन्म मृतस्य च ।
तस्मादपरिहार्येऽर्थे न त्वं शोचितुमर्हसि ॥२७॥

jātasya hi dhruvo mṛtyur
dhruvaṁ janma mṛtasya ca
tasmād aparihārye 'rthe
na tvaṁ śocitum arhasi

jātasya—a celui născut; *hi*—cu siguranță; *dhruvaḥ*—este un fapt; *mṛtyuḥ*—moartea; *dhruvam*—este tot un fapt; *janma*—nașterea; *mṛtasya*—celui mort; *ca*—precum și; *tasmāt*—de aceea; *aparihārye*—celor ce nu pot fi evitate; *arthe*—în domeniul; *na*—nu; *tvam*—tu; *śocitum*—să te lamentezi; *arhasi*—ți se cuvine.

Cel care s-a născut este cert că va muri, iar după moarte este cert că se va naște din nou. De aceea, în îndeplinirea datoriei ce nu poate fi evitată, nu trebuie să te lamentezi.

COMENTARIU

Cineva trebuie să se nască în funcție de activitățile îndeplinite în viață. Ajungând la încheierea unei perioade de activitate, el trebuie să moară, născându-se pentru următoarea perioadă. În acest fel, o persoană trece prin cicluri succesive de nașteri și morți, fără să fie eliberat. Însă acest ciclu al nașterilor și morților nu justifică crima, tăierea animalelor și războaiele care nu sunt necesare. În același timp, violența și războiul sunt factori inevitabili în societatea umană pentru păstrarea ordinii și legii.

Bătălia de la Kurukṣetra, având loc prin voința Supremului, era un eveniment inevitabil, iar lupta pentru o cauză dreaptă era de datoria oricărui *kṣatriya*. Deci de ce ar fi fost înfricoșat sau întristat de moartea rudelor sale, dacă de fapt își îndeplinea datoria prescrisă? Nu se cuvenea să încalce legea, căci prin asta ajungea să sufere urmările păcatelor comise, de care se temea atât de mult. Refuzând îndeplinirea datoriei prescrise, el n-ar fi fost în stare să evite moartea rudelor sale și ar fi fost dezonorat datorită alegerii unei căi de acțiune greșite.

TEXTUL 28

अव्यक्तादीनि भूतानि व्यक्तमध्यानि भारत ।
अव्यक्तनिधनान्येव तत्र का परिदेवना ॥२८॥

avyaktādīni bhūtāni
vyakta-madhyāni bhārata
avyakta-nidhanāny eva
tatra kā paridevanā

avyakta-ādīni—la început nemanifestate; *bhūtāni*—toate cele create; *vyakta* —manifestate; *madhyāni*—la mijloc; *bhārata*—o, urmaș al lui Bharata; *avyakta*—nemanifestate; *nidhanāni*—când sunt anihilate; *eva*—totul este astfel; *tatra*—de aceea; *kā*—ce fel de; *paridevanā*—lamentare.

Toate ființele create sunt nemanifestate la început, manifestate în starea intermediară și din nou nemanifestate când sunt anihilate. La ce bună deci lamentarea, o, urmaș al lui Bharata?

COMENTARIU

Acceptând că există două categorii de filosofi, unii care cred în existența sufletului și alții care nu cred în ea, nu există oricum vreun motiv de lamentare. Cei ce nu cred în existența sufletului sunt numiți atei de către reprezentanții înțelepciunii vedice. Chiar dacă, în scop demonstrativ, acceptăm această teorie ateistă, nu avem motive de lamentare. Independent de existența separată a sufletului, elementele materiale rămân nemanifestate înainte de creație. Din această stare subtilă de nemanifestare se produce manifestarea, așa cum din eter este generat aerul, din aer focul, din foc apa iar din apă se manifestă pământul. Din pământ apar tot felul de manifestări, de exemplu un zgârienori uriaș care este o manifestare a elementului pământ. Când acest zgârienori este demolat, manifestarea sa se transformă din nou în nemanifestare,

rămânând în acest ultim stadiu sub formă de atomi. Legea conservării ener-
giei rămâne valabilă, dar în decursul vremii lucrurile sunt când manifestate,
când nemanifestate—aceasta este singura diferență. Deci de ce să existe vreun
motiv de lamentare, fie că este vorba de stadiul manifestării, fie al nemani-
festării? Într-un fel sau altul, chiar și în stadiul de nemanifestare lucrurile
nu sunt pierdute. Atât la început, cât și la sfârșit, toate elementele se află în
nemanifestare și doar în starea intermediară există manifestare, ceea ce nu
constituie o diferență materială reală.

Dacă acceptăm concluzia vedică, așa cum se afirmă în *Bhagavad-gītā*, potri-
vit căreia aceste corpuri materiale vor pieri la vremea potrivită (*antavanta
ime dehāḥ*), însă sufletul este etern (*nityasyoktāḥ śarīriṇaḥ*), atunci trebuie
să ne amintim mereu că corpul este ca o haină; deci de ce să ne lamentăm
pentru schimbarea hainei? Corpul material nu are o existență reală în raport
cu sufletul etern. Existența în corp este ca un fel de vis. În vis ni se pare că
zburăm prin cer sau că stăm într-o caleașcă regală, dar când ne trezim, ne
dăm seama că nu suntem nici în cer, nici în caleașcă. Înțelepciunea vedică
încurajează realizarea de sine pe baza nonexistenței corpului material. Prin
urmare, în orice caz, fie că credem în existența sufletului, fie că nu credem,
nu există motive de tânguire pentru pierderea corpului.

TEXTUL 29

आश्चर्यवत्पश्यति कश्चिदेन-
माश्चर्यवद्वदति तथैव चान्यः ।
आश्चर्यवच्चैनमन्यः शृणोति
श्रुत्वाप्येनं वेद न चैव कश्चित् ॥२९॥

*āścarya-vat paśyati kaścid enam
āścarya-vad vadati tathaiva cānyaḥ
āścarya-vac cainam anyaḥ śṛṇoti
śrutvāpy enaṁ veda na caiva kaścit*

āścarya-vat—ca fiind uimitor; *paśyati*—vede; *kaścit*—cineva; *enam*—acest
suflet; *āścarya-vat*—ca uimitor; *vadati*—vorbește despre; *tathā*—astfel; *eva*
—desigur; *ca*—și; *anyaḥ*—altul; *āścarya-vat*—deasemenea uimitor; *ca*—și;
enam—acest suflet; *anyaḥ*—altul; *śṛṇoti*—aude despre; *śrutvā*—auzind; *api*

—chiar; *enam*—acest suflet; *veda*—cunoaşte; *na*—niciodată; *ca*—şi; *eva*—desigur; *kaścit*—cineva.

Unii privesc sufletul ca pe un lucru uimitor, alţii vorbesc despre el ca despre ceva uimitor, alţii aud despre el ca fiind uimitor, în timp ce alţii, chiar după ce aud despre el, nu sunt în stare nicidecum să-l înţeleagă.

COMENTARIU

Întrucât *Gītopaniṣad* se bazează în cea mai mare parte pe principiile din *Upaniṣade*, nu este deloc surprinzător să găsim un pasaj similar cu acesta în *Kaṭha Upaniṣad* (1.2.7):

> *śravaṇayāpi bahubhir yo na labhyaḥ*
> *śṛṇvanto 'pi bahavo yaṁ na vidyuḥ*
> *āścaryo vaktā kuśalo 'sya labdhā*
> *āścaryo 'sya jñātā kuśalānuśiṣṭaḥ*

Faptul că sufletul atomic se găseşte în corpul unui animal gigantic, al unui arbore de banyan uriaş, ca şi în microbii sau bacteriile care încap cu milioanele şi miliardele într-un centimetru cub de spaţiu, este cu siguranţă uimitor. Oamenii cu un bagaj redus de cunoştinţe şi cei ce nu practică austeritatea nu pot să înţeleagă minunăţia scânteii spirituale a sufletului atomic individual, nici chiar atunci când este explicat de cea mai mare autoritate a cunoaşterii, care a dat lecţii chiar şi lui Brahmā, prima fiinţă din univers. Datorită concepţiei materiale grosiere asupra lucrurilor, cea mai mare parte a oamenilor din această epocă nu-şi pot imagina cum o asemenea particulă minusculă poate deveni atât de mare cât şi atât de mică. Astfel, oamenii privesc sufletul ca pe un lucru minunat, atât prin alcătuire, cât şi prin felul în care este descris. Amăgiţi de energia materială, oamenii sunt atât de acaparaţi de cele ce ţin de satisfacerea simţurilor, încât nu le mai rămâne prea mult timp pentru problemele cunoaşterii de sine, chiar dacă este evident că fără această cunoaştere de sine toate activităţile lor au ca rezultat înfrângerea în lupta pentru existenţă. Probabil că nu-şi imaginează că pentru a-şi putea rezolva problemele materiale trebuie să se gândească întâi la suflet.

Unii oameni sunt înclinaţi să asculte despre suflet, asistând la lecţii alături de persoane de bună calitate, însă uneori, din pricina ignoranţei, aceştia sunt îndrumaţi greşit, acceptând teoria că Suprasufletul şi sufletul atomic sunt una, fără vreo deosebire în privinţa mărimii. Este foarte greu de găsit un om care să înțeleagă perfect pozițiile în care se află Suprasufletul și sufletul atomic, funcțiile și relațiile lor, ca și toate detaliile majore și minore. Și este încă și mai greu de găsit un om care să fi tras toate foloasele din cunoașterea sufletului și care să fie capabil să descrie poziția sufletului în diferitele sale aspecte. Dar dacă, într-un fel sau altul, cineva este capabil să înțeleagă problema sufletului, atunci viața sa va fi împlinită.

Cea mai simplă metodă de a înțelege problema sufletului este acceptarea afirmațiilor din *Bhagavad-gītā*, rostite de cea mai înaltă autoritate, Śrī Kṛṣṇa, fără să ne lăsăm abătuți de alte teorii. Dar acest lucru cere și multe penitențe și sacrificii, fie în viața actuală, fie în cea anterioară, înainte de a fi în stare să-L acceptăm pe Kṛṣṇa ca Suprema Personalitate a Divinității. Cu toate acestea, Kṛṣṇa poate fi cunoscut ca atare doar prin mila fără de cauză a unui devot pur și în nici un alt fel.

TEXTUL 30

देही नित्यमवध्योऽयं देहे सर्वस्य भारत ।
तस्मात्सर्वाणि भूतानि न त्वं शोचितुमर्हसि ॥३०॥

dehī nityam avadhyo 'yaṁ
dehe sarvasya bhārata
tasmāt sarvāṇi bhūtāni
na tvaṁ śocitum arhasi

dehī—posesorul corpului material; *nityam*—în mod etern; *avadhyaḥ*—nu poate fi ucis; *ayam*—acest suflet; *dehe*—în corpul; *sarvasya*—fiecăruia; *bhārata*—o, urmaș al lui Bharata; *tasmāt*—de aceea; *sarvāṇi*—toate; *bhūtāni*—entitățile vii (care sunt născute); *na*—niciodată; *tvam*—tu; *śocitum*—să le jelești; *arhasi*—se cuvine.

O, urmaș al lui Bharata, cel ce sălășluiește în corp nu poate fi niciodată ucis. De aceea, nu trebuie să te întristezi pentru nici o ființă.

COMENTARIU

Domnul încheie aici capitolul învățăturilor despre sufletul spiritual imuabil. Descriind sufletul nemuritor în diferite feluri, Śrī Kṛṣṇa stabilește că sufle-

tul este nemuritor, iar corpul este trecător. De aceea Arjuna, în calitate de
kṣatriya, nu trebuie să-şi părăsească datoria, de teamă că bunicul şi învăţă-
torul său—Bhīṣma şi Droṇa—vor muri în luptă. Întemeindu-ne pe mărtu-
ria autoritativă a lui Śrī Kṛṣṇa, trebuie să credem că există un suflet diferit
de corpul material şi nu că sufletul nu ar exista sau că semnele vieţii apar
într-un anumit stadiu al evoluţiei materiei, rezultând din interacţiunea ele-
mentelor chimice. Chiar dacă sufletul este nemuritor, violenţa nu este încu-
rajată, dar nici nu este dezaprobată în vreme de război, când este nevoie de
ea. Această nevoie trebuie să fie justificată prin aprobarea lui Dumnezeu, nu
prin capriciile cuiva.

TEXTUL 31

स्वधर्ममपि चावेक्ष्य न विकम्पितुमर्हसि ।
धर्म्याद्धि युद्धाच्छ्रेयोऽन्यत्क्षत्रियस्य न विद्यते ॥३१॥

sva-dharmam api cāvekṣya
na vikampitum arhasi
dharmyād dhi yuddhāc chreyo 'nyat
kṣatriyasya na vidyate

sva-dharmam—propriile datorii religioase; *api*—de asemenea; *ca*—şi;
avekṣya—ţinând seama de; *na*—niciodată; *vikampitum*—să şovăi; *arhasi*—
ţi se cade; *dharmyāt*—din pricina principiilor religioase; *hi*—cu-adevărat;
yuddhāt—decât lupta; *śreyaḥ*—ocupaţie mai bună; *anyat*—oricare alta;
kṣatriyasya—a unui *kṣatriya*; *na*—nu; *vidyate*—există.

**Ţinând seama de propria-ţi datorie de kṣatriya, trebuie să ştii că pentru
tine nu există nimic altceva mai bun de făcut decât lupta întemeiată pe
principiile religioase, astfel că nu trebuie să şovăi.**

COMENTARIU

Dintre cele patru categorii sociale, cea de-a doua categorie, destinată bunei
administrări, poartă numele de *kṣatriya*. *Kṣat* înseamnă vătămare. Cel ce pro-
tejează de vătămare este numit *kṣatriya* (*trāyate*—a proteja). Aceşti *kṣatriya*
sunt antrenaţi să ucidă în pădure. Un *kṣatriya* trebuie să se ducă în pădure

și să provoace un tigru, luptând cu sabia împotriva lui. După ce tigrul a fost ucis, este incinerat după rânduiala rezervată regilor. Acest sistem a fost respectat până în zilele noastre de către regii *kṣatriya* din Jaipur. *Kṣatriya* sunt antrenați în mod special pentru provocare și ucidere, deoarece violența este uneori necesară pentru apărarea principiilor religioase. De aceea acești *kṣatriya* nu sunt niciodată destinați să accepte direct *sannyāsa* sau ordinul renunțării. În politică nonviolența poate fi o tactică, dar nu este niciodată un factor sau un principiu. În cărțile de legi religioase se spune:

> *āhaveṣu mitho 'nyonyaṁ*
> *jighāṁsanto mahī-kṣitaḥ*
> *yuddhamānāḥ paraṁ śaktyā*
> *svargaṁ yānty aparāṅ-mukhāḥ*

> *yajñeṣu paśavo brahman*
> *hanyante satataṁ dvijaiḥ*
> *saṁskṛtāḥ kila mantraiś ca*
> *te 'pi svargam avāpnuvan*

„Pe câmpul de luptă, un rege sau *kṣatriya* care se luptă cu un alt rege invidios pe el, merită să dobândească după moarte planetele cerești, tot așa cum brahmanii ajung și ei pe planetele celeste prin sacrificarea animalelor în focul sacrificial." Prin urmare, uciderea pe câmpul de bătălie pe baza principiilor religioase, ca și uciderea animalelor în focul sacrificial nu sunt nicidecum socotite a fi acte de violență, deoarece toată lumea beneficiază de pe urma principiilor religioase respective. Animalele sacrificate dobândesc de îndată o formă umană, fără să mai treacă prin procesul de evoluție treptată de la o formă la alta, iar acei *kṣatriya* care sunt uciși pe câmpul de luptă ajung pe planetele cerești, la fel ca și brahmanii care ajung acolo prin oferirea de sacrificii.

Există două feluri de *sva-dharma* sau datorii specifice. Atâta timp cât un om nu este eliberat, el trebuie să-și împlinească datoriile specifice corpului în care se află, potrivit principiilor religioase, astfel încât să dobândească eliberarea. Pentru cel eliberat, *sva-dharma* sau datoria sa specifică devine spirituală și nu se mai raportează la concepția materială a corpului. În cadrul concepției corporale asupra vieții există datorii specifice pentru *brāhmaṇa*, ca și pentru *kṣatriya*, iar aceste datorii sunt de neevitat. *Sva-dharma* este poruncită de Dumnezeu, așa cum se va dezvălui în capitolul al patrulea. La nivel corporal, *sva-dharma* ae numește *varṇāśrama-dharma* sau mijlocul prin care omul poate ajunge la realizarea spirituală. Civilizația umană începe de la stadiul de *varṇāśrama-dharma* sau datoriile specifice în concordanță cu modurile naturii specifice corpului obținut. Împlinirea propriei datorii specifice în orice domeniu de activitate, conform poruncii autorităților superioare, ajută o persoană să se înalțe la un stadiu de viață superior.

TEXTUL 32

यदृच्छया चोपपन्नं स्वर्गद्वारमपावृतम् ।
सुखिनः क्षत्रियाः पार्थ लभन्ते युद्धमीदृशम् ॥३२॥

yadṛcchayā copapannaṁ
svarga-dvāram apāvṛtam
sukhinaḥ kṣatriyāḥ pārtha
labhante yuddham īdṛśam

yadṛcchayā—care apare de la sine; *ca*—și; *upapannam*—ajuns la; *svarga*—a planetelor cerești; *dvāram*—poartă; *apāvṛtam*—larg deschisă; *sukhinaḥ*—foarte fericiți; *kṣatriyāḥ*—membrii castei regilor; *pārtha*—o, fiu al lui Pṛthā; *labhante*—dobândesc; *yuddham*—război; *īdṛśam*—ca acesta.

O, Pārtha, fericiți sunt acei kṣatriya cărora li se înfățișează de la sine un asemenea prilej de luptă, deschizând pentru ei poarta planetelor cerești.

COMENTARIU

În calitate de suprem învățător al lumii, Śrī Kṛṣṇa condamnă atitudinea lui Arjuna care spunea: „Nu găsesc nimic bun în această luptă. Ea ne va face să locuim pentru totdeauna în infern." Aceste declarații ale lui Arjuna se datorau numai ignoranței. El dorea să-și îndeplinească datoria specifică fără violență. Dar pentru un *kṣatriya* nonviolența pe câmpul de luptă este o filosofie pentru nesăbuiți. În *Parāśara-smṛti*, codurile religioase alcătuite de Parāśara, marele înțelept și tatăl lui Vyāsadeva, se spune:

kṣatriyo hi prajā rakṣan
śastra-pāṇiḥ pradaṇḍayan

nirjitya para-sainyādi
kṣitiṁ dharmeṇa pālayet

„Datoria unui *kṣatriya* este aceea de a ocroti pe cetățeni de toate greutățile, iar pentru aceasta el trebuie să recurgă la violență când acest lucru este necesar menținerii legii și ordinii. De aceea el trebuie să înfrângă oștirile regilor dușmani și să domnească asupra lumii respectând principiile religioase."

Luând în considerare toate aceste aspecte, Arjuna nu are motive să se abțină de la luptă. Dacă își învinge dușmanii, se va bucura de domnie, iar dacă moare în bătălie, va fi înălțat pe planetele cerești, ale căror porți erau larg deschise pentru el. În oricare din aceste cazuri lupta era în folosul său.

TEXTUL 33

अथ चेत्त्वमिमं धर्म्यं सङ्ग्रामं न करिष्यसि ।
ततः स्वधर्मं कीर्तिं च हित्वा पापमवाप्स्यसि ॥३३॥

atha cet tvam imaṁ dharmyaṁ
saṅgrāmaṁ na kariṣyasi
tataḥ sva-dharmaṁ kīrtiṁ ca
hitvā pāpam avāpsyasi

atha—însă ; *cet*—dacă; *tvam*—tu; *imam*—această; *dharmyam*—ce ține de datoria religioasă; *saṅgrāmam*—luptă; *na*—nu; *kariṣyasi*—vei îndeplini; *tataḥ*—atunci; *sva-dharmam*—datoria ta religioasă; *kīrtim*—faima; *ca*—și; *hitvā*—pierzând; *pāpam*—păcatul; *avāpsyasi*—vei dobândi.

Însă de nu-ți vei îndeplini datoria religioasă de a lupta, cu siguranță îți vei atrage păcatul pentru neîndeplinirea datoriei, pierzându-ți astfel faima de războinic.

COMENTARIU

Arjuna era un luptător renumit, dobândindu-și faima datorită luptelor cu marii semizei, dintre care făcea parte chiar Śiva. După ce s-a luptat și l-a învins pe Śiva care luase înfățișarea unui vânător, Arjuna, câștigându-i bună-voința, a primit în dar o armă numită *pāśupata-astra*.Toți știau că Arjuna era un mare luptător. Chiar şi Droṇācārya îl binecuvântase, dăruindu-i o armă specială cu care putea să-l ucidă chiar şi pe maestrul său. Iată deci că Arjuna fusese onorat cu o mulţime de aprecieri militare din partea unor numeroase personalităţi, incluzând şi pe tatăl său adoptiv Indra, regele zeilor. Dar dacă ar fi abandonat lupta, nu numai că şi-ar fi neglijat datoria specifică de *kṣatriya*, ci şi-ar fi pierdut toată faima şi bunul nume, netezindu-şi astfel calea spre infern. Cu alte cuvinte, ar fi ajuns în iad nu datorită luptei, ci datorită sustragerii de la luptă.

TEXTUL 34

अकीर्तिं चापि भूतानि कथयिष्यन्ति तेऽव्ययाम् ।
सम्भावितस्य चाकीर्तिर्मरणादतिरिच्यते ॥३४॥

akīrtiṁ cāpi bhūtāni
kathayiṣyanti te 'vyayām
sambhāvitasya cākīrtir
maraṇād atiricyate

akīrtim—infamie; *ca*—şi ; *api*—pe deasupra; *bhūtāni*—toţi oamenii; *kathayiṣyanti*—vor vorbi; *te*—despre a ta; *avyayām*—veşnic; *sambhāvitasya*—pentru un om respectabil; *ca*—iar; *akīrtiḥ*—faima rea; *maraṇāt*—decât moartea; *atiricyate*—mult mai rea.

Oamenii vor vorbi mereu despre infamia ta, iar pentru un om respectabil dezonoarea este mai rea decât moartea.

COMENTARIU

Atât în calitate de prieten cât şi de filosof Śrī Kṛṣṇa dă acum verdictul în ce priveşte refuzul lui Arjuna de a lupta. Domnul îi spune: „Arjuna, dacă vei părăsi câmpul de luptă înainte chiar ca batălia să înceapă, oamenii vor spune că eşti laş. Şi dacă crezi că oamenii n-au decât să te vorbească de rău, însă tu să-ţi salvezi viaţa fugind de pe câmpul de luptă, atunci sfatul Meu este acela că ai face mai bine să mori în bătălie. Pentru un om respectabil ca tine, proasta reputaţie este mai cumplită decât moartea. Deci nu trebuie să fugi de teamă pentru viaţa ta; mai bine să mori în bătălie. Aceasta te va salva de dezonoarea de a fi folosit în mod greşit prietenia Mea şi de a-ţi pierde prestigiul în societate."

Astfel, verdictul final al lui Dumnezeu pentru Arjuna era acela de a muri în bătălie şi nu de a da înapoi de la luptă.

TEXTUL 35

भयाद्रणादुपरतं मंस्यन्ते त्वां महारथाः ।
येषां च त्वं बहुमतो भूत्वा यास्यसि लाघवम् ॥३५॥

bhayād raṇād uparataṁ
maṁsyante tvāṁ mahā-rathāḥ
yeṣāṁ ca tvaṁ bahu-mato
bhūtvā yāsyasi lāghavam

bhayāt—de frică; *raṇāt*—de pe câmpul de luptă; *uparatam*—retras; *maṁsyante*—te vor considera; *tvām*—pe tine; *mahā-rathāḥ*—marii generali; *yeṣām*—pentru care; *ca*—şi; *tvam*—tu; *bahu-mataḥ*—foarte preţuit; *bhūtvā*—după ce ai fost; *yāsyasi*—vei ajunge; *lāghavam*—lipsit de importanţă.

Marii generali ce au pus mare preţ pe numele şi faima ta vor crede că doar frica te-a făcut să părăseşti câmpul de bătălie şi astfel te vor socoti un om de nimic.

COMENTARIU

Śrī Kṛṣṇa continuă să dea verdictul Său lui Arjuna: „Să nu-ţi închipui că marii generali precum Duryodhana, Karṇa şi ceilalţi de-o seamă cu ei vor crede că ai părăsit câmpul de luptă din milă pentru bunicul şi fraţii tăi. Ei se vor gândi că ai fugit de teamă pentru viaţa ta. Şi astfel, marea lor preţuire faţă de persoana ta se va nărui."

TEXTUL 36

अवाच्यवादांश्च बहून् वदिष्यन्ति तवाहिताः ।
निन्दन्तस्तव सामर्थ्यं ततो दुःखतरं नु किम् ॥३६॥

avācya-vādāṁś ca bahūn
vadiṣyanti tavāhitāḥ
nindantas tava sāmarthyaṁ
tato duḥkhataraṁ nu kim

avācya—neplăcute; *vādān*—cuvinte născocite; *ca*—precum şi; *bahūn*—multe; *vadiṣyanti*—vor spune; *tava*—ai tăi; *ahitāḥ*—duşmani; *nindantaḥ*—batjocorind; *tava*—a ta ; *sāmarthyam*—iscusinţă; *tataḥ*—decât aceasta; *duḥkha-taram*—mai dureros; *nu*—desigur; *kim*—ce poate fi.

Duşmanii tăi vor spune o mulţime de vorbe neplăcute despre tine şi îşi vor bate joc de iscusinţa ta. Ce oare poate fi mai dureros pentru tine?

COMENTARIU

Invocarea cu totul nepotrivită a compasiunii de către Arjuna provocase uimirea lui Śrī Kṛṣṇa, care i-a arătat lui Arjuna că această compasiune nu este demnă de un *āryan*. Acum, în atât de multe cuvinte, El Şi-a dovedit afirmaţiile în faţa aşa-numitei compasiuni a lui Arjuna.

TEXTUL 37

हतो वा प्राप्स्यसि स्वर्गं जित्वा वा भोक्ष्यसे महीम् ।
तस्मादुत्तिष्ठ कौन्तेय युद्धाय कृतनिश्चयः ॥३७॥

hato vā prāpsyasi svargaṁ
jitvā vā bhokṣyase mahīm
tasmād uttiṣṭha kaunteya
yuddhāya kṛta-niścayaḥ

hataḥ—ucis; *vā*—fie că; *prāpsyasi*—vei dobândi; *svargam*—împărăţia cerului; *jitvā*—învingând; *vā*—ori; *bhokṣyase*—te vei bucura de; *mahīm*—lume; *tasmāt*—de aceea; *uttiṣṭha*—ridică-te; *kaunteya*—o, fiu al lui Kuntī; *yuddhāya*—pentru luptă; *kṛta*—hotărât; *niścayaḥ*—cu încredere.

O, fiu al lui Kuntī, fie vei fi ucis pe câmpul de luptă şi vei dobândi planetele cereşti, ori vei învinge şi te vei bucura de regatul pământesc. De aceea, ridică-te şi luptă cu toată hotărârea.

COMENTARIU

Chiar dacă victoria celor aflați de partea sa nu era sigură, Arjuna trebuia totuși să lupte, deoarece chiar dacă era ucis în luptă, ar fi fost înălțat pe planetele cerești.

TEXTUL 38

सुखदुःखे समे कृत्वा लाभालाभौ जयाजयौ ।
ततो युद्धाय युज्यस्व नैवं पापमवाप्स्यसि ॥३८॥

sukha-duḥkhe same kṛtvā
lābhālābhau jayājayau
tato yuddhāya yujyasva
naivaṁ pāpam avāpsyasi

sukha—fericirea; *duḥkhe*—și suferința; *same*—egale; *kṛtvā*—făcându-le; *lābha-alābhau*—câștig și pierdere; *jaya-ajayau*—victorie și înfrângere; *tataḥ* —apoi; *yuddhāya*—pentru luptă; *yujyasva*—luptă-te; *na*—niciodată; *evam* —în acest fel; *pāpam*—păcatul; *avāpsyasi*—vei dobândi.

Luptă-te doar pentru a lupta, fără să ții seama de fericire sau suferin-ță, câștig sau pierdere, victorie sau înfrângere; făcând astfel, nu-ți vei atrage niciodată păcatul.

COMENTARIU

În acest moment Śrī Kṛṣṇa spune în mod direct că Arjuna trebuie să lupte doar pentru a lupta, căci El este Cel ce dorește această luptă. În activitățile conștiinței de Kṛṣṇa nu se ține seama de fericire sau nefericire, pierdere sau câștig, victorie sau înfrângere. Faptul că orice lucru trebuie înfăptuit în folosul lui Kṛṣṇa ține de conștiința transcendentă; de aceea nu există nici un fel de reacție la activitățile materiale. Cel ce acționează pentru satisfacerea propriilor simțuri, fie că este sub influența bunătății sau a pasiunii, este supus reacțiilor acestor activități, fie ele bune sau rele. Însă cel ce s-a dăruit cu totul pe sine în activitățile conștiinței de Kṛṣṇa nu mai are nici o obligație față de nimeni și nici nu mai este îndatorat nimănui, așa cum este un om ce acționează în mod obișnuit. În *Śrīmad Bhāgavatam* se spune:

devarṣi-bhūtāpta-nṛṇāṁ pitṝṇāṁ
na kiṅkaro nāyam ṛṇī ca rājan
sarvātmanā yaḥ śaraṇaṁ śaraṇyaṁ
gato mukundaṁ parihṛtya kartam

„Oricine s-a predat cu totul lui Kṛṣṇa sau Mukunda, renunţând la orice altă datorie, nu mai este îndatorat şi nici nu are obligaţii faţă de nimeni—nici faţă de semizei, nici faţă de înţelepţi, nici faţă de omenire, nici faţă de rude, nici faţă de strămoşi" (*Bhāg.* 11.5.41). Aceasta este aluzia făcută de Kṛṣṇa lui Arjuna în acest verset, acest subiect fiind explicat şi mai clar în strofele următoare.

TEXTUL 39

एषा तेऽभिहिता साङ्ख्ये बुद्धिर्योगे त्विमां शृणु ।
बुद्ध्या युक्तो यया पार्थ कर्मबन्धं प्रहास्यसि ॥३९॥

eṣā te 'bhihitā sāṅkhye
buddhir yoge tv imāṁ śṛṇu
buddhyā yukto yayā pārtha
karma-bandhaṁ prahāsyasi

eṣā—toate acestea ; *te*—ţie; *abhihitā*—descrise; *sāṅkhye*—prin studiu analitic; *buddhiḥ*—inteligenţa; *yoge*—în fapta fără rezultate fructuoase; *tu*—însă; *imām*—aceasta; *śṛṇu*—ascultă; *buddhyā*—prin inteligenţă; *yuktaḥ*—unit; *yayā*—prin care; *pārtha*—o, fiu al lui Pṛthā; *karma-bandham*—robia reacţiilor; *prahāsyasi*—vei putea fi eliberat de.

Până acum ţi-am descris această cunoaştere prin studiu analitic. Ascult-o acum explicată în termenii activităţii fără rezultate fructuoase. O, fiu al lui Pṛthā, activând într-o astfel de cunoaştere, te vei putea elibera de robia activităţilor.

COMENTARIU

Conform cu *Nirukti*, sau dicţionarul vedic, *saṅkhyā* înseamnă ceea ce descrie lucrurile în mod amănunţit, iar *sāṅkhya* se referă la acea filosofie care descrie natura reală a sufletului. Termenul *yoga* implică stăpânirea simţurilor. Încercarea lui Arjuna de a evita lupta se întemeia pe satisfacerea simțurilor. Uitându-și principala sa datorie, el voia să se oprescă din luptă, gâdindu-se că ar fi fost mai fericit dacă nu-și ucidea rudele și prietenii, decât dacă s-ar fi bucurat de regatul obținut prin înfrângerea verilor și fraților săi, fiii lui Dhṛtarāṣṭra. În ambele cazuri, motivația principală era satisfacerea simțurilor. Fericirea rezultată din înfrângerea rudelor, la fel ca și cea rezultată din rămânerea lor în viață erau amândouă bazate pe satisfacerea propriilor simțuri, chiar cu sacrificiul înțelepciunii și datoriei. Prin urmare, Kṛṣṇa dorea să-i explice lui Arjuna că prin uciderea corpului bunicului său nu-i va ucide și sufletul inerent acestuia, explicându-i că toate persoanele individuale, inclusiv Domnul Însuși, sunt individualități eterne; acestea fuseseră individuale în trecut, erau individuale în prezent și vor continua să rămână individuale în viitor, pentru că toți suntem suflete individuale eterne. Nu facem decât să ne schimbăm diferitele veșminte trupești, dar în realitate ne păstrăm individualitatea chiar și după eliberarea din legăturile învelișului material. Un studiu analitic al sufletului și corpului a fost prezentat foarte plastic de către Domnul Kṛṣṇa, iar această cunoaștere descriptivă a sufletului și corpului, făcută din diferite unghiuri de vedere, a fost numită aici Sāṅkhya, în termenii dicționarului *Nirukti*. Această Sāṅkhya nu are nimic de-a face cu filosofia Sāṅkhya a ateului Kapila. Cu mult înainte de Sāṅkhya impostorului Kapila, filosofia Sāṅkhya fusese expusă în *Śrīmad Bhāgavatam* de adevăratul Domn Kapila, încarnarea Domnului Kṛṣṇa, care a explicat-o mamei Sale, Devahūti. El explică în mod limpede că *puruṣa* sau Domnul Suprem este activ și că El crează aruncându-și privirea asupra lui *prakṛti*. Acest lucru este acceptat atât în *Vede* cât și în *Gītā*. Descrierea din *Vede* arată că Domnul Și-a aruncat privirea asupra lui *prakṛti*, sau natura, însămânțând-o cu sufletele individuale atomice. Toate aceste entități individuale atomice activează în lumea materială pentru satisfacerea simțurilor și, sub vraja energiei materiale, se cred a fi cei care se bucură. Această mentalitate se extinde până în ultimul punct al eliberării, când entitatea vie dorește să devină una cu Dumnezeu. Aceasta este ultima capcană întinsă de *māyā*, iluzia gratificării simțurilor și numai după foarte multe nașteri ce cuprind asemenea activități de gratificare a simțurilor, un mare suflet va ajunge să se dăruiască lui Vāsudeva, Domnul Kṛṣṇa, ajungând astfel la împlinirea căutării adevărului ultim.

Arjuna Îl acceptase deja pe Kṛṣṇa ca maestru spiritual, predându-se Lui: *śiṣyas te 'haṁ śādhi māṁ tvāṁ prapannam*. În consecință, Kṛṣṇa îi va vorbi despre modul de acțiune în *buddhi-yoga* sau *karma-yoga*, sau, cu alte cuvinte, practicarea slujirii cu devoțiune doar pentru satisfacerea simțurilor lui Dumnezeu. Acest *buddhi-yoga* este explicat în mod clar în capitolul al zecelea, versetul al zecelea, ca fiind comuniunea directă cu Domnul, care este situat sub forma lui Paramātmā în inima fiecăruia. Dar această comuniune nu are loc fără slujirea cu devoțiune. Deci cel ce se situează în slujirea cu iubire devoțională sau transcendentă către Domnul, sau altfel spus, în conștiința de Kṛṣṇa, ajunge la acest stadiu de *buddhi-yoga* prin grația specială a lui Dumnezeu. De aceea Domnul spune că doar celor ce sunt mereu angajați în slujirea cu devoțiune pornită din iubirea transcendentă le va dărui cunoașterea pură a devoțiunii în iubire. În acest fel, devotul poate ajunge cu ușurință la El, în etern fericita împărăție a lui Dumnezeu.

Deci *buddhi-yoga* menționat în acest verset este slujirea cu devoțiune a Domnului, iar cuvântul Sāṅkhya menționat aici nu are nimic de-a face cu acea *sāṅkhya-yoga* ateistă, enunțată de impostorul Kapila. Prin urmare, nu trebuie să facem greșeala de a crede că *sāṅkhya-yoga* menționată aici ar avea vreo legătură cu Sāṅkhya ateistă. Această filosofie nici nu avea vreo influență în acea vreme și nici Śrī Kṛṣṇa nu s-ar fi preocupat să menționeze asemenea speculații filosofice lipsite de Dumnezeu. Adevărata filosofie Sāṅkhya este descrisă de Śrī Kapila în *Śrīmad Bhāgavatam*, dar nici măcar această Sāṅkhya nu are vreo legătură cu subiectul discutat aici. În acest context, Sāṅkhya înseamnă descrierea analitică a corpului și sufletului. Descrierea analitică a sufletului a fost făcută de Śrī Kṛṣṇa tocmai pentru a-l aduce pe Arjuna la *buddhi-yoga*, sau *bhakti-yoga*. Prin urmare, Sāṅkhya lui Śrī Kṛṣṇa și Sāṅkhya lui Śrī Kapila așa cum este descrisă în *Bhāgavatam* sunt unul și același lucru, adică *bhakti-yoga*. De aceea Śrī Kṛṣṇa a spus că doar oamenii cu o inteligență redusă fac deosebire între *sāṅkhya-yoga* și *bhakti-yoga* (*sāṅkhya-yogau pṛthag bālāḥ pravadanti na paṇḍitāḥ*).

Desigur că *sāṅkhya-yoga* ateistă nu are nimic de-a face cu *bhakti-yoga*, însă cei lipsiți de inteligență spun că în *Bhagavad-gītā* este vorba despre această *sāṅkhya-yoga* ateistă. Trebuie deci să înțelegem că *buddhi-yoga* înseamnă să activezi în conștiința de Kṛṣṇa, în deplina fericire și cunoaștere a slujirii cu devoțiune. Cel ce activează doar pentru a-L mulțumi pe Dumnezeu, oricât de grea ar fi acea lucrare, acționează sub îndrumarea principiilor din *buddhi-yoga* și se găsește întotdeauna înăuntrul fericirii transcendente. Prin această angajare transcendentă, o persoană dobândește în mod automat întreaga cunoaștere transcendentă, prin grația lui Dumnezeu și astfel eliberarea sa este desăvârșită în ea însăși, fără a face vreun efort exterior spre a dobândi cunoașterea. Este o mare diferență între a activa în conștiința de Kṛṣṇa și activitatea pentru rezultate fructuoase, mai ales în ce privește satisfacerea simțurilor pentru a obține rezultate în termenii fericirii familiale sau materiale. *Buddhi-yoga* este deci calitatea transcendentă a activității pe care o îndeplinim.

TEXTUL 40

नेहाभिक्रमनाशोऽस्ति प्रत्यवायो न विद्यते ।
स्वल्पमप्यस्य धर्मस्य त्रायते महतो भयात् ॥४०॥

nehābhikrama-nāśo 'sti
pratyavāyo na vidyate
sv-alpam apy asya dharmasya
trāyate mahato bhayāt

na—nu este; *iha*—în această yoga; *abhikrama*—în strădanie ; *nāśah*—pier-
dere; *asti*—există; *pratyavāyah*—dare înapoi; *na*—niciodată; *vidyate*—se
află; *su-alpam*—puțin; *api*—chiar și; *asya*—al acestei; *dharmasya*—îndelet-
niciri; *trāyate*—eliberează; *mahatah*—de foarte marea; *bhayāt*—primejdie.

**În această strădanie nu există pierdere sau dare înapoi și o oricât de
mică înaintare pe acest drum te poate ocroti de cea mai primejdioa-
să frică.**

COMENTARIU

Activitatea în conștiința de Kṛṣṇa sau acțiunea făcută în beneficiul lui Kṛṣṇa,
fără a aștepta satisfacerea simțurilor, este activitatea de cea mai înaltă calita-
te transcendentă. Chiar și un mic început al unei asemenea activități nu va
întâlni nici un impediment și nici nu poate fi pierdut în nici o situație. La
nivel material, orice lucru început trebuie dus până la capăt, altfel întreaga
încercare dă greș. Dar în conștiința de Kṛṣṇa, orice lucru început are un efect
permanent, chiar dacă nu este dus până la capăt. Cel ce face un asemenea
lucru nu suferă niciodată vreo pierdere, chiar dacă activitatea sa în conștiința
de Kṛṣṇa rămâne incompletă. Chiar și un procent de unu la sută înfăptuit în
conștiința de Kṛṣṇa aduce rezultate permanente, astfel încât următorul înce-
put se face de la nivelul de doi la sută, în timp ce în activitățile materiale,
fără un succes de sută la sută nu se poate vorbi de câștig. Ajāmila își înde-
plinise datoria conform principiilor conștiinței de Kṛṣṇa doar într-o anumită

măsură, dar rezultatul pe care l-a obținut la sfârșit, prin grația Domnului, a fost de sută la sută. În legătură cu aceasta, există un foarte frumos verset în *Śrīmad Bhāgavatam* (1.5.17):

> *tyaktvā sva-dharmaṁ caraṇāmbujaṁ harer*
> *bhajann apakvo 'tha patet tato yadi*
> *yatra kva vābhadram abhūd amuṣya kiṁ*
> *ko vārtha āpto 'bhajatāṁ sva-dharmataḥ*

„Dacă un om renunță la îndatoririle profesionale și activează în conștiința de Kṛṣṇa, iar după aceea cade, neducându-și lucrul până la capăt, ce oare are de pierdut? Și ce oare câștigă cel ce-și îndeplinește activitățile materiale în mod desăvârșit?" Sau, așa cum spun creștinii, „la ce i-ar folosi omului să câștige întreaga lume, dacă își pierde sufletul nemuritor?"

Activitățile materiale și rezultatele lor se sfârșesc odată cu corpul, dar activitatea în conștiința de Kṛṣṇa îl duce pe om din nou la conștiința de Kṛṣṇa chiar și după pierderea corpului. Sau cel puțin acel om este sigur că în viața următoare va avea șansa de a se naște din nou ca ființă umană fie în familia unui brahman foarte învățat, fie într-o familie nobilă și bogată, ceea ce îi dă prilejul de a se înălța și mai mult. Aceasta este calitatea neasemuită a activității îndeplinite în conștiința de Kṛṣṇa.

TEXTUL 41

व्यवसायात्मिका बुद्धिरेकेह कुरुनन्दन ।
बहुशाखा ह्यनन्ताश्च बुद्धयोऽव्यवसायिनाम् ॥४१॥

> *vyavasāyātmikā buddhir*
> *ekeha kuru-nandana*
> *bahu-śākhā hy anantāś ca*
> *buddhayo 'vyavasāyinām*

vyavasāya-ātmikā—hotărâtă în conștiința de Kṛṣṇa; *buddhiḥ*—inteligența; *ekā*—doar una; *iha*—în această lume; *kuru-nandana*—o, copil iubit al dinastiei Kuru; *bahu-śākhāḥ*—cu multe feluri de ramuri; *hi*—cu adevărat; *anantāḥ* —nelimitată; *ca*—și; *buddhayaḥ*—inteligența; *avyavasāyinām*—celor ce nu se află în conștiința de Kṛṣṇa.

Cei aflați pe această cale sunt neclintiți în hotărârea lor și țelul lor este unic. O, copil iubit al dinastiei Kuru, cu multe ramuri este inteligența celor nehotărâți.

COMENTARIU

Credința puternică în faptul că prin conștiința de Kṛṣṇa omul se poate ridica la cea mai înaltă desăvârșire a vieții este inteligența de tip *vyavasāyātmikā*. În *Caitanya-caritāmṛta (Madhya* 22.62) se spune:

> *'śraddhā'-śabde— viśvāsa kahe sudṛḍha niścaya*
> *kṛṣṇe bhakti kaile sarva-karma kṛta haya*

„Credința înseamnă încrederea neclintită într-un lucru sublim. Cel ce-și îndeplinește datoria în conștiința de Kṛṣṇa nu mai este legat în acțiunile sale de lumea materială, cu obligații față de tradițiile familiale, față de umanitate ori față de națiune."

Activitățile îndeplinite pentru obținerea rezultatelor fructuoase sunt angajamentele reacțiilor activităților trecute, bune sau rele. Cel ce s-a deșteptat la conștiința de Kṛṣṇa nu mai trebuie să trudească pentru ca rezultatele activităților sale să fie favorabile. Pentru cel aflat în conștiința de Kṛṣṇa toate acțiunile se situează la nivelul absolutului, nemaifiind supuse dualităților precum binele și răul. Cea mai înaltă perfecțiune a conștiinței de Kṛṣṇa este renunțarea la concepția materialistă asupra vieții. Această stare este dobândită automat prin înaintarea treptată în conștiința de Kṛṣṇa.

Hotărârea neclintită a unei persoane în conștiința de Kṛṣṇa se întemeiază pe cunoaștere. *Vāsudevaḥ sarvam iti sa mahātmā sudurlabhaḥ*—o persoană aflată în conștiința de Kṛṣṇa este acel suflet rar și bun care știe foarte bine că Vāsudeva, sau Kṛṣṇa este rădăcina tuturor cauzelor manifestate. Așa cum prin udarea rădăcinii unui copac se dă apă în mod automat ramurilor și frunzelor, tot așa, acționând în conștiința de Kṛṣṇa omul aduce cel mai înalt serviciu tuturor—sinelui, familiei, societății, țării, umanității etc. Atunci când Kṛṣṇa este mulțumit de activitățile cuiva, toată lumea va fi mulțumită.

Slujirea în conștiința de Kṛṣṇa se îndeplinește totuși cel mai bine sub îndrumarea iscusită a unui maestru spiritual, care este un reprezentant autorizat al lui Kṛṣṇa, care cunoaște firea discipolului și-l poate călăuzi să acționeze în conștiința de Kṛṣṇa. Astfel, pentru a ajunge foarte experimentat în conștiința de Kṛṣṇa, cineva trebuie să acționeze cu fermitate și să se supună reprezentanților lui Kṛṣṇa, acceptând învățăturile maestrului spiritual autentic ca pe propria sa misiune în viață. Śrīla Viśvanātha Cakravartī Ṭhākura, în faimoasa sa rugăciune adresată maestrului spiritual, ne învață astfel:

> *yasya prasādād bhagavat-prasādo*
> *yasyāprasādān na gatiḥ kuto 'pi*
> *dhyāyan stuvaṁs tasya yaśas tri-sandhyaṁ*
> *vande guroḥ śrī-caraṇāravindam*

„Mulțumindu-l pe maestrul spiritual, Suprema Personalitate a Divinității devine mulțumită. Iar fără a-l mulțumi pe maestrul spiritual nu există nici o șansă de a avansa până la nivelul conștiinței de Kṛṣṇa. De aceea, trebuie să meditez și să mă rog de trei ori pe zi, pentru a dobândi mila sa și să mă plec cu tot respectul înaintea maestrului meu spiritual."

Întreg acest proces depinde însă de perfecta cunoaștere a sufletului, dincolo de concepția corporală—nu teoretic, ci practic, atunci când nu mai există nici o șansă pentru satisfacerea simțurilor manifestată prin activități fructuoase. Cel ce nu are mintea neclintită este deviat de diferitele feluri de acțiuni fructuoase.

TEXTELE 42-43

यामिमां पुष्पितां वाचं प्रवदन्त्यविपश्चितः ।
वेदवादरताः पार्थ नान्यदस्तीति वादिनः ॥४२॥

कामात्मानः स्वर्गपरा जन्मकर्मफलप्रदाम् ।
क्रियाविशेषबहुलां भोगैश्वर्यगतिं प्रति ॥४३॥

> *yām imāṁ puṣpitāṁ vācaṁ*
> *pravadanty avipaścitaḥ*
> *veda-vāda-ratāḥ pārtha*
> *nānyad astīti vādinaḥ*
>
> *kāmātmānaḥ svarga-parā*
> *janma-karma-phala-pradām*
> *kriyā-viśeṣa-bahulāṁ*
> *bhogaiśvarya-gatiṁ prati*

yām imām—toate aceste; *puṣpitām*—înflorite; *vācam*—cuvinte; *pravadanti* —spun; *avipaścitaḥ*—oamenii cu un bagaj redus de cunoștințe; *veda-vāda-ratāḥ*—presupuși adepți ai *Vedelor*; *pārtha*—o, fiu al lui Pṛthā; *na*—niciodată; *anyat*—orice altceva; *asti*—este; *iti*—astfel; *vādinaḥ*—adepții; *kāma-ātmānaḥ*—doritori să-și satisfacă simțurile; *svarga-parāḥ*—țintind să dobândească planetele cerești; *janma-karma-phala-pradām*—având ca rezultat o naștere favorabilă și alte reacții rodnice; *kriyā-viśeṣa*—ceremonii pompoase; *bahulām*—felurite; *bhoga*—desfătarea simțurilor; *aiśvarya*—și bogăție; *gatim*—înaintarea; *prati*—înspre.

Oamenii cu puțină cunoaștere sunt puternic atașați de vorbele înflorite ale Vedelor, ce recomandă felurite activități fructuoase, pentru a obține înălțarea pe planetele celeste, o naștere bună, putere și altele de acest fel. Fiind doritori de gratificarea simțurilor și de o viață îmbelșugată, ei spun că nu se mai află nimic dincolo de acestea.

COMENTARIU

În general, oamenii nu sunt foarte inteligenți și, datorită ignoranței, sunt în cea mai mare parte atașați de activitățile fructuoase, recomandate în porțiunile numite *karma-kāṇḍa* din *Vede*. Acești oameni nu doresc nimic mai mult decât recomandările dătătoare de plăceri senzoriale pentru a se bucura de viața în paradis, unde se află din belșug vin și femei și unde opulența materială le este la îndemână. În *Vede* se recomandă o mulțime de sacrificii pentru a ajunge pe planetele cerești, în special sacrificiile *jyotiṣṭoma*. De fapt, oricine dorește să se înalțe pe planetele cerești trebuie să îndeplinească aceste sacrificii, însă oamenii cu puțină cunoaștere cred că acesta este singurul scop al înțelepciunii vedice. Este foarte dificil pentru aceste persoane lipsite de experiență să se situeze în acțiunea plină de hotărâre a conștiinței de Kṛṣṇa. Așa cum neghiobii sunt atrași de florile copacilor otrăvitori, fără să cunoască urmările acestei atracții, tot așa oamenii neiluminați sunt atrași de acele bogății cerești și de desfătările lor.

În partea din *Vede* numită *karma-kāṇḍa* se spune: *apāma somam amṛtā abhūma* și *akṣayyam ha vai cāturmasya-yājinaḥ sukṛtaṁ bhavati*. Cu alte cuvinte, cei ce îndeplinesc penitențele de patru luni vor ajunge să bea băutura *soma-rasa* spre a deveni nemuritori și veșnic fericiți. Chiar și pe pământ există unii oameni care tânjesc după *soma-rasa* pentru a deveni puternici și pentru a se bucura de plăcerile simțurilor. Aceste persoane nu cred în eliberarea de legăturile materiale şi sunt foarte ataşate de ceremoniile pompoase ale sacrificiilor vedice. Aceştia sunt în general foarte senzuali şi nu doresc nimic altceva decât plăcerile cereşti ale vieţii. Desigur că există acele grădini celeste numite Nandana-kānana, în care te poţi însoţi cu femei frumoase cu chip îngeresc şi în care curge din belşug *soma-rasa*. O asemenea fericire trupească este desigur senzorială; prin urmare, există astfel de oameni care, considerându-se stăpânii lumii materiale, sunt ataşaţi de această fericire materială temporară.

TEXTUL 44

भोगैश्वर्यप्रसक्तानां तयापहृतचेतसाम् ।
व्यवसायात्मिका बुद्धिः समाधौ न विधीयते ॥४४॥

bhogaiśvarya-prasaktānāṁ
tayāpahṛta-cetasām
vyavasāyātmikā buddhiḥ
samādhau na vidhīyate

bhoga—de plăcerile materiale; *aiśvarya*—şi bogăţie; *prasaktānām*—pentru cei ce sunt ataşaţi; *tayā*—prin acestea; *apahṛta-cetasām*—cu mintea tulburată; *vyavasāya-ātmikā*—având hotărârea neclintită; *buddhiḥ*—slujirea cu devoţiune a Domnului; *samādhau*—în mintea înfrânată; *na*—niciodată; *vidhīyate*—are loc.

În minţile celor ce sunt prea ataşaţi de plăcerile senzoriale şi bogăţiile materiale şi care sunt tulburaţi de aceste lucruri, hotărârea neclintită pentru slujirea cu devoţiune a Domnului Suprem nu are loc.

COMENTARIU

Samādhi înseamnă „minte fixată". În *Nirukti*, dicţionarul vedic, se spune: *samyag ādhīyate 'sminn ātma-tattva-yāthātmyam*—„Când mintea stă neclintită pentru a înţelege sinele, se spune că este în *samādhi*" *Samādhi* nu este niciodată posibil pentru persoanele interesate de plăcerile materiale ale simţurilor, nici pentru cei ce sunt tulburaţi de aceste lucruri temporare. Aceştia sunt mai mult sau mai puţin condamnaţi de către procesul energiei materiale.

TEXTUL 45

त्रैगुण्यविषया वेदा निस्त्रैगुण्यो भवार्जुन ।
निर्द्वन्द्वो नित्यसत्त्वस्थो निर्योगक्षेम आत्मवान् ॥४५॥

trai-guṇya-viṣayā vedā
nistrai-guṇyo bhavārjuna
nirdvandvo nitya-sattva-stho
niryoga-kṣema ātmavān

trai-guṇya—aparținând celor trei moduri ale naturii materiale; *viṣayāḥ*—asupra lucrurilor; *vedāḥ*—scrierile vedice; *nistrai-guṇyaḥ*—transcendent celor trei moduri ale naturii materiale; *bhava*—fii; *arjuna*—o, Arjuna; *nirdvandvaḥ*—fără dualitate; *nitya-sattva-sthaḥ*—în starea cea pură a existenței spirituale; *niryoga-kṣemaḥ*—lipsit de gândul de câștig și de a fi în siguranță; *ātma-vān*—întemeiat în sine.

Vedele se ocupă cu precădere de cele trei moduri ale naturii materiale. O, Arjuna, devino transcendent acestor trei moduri. Fii eliberat de orice dualități și de toate grijile pentru câștig și siguranță și fii stabilit în sine.

COMENTARIU

Toate activitățile materiale presupun acțiuni și reacțiuni în cadrul celor trei moduri ale naturii materiale. Aceste activități sunt destinate obținerii rezultatelor fructuoase, care produc legarea de lumea materială. *Vedele* se ocupă în cea mai mare parte cu activitățile pentru obținerea rezultatelor fructuoase, pentru ca treptat să-i înalțe pe oamenii obișnuiți din domeniul satisfacerii simțurilor până la un anumit nivel în planul transcendent. Arjuna, ca elev și prieten al lui Śrī Kṛṣṇa, este sfătuit să se înalțe la nivelul transcendent al filosofiei *Vedānta*, care începe cu *brahma-jijñāsā*, sau întrebări asupra transcendenței supreme. Toate ființele din lumea materială trudesc din greu pentru existență. Pentru acestea, după crearea lumii materiale, Dumnezeu a dat înțelepciunea vedică, sfătuindu-le cum să trăiască și să scape din încurcăturile materiale. Când se încheie activitățile destinate satisfacerii simțurilor, adică la sfârșitul capitolului *karma-kāṇḍa*, se oferă șansa realizării spirituale sub forma *Upaniṣadelor*, care sunt părți ale diferitelor *Vede*, așa cum *Bhagavad-gītā*

este parte a celei de-a cincea *Veda*, adică *Mahābhārata*. *Upaniṣadele* marchea-
ză începutul vieţii transcendente.

   Atâta timp cât există corpul material, există şi acţiunile şi reacţiunile în
cadrul celor trei moduri ale naturii. Trebuie să învăţăm să fim răbdători în
faţa dualităţilor precum fericirea şi nefericirea sau frigul şi arşiţa şi îndurând
aceste dualităţi să devenim liberi de grijile faţă de câştig şi pierdere. Această
poziţie transcendentă se obţine în deplina conştiinţă de Kṛṣṇa, când omul este
total dependent de bunăvoinţa lui Kṛṣṇa.

TEXTUL 46

यावानर्थ उदपाने सर्वतः सम्प्लुतोदके ।
तावान् सर्वेषु वेदेषु ब्राह्मणस्य विजानतः ॥४६॥

yāvān artha udapāne
sarvataḥ samplutodake
tāvān sarveṣu vedeṣu
brāhmaṇasya vijānataḥ

yāvān—tot ce; *arthaḥ*—este necesar; *uda-pāne*—într-un izvor de apă;
sarvataḥ—în toate privinţele; *sampluta-udake*—într-un mare rezervor de
apă; *tāvān*—similar; *sarveṣu*—în toate; *vedeṣu*—scrierile vedice;
brāhmaṇasya—a celui ce cunoaşte pe Supremul Brahman; *vijānataḥ*—care
se află în cunoaşterea deplină.

**Toate nevoile ce sunt împlinite de către un mic izvor de apă pot fi împli-
nite dintr-o dată de un mare rezervor de apă. În mod similar, toate
foloasele Vedelor pot fi obţinute de către cel ce cunoaşte scopul aflat în
spatele acestora.**

COMENTARIU

Ritualurile şi sacrificiile menţionate în partea de *karma-kāṇḍa* din scrierile
vedice sunt destinate să încurajeze dezvoltarea treptată a realizării de sine.
Iar scopul realizării de sine este limpede declarat în capitolul al cincispre-
zecelea din *Bhagavad-gītā* (15.15): scopul studierii *Vedelor* este cunoaşterea lui
Śrī Kṛṣṇa, cauza primordială a tuturor lucrurilor. Astfel, realizarea de sine
înseamnă cunoaşterea lui Kṛṣṇa şi a eternei noastre legături cu El. Legătura

entităților vii cu Kṛṣṇa este și ea menționată în capitolul al cincisprezecelea din *Bhagavad-gītā* (15.7). Entitățile vii sunt părți integrante ale lui Kṛṣṇa; de aceea reînvierea conștiinței de Kṛṣṇa de către entitatea vie individuală este stadiul cel mai înalt și mai desăvârșit al cunoașterii vedice. Acest lucru este confirmat și în *Śrīmad Bhāgavatam* (3.33.7):

> *aho bata śva-paco 'to garīyān*
> *yaj-jihvāgre vartate nāma tubhyam*
> *tepus tapas te juhuvuḥ sasnur āryā*
> *brahmānūcur nāma gṛnanti ye te*

„O, Domn al meu, cel ce cântă sfântul Tău nume, chiar dacă-i născut într-o familie din cele mai de jos, precum cea a unui *caṇḍāla* (mâncător de câini), ajunge la cel mai înalt grad al realizării de sine. Un asemenea om trebuie să fi făcut tot felul de penitențe și sacrificii conform cu ritualurile vedice și să fi studiat de foarte multe ori scrierile vedice, după ce se va fi scăldat în toate locurile sfinte de pelerinaj. Un asemenea om este privit la fel ca și cel mai bun dintre cei născuți într-o familie de *āryan.*"

Deci omul trebuie să fie destul de inteligent pentru a înțelege scopul *Vedelor*, fără să rămână atașat numai de ritualuri și să nu dorească să se înalțe în împărățiile cerești pentru a obține o desfătare și mai mare a simțurilor. Pentru omul obișnuit din această epocă nu este posibilă respectarea tuturor legilor și prescripțiilor ritualurilor vedice și nici studierea în amănunt a întregii filosofii *Vedānta* și a *Upaniṣadelor*. Este nevoie de mult timp, energie, cunoștințe și mijloace pentru a îndeplini scopurile *Vedelor*. Acest lucru este cu greu posibil în ziua de azi. Totuși, țelul cel mai important al culturii vedice este îndeplinit prin cântarea numelui sfânt al lui Dumnezeu, așa cum ne-a recomandat Śrī Caitanya, eliberatorul sufletelor căzute. Când Śrī Caitanya a fost întrebat de un mare învățat cunoscător al *Vedelor*, Prakāśānanda Sarasvatī, de ce El, Domnul, cânta sfântul nume al lui Dumnezeu ca un om sentimental, în loc să studieze filosofia *Vedānta*, Domnul i-a răspuns că maestrul Său spiritual, văzându-L că era un mare prost, I-a cerut să cânte numele sfânt al lui Śrī Kṛṣṇa. Făcând astfel, a căzut în extaz, precum un nebun. În această epocă a lui Kali, cea mai mare parte a populației este proastă și lipsită de educația potrivită pentru a înțelege filosofia *Vedānta*; scopul cel mai înalt al filosofiei *Vedānta* este împlinit prin cântarea fără ofense a numelui sfânt al lui Dumnezeu. *Vedānta* este ultimul cuvânt al înțelepciunii vedice, iar autorul și cunoscătorul acestei filosofii este Śrī Kṛṣṇa; cel mai mare vedantin, este

acel suflet măreţ care se desfată cântând numele sfânt al Domnului. Acesta
este scopul ultim al întregului misticism vedic.

TEXTUL 47

कर्मण्येवाधिकारस्ते मा फलेषु कदाचन ।
मा कर्मफलहेतुर्भूर्मा ते सङ्गोऽस्त्वकर्मणि ॥४७॥

karmaṇy evādhikāras te
mā phaleṣu kadācana
mā karma-phala-hetur bhūr
mā te saṅgo 'stv akarmaṇi

karmaṇi—în datoriile prescrise; *eva*—desigur; *adhikāraḥ*—dreptul; *te*—tău;
mā—nicicând; *phaleṣu*—în fructe; *kadācana*—vreodată; *mā*—nicicând;
karma-phala—în rezultatul acţiunii; *hetuḥ*—cauza; *bhūḥ*—să devii; *mā*—
nicicând; *te*—al tău; *saṅgaḥ*—ataşament; *astu*—trebuie să fie; *akarmaṇi*—
în a nu-ţi îndeplini datoriile prescrise.

**Ai dreptul să-ţi îndeplineşti datoriile prescrise, dar nu eşti îndreptăţit
la fructele acţiunii. Să nu te socoteşti niciodată cauza rezultatelor acti-
vităţilor tale şi nu te ataşa niciodată de neîndeplinirea datoriei.**

COMENTARIU

Există trei factori ce trebuie luaţi în considerare aici: datoriile prescrise, acti-
vitatea făcută din capriciu şi inactivitatea. Datoriile prescrise sunt acele acti-
vităţi care sunt recomandate conform modurilor naturii materiale dobândi-
te de cineva. Activitatea făcută din capriciu se referă la acţiunile care nu
au aprobarea unei autorităţi, iar inactivitatea înseamnă a nu-ţi îndeplini
datoriile prescrise. Domnul îl sfătuieşte pe Arjuna să nu rămână inactiv, ci
să-şi îndeplinească datoriile prescrise, fără să se ataşeze de rezultatele lor. Cel
ce este ataşat de rezultatul acţiunilor sale le este de asemenea şi cauza. Astfel,
el este cel care se bucură sau suferă datorită rezultatului acestor acţiuni.
     În ce priveşte datoriile prescrise, ele pot fi clasificate în trei categorii: acti-
vitate de rutină, acţiuni urgente şi activităţi dorite.Activitatea de rutină, înde-
plinită ca o obligaţie, potrivit cu poruncile scripturilor, fără a dori rezultate-
le, este o acţiune ce ţine de modul bunătăţii. Activităţile îndeplinite pentru
a obţine un anume rezultat sunt cele care condiţionează, de aceea ele sunt

nefavorabile. Fiecare are dreptul de a-și îndeplini datoriile prescrise, dar trebuie să acționeze fără a se atașa de rezultat; aceste datorii obligatorii, îndeplinite în mod dezinteresat, îl vor conduce fără îndoială pe om pe drumul către eliberare.

Prin urmare, Arjuna a fost sfătuit de Domnul să lupte din datorie, fără a se atașa de rezultat. Neparticiparea sa la bătălie este un alt fel de atașament. Acest fel de atașament nu-l va duce niciodată pe cineva pe calea eliberării. Orice fel de atașament, pozitiv sau negativ, este pricină de legare. Inactivitatea este păcătoasă. De aceea, lupta din datorie era singura cale favorabilă pentru salvarea lui Arjuna.

TEXTUL 48

योगस्थः कुरु कर्माणि सङ्गं त्यक्त्वा धनञ्जय ।
सिद्ध्यसिद्ध्योः समो भूत्वा समत्वं योग उच्यते ॥४८॥

> *yoga-sthaḥ kuru karmāṇi*
> *saṅgaṁ tyaktvā dhanañjaya*
> *siddhy-asiddhyoḥ samo bhūtvā*
> *samatvaṁ yoga ucyate*

yoga-sthaḥ—echilibrat în yoga; *kuru*—îndeplinește; *karmāṇi*—datoriile tale; *saṅgam*—atașament; *tyaktvā*—renunțând la; *dhanañjaya*—o, Arjuna; *siddhi-asiddhyoḥ*—la reușită și nereușită; *samaḥ*—același; *bhūtvā*—devenind; *samatvam*—stăpânire de sine; *yogaḥ*—yoga; *ucyate*—se numește.

Îndeplinește-ți datoria în mod echilibrat, o, Arjuna, renunțând la orice atașament față de reușită sau nereușită. Această stăpânire de sine se numește yoga.

COMENTARIU

Kṛṣṇa îi spune lui Arjuna că trebuie să acționeze în yoga. Ce înseamnă yoga? Yoga înseamnă concentrarea minții asupra Supremului prin stăpânirea simțurilor mereu tulburătoare. Și cine este Supremul? Supremul este Domnul. Și întrucât El Însuși este Cel care-i spune lui Arjuna să lupte, Arjuna nu are nimic de-a face cu rezultatele luptei. Câștigul sau victoria este în seama lui Kṛṣṇa. Arjuna este sfătuit doar să acționeze potrivit poruncilor lui Kṛṣṇa. Împlinirea poruncilor lui Kṛṣṇa este adevărata yoga și aceasta se practică în

procesul numit conştiinţa de Kŗşna. Doar conştiinţa de Kŗşna ne poate face să
renunţăm la simţul proprietăţii. Omul trebuie să devină servitorul lui Kŗşna,
sau servitorul servitorului lui Kŗşna. Acesta este modul corect de a-ţi înde-
plini dotoria în conştiinţa de Kŗşna, singurul care te poate ajuta să acţionezi
în yoga.

Arjuna era un *kşatriya* şi în această calitate făcea parte din sistemul ins-
tituţional *varņāśrama-dharma*. În *Vişņu Purāņa* se spune că în *varņāśrama-
dharma* singurul ţel este mulţumirea lui Vişņu. Nimeni nu trebuie să se
mulţumească pe sine însuşi, aşa cum este regula în lumea materială, ci tre-
buie să-L mulţumească pe Kŗşna. Până când nu Îl mulţumim pe Kŗşna, nu
putem respecta în mod corect principiile sistemului *varņāśrama-dharma*. În
mod indirect, Arjuna era sfătuit să acţioneze aşa cum îi spunea Kŗşna.

TEXTUL 49

दूरेण ह्यवरं कर्म बुद्धियोगाद्धनञ्जय ।
बुद्धौ शरणमन्विच्छ कृपणाः फलहेतवः ॥४९॥

dūreņa hy avaraṁ karma
buddhi-yogād dhanañjaya
buddhau śaraņam anviccha
kŗpaņāḥ phala-hetavaḥ

dūreņa—aruncând departe; *hi*—cu siguranţă; *avaram*—josnică; *karma*—
activitate; *buddhi-yogāt*—prin puterea conştiinţei de Kŗşna; *dhanañjaya*—
o, cuceritorule de bogăţii; *buddhau*—în această conştiinţă; *śaraņam*—dăru-
ire deplină; *anviccha*—încearcă; *kŗpaņāḥ*—zgârciţi *phala-hetavaḥ*— cei ce
doresc rezultate fructuoase.

**O, Dhanañjaya, ţine departe de tine toate activităţile josnice prin sluji-
re devoţională şi în această stare de conştiinţă predă-te cu totul Dom-
nului. Oamenii care doresc să se bucure de fructul activităţilor lor sunt
nişte zgârciţi.**

COMENTARIU

Cel ce a ajuns cu adevărat să-şi înţeleagă poziţia originară de etern slujitor
al lui Dumnezeu renunţă la toate celelalte angajamente, în afară de acţiuni-
le îndeplinite în conştiinţa de Kŗşna. Aşa cum s-a explicat deja, *buddhi-yoga*

înseamnă slujirea transcendentă cu iubire față de Domnul. Această slujire devoțională este adevărata cale de acțiune pentru entitatea vie. Doar oamenii meschini doresc să se bucure de fructul activităților lor, tocmai pentru a se încurca și mai tare în legăturile materiale. În afară de acțiunile îndeplinite în conștiința de Kṛṣṇa, toate celelalte activități sunt nefaste, deoarece ele îl leagă neîncetat pe cel ce face în ciclul nașterii și al morții. De aceea, omul nu trebuie să dorească niciodată să fie cauza activităților. Totul trebuie făcut în conștiința de Kṛṣṇa, pentru satisfacția lui Kṛṣṇa. Cei zgârciți nu știu cum să folosească marile averi pe care le adună datorită norocului sau trudei. Omul trebuie să-și cheltuiască întreaga energie acționând în conștiința de Kṛṣṇa, iar aceasta îi va aduce împlinirea vieții. Asemeni zgârciților, oamenii nenorociți nu-și folosesc energia umană în slujba Domnului.

TEXTUL 50

बुद्धियुक्तो जहातीह उभे सुकृतदुष्कृते ।
तस्माद्योगाय युज्यस्व योगः कर्मसु कौशलम् ॥५०॥

buddhi-yukto jahātīha
ubhe sukṛta-duṣkṛte
tasmād yogāya yujyasva
yogaḥ karmasu kauśalam

buddhi-yuktaḥ—cel ce practică slujirea cu devoțiune; *jahāti*—se poate elibera; *iha*—în această viață; *ubhe*—amândouă; *sukṛta-duṣkṛte*—rezultatele bune și rele; *tasmāt*—de aceea; *yogāya*—pentru slujirea cu devoțiune; *yujyasva*—angajându-te în acest fel; *yogaḥ*—conștiința de Kṛṣṇa; *karmasu*—în toate activitățile; *kauśalam*—artă.

Cel ce practică slujirea cu devoțiune se eliberează și de acțiunile bune și de cele rele, chiar în această viață. De aceea, străduiește-te pentru yoga, care este arta oricărei activități.

COMENTARIU

Din vremuri imemoriale, fiecare ființă a acumulat feluritele reacții ale activităților sale bune și rele. Ca atare, rămâne mereu în ignoranță asupra poziției sale originare. Ignoranța poate fi înlăturată prin învățăturile din *Bhagavad-gītā*, care ne învață să ne predăm Domnului Śrī Kṛṣṇa în toate privințele și să ne eliberăm de perpetua înlănțuire a acțiunii și reacțiunii de la o naștere la alta. Prin urmare, Arjuna este sfătuit să acționeze în conștiința de Krṣṇa, procesul ce purifică acțiunile fructuoase.

TEXTUL 51

कर्मजं बुद्धियुक्ता हि फलं त्यक्त्वा मनीषिणः ।
जन्मबन्धविनिर्मुक्ताः पदं गच्छन्त्यनामयम् ॥५१॥

karma-jaṁ buddhi-yuktā hi
phalaṁ tyaktvā manīṣiṇaḥ
janma-bandha-vinirmuktāḥ
padaṁ gacchanty anāmayam

karma-jam—datorită activităților fructuoase; *buddhi-yuktāḥ*—fiind angajați în slujirea cu devoțiune; *hi*—cu siguranță; *phalam*—rezultatele; *tyaktvā*—abandonând; *manīṣiṇaḥ*—mari înțelepți sau devoți; *janma-bandha*—din legăturile nașterii și morții; *vinirmuktāḥ*—eliberați; *padam*—poziția; *gacchanti*—ating; *anāmayam*—fără suferințe.

Angajându-se astfel în slujirea cu devoțiune față de Domnul, marii înțelepți sau devoți se eliberează de rezultatele acțiunilor în lumea materială. În acest fel, ei se eliberează din ciclul nașterii și al morții și ating starea ce se află dincolo de toate suferințele [prin întoarcerea la Divinitate].

COMENTARIU

Entitățile vii eliberate aparțin acelui loc în care nu există suferințe materiale. *Śrīmad Bhāgavatam* (10.14.58) spune:

samāśritā ye pada-pallava-plavaṁ
mahat-padaṁ puṇya-yaśo murāreḥ
bhavāmbudhir vatsa-padaṁ paraṁ padaṁ
padaṁ padaṁ yad vipadāṁ ne teṣām

„Pentru cel ce a acceptat corabia picioarelor de lotus ale Domnului, care este adăpostul manifestării cosmice și este vestit ca Mukunda sau cel ce dăruiește *mukti*, oceanul lumii materiale este ca apa adunată în urma copitei unui vițel. Ținta sa este *param padam*, locul în care nu există suferințe materiale sau Vaikuṇṭha și nu locul în care primejdia apare la fiecare pas al vieții sale."

Datorită ignoranței, omul nu știe că această lume materială este un loc mizerabil, unde primejdia apare la tot pasul. Doar din ignoranță încearcă cei cu inteligență redusă să se adapteze situației prin activitățile fructuoase, gândindu-se că rezultatele acestora îi vor face fericiți. Ei nu știu că nici un corp material, niciunde în univers nu poate să aducă o viață lipsită de suferințe. Suferințele vieții, cum este nașterea, bătrânețea, boala și moartea, sunt prezente peste tot în lumea materială. Dar cel care înțelege poziția sa constitutivă reală, ca etern slujitor al Domnului, cunoscând astfel și poziția Personalității Divinității, se angajează în slujirea transcendentă cu iubire față de Domnul. Ca urmare a acestui fapt, el devine capabil să intre în planetele ce alcătuiesc Vaikuṇṭha, unde nu există nici viață materială plină de suferințe și nici influența timpului și a morții. Cunoașterea propriei poziții constitutive înseamnă a cunoaște și poziția sublimă a lui Dumnezeu. Trebuie să înțelegem că acela care gândește în mod greșit că poziția ființei individuale și cea a lui Dumnezeu se află la același nivel, se află în ignoranță și deci nu este capabil să se angajeze în slujirea cu devoțiune a Domnului. Acesta devine el însuși stăpân și astfel își construiește drumul pentru repetarea nașterii și morții. Dar cel care, înțelegându-și poziția de slujitor, se pune pe sine în slujba lui Dumnezeu, devine dintr-o dată potrivit pentru Vaikuṇṭha. Slujirea cauzei lui Dumnezeu este numită *karma-yoga* sau *buddhi-yoga*, sau, mai clar spus, slujirea cu devoțiune a Domnului.

TEXTUL 52

यदा ते मोहकलिलं बुद्धिर्व्यतितरिष्यति ।
तदा गन्तासि निर्वेदं श्रोतव्यस्य श्रुतस्य च ॥५२॥

yadā te moha-kalilaṁ
buddhir vyatitariṣyati
tadā gantāsi nirvedaṁ
śrotavyasya śrutasya ca

yadā—când; *te*—a ta; *moha*—a iluziei; *kalilam*—pădure foarte deasă; *buddhiḥ*—slujirea transcendentă făcută cu înțelepciune; *vyatitariṣyati*—trece peste; *tadā*—atunci; *gantā asi*—te vei duce la; *nirvedam*—nepăsare; *śrotavyasya*—faţă de tot ceea ce este de auzit; *śrutasya*—tot ceea ce a fost deja auzit; *ca*—şi.

Când inteligenţa ta va trece peste hăţişul confuziei, vei ajunge la indiferenţă faţă de tot ceea ce ai auzit şi de tot ceea ce-ţi va fi dat să auzi.

COMENTARIU

În vieţile marilor devoţi ai Domnului există multe exemple foarte bune de persoane care au devenit indiferenţi faţă de ritualurile *Vedelor*, prin simpla slujire devoţională faţă de Domnul. Când cineva ajunge efectiv să-L înţeleagă pe Kṛṣṇa şi relaţia sa cu Kṛṣṇa, el devine în mod firesc complet indiferent faţă de ritualurile destinate activităţilor care aduc rezultate fructuoase, chiar dacă este un brahman foarte experimentat. Śrī Mādhavendra Purī, un mare devot şi *ācārya* pe linia devoţilor, spune:

> *sandhyā-vandana bhadram astu bhavato bhoḥ snāna tubhyaṁ namo*
> *bho devāḥ pitaraś ca tarpaṇa-vidhau nāhaṁ kṣamaḥ kṣamyatām*
> *yatra kvāpi niṣadya yādava-kulottamasya kaṁsa-dviṣaḥ*
> *smāraṁ smāram aghaṁ harāmi tad alaṁ manye kim anyena me*

„O, rugăciunile mele făcute de trei ori pe zi, toată slava vouă! O, îmbăiere, mă închin ţie! O, semizeilor! O, strămoşilor! Vă rog să-mi iertaţi neîndemânarea în a vă aduce cinstire. Acum, oriunde mă aşez, îmi pot aduce aminte de marele urmaş al dinastiei Yadu, [Kṛṣṇa], duşmanul lui Kaṁsa şi prin aceasta mă pot elibera de toate legăturile păcatului. Socotesc că acest lucru este deajuns pentru mine."

Ritualurile şi ceremoniile vedice sunt imperative pentru neofiţi: acestea cuprind toate felurile de rugăciuni făcute de trei ori pe zi, îmbăierea foarte devreme în zori, cinstirea adusă strămoşilor etc. Dar când cineva este cu totul în conştiinţa de Kṛṣṇa şi este angajat în slujirea Sa cu iubire transcendentă, el devine nepăsător faţă de toate aceste principii regulatoare, întrucât a atins deja perfecţiunea. Dacă un om poate ajunge la nivelul înţelegerii prin slujirea Domnului Suprem Kṛṣṇa, el nu mai trebuie să îndeplinească feluritele penitenţe şi sacrificii recomandate în scripturile revelate. Şi, în mod similar, cel care n-a înţeles că scopul *Vedelor* este de a ajunge la Kṛṣṇa, ci se angajează doar în ritualuri etc., acela îşi pierde doar timpul fără nici un folos. Cei ce se află în conştiinţa de Kṛṣṇa transcend limita lui *śabda-brahma* sau domeniul Vedelor şi *Upaniṣadelor*.

TEXTUL 53

श्रुतिविप्रतिपन्ना ते यदा स्थास्यति निश्चला ।
समाधावचला बुद्धिस्तदा योगमवाप्स्यसि ॥५३॥

śruti-vipratipannā te
yadā sthāsyati niścalā
samādhāv acalā buddhis
tadā yogam avāpsyasi

śruti—revelaţiei vedice; *vipratipannā*—fără să fie influenţată de rezultatele rodnice; *te*—a ta; *yadā*—când; *sthāsyati*—rămâne; *niścalā*—nemişcată; *samādhau*—în conştiinţa transcendentă sau conştiinţa de Kṛṣṇa; *acalā*—neclintită; *buddhiḥ*—inteligenţa; *tadā*—atunci; *yogam*—realizarea de sine; *avāpsyasi*—vei dobândi.

Când mintea nu-ţi va mai fi tulburată de limbajul înflorit al Vedelor şi când va rămâne fixată în transa realizării de sine, atunci vei fi atins conştiinţa divină.

COMENTARIU

A spune că cineva se află în *samādhi* înseamnă să spui că a realizat pe deplin conştiinţa de Kṛṣṇa. Aceasta înseamnă că cel aflat complet în *samādhi* a realizat pe Brahman, Paramātmā şi Bhagavān. Cea mai înaltă perfecţiune a realizării de sine este aceea de a înţelege că suntem veşnic slujitori ai lui Kṛṣṇa şi că singura noastră îndeletnicire este să ne îndeplinim datoriile în conştiinţa de Kṛṣṇa. O persoană conştientă de Kṛṣṇa sau devotul neclintit al Domnului nu trebuie să fie tulburat de limbajul înflorit al *Vedelor* şi nici să fie angajat în activităţi fructuoase pentru promovarea în regatul ceresc. În conştiinţa de Kṛṣṇa omul ajunge în comuniune directă cu Kṛṣṇa şi astfel toate îndrumările date de Kṛṣṇa pot fi înţelese în această stare transcendentă. Prin astfel de activităţi, omul poate fi sigur că va ajunge la ţintă şi va dobândi cunoaşterea ultimă. Omul trebuie doar să aducă la îndeplinire ordinele lui Kṛṣṇa sau ale reprezentantului Său, maestrul spiritual.

TEXTUL 54

अर्जुन उवाच
स्थितप्रज्ञस्य का भाषा समाधिस्थस्य केशव ।
स्थितधीः किं प्रभाषेत किमासीत व्रजेत किम् ॥५४॥

arjuna uvāca
sthita-prajñasya kā bhāṣā
samādhi-sthasya keśava
sthita-dhīḥ kiṁ prabhāṣeta
kim āsīta vrajeta kim

arjunaḥ uvāca—Arjuna a spus; *sthita-prajñasya*—a celui ce este situat în conștiința stabilă de Kṛṣṇa; *kā*—care; *bhāṣā*—limbajul; *samādhi-sthasya*—al celui aflat în transă; *keśava*—o, Kṛṣṇa; *sthita-dhīḥ*—cel fixat în conștiința de Kṛṣṇa; *kim*—ce; *prabhāṣeta*—spune; *kim*—cum; *āsīta*—stă așezat; *vrajeta*—merge; *kim*—cum.

Arjuna a spus: O, Kṛṣṇa, care sunt semnele celui a cărui conștiință este astfel absorbită în transcendență? Cum vorbește el și care este limbajul său? Cum stă așezat și cum merge el?

COMENTARIU

Așa cum există semne pentru orice fel de om în ceea ce privește trăsăturile sale particulare, la fel și cel aflat în conștiința de Kṛṣṇa are natura sa particulară—vorbire, mers, gândire, simțire etc. Așa cum un om bogat are anumite semne după care poate fi recunoscut ca bogat, așa cum un om bolnav are unele simptome după care se știe că este bolnav, sau un învățat are propriile trăsături, la fel și un om aflat în conștiința transcendentă de Kṛṣṇa are simptome specifice în diverse situații. Simptomele sale specifice pot fi aflate din *Bhagavad-gītā*. Cel mai important lucru este felul în care vorbește omul aflat în conștiința de Kṛṣṇa, căci vorbirea este cea mai importantă calitate a omului. Se spune că un nebun nu se dezvăluie atâta vreme cât nu vorbește și desigur că un nebun bine îmbrăcat nu poate fi identificat până ce nu vorbește, dar de îndată ce vorbește, el se descoperă dintr-o dată. Semnul imediat al celui conștient de Kṛṣṇa este faptul că vorbește doar de Kṛṣṇa și de subiecte legate de El. Celelalte semne decurg în mod automat, așa cum se afirmă mai jos.

TEXTUL 55

श्रीभगवानुवाच
प्रजहाति यदा कामान् सर्वान् पार्थ मनोगतान् ।
आत्मन्येवात्मना तुष्टः स्थितप्रज्ञस्तदोच्यते ॥५५॥

śrī-bhagavān uvāca
prajahāti yadā kāmān
sarvān pārtha mano-gatān
ātmany evātmanā tuṣṭaḥ
sthita-prajñas tadocyate

śrī-bhagavān uvāca—Suprema Personalitate a Divinității a spus; *prajahāti*—renunță; *yadā*—când; *kāmān*—la dorințele de satisfacere a simțurilor; *sarvān*—la toate felurile; *pārtha*—o, fiu al lui Pṛthā; *manaḥ-gatān*—de născociri ale minții; *ātmani*—în starea pură a sufletului; *eva*—desigur; *ātmanā*—de către mintea purificată; *tuṣṭaḥ*—mulțumită; *sthita-prajñaḥ*—situat în transcendență; *tadā*—atunci; *ucyate*—i se spune.

Suprema Personalitate a Divinității a spus: O, Pārtha, când omul renunță la orice fel de dorință de satisfacere a simțurilor, ivită din născocirile minții și când mintea sa, astfel purificată, își găsește mulțumirea numai în sine, atunci se spune că este situat în conștiința transcendentă pură.

COMENTARIU

Śrīmad Bhāgavatam afirmă că orice om care se află pe deplin în conștiința de Kṛṣṇa sau slujirea cu devoțiune a lui Dumnezeu are toate calitățile pozitive ale marilor înțelepți, pe când cel ce nu este situat într-o atare poziție transcendentă nu are calitățile cele bune, căci se va refugia cu siguranță în propriile născociri mentale. Prin urmare, pe drept cuvânt se spune că omul trebuie să renunțe la orice fel de dorințe senzoriale date la iveală de născocirile minții. Asemenea dorințe ale simțurilor nu pot fi oprite în mod artificial. Dar pentru cel ce se angajează în conștiința de Kṛṣṇa, în mod automat dorințele simțurilor scad fără vreun efort exterior. De aceea omul trebuie să se angajeze în conștiința de Kṛṣṇa fără ezitare, căci această slujire devoțională îl va ajuta instantaneu să se ridice la nivelul conștiinței transcendente. Sufletul ce a atins o dezvoltare înaltă rămâne întotdeauna mulțumit în sine, realizânduse pe sine ca etern slujitor al Domnului Suprem. O asemenea persoană aflată la nivel transcendent nu are dorințe senzoriale rezultate dintr-un materialism meschin; mai mult, ea rămâne mereu fericită în poziția sa firească de a-L sluji veşnic pe Domnul Suprem.

TEXTUL 56

दुःखेष्वनुद्विग्नमनाः सुखेषु विगतस्पृहः ।
वीतरागभयक्रोधः स्थितधीर्मुनिरुच्यते ॥५६॥

duḥkheṣv anudvigna-manāḥ
sukheṣu vigata-spṛhaḥ
vīta-rāga-bhaya-krodhaḥ
sthita-dhīr munir ucyate

duḥkheṣu—în întreita suferință; *anudvigna-manāḥ*—cu mintea netulbura-tă; *sukheṣu*—în fericire; *vigata-spṛhaḥ*—fără să fie interesat; *vīta*—lipsit de; *rāga*—atașament; *bhaya*—frică; *krodhaḥ*—și mânie; *sthita-dhīḥ*—cu mintea statornică; *muniḥ*—înțelept; *ucyate*—se numeşte.

Cel a cărui minte nu se tulbură nici chiar în mijlocul întreitei suferin-ţe şi nici nu se înflăcărează la fericire şi care este lipsit de ataşament, frică şi mânie, este numit înţelept cu mintea statornică.

COMENTARIU

Cuvântul *muni* înseamnă un om care-şi poate agita mintea în diferite moduri, făcând speculaţii mentale fără a ajunge la o concluzie definitivă. Se spune că fiecare *muni* are un unghi diferit de vedere şi până când un *muni* nu diferă de alţi *muni*, el nu poate fi numit *muni* în adevăratul sens al cuvântului. *Na cāsāv ṛṣir yasya mataṁ na bhinnam* (*Mahābhārata, Vana-parva* 313.117). Dar un *sthita-dhīr muni*, aşa cum este menţionat aici de Domnul, este diferit de un *muni* obişnuit. *Sthita-dhīr muni* este întotdeauna în conştiinţa de Kṛṣṇa, pentru că el a epuizat tot ceea ce ţine de speculaţia creativă. Acesta este numit *praśānta-niḥśeṣa-mano-rathāntara* (*Stotra-ratna*, 43) sau cel ce a depăşit stadiul speculaţiilor mentale şi a ajuns la concluzia că Domnul Śrī Kṛṣṇa sau Vāsude-va este totul (*vāsudevaḥ sarvam iti sa mahātmā sudurlabhaḥ*). El poartă numele de *muni* cu mintea stabilă. O asemenea persoană deplin conştientă de Kṛṣṇa nu este de loc deranjată de atacurile întreitei suferinț, căci el acceptă toate suferințele ca pe niște milostiviri ale Domnului, socotindu-se pe sine vrednic de și mai multe necazuri, datorită activităților sale rele din trecut; el vede că suferințele sale, prin grația lui Dumnezeu i-au fost reduse la minim. La fel și când este fericit, el pune acest lucru pe seama lui Dumnezeu, socotindu-se pe sine nevrednic de această fericire. El realizează că doar prin grația Domnului se află într-o asemenea stare plăcută și este capabil să-L slujească și mai bine pe Dumnezeu. Iar pentru slujirea Domnului el este întotdeauna cutezător și activ și nu este influențat de atașament sau aversiune. Atașamentul înseamnă acceptarea lucrurilor pentru satisfacerea propriilor simțuri, iar aversiunea este absența acestei atașări senzoriale. Însă cel ce este fixat în conștiința de Kṛṣṇa nu cunoaște nici atașament, nici aversiune, căci viața sa este dedicată slujirii lui Dumnezeu. Prin urmare, el nu este mânios nici măcar atunci când încercările sale rămân fără succes. Cu sau fără succes, cel conștient de Kṛṣṇa este întotdeauna neclintit în hotărârea sa.

TEXTUL 57

यः सर्वत्रानभिस्नेहस्तत्तत्प्राप्य शुभाशुभम् ।
नाभिनन्दति न द्वेष्टि तस्य प्रज्ञा प्रतिष्ठिता ॥५७॥

yaḥ sarvatrānabhisnehas
tat tat prāpya śubhāśubham
nābhinandati na dveṣṭi
tasya prajñā pratiṣṭhitā

yaḥ—cel care; *sarvatra*—peste tot; *anabhisnehaḥ*—fără afecțiune; *tat*—acela; *tat*—acela; *prāpya*—obținând; *śubha*—bine; *aśubham*—rău; *na*—nicicând; *abhinandati*—laudă; *na*—nicicând; *dveṣṭi*—disprețuiește; *tasya*—a sa; *prajñā*—cunoaștere perfectă; *pratiṣṭhitā*—stabilă.

În lumea materială, cel care este neafectat de orice bine sau rău ar putea obține, fără să se bucure ori să se mâhnească din această pricină, este ferm stabilit în cunoașterea perfectă.

COMENTARIU

În lumea materială apare întotdeauna o răsturnare în bine sau în rău. Cel ce nu este tulburat de asemenea răsturnări materiale, care este neafectat de bine sau rău, trebuie cunoscut ca fiind fixat în conştiinţa de Kṛṣṇa. Atâta vreme cât omul se află în lumea materială, există mereu posibilitatea binelui sau răului, căci această lume este plină de dualitate. Dar cel fixat în conştiinţa de Kṛṣṇa nu este afectat de bine sau rău, pentru că el este preocupat doar de Kṛṣṇa, care este binele absolut. Această conştiinţă de Kṛṣṇa îl situează pe om într-o poziţie spirituală desăvârşită, numită tehnic *samādhi*.

TEXTUL 58

यदा संहरते चायं कूर्मोऽङ्गानीव सर्वशः ।
इन्द्रियाणीन्द्रियार्थेभ्यस्तस्य प्रज्ञा प्रतिष्ठिता ॥५८॥

yadā saṁharate cāyaṁ
kūrmo 'ṅgānīva sarvaśaḥ
indriyāṇīndriyārthebhyas
tasya prajñā pratiṣṭhitā

yadā—dacă; *saṁharate*—îşi retrage; *ca*—şi; *ayam*—acesta; *kūrmaḥ*—broasca ţestoasă; *aṅgāni*—membrele; *iva*—precum; *sarvaśaḥ*—toate deodată; *indriyāṇi*—simţurile; *indriya-arthebhyaḥ*—de la obiectele simţurilor; *tasya*— a sa; *prajñā*—conştiinţă; *pratiṣṭhitā*—fixată.

Cel care este în stare să-şi retragă simţurile de pe obiectele simţurilor, aşa cum broasca ţestoasă îşi retrage membrele în carapace, este ferm stabilit în cunoaşterea desăvârşită.

COMENTARIU

Testul pentru un yoghin, devot sau suflet care a dobândit realizarea de sine este acela că el este în stare să-şi stăpânească simţurile potrivit intenţiilor sale. Însă cei mai mulţi dintre oameni sunt servitorii simţurilor, fiind astfel conduşi de cerinţele simţurilor lor. Acesta este răspunsul la întrebarea despre nivelul la care a ajuns un yoghin. Simţurile sunt comparate cu nişte şerpi veninoşi. Ele vor să acţioneze foarte liber, fără nici un fel de restricţie. Yoghinul sau devotul trebuie să fie foarte puternic pentru a-şi stăpâni simţurile, la fel ca un îmblânzitor de şerpi. El nu le îngăduie niciodată să acţioneze în mod independent. Există multe prescripţii în scripturile revelate; unele dintre ele sunt restrictive („Nu fă!"), iar altele sunt imperative („Fă!"). Până când nu suntem capabili să urmăm aceste prescripții pozitive și negative, abținându-ne de la plăcerile simțurilor, nu este posibil să fim ferm stabiliți în conștiința de Kṛṣṇa . Cel mai bun exemplu dat aici este broasca țestoasă. Broasca țestoasă poate să-și retragă în orice moment simțurile și să le facă să apară din nou oricând pentru anumite scopuri. În mod similar, simțurile unei persoane conștiente de Kṛṣṇa sunt folosite doar în anumite scopuri, în slujba Domnului, iar în rest ele sunt retrase. Arjuna este sfătuit aici să-și folosească simțurile în slujba lui Dumnezeu, în loc de propria satisfacție. Menținerea simțurilor mereu în slujba Domnului este exemplul pe care-l aduce analogia cu broasca țestoasă, care-și păstrează simțurile în interior.

TEXTUL 59

विषया विनिवर्तन्ते निराहारस्य देहिनः ।
रसवर्जं रसोऽप्यस्य परं दृष्ट्वा निवर्तते ॥५९॥

viṣayā vinivartante
nirāhārasya dehinaḥ
rasa-varjaṁ raso 'py asya
paraṁ dṛṣṭvā nivartate

viṣayāḥ—obiectele plăcerilor simțurilor; *vinivartante*—s-a exersat în abținerea de la; *nirāhārasya*—prin restricții forțate; *dehinaḥ*—pentru cel întrupat; *rasa-varjam*—renunțând la gust; *rasaḥ*—simț al plăcerii; *api*—deși există; *asya*—al său; *param*—lucruri mult superioare; *dṛṣṭvā*—experimentând; *nivartate*—se oprește de la.

Sufletul întrupat poate fi oprit de la plăcerile simțurilor, însă gustul pentru obiectele simțurilor rămâne. Dar, încetând astfel de angajamente prin experimentarea unui gust superior, el este ferm fixat în conștiință.

COMENTARIU

Până când cineva nu ajunge la realizarea spirituală, nu este posibil să se oprească de la plăcerile simțurilor. Procesul de abținere de la plăcerile simțurilor prin legi și reglemetări este ca un fel de abținere de la anumite alimente impusă unui bolnav. Însă pacientului nu-i plac aceste restricții și nici nu-și pierde pofta pentru acele alimente. În mod asemănător, restricțiile impuse simțurilor printr-un anume proces spiritual, cum ar fi *aṣṭāṅga-yoga* în cadrul etapelor sale—*yama, niyama, āsana, prāṇāyāma, pratyāhāra, dhāraṇā, dhyāna* etc.— sunt recomandate pentru oamenii mai puțin inteligenți, care nu cunosc o metodă mai bună. Dar cel ce a gustat frumusețea Domnnului Suprem Kṛṣṇa, în decursul înaintării sale în conștiința de Kṛṣṇa, nu mai simte vreo atracție pentru lucruri materiale, lipsite de viață. Deci restricțiile sunt necesare pentru începătorii pe drumul înaintării spirituale, având o inteligență redusă, iar aceste restricții sunt bune doar până când omul ajunge să deprindă cu adevărat gustul pentru conștiința de Kṛṣṇa. Când omul ajunge cu adevărat conștient de Kṛṣṇa, își pierde automat gustul pentru lucrurile nesemnificative.

TEXTUL 60

यततो ह्यपि कौन्तेय पुरुषस्य विपश्चितः ।
इन्द्रियाणि प्रमाथीनि हरन्ति प्रसभं मनः ॥६०॥

yatato hy api kaunteya
puruṣasya vipaścitaḥ
indriyāṇi pramāthīni
haranti prasabham manaḥ

yatataḥ—în vreme ce se trudește; *hi*—desigur; *api*—în ciuda acestui fapt; *kaunteya*—o, fiu al lui Kuntī; *puruṣasya*—ale omului; *vipaścitaḥ*—plin de cunoaștere discriminativă; *indriyāṇi*—simțuri; *pramāthīni*—agitând; *haranti*—aruncă; *prasabham*—cu forța; *manaḥ*—mintea.

Simțurile sunt atât de puternice și năvalnice, o, Arjuna, încât duc cu forța chiar și mintea omului cu discernământ, care se străduiește să le stăpânească.

COMENTARIU

Există o mulțime de mari învățați, filosofi și transcendentaliști care încearcă să-și învingă simțurile, dar în ciuda eforturilor lor, chiar și cel mai mare dintre ei cade uneori victimă plăcerilor materiale ale simțurilor, datorită unei minți agitate. Chiar și Viśvāmitra, un mare înțelept și yoghin desăvârșit, a fost atras de Menakā spre plăcerile sexuale, deși acest yoghin se trudise să-și stăpânească simțurile prin penitențe foarte severe și practici yoghine. Mai există desigur multe alte asemenea exemple în istoria omenirii. Prin urmare, este foarte dificil să-ți stăpânești mintea și simțurile fără a fi pe deplin conștient de Kṛṣṇa. Fără a-și angaja mintea în Kṛṣṇa, cineva nu poate să se oprească de la aceste atracții materiale. Un exemplu practic ne este dat de Śrī Yāmunācārya, un mare sfânt și devot, care spune:

> yad-avadhi mama cetaḥ kṛṣṇa-padāravinde
> nava-nava-rasa-dhāmany udyataṁ rantum āsīt
> tad-avadhi bata nāri-saṅgame smaryamāne
> bhavati mukha-vikāraḥ susṭhu niṣṭhīvanaṁ ca

„De când mi-am pus mintea în slujba picioarelor de lotus ale lui Śrī Kṛṣṇa și am ajuns să gust plăcerea unei stări transcendente mereu înnoite, de câte ori mă gândesc la desfătările trupești cu o femeie, fața mea se-ntoarce degrabă de la ele și scuip la acest gând."

Conștiința de Kṛṣṇa este o stare transcendentă atât de minunată, încât plăcerile materiale devin automat lipsite de gust. Este ca și cum un om înfometat și-ar fi potolit foamea printr-o cantitate îndestulătoare de bucate foarte hrănitoare. De asemenea, Mahārāja Ambarīṣa l-a învins pe un mare yoghin, Durvāsā Muni, doar pentru că mintea sa era angajată în conștiința de Kṛṣṇa (sa vai manaḥ kṛṣṇa padāravindayor vacāṁsi vaikuṇṭha-guṇānuvarṇane).

TEXTUL 61

तानि सर्वाणि संयम्य युक्त आसीत मत्परः ।
वशे हि यस्येन्द्रियाणि तस्य प्रज्ञा प्रतिष्ठिता ॥६१॥

> tāni sarvāṇi saṁyamya
> yukta āsīta mat-paraḥ
> vaśe hi yasyendriyāṇi
> tasya prajñā pratiṣṭhitā

tāni—acele simțuri; sarvāṇi—toate; saṁyamya—ținându-le sub control; yuktaḥ—anagajat; āsīta—trebuie să fie; mat-paraḥ—în relație cu Mine; vaśe—în deplină supunere; hi—cu siguranță; yasya—ale cărui; indriyāṇi—simțuri; tasya—a sa; prajñā—conștiință; pratiṣṭhitā—fixată.

Cel ce-și înfrânează simțurile, păstrându-le perfect controlate și își fixează conștiința asupra Mea, acela are o inteligență neclintită.

COMENTARIU

În acest verset se explică în mod limpede că cea mai înaltă concepţie privitoare la perfecţiunea în *yoga* este conştiinţa de Kṛṣṇa. Iar până când nu ajunge să fie conştient de Kṛṣṇa, omul nu poate în nici un fel să-şi controleze simţurile. Aşa cum am spus mai înainte, marele înţelept Durvāsā Muni i-a căutat ceartă lui Mahārāja Ambarīṣa. Împins de orgoliu, el s-a mâniat fără rost, nemaiputând să-şi stăpânească simţurile. Pe de altă parte, regele Ambarīṣa, deşi nu era un yoghin atât de puternic precum înţeleptul, dar era un devot al Domnului, a răbdat în linişte toate nedreptăţile aceluia şi prin aceasta a ieşit victorios. Regele a fost în stare să-şi stăpânească simţurile datorită următoarelor calităţi, menţionate în *Śrīmad Bhāgavatam* (9.4.18-20):

> *sa vai manaḥ kṛṣṇa-padāravindayor*
> *vacāṁsi vaikuṇṭha-guṇānuvarṇane*
> *karau harer mandira-mārjanādiṣu*
> *śrutiṁ cakārācyuta-sat-kathodaye*

> *mukunda-liṅgālaya-darśane dṛśau*
> *tad-bhṛtya-gātra-sparśe 'ṅga-saṅgamam*
> *ghrāṇaṁ ca tat-pāda-saroja-saurabhe*
> *śrīmat-tulasyā rasanāṁ tad-arpite*

> *pādau hareḥ kṣetra-padānusarpaṇe*
> *śiro hṛṣīkeśa-padābhivandane*
> *kāmaṁ ca dāsye na tu kāma-kāmyayā*
> *yathottamaśloka-janāśrayā ratiḥ*

„Regele Ambarīṣa şi-a fixat mintea asupra picioarelor de lotus ale lui Śrī Kṛṣṇa, şi-a folosit cuvintele pentru descrierea sălaşului Domnului, mâinile pentru curăţirea templului Domnului, urechile pentru ascultarea desfătărilor Domnului, ochii pentru vederea formei Domnului, corpul pentru atingerea corpului devoţilor, nările pentru mirosirea florilor oferite la picioarele de lotus ale Domnului, limba pentru gustatul frunzelor de *tulāsi* oferite Lui, picioarele pentru a merge la locul sfânt unde se află templul Său, capul pentru a se închina în faţa Domnului, iar dorinţele pentru îndeplinirea dorinţelor Domnului şi toate aceste însuşiri l-au făcut demn de a ajunge un devot *mat-para* al Domnului."

În acest context, cuvântul *mat-para* este cel mai semnificativ. Felul în care se poate ajunge un *mat-para* este descris în viaţa lui Mahārāja Ambarīṣa.

Śrīla Baladeva Vidyābhūṣana, un mare învățat și ācārya pe linia lui *mat-para*, remarcă: *mad-bhakti-prabhāvena sarvendriya-vijaya-pūrvikā-svātma-dṛṣṭih sulabheti bhāvaḥ.* „Simțurile pot fi complet stăpânite doar prin puterea slujirii cu devoțiune a lui Kṛṣṇa." Uneori se mai dă și exemplul focului: „Așa cum focul care arde mistuie tot ce se află într-o încăpere, Domnul Viṣṇu, cel situat în inima yoghinului, arde toate felurile de impurități." *Yoga-sūtra* prescrie de asemenea meditația asupra lui Viṣṇu și nu meditația asupra vidului. Așa-numiții yoghini care meditează asupra unui lucru ce nu se află la nivelul lui Viṣṇu își pierd doar vremea în căutări deșarte ale unor închipuiri. Trebuie să devenim conștienți de Kṛṣṇa—devoți ai Personalității Divinității. Acesta este țelul adevăratei yoga.

TEXTUL 62

ध्यायतो विषयान् पुंसः सङ्गस्तेषूपजायते ।
सङ्गात्सञ्जायते कामः कामात्क्रोधोऽभिजायते ॥६२॥

dhyāyato viṣayān puṁsaḥ
saṅgas teṣūpajāyate
saṅgāt sañjāyate kāmaḥ
kāmāt krodho 'bhijāyate

dhyāyataḥ—contemplând; *viṣayān*—obiectele simțurilor; *puṁsaḥ*—al unei persoane; *saṅgaḥ*—atașament; *teṣu*—în obiectele simțurilor; *upajāyate*—se dezvoltă; *saṅgāt*—din atașament; *sañjāyate*—se dezvoltă; *kāmaḥ*—dorința; *kāmāt*—din dorință; *krodhaḥ*—mânia; *abhijāyate*—se manifestă..

Contemplând obiectele simțurilor, o persoană dezvoltă atașament pentru ele, iar dintr-un astfel de atașament se naște pofta și din poftă apare mânia.

COMENTARIU

Cel ce nu este conștient de Kṛṣṇa este supus dorințelor materiale atunci când contemplă obiectele simțurilor. Simțurile cer să fie angajate în mod efectiv, iar dacă nu sunt angajate în slujirea transcendentă cu iubire față de Domnul, ele vor căuta în mod cert să se angajeze în slujba materialismului. În lumea materială oricine este supus influenței obiectelor simțurilor, inclusiv Śiva și

Brahmā—ca să nu mai vorbim de ceilalți semizei de pe planetele cerești—
iar singura metodă pentru a ieşi din acest hățiş al existenței materiale este
să devenim conştienți de Kṛṣṇa . Śiva era adânc cufundat în meditație, dar
atunci când Pārvatī i-a stârnit simțurile, el a acceptat propunerea şi ca rezultat
s-a născut Kārtikeya. În vremea când Haridāsa Ṭhākura era un tânăr devot, a
fost şi el ispitit de încarnarea lui Māyā-devī, dar Haridāsa a trecut cu uşurin-
ță această încercare, datorită devoțiunii sale neştirbite pentru Śrī Kṛṣṇa. Aşa
cum se exemplifică în versetele mai sus menționate ale lui Śrī Yāmunācārya,
un devot sincer al Domnului evită toate plăcerile materiale ale simțurilor,
datorită gustului său mai elevat pentru plăcerile spirituale alături de Domnul.
Acesta este secretul succesului. Însă cel ce nu se află în conştiința de Kṛṣṇa
, oricât de puternic ar fi în a-şi controla simțurile prin represiune artificială,
va cădea cu siguranță până la urmă, deoarece chiar şi cel mai mărunt gând
la plăcerile senzoriale îl va stârni să-şi împlinească dorințele.

TEXTUL 63

क्रोधाद्भवति सम्मोहः सम्मोहात्स्मृतिविभ्रमः ।
स्मृतिभ्रंशाद् बुद्धिनाशो बुद्धिनाशात्प्रणश्यति ॥६३॥

krodhād bhavati sammohaḥ
sammohāt smṛti-vibhramaḥ
smṛti-bhraṁśād buddhi-nāśo
buddhi-nāśāt praṇaśyati

krodhāt—din mânie; *bhavati*—se produce; *sammohaḥ*—iluzia perfectă;
sammohāt—din iluzie; *smṛti*—a memoriei; *vibhramaḥ*—tulburarea; *smṛti-*
bhraṁśāt—după tulburarea memoriei; *buddhi-nāśaḥ*—pierderea inteligen-
ței; *buddhi-nāśāt*—iar prin pierderea inteligenței; *praṇaśyati*—se produce
căderea.

Din mânie apare deplina inducere în eroare, iar din inducerea în eroare
tulburarea memoriei. Când memoria este tulburată, inteligenţa este
pierdută, iar când inteligenţa este pierdută, omul cade din nou în ocea-
nul existenţei materiale.

COMENTARIU

Śrīla Rūpa Gosvāmī ne-a dat această îndrumare:

prāpañcikatayā buddhyā
hari-sambandhi-vastunaḥ
mumukṣubhiḥ parityāgo
vairāgyaṁ phalgu kathyate
(*Bhakti-rasāmṛta-sindhu* 1.2.258)

Prin dezvoltarea conștiinței de Kṛṣṇa putem înțelege că orice lucru poate fi folosit în slujba lui Dumnezeu. Cei lipsiți de cunoașterea conștiinței de Kṛṣṇa încearcă în mod artificial să înlăture lucrurile materiale, dar deși doresc să se elibereze de legăturile materiei, nu reușesc să atingă stadiul renunțării perfecte. Așa-numita lor renunțare este numită *phalgu* sau neînsemnată. Pe de altă parte, cel aflat în conștiința de Kṛṣṇa știe cum să folosească orice lucru în slujba lui Dumnezeu; de aceea el nu devine victima conștiinței materiale. De exemplu, pentru un impersonalist, Dumnezeu sau Absolutul fiind impersonal, nu poate să mănânce. În vreme ce un impersonalist încearcă să evite bucatele gustoase, devotul știe că Kṛṣṇa este supremul care se bucură și că El mănâncă tot ceea ce I se oferă cu devoțiune. Astfel, după ce-I oferă bucate gustoase lui Dumnezeu, devotul mănâncă ceea ce rămâne, numit *prasādam*. Astfel, totul devine spiritualizat și nu există pericolul unei căderi. Devotul acceptă *prasādam* în conștiința de Kṛṣṇa, în vreme ce non-devoții îl resping ca fiind ceva material. Prin urmare, impersonalistul nu se poate bucura de viață, datorită renunțării sale artificiale. Din acest motiv, cea mai mică agitație a minții îl trage din nou în jos în oceanul existenței materiale. Se spune că un asemenea suflet, chiar dacă se ridică până la nivelul eliberării, va cădea din nou, datorită faptului că nu are sprijinul necesar în slujirea cu devoțiune.

TEXTUL 64

रागद्वेषविमुक्तैस्तु विषयानिन्द्रियैश्चरन् ।
आत्मवश्यैर्विधेयात्मा प्रसादमधिगच्छति ॥६४॥

rāga-dveṣa-vimuktais tu
viṣayān indriyaiś caran
ātma-vaśyair vidheyātmā
prasādam adhigacchati

rāga—atașament; *dveṣa*—și detașare; *vimuktaiḥ*—de către cel ce s-a eliberat de; *tu*—dar; *viṣayān*—obiectele simțurilor; *indriyaiḥ*—de către simțurile; *caran*—acționând asupra; *ātma-vaśyaiḥ*—aflate sub propria stăpânire; *vidheya-ātmā*—cel ce urmează regulile eliberării; *prasādam*—îndurarea Domnului; *adhigacchati*—dobândește.

Însă cel ce este lipsit de orice ataşament şi aversiune şi este capabil să-şi stăpânească simţurile cu ajutorul principiilor regulatoare ale eliberării, poate dobândi deplina graţie a Domnului.

COMENTARIU

S-a explicat deja că o persoană poate să-şi stăpânească simţurile în mod exterior, printr-un anumit proces artificial, dar până când simţurile sale nu sunt angajate în slujirea transcendentă a lui Dumnezeu, există toate şansele de a cădea. Însă dacă o persoană pe deplin conştientă de Kṛṣṇa poate părea că se află la nivel senzorial, ea nu este ataşată de acţiunile senzoriale, datorită faptului că este conştientă de Kṛṣṇa. O persoană conştientă de Kṛṣṇa este preocupată doar de mulţumirea lui Kṛṣṇa şi de nimic altceva. De aceea transcende orice fel de ataşament sau aversiune. Dacă Kṛṣṇa doreşte astfel, devotul poate să facă orice lucru care în mod obişnuit nu este permis; iar dacă Kṛṣṇa nu doreşte, devotul nu trebuie să facă ceea ce în mod obişnuit ar fi făcut doar pentru propria plăcere. De aceea, a acţiona sau a nu acţiona se află sub controlul său, pentru că acţionează doar sub îndrumarea lui Kṛṣṇa. Această conştiinţă este mila cea fără de cauză a Domnului, pe care devotul o poate obţine chiar dacă este încă ataşat platformei senzoriale.

TEXTUL 65

प्रसादे सर्वदुःखानां हानिरस्योपजायते ।
प्रसन्नचेतसो ह्याशु बुद्धिः पर्यवतिष्ठते ॥६५॥

prasāde sarva-duḥkhānāṁ
hānir asyopajāyate
prasanna-cetaso hy āśu
buddhiḥ paryavatiṣṭhate

prasāde—la dobândirea îndurării fără de cauză a Domnului; *sarva*—a tuturor; *duḥkhānām*—suferinţelor; *hāniḥ*—nimicire; *asya*—ale sale; *upajāyate*—are loc; *prasanna-cetasaḥ*—a celui cu mintea senină; *hi*—desigur; *āśu*—

foarte curând; *buddhiḥ*—inteligența; *pari*—suficient; *avatiṣṭhate*—devine stabilă.

Pentru cel astfel împăcat [în conștiința de Kṛṣṇa] nu mai există întreita suferință a existenței materiale; într-o astfel de conștiință împăcată, inteligența se statornicește cu repeziciune.

TEXTUL 66

नास्ति बुद्धिरयुक्तस्य न चायुक्तस्य भावना ।
न चाभावयतः शान्तिरशान्तस्य कुतः सुखम् ॥६६॥

nāsti buddhir ayuktasya
na cāyuktasya bhāvanā
na cābhāvayataḥ śāntir
aśāntasya kutaḥ sukham

na asti—nu poate exista; *buddhiḥ*—inteligență transcendentă; *ayuktasya*—a celui ce nu este conectat (cu conștiința de Kṛṣṇa); *na*—nu; *ca*—și; *ayuktasya* —a celui lipsit de conștiința de Kṛṣṇa; *bhāvanā*—minte statornică (în fericire); *na*—nu; *ca*—și; *abhāvayataḥ*—a celui ce nu este fixat; *śāntiḥ*—pacea; *aśāntasya*—a celui fără de pace; *kutaḥ*—unde este; *sukham*—fericirea.

Cel ce nu este legat de Suprem [ân conștiința de Kṛṣṇa] nu poate să aibă nici inteligență transcendentă, nici o minte statornică, fără de care nu există nici o posibilitate de pace. Și cum poate exista fericire fără pace?

COMENTARIU

Până ce omul nu ajunge la conștiința de Kṛṣṇa nu există posibilitatea păcii. Astfel, în capitolul al cincilea (5.29) se confirmă că atunci când omul înțelege că singurul beneficiar al tuturor rezultatelor bune ale sacrificiilor și penitențelor este Kṛṣṇa, că El este adevăratul prieten al tuturor ființelor, doar atunci poate dobândi adevărata pace. Prin urmare, dacă omul nu se află în conștiința de Kṛṣṇa, nu poate exista un scop final pentru minte. Frământarea se datorează lipsei unui scop ultim, iar atunci când omul este sigur că beneficiarul, proprietarul și prietenul tuturor este Kṛṣṇa, atunci, cu mintea statornică, el poate să ajungă la pace. De aceea, cel ce acționează fără a fi în legătură cu Krsna, este cu siguranță mereu tulburat și fără de pace, oricât de mult ar face paradă de pace și avans spiritual în viață. Conștiința de Krsna este o stare de pace care se manifestă de la sine, putând fi dobândită doar prin relația cu Krsna.

TEXTUL 67

इन्द्रियाणां हि चरतां यन्मनोऽनुविधीयते ।
तदस्य हरति प्रज्ञां वायुर्नावमिवाम्भसि ॥६७॥

indriyāṇāṁ hi caratāṁ
yan mano 'nuvidhīyate
tad asya harati prajñāṁ
vāyur nāvam ivāmbhasi

indriyāṇām—simțurilor; *hi*—cu adevărat; *caratām*—în timpul rătăcirii; *yat* —cu care; *manaḥ*—mintea; *anuvidhīyate*—devine ocupată în mod permanent; *tat*—aceasta; *asya*—a sa; *harati*—răpește; *prajñām*—înțelepciune; *vāyuḥ*—vântul; *nāvam*—o corabie; *iva*—precum; *ambhasi*—pe apă.

Așa cum corabia pe apă este dusă de vântul puternic, chiar și unul dintre simțurile rătăcitoare asupra căruia se ațintește mintea poate să răpească inteligența omului.

COMENTARIU

Până când simțurile nu sunt puse în întregime în slujba Domnului, chiar și unul dintre ele dacă este angajat în satisfacțiile senzoriale, îl poate abate pe devot de la calea înaintării spirituale. Așa cum s-a menționat în cazul lui Mahārāja Ambarīṣa, toate simțurile trebuie să fie angajate în conștiința de Krsna, pentru că aceasta este metoda corectă pentru a stăpâni mintea.

TEXTUL 68

तस्माद्यस्य महाबाहो निगृहीतानि सर्वशः ।
इन्द्रियाणीन्द्रियार्थेभ्यस्तस्य प्रज्ञा प्रतिष्ठिता ॥६८॥

> tasmād yasya mahā-bāho
> nigṛhītāni sarvaśaḥ
> indriyāṇīndriyārthebhyas
> tasya prajñā pratiṣṭhitā

tasmāt—de aceea; *yasya*—ale cărui; *mahā-bāho*—o, tu cel cu braţ puternic; *nigṛhītāni*—înfrânte; *sarvaśaḥ*—peste tot; *indriyāṇi*—simţurile; *indriya-arthebhyaḥ*—de la obiectele simţurilor; *tasya*—a sa; *prajñā*—inteligenţă; *pratiṣṭhitā*—statornică.

De aceea, o, tu cel cu braţ puternic, cel ale cărui simţuri sunt retrase de pe obiectele lor, are cu certitudine o inteligenţă statornică.

COMENTARIU

Omul poate să înfrângă forţele satisfacerii simţurilor doar prin intermediul conştiinţei de Kṛṣṇa, sau angajarea tuturor simţurilor în slujirea cu iubire transcendentă faţă de Domnul. Aşa cum duşmanii sunt înfrânţi de o forţă superioară, la fel şi simţurile pot fi înfrânte, nu prin eforturi umane, ci prin angajarea lor în slujba Domnului. Cel ce a înţeles acest lucru—că numai prin conştiinţa de Kṛṣṇa devine cu adevărat stabil în inteligenţă şi că trebuie să practice această artă sub îndrumarea unui maestru spiritual autentic—este numit *sādhaka*, sau un candidat demn de a obţine eliberarea.

TEXTUL 69

या निशा सर्वभूतानां तस्यां जागर्ति संयमी ।
यस्यां जाग्रति भूतानि सा निशा पश्यतो मुनेः ॥६९॥

> yā niśā sarva-bhūtānāṁ
> tasyāṁ jāgarti saṁyamī
> yasyāṁ jāgrati bhūtāni
> sā niśā paśyato muneḥ

yā—ceea ce; *niśā*—este noapte; *sarva*—a tuturor; *bhūtānām*—entităţilor vii; *tasyām*—în aceasta; *jāgarti*—este treaz; *saṁyamī*—cel controlat de sine;

yasyām—în care; *jāgrati*—sunt treze; *bhūtāni*—toate fiinţele; *sā*—aceea este; *niśā*—noapte; *paśyataḥ*—pentru introspectivul; *muneḥ*—înţelept.

Ceea ce este noapte pentru toate fiinţele, este timp de veghe pentru cel stăpânit de sine; iar când este timp de veghe pentru toate fiinţele, este noapte pentru înţeleptul introspectiv.

COMENTARIU

Există două categorii de oameni inteligenţi. Unii sunt inteligenţi în activităţile materiale pentru satisfacerea simţurilor, iar alţii sunt introspectivi şi pregătiţi pentru cultivarea realizării de sine. Activităţile înţeleptului introspectiv sau ale omului cugetător sunt noapte pentru persoanele absorbite în cele materiale. În acest fel de noapte, persoanele materialiste rămân adormite datorită ignoranţei lor în privinţa realizării de sine. Înţeleptul introspectiv rămâne treaz în „noaptea" oamenilor materialişti. Înţeleptul simte plăcerea tanscendentă în avansul treptat al culturii spirituale, în timp ce oamenii preocupaţi de activităţi materialiste, fiind adormiţi pentru realizarea de sine, visează la felurite plăceri ale simţurilor, simţindu-se uneori fericiţi şi alteori nefericiţi în somnul lor. Omul introspectiv este întotdeauna indiferent la fericirea şi nefericirea materială. El îşi continuă activităţile destinate realizării de sine, netulburat de reacţiile materiale.

TEXTUL 70

आपूर्यमाणमचलप्रतिष्ठं
समुद्रमापः प्रविशन्ति यद्वत् ।
तद्वत्कामा यं प्रविशन्ति सर्वे
स शान्तिमाप्रोति न कामकामी ॥७०॥

āpūryamāṇam acala-pratiṣṭhaṁ
samudram āpaḥ praviśanti yadvat
tadvat kāmā yaṁ praviśanti sarve
sa śāntim āpnoti na kāma-kāmī

āpūryamāṇam—întotdeauna plin; *acala-pratiṣṭham*—stând nemişcat; *samudram*—oceanul; *āpaḥ*—apele; *praviśanti*—pătrund; *yadvat*—aşa cum; *tadvat*—la fel; *kāmāḥ*—dorinţele; *yam*—în cine; *praviśanti*—intră; *sarve*—

toate; *saḥ*—acela; *śāntim*—pacea; *āpnoti*—dobândeşte; *na*—-nu; *kāma-kāmī*
—cel ce doreşte să-şi împlinească dorinţele.

**O persoană care nu este tulburată de fluxul neîntrerupt al dorinţelor—
care intră precum râurile în oceanul ce este umplut mereu dar rămâne
întotdeauna liniştit—doar ea poate dobândi pacea şi nu omul care se
străduieşte să-şi satisfacă astfel de dorinţe.**

COMENTARIU

Deşi oceanul cel vast este mereu plin cu apă, el este umplut în continuare cu
şi mai multă apă, mai ales în anotimpul ploilor. Dar oceanul rămâne mereu
acelaşi, liniştit; nu este agitat şi nici nu se revarsă dincolo de ţărmuri. Ace-
laşi lucru este valabil pentru persoanele fixate în conştiinţa de Kṛṣṇa. Atâta
timp cât avem corpul material, cerinţele corpului pentru satisfacererea sim-
ţurilor vor continua. Însă devotul nu este tulburat de aceste dorinţe, datorită
îndestulării sale. Un om conştient de Kṛṣṇa nu duce lipsă de nimic, pentru
că Domnul îi împlineşte toate nevoile materiale. De aceea el este ca oceanul,
totdeauna deplin în el însuşi. Dorinţele pot să vină către el, precum apele
râurilor ce curg în ocean, dar el rămâne neclintit în activităţile sale şi nu este
nici măcar puţin tulburat de dorinţele de satisfacere a simţurilor. Aceasta este
dovada că un om este conştient de Kṛṣṇa—acela care şi-a pierdut orice încli-
naţie pentru satisfacţiile materiale ale simţurilor, chiar dacă dorinţele sunt
încă prezente. Deoarece rămâne mulţumit în slujirea cu iubire transcendentă
faţă de Domnul, el poate rămâne liniştit precum oceanul, bucurându-se astfel
de pacea deplină. Alţii însă, care doresc să-şi împlinească dorinţele chiar şi în
pragul eliberării, ca să nu mai vorbim de succesul material, nu ajung niciodată
la pace. Cei ce activează pentru rezultate fructuoase, cei ce caută mântuirea,
ca şi yoghinii care doresc puteri mistice sunt cu toţii nefericiţi, din pricina
neîmplinirii dorinţelor lor. Dar omul aflat în conştiinţa de Kṛṣṇa este fericit
să-L slujească pe Domnul şi nu are alte dorinţe care să fie împlinite. De fapt,
el nici nu-şi doreşte eliberarea din aşa-numita legătură materială. Devoţii lui
Kṛṣṇa nu au dorinţe materiale şi de aceea ei se bucură de pacea desăvârşită.

TEXTUL 71

विहाय कामान् यः सर्वान् पुमांश्चरति निःस्पृहः ।
निर्ममो निरहङ्कारः स शान्तिमधिगच्छति ॥७१॥

*vihāya kāmān yaḥ sarvān
pumāṁś carati niḥsprhaḥ
nirmamo nirahaṅkāraḥ
sa śāntim adhigacchati*

vihāya—renunţând la; *kāmān*—dorinţele materiale de satisfacere a simţuri-lor; *yaḥ*—cel care; *sarvān*—toate; *pumān*—omul; *carati*—trăieşte; *niḥsprhaḥ*—fără dorinţe; *nirmamaḥ*—fără simţul proprietăţii; *nirahaṅkāraḥ*—fără falsul ego; *saḥ*—el; *śāntim*—pacea desăvârşită; *adhigacchati*—atinge.

O persoană care abandonează toate dorinţele de satisfacere a simţuri-lor, care trăieşte eliberată de dorinţe, renunţând la orice simţ al pro-prietăţii şi este lipsită de falsul ego, doar ea poate atinge adevărata pace.

COMENTARIU

A ajunge să fii lipsit de dorinţe înseamnă să nu doreşti nimic pentru satisfa-cerea simţurilor. Cu alte cuvinte, dorinţa de a deveni conştient de Kṛṣṇa este în realitate lipsă de dorinţe. Înţelegerea poziţiei noastre reale de eterni sluji-tori ai lui Kṛṣṇa, fără să considerăm în mod greşit corpul material ca fiind noi înşine şi fără a ne considera proprietarii nici unui lucru de pe lume, acesta este stadiul perfecţiunii conştiinţei de Kṛṣṇa. Cel aflat în acest stadiu desă-vârşit ştie că, întrucât Kṛṣṇa este proprietarul tuturor lucrurilor, totul trebuie folosit pentru satisfacţia lui Kṛṣṇa. Arjuna nu dorea să lupte pentru satis-facţia propriilor simţuri, dar când a devenit pe deplin conştient de Kṛṣṇa, a luptat, căci Kṛṣṇa dorea ca el să lupte. Deşi n-ar fi dorit să lupte pentru sine, acelaşi Arjuna a luptat cu toată iscusinţa sa pentru Kṛṣṇa. Adevărata lipsă de dorinţe este dorinţa de a-L mulţumi pe Kṛṣṇa şi nu o încercare artificială de a ne aboli dorinţele. Entitatea vie nu poate să fie fără dorinţe sau fără sim-ţire, dar poate şi trebuie să-şi schimbe calitatea acestor dorinţe. O persoană lipsită de dorinţe materiale ştie cu siguranţă că orice lucru aparţine lui Kṛṣṇa (*īśāvāsyam idaṁ sarvam*) şi de aceea el nu-şi atribuie în mod fals proprietatea asupra vreunui lucru. Această realizare spirituală se întemeiază pe realizarea de sine—anume, a şti foarte bine că orice entitate vie este o veşnică parte integrantă a lui Kṛṣṇa, având aceeaşi natură spirituală şi deci poziţia eternă a entităţilor vii nu este niciodată la acelaşi nivel cu Kṛṣṇa sau mai presus de El. Această înţelegere a conştiinţei de Kṛṣṇa este principiul de bază al păcii adevărate.

TEXTUL 72

एषा ब्राह्मी स्थितिः पार्थ नैनां प्राप्य विमुह्यति ।
स्थित्वास्यामन्तकालेऽपि ब्रह्मनिर्वाणमृच्छति ॥७२॥

eṣā brāhmī sthitiḥ pārtha
nainām prāpya vimuhyati
sthitvāsyām anta-kāle 'pi
brahma-nirvāṇam ṛcchati

eṣā—această; *brāhmī*—spirituală; *sthitiḥ*—situație; *pārtha*—o, fiu al lui Pṛthā; *na*—niciodată; *enām*—aceasta; *prāpya*—dobândind; *vimuhyati*—se rătăcește cineva; *sthitvā*—fiind situat; *asyām*—în aceasta; *anta-kāle*—la sfârșitul vieții; *api*—de asemenea; *brahma-nirvāṇam*—împărăția spirituală a lui Dumnezeu; *ṛcchati*—atinge.

Aceasta este calea către o viață spirituală și divină, pe care dobândind-o, omul nu mai este rătăcit. Dacă cineva este astfel situat chiar și în ceasul morții, el poate intra în împărăția lui Dumnezeu.

COMENTARIU

Omul poate atinge conștiința de Kṛṣṇa sau viața divină dintr-o dată, într-o clipă, sau poate să nu atingă această stare chiar și după milioane de nașteri. Este doar o problemă de înțelegere și acceptare a stării de fapt. Khaṭvāṅga Mahārāja a ajuns la această stare doar cu câteva minute înainte de moarte, dăruindu-se cu totul lui Kṛṣṇa. *Nirvāṇa* înseamnă a pune capăt procesului vieții materiale. Potrivit filosofiei buddhiste, după încheierea acestei vieți materiale rămâne doar vidul, însă învățătura din *Bhagavad-gītā* este diferită. Adevărata viață începe după încheierea acestei vieți materiale. Materialistului grosier îi este de ajuns să știe că acest tip de viață materială trebuie să ia sfârșit, dar cei ce sunt avansați spiritual știu că există o altă viață după această viață materială. Dacă înainte de sfârșitul vieții omul are norocul să devină conștient de Kṛṣṇa, atinge dintr-o dată stadiul lui *brahma-nirvāṇa*. Nu există vreo diferență între împărăția lui Dumnezeu și slujirea cu devoțiune a Domnului. Întrucât amândouă sunt situate la nivel absolut, angajarea în slujirea cu iubire față de Domnul este același lucru cu a fi ajuns în împărăția spirituală. În lumea materială se află activitățile destinate satisfacerii simțurilor, în timp ce în lumea spirituală activitățile sunt îndeplinite în conştiința de Kṛṣṇa. Atingerea conştiinței de Kṛṣṇa încă în timpul acestei vieți înseamnă atingerea lui Brahman, iar cel ce este situat în conştiința de Kṛṣṇa a intrat deja în mod sigur în împărăția lui Dumnezeu.

Brahman este tocmai opusul materiei, de aceea *brāhmī sthiti* înseamnă „a nu fi la nivelul activităților materiale". Slujirea cu devoțiune a Domnului este acceptată în *Bhagavad-gītā* ca fiind atingerea stadiului eliberării (*sa guṇān samatītyaitān brahma-bhūyāya kalpate*). Deci *brāhmī-sthiti* înseamnă eliberarea de legăturile materiale.

Śrīla Bhaktivinoda Ṭhākura a definit acest capitol ca fiind rezumatul întregului text. Subiectele principale din *Bhagavad-gītā* sunt *karma-yoga, jñāna-yoga* şi *bhakti-yoga*. În capitolul al doilea au fost expuse în mod limpede *karma-yoga* şi *jñāna-yoga*, aruncându-se şi o privire asupra lui *bhakti-yoga*, rezumându-se astfel conținutul întregului text.

Astfel se sfârşeşte comentariul lui Bhaktivedanta la capitolul al doilea din Śrīmad Bhagavad-gītā, numit „Conținutul din Gītā în rezumat."

Karma-yoga

TEXTUL 1

अर्जुन उवाच
ज्यायसी चेत्कर्मणस्ते मता बुद्धिर्जनार्दन ।
तत्किं कर्मणि घोरे मां नियोजयसि केशव ॥१॥

arjuna uvāca
jyāyasī cet karmaṇas te
matā buddhir janārdana
tat kiṁ karmaṇi ghore māṁ
niyojayasi keśava

arjunaḥ uvāca—Arjuna a spus; *jyāyasī*—mai bună; *cet*—dacă; *karmaṇaḥ*—decât activitatea fructuoasă; *te*—de Tine; *matā*—este considerată; *buddhiḥ*—inteligenţa; *janārdana*—o, Kṛṣṇa; *tat*—atunci; *kim*—de ce; *karmaṇi*—în această activitate; *ghore*—groaznică; *mām*—pe mine; *niyojayasi*—Tu mă angajezi; *keśava*—o, Kṛṣṇa.

Arjuna a spus: O, Janārdana, o, Keśava, de ce vrei să mă angajezi în această luptă îngrozitoare, dacă socoți inteligența mai bună decât activitatea fructuoasă?

COMENTARIU

Suprema Personalitate a Divinității, Śrī Kṛṣṇa, a descris foarte amănunțit alcătuirea sufletului în capitolul precedent, în vederea salvării prietenului său intim Arjuna din oceanul suferinței materiale, recomandând calea de realizare: *buddhi-yoga* sau conștiința de Kṛṣṇa. Uneori se înțelege în mod greșit conștiința de Kṛṣṇa ca fiind inerție și adeseori câte un om cu o astfel de înțelegere greșită se retrage într-un loc pustiu pentru a deveni pe deplin conștient de Kṛṣṇa prin cântarea numelui sfânt al Domnului Kṛṣṇa. Dar fără a fi bine pregătit în filosofia conștiinței de Kṛṣṇa, nu este recomandabilă cântarea numelui sfânt al lui Kṛṣṇa într-un loc retras, unde se poate obține doar o ieftină adorare din partea publicului neavizat. Și Arjuna socotea conștiința de Kṛṣṇa sau *buddhi-yoga*, inteligența avansării spirituale în cunoaștere, ca fiind un fel de retragere din viața activă și practicare a unor penitențe și austerități într-un loc pustiu. Cu alte cuvinte, el dorea să evite în mod abil lupta, folosind drept scuză conștiința de Kṛṣṇa. Dar ca elev sincer, el aduce această problemă în fața maestrului său, întrebându-L pe Kṛṣṇa care ar fi cel mai bun mod de a acționa. Ca răspuns, Śrī Kṛṣṇa explică pe larg în acest al treilea capitol *karma-yoga*, sau activitatea în conștiința de Kṛṣṇa.

TEXTUL 2

व्यामिश्रेणेव वाक्येन बुद्धिं मोहयसीव मे ।
तदेकं वद निश्चित्य येन श्रेयोऽहमाप्नुयाम् ॥ २ ॥

vyāmiśreṇeva vākyena
buddhiṁ mohayasīva me
tad ekaṁ vada niścitya
yena śreyo 'ham āpnuyām

vyāmiśreṇa—echivoce; *iva*—parcă; *vākyena*—prin cuvinte; *buddhim*—înțelegerea; *mohayasi*—Tu îmi tulburi; *iva*—parcă; *me*—a mea; *tat*—de aceea; *ekam*—doar una; *vada*—te rog spune; *niścitya*—încredințând; *yena*—prin care; *śreyaḥ*—un beneficiu real; *aham*—eu; *āpnuyām*—să pot obține.

Inteligenţa mea este tulburată de sfaturile Tale echivoce. De aceea, te rog să-mi spui în mod hotărât ceea ce este mai bine pentru mine.

COMENTARIU

În capitolul precedent, ca preludiu la *Bhagavad-gītā* au fost explicate mai multe căi de realizare, cum ar fi *sāṅkhya-yoga, buddhi-yoga,* stăpânirea simţurilor de către inteligenţă, activitatea fără dorinţa de rezultate fructuoase, precum şi poziţia neofitului. Toate acestea au fost prezentate nesistematic. Pentru acţiune şi înţelegere ar fi fost necesară o descriere mai sistematică a acestor căi. De aceea, Arjuna dorea să clarifice aceste subiecte aparent confuze, astfel încât orice om obişnuit să le poată accepta fără interpretări eronate. Deşi Kṛṣṇa nu avea intenţia de a-l încurca pe Arjuna cu nici un fel de jonglerii verbale, Arjuna nu reuşea să înţeleagă procesul conştiinţei de Kṛṣṇa, nici cel prin inacţiune, nici cel prin slujire activă. Cu alte cuvinte, prin întrebările sale el luminează calea conştiinţei de Kṛṣṇa pentru toţi discipolii care doresc în mod serios să înţeleagă tainele din *Bhagavad-gītā.*

TEXTUL 3

श्रीभगवानुवाच
लोकेऽस्मिन्द्विविधा निष्ठा पुरा प्रोक्ता मयानघ ।
ज्ञानयोगेन साङ्ख्यानां कर्मयोगेन योगिनाम् ॥ ३ ॥

śrī-bhagavān uvāca
loke 'smin dvi-vidhā niṣṭhā
purā proktā mayānagha
jñāna-yogena sāṅkhyānāṁ
karma-yogena yoginām

śrī-bhagavān uvāca—Suprema Personalitate a Divinităţii a spus; *loke*—în lume; *asmin*—în această; *dvi-vidhā*—două feluri de; *niṣṭhā*—credinţă; *purā*—mai înainte; *proktā*—s-a spus; *mayā*—de Mine; *anagha*—o, tu cel fără de păcat; *jñāna-yogena*—prin procesul de legare prin cunoaştere; *sāṅkhyānām*—al filosofilor empirici; *karma-yogena*—prin procesul de legare prin devoţiune; *yoginām*—al celor ce sunt devoţi.

Suprema Personalitate a Divinității a spus: O, Arjuna cel fără de păcat, am explicat deja că există două categorii de oameni care încearcă să realizeze sinele. Unii sunt înclinați să-l înțeleagă prin speculația empirică, filosofică, iar alții prin slujirea cu devoțiune.

COMENTARIU

În capitolul al doilea, versetul 39, Domnul a explicat cele două tipuri de procedee—*sāṅkhya-yoga* și *karma-yoga*, sau *buddhi-yoga*. În acest verset Domnul explică același lucru într-un mod mai deslușit. *Sāṅkhya-yoga* sau studierea analitică a naturii spiritului și materiei este problema principală pentru persoanele înclinate spre speculație și înțelegere a lucrurilor prin cunoaștere experimentală și filosofie. Cealaltă categorie de oameni activează în conștiința de Kṛṣṇa, așa cum se explică în versetul 61 din capitolul al doilea. De asemenea, în versetul 39 Domnul a explicat că acționând conform principiilor de *buddhi-yoga* sau conștiinței de Kṛṣṇa, omul poate fi eliberat de legăturile activității și, în plus, acest proces nu are nici un fel de lipsuri sau defecte. Același principiu este și mai clar explicat în versetul 61, anume că această *buddhi-yoga* trebuie să depindă în întregime de Suprem (sau, mai exact, de Kṛṣṇa) și în acest fel toate simțurile pot fi ținute sub control foarte ușor. Prin urmare, ambele forme de yoga sunt interdependente, precum religia și filosofia. Religia fără filosofie este sentimentalism sau uneori chiar fanatism, iar filosofia fără religie este doar speculație mentală. Scopul ultim este Kṛṣṇa, deoarece filosofii care caută în mod sincer Adevărul Absolut ajung până la urmă la conștiința de Kṛṣṇa. Acest lucru este de altfel afirmat și în *Bhagavad-gītā*. Întregul proces înseamnă de fapt a înțelege poziția reală a sinelui în relație cu Suprasinele. Procesul indirect este speculația filosofică, prin care se poate ajunge treptat la conștiința de Kṛṣṇa; celălalt proces îl pune direct pe om în legătură cu toate lucrurile aflate în conștiința de Kṛṣṇa. Dintre aceste două căi, calea conștiinței de Kṛṣṇa este cea mai bună, pentru că nu depinde de purificarea simțurilor printr-un proces filosofic. Conștiința de Kṛṣṇa este ea însăși procesul de purificare, iar prin metoda directă a slujirii cu devoțiune ea este simultan ușoară și sublimă.

TEXTUL 4

न कर्मणामनारम्भान्नैष्कर्म्यं पुरुषोऽश्नुते ।
न च सन्न्यसनादेव सिद्धिं समधिगच्छति ॥ ४ ॥

na karmaṇām anārambhān

naiṣkarmyaṁ puruṣo 'śnute

na ca sannyasanād eva

siddhiṁ samadhigacchati

na—nu; *karmaṇām*—a datoriilor prescrise; *anārambhāt*—prin neîndeplinirea; *naiṣkarmyam*—eliberarea de reacţie; *puruṣaḥ*—un om; *aśnute*—dobândeşte; *na*—nici; *ca*—şi; *sannyasanāt*—prin renunţare; *eva*—numai; *siddhim*—desăvârşirea; *samadhigacchati*—atinge.

Nu doar prin simpla abţinere de la activităţi dobândeşte omul eliberarea de reacţiile activităţii şi nici nu se poate atinge desăvârşirea doar prin simpla renunţare la lume.

COMENTARIU

Ordinul renunţării ca etapă a vieţii poate fi acceptat doar atunci când omul s-a purificat pe sine prin îndeplinirea datoriilor în forma prescrisă, care au fost lăsate tocmai pentru purificarea inimilor oamenilor materialişti. Fără purificare omul nu poate să reuşească, adoptând brusc cea de-a patra etapă a vieţii, *sannyāsa*. Potrivit filosofiei empirice, prin simpla adoptare de *sannyāsa* sau retragere de la activităţile interesate omul devine dintr-o dată la fel de bun ca şi Nārāyaṇa. Dar Śrī Kṛṣṇa nu este de acord cu acest principiu. Fără o inimă curată, *sannyāsa* este doar o tulburare a ordinii sociale. Pe de altă parte, dacă un om se dedică slujirii transcendente a lui Dumnezeu, chiar fără să-şi fi îndeplinit datoriile prescrise, orice înaintare pe această cale este acceptată de către Domnul (*buddhi-yoga*). *Sv-alpam apy asya dharmasya trāyate mahato bhayāt.* Chiar şi o cât de mică îndeplinire a acestui principiu îl face pe om capabil să depăşească cele mai mari dificultăţi.

TEXTUL 5

न हि कश्चित्क्षणमपि जातु तिष्ठत्यकर्मकृत् ।

कार्यते ह्यवशः कर्म सर्वः प्रकृतिजैर्गुणैः ॥ ५ ॥

na hi kaścit kṣaṇam api

jātu tiṣṭhaty akarma-kṛt

kāryate hy avaśaḥ karma
sarvaḥ prakṛti-jair guṇaiḥ

na—nici; *hi*—desigur; *kaścit*—cineva; *kṣaṇam*—o clipă; *api*—chiar; *jātu*—
oricând; *tiṣṭhati*—rămâne; *akarma-kṛt*—fără să facă ceva; *kāryate*—este obli-
gat să facă; *hi*—cu siguranță; *avaśaḥ*—fără să vrea; *karma*—activitate; *sarvaḥ*
—toți; *prakṛti-jaiḥ*—născute din modurile naturii materiale; *guṇaiḥ*—prin
calitățile.

**Fiecare este obligat să acționeze, în imposibilitatea de a se împotrivi,
potrivit calităților pe care le-a dobândit din modurile naturii materia-
le; prin urmare, nimeni nu poate să se oprească de la a face ceva, nici
chiar pentru o clipă.**

COMENTARIU

Nu este o chestiune a corpului viu, ci prin însăşi natura sa sufletul este tot
timpul activ. Fără prezența sufletului spiritual, corpul material nu se poate
mişca. Corpul este doar un vehicul mort ce trebuie acționat de către sufletul
spiritual care este întotdeauna activ şi nu se poate opri nici măcar o clipă. Ca
atare, sufletul spiritual trebuie implicat în activitatea cea bună a conştiinței
de Kṛṣṇa, altfel va fi atras în îndeletniciri dictate de energia iluzorie. În con-
tact cu energia materială, sufletul spiritual dobândeşte modurile materiale,
iar pentru a purifica sufletul de asemenea înclinații este necesară angajarea
în îndeplinirea datoriilor prescrise aprobate de *śāstra* (scripturi). Dacă însă
sufletul este angajat în îndeplinirea funcției sale naturale, cea a conştiinței de
Kṛṣṇa, orice lucru pe care este capabil să-l îndeplinească este bun pentru el.
Acest lucru este afirmat şi în *Śrīmad-Bhāgavatam* (1.5.17):

tyaktvā sva-dharmaṁ caraṇāmbujaṁ harer
bhajann apakvo 'tha patet tato yadi
yatra kva vābhadram abhūd amuṣya kiṁ
ko vārtha āpto 'bhajatāṁ sva-dharmataḥ

„Dacă cineva acceptă conştiința de Kṛṣṇa, chiar dacă nu îndeplineşte datoriile
prescrise în *śāstra* sau nu îndeplineşte slujirea cu devoțiune aşa cum se cuvine
şi chiar dacă se întâmplă să decadă de la acest nivel, acela nu pierde nimic şi
nu i se întâmplă nimic rău. Dar dacă duce la îndeplinire toate obligațiile de

purificare din *śāstra*, ce folos va avea, dacă nu este conștient de Kṛṣṇa?" Deci procesul de purificare este necesar pentru a ajunge la această destinație a conștiinței de Kṛṣṇa. Prin urmare, *sannyāsa* sau orice alt proces de purificare este necesar pentru a ne ajuta să ajungem la ținta ultimă, devenind conștienți de Kṛṣṇa, fără de care totul nu este decât un eșec.

TEXTUL 6

कर्मेन्द्रियाणि संयम्य य आस्ते मनसा स्मरन् ।
इन्द्रियार्थान् विमूढात्मा मिथ्याचार: स उच्यते ॥ ६ ॥

karmendriyāṇi saṁyamya
ya āste manasā smaran
indriyārthān vimūḍhātmā
mithyācāraḥ sa ucyate

karma-indriyāṇi—cele cinci organe de simț ale acțiunii; *saṁyamya*—stăpânindu-și; *yaḥ*—cel care; *āste*—rămâne; *manasā*—cu mintea; *smaran*—gândindu-se la; *indriya-arthān*—obiectele simțurilor; *vimūḍha*—nesăbuit; *ātmā*—suflet; *mithyā-ācāraḥ*—prefăcut; *saḥ*—acela; *ucyate*—este numit.

Cel ce își stăpânește organele de simț ale acțiunii, dar a cărui minte este fixată asupra obiectelor simțurilor, se minte cu adevărat pe sine însuși și i se spune prefăcut.

COMENTARIU

Există o mulțime de oameni prefăcuți care refuză să acționeze în conștiința de Kṛṣṇa, dar fac paradă de meditație, când de fapt mintea lor rămâne atașată de desfătările simțurilor. Asemenea prefăcuți pot să vorbească filosofie aridă, pentru a-i amăgi pe discipolii lor mai sofisticați, dar, potrivit acestui verset, ei sunt cei mai mari înșelători. Pentru bucuria simțurilor, omul poate acționa asumându-și orice statut în cadrul ordinii sociale, dar dacă el urmează regulile și legile ce țin de statutul său particular, atunci poate să progreseze treptat în purificarea existenței sale. Dar cel ce face paradă dându-se drept yoghin, când de fapt caută doar să-și satisfacă simțurile, trebuie numit cel mai mare înșelător, chiar dacă uneori poartă discuții filosofice. Cunoașterea sa nu are valoare, deoarece roadele cunoaşterii unui asemenea om păcătos sunt răpite de energia iluzorie a Domnului. Mintea unui asemenea om prefăcut este întotdeauna impură şi de aceea parada sa de meditaţie yoghină nu are nici un fel de valoare.

TEXTUL 7

यस्त्विन्द्रियाणि मनसा नियम्यारभतेऽर्जुन ।
कर्मेन्द्रियैः कर्मयोगमसक्तः स विशिष्यते ॥ ७ ॥

yas tv indriyāṇi manasā
niyamyārabhate 'rjuna
karmendriyaiḥ karma-yogam
asaktaḥ sa viśiṣyate

yaḥ—cel care; *tu*—însă; *indriyāṇi*—simţurile; *manasā*—cu mintea; *niyamya*—reglementându-le; *ārabhate*—începe; *arjuna*—o, Arjuna; *karma-indriyaiḥ*—de către organele de acţiune; *karma-yogam*—devoţiune; *asaktaḥ*—fără a fi ataşat; *saḥ*—el; *viśiṣyate*—e mult superior.

Pe de altă parte, dacă o persoană sinceră încearcă să-şi stăpânească simţurile active cu mintea şi începe să practice karma-yoga [în conştiinţa de Kṛṣṇa] fără să fie ataşat, acela este mult superior.

COMENTARIU

Decât să devenim nişte pseudo-transcendentalişti, pentru o viaţă uşuratică şi pentru satisfacerea simţurilor, este mult mai bine să rămânem la îndatoririle noastre şi să împlinim ţelul vieţii care este eliberarea de legăturile materiale şi intrarea în împărăţia lui Dumnezeu. *Svārtha-gati* sau ţelul primordial întru propriul nostru interes este acela de a ajunge la Viṣṇu. Intreaga instituţie de *varṇa* şi *āśrama* este astfel alcătuită încât să ne ajute să atingem acest ţel al vieţii. Un om cu familie poate şi el să ajungă la această destinaţie, printr-o slujire regulată în conştiinţa de Kṛṣṇa. Pentru realizarea de sine, omul poate să ducă o viaţă cumpătată, aşa cum este prescris în *śāstra* şi să-şi îndeplineas-că în continuare îndeletnicirile fără să fie ataşat şi astfel să progreseze. Un om sincer care urmează această metodă este mult mai bine situat decât un prefă-cut care adoptă un spiritualism de paradă pentru a-i păcăli pe oamenii naivi.

Un măturător sincer în stradă este mult mai bun decât un meditator șarlatan care meditează doar pentru a-și asigura traiul.

TEXTUL 8

नियतं कुरु कर्म त्वं कर्म ज्यायो ह्यकर्मणः ।
शरीरयात्रापि च ते न प्रसिद्ध्येदकर्मणः ॥ ८ ॥

niyatam kuru karma tvam
karma jyāyo hy akarmaṇaḥ
śarīra-yātrāpi ca te
na prasiddhyed akarmaṇaḥ

niyatam—prescrise; *kuru*—îndeplinește; *karma*—datoriile; *tvam*—tu; *karma*—activitatea; *jyāyaḥ*—mai bună; *hi*—cu siguranță; *akarmaṇaḥ*—decât inactivitatea; *śarīra*—a corpului; *yātrā*—subzistență; *api*—chiar; *ca*—și; *te*—al tău; *na*—nu; *prasiddhyet*—este îndeplinită; *akarmaṇaḥ*—fără activitate.

Îndeplinește-ți datoriile prescrise, căci făcând astfel este mai bine decât de a nu activa. O persoană nu poate să-și mențină nici măcar corpul fizic fără activitate.

COMENTARIU

Există o mulțime de falși meditatori care se dau drept aparținători ai unor familii de neam mare, precum și mari profesioniști, care pretind în mod fals că au sacrificat totul pentru a progresa în viața spirituală. Śrī Kṛṣṇa nu dorea ca Arjuna să ajungă un prefăcut. Domnul ar fi dorit mai degrabă ca Arjuna să-și îndeplinească datoriile prescrise, așa cum fuseseră stabilite pentru *kṣatriya*. Arjuna era un om căsătorit și general de armată, de aceea era mai bine pentru el să rămână în această poziție și să-și îndeplinească datoriile religioase așa cum au fost prescrise pentru acei *kṣatriya* care erau capi de familie. Aceste activități purifică în mod treptat inima unui om monden și-l eliberează de contaminările materiale. Așa-numita renunțare pentru a-ți asigura subzistența nu este nicidecum aprobată de către Domnul, nici de vreuna dintre scripturile religioase. La urma urmei, omul trebuie să-și mențină corpul și sufletul împreună printr-o oarecare activitate. Activitatea nu trebuie abandonată în mod capricios, fără purificarea de înclinațiile materialiste. Oricine aflat în lumea materială este cu siguranță stăpânit de înclinațiile impure de a-și impune dominația asupra naturii materiale sau, cu alte cuvinte, de a-și satisface simțurile. Asemenea înclinații contaminate trebuie să fie purificate. Fără a face acest lucru prin îndeplinirea datoriilor prescrise, omul nu trebuie niciodată să încerce să devină un așa-numit transcendentalist, renunțând la acțiune și trăind pe seama altora.

TEXTUL 9

यज्ञार्थात्कर्मणोऽन्यत्र लोकोऽयं कर्मबन्धनः ।
तदर्थं कर्म कौन्तेय मुक्तसङ्गः समाचर ॥ ९ ॥

yajñārthāt karmaṇo 'nyatra
loko 'yaṁ karma-bandhanaḥ
tad-arthaṁ karma kaunteya
mukta-saṅgaḥ samācara

yajña-arthāt—îndeplinită doar în folosul lui Yajña sau Viṣṇu; *karmaṇaḥ*—decât activitatea; *anyatra*—altfel; *lokaḥ*—lumea; *ayam*—aceasta; *karma-bandhanaḥ*—robie prin activitate; *tat*—al Său; *artham*—folos; *karma*—activitatea; *kaunteya*—o, fiu al lui Kuntī; *mukta-saṅgaḥ*—eliberat din asocierea; *samācara*—îndeplinește în mod desăvârșit.

Activitatea trebuie îndeplinită doar ca sacrificiu pentru Viṣṇu, altminteri activitatea pricinuiește sclavie în această lume materială. De aceea, o, fiu al lui Kuntī, îndeplinește-ți datoriile prescrise pentru mulțumirea Lui și astfel vei rămâne întotdeauna liber de captivitate.

COMENTARIU

Întrucât omul trebuie sa acționeze, fie doar și pentru simpla subzistență a corpului, datoriile prescrise pentru o anume poziție socială și o anumită calitate sunt astfel alcătuite încât acest scop să poată fi realizat. *Yajña* înseamnă Śrī Viṣṇu sau îndeplinirea sacrificiilor. Toate sacrificiile îndeplinite sunt destinate de asemenea pentru satisfacerea lui Śrī Viṣṇu. *Vedele* încuviințează aceasta: *yajño vai viṣṇu*; cu alte cuvinte, același scop este îndeplinit fie prin executarea acestor *yajña* prescrise, fie prin slujirea directă a lui Śrī Viṣṇu. Conștiința de Kṛṣṇa este deci îndeplinirea de *yajña*, așa cum este prescris în acest verset. Instituția *varṇāśrama* țintește și ea spre satisfacerea lui Śrī Viṣṇu.

Varṇāśramācāravatā puruṣeṇa paraḥ pumān/ viṣṇur ārādhyate (*Viṣṇu Purāṇa* 3.8.8).

Prin urmare, omul trebuie să acţioneze pentru satisfacerea lui Viṣṇu. Orice altă activitate făcută în această lume materială va fi pricină de condiţionare, căci atât activitatea bună cât şi cea rea au reacţiile lor şi orice reacţie îl leagă pe cel ce face. De aceea omul trebuie să acţioneze în conştiinţa de Kṛṣṇa pentru a-L satisface pe Kṛṣṇa (sau Viṣṇu); cel care acţionează în acest fel, este deja în stadiul eliberării. Aceasta este marea artă a îndeplinirii activităţilor, iar la început acest proces cere o îndrumare foarte iscusită. De aceea omul trebuie să acţioneze cu multă abilitate, sub îndrumarea iscusită a unui devot al lui Śrī Kṛṣṇa sau sub îndrumarea directă a lui Śrī Kṛṣṇa Însuşi (sub care a avut prilejul să acţioneze Arjuna). Nimic nu trebuie îndeplinit pentru satisfacerea simţurilor, ci totul trebuie făcut pentru satisfacţia lui Kṛṣṇa. Această practică nu numai că îl va elibera pe om de reacţiile activităţilor, ci îl va şi ridica în mod treptat la slujirea în iubire transcendentală a Domnului, singura care îl poate înălţa pe om în împărăţia lui Dumnezeu.

TEXTUL 10

सहयज्ञाः प्रजाः सृष्ट्वा पुरोवाच प्रजापतिः ।
अनेन प्रसविष्यध्वमेष वोऽस्त्विष्टकामधुक् ॥१०॥

saha-yajñāḥ prajāḥ sṛṣṭvā
purovāca prajāpatiḥ
anena prasaviṣyadhvam
eṣa vo 'stv iṣṭa-kāma-dhuk

saha—împreună cu; *yajñāḥ*—sacrificii; *prajāḥ*—generaţii; *sṛṣṭvā*—creând; *purā*—în vechime; *uvāca*—a spus; *prajā-patiḥ*—Domnul făpturilor; *anena*—prin aceasta; *prasaviṣyadhvam*—fii din ce în ce mai prosper; *eṣaḥ*—acest; *vaḥ*—al vostru; *astu*—să fie; *iṣṭa*—al tuturor celor de dorit; *kāma-dhuk*—dăruitorul.

La începutul creaţiei, Domnul tuturor făpturilor a făcut să apară gene-raţii de oameni şi semizei, împreună cu sacrificiile pentru Viṣṇu şi i-a binecuvântat spunând: „Fie ca acest yajña (sacrificiu) să vă aducă feri-cire, căci îndeplinirea lui vă va da tot ceea ce vă doriţi pentru a trăi fericiţi şi a dobândi eliberarea.‟

COMENTARIU

Crearea lumii materiale de către Domnul făpturilor (Viṣṇu) este o şansă oferită sufletelor condiţionate pentru a se întoarce acasă, înapoi la Divinitate. Toate entităţile vii din cadrul creaţiei materiale sunt condiţionate de natura materială din pricina uitării relaţiei lor cu Viṣṇu sau Kṛṣṇa, Suprema Personalitate a Divinităţii. Principiile vedice sunt menite a ne face să înţelegem această relaţie eternă, aşa cum se afirmă în *Bhagavad-gītā: vedaiś ca sarvair aham eva vedyah.* Domnul spune că ţelul *Vedelor* este acela de a-L înţelege pe El. În imnurile vedice se spune: *patiṁ viśvasyātmeśvaram.* Deci Domnul făpturilor este Suprema Personalitate a Divinităţii, Viṣṇu. De asemenea, în *Śrīmad-Bhāgavatam* (2.4.20) Śrīla Śukadeva Gosvāmī Îl descrie pe Domnul cu termenul de *pati* folosit în mai multe feluri:

śriyaḥ patir yajña-patiḥ prajā-patir
dhiyāṁ patir loka-patir dharā-patiḥ
patir gatiś cāndhaka-vṛṣṇi-sātvatāṁ
prasīdatāṁ me bhagavān satāṁ patiḥ

Prajā-pati este Śrī Viṣṇu, Domnul tuturor făpturilor vii, tuturor lumilor şi frumuseţilor şi protectorul tuturor. Dumnezeu a creat această lume materială pentru a da posibilitatea sufletelor condiţionate să înveţe cum să îndeplinească *yajña* (sacrificii) pentru mulţumirea lui Viṣṇu, astfel încât să poată trăi în mod confortabil şi fără griji, atâta vreme cât se află în lumea materială, iar după ce se sfârşeşte corpul material să poată intra în împărăţia lui Dumnezeu. Aceasta este întreaga datorie a sufletului condiţionat. Săvârşind *yajña*, sufletul condiţionat devine treptat conştient de Kṛṣṇa, ajungând să fie pios în toate privinţele. În epoca lui Kali, scripturile vedice recomandă *saṅkīrtana-yajña*, cântarea numelor lui Dumnezeu, iar acest sistem spiritual a fost introdus de Śrī Caitanya pentru eliberarea tuturor oamenilor din această epocă. *Saṅkīrtana-yajña* şi conştiinţa de Kṛṣṇa merg foarte bine împreună. Śrī Kṛṣṇa în forma Sa devoţională (ca Śrī Caitanya) este menţionat în *Śrīmad-Bhāgavatam* (11.5.32), cu referire specială la *saṅkīrtana-yajña*:

kṛṣṇa-varṇaṁ tviṣākṛṣṇaṁ
sāṅgopāṅgāstra-pārṣadam
yajñaiḥ saṅkīrtana-prāyair
yajanti hi su-medhasaḥ

„În această epocă a lui Kali, oamenii ce sunt înzestraţi cu destulă inteligentă Îl vor adora pe Domnul împreună cu însoțitorii Săi prin îndeplinirea lui *saṅkīrtana-yajña*." Alte tipuri de *yajña* prescrise în scrierile vedice nu sunt ușor de îndeplinit în epoca lui Kali, dar *saṅkīrtana-yajña* este ușor și sublim pentru orice scop, așa cum se recomandă și în *Bhagavad-gītā* (9.14).

TEXTUL 11

देवान् भावयतानेन ते देवा भावयन्तु वः ।
परस्परं भावयन्तः श्रेयः परमवाप्स्यथ ॥११॥

devān bhāvayatānena
te devā bhāvayantu vaḥ
parasparaṁ bhāvayantaḥ
śreyaḥ param avāpsyatha

devān—semizeii; *bhāvayatā*—fiind satisfăcuți; *anena*—de acest sacrificiu; *te*—acei; *devāḥ*—semizei; *bhāvayantu*—vă vor satisface; *vaḥ*—pe voi; *parasparam*—reciproc; *bhāvayantaḥ*—satisfăcându-vă unii pe ceilalți; *śreyaḥ* —bunăstarea; *param*—supremă; *avāpsyatha*—veți obține.

Fiind mulțumiți prin sacrificii, semizeii vă vor mulțumi și ei pe voi și astfel, prin cooperarea între oameni și semizei, va domni pentru toți bunăstarea.

COMENTARIU

Semizeii sunt împuterniciți cu administrarea lucrurilor materiale. Furnizarea de aer, lumină, apă și toate celelalte bunuri necesare menținerii corpului și sufletului oricărei ființe este încredințată semizeilor, care sunt ajutoarele fără de număr situate în diferitele părți ale corpului Supremei Personalități a Divinității. Plăcerile și neplăcerile lor sunt dependente de îndeplinirea de *yajña* de către ființele umane. Unele din aceste *yajña* sunt destinate satisfacerii unor anumiți semizei; dar, chiar și așa, Śrī Viṣṇu este adorat în toate aceste tipuri de *yajña* ca principal beneficiar. De asemenea, în *Bhagavad-gītā* se afirmă că Însuși Kṛṣṇa este beneficiarul tuturor tipurilor de *yajña*: *bhoktāraṁ yajña-tapasām*. De aceea, satisfacerea ultimă a lui *yajña-pati* este scopul principal al tuturor acestor *yajña*. Când *yajña* sunt îndeplinite în mod perfect, desigur că sunt mulțumiți și semizeii însărcinați cu furnizarea diferitelor feluri de bunuri și astfel nu apar nici un fel de lipsuri în furnizarea diferitelor produse naturale. Săvârşirea de *yajña* are multe alte aspecte benefice, conducând în ultimă instanţă la eliberarea de legăturile materiale. Prin îndeplinirea de *yajña*, toate acţiunile sunt purificate, aşa cum se afirmă în *Vede*: *āhāra-śuddhau sattva-śuddhiḥ sattva-śuddhau dhruvā smṛtiḥ smṛti-lambhe sarva-granthīnāṁ vipramokṣaḥ.* Prin îndeplinirea de *yajña* hrana omului este sfinţită, iar prin mâncarea bucatelor sfinţite existenţa omului ajunge să fie purificată; prin purificarea existenţei, ţesuturile subtile ale memoriei sunt sfinţite, iar când memoria este sfinţită, omul poate să-şi întoarcă gândurile spre calea eliberării şi toate acestea puse laolaltă conduc la conştiinţa de Kṛṣṇa, necesitatea majoră a societăţii de azi.

TEXTUL 12

इष्टान् भोगान् हि वो देवा दास्यन्ते यज्ञभाविताः ।
तैर्दत्तानप्रदायैभ्यो यो भुङ्क्ते स्तेन एव सः ॥१२॥

iṣṭān bhogān hi vo devā
dāsyante yajña-bhāvitāḥ
tair dattān apradāyaibhyo
yo bhuṅkte stena eva saḥ

iṣṭān—dorite; *bhogān*—necesităţile vitale; *hi*—desigur; *vaḥ*—vouă; *devāḥ*—semizeii; *dāsyante*—vor acorda; *yajña-bhāvitāḥ*—fiind satisfăcuţi de îndeplinirea sacrificiilor; *taiḥ*—de către ei; *dattān*—lucrurile date; *apradāya*—fără a oferi; *ebhyaḥ*—acestor semizei; *yaḥ*—cel care; *bhuṅkte*—se bucură de; *stenaḥ*—hoţ; *eva*—cu siguranţă; *saḥ*—el.

Semizeii însărcinaţi cu diferitele bunuri necesare vieţii, fiind mulţumiţi de îndeplinirea de yajña [sacrificiu], vă vor furniza toate necesităţile. Dar cel ce se bucură de aceste daruri fără a oferi ceva în schimb semizeilor, este în mod sigur un hoţ.

COMENTARIU

Semizeii sunt agenţi autorizaţi să furnizeze bunurile necesare în numele lui Viṣṇu, Suprema Personalitate a Divinităţii. De aceea, ei trebuie să fie satisfăcuţi prin îndeplinirea de *yajña* prescrise. În *Vede* există diferite tipuri de *yajña* prescrise pentru diferiţi semizei, dar până la urmă toate sunt oferite Supremei Personalități a Divinității. Pentru cel ce nu poate înțelege ce este Suprema Personalitate a Divinității, se recomandă sacrificiile făcute semizeilor. În funcție de diferitele calități materiale ale persoanelor în cauză, se recomandă în *Vede* diferite tipuri de *yajña*. Adorarea diferiților semizei se bazează pe același lucru, adică pe diferitele calități. De exemplu, mâncătorilor de carne li se recomandă adorarea zeiței Kālī, forma terifiantă a naturii materiale, iar dinaintea zeiței se recomandă îndeplinirea de sacrificii de animale. Dar pentru cei ce țin de modul bunătății se recomandă adorarea transcendentală a lui Viṣṇu. Însă până la urmă, toate aceste tipuri de *yajña* sunt destinate înaintării înspre o stare transcendentală. Pentru oamenii obișnuiți sunt necesare cel puțin cinci *yajña*, cunoscute ca *pañca-mahā-yajña*.

Trebuie totuși să știm că toate necesitățile vieții cerute de societatea umană sunt asigurate de semizeii ce sunt agenți ai lui Dumnezeu. Nimeni nu este în stare să fabrice ceva. Să luăm, de exemplu, toate alimentele oamenilor. Aceste alimente includ cereale, fructe, legume, lapte, zahăr etc., în cazul persoanelor ce țin de modul bunătății și de asemenea carnea pentru cei ce nu sunt vegetarieni, dar nici unul din aceste alimente nu poate fi fabricat de oameni. Apoi iarăși, să luăm ca exemplu căldura, lumina, apa, aerul etc., care sunt de asemenea necesare vieții—nici unul dintre aceste lucruri nu poate fi fabricat de către societatea umană. Fără Domnul Suprem nu poate să existe lumina îmbelșugată a soarelui sau a lunii, ploaia, vântul etc., fără de care nimeni nu poate trăi. Este limpede că viața noastră depinde de cele date de Dumnezeu. Chiar și pentru fabricile noastre avem nevoie de atâtea materii prime, cum sunt metalele, sulful, mercurul, manganul și multe alte materii de bază— care sunt toate furnizate de agenți ai lui Dumnezeu, cu scopul de a le folosi în mod adecvat pentru a ne menține în bună stare și sănătoși pentru realizarea de sine, conducând la țelul ultim al vieții, eliberarea de lupta materială pentru existență. Acest scop al vieții este atins prin îndeplinirea de *yajña*. Dacă uităm scopul vieții umane și folosim bunurile date de agenții lui Dumnezeu doar pentru satisfacerea simțurilor, fiind tot mai mult prinși în mrejele existenței materiale, contrar scopului creației, vom ajunge cu siguranță niște hoți și deci vom fi pedepsiți de legile naturii materiale. O societate de hoți nu poate să fie niciodată fericită, căci aceștia nu au nici un țel în viață. Hoții materialiști grosieri nu au un țel suprem al vieții. Ei sunt înclinați doar spre satisfacerea simțurilor; nici nu au vreo cunoaștere despre cum să îndeplinească *yajña*. Însă Śrī Caitanya a inaugurat cea mai ușoară îndeplinire de *yajña*, anume *saṅkīrtana-yajña*, ce poate fi îndeplinită de oricine acceptă principiile conștiinței de Kṛṣṇa.

TEXTUL 13

यज्ञशिष्टाशिनः सन्तो मुच्यन्ते सर्वकिल्बिषैः ।
भुञ्जते ते त्वघं पापा ये पचन्त्यात्मकारणात् ॥१३॥

yajña-śiṣṭāśinaḥ santo
mucyante sarva-kilbiṣaiḥ
bhuñjate te tv aghaṁ pāpā
ye pacanty ātma-kāraṇāt

yajña-śiṣṭa—hrana mâncată după îndeplinirea de *yajña* ; *aśinaḥ*—cei care mănâncă; *santaḥ*—devoţii; *mucyante*—sunt dezlegaţi; *sarva*— de toate felurile de; *kilbiṣaiḥ*—păcat; *bhuñjate*—se desfată; *te*—cei care; *tu*—doar; *agham* —păcate cumplite; *pāpāḥ*—păcătoşi; *ye*—cei care; *pacanti*—prepară hrană; *ātma-kāraṇāt*—pentru plăcerea simţurilor.

Devoţii Domnului sunt eliberaţi de orice păcat, căci mănâncă hrană ce a fost mai întâi oferită ca sacrificiu. Ceilalţi, care prepară hrană doar pentru plăcerea personală a simţurilor, cu adevărat mănâncă doar păcat.

COMENTARIU

Devoţii Domnului Suprem sau persoanele aflate în conştiinţa de Kṛṣṇa poartă numele de *santa* şi au în mod permanent iubire faţă de Domnul, aşa cum se descrie în *Brahma-saṁhitā* (5.38): *premāñjana-cchurita-bhakti-vilocanena santaḥ sadaiva hṛdayeṣu vilokayanti*. Aceşti *santa*, fiind puternic legaţi prin legătura dragostei faţă de Suprema Personalitate a Divinităţii, Govinda (cel ce dăruieşte toate plăcerile), sau Mukunda (cel ce acordă eliberarea), sau Kṛṣṇa (persoana atotatrăgătoare), nu pot să accepte nici un lucru fără a-l oferi mai întâi Persoanei Supreme. De aceea, aceşti devoţi îndeplinesc întotdeauna *yajña* sub diferitele aspecte ale slujirii cu devoţiune, cum ar fi *śravaṇam, kīrtanam, smaraṇam, arcanam* etc., iar îndeplinirea acestor *yajña* îi ţine întotdeauna departe de orice fel de contaminare cu influenţele păcatului din lumea materială. Ceilalţi, care pregătesc mâncare pentru sine sau satisfacerea simţurilor, nu sunt doar hoţi, ci se hrănesc şi cu tot felul de păcate. Cum poate fi fericit cineva care este şi hoţ şi păcătos? Acest lucru nu este posibil. De aceea, pentru ca oamenii să devină fericiţi în toate privinţele, trebuie să fie învăţaţi să execute procesul simplu de *saṅkīrtana-yajña*, în deplină conştiinţă de Kṛṣṇa. Altfel, nu poate să fie pace sau fericire în lume.

TEXTUL 14

अन्नाद्भवन्ति भूतानि पर्जन्यादन्नसम्भवः ।
यज्ञाद्भवति पर्जन्यो यज्ञः कर्मसमुद्भवः ॥१४॥

*annād bhavanti bhūtāni
parjanyād anna-sambhavaḥ
yajñād bhavati parjanyo
yajñaḥ karma-samudbhavaḥ*

annāt—din grâne; *bhavanti*—cresc; *bhūtāni*—corpurile materiale; *parjanyāt*—din ploaie; *anna*—a grânelor folosite ca hrană; *sambhavaḥ*—producere; *yajñāt*—din îndeplinirea sacrificiului; *bhavati*—devine posibilă; *parjanyaḥ*—ploaia; *yajñaḥ*—îndeplinirea de *yajña*; *karma*—datoriile prescrise; *samudbhavaḥ*—născută din.

Corpurile tuturor fiinţelor subzistă pe seama grânelor, care sunt produse de ploaie. Ploile apar prin îndeplinirea de yajña (sacrificiu), iar yajña se naşte din împlinirea datoriilor prescrise.

COMENTARIU

Śrīla Baladeva Vidyābhūṣaṇa, un mare comentator al *Bhagavad-gītei*, scrie următoarele: *ye indrādy-aṅgatayāvasthitaṁ yajñaṁ sarveśvaraṁ viṣṇum abhyarcya tac-cheṣam aśnanti tena tad deha-yātrāṁ sampādayanti, te santaḥ sarveśvarasya yajña-puruṣasya bhaktāḥ sarva-kilbiṣair anādi-kāla-vivṛddhair ātmānubhava-pratibandhakair nikhilaiḥ pāpair vimucyante.* Domnul Suprem care este cunoscut ca *yajña-puruṣa* sau beneficiarul personal al tuturor sacrificiilor, este stăpânul tuturor semizeilor, care-L slujesc pe El aşa cum diferitele membre ale corpului slujesc întregul. Semizeii precum Indra, Candra şi Varuṇa sunt funcţionari însărcinaţi cu administrarea lucrurilor materiale, iar *Vedele* recomandă sacrificii pentru satisfacerea acestor semizei, astfel încât să fie mulţumiţi şi să furnizeze aer, lumină şi apă în mod îndestulător pentru a produce grânele necesare hranei. Când este adorat Śrī Kṛṣṇa, sunt adoraţi în mod automat şi semizeii, care sunt diferitele membre ale Domnului; de aceea, nu este nevoie să-i adorăm pe semizei în mod separat. Din acest motiv, devoții Domnului, aflați în conștiința de Kṛṣṇa, oferă hrana lui Kṛṣṇa și apoi o mănâncă—proces care hrănește corpul în mod spiritual. Acționând astfel, se elimină nu numai reacțiile activităților păcătoase trecute, dar corpul devine și imun față de contaminarea cu natura materială. În cazul unei boli contagioase, vaccinul antiseptic îi protejează pe oameni de atacurile acelei boli; în mod similar, hrana oferită lui Śrī Viṣṇu și apoi consumată de noi ne face suficient de rezistenți față de afecțiunile materiale, iar cel ce practică în mod obișnuit acest lucru este numit devot al lui Dumnezeu. Prin urmare, persoana aflată în conștiința de Kṛṣṇa, care mănâncă doar hrana oferită lui Kṛṣṇa, poate contracara toate reacțiile contaminărilor materiale din trecut, care sunt obstacole pentru progresul în realizarea de sine. Pe de altă parte, cel ce nu acționează în acest fel, continuă să sporească cantitatea de activități păcătoase și aceasta face ca următorul corp să semene cu cel al porcilor sau câinilor, pentru a îndura urmările reacțiilor ce rezultă de pe urma tuturor păcatelor. Lumea materială este plină de tot felul de contaminări, iar cel ce este imunizat prin acceptarea de *prasadam* dat de Dumnezeu (hrana oferită lui Viṣṇu), este salvat de atac, în timp ce acela care nu face acest lucru, ajunge să fie supus contaminării.

Cerealele sau legumele sunt adevăratele alimente. Oamenii mănâncă diferite feluri de cereale, legume, fructe etc., iar animalele mănâncă resturile de cereale și legume, iarbă, plante etc. Oamenii care obișnuiesc să mănânce carne depind și ei de producția de vegetale necesare animalelor cu care se hrănesc. Prin urmare, în ultimă instanță noi suntem dependenți de producția de vegetale și nu de producția marilor întreprinderi industriale. Producția de vegetale se datorează ploilor îndestulătoare venite din cer, iar aceste ploi sunt controlate de semizei ca Indra, soarele, luna etc., care sunt cu toții slujitorii Domnului. Dumnezeu poate fi mulțumit prin sacrificii; deci cel ce nu le poate îndeplini va îndura lipsuri—aceasta este legea naturii. *Yajña*, în mod specific *saṅkīrtana-yajña* prescris pentru această epocă, trebuie deci îndeplinit pentru a ne scăpa cel puțin de lipsa de hrană.

TEXTUL 15

कर्म ब्रह्मोद्भवं विद्धि ब्रह्माक्षरसमुद्भवम् ।
तस्मात्सर्वगतं ब्रह्म नित्यं यज्ञे प्रतिष्ठितम् ॥१५॥

karma brahmodbhavaṁ viddhi
brahmākṣara-samudbhavam

tasmāt sarva-gataṁ brahma
nityaṁ yajñe pratiṣṭhitam

karma—activitatea; *brahma*—din *Vede*; *udbhavam*—produsă; *viddhi*—trebuie să știi; *brahma*—*Vedele*; *akṣara*—din Supremul Brahman (Personalitatea Divinității); *samudbhavam*—manifestate direct; *tasmāt*—de aceea; *sarva-gatam*—atotpătrunzătorul; *brahma*—transcendență; *nityam*—veșnic; *yajñe*—în sacrificiu; *pratiṣṭhitam*—situat.

Activitățile regulatoare sunt prescrise în Vede, iar Vedele sunt direct manifestate din Suprema Personalitate a Divinității. Prin urmare, atotpătrunzătoarea Transcendență este situată veșnic în actele de sacrificiu.

COMENTARIU

Yajñārtha-karma sau necesitatea activității doar pentru satisfacția lui Kṛṣṇa este afirmată și mai deslușit în acest verset. Dacă trebuie să acționăm pentru satisfacția lui *yajña-puruṣa* sau Viṣṇu, atunci trebuie să ne aflăm îndrumarea pentru activitățile noastre în Brahman sau în *Vedele* transcendente. *Vedele* deci sunt coduri de îndrumare ale activităților. Orice lucru îndeplinit fără îndrumarea *Vedelor* este numit *vikarma*, activitate neautorizată sau păcătoasă. De aceea, omul trebuie să caute întotdeauna îndrumarea în *Vede* pentru a fi salvat de urmările activităților. Așa cum în viața obișnuită omul trebuie să acționeze conform legilor statului, la fel trebuie să acționeze și sub îndrumarea legilor statului suprem al lui Dumnezeu. Aceste porunci din *Vede* au luat ființă direct din răsuflarea Supremei Personalități a Divinității. Astfel, se spune: *asya mahato bhūtasya niśvasitam etad yad ṛg-vedo yajur-vedaḥ sāma-vedo 'tharvāṅgirasaḥ.* „Cele patru *Vede*—anume *Ṛg Veda, Yajur Veda, Sāma Veda* și *Atharva Veda*—sunt emanate din răsuflarea măreței Personalități a Divinității" (*Bṛhad-āraṇyaka Upaniṣad* 4.5.11). Dumnezeu, fiind atotputernic, poate vorbi respirând aer, căci, așa cum se confirmă în *Brahma-saṁhitā*, Domnul are atotputernicia de a îndeplini prin oricare din simțurile Sale acțiunile tuturor celorlalte simțuri. Cu alte cuvinte, Dumnezeu poate vorbi prin respirația Sa și poate să fecundeze doar cu privirea ochilor Săi. Într-adevăr, se spune că El a aruncat o privire asupra naturii materiale și astfel a creat toate ființele. După ce a creat sau a însămânțat sufletele condiționate în pântecele naturii materiale, El Și-a transmis prin înțelepciunea vedică îndrumările privitoare la felul cum aceste suflete condiționate se pot întoarce acasă, înapoi la Divinitate. Trebuie să ne reamintim mereu că toate sufletele condiționate din lumea materială sunt foarte avide de plăceri materiale. Dar învățăturile *Vedelor* sunt astfel alcătuite, încât omul poate să-și satisfacă dorințele sale impure și apoi să se reîntoarcă la Dumnezeu, sfârșind așa-numitele bucurii ale sale. Aceasta este o șansă pentru sufletele condiționate de a atinge eliberarea; de aceea, sufletele condiționate trebuie să încerce să se conformeze procesului de *yajña*, devenind conștiente de Kṛṣṇa. Chiar și cei care nu au urmat poruncile *Vedelor*, pot să adopte principiile conștiinței de Kṛṣṇa, iar acest lucru va înlocui îndeplinirea de *yajña* sau *karma* prescrise în *Vede*.

TEXTUL 16

एवं प्रवर्तितं चक्रं नानुवर्तयतीह यः ।
अघायुरिन्द्रियारामो मोघं पार्थ स जीवति ॥१६॥

*evam pravartitam cakram
nānuvartayatīha yaḥ
aghāyur indriyārāmo
mogham pārtha sa jīvati*

evam—astfel; *pravartitam*—stabilit de către *Vede*; *cakram*—ciclul; *na*—care nu; *anuvartayati*—adoptă; *iha*—în această viață; *yaḥ*—cel care; *agha-āyuḥ*—a cărui viață este plină de păcate; *indriya-ārāmaḥ*—mulțumindu-se cu satisfacerea simțurilor; *mogham*—fără nici un folos; *pārtha*—o, fiu al lui Pṛthā (Arjuna); *saḥ*—el; *jīvati*—trăiește.

Dragul meu Arjuna, cel ce nu respectă în viața umană ciclul sacrificial stabilit astfel de către Vede, duce cu adevărat o viață plină de păcat. Trăind doar pentru satisfacerea simțurilor, o asemenea persoană trăiește în zadar.

COMENTARIU

Filosofia demonică, întemeiată pe concepția „muncește din greu și bucură-te de plăcerile simțurilor" este condamnată aici de către Domnul. Prin urmare, pentru cei ce doresc să se bucure de plăcerile acestei lumi materiale, ciclul îndeplinirii de *yajña* menționat anterior este absolut necesar. Cel ce nu respectă aceste reglementări, trăiește o viață foarte periculoasă, fiind condamnat din ce în ce mai mult. Prin legile naturii, această formă umană de viață este destinată în mod specific realizării de sine, urmând oricare din cele trei căi—

karma-yoga, jñāna-yoga, sau *bhakti-yoga.* Transcendentaliștii, care sunt deasupra de virtute și viciu, nu trebuie să mai respecte în mod rigid îndeplinirea acestor *yajña* prescrise, dar cei ce sunt angajați în satisfacerea simțurilor, au nevoie de purificarea prin îndeplinirea ciclului de *yajña* menționat mai sus. Există diferite tipuri de activități. Cei ce nu sunt conștienți de Kṛṣṇa, sunt cu siguranță angajați în conștiința senzorială; de aceea, ei trebuie să îndeplinească activități pioase. Sistemul de *yajña* este astfel întocmit, încât persoanele a căror conștiință este senzorială să-și poată satisface dorințele fără a deveni prizonierele reacțiilor activităților îndeplinite pentru satisfacerea simțurilor. Prosperitatea lumii nu depinde de eforturile noastre, ci de ordinea aflată îndărătul ei, alcătuită de Domnul Suprem și dusă la îndeplinire în mod direct de către semizei. De aceea, diferitele tipuri de *yajña* sunt destinate în mod direct anumitor semizei menționați în *Vede;* în mod indirect însă, aceasta înseamnă practicarea conștiinței de Kṛṣṇa, pentru că atunci când omul ajunge să stăpânească îndeplinirea de *yajña,* el poate fi sigur că va deveni conștient de Kṛṣṇa. Dar dacă prin îndeplinirea de *yajña* omul nu devine conștient de Kṛṣṇa, aceste principii sunt socotite doar reguli morale. De aceea, nu trebuie ca omul să-și limiteze progresul doar până la nivelul codurilor morale, ci trebuie să le depășească, pentru a ajunge la conștiința de Kṛṣṇa.

TEXTUL 17

यस्त्वात्मरतिरेव स्यादात्मतृप्तश्च मानवः ।
आत्मन्येव च सन्तुष्टस्तस्य कार्यं न विद्यते ॥१७॥

yas tv ātma-ratir eva syād
ātma-tṛptaś ca mānavaḥ
ātmany eva ca santuṣṭas
tasya kāryaṁ na vidyate

yaḥ—cel care; *tu*—dar; *ātma-ratiḥ*—își află plăcerea în sine; *eva*—desigur; *syāt*—rămâne; *ātma-tṛptaḥ*—iluminat de către sine; *ca*—și; *mānavaḥ*—omul; *ātmani*—în sine; *eva*—doar; *ca*—și; *santuṣṭaḥ*—deplin împăcat; *tasya*—a sa; *kāryam*—datorie; *na*—nu; *vidyate*—există.

Dar pentru cel ce-și află plăcerea în sine, a cărui viață umană este destinată realizării de sine și care este mulțumit numai în sine, fiind pe deplin împăcat—pentru acela nu mai există datorie.

COMENTARIU

Cel ce este *pe deplin* conştient de Kṛṣṇa şi este pe deplin mulţumit prin acţiunile sale în conştiinţa de Kṛṣṇa, nu mai are nici o datorie de îndeplinit. Datorită faptului că este conştient de Kṛṣṇa, orice impietate dinăuntrul său este curăţată de îndată, un efect al îndeplinirii mai multor mii de *yajña*. Prin această purificare a conştiinţei, omul devine pe deplin încrezător de poziţia sa în relaţie cu Supremul. Astfel, prin graţia Domnului, datoria sa i se revelează de la sine şi nu mai are nici o obligaţie faţă de poruncile vedice. O asemenea persoană conştientă de Kṛṣṇa nu mai este interesată de activităţile materiale şi nu-şi mai află plăcerea în aranjamente materiale precum vinul, femeile şi alte asemenea patimi smintite.

TEXTUL 18

नैव तस्य कृतेनार्थो नाकृतेनेह कश्चन ।
न चास्य सर्वभूतेषु कश्चिदर्थव्यपाश्रयः ॥१८॥

naiva tasya kṛtenārtho
nākṛteneha kaścana
na cāsya sarva-bhūteṣu
kaścid artha-vyapāśrayaḥ

na—niciodată; *eva*—cu siguranţă; *tasya*—al său; *kṛtena*—prin îndeplinirea datoriei; *arthaḥ*—scop; *na*—nici; *akṛtena*—neîndeplinindu-şi datoria; *iha*—în această lume; *kaścana*—oricare; *na*—niciodată *ca*—şi *asya*—a sa; *sarva-bhūteṣu*—dintre toate fiinţele; *kaścit*—oricare; *artha*—scop; *vyapāśrayaḥ*—să-şi caute refugiul în.

Cel ce a ajuns la realizarea de sine nu mai are nici un scop de atins în îndeplinirea datoriilor prescrise şi nici nu are vreun motiv să nu îndeplinească aceste activităţi. Nici nu mai are nevoie să depindă de vreo altă fiinţă.

COMENTARIU

Un om care a ajuns la realizarea de sine nu mai este obligat să-şi îndeplinească niciuna din datoriile prescrise, în afara activităţilor îndeplinite în conștiința de Kṛṣṇa. Așa cum se va explica în versetele următoare, conștiința de Kṛṣṇa nu înseamnă nici inactivitate. Un om aflat în conștiința de Kṛṣṇa nu-și caută refugiul în nici o altă persoană, fie om sau semizeu. Orice ar face întru conștiința de Kṛṣṇa este îndeajuns pentru a se achita de oligațiile sale.

TEXTUL 19

तस्मादसक्तः सततं कार्यं कर्म समाचर ।
असक्तो ह्याचरन् कर्म परमाप्नोति पूरुषः ॥१९॥

tasmād asaktaḥ satataṁ
kāryaṁ karma samācara
asakto hy ācaran karma
param āpnoti pūruṣaḥ

tasmāt—de aceea; *asaktaḥ*—fară a fi atașat; *satatam*—în mod constant; *kāryam*—ca datorie; *karma*—activitatea; *samācara*—îndeplinește; *asaktaḥ*—neatașat; *hi*—cu siguranță; *ācaran*—îndeplinind; *karma*—activitatea; *param*—Supremul; *āpnoti*—îl dobândește; *pūruṣaḥ*—omul.

De aceea, omul trebuie să acționeze în spiritul datoriei, fără să fie atașat de rezultatele activităților, căci activând fără atașament omul atinge Supremul.

COMENTARIU

Pentru devoți, Supremul este Personalitatea Divinității, iar pentru impersonaliști este eliberarea. Deci cel ce acționează pentru Kṛṣṇa sau în conștiința de Kṛṣṇa, sub îndrumarea corectă și fără a fi atașat de rezultatele acțiunii, înaintează în mod cert înspre țelul suprem al vieții. Lui Arjuna i se spune că trebuie să lupte în bătălia de la Kurukṣetra în interesul lui Kṛṣṇa, deoarece Kṛṣṇa dorea ca el să lupte. A fi un om bun sau nonviolent este încă un atașament personal, dar a acționa în numele Supremului înseamnă să acționezi fără a fi atașat de rezultat. Aceasta este acțiunea desăvârșită la cel mai înalt nivel, recomandată de Suprema Personalitate a Divinității, Śrī Kṛṣṇa.

Ritualurile vedice, cum sunt sacrificiile prescrise, sunt îndeplinite pentru purificarea activităților nepioase ce au fost executate în domeniul satisfacerii simțurilor. Dar acțiunea în conștiința de Kṛṣṇa este transcendentală în raport cu reacţiile activităţilor bune sau rele. O persoană conştientă de Kṛṣṇa nu este ataşată de rezultate, ci acţionează doar în numele lui Kṛṣṇa. Aceasta se angajează în tot felul de activităţi, dar este cu totul lipsită de ataşament.

TEXTUL 20

कर्मणैव हि संसिद्धिमास्थिता जनकादयः ।
लोकसङ्ग्रहमेवापि सम्पश्यन् कर्तुमर्हसि ॥२०॥

karmaṇaiva hi saṁsiddhim
āsthitā janakādayaḥ
loka-saṅgraham evāpi
sampaśyan kartum arhasi

karmaṇā—prin activitate; *eva*—tocmai; *hi*—cu adevărat; *saṁsiddhim*—în perfecţiune; *āsthitāḥ*—situat; *janaka-ādayaḥ*—Janaka şi alţi regi; *loka-saṅgraham*—oamenii în general; *eva api*—chiar şi; *sampaśyan*—luând în considerare; *kartum*—să acţionezi; *arhasi*—ţi se cuvine.

Regi precum Janaka au atins perfecţiunea numai prin îndeplinirea datoriilor prescrise. De aceea, fie şi numai pentru a-i educa pe oameni în general, trebuie să-ţi îndeplineşti datoria.

COMENTARIU

Regii precum Janaka erau suflete realizate şi, prin urmare, nu aveau obligaţia să îndeplinească datoriile prescrise în *Vede*. Cu toate acestea, ei au îndeplinit toate activităţile prescrise, tocmai pentru a da exemplu oamenilor în general. Janaka a fost tatăl lui Sītā şi socrul lui Śrī Rāma. Fiind un mare devot al Domnului, el era situat la nivelul transcendent, dar pentru că era regele ce domnea în Mithilā (un district al provinciei Bihar din India), trebuia să-i înveţe pe supuşii săi cum să-şi îndeplinească datoriile prescrise. Śrī Kṛṣṇa şi Arjuna, prietenul etern al Domnului, nu aveau nevoie să lupte în bătălia de la Kurukṣetra, dar au luptat pentru a-i învăţa pe oameni că violenţa este şi ea necesară atunci când argumentele bine întemeiate eşuează. Înainte de lupta de la Kurukṣetra s-au făcut toate eforturile pentru a evita războiul, chiar şi de către Suprema Personalitate a Divinităţii, dar cealaltă tabără era hotărâtă să lupte. Astfel că, pentru o cauză dreaptă ca aceasta, este nevoie de luptă. Deși cel situat în conștiința de Kṛṣṇa poate să fie lipsit de orice interes față de lume, el totuși acționează pentru a învăța oamenii cum să trăiască și cum să acționeze. Persoanele care au experiență în conștiința de Kṛṣṇa pot acționa în așa fel încât alții să-i urmeze, așa cum se va explica în versetul următor.

TEXTUL 21

यद्यदाचरति श्रेष्ठस्तत्तदेवेतरो जनः ।
स यत्प्रमाणं कुरुते लोकस्तदनुवर्तते ॥२१॥

yad yad ācarati śreṣṭhas
tat tad evetaro janaḥ
sa yat pramāṇaṁ kurute
lokas tad anuvartate

yat yat—orice; *ācarati*—face; *śreṣṭhaḥ*—un conducător respectabil; *tat*—aceasta; *tat*—și numai aceasta; *eva*—întocmai; *itaraḥ*—obișnuită; *janaḥ*—o persoană; *saḥ*—el; *yat*—oricare; *pramāṇam*—exemplu; *kurute*—îndeplineș-te; *lokaḥ*—toată lumea; *tat*—acesta; *anuvartate*—îl urmează.

Orice îndeplinește un mare om, este urmat și de oamenii obișnuiți și oricare ar fi normele pe care el le stabilește prin activități exemplare, întreaga lume i se conformează.

COMENTARIU

Poporul are întotdeauna nevoie de un conducător care să-i poată învăța pe cei-lalți prin propriul comportament. Un conducător nu-i poate învăța pe oameni să renunțe la fumat dacă el însuși fumează. Śrī Caitanya spunea că un învă-țător trebuie să aibe el mai întâi un comportament corect, înainte de a începe să-i învețe pe alții. Cel care îi învață pe oameni în acest mod este numit *ācārya* sau învățător ideal. Prin urmare, un învățător trebuie să urmeze principiile din *śāstra* (scripturi) pentru a-i învăța pe oamenii de rând. Un învățător nu poate să născocească legi care să fie contrare principiilor scripturilor revelate. Scripturile revelate, precum *Manu-saṁhitā* și altele similare, sunt considerate ca fiind cărțile model ce trebuie urmate de societatea umană. Astfel, învățătura conducătorilor trebuie să fie bazată pe principiile unor astfel de standarde *śāstra* . Cel ce dorește să se perfecționeze pe sine, trebuie să urmeze legile standard, așa cum sunt practicate de marii învățători. *Śrīmad-Bhāgavatam* afirmă de asemenea că omul trebuie să pășească pe urmele marilor devoți și că acesta este modelul pentru a progresa pe calea realizării spirituale. Regele sau șeful executiv al unui stat, tatăl și învățătorul de la școală sunt considerați cu toții ca fiind învățătorii firești ai oamenilor inocenți în general. Toți acești conducători firești au o mare responsabilitate față de cei ce depind de ei; de aceea, ei trebuie să fie familiarizați cu cărțile standard ce conțin codurile morale și spirituale.

TEXTUL 22

न मे पार्थास्ति कर्तव्यं त्रिषु लोकेषु किञ्चन ।
नानवाप्तमवाप्तव्यं वर्त एव च कर्मणि ॥२२॥

na me pārthāsti kartavyaṁ
triṣu lokeṣu kiñcana
nānavāptam avāptavyaṁ
varta eva ca karmaṇi

na—nu; *me*—pentru Mine; *pārtha*—o, fiu al lui Pṛthā; *asti*—există; *kartavyam*—datorie prescrisă; *triṣu*—în cele trei; *lokeṣu*—sisteme planetare; *kiñcana*—vreo; *na*—nimic; *anavāptam*—neobținut; *avāptavyam*—de dobândit; *varte*—Eu sunt angajat; *eva*—desigur; *ca*—de asemenea; *karmaṇi*—în îndeplinirea datoriilor prescrise.

O, fiu al lui Pṛthā, pentru Mine nu există nici o activitate prescrisă în cele trei sisteme planetare. Nici nu duc lipsă de nimic, nici nu am vreo nevoie să dobândesc ceva—și totuși mă aflu angajat în îndeplinirea datoriilor prescrise.

COMENTARIU

Suprema Personalitate a Divinității este descrisă în literatura vedică astfel:

tam īśvarāṇāṁ paramaṁ maheśvaraṁ
taṁ devatānāṁ paramaṁ ca daivatam
patiṁ patīnāṁ paramaṁ parastād
vidāma devaṁ bhuvaneśam īḍyam

na tasya kāryaṁ karaṇaṁ ca vidyate
na tat-samaś cābhyadhikaś ca dṛśyate
parāsya śaktir vividhaiva śrūyate
svābhāvikī jñāna-bala-kriyā ca

„Domnul Suprem este stăpânitorul tuturor celorlalţi stăpânitori şi este cel mai mare dintre toţi conducătorii feluritelor planete. Toţi se află sub controlul Său. Celelalte entităţi sunt înzestrate cu anumite puteri speciale numai de către Domnul Suprem; aceştia nu sunt ei înşişi supremi. El este adorat de toţi semizeii şi este supremul îndrumător al tuturor îndrumătorilor. De aceea, El este transcendent tuturor conducătorilor şi stăpânitorilor din lumea materială şi trebuie să fie adorat de către toţi. Nu este nimeni mai măreţ decât El, iar El este cauza supremă a tuturor cauzelor.

„El nu are o formă trupească asemenea celei ale unei fiinţe obişnuite. Nu există nici o deosebire între corpul şi sufletul Său. El este absolut. Toate simţurile Sale sunt transcendente. Oricare din simţurile Sale poate îndeplini funcţia oricărui alt simţ. De aceea, nimeni nu este mai mare decât El sau egalul Său. Puterile sale sunt multiple şi astfel activităţile Sale se îndeplinesc în mod automat, într-o înlănţuire firească" (*Śvetāśvatara Upaniṣad* 6.7-8).

Deoarece totul se află în deplină opulenţă în Personalitatea Divinităţii şi în deplinătatea adevărului, nu există nici o datorie de îndeplinit de către Suprema Personalitate a Divinităţii. Cel ce trebuie să primească rezultatele acţiunilor sale are anumite datorii desemnate pentru el, dar cel ce nu are nimic de obţinut în cele trei sisteme planetare, desigur că nu mai are nici o datorie. Şi totuşi, Śrī Kṛṣṇa este angajat în bătălia de pe câmpul de luptă de la Kurukṣetra, având rolul de conducător de *kṣatriya*, căci *kṣatriya* au datoria de a-i ocroti pe cei nenorociţi. Deşi El se află deasupra tuturor reglementărilor scripturilor revelate, El nu face nici un lucru care să contrazică scripturile revelate.

TEXTUL 23

यदि ह्यहं न वर्तेयं जातु कर्मण्यतन्द्रितः ।
मम वर्त्मानुवर्तन्ते मनुष्याः पार्थ सर्वशः ॥२३॥

yadi hy aham na varteyaṁ
jātu karmaṇy atandritaḥ
mama vartmānuvartante
manuṣyāḥ pārtha sarvaśaḥ

yadi—dacă; *hi*—desigur; *aham*—Eu; *na*—nu; *varteyam*—angajat astfel; *jātu*—mereu; *karmaṇi*—în îndeplinirea datoriilor prescrise; *atandritaḥ*—cu mare grijă; *mama*—a Mea; *vartma*—cale; *anuvartante*—ar urma; *manuṣyāḥ* —toţi oamenii; *pārtha*—o, fiu al lui Pṛthā; *sarvaśaḥ*—în toate privinţele.

Căci dacă Eu, o, Pārtha, aş da greş vreodată în îndeplinirea cu grijă a datoriilor prescrise, cu siguranţă că toţi oamenii Mi-ar urma calea.

COMENTARIU

În scopul de a păstra în echilibru liniştea socială, necesară pentru a progresa în viaţa spirituală, există anumite practici familiale tradiţionale destinate fiecărui om civilizat. Deşi aceste legi şi reglementări sunt făcute pentru sufletele condiţionate şi nu pentru Śrī Kṛṣṇa, totuşi, datorită faptului că El a descins spre a restabili principiile religioase, a urmat El Însuşi aceste legi prescrise. Altfel, oamenii de rând ar fi păşit pe urmele Sale, căci El este autoritatea supremă. Din *Śrīmad Bhāgavatam* se poate înţelege că Śrī Kṛṣṇa îndeplinea toate datoriile religioase ce se practică în casă şi în afara casei, aşa cum se cere unui cap de familie.

TEXTUL 24

उत्सीदेयुरिमे लोका न कुर्यां कर्म चेदहम् ।
सङ्करस्य च कर्ता स्यामुपहन्यामिमाः प्रजाः ॥२४॥

utsīdeyur ime lokā
na kuryāṁ karma ced aham
saṅkarasya ca kartā syām
upahanyām imāḥ prajāḥ

utsīdeyuḥ—ar cădea în ruină; *ime*—toate aceste; *lokāḥ*—lumi; *na*—nu; *kuryām*—îndeplinesc; *karma*—datoriile prescrise; *cet*—dacă; *aham*—Eu; *saṅkarasya*—al populaţiei nedorite; *ca*—şi; *kartā*—creator; *syām*—aş fi; *upahanyām*—aş distruge; *imāḥ*—toate aceste; *prajāḥ*—creaturi.

Dacă Eu nu Mi-aş îndeplini datoriile prescrise, toate aceste lumi ar cădea în ruină. Eu aş fi cauza naşterii unei populaţii nedorite şi prin aceasta aş nimici pacea tuturor creaturilor.

COMENTARIU

Varṇa-saṅkara este populaţia nedorită care tulbură pacea întregii societăţi. Pentru a opri această tulburare a societăţii există legi şi reglementări prescrise, prin care populaţia poate să devină în mod automat liniştită şi organizată în vederea progresului spiritual în viaţă. Când Śrī Kṛṣṇa descinde în lumea materială, se preocupă în mod firesc de aceste legi şi reglementări, tocmai pentru a menţine prestigiul şi necesitatea unor asemenea activităţi foarte însemnate. Domnul este tatăl tuturor fiinţelor, iar dacă aceste fiinţe sunt îndrumate greşit, responsabilitatea cade în mod indirect asupra Domnului. De aceea, oricând apare o stare generală de nesocotire a principiilor regulatoare, Domnul Însuşi descinde şi îndreaptă societatea umană. Se cuvine însă să remarcăm cu atenţie faptul că, deşi trebuie să mergem pe urmele Domnului, trebuie totuşi să ţinem minte că nu putem să-L imităm pe El. A urma pe cineva nu este acelaşi lucru cu a-l imita. Noi nu-L putem imita pe Domnul ridicând muntele Govardhana, aşa cum a făcut El în copilăria Sa. Acest lucru este imposibil pentru orice fiinţă umană. Trebuie să-I urmăm instrucţiunile, dar nu putem să-L imităm vreodată. *Śrīmad Bhāgavatam* (10.33.30-31) afirmă:

> *naitat samācarej jātu*
> *manasāpi hy anīśvaraḥ*
> *vinaśyaty ācaran mauḍhyād*
> *yathā 'rudro 'bdhi-jaṁ viṣam*

> *īśvarāṇāṁ vacaḥ satyaṁ*
> *tathaivācaritaṁ kvacit*
> *teṣāṁ yat sva-vaco-yuktaṁ*
> *buddhimāṁs tat samācaret*

„Trebuie să urmăm poruncile Domnului şi ale slujitorilor Săi împuterniciţi de El. Îndrumările lor sunt în întregime benefice pentru noi şi orice persoană inteligentă le va aplica aşa cum a fost instruită. Însă trebuie să ne ferim de a încerca să imităm acţiunile lor. Nimeni nu trebuie să încerce să bea oceanul de otravă imitându-l pe Śiva."

Trebuie întotdeauna să considerăm poziţia celor numiţi *īśvara* sau cei ce controlează mişcările soarelui şi lunii ca fiind superioară. Fără o asemenea putere, nimeni nu-i poate imita pe aceşti *īśvara* care sunt extrem de puternici. Śiva a băut un întreg ocean de otravă, însă dacă un om obişnuit încearcă să bea chiar şi o părticică dintr-o astfel de otravă, va fi de îndată ucis. Există mulţi falşi devoţi ai lui Śiva care se dedau fumatului de *gañjā* (marijuana) şi altor droguri de acelaşi fel, uitând că prin astfel de imitări ale activităţilor lui Śiva nu fac decât să cheme moartea foarte aproape de ei. În mod similar, există unii falşi devoţi ai lui Śrī Kṛṣṇa care preferă să-L imite pe Domnul în dansul Său numit *rāsa-līlā* sau dansul dragostei, uitând neputinţa lor de a ridica muntele Govardana. De aceea, este bine să nu încercăm să-i imităm pe cei puternici, ci doar să le urmăm îndrumările şi nici să nu încercăm să le ocupăm funcţia pe care o deţin, fără ca noi să avem calităţile necesare. Există atât de multe „încarnări" ale lui Dumnezeu, dar care sunt lipsite de puterea Divinităţii Supreme.

TEXTUL 25

सक्ताः कर्मण्यविद्वांसो यथा कुर्वन्ति भारत ।
कुर्याद्विद्वांस्तथासक्तश्चिकीर्षुर्लोकसङ्ग्रहम् ॥२५॥

saktāḥ karmaṇy avidvāṁso
yathā kurvanti bhārata
kuryād vidvāṁs tathāsaktaś
cikīrṣur loka-saṅgraham

saktāḥ—fiind ataşaţi; *karmaṇi*—în datoriile prescrise; *avidvāṁsaḥ*—cei ignoranţi; *yathā*—atâta cât; *kurvanti*—fac; *bhārata*—o, urmaş al lui Bharata; *kuryāt*—trebuie să facă; *vidvān*—cei învăţaţi; *tathā*—astfel; *asaktaḥ*—fără a fi ataşaţi; *cikīrṣuḥ*—doritori să conducă; *loka-saṅgraham*—masa de oameni.

Precum cei ignoranţi îşi împlinesc datoriile ataşându-se de rezultat, tot aşa cei învăţaţi acţionează şi ei, dar fără să fie ataşaţi, pentru a-i conduce pe oameni pe calea cea dreaptă.

COMENTARIU

O persoană în conştiinţa de Kṛṣṇa şi o alta care nu este în conştiinţa de Kṛṣṇa se deosebesc prin faptul că au dorinţe diferite. O persoană conştientă de Kṛṣṇa nu face nimic care să nu ducă la dezvoltarea conştiinţei de Kṛṣṇa. Ea poate acționa uneori la fel ca o persoană ignorantă, care este prea mult atașată de activitățile materiale, dar una se angajează în aceste activități pentru satisfacerea simțurilor, pe când cealaltă este angajată pentru satisfacția lui Kṛṣṇa. De aceea, unei persoane conștiente de Kṛṣṇa i se cere să arate oamenilor cum să acționeze și cum să angajeze rezultatele acțiunilor sale pentru scopul conștiinței de Kṛṣṇa.

TEXTUL 26

न बुद्धिभेदं जनयेदज्ञानां कर्मसङ्गिनाम् ।
जोषयेत्सर्वकर्माणि विद्वान् युक्तः समाचरन् ॥२६॥

na buddhi-bhedaṁ janayed
ajñānāṁ karma-saṅginām
joṣayet sarva-karmāṇi
vidvān yuktaḥ samācaran

na—nu; *buddhi-bhedam*—tulburarea inteligenței; *janayet*—trebuie să pricinuiască; *ajñānām*—a celor nechibzuiți; *karma-saṅginām*—atașați de activitățile fructuoase; *joṣayet*—trebuie să se dedice; *sarva*—toate; *karmāṇi*—activitățile; *vidvān*—cel învățat; *yuktaḥ*—angajat; *samācaran*—practicând.

Astfel, ca să nu tulbure mintea oamenilor ignoranți, atașați de rezultatele fructuoase ale datoriilor prescrise, un învățat nu trebuie să-i îndemne să abandoneze activitatea. În schimb, acționând în spiritul devoțiunii, să-i facă să se angajeze în tot felul de activități [pentru dezvoltarea gradată a conștiinței de Kṛṣṇa].

COMENTARIU

Vedaiś ca sarvair aham eva vedyaḥ. Acesta este finalul tuturor ritualurilor vedice. Toate ritualurile, îndeplinirea tuturor sacrificiilor și tot ceea ce se află în *Vede*, incluzând toate instrucțiunile referitoare la activități materiale, toate sunt destinate cunoașterii lui Kṛṣṇa, care este țelul ultim al vieții. Dar pentru că sufletele condiționate nu știu nimic dincolo de satisfacerea simțurilor, ele studiază *Vedele* doar în acest scop. Dar prin intermediul activităților fructuoase și satisfacerii simțurilor reglementate prin ritualurile vedice omul se ridică treptat la conștiința de Kṛṣṇa. De aceea, un suflet realizat aflat în conştiinţa de Kṛṣṇa nu trebuie să-i tulbure pe alţii în activităţile lor sau în modul lor de înţelegere, ci trebuie să acţioneze arătând cum rezultatele tuturor activităţilor pot fi dedicate slujirii lui Kṛṣṇa. Un om învăţat, conştient de Kṛṣṇa, poate acţiona în aşa fel, încât cel ignorant, care munceşte pentru satisfacerea simţurilor, să poată învăţa cum să acţioneze şi cum să se poarte. Deşi omul ignorant nu trebuie tulburat de la activităţile sale, o persoană a cărei conştiinţă de Kṛṣṇa este chiar puţin dezvoltată se poate angaja în mod direct în slujirea Domnului, fără a se mai preocupa de alte prescripţii vedice. Acest om norocos nu mai are nevoie să urmeze ritualurile vedice, căci angajându-se direct în conştiinţa de Kṛṣṇa poate obţine toate rezultatele care ar decurge din îndeplinirea datoriilor sale prescrise.

TEXTUL 27

प्रकृतेः क्रियमाणानि गुणैः कर्माणि सर्वशः ।
अहङ्कारविमूढात्मा कर्ताहमिति मन्यते ॥२७॥

prakṛteḥ kriyamāṇāni
guṇaiḥ karmāṇi sarvaśaḥ
ahaṅkāra-vimūḍhātmā
kartāham iti manyate

prakṛteḥ—ale naturii materiale; *kriyamāṇāni*—fiind făcute; *guṇaiḥ*—de către moduri; *karmāṇi*—activităţi; *sarvaśaḥ*—tot felul de; *ahaṅkāra-vimūḍha*—tulburat de falsul ego; *ātmā*—sufletul spiritual; *kartā*—cel ce face; *aham*—eu; *iti*—astfel; *manyate*—gândeşte.

Sufletul spiritual, tulburat de influenţa falsului ego, se consideră pe sine a fi cel ce îndeplineşte activităţile care de fapt sunt duse la îndeplinire de către cele trei moduri ale naturii materiale.

COMENTARIU

Două persoane, una aflată în conştiinţa de Kṛṣṇa şi cealaltă în conştiinţa materială, lucrând în acelaşi domeniu pot părea că acţionează la acelaşi nivel, dar între poziţiile lor există o prăpastie, care îi diferenţiază. Omul aflat în conştiinţa materială este convins de către falsul ego că el este făptuitorul tuturor lucrurilor. El nu știe că mecanismul corpului este produs de natura materială, care acționează sub supravegherea Domnului Suprem. Persoana materialistă nu știe că, în ultimă instanță, se află sub controlul lui Kṛṣṇa. Omul aflat sub influența falsului ego este încredințat că face totul fără să depindă de nimeni, acesta fiind semnul neștiinței sale. El nu știe că acest corp grosier și subtil este creația naturii materiale, la ordinul Supremei Personalități a Divinității și ca atare activitățile sale corporale și mentale trebuie să fie angajate în slujirea lui Kṛṣṇa, în conștiința de Kṛṣṇa. Omul ignorant uită că Suprema Personalitate a Divinității este cunoscută ca Hṛṣīkeśa sau stăpânul simțurilor și al corpului material, pentru că, datorită îndelungatei folosiri greșite a simțurilor doar pentru plăcerile materiale, el este în fapt tulburat de falsul ego, care îl face să uite eterna sa legătură cu Kṛṣṇa.

TEXTUL 28

तत्त्वविन्तु महाबाहो गुणकर्मविभागयोः ।
गुणा गुणेषु वर्तन्त इति मत्वा न सज्जते ॥२८॥

tattva-vit tu mahā-bāho
guṇa-karma-vibhāgayoḥ
guṇā guṇeṣu vartanta
iti matvā na sajjate

tattva-vit—cunoscătorul Adevărului Absolut; *tu*—însă; *mahā-bāho*—o, tu cel cu braț puternic; *guṇa-karma*—dintre activitățile aflate sub influența materială; *vibhāgayoḥ*—diferențele; *guṇāḥ*—simțurile; *guṇeṣu*—în satisfacerea simțurilor; *vartante*—sunt angajate; *iti*—astfel; *matvā*—cugetând; *na*—niciodată; *sajjate*—devine atașat.

O, tu cel cu braț puternic, cel ce cunoaște Adevărul Absolut nu se angajează în activitatea simțurilor și satisfacerea acestora, cunoscând prea bine deosebirea dintre activitatea slujirii cu devoțiune și activitatea pentru rezultate fructuoase.

COMENTARIU

Cunoscătorul Adevărului Absolut este convins de poziția sa stânjenitoare în asocierea materială. El știe că este parte integrantă din Suprema Personalitate

a Divinității, Kṛṣṇa și că locul său nu trebuie să fie înăuntrul creației mate-
riale. El își cunoaște identitatea reală ca parte integrantă a Supremului, care
este eterna beatitudine și cunoaștere, realizând că, într-un fel sau altul, a fost
prins în capcana concepției materiale asupra vieții. În starea pură a existenței
sale, el este destinat să-și dedice acțiunile slujirii cu devoțiune față de Supre-
ma Personalitate a Divinității, Kṛṣṇa. Prin urmare, el se va angaja de la sine
în activitățile conștiinței de Kṛṣṇa, devenind în mod firesc detașat de activi-
tățile simțurilor materiale care sunt toate legate de anumite circumstanțe și
sunt temporare. El știe că această condiție materială a vieții sale este sub con-
trolul suprem al Domnului; în consecință, el nu este tulburat de tot felul de
reacții materiale, pe care le consideră a fi doar manifestări ale milei Domnu-
lui. Potrivit cu *Śrīmad-Bhāgavatam*, cel ce cunoaște Adevărul Absolut sub cele
trei aspecte diferite—Brahman, Paramātmā și Suprema Personalitate a Divi-
nității—este numit *tattva-vit*, căci el își cunoaște de asemenea poziția reală
în relație cu Supremul.

TEXTUL 29

प्रकृतेर्गुणसम्मूढाः सज्जन्ते गुणकर्मसु ।
तानकृत्स्नविदो मन्दान् कृत्स्नविन्न विचालयेत् ॥२९॥

prakṛter guṇa-sammūḍhāḥ
sajjante guṇa-karmasu
tān akṛtsna-vido mandān
kṛtsna-vin na vicālayet

prakṛteḥ—ale naturii materiale; *guṇa*—de către modurile; *sammūḍhāḥ*—
amăgiți de identificarea cu materia; *sajjante*—devin angajați; *guṇa-karmasu*
—în activitățile materiale; *tān*—pe aceia; *akṛtsna-vidaḥ*—cu nivel de
cunoaștere foarte scăzut; *mandān*—leneși în ce privește înțelegerea realizării
de sine; *kṛtsna-vit*—cel ce cunoaște în mod real; *na*—nu; *vicālayet*—trebuie
să încerce să-i abată.

Tulburați de modurile naturii materiale, cei ignoranți se angajează
cu totul în activitățile materiale, atașându-se de ele. Chiar dacă aceste
îndatoriri sunt inferioare, din pricina lipsei de cunoaștere a celor ce le
îndeplinesc, cel înțelept nu trebuie să-i abată de la ele.

COMENTARIU

Cei necunoscători se identifică în mod fals cu conștiința materială grosieră și sunt cuprinși cu totul de desemnările materiale. Acest corp este darul naturii materiale, iar cel ce este prea mult atașat de conștiința corporală este numit *manda*, persoană leneșă lipsită de înțelegerea sufletului spiritual. Oamenii ignoranți socotesc corpul ca fiind sinele; ei acceptă conexiunile corpului cu alții ca relații de rudenie, țara în care au obținut corpul le este obiect de adorare, iar rânduielile ritualurilor religioase le consideră scop în sine. Acțiunile cu caracter social, naționalismul și altruismul sunt unele dintre activitățile specifice acestor persoane legate de desemnările materiale. Sub influența unor astfel de desemnări, ei rămân mereu foarte ocupați în domeniul material; pentru ei, realizarea spirituală este un mit și deci nu îi interesează. Însă cei ce sunt luminați de o viață spirituală nu trebuie să încerce să-i agite pe acești oameni acaparați de materie. Este mai bine pentru ei să-și continue activitățile spirituale în tăcere. Astfel de persoane tulburate pot fi angajate în practicarea principiilor morale primare ale vieții, cum ar fi nonviolența și alte acțiuni similare de binefacere materială.

Oamenii ignoranți nu pot să prețuiască activitățile îndeplinite în conștiința de Kṛṣṇa și de aceea Śrī Kṛṣṇa ne sfătuiește să nu-i tulburăm, pierzând astfel un timp prețios. Însă devoții Domnului sunt mai binevoitori decât Domnul, căci ei înțeleg țelurile Sale. În consecință, ei își asumă orice risc, apropiindu-se chiar și de oamenii ignoranți, încercând să-i implice în acțiuni ale conștiinței de Kṛṣṇa, care sunt absolut necesare pentru ființa umană.

TEXTUL 30

मयि सर्वाणि कर्माणि सन्न्यस्याध्यात्मचेतसा ।
निराशीर्निर्ममो भूत्वा युध्यस्व विगतज्वरः ॥३०॥

mayi sarvāṇi karmāṇi
sannyasyādhyātma-cetasā
nirāśīr nirmamo bhūtvā
yudhyasva vigata-jvaraḥ

mayi—Mie; *sarvāṇi*—toate felurile de; *karmāṇi*—activități; *sannyasya*—abandonând cu totul; *adhyātma*—deplinei cunoașteri a sinelui; *cetasā*—cu conştiinţa; *nirāśīḥ*—fără dorinţa de câştig; *nirmamaḥ*—fără sentimentul posesiunii; *bhūtvā*—fiind; *yudhyasva*—luptă; *vigata-jvaraḥ*—fără a fi letargic.

De aceea, o Arjuna, încredinţându-Mi Mie toate activităţile, cunoscându-Mă pe Mine pe deplin, fără dorinţe de câştig, fără pretenţii de proprietate şi fără să te laşi cuprins de apatie, luptă.

COMENTARIU

Acest verset indică în mod clar scopul *Bhagavad-gītei*. Domnul ne învaţă că omul trebuie să devină pe deplin conştient de Kṛṣṇa pentru a-şi îndeplini datoriile ca şi cum s-ar conforma disciplinei militare. O asemenea poruncă poate face lucrurile ceva mai dificile, însă datoriile trebuie îndeplinite în dependenţă de Kṛṣṇa, căci aceasta este poziţia constitutivă a fiinţelor vii. Fiinţele nu pot să fie fericite independent de cooperarea cu Domnul Suprem, căci poziţia constitutivă eternă a unei fiinţe este aceea de a se supune dorinţelor lui Dumnezeu. De aceea, lui Arjuna i s-a ordonat de către Śrī Kṛṣṇa să lupte, ca şi cum Domnul ar fi fost comandantul său militar. Omul trebuie să sacrifice totul bunăvoinţei Domnului Suprem şi în acelaşi timp să-şi îndeplinească datoriile prescrise fără să se considere proprietarul vreunui lucru. Arjuna nu trebuie să comenteze ordinul Domnului, trebuie doar să-l execute. Domnul Suprem este sufletul tuturor sufletelor şi, prin urmare, cel ce depinde cu totul şi cu totul de Sufletul Suprem, fără consideraţii personale sau, cu alte cuvinte, cel ce este pe deplin conştient de Kṛṣṇa, este numit *adhyātma-cetas*. *Nirāśīḥ* înseamnă că omul trebuie să acţioneze la porunca stăpânului dar fără să aştepte vreo răsplată. Casierul numără milioane de dolari pentru patronul său, dar nu revendică nici un cent pentru sine. În mod similar, omul trebuie să realizeze faptul că nimic din această lume nu aparţine unei anumite persoane, ci totul aparţine Domnului Suprem. Acesta este sensul real al cuvântului *māyi*, sau „Mie". Şi atunci când cineva acţionează astfel în conştiinţa de Kṛṣṇa, cu siguranţă că nu va mai revendica proprietatea asupra nici unui lucru. Acest tip de conştiinţă este numită *nirmama*, sau „nimic nu este al meu". Şi dacă există vreo şovăială în a îndeplini o poruncă atât de severă, ce nu ţine seama de aşa-numita înrudire întemeiată pe legăturile corporale, această şovăială trebuie dată de-o parte; în acest fel, omul poate să devină *vigata-jvara* sau lipsit de mentalitatea celui cuprins de febră sau letargie. Fiecare om, potrivit cu însuşirile sale şi poziţia sa, are de îndeplinit un anumit tip de activitate şi toate aceste îndatoriri trebuie îndeplinite în conştiinţa de Kṛṣṇa, aşa cum s-a descris mai sus. Aceasta îl va conduce pe om pe calea eliberării.

TEXTUL 31

ये मे मतमिदं नित्यमनुतिष्ठन्ति मानवाः ।
श्रद्धावन्तोऽनसूयन्तो मुच्यन्ते तेऽपि कर्मभिः ॥३१॥

ye me matam idaṁ nityam
anutiṣṭhanti mānavāḥ
śraddhāvanto 'nasūyanto
mucyante te 'pi karmabhiḥ

ye—cei care; *me*—ale Mele; *matam*—porunci; *idam*—aceste; *nityam*—ca pe o funcţie eternă; *anutiṣṭhanti*—execută cu regularitate; *mānavāḥ*—fiinţele umane; *śraddhā-vantaḥ*—cu credinţă şi devoţiune; *anasūyantaḥ*—fără invidie; *mucyante*—devin liberi; *te*—cu toţii; *api*—chiar; *karmabhiḥ*—de robia legii acţiunilor fructuoase.

Acele persoane ce-şi îndeplinesc datoriile după poruncile Mele şi urmează aceste învăţături cu credinţă, fără invidie, se eliberează de robia acţiunilor fructuoase.

COMENTARIU

Porunca lui Kṛṣṇa, Suprema Personalitate a Divinităţii, este esenţa întregii înţelepciuni vedice şi este veşnic adevărată, fără nici o excepţie. Aşa cum *Vedele* sunt eterne, la fel şi acest adevăr al conştiinţei de Kṛṣṇa este şi el etern. Trebuie să credem cu putere în această poruncă, fără a-L invidia pe Domnul. Există mulţi filosofi care scriu comentarii la *Bhagavad-gītā*, dar nu au credinţă în Kṛṣṇa. Aceştia nu vor fi nicicând eliberaţi de robia activităţilor fructuoase. Dar un om obişnuit, cu o credinţă fermă în poruncile eterne ale Domnului, chiar dacă nu este în stare să le execute, devine eliberat de robia legii karmei. La începutul activităţii în cadrul conştiinţei de Kṛṣṇa este posibil ca cineva să nu îndeplinească întru totul poruncile Domnului, dar deoarece nu este revoltat faţă de acest principiu şi acţionează cu sinceritate, fără să ţină seama de înfrângere şi deznădejde, va fi cu siguranţă înălţat până la stadiul purei conştiinţe de Kṛṣṇa.

TEXTUL 32

ये त्वेतदभ्यसूयन्तो नानुतिष्ठन्ति मे मतम् ।
सर्वज्ञानविमूढांस्तान् विद्धि नष्टानचेतसः ॥३२॥

ye tv etad abhyasūyanto
nānutiṣṭhanti me matam
sarva-jñāna-vimūḍhāṁs tān
viddhi naṣṭān acetasaḥ

ye—cei care; *tu*—însă; *etat*—aceasta; *abhyasūyantaḥ*—din pricina invidiei; *na*—nu; *anutiṣṭhanti*—îndeplinesc în mod regulat; *me*—a Mea; *matam*—poruncă; *sarva-jñāna*—în tot felul de cunoașteri; *vimūḍhān*—cu totul amăgiți; *tān*—aceștia sunt; *viddhi*—să știi bine; *naṣṭān*—cu totul năruit; *acetasaḥ*—fără conștiința de Kṛṣṇa.

Însă cei care, din pricina invidiei, nesocotesc aceste învățături și nu le urmează, trebuie considerați ca lipsiți de orice cunoaștere, amăgiți, iar efortul lor către perfecțiune este năruit.

COMENTARIU

În acest verset se afirmă în mod clar faptul că a nu fi conștient de Kṛṣṇa este un defect. Așa cum există pedeapsă pentru nesupunerea față de ordinele conducătorului suprem al unui stat, există cu siguranță o pedeapsă pentru nesupunerea față de porunca Supremei Personalități a Divinității. Un om care nu se supune, oricât ar fi de mare, este un ignorant al propriului sine și al Supremului Brahman, al lui Paramātmā și al Supremei Personalități a Divinității, datorită faptului că este lipsit de inimă. De aceea, pentru el nu există nici o speranță de a-și desăvârși existența.

TEXTUL 33

सदृशं चेष्टते स्वस्याः प्रकृतेर्ज्ञानवानपि ।
प्रकृतिं यान्ति भूतानि निग्रहः किं करिष्यति ॥३३॥

sadṛśaṁ ceṣṭate svasyāḥ
prakṛter jñānavān api

prakṛtiṁ yānti bhūtāni
nigrahaḥ kiṁ kariṣyati

sadṛśam—potrivit cu; *ceṣṭate*—încearcă; *svasyāḥ*—propriile; *prakṛteḥ*—moduri ale naturii; *jñāna-vān*—cel învăţat; *api*—chiar şi; *prakṛtim*—natura; *yānti*—suportă; *bhūtāni*—toate fiinţele; *nigrahaḥ*—respingerea; *kim*—ce; *kariṣyati*—poate face.

Chiar şi cel înzestrat cu cunoaştere activează după propria natură, căci fiecare urmează natura dobândită de la cele trei moduri. La ce poate sluji respingerea acesteia?

COMENTARIU

Până ce omul nu ajunge la nivelul transcendent al conştiinţei de Kṛṣṇa, nu poate să se elibereze de influenţa celor trei moduri ale naturii materiale, aşa cum confirmă Domnul în capitolul al şaptelea (7.14). Prin urmare, chiar şi pentru omul cu cea mai înaltă educaţie din planul material este imposibil să iasă din capcana lui *māyā* doar prin cunoaşterea teoretică sau prin separarea sufletului de corp. Există o mulţime de aşa-zişi oameni spiritualizaţi, care în exterior vor să pară foarte avansaţi în ştiinţă dar pe dinăuntru sau în particular se află cu totul sub dominaţia anumitor moduri ale naturii, pe care nu sunt în stare să le depăşească. Din punct de vedere academic, un om poate părea foarte învăţat, dar, datorită îndelungatei sale asocieri cu natura materială, el este condiţionat. Conştiinţa de Kṛṣṇa îl ajută pe om să iasă din capcana materiei, chiar dacă poate fi angajat în îndeplinirea datoriilor prescrise în raport cu existenţa materială. De aceea, fără a fi pe deplin angajat în conştiinţa de Kṛṣṇa omul nu trebuie să renunţe la îndatoririle sale profesionale. Nimeni nu trebuie să renunţe dintr-o dată la datoriile prescrise şi să devină un aşa-numit *yogī* sau transcendentalist în mod artificial. Este mai bine să rămână în locul în care se află şi să încerce să ajungă la conştiinţa de Kṛṣṇa urmând o îndrumare superioară. În acest fel, omul poate fi eliberat din ghearele acestei *māyā* a lui Kṛṣṇa.

TEXTUL 34

इन्द्रियस्येन्द्रियस्यार्थे रागद्वेषौ व्यवस्थितौ ।
तयोर्न वशमागच्छेत्तौ ह्यस्य परिपन्थिनौ ॥३४॥

indriyasyendriyasyārthe
rāga-dveṣau vyavasthitau
tayor na vaśam āgacchet
tau hy asya paripanthinau

indriyasya—ale simţurilor; *indriyasya arthe*—în obiectele simţurilor; *rāga*—ataşament; *dveṣau*—şi de asemenea şi detaşare; *vyavasthitau*—supuse regulilor; *tayoḥ*—acestora; *na*—niciodată; *vaśam*—stăpânire; *āgacchet*—trebuie să ajungă; *tau*—acestea; *hi*—cu siguranţă; *asya*—al său; *paripanthinau*—pietre de poticnire.

Există principii ce reglementează atracţia şi repulsia ce ţin de simţuri şi de obiectele lor. Omul nu trebuie să se lase stăpânit de o astfel de atracţie sau repulsie, căci acestea sunt pietre de poticnire pe calea realizării de sine.

COMENTARIU

Cei aflaţi în conştiinţa de Kṛṣṇa sunt în mod firesc dezinteresaţi de a se angaja în satisfacerea materială a simţurilor. Dar cei ce nu se află în această conştiinţă trebuie să urmeze legile şi prescripţiile scripturilor revelate. Desfătarea simţurilor fără nici o restricţie este ceea ce ne face prizonieri ai materiei, dar cel ce urmează legile şi prescripţiile scripturilor revelate nu este încurcat de obiectele simţurilor. De exemplu, plăcerea sexuală este o necesitate pentru sufletul condiţionat şi este îngăduită în cadrul legăturilor căsătoriei. Potrivit poruncilor scripturii, omului îi este interzis să aibă relaţii sexuale cu orice altă femeie în afară de soţia sa. Orice altă femeie trebuie considerată ca propria mamă. În ciuda acestor porunci, omul este încă înclinat să aibă relaţii sexuale cu alte femei. Aceste tendinţe trebuie curmate, altfel ele vor deveni pietre de poticnire pe calea realizării de sine. Atâta timp cât există corpul material, necesităţile sale sunt îngăduite, dar numai respectând anumite legi şi reglementări. Cu toate acestea, nu trebuie să ne bizuim pe faptul că putem controla aceste lucruri care sunt îngăduite. Aceste legi şi prescripţii trebuie urmate, însă fără să ne ataşăm de ele, căci practicarea satisfacerii simţurilor, chiar supusă reglementărilor, poate de asemenea să-l facă pe om să apuce pe căi greşite - atâta vreme cât există întotdeauna riscul unui accident, chiar şi pe căile regale. Chiar dacă acest drum este menţinut cu toată grija, nimeni nu poate garanta că nu va apărea nici o primejdie chiar şi pe cel mai sigur drum. Datorită asocierii cu materia, gustul pentru desfătarea simţurilor a devenit o obișnuință de foarte multă vreme. De aceea, în ciuda acestei reglementări a plăcerii simțurilor, există multe șanse de a cădea; deci, orice atașament față de această satisfacere reglementată a simțurilor trebuie de asemenea înlăturat prin orice mijloace. Dar atașamentul față de conștiința de Kṛṣṇa sau acțiunea permanentă în slujirea din dragoste față de Kṛṣṇa îl face pe om să se detașeze de orice fel de activități senzoriale. Prin urmare, nimeni nu trebuie să încerce să se detașeze de conștiința de Kṛṣṇa în nici un stadiu al vieții. Scopul final al detașării de orice fel de atracții senzoriale este acela de a ne situa pe platforma conștiinței de Kṛṣṇa.

TEXTUL 35

श्रेयान् स्वधर्मो विगुणः परधर्मात्स्वनुष्ठितात् ।
स्वधर्मे निधनं श्रेयः परधर्मो भयावहः ॥३५॥

śreyān sva-dharmo viguṇaḥ
para-dharmāt sv-anuṣṭhitāt
sva-dharme nidhanaṁ śreyaḥ
para-dharmo bhayāvahaḥ

śreyān—mult mai bună; *sva-dharmaḥ*—propria datorie prescrisă; *viguṇaḥ*—chiar imperfectă; *para-dharmāt*—decât datoriile prescrise pentru alții; *su-anuṣṭhitāt*—îndeplinite în mod perfect; *sva-dharme*—în îndeplinirea propriei datorii prescrise; *nidhanam*—pieirea; *śreyaḥ*—mai bună; *para-dharmaḥ*—datoriile prescrise pentru alții; *bhaya-āvahaḥ*—primejdioase.

E mult mai bine să-ți îndeplinești propriile datorii prescrise, chiar cu imperfecțiuni, decât datoriile altuia în mod desăvârșit. Pieirea în decursul îndeplinirii propriei datorii este mai bună decât angajarea în datoriile altuia, căci a urma calea altuia este primejdios.

COMENTARIU

Prin urmare, omul trebuie să-și împlinească datoriile prescrise în deplină conștiință de Kṛṣṇa, mai degrabă decât acele datorii prescrise pentru alții. Din punct de vedere material, datoriile prescrise sunt acele datorii ce ne sunt impuse în funcție de calitățile noastre psihice și fizice, dobândite sub influența celor trei moduri ale naturii materiale. Datoriile spirituale sunt cele poruncite de maestrul spiritual pentru slujirea transcendentală a lui Kṛṣṇa. Dar fie că sunt materiale sau spirituale, omul trebuie să se țină de datoriile prescrise pentru el, chiar cu riscul de a pieri, decât să imite datoriile prescrise pentru altul. Datoriile la nivel spiritual și cele la nivel material pot să fie diferite, dar cel mai bun principiu pentru cel ce le îndeplinește este respectarea continuă a îndrumărilor autorizate. Cel aflat sub iluzia modurilor naturii materiale trebuie să respecte legile prescrise pentru situația sa specifică și nu să-i imite pe alții. De exemplu un brahman, care ține de modul bunătății, este nonviolent, pe când un *kṣatriya*, care ține de modul pasiunii, are voie să fie violent. Ca atare, este mai bine pentru un *kṣatriya* să fie nimicit urmând legile violenței, decât să îl imite pe un brahman care urmează principiile nonviolenței. Fiecare om trebuie să-și purifice inima printr-un proces treptat, nu în mod brusc. Cu toate acestea, când omul transcende modurile naturii materiale și este pe deplin situat în conștiința de Kṛṣṇa, el poate să îndeplinească orice, sub îndrumarea unui maestru spiritual autentic. În acest stadiu al conștiinței de Kṛṣṇa, un *kṣatriya* poate acționa ca un brahman, sau un brahman ca un *kṣatriya*. La nivel transcendent, nu se mai aplică distincțiile din lumea materială. De exemplu Viśvāmitra era la început un *kṣatriya*, dar mai târziu a acționat ca un brahman, pe când Paraśurāma era brahman, dar mai târziu a acționat ca un *kṣatriya*. Fiind situați în planul transcendent, ei puteau să facă acest lucru, dar atâta timp cât cineva se află la nivel material, trebuie să-și îndeplinească datoriile potrivit modurilor naturii materiale. În același timp, el trebuie să pătrundă deplina semnificație a conștiinței de Kṛṣṇa.

TEXTUL 36

अर्जुन उवाच
अथ केन प्रयुक्तोऽयं पापं चरति पूरुषः ।
अनिच्छन्नपि वार्ष्णेय बलादिव नियोजितः ॥३६॥

arjuna uvāca
atha kena prayukto 'yaṁ
pāpaṁ carati pūruṣaḥ
anicchann api vārṣṇeya
balād iva niyojitaḥ

arjunaḥ uvāca—Arjuna a spus; *atha*—apoi; *kena*—de ce anume; *prayuktaḥ*—împins; *ayam*—cineva; *pāpam*—păcate; *carati*—îndeplinește; *pūruṣaḥ*—

omul; *anicchan*—fără să vrea; *api*—chiar; *vārṣṇeya*—o, descendent al lui Vṛṣṇi; *balāt*—cu forța; *iva*—parcă; *niyojitaḥ*—cuprins.

Arjuna a spus: O, descendent al lui Vṛṣṇi, de ce anume este împins omul să facă păcate, chiar fără voia lui, de parcă ar fi tras cu forța?

COMENTARIU

Ca parte integrantă a Supremului, ființa vie este de origine spirituală, pură și liberă de orice contaminări materiale. Deci, prin natura sa, ea nu este supusă păcatelor lumii materiale. Dar când se află în contact cu materia, comite tot felul de păcate fără să ezite, adeseori chiar împotriva voinței sale. Ca atare, întrebarea pusă de Arjuna lui Kṛṣṇa referitor la natura pervertită a ființelor este foarte pertinentă. Deși uneori o ființă nu dorește să acționeze în păcat, este totuși forțată să acționeze. Însă activitățile păcătoase nu sunt poruncite de Suprasufletul dinăuntrul ființelor, ci au o altă cauză, așa cum explică Domnul în versetul următor.

TEXTUL 37

श्रीभगवानुवाच
काम एष क्रोध एष रजोगुणसमुद्भवः ।
महाशनो महापाप्मा विद्ध्येनमिह वैरिणम् ॥३७॥

śrī-bhagavān uvāca
kāma eṣa krodha eṣa
rajo-guṇa-samudbhavaḥ
mahāśano mahā-pāpmā
viddhy enam iha vairiṇam

śri-bhagavān uvāca—Personalitatea Divinității a spus; *kāmaḥ*—pofta trupească; *eṣaḥ*—aceasta; *krodhaḥ*—mânia; *eṣaḥ*—aceasta; *rajaḥ-guṇa*—modul pasiunii; *samudbhavaḥ*—născută din; *mahā-aśanaḥ*—atotdevorator; *mahā-pāpmā*—marele păcătos; *viddhi*—cunoaște; *enam*—pe acesta; *iha*—în lumea materială; *vairiṇam*—cel mai mare dușman.

Suprema Personalitate a Divinității a spus: Aceasta-i doar pofta trupească, o, Arjuna, născută din contactul cu modul material al pasiunii

şi preschimbată apoi în mânie şi care este duşmanul păcătos atotdevo-
rator al acestei lumi.

COMENTARIU

Când o fiinţă ajunge în contact cu creaţia materială, dragostea sa eternă faţă
de Kṛṣṇa, asociindu-se cu modul pasiunii, se transformă în poftă trupeas-
că. Sau, cu alte cuvinte, sentimentul dragostei de Dumnezeu se transformă
în poftă trupească, aşa cum laptele amestecat cu tamarind acru se transfor-
mă în iaurt. Iar mai departe, dacă pofta trupească nu este satisfăcută, se pre-
schimbă în mânie, mânia se transformă în iluzie, iar iluzia face să continue
existenţa materială. De aceea, pofta trupească este cel mai mare duşman al
fiinţelor şi numai ea este aceea care face ca fiinţele pure să rămână captive
în lumea materială. Mânia este manifestarea modului material al ignoranţei;
aceste moduri se înfăţişează sub forma mâniei şi a celorlalte consecinţe ale
lor. Însă dacă modul pasiunii, în loc să decadă în cel al ignoranţei, ar fi înăl-
ţat către modul bunătăţii, prin metoda prescrisă de a trăi şi a acţiona, omul
ar putea fi salvat de starea decăzută a mâniei, ataşându-se spiritualităţii.
Suprema Personalitate a Divinităţii se răspândeşte pe sine în mai mulţi, pentru
mereu mai marea sporire a beatitudinii Sale spirituale, iar fiinţele vii sunt
părţi integrante ale acestei beatitudini spirituale. Ele au şi o anume indepen-
denţă parţială, dar, folosindu-şi în mod greşit această independenţă, transfor-
mându-şi atitudinea de slujire în înclinaţie către satisfacerea simţurilor, ele
ajung să cadă sub stăpânirea poftei trupeşti. Creaţia materială este făurită de
Dumnezeu pentru a da prilej sufletelor condiţionate să-şi împlinească aceste
porniri trupeşti, iar atunci când ajung să fie cu totul dezamăgite de prelun-
gitele activităţi senzuale, fiinţele încep să se întrebe asupra poziţiei lor adevă-
rate. Această întrebare este începutul din *Vedānta-sūtra*, unde se spune *athāto
brahma-jijñāsā*: trebuie să ne întrebăm despre Suprem. Iar Supremul este defi-
nit în *Śrīmad-Bhāgavatam* ca *janmādy asya yato 'nvayād itarataś ca*: „Supre-
mul Brahman este originea tuturor". Deci originea poftei trupeşti este de ase-
menea Supremul. Însă dacă pofta trupească se transformă în dragoste faţă
de Suprem sau în conştiinţă de Kṛṣṇa—sau, cu alte cuvinte, în a dori totul
pentru Kṛṣṇa—atunci atât pofta trupească cât şi mânia pot fi spiritualizate.
Hanumān, marele slujitor al lui Śrī Rāma, şi-a arătat mânia dând foc oraşu-
lui de aur al lui Rāvaṇa, dar făcând astfel, el a devenit cel mai mare devot
al Domnului. La fel şi aici în *Bhagavad-gītā* Domnul îl pune pe Arjuna să-şi
folosească mânia asupra duşmanilor săi, pentru mulţumirea lui Dumnezeu.

Prin urmare, atunci când pofta trupească și mânia sunt folosite în conștiința de Kṛṣṇa, devin prietenii noștri, în loc să ne fie dușmani.

TEXTUL 38

धूमेनाव्रियते वह्निर्यथादर्शो मलेन च ।
यथोल्बेनावृतो गर्भस्तथा तेनेदमावृतम् ॥३८॥

*dhūmenāvriyate vahnir
yathādarśo malena ca
yatholbenāvṛto garbhas
tathā tenedam āvṛtam*

dhūmena—de către fum; *āvriyate*—este acoperit; *vahniḥ*—focul; *yathā*—așa cum; *ādarśaḥ*—oglinda; *malena*—de praf; *ca*—și; *yathā*—așa cum; *ulbena*—de matrice; *āvṛtaḥ*—este acoperit; *garbhaḥ*—embrionul; *tathā*—tot așa; *tena*—de către această poftă trupească; *idam*—acesta; *āvṛtam*—este acoperit.

Așa cum focul este acoperit de fum, oglinda de praf, sau embrionul de matcă, la fel și entitatea vie este acoperită de diversele stadii ale acestei pofte trupești.

COMENTARIU

Există trei stadii de acoperire a entității vii, prin care conștiința sa pură este ascunsă. Acest înveliș care ascunde este doar pofta trupească în diferite manifestări, așa cum este fumul pentru foc, praful pentru oglindă sau matca pentru embrion. Atunci când pofta trupească este comparată cu fumul, se înțelege că focul scânteii însuflețite abia se zărește. Cu alte cuvinte, când o ființă își manifestă foarte slab conștiința de Kṛṣṇa, ea poate fi comparată cu focul învăluit de fum. Deși acolo unde este fum, există în mod necesar și foc, la început manifestarea focului nu este evidentă. Acest stadiu este la fel cu debutul în conștiința de Kṛṣṇa. Praful de pe oglindă se referă la procesul de curățire a oglinzii minții prin mai multe metode spirituale. Cel mai bun proces este cântarea numelor sfinte ale Domnului. Embrionul ascuns în matcă este o analogie ce ilustrează starea de neajutorare, căci corpul aflat în pântecele mamei este atât de neajutorat, încât nici nu se poate deplasa. Acest stadiu al vieții poate fi comparat cu cel al copacilor. Copacii sunt și ei ființe vii, dar, datorită faptului că au dat dovadă de o poftă trupească extrem de mare, au ajuns într-o astfel de formă de viață încât sunt aproape complet lipsiți de conștiință. Oglinda acoperită de praf este comparată cu păsările și animalele, iar focul acoperit de fum este comparat cu ființa umană. Sub formă de ființă umană, entitatea vie are prilejul de a-și spori conștiința de Kṛṣṇa și, dacă această dezvoltare continuă, focul vieții spirituale poate fi aprins în forma vieții umane. Tratând cu multă grijă fumul ce acoperă focul, putem face ca acest foc să devină vâlvătaie. Prin urmare, forma umană de viață este o șansă pentru entitatea vie de a scăpa din capcana existenței materiale. În forma umană de viață putem să ne învingem dușmanul, pofta trupească, cultivându-ne conștiința de Kṛṣṇa sub o îndrumare iscusită.

TEXTUL 39

आवृतं ज्ञानमेतेन ज्ञानिनो नित्यवैरिणा ।
कामरूपेण कौन्तेय दुष्पूरेणानलेन च ॥३९॥

*āvṛtaṁ jñānam etena
jñānino nitya-vairiṇā
kāma-rūpeṇa kaunteya
duṣpūreṇānalena ca*

āvṛtam—acoperită; *jñānam*—conștiința pură; *etena*—de acest; *jñāninaḥ*—al cunoscătorului; *nitya-vairiṇā*—de către eternul dușman; *kāma-rūpeṇa*—sub forma poftei trupești; *kaunteya*—o, fiu al lui Kuntī; *duṣpūreṇa*—ce nu se satură niciodată; *analena*—de către focul; *ca*—și.

Astfel, o, fiu al lui Kuntī, conștiința pură a entității vii plină de înțelepciune ajunge să fie acoperită de eternul său vrăjmaș sub forma poftei trupești, care nu se satură niciodată și care arde ca focul.

COMENTARIU

În *Manu-smṛti* se spune că pofta trupească nu poate fi satisfăcută de nici o cantitate de plăceri ale simțurilor, așa cum focul nu se stinge niciodată când este alimentat mereu cu combustibil. Centrul tuturor activităților din lumea materială este sexul, de aceea lumea materială este numită *maithunya-āgāra* sau „cătușele vieții sexuale". În închisorile obișnuite criminalii sunt ținuți după gratii; în mod similar, infractorii care nu se supun legilor lui Dumnezeu sunt înlănțuiți de viața sexuală. Progresul civilizației materiale pe baza satisfacerii simțurilor înseamnă creșterea duratei existenței materiale a entității vii. De aceea, pofta trupească este simbolul ignoranței prin care entitatea vie este ținută în lumea materială. Bucurându-ne de plăcerile simțurilor, poate că într-adevăr încercăm anumite simțăminte de fericire, dar în realitate această așa-numită fericire este în ultimă instanță dușmanul celui ce se bucură de plăcerile simțurilor.

TEXTUL 40

इन्द्रियाणि मनो बुद्धिरस्याधिष्ठानमुच्यते ।
एतैर्विमोहयत्येष ज्ञानमावृत्य देहिनम् ॥४०॥

indriyāṇi mano buddhir
asyādhiṣṭhānam ucyate
etair vimohayaty eṣa
jñānam āvṛtya dehinam

indriyāṇi—simțurile; *manaḥ*—mintea; *buddhiḥ*—inteligența; *asya*—al acestei pofte trupești; *adhiṣṭhānam*—sălașul; *ucyate*—este numit; *etaiḥ*—prin toate acestea; *vimohayati*—tulbură; *eṣaḥ*—această poftă trupească; *jñānam*—cunoașterea; *āvṛtya*—acoperind; *dehinam*—a celui întrupat.

Simțurile, mintea și inteligența sunt locurile în care sălășluiește această poftă trupească. Prin ele, pofta trupească acoperă adevărata cunoaștere a entității vii și o tulbură.

COMENTARIU

Dușmanul a capturat diverse puncte strategice din corpul sufletului condiționat și de aceea Śrī Kṛṣṇa ne indică aceste locuri, astfel încât cel care vrea să-l învingă pe dușman să poată ști unde-l găsește. Mintea este centrul tuturor activităților simțurilor și astfel, când auzim despre obiectele simțurilor, de obicei mintea devine rezervorul tuturor ideilor referitoare la satisfacerea simțurilor. În consecință, mintea și simțurile devin depozitarele poftei trupești.

Urmează apoi inteligenţa, care devine capitala impulsurilor poftei trupeşti. Inteligenţa este vecinul cel mai apropiat al sufletului spiritual. Inteligenţa cuprinsă de poftă trupească influenţează sufletul spiritual spre a dobândi un ego fals şi a se identifica pe sine cu materia şi deci cu mintea şi cu simţurile. În acest fel, sufletul spiritual ajunge să se obişnuiască cu plăcerile simţurilor materiale, luând această plăcere drept adevărata fericire. Această falsă identificare a sufletului spiritual este foarte frumos explicată în *Śrīmad-Bhāgavatam* (10.84.13):

> *yasyātma-buddhiḥ kuṇape tri-dhātuke*
> *sva-dhīḥ kalatrādiṣu bhauma ijya-dhīḥ*
> *yat-tīrtha-buddhiḥ salile na karhicij*
> *janeṣv abhijñeṣu sa eva go-kharaḥ*

„Omul care-şi identifică corpul alcătuit din cele trei elemente cu sinele său, care socoteşte cele produse de corpul său ca fiindu-i rubedenii, care socoteşte ţara în care s-a născut ca fiind demnă de adorare şi care se duce la locurile de pelerinaj doar ca să facă o baie şi nu să se-ntâlnească cu oamenii care-au dobândit cunoaşterea, trebuie socotit asemenea măgarului sau boului.“

TEXTUL 41

तस्मात्त्वमिन्द्रियाण्यादौ नियम्य भरतर्षभ ।
पाप्मानं प्रजहि ह्येनं ज्ञानविज्ञाननाशनम् ॥४१॥

> *tasmāt tvam indriyāṇy ādau*
> *niyamya bharatarṣabha*
> *pāpmānaṁ prajahi hy enaṁ*
> *jñāna-vijñāna-nāśanam*

tasmāt—de aceea; *tvam*—tu; *indriyāṇi*—simţurile; *ādau*—la început; *niyamya*—supunându-le regulilor; *bharata-rṣabha*—o, cel dintâi dintre urmaşii lui Bharata; *pāpmānam*—marele simbol al păcatului; *prajahi*—subjugă-l; *hi*—cu siguranţă; *enam*—pe acesta; *jñāna*—al cunoaşterii; *vijñāna*—şi al cunoaşterii ştiinţifice a sufletului pur; *nāśanam*—distrugător.

De aceea, o, Arjuna, tu cel mai bun din dinastia Bharata, subjugă-l mai înainte de toate pe acest mare simbol al păcatului [care este pofta

trupească], reglementând activitatea simțurilor și ucide-l apoi pe acest
distrugător al cunoașterii și al realizării de sine.

COMENTARIU

Domnul îl sfătuiește pe Arjuna să-și supună simțurile cu ajutorul regulilor
încă de la început, astfel încât să-l poată subjuga pe cel mai mare vrăjmaș și
cel mai mare păcătos, pofta trupească, care distruge năzuința către realizarea
de sine și cunoașterea specifică a sinelui. *Jñāna* se referă la cunoașterea sinelui
ca diferit de non-sine, sau, cu alte cuvinte, cunoașterea faptului că sufletul
nu este tot una cu corpul. *Vijñāna* se referă la cunoașterea specifică a poziției
originare a sufletului spiritual și a relației sale cu Sufletul Suprem. Această
cunoaștere este explicată astfel în *Śrīmad-Bhāgavatam* (2.9.31):

> *jñānaṁ parama-guhyaṁ me*
> *yad vijñāna-samanvitam*
> *sa-rahasyaṁ tad-aṅgaṁ ca*
> *gṛhāṇa gaditaṁ mayā*

„Cunoașterea sinelui și a Sinelui Suprem este foarte confidențială și misterioa-
să, dar această cunoaștere și această realizare specifică pot fi înțelese atunci
când diferitele lor aspecte sunt explicate de Domnul Însuși." *Bhagavad-gītā* ne
dă această cunoaștere generală și specifică a sinelui. Entitățile vii sunt părți
integrante ale lui Dumnezeu și ca atare sunt destinate doar să-L slujească pe
Domnul. Conștiința acestui fapt este numită conștiința de Kṛṣṇa. Deci, chiar
de la începutul vieții noastre trebuie să învățăm această conștiință de Kṛṣṇa
și prin aceasta să devenim pe deplin conștienți de Kṛṣṇa și să ne comportăm
în mod adecvat.

Pofta trupească este doar reflectarea pervertită a dragostei de Dumnezeu,
care este firească pentru orice ființă vie. Dar dacă suntem de la început educați
în conștiința de Kṛṣṇa, această dragoste firească față de Dumnezeu nu poate
să decadă în poftă trupească. Atunci când dragostea de Dumnezeu decade
în dorință senzuală, este foarte dificil să ne întoarcem la starea normală. Cu
toate acestea, conștiința de Kṛṣṇa este atât de puternică, încât chiar și un
debutant întârziat poate deveni un iubitor de Dumnezeu, urmând principiile
regulatoare ale slujirii cu devoțiune. Deci, în orice stadiu al vieții ne-am afla,
sau din momentul în care înțelegem nevoia grabnică pentru aceasta, să înce-
pem prin a ne reglementa simțurile în cadrul conștiinței de Kṛṣṇa sau slujirii
cu devoțiune a Domnului și să preschimbăm pofta trupească în dragoste de
Dumnezeu—stadiul celei mai înalte perfecțiuni a vieții umane.

TEXTUL 42

इन्द्रियाणि पराण्याहुरिन्द्रियेभ्यः परं मनः ।
मनसस्तु परा बुद्धियो बुद्धेः परतस्तु सः ॥४२॥

*indriyāṇi parāṇy āhur
indriyebhyaḥ paraṁ manaḥ
manasas tu parā buddhir
yo buddheḥ paratas tu saḥ*

indriyāṇi—simţurile; *parāṇi*—superioare; *āhuḥ*—se spune că; *indriyebhyaḥ*—faţă de simţuri; *param*—superioară; *manaḥ*—mintea; *manasaḥ*—faţă de minte; *tu*—însă; *parā*—superioară; *buddhiḥ*—inteligenţa; *yaḥ*—cel care; *buddheḥ*—faţă de inteligenţă; *parataḥ*—superior; *tu*—dar; *saḥ*—acesta.

Simţurile active sunt superioare materiei inerte, mintea este mai presus de simţuri, inteligenţa este şi mai presus de minte, iar el [sufletul] este chiar mai presus decât inteligenţa.

COMENTARIU

Simţurile sunt feluritele deschizături pentru activităţile poftei trupeşti. Pofta trupească se acumulează înăuntrul corpului, dar este lăsată să iasă în afară prin simţuri. Deci simţurile sunt superioare corpului ca întreg. Aceste deschizături ale simţurilor nu mai sunt de folos atunci când există o conştiinţă superioară sau conştiinţa de Kṛṣṇa. În conştiinţa de Kṛṣṇa sufletul este în legătură directă cu Suprema Personalitate a Divinităţii; prin urmare, ierarhia funcţiilor corpului descrisă aici ajunge până la urmă la Sufletul Suprem. Activitatea corporală înseamnă de fapt funcţiile simţurilor, iar a opri simţurile înseamnă a opri toate activităţile corpului. Dar întrucât mintea este activă chiar şi când corpul este liniştit şi nemişcat, ea va continua să funcţioneze, aşa cum se întâmplă în vis. Dar deasupra minţii se află hotărârile luate de inteligenţă iar deasupra inteligenţei se află sufletul propriu-zis. Deci, dacă sufletul intră în comuniune directă cu Supremul, în mod natural şi cele ce-i sunt subordonate, adică inteligenţa, mintea şi simţurile, vor fi de asemenea angajate în această comuniune. În *Kaṭha Upaniṣad* există un pasaj asemănător, în care se spune că obiectele simţurilor sunt superioare simţurilor iar mintea este superioară obiectelor simţurilor. Deci, dacă mintea este angajată direct în slujirea permanentă a Domnului, atunci nu va exista nici o şansă ca simţurile să se preocupe de altceva. Această atitudine mentală a fost deja explicată. *Param dṛṣṭvā nivartate.* Dacă mintea este angajată în slujirea transcendentală a Domnului, nu există nici o şansă să fie atrasă către pornirile josnice. În *Kaṭha Upaniṣad* sufletul este descris ca *mahān*, cel mare. Deci sufletul este deasupra tuturor—adică a obiectelor simţurilor, a simţurilor, a minţii şi a inteligenţei. Prin urmare, înţelegerea directă a poziţiei originare a sufletului este soluţia întregii probleme.

Cu ajutorul inteligenţei trebuie să aflăm poziţia originară a sufletului şi apoi să ne angajăm mintea permanent în conştiinţa de Kṛṣṇa. Acest lucru rezolvă toate problemele. Un practicant spiritual începător este de obicei sfătuit să se ţină departe de obiectele simţurilor. Dar pe lângă aceasta, el trebuie să-şi întărească mintea folosindu-şi inteligenţa. Dacă omul îşi angajează în mod inteligent mintea în conştiinţa de Kṛṣṇa, supunându-se cu totul Supremei Personalităţi a Divinităţii, atunci mintea, în mod automat devine mai puternică şi chiar dacă simţurile sunt la fel de puternice ca şerpii, ele nu vor fi mai periculoase decât şerpii cărora li s-au smuls colţii. Însă, chiar dacă sufletul este stăpânul inteligenţei, minţii şi simţurilor, până ce nu va fi întărit prin asocierea cu Kṛṣṇa în cadrul conştiinţei de Kṛṣṇa, există toate şansele de a cădea, datorită minţii agitate.

TEXTUL 43

एवं बुद्धेः परं बुद्ध्वा संस्तभ्यात्मानमात्मना ।
जहि शत्रुं महाबाहो कामरूपं दुरासदम् ॥४३॥

evaṁ buddheḥ paraṁ buddhvā
saṁstabhyātmānam ātmanā
jahi śatruṁ mahā-bāho
kāma-rūpaṁ durāsadam

evam—astfel; *buddheḥ*—faţă de inteligenţă; *param*—superior; *buddhvā*—cunoscând; *saṁstabhya*—stabilizând; *ātmānam*—mintea; *ātmanā*—printr-o inteligenţă bine cumpănită; *jahi*—să înfrângă; *śatrum*—vrăjmaşul; *mahā-bāho*—o, tu cel cu braţ puternic; *kāma-rūpam*—sub forma poftei trupeşti; *durāsadam*—cumplit.

Cunoscându-se astfel ca fiind transcendent faţă de simţurile materiale, minte şi inteligenţă, o, Arjuna cu braţul puternic, o persoană trebuie

să-şi statornicească mintea printr-o inteligenţă spirituală bine cumpănită [conştiinţa de Kṛṣṇa] şi astfel, prin puterea spirituală, să-l înfrângă pe acest nesăţios vrăjmaş, care este pofta trupească.

COMENTARIU

Acest al treilea capitol din *Bhagavad-gītā* ne îndrumă în mod concludent către conştiinţa de Kṛṣṇa, învăţându-ne că suntem eterni slujitori ai Supremei Personalităţi a Divinităţii, fără să considerăm că scopul ultim ar fi vidul impersonal. În cursul existenţei materiale, omul este în mod sigur influenţat de pornirile poftei trupeşti şi ale dorinţei de a domina resursele naturii materiale. Dorinţa de dominare şi de satisfacere a simţurilor este cel mai mare vrăjmaş al sufletului condiţionat, dar, prin puterea conştiinţei de Kṛṣṇa, omul poate să-şi controleze simţurile materiale, mintea şi inteligenţa. Nu trebuie să renunţăm dintr-o dată la toate activităţile şi datoriile prescrise, ci dezvoltându-ne în mod treptat conştiinţa de Kṛṣṇa, putem atinge o poziţie transcendentală în care să nu fim influenţaţi de simţurile materiale şi de minte, cu ajutorul unei inteligenţe ferme, îndreptată înspre descoperirea identităţii noastre adevărate. Acesta este rezumatul întregului capitol. În stadiul de imaturitate al existenţei în lumea materială, speculaţiile filosofice şi încercările artificiale de a-şi controla simţurile prin aşa-numita practicare a posturilor yoghine, nu-l pot nicidecum ajuta pe om să progreseze spre o viaţă spirituală. El trebuie să fie instruit în conştiinţa de Kṛṣṇa de către o inteligenţă superioară.

Astfel se sfârşeşte comentariul lui Bhaktivedanta la capitolul al treilea din Śrīmad Bhagavad-gītā, care tratează despre Karma-yoga sau „Îndeplinirea datoriilor prescrise în conştiinţa de Kṛṣṇa".

CAPITOLUL PATRU

Cunoașterea transcendentă

TEXTUL 1

श्रीभगवानुवाच
इमं विवस्वते योगं प्रोक्तवानहमव्ययम् ।
विवस्वान्मनवे प्राह मनुरिक्ष्वाकवेऽब्रवीत् ॥ १ ॥

śrī-bhagavān uvāca
imaṁ vivasvate yogaṁ
proktavān aham avyayam
vivasvān manave prāha
manur ikṣvākave 'bravīt

śrī-bhagavān uvāca—Personalitatea Supremă a Divinității a spus; *imam*—această; *vivasvate*—către zeul-soare; *yogam*—știința legăturii ființei cu Cel Suprem; *proktavān*—am explicat-o; *aham*—Eu; *avyayam*—nepieritoare; *vivasvān*—Vivasvān (numele zeului-soare); *manave*—către părintele ome-

217

nirii (numit Vaivasvata); *prāha*—spusă; *manuḥ*—părintele omenirii; *ikṣvākave*—către regele Ikṣvāku; *abravīt*—a spus.

Personalitatea Supremă a Divinității, Śrī Kṛṣṇa, a spus: l-am instruit cu această nepieritoare știință a yogăi pe zeul-soare, Vivasvān, Vivasvān l-a instruit pe Manu, părintele rasei umane, iar Manu la rândul său l-a instruit pe Ikṣvāku.

COMENTARIU

Aici aflăm istoria *Bhagavad-gītei,* schițată din vremuri străvechi, când ea a fost dată suveranilor tuturor planetelor, începând cu planeta soarelui. Regii tuturor planetelor sunt destinați în mod special ocrotirii locuitorilor acestora și de aceea regii trebuie să înțeleagă știința din *Bhagavad-gītā* pentru a fi în stare să-și conducă supușii și să-i ocrotească de legătura materială cu pofta trupească. Viața umană este destinată cultivării cunoașterii spirituale, în eternă legătură cu Personalitatea Supremă a Divinității, iar conducătorii tuturor statelor și planetelor sunt obligați să transmită această lecție cetățenilor lor prin educație, cultură și devoțiune. Cu alte cuvinte, conducătorii tuturor statelor au rolul de a răspândi știința despre conștiința de Kṛṣṇa, astfel încât poporul să poată beneficia de această știință măreață și să urmeze un drum plin de succes, folosind prilejul dat de forma umană de viață.

În această epocă, zeul-soare este cunoscut ca Vivasvān, regele soarelui, care este originea tuturor planetelor sistemului solar. În *Brahma-samhitā* (5.52) Śrī Brahmā afirmă:

yac-cakṣur eṣa savitā sakala-grahāṇāṁ
rājā samasta-sura-mūrtir aśeṣa-tejāḥ
yasyājñayā bhramati sambhṛta-kāla-cakro
govindam ādi-puruṣaṁ tam ahaṁ bhajāmi

„Eu îl ador pe Govinda [Kṛṣṇa], Personalitatea Supremă a Divinității, care este persoana originară și la a cărui poruncă soarele, care este zeul tuturor planetelor, dobândește necuprinsa-i putere și căldură. Soarele reprezintă ochiul Domnului și își străbate orbita supunându-se poruncii Sale." Soarele este regele planetelor, iar zeul-soare (numit în prezent Vivasvān) domnește asupra planetei solare, care controlează toate celelalte planete, furnizându-le lumină și căldură. El se rotește la porunca lui Kṛṣṇa, care l-a făcut pe Vivasvān să fie primul Său discipol care să cunoască știința din *Bhagavad-gītā.* Prin urmare, *Gītā* nu este un tratat speculativ pentru erudiții mondeni neînsemnați, ci o carte de cunoaștere fundamentală, provenind din vremuri imemoriale. În *Mahābhārata* (*Śānti-parva*, 348.51-52) putem descoperi istoria *Gītei* astfel:

> *tretā-yugādau ca tato*
> *vivasvān manave dadau*
> *manuś ca loka-bhṛty-artham*
> *sutāyekṣvākave dadau*
>
> *ikṣvākuṇā ca kathito*
> *vyāpya lokān avasthitaḥ*

„La începutul epocii cunoscute ca Tretā-yuga această știință a legăturii cu Supremul a fost dată de Vivasvān lui Manu. Manu, fiind părintele omenirii, a dat-o fiului său, Mahārāja Ikṣvāku, regele planetei terestre și strămoș al dinastiei Raghu în care a apărut Śrī Rāmacandra." Deci *Bhagavad-gītā* a existat în societatea umană încă din vremea lui Mahārāja Ikṣvāku.

În prezent, au trecut doar cinci mii de ani din epoca numită Kali-yuga care durează 432 000 de ani. Înainte de aceasta a fost Dvāpara-yuga (care a durat 800 000 de ani), iar înaintea sa fusese Tretā-yuga (1 200 000 de ani). Deci cam acum 2 005 000 de ani Manu a transmis *Bhagavad-gītā* fiului și discipolului său Mahārāja Ikṣvāku, regele planetei pământene. Epoca actualului Manu este calculată să dureze 305 300 000 de ani, din care au trecut 120 400 000. Acceptând faptul că înainte de nașterea lui Manu *Gītā* a fost spusă de către Domnul discipolului Său, regele soarelui Vivasvān, se poate estima aproximativ că *Gītā* a fost rostită cu cel puțin 120 400 000 de ani în urmă, iar în societatea umană există de două milioane de ani. Ea a fost retransmisă de către Domnul din nou lui Arjuna cu vreo cinci mii de ani în urmă. Aceasta este estimarea aproximativă a istoriei *Gītei*, potrivit mărturiei aduse de *Gītā* însăși și de Cel care o rostește, Śrī Kṛṣṇa. Ea a fost transmisă zeului-soare Vivasvān pentru că și el este un *kṣatriya* și tatăl tuturor celorlalți *kṣatriya* ce sunt urmașii zeului-soare sau *sūrya-vaṁśa kṣatriya*. Întrucât *Bhagavad-gītā* este la fel de importantă precum *Vedele*, fiind rostită de Personalitatea Supremă a Divinității, această cunoaștere este *apauruṣeya* sau supraomenească. Deoarece poruncile *Vedelor* sunt acceptate așa cum sunt, fără vreo interpretare omenească, trebuie să acceptăm și *Gītā* fără vreo interpretare lumească. Cârcotașii mondeni pot specula asupra *Gītei* după cum vor ei, dar aceasta nu este de fapt *Bhagavad-gītā* autentică. De aceea, *Bhagavad-gītā* trebuie acceptată așa cum este și cum a fost transmisă prin succesiunea discipolilor, aşa cum se spune aici că Domnul a transmis-o zeului-soare, zeul-soare a vorbit-o fiului său Manu iar Manu a vorbit-o fiului său Ikṣvāku.

TEXTUL 2

एवं परम्पराप्राप्तमिमं राजर्षयो विदुः ।
स कालेनेह महता योगो नष्टः परन्तप ॥ २ ॥

evaṁ paramparā-prāptam
imaṁ rājarṣayo viduḥ
sa kāleneha mahatā
yogo naṣṭaḥ parantapa

evam—astfel; *paramparā*—prin succesiune disciplică; *prāptam*—primită; *imam*—această ştiinţă; *rāja-ṛṣayaḥ*—regii cei sfinţi; *viduḥ*—au înţeles; *saḥ* —acea cunoaştere; *kālena*—cu timpul; *iha*—în această lume; *mahatā*— marea; *yogaḥ*—ştiinţă a legăturii cu Cel Suprem; *naṣṭaḥ*—nimicită; *parantapa*—o, Arjuna care-ţi înfrângi vrăjmaşii.

Această ştiinţă supremă a fost astfel recepţionată prin lanţul succesiunii discipolilor şi în acest fel a fost cunoscută de către regii cei sfinţi. Dar în decursul timpului această succesiune a fost întreruptă iar această ştiinţă, aşa cum este ea de fapt, pare a se fi pierdut.

COMENTARIU

Se afirmă deci în mod clar că *Gītā* a fost destinată în special regilor sfinţi, căci ei aveau datoria să-i îndeplinească scopul prin felul în care-şi conduceau supuşii. Cu siguranţă că *Bhagavad-gītā* nu a fost niciodată destinată persoanelor demonice, care i-ar fi irosit valoarea fără ca nimeni să beneficieze de ea, scornind tot felul de interpretări după propria lor fantezie. De vreme ce sensul originar fusese denaturat de către comentatori lipsiţi de scrupule, a apărut necesitatea de a restabili succesiunea disciplică. În urmă cu cinci mii de ani, Domnul Însuşi a sesizat faptul că această succesiune disciplică fusese întreruptă şi de aceea El declară aici că sensul *Gītei* pare să se fi pierdut. La fel şi acum există o mulţime de ediţii ale *Gītei* (mai ales în engleză), dar aproape nici una din ele nu se conformează succesiunii disciplice autorizate. Există nenumărate interpretări date de diferiţi savanţi laici, dar aproape nici unul din aceştia nu-L acceptă pe Kṛṣṇa, Personalitatea Supremă a Divinităţii, deși fac afaceri foarte bune pe seama cuvintelor lui Śrī Kṛṣṇa. Această concepție este demonică, căci demonii nu cred în Dumnezeu, ci doar profită de bunurile Celui Suprem. Întrucât este mare nevoie de o ediție a *Gītei* în engleză, așa cum a fost primită prin sistemul *paramparā* (succesiunea discipolilor), am încercat aici să îndeplinim această mare lipsă. *Bhagavad-gītā*, acceptată așa cum este, este un mare dar făcut umanității; dar dacă este acceptată doar ca un tratat de speculație filosofică, atunci este doar o pierdere de vreme.

TEXTUL 3

स एवायं मया तेऽद्य योगः प्रोक्तः पुरातनः ।
भक्तोऽसि मे सखा चेति रहस्यं ह्येतदुत्तमम् ॥ ३ ॥

sa evāyaṁ mayā te 'dya
yogaḥ proktaḥ purātanaḥ
bhakto 'si me sakhā ceti
rahasyaṁ hy etad uttamam

saḥ—aceeași; *eva*—desigur; *ayam*—această; *mayā*—de Mine; *te*—ție; *adya*—azi; *yogaḥ*—știința yogăi; *proktaḥ*—spusă; *purātanaḥ*—foarte veche; *bhaktaḥ*—devot; *asi*—ești; *me*—al Meu; *sakhā*—prieten; *ca*—și; *iti*—deci; *rahasyam*—misterul; *hi*—desigur; *etat*—acesta; *uttamam*—transcendent.

Această străveche știință a legăturii cu Cel Suprem ți-o transmit astăzi ție, căci tu Îmi ești devot și prieten deopotrivă, și deci poți înțelege misterul transcendent al acestei științe.

COMENTARIU

Există două categorii de oameni, devoții și demonii. Domnul l-a ales pe Arjuna să fie primitorul acestei științe mărețe datorită faptului că era un devot al Domnului, însă un demon nu poate să înțeleagă această măreață și tainică știință. Există multe ediții ale acestei mărețe cărți de cunoaștere. Unele sunt comentate de devoți, altele de către demoni. Comentariile făcute de devoți sunt adevărate, pe când cele ale demonilor nu sunt de nici un folos. Arjuna Îl acceptă pe Śrī Kṛṣṇa ca Personalitatea Supremă a Divinității și orice comentariu la *Gītā* ce pășește pe urmele lui Arjuna este o adevărată slujire devoțională pentru cauza acestei științe mărețe. O persoană demonică însă, nu-L acceptă pe Domnul Kṛṣṇa așa cum este El. În loc de aceasta, ei născocesc ceva despre

Kṛṣṇa şi-i fac pe cititorii neavizaţi să rătăcească de la calea îndrumărilor lui Kṛṣṇa. În acest verset suntem avertizaţi asupra acestor căi greşite. Trebuie să încercăm să urmăm succesiunea disciplică ce începe de la Arjuna şi astfel să beneficiem de această măreaţă ştiinţă din *Śrīmad Bhagavad-gītā*.

TEXTUL 4

अर्जुन उवाच
अपरं भवतो जन्म परं जन्म विवस्वतः ।
कथमेतद्विजानीयां त्वमादौ प्रोक्तवानिति ॥ ४ ॥

arjuna uvāca
aparaṁ bhavato janma
paraṁ janma vivasvataḥ
katham etad vijānīyāṁ
tvam ādau proktavān iti

arjunaḥ uvāca—Arjuna a spus; *aparam*—mai timpurie; *bhavataḥ*—a Domniei Tale; *janma*—naştere; *param*—mai târzie; *janma*—naşterea; *vivasvataḥ* —a zeului-soare; *katham*—cum; *etat*—aceasta; *vijānīyām*—voi înţelege; *tvam*—Tu; *ādau*—la început; *proktavān*—ai învăţat; *iti*—astfel.

Arjuna a spus: Prin naştere, zeul-soare Vivasvān este mai vârstnic decât Tine. Cum aş putea înţelege că Tu eşti Cel care l-ai învăţat această ştiinţă la început?

COMENTARIU

Cum oare poate Arjuna, recunoscut ca devot al Domnului, să nu creadă cuvintele lui Kṛṣṇa? În realitate, Arjuna nu întreabă pentru sine însuşi, ci pentru cei ce nu cred în Personalitatea Supremă a Divinităţii sau pentru demonii care nu privesc cu ochi buni ideea că trebuie să-L accepte pe Kṛṣṇa ca Personalitatea Supremă a Divinităţii; doar pentru ei întreabă Arjuna despre acest subiect, ca şi cum el însuşi n-ar fi conştient de Personalitatea Divinităţii sau Kṛṣṇa. Aşa cum se va vedea în mod clar în capitolul al zecelea, Arjuna ştie foarte bine că Kṛṣṇa este Personalitatea Supremă a Divinităţii, originea tuturor lucrurilor şi treapta ultimă a spiritualităţii. Desigur, Kṛṣṇa a apărut şi pe acest pământ, sub forma fiului lui Devakī; este foarte greu pentru omul obișnuit să înțeleagă cum se poate ca Kṛṣṇa să fi rămas în același timp Personalitatea Supremă a Divinității, persoana originară eternă. De aceea, pentru a lămuri acest subiect, Arjuna îi pune lui Kṛṣṇa această întrebare, astfel încât El Însuși să poată explica în mod autorizat. Kṛṣṇa este acceptat ca autoritate supremă de către întreaga lume, nu numai în prezent, ci încă din cele mai vechi timpuri, și numai demonii sunt cei care Îl resping. Oricum, întrucât Kṛṣṇa este autoritatea acceptată de toți, Arjuna I-a pus Lui această întrebare, pentru ca Kṛṣṇa să se descrie El Însuși pe Sine, iar nu să fie descris de către demoni, care încearcă mereu să-L prezinte în mod denaturat, astfel încât să fie pe înțelesul demonilor și al celor ce-i urmează pe aceștia. Este necesar ca fiecare om, pentru propriul său interes, să cunoască știința despre Kṛṣṇa. De aceea, atunci când Kṛṣṇa Însuși vorbește despre Sine, acest lucru este benefic pentru toate lumile. Pentru demoni, aceste explicații date de Kṛṣṇa Însuși pot părea ciudate, pentru că demonii Îl studiază pe Kṛṣṇa întotdeauna de la nivelul lor de înțelegere, însă devoții întâmpină cu toată bucuria inimii lor spusele lui Kṛṣṇa atunci când sunt rostite de Kṛṣṇa Însuși. Devoții vor adora întotdeauna aceste afirmații autorizate ale lui Kṛṣṇa, pentru că ei sunt întotdeauna dornici să știe tot mai mult despre El. Ateii care-L consideră pe Kṛṣṇa a fi doar un om obișnuit, pot în acest fel să ajungă să-L înțeleagă pe Kṛṣṇa ca fiind suprauman, că El este *sac-cid-ānanda-vigraha*—eterna formă de beatitudine și cunoaștere—, că El este transcendent, deasupra dominației modurilor naturii materiale și deasupra influențelor timpului și spațiului. Un devot al lui Kṛṣṇa, precum era Arjuna, este fără nici o îndoială deasupra oricărei neînțelegeri a poziției transcendente a lui Kṛṣṇa. Faptul că Arjuna pune această întrebare Domnului este pur și simplu o încercare de a sfida atitudinea ateistă a persoanelor care-L consideră pe Kṛṣṇa o ființă umană obișnuită, supusă modurilor naturii materiale.

TEXTUL 5

श्रीभगवानुवाच
बहूनि मे व्यतीतानि जन्मानि तव चार्जुन ।
तान्यहं वेद सर्वाणि न त्वं वेत्थ परन्तप ॥ ५ ॥

śrī-bhagavān uvāca
bahūni me vyatītāni
janmāni tava cārjuna

> *tāny aham veda sarvāṇi*
> *na tvam vettha parantapa*

śrī-bhagavān uvāca—Personalitatea Supremă a Divinităţii a spus; *bahūni*—multe; *me*—ale Mele; *vyatītāni*—trecute; *janmāni*—naşteri; *tava*—ale tale; *ca*—şi; *arjuna*—o, Arjuna; *tāni*—pe acestea; *aham*—Eu; *veda*—le cunosc; *sarvāṇi*—pe toate; *na*—nu; *tvam*—tu; *vettha*—ştii; *parantapa*—o, tu cel ce-ţi înfrângi duşmanii.

Personalitatea Divinităţii a spus: Multe, multe sunt naşterile prin care şi tu şi Eu am trecut. Eu îmi pot aminti de toate, tu însă nu poţi, o, tu cel ce-ţi înfrângi vrăjmaşii.

COMENTARIU

În *Brahma-saṁhitā* (5.33) există informaţii despre foarte multe încarnări ale Domnului. Acolo se spune:

> *advaitam acyutam anādim ananta-rūpam*
> *ādyam purāṇa-puruṣam nava-yauvanaṁ ca*
> *vedeṣu durlabham adurlabham ātma-bhaktau*
> *govindam ādi-puruṣaṁ tam aham bhajāmi*

„Eu Îl ador pe Govinda [Kṛṣṇa], Personalitatea Supremă a Divinităţii, care este persoana originară—absolută, infailibilă, fără început. Deşi răspândit în nenumărate forme, El rămâne mereu acelaşi, persoana originară cea mai veche, apărând totuşi mereu tânără. Aceste forme eterne, pline de beatitudine şi atotcunoaştere ale Domnului, sunt înţelese de obicei de către cei mai mari învăţaţi ce studiază *Vedele*, dar ele se înfăţişează în mod permanent devoţilor puri şi neprihăniţi.“

Tot în *Brahma-saṁhitā* (5.39) se afirmă:

> *rāmādi-mūrtiṣu kalā-niyamena tiṣṭhan*
> *nānāvatāram akarod bhuvaneṣu kintu*
> *kṛṣṇaḥ svayaṁ samabhavat paramaḥ pumān yo*
> *govindam ādi-puruṣaṁ tam aham bhajāmi*

„Îl ador pe Govinda [Kṛṣṇa], Personalitatea Supremă a Divinităţii, care se află mereu în felurite încarnări precum Rāma, Nṛsiṁha, ca și multe alte încarnări secundare, dar care este Persoana originară a lui Dumnezeu, cunoscut ca și Kṛṣṇa, și care are de asemenea o încarnare personală." Iar în *Vede* se spune că Dumnezeu, deși este unic și fără egal, Se manifestă pe Sine în nenumărate forme. El este precum piatra numită *vaidurya* care își schimbă culoarea, dar rămâne aceeași. Toate aceste forme multiple sunt înțelese de către devoții puri, neprihăniți, însă nu prin simpla studiere a *Vedelor* (*vedeṣu durlabham adurlabham ātma-bhaktau*). Devoți precum Arjuna sunt însoțitorii permanenți ai Domnului și ori de câte ori se încarnează Domnul, devoții asociați cu El se încarnează și ei, cu scopul de a-L sluji pe Domnul, în diverse ipostaze. Arjuna este unul din acești devoți, și din acest verset se înțelege că în urmă cu câteva milioane de ani, când Śrī Kṛṣṇa a explicat *Bhagavad-gītā* zeului-soare Vivasvān, Arjuna, într-o altă ipostază, era și el prezent. Dar diferența dintre Domnul și Arjuna este aceea că Domnul își aduce aminte acea întâmplare, pe când Arjuna nu-și poate aminti. Aceasta este diferența între entitatea vie care este doar o parte integrantă a Domnului și Domnul Suprem. Deși aici se face referință la Arjuna ca la un erou puternic care-și poate înfrânge vrăjmașii, el nu este capabil să-și aducă aminte cele ce s-au întâmplat în diferitele sale nașteri trecute. De aceea orice ființă, oricât ar fi de înaltă în rang din punct de vedere material, nu poate niciodată să-L egaleze pe Domnul Suprem. Oricare dintre însoțitorii permanenți ai Domnului este cu siguranță o persoană eliberată, însă nu poate fi egalul Domnului. Domnul este descris în *Brahma-saṁhitā* ca infailibil (*acyuta*), ceea ce înseamnă că El nu Se uită niciodată pe Sine, chiar și atunci când este în contact cu materia. Ca atare, Dumnezeu și entitățile vii nu pot fi niciodată egali în toate privințele, chiar dacă este vorba de o ființă eliberată precum Arjuna. Deși Arjuna este un devot al Domnului, el uită uneori natura lui Dumnezeu, dar, prin grația divină, un devot poate înțelege dintr-o dată condiția infailibilă a Domnului, pe când cel ce nu este devot sau cel ce este demon nu poate înțelege această natură transcendentă. În consecință, aceste descrieri din *Gītā* nu pot fi înțelese de mințile demonice. Kṛṣṇa Își aduce aminte activități îndeplinite de El cu milioane de ani înainte, însă Arjuna nu poate, în ciuda faptului că atât Kṛṣṇa cât și Arjuna au o natură eternă. Putem de asemenea observa aici că o entitate vie uită totul atunci când își schimbă corpul, însă Domnul Își amintește, căci El nu-Și schimbă corpul Său care este *sac-cid-ānanda*. El este *advaita*, ceea ce înseamnă că nu există deosebire între corpul Său și El Însuși. Tot ceea ce ține de El este spirit—pe când sufletul condiționat este diferit de corpul său material. Și deoarece corpul și sinele Domnului sunt identice, poziția Sa este întotdeauna diferită de cea a unei ființe obișnuite, chiar și atunci când El descinde la nivel material. Demonii nu se pot împăca cu această natură spirituală a lui Dumnezeu, pe care Domnul Însuși o explică în versetul următor.

TEXTUL 6

अजोऽपि सन्नव्ययात्मा भूतानामीश्वरोऽपि सन् ।
प्रकृतिं स्वामधिष्ठाय सम्भवाम्यात्ममायया ॥ ६ ॥

ajo 'pi sann avyayātmā
bhūtānām īśvaro 'pi san
prakṛtiṁ svām adhiṣṭhāya
sambhavāmy ātma-māyayā

ajaḥ—nenăscut; *api*—deși; *san*—fiind astfel; *avyaya*—fără să se deteliore-ze; *ātmā*—corpul; *bhūtānām*—al tuturor celor născuți; *īśvaraḥ*—Domnul Suprem; *api*—deși; *san*—fiind; *prakṛtim*—în forma transcendentă; *svām*—a Mea; *adhiṣṭhāya*—fiind astfel situat; *sambhavāmi*—Mă încarnez; *ātma-māyayā*—prin energia Mea internă.

Deși Eu sunt nenăscut și corpul Meu transcendent nu se deteriorează niciodată, și deși sunt Domnul tuturor ființelor, Eu apar totuși în fie-care epocă sub forma mea transcendentă originară.

COMENTARIU

Domnul ne-a vorbit despre particularitățile nașterii Sale: deși poate apărea ca o persoană obișnuită, El Își amintește orice lucru din multiplele Sale „nașteri" trecute, pe când un om obișnuit nu poate să-și amintească nici măcar ceea ce a făcut cu câteva ore în urmă. Dacă cineva este întrebat ce a făcut exact la aceași oră în ziua precedentă, va fi foarte greu pentru un om obișnuit să răs-pundă imediat. Cu siguranță că ar trebui să-și scormonească memoria pentru a-și aduce aminte ce făcea exact la aceeași oră cu o zi înainte. Și totuși există adeseori oameni care cutează să se proclame a fi Dumnezeu sau Kṛṣṇa. Să nu ne lăsăm amăgiți de asemenea afirmații fără sens. În continuare Domnul explică forma Sa sau *prakṛti*. *Prakṛti* înseamnă „natură", la fel ca și *svarūpa* sau „forma proprie". Domnul spune că El apare în propriul Său corp. El nu-și schimbă corpul cum fac ființele obișnuite care trec dintr-un corp în altul. Sufletul condiționat poate avea un anumit fel de corp în această naștere, însă în cea viitoare va avea un corp diferit.

În lumea materială, ființele vii nu au un corp permanent, ci transmigrează dintr-un corp în altul. Domnul însă nu face astfel. Ori de câte ori apare, El apare în același corp originar, prin puterea Sa internă. Cu alte cuvinte, Krṣṇa apare în această lume materială sub forma Sa originară și eternă, cu două mâini și ținând un flaut. El apare exact în corpul Său etern, necontaminat de această lume materială. Deși El apare mereu în același corp spiritual și este Domnul universului, El pare totuși că ia naștere la fel ca orice altă ființă obișnuită, și deși corpul Său nu se deteriorează precum corpurile materiale, totuși se pare că Śrī Krṣṇa crește de la stadiul de nou-născut la cel de copil și adolescent. Dar, în mod surprinzător, El nu trece niciodată de vârsta tinereții. În vremea bătăliei de la Kurukṣetra, El avea acasă mai mulți nepoți, deci, cu alte cuvinte, era destul de în vârstă, judecând după calculele noastre materiale. Cu toate acestea, El arăta exact ca un tânăr de douăzeci sau douăzeci și cinci de ani. Nu se poate vedea nici o imagine a lui Krṣṇa bătrân, pentru că El nu îmbătrânește niciodată la fel ca noi, deși El este persoana cea mai vârstnică din întreaga creație—trecut, prezent și viitor. Nici corpul Său și nici inteligența Sa nu se deteriorează și nici nu se schimbă niciodată. De aceea, este limpede că, în ciuda faptului că se află în lumea materială, El rămâne mereu aceeași nenăscută și eternă formă de beatitudine și cunoaștere, neschimbându-și corpul Său spiritual și inteligența. În realitate, apariția și dispariția Sa este ca răsăritul soarelui, trecerea prin fața noastră și apoi dispariția din ochii noștri. Când soarele nu se mai vede, credem că a apus, iar când este în fața ochilor noștri, credem că este pe cer. De fapt, soarele se află întotdeauna într-o poziție fixă, însă datorită simțurilor noastre limitate și imperfecte socotim că soarele apare și dispare pe cer. Iar pentru că apariția și dispariția lui Śrī Krṣṇa sunt complet diferite de cele ale oricărei alte ființe obișnuite, este evident că, prin puterea Sa internă, El este eterna cunoaștere și beatitudine, și nu este niciodată contaminat de natura materială. *Vedele* confirmă și ele că Personalitatea Supremă a Divinității este nenăscută și totuși El apare ca născându-Se în manifestarea multiplicității. Scrierile suplimentare *Vedelor* confirmă de asemenea că, chiar dacă Domnul pare că Se naște, corpul Său rămâne neschimbat.

În *Bhāgavatam* El se înfățișează mamei Sale ca Nārāyaṇa, cu patru brațe și împodobit cu cele șase feluri de opulențe desăvârșite. Apariția Lui în forma Sa eternă și originară se datorează îndurării Sale celei fără de cauză, dăruită entităților vii pentru a se putea concentra asupra Domnului Suprem așa cum este El, şi nu asupra născocirilor minţii ori închipuirilor, considerate în mod greşit de către impersonalişti ca fiind formele lui Dumnezeu. Conform dicţionarului *Viśva-kośa*, cuvântul *māyā* sau *ātma-māyā* se referă la îndurarea cea fără de cauză a lui Dumnezeu. Domnul cunoaşte toate apariţiile şi dispariţiile Sale precedente, dar o entitate vie obişnuită uită totul despre corpul său din trecut de îndată ce dobândeşte un alt corp. El este Domnul tuturor entităţilor vii, deoarece atunci când se află pe pământ El săvârşeşte activităţi minunate, aflate deasupra puterilor umane. De aceea Domnul rămâne mereu acelaşi Adevăr Absolut, fără deosebire între forma şi sinele Său, sau între firea şi corpul Său. Se poate însă pune întrebarea de ce apare şi dispare Domnul în această lume. Acest lucru este explicat în versetul următor.

TEXTUL 7

यदा यदा हि धर्मस्य ग्लानिर्भवति भारत ।
अभ्युत्थानमधर्मस्य तदात्मानं सृजाम्यहम् ॥ ७ ॥

yadā yadā hi dharmasya
glānir bhavati bhārata
abhyutthānam adharmasya
tadātmānaṁ sṛjāmy aham

yadā yadā—oriunde şi oricând; *hi*—cu siguranţă; *dharmasya*—a religiei; *glāniḥ*—abateri; *bhavati*—se manifestă; *bhārata*—o, descendent al lui Bharata; *abhyutthānam*—precumpănire; *adharmasya*—a necredinţei; *tadā*—atunci; *ātmānam*—Însumi; *sṛjāmi*—Mă manifest; *aham*—Eu.

Oriunde şi oricând există un declin în practica religioasă, o, descendent al lui Bharata, şi o creştere predominantă a lipsei de religiozitate, în acel moment descind Eu Însumi.

COMENTARIU

Cuvântul *sṛjāmi* este semnificativ în acest context. *Sṛjāmi* nu poate fi folosit în sensul de creaţie, pentru că, potrivit versetului precedent, nu există creaţie a formei sau corpului Domnului, întrucât toate aceste forme există veşnic. Prin urmare, *sṛjāmi* înseamnă că Dumnezeu Se manifestă pe Sine aşa cum este El. Deşi Domnul apare la datele fixate, adică la sfârşitul lui Dvāpara-yuga, în cel de-al douăzeci și optulea *mahā-yuga* de sub domnia celui de-al optulea Manu din fiecare zi a lui Brahmā, El nu este obligat să respecte aceste legi și reglementări, căci El este complet liber să acționeze în mai multe feluri, după propria voință. El apare deci prin propria Sa voință, ori de câte ori ajunge să predomine necredința și dispare religia adevărată. Principiile religiei sunt expuse în *Vede*, și orice abatere de la aplicarea exactă a legilor *Vedelor* îl face pe om să devină lipsit de pietate. În *Bhāgavatam* se afirmă că aceste principii sunt legile lui Dumnezeu. Numai Dumnezeu poate crea un sistem religios. Se acceptă de asemenea că *Vedele* au fost transmise la început lui Brahmā de către Însuși Domnul, vorbindu-i dinăuntrul inimii. Prin urmare, principiile lui *dharma* sau ale religiei sunt poruncile directe ale Personalității Supreme a Divinității (*dharmam tu sākṣād bhagavat-praṇītam*). Aceste principii sunt indicate cu claritate peste tot în *Bhagavad-gītā*. Scopul *Vedelor* este stabilirea acestor principii potrivit poruncii Domnului Suprem, iar Domnul poruncește în mod direct în finalul *Gītei* că principiul cel mai înalt al religiei este să te predai cu totul numai Lui, și nimic altceva. Principiile vedice ne conduc înspre deplina dăruire față de El, și ori de câte ori aceste principii sunt denaturate de către persoane demonice, Domnul apare. Din *Bhāgavatam* aflăm că Buddha este o încarnare a lui Kṛṣṇa, care a apărut atunci când materialismul devenise foarte puternic și materialiștii foloseau ca pretext autoritatea *Vedelor*. Deși în *Vede* există anumite legi și reglementări restrictive privitoare la sacrificiile animale pentru un anumit scop, oamenii cu moduri demonice s-au dedat sacrificării animalelor fără a ține seama de principiile vedice. Buddha a apărut pentru a opri aceste absurdități și pentru a restabili principiile vedice ale nonviolenței. Deci fiecare *avatāra* sau încarnare a lui Dumnezeu are o misiune particulară, și toate aceste misiuni sunt descrise în scripturile revelate. Nimeni nu trebuie să fie acceptat ca *avatāra* dacă nu este descris de către scripturi. Nu este adevărat că Domnul apare numai pe pământul Indiei. El se poate manifesta oriunde și peste tot, și oricând dorește El să apară. În fiecare încarnare El vorbește despre religie, în măsura în care poate fi înțeles de un anumit popor, în anumite împrejurări specifice acestuia. Dar misiunea este întotdeauna aceeași—să-i conducă pe oameni spre conștiința de Dumnezeu și supunerea față de principiile religiei. Uneori descinde El Însuși în persoană, alteori trimite pe reprezentanții Săi autorizați, sub forma fiului Său, slujitorului Său sau El Însuși sub o înfățișare schimbată.

Principiile din *Bhagavad-gītā*, principii care au fost transmise lui Arjuna pentru că el era deosebit de avansat în comparație cu oamenii obișnuiți din alte părți ale lumii, se adresează în egală măsură și celorlalți oameni care sunt foarte avansaţi spiritual. Principiul matematic care spune că doi plus doi fac patru este valabil atât în aritmetica predată începătorilor, cât şi pentru cei din clasele mai mari. Totuşi, există matematici superioare şi elementare. Prin urmare, aceleaşi principii sunt enunţate în toate încarnările Domnului, însă ele apar ca fiind superioare sau elementare, potrivit împrejurărilor. Principiile superioare ale religiei încep odată cu acceptarea celor patru ordine şi patru etape ale vieţii sociale, aşa cum se va explica mai târziu. Scopul ultim al misiunii tuturor încarnărilor este acela de a face să reapară conştiinţa de Kṛṣṇa în toate părţile. Această conştiinţă este manifestă sau nemanifestată doar în funcţie de diferitele circumstanţe.

TEXTUL 8

परित्राणाय साधूनां विनाशाय च दुष्कृताम् ।
धर्मसंस्थापनार्थाय सम्भवामि युगे युगे ॥ ८॥

paritrāṇāya sādhūnāṁ
vināśāya ca duṣkṛtām
dharma-saṁsthāpanārthāya
sambhavāmi yuge yuge

paritrāṇāya—pentru izbăvirea; *sādhūnām*—celor credincioşi; *vināśāya*—pentru nimicirea; *ca*—şi; *duṣkṛtām*—răufăcătorilor; *dharma*—principiile religiei; *saṁsthāpana-arthāya*—pentru a restabili; *sambhavāmi*—Eu apar; *yuge*—epocă; *yuge*—după epocă.

Pentru a-i elibera pe cei pioşi şi a-i nimici pe cei nelegiuiţi, precum şi pentru a restabili principiile religiei, Eu Însumi apar, epocă după epocă.

COMENTARIU

Potrivit cu *Bhagavad-gītā*, un *sādhu* (sfânt) este un om aflat în conştiinţa de Kṛṣṇa. Uneori o persoană poate părea lipsită de pietate, dar dacă are însuşirile ce ţin de conştiinţa de Kṛṣṇa manifestate în întregime şi complet, el trebuie recunoscut ca fiind un *sādhu*. Termenul *duṣkṛta* se aplică celor ce nu le pasă de conştiinţa de Kṛṣṇa. Aceşti nelegiuiţi sau *duṣkṛtām* sunt descrişi ca nişte sminţiţi şi cei mai josnici dintre oameni, chiar dacă sunt împodobiţi cu o educaţie mondenă desăvârşită, în timp ce un om angajat sută la sută în conștiința de Kṛṣṇa este acceptat ca *sādhu*, chiar dacă nu este nici învățat, nici bine educat. În ce-i privește pe atei, nu este necesar ca Domnul Suprem să apară în persoană pentru a-i distruge, așa cum a făcut cu demonii Rāvaṇa și Kaṁsa. Domnul are mulți reprezentanți care se pricep să-i nimicească pe demoni. Însă Domnul descinde în mod special pentru a-i alina pe devoții Săi neprihăniți care sunt mereu hărțuiți de către oamenii demonici. Demonii îi chinuie pe devoți, chiar dacă se întâmplă ca aceștia să le fie rude. Deși Prahlāda Mahārāja era fiul lui Hiraṇyakaśipu, el a fost totuși prigonit de tatăl său, iar Devakī, mama lui Kṛṣṇa, deși era sora lui Kaṁsa, ea și cu soțul ei Vasudeva au fost prigoniți doar pentru că urma ca ei să-L nască pe Kṛṣṇa. Astfel că Śrī Kṛṣṇa a apărut în primul rând pentru a o salva pe Devakī, mai degrabă decât pentru a-l ucide pe Kaṁsa, dar ambele lucruri au fost înfăptuite simultan. De aceea se spune aici că Domnul apare în diferite încarnări pentru a-i izbăvi pe devoți și a-i nimici pe demonii răufăcători.

În *Caitanya-caritāmṛta* a lui Kṛṣṇadāsa Kavirāja aceste principii ale încarnării sunt rezumate în versetele următoare (*Madhya* 20.263.264):

> *sṛṣṭi-hetu yei mūrti prapañce avatare*
> *sei īśvara-mūrti 'avatāra' nāma dhare*

> *māyātīta paravyome sabāra avasthāna*
> *viśve avatari' dhare 'avatāra' nāma*

„*Avatāra* sau încarnarea lui Dumnezeu descinde din împărăția lui Dumnezeu pentru a se manifesta în lumea materială, iar forma particulară a Personalității Supreme a Divinității care descinde astfel este numită încarnare sau *avatāra*. Aceste încarnări se află în lumea spirituală, împărăția lui Dumnezeu. Când acestea descinde în creația materială, ele iau numele de *avatāra*."

Există diferite feluri de *avatāra*, cum ar fi *puruṣāvatāra*, *guṇāvatāra*, *līlāvatāra*, *śakty-āveśa avatāra*, *manvantara-avatāra* și *yugāvatara*—toți acești *avatāra* apărând în întregul univers la date fixe. Însă Śrī Kṛṣṇa este Domnul primordial, originea tuturor acestor *avatāra*. Domnul Śrī Kṛṣṇa descinde cu scopul foarte precis de a alina dorul purilor Săi devoți, care sunt nerăbdători să-L vadă pe El în petrecerile Sale, originare din Vṛndāvana. Prin urmare, scopul primordial pentru *avatāra* lui Kṛṣṇa este acela de a-i mulțumi pe devoții Săi neprihăniți.

Domnul ne spune că El se încarnează în fiecare epocă. Aceasta arată că El se încarnează și în epoca lui Kali. Așa cum se afirmă în *Śrīmad-Bhāgavatam*, încarnarea din epoca lui Kali este Śrī Caitanya Mahāprabhu, care a răspândit adorarea lui Kṛṣṇa prin mișcarea *saṅkīrtana* (cântarea în comun a numelor sfinte), răspândind conştiinţa de Kṛṣṇa în întreaga Indie. El a prezis că această cultură a lui *saṅkīrtana* se va răspândi în întreaga lume, din oraş în oraş şi din sat în sat. Śrī Caitanya ca încarnare a lui Kṛṣṇa, Personalitatea Divinităţii, este descris în mod tainic, nu direct, în părţile confidenţiale ale scripturilor revelate, precum *Upaniṣadele, Mahābhārata* şi *Bhāgavatam*. Devoţii lui Śrī Kṛṣṇa sunt foarte mult atraşi de mişcarea *saṅkīrtana* a lui Śrī Caitanya. Acest *avatāra* al Domnului nu-i ucide pe nelegiuiţi, ci-i izbăveşte prin îndurarea Sa cea fără de cauză.

TEXT'JL 9

जन्म कर्म च मे दिव्यमेवं यो वेत्ति तत्त्वतः ।
त्यक्त्वा देहं पुनर्जन्म नैति मामेति सोऽर्जुन ॥ ९ ॥

janma karma ca me divyam
evaṁ yo vetti tattvataḥ
tyaktvā dehaṁ punar janma
naiti māṁ eti so 'rjuna

janma—naşterea; *karma*—activitatea; *ca*—şi; *me*—a Mea; *divyam*—divină; *evam*—astfel; *yaḥ*—cel care; *vetti*—cunoaşte; *tattvataḥ*—în mod real; *tyaktvā*—părăsind; *deham*—acest corp; *punaḥ*—din nou; *janma*—naştere; *na*—niciodată; *eti*—obţine; *mām*—la Mine; *eti*—ajunge; *saḥ*—el; *arjuna*—o, Arjuna.

O, Arjuna, cel ce cunoaşte natura transcendentă a apariţiei şi activităţilor Mele, nu se va naşte din nou în această lume materială după ce îşi părăseşte corpul, ci va atinge sălaşul Meu etern.

COMENTARIU

Coborârea Domnului din sălaşul Său spiritual a fost deja explicată în versetul al şaselea. Cel ce poate să înţeleagă adevărul asupra apariţiei Personalităţii Supreme a Divinităţii este deja eliberat de legăturile materiale şi deci se întoarce în împărăţia lui Dumnezeu de îndată ce îşi părăseşte actualul corp material. Această eliberare a unei fiinţe de legăturile materiale nu este deloc uşoară. Impersonaliştii şi yoghinii obţin eliberarea după mult necaz şi după foarte multe naşteri. Chiar şi atunci, eliberarea pe care o obţin—contopirea cu strălucirea impersonală a lui Dumnezeu sau *brahmajyoti*—este doar parțială, existând riscul întoarcerii în această lume materială. Însă devotul, prin simpla înțelegere a naturii spirituale a corpului și activităților Domnului ajunge în sălașul lui Dumnezeu odată cu sfârșitul acestui corp și nu înfruntă riscul întoarcerii în lumea materială. În *Brahmā-saṁhitā* (5.33) se afirmă că Domnul are foarte multe forme și încarnări: *advaitam acyutam anādim ananta-rūpam.* Deși există foarte multe forme transcendente ale Domnului, ele nu sunt decât una și aceeași Persoană Supremă a lui Dumnezeu. Acest fapt trebuie acceptat cu convingere, deși este de neînțeles pentru învățații profani și filosofii empirici. Același lucru este afirmat și în *Vede* (*Puruṣa-bodhinī Upaniṣad*):

> *eko devo nitya-līlānurakto*
> *bhakta-vyāpī hṛdy antar-ātmā*

„Personalitatea Supremă a Divinității, care este unică, este veșnic angajată în nenumărate forme transcendente ce întrețin legături afective cu devoții Săi neprihăniți." Textul vedic este confirmat personal de către Domnul în acest verset din *Gītā*. Cel ce acceptă acest adevăr pe temeiul autorității *Vedelor* și al Personalității Supreme a Divinității, și care nu-și pierde vremea cu speculații filosofice atinge stadiul celei mai înalte desăvârșiri a eliberării." Dar prin simpla acceptare a acestui adevăr prin credință, se poate atinge, fără nici o îndoială, eliberarea. Cuvintele vedice *tat tvam asi* își găsesc aici adevărata aplicare. Oricine Îl înțelege pe Śrī Kṛṣṇa ca fiind Cel Suprem, sau care Îi spune Domnului: „Tu ești același cu Brahman, Personalitatea Divinității", este cu siguranță eliberat instantaneu, și, prin urmare, intrarea sa în comunitatea spirituală a lui Dumnezeu este garantată. Cu alte cuvinte, un devot al Domnului atât de credincios atinge perfecțiunea, lucru confirmat și de următoarea afirmație vedică:

> *tam eva viditvāti mṛtyum eti*
> *nānyaḥ panthā vidyate 'yanāya*

„Omul poate atinge stadiul eliberării desăvârșite de naștere și moarte doar prin simpla cunoaștere a Domnului, Personalitatea Supremă a Divinității, și nu există altă cale spre a dobândi această perfecțiune." (*Śvetāśvatara Upaniṣad* 3.8). Faptul că nu există nici o altă alternativă înseamnă că orice om care nu-L cunoaște pe Śrī Kṛṣṇa ca Personalitatea Supremă a Divinității se află cu siguranță în starea de ignoranță și, în consecință, nu va putea obține mântuirea doar „lingând pe dinafară borcanul cu miere", așa cum se spune, sau interpretând *Bhagavad-gītā* după părerea învățaților profani. Asemenea filosofi empirici pot să joace roluri foarte importante în lumea materială, dar asta nu înseamnă neapărat că merită să fie eliberaţi. Asemenea învăţaţi profani plini de înfumurare trebuie să aştepte îndurarea cea fără de cauză a unui devot al Domnului. De aceea trebuie ca, prin credinţă şi cunoaştere, să cultivăm conştiinţa de Kṛṣṇa şi în acest fel să atingem perfecţiunea.

TEXTUL 10

वीतरागभयक्रोधा मन्मया मामुपाश्रिताः ।
बहवो ज्ञानतपसा पूता मद्भावमागताः ॥१०॥

vīta-rāga-bhaya-krodhā
man-mayā mām upāśritāḥ
bahavo jñāna-tapasā
pūtā mad-bhāvam āgatāḥ

vīta—liberi de; *rāga*—ataşare; *bhaya*—frică; *krodhāḥ*—şi mânie; *mat-mayā*—cu totul în Mine; *mām*—în Mine; *upāśritāḥ*—fiind pe deplin situaţi; *bahavaḥ*—mulţi; *jñāna*—prin cunoaştere; *tapasā*—prin penitenţă; *pūtāḥ*—fiind purificaţi; *mat-bhāvam*—dragostea spirituală faţă de Mine; *āgatāḥ*—au atins.

Fiind eliberate de ataşament, frică şi mânie, cu totul absorbite în Mine şi luându-şi adăpost în Mine, multe, multe persoane în trecut au devenit purificate prin cunoaşterea Mea, şi astfel toate au dobândit dragostea transcendentă faţă de Mine.

COMENTARIU

Aşa cum s-a arătat mai sus, este foarte dificil pentru o persoană care este prea afectată de materie să înţeleagă natura personală a Adevărului Absolut Suprem. În general, oamenii ataşaţi de concepţia corporală a vieţii sunt atât de absorbiţi în materialism, încât este aproape imposibil pentru ei să înţeleagă cum poate Supremul să fie o persoană. Asemenea materialişti nu-şi pot măcar imagina că există un corp spiritual nepieritor, plin de cunoaştere şi în veşnică beatitudine. În concepţia materialistă, corpul este perisabil, plin de ignoranţă şi suferinţă. De aceea, oamenii păstrează în general aceeaşi idee asupra corpului şi atunci când află despre forma personală a lui Dumnezeu. Pentru acești materialiști, forma gigantică a manifestării materiale este supremă. În consecință, ei îl consideră pe Cel Suprem ca fiind impersonal. Iar pentru că aceștia sunt atât de mult absorbiți în materie, ideea de a-și menține personalitatea chiar și după eliberarea de materie îi înspăimântă. Când li se spune că viața spirituală este și ea individuală și personală, aceștia se tem să nu devină din nou persoane, și astfel în mod firesc preferă un fel de scufundare în vidul impersonal. De obicei aceștia compară entitățile vii cu bulele de aer care se pierd în apa oceanului. Aceasta este cea mai înaltă perfecțiune care se poate atinge în lipsa personalității individuale. Acesta este un fel de stadiu al vieții plin de neliniște și teamă, lipsit de cunoașterea desăvârșită a unei existențe spirituale. Mai mult, există multe persoane care nu pot înțelege defel existența spirituală. Fiind derutați de o mulțime de teorii și de contradicțiile diferitelor tipuri de speculații filosofice, ei ajung să fie dezgustați sau iritați, și în mod nechibzuit trag concluzia că nu există o cauză supremă și că totul este în ultimă instanță vid. Acești oameni sunt într-o stare de boală. Unii oameni sunt prea atașați de lucrurile materiale și de aceea nu dau atenție vieții spirituale, alții doresc să se contopească cu cauza spirituală supremă, iar alții nu mai cred în nimic, fiind supărați pe orice fel de speculație spirituală, din pricina deznădejdii. Această ultimă categorie de oameni își caută refugiul în anumite tipuri de droguri iar halucinațiile lor afective sunt uneori luate drept viziuni spirituale.

Trebuie să scăpăm de toate aceste trei stadii ale atașării de lumea materială: neglijarea vieții spirituale, frica de o identitate spirituală personală și concepția bazată pe vid, ce apare din frustrarea vieții. Pentru a deveni liberi de aceste trei stadii ale concepției materiale asupra vieții, trebuie să ne căutăm cu totul adăpost în Domnul, îndrumați de maestrul spiritual autentic, și să urmăm disciplinele și principiile regulatoare ale vieții devoționale. Stadiul ultim al vieții devoționale este numit *bhāva* sau dragostea spirituală față de Dumnezeu. Conform cu *Bhakti-rasāmṛta-sindhu* (1.4.15-16), știința slujirii devoționale:

ādau śraddhā tataḥ sādhu
saṅgo 'tha bhajana-kriyā
tato 'nartha-nivṛttiḥ syāt
tato niṣṭhā rucis tataḥ

athāsaktis tato bhāvas
tataḥ premābhyudañcati
sādhakānām ayaṁ premṇaḥ
prādurbhāve bhavet kramaḥ

„La început trebuie să avem dorinţa preliminară pentru realizarea de sine. Aceasta ne va conduce la stadiul de a încerca să ne asociem cu persoane elevate spiritual. În stadiul următor ajungem să fim iniţiaţi de un maestru spiritual elevat, iar sub îndrumarea sa devotul neofit începe procesul slujirii devoţionale. Prin îndeplinirea slujirii devoţionale sub îndrumarea maestrului spiritual, devenim liberi de ataşamentele materiale, atingem fermitatea în realizarea de sine şi dobândim gustul pentru a asculta despre Persoana Absolută a lui Dumnezeu, Śrī Kṛṣṇa. Acest gust ne face să înaintăm în continuare înspre ataşamentul faţă de conştiinţa de Kṛṣṇa, care ajunge la maturitate în *bhāva*, stadiul preliminar al dragostei spirituale faţă de Dumnezeu. Dragostea reală faţă de Dumnezeu este numită *prema*, stadiul celei mai înalte desăvârşiri a vieţii.“ În stadiul de *prema*, slujirea transcendentă din dragoste faţă de Domnul se face în mod permanent. Astfel, prin procesul treptat al slujirii devoţionale sub îndrumarea unui maestru spiritual autentic putem atinge cel mai înalt stadiu, fiind eliberaţi de toate ataşamentele materiale, de frica faţă de propria personalitate spirituală individuală şi de frustrările ce duc la filosofia vidului. Atunci putem în sfârşit să ajungem în sălaşul Domnului Suprem.

TEXTUL 11

ये यथा मां प्रपद्यन्ते तांस्तथैव भजाम्यहम् ।
मम वर्त्मानुवर्तन्ते मनुष्याः पार्थ सर्वशः ॥११॥

ye yathā māṁ prapadyante
tāṁs tathaiva bhajāmy aham
mama vartmānuvartante
manuṣyāḥ pārtha sarvaśaḥ

ye—toţi cei care; *yathā*—după cum; *mām*—către Mine; *prapadyante*—se predau; *tān*—pe ei; *tathā*—în acelaşi fel; *eva*—cu siguranţă; *bhajāmi*—îi răsplătesc; *aham*—Eu; *mama*—a Mea; *vartma*—cale; *anuvartante*—urmează; *manuṣyāḥ*—toţi oamenii; *pārtha*—o, fiu al lui Pṛthā; *sarvaśaḥ*—în toate privinţele.

După cum Mi se predau toţi, Eu îi răsplătesc pe măsură. Fiecare urmează calea Mea, în toate privinţele, o, fiu al lui Pṛthā.

COMENTARIU

Fiecare om Îl caută pe Kṛṣṇa sub diverse aspecte ale manifestărilor Sale. Kṛṣṇa, Personalitatea Supremă a Divinității, este realizat în mod parțial sub forma lui *brahmajyoti*, strălucirea Sa impersonală, și ca Suprasuflet atotpătrunzător, sălășluind înăuntrul oricărui lucru, inclusiv în particulele atomice. Dar Kṛṣṇa este realizat doar de către purii Săi devoți. În consecință, Kṛṣṇa este obiectivul realizării oricărui om, și astfel fiecare este satisfăcut potrivit dorinței sale de a-L dobândi. La fel și în lumea spirituală, Kṛṣṇa împărtășește cu devoții Săi cei puri aceeași atitudine transcendentă pe care devoții o doresc de la El. Unii devoți Îl doresc pe Kṛṣṇa ca stăpân suprem, alții ca prieten apropiat, alții ca fiu iar alții ca iubit al lor. Kṛṣṇa îi răsplătește în mod egal pe toți devoții, potrivit intensității diferite a dragostei lor față de El. În lumea materială există aceleași sentimente reciproce schimbate de Domnul cu diferite feluri de adoratori. Atât în această lume, cât și în sălașul spiritual al Domnului, devoții puri se asociază cu El în persoană și sunt capabili să-L slujească personal pe Domnul, obținând astfel beatitudinea spirituală a slujirii Sale pline de dragoste. Cât despre cei ce sunt impersonaliști și vor să se sinucidă din punct de vedere spiritual prin anihilarea existenței individuale a entității vii, Kṛṣṇa îi ajută și pe aceștia, absorbindu-i în strălucirea Sa. Acești impersonaliști nu sunt de acord să accepte Personalitatea Supremă a Divinității, Cea veșnică și plină de beatitudine; în consecință, ei nu pot să guste fericirea slujirii personale a Domnului, deoarece și-au anulat individualitatea. Unii dintre ei, care nu sunt ferm situați nici chiar în această existență impersonală, se reîntorc în această lume materială pentru a da la iveală latentele lor dorințe de a acționa. Ei nu sunt primiți pe planetele spirituale, ci li se dă din nou o șansă să acționeze pe planetele materiale. Cât despre cei ce doresc fructul activităților, Domnul le acordă rezultatele dorite ale datoriilor prescrise, în calitatea Sa de *yajñeśvara*; iar yoghinilor care caută puteri mistice li se dau aceste puteri. Cu alte cuvinte, succesul fiecăruia depinde doar de îndurarea Sa și toate felurile de căi spirituale sunt doar diferite grade de înaintare pe același drum. Însă până ce omul nu ajunge la cea mai înaltă perfecțiune a conștiinței de Kṛṣṇa, toate încercările sale rămân imperfecte, așa cum se afirmă în *Śrīmad-Bhāgavatam* (2.3.10):

> *akāmaḥ sarva-kāmo vā*
> *mokṣa-kāma udāra-dhīḥ*
> *tīvreṇa bhakti-yogena*
> *yajeta puruṣaṁ param*

„Fie că omul este lipsit de dorință (starea devoților), sau dorește să obțină toate rezultatele activităților, sau caută eliberarea, el trebuie cu orice preț să-L adore pe Dumnezeu, Persoana Supremă, pentru a ajunge la perfecțiunea deplină ce culminează în conștiința de Kṛṣṇa."

TEXTUL 12

काङ्क्षन्तः कर्मणां सिद्धिं यजन्त इह देवताः ।
क्षिप्रं हि मानुषे लोके सिद्धिर्भवति कर्मजा ॥१२॥

kāṅkṣantaḥ karmaṇāṁ siddhiṁ
yajanta iha devatāḥ
kṣipraṁ hi mānuṣe loke
siddhir bhavati karma-jā

kāṅkṣantaḥ—dorind; *karmaṇām*—al acțiunilor interesate; *siddhim*—împlinire; *yajante*—ei adoră prin sacrificii; *iha*—în lumea materială; *devatāḥ*—pe semizei; *kṣipram*—foarte repede; *hi*—desigur; *mānuṣe*—în societatea umană; *loke*—din această lume; *siddhiḥ*—succesul; *bhavati*—vine; *karma-jā*—din acțiunile interesate.

În această lume, oamenii doresc rezultate fructuoase în activitățile lor și prin urmare se închină semizeilor. Bineînțeles, oamenii culeg de îndată roadele activităților lor în această lume.

COMENTARIU

Există o mare neînțelegere asupra zeilor și semizeilor acestei lumi materiale iar oamenii dotați cu inteligență puțină, deși trec drept mari învățați, îi consideră pe acești semizei ca fiind diferitele forme ale Domnului Suprem. În realitate, semizeii nu sunt diferitele forme ale lui Dumnezeu, ci diferitele Sale părți integrante. Dumnezeu este unul, iar părțile Sale integrante sunt multiple. *Vedele* spun: *nityo nityānām*, „Dumnezeu este unul". *Īśvaraḥ paramaḥ kṛṣṇa*—Dumnezeul Suprem este unul, Kṛṣṇa, iar semizeii sunt împuterniciți să administreze această lume materială. Acești semizei sunt cu toții entități vii (*nityānām*) dotați cu diferite grade de putere materială. Ei nu pot fi egali cu Dumnezeul Suprem—Nārāyaṇa, Viṣṇu sau Kṛṣṇa. Oricine consideră că Dumnezeu și semizeii se află la același nivel este numit ateu sau *pāṣaṇḍī*. Chiar și semizeii importanți, precum Brahmā și Śiva, nu pot fi comparați cu Domnul Suprem. De fapt, Domnul este adorat de semizei ca Brahmā sau Śiva (*śiva-viriñci-nutam*).

Oricât de curios ar părea, există mulți conducători din rândul oamenilor, cărora oamenii smintiți li se închină, datorită unei înțelegeri greșite a antropomorfismului sau zoomorfismului. Expresia *iha devatāḥ* denotă un om foarte puternic sau semizeu al acestei lumi materiale; însă Nārāyaṇa, Viṣṇu sau Kṛṣṇa, Personalitatea Supremă a Divinității, nu aparține acestei lumi. El este deasupra sau transcendent creației materiale. Cu toate acestea, oamenii smintiți (*hṛta-jñāna*) îi adoră pe semizei pentru că doresc rezultate imediate. Ei obțin aceste rezultate, fără să știe că rezultatele obținute astfel sunt temporare și sunt destinate celor cu o inteligență redusă. Cel înțelept se află în conștiința de Kṛṣṇa și nu are nevoie să se închine unor semizei neînsemnați, pentru un beneficiu imediat și vremelnic. Semizeii acestei lumi materiale, împreună cu adoratorii lor, vor fi nimiciți odată cu anihilarea lumii materiale. Darurile semizeilor sunt materiale și temporare. Atât lumile materiale cât și locuitorii lor, inclusiv semizeii și adoratorii acestora, sunt doar bule de aer în oceanul cosmic. Cu toate acestea, în această lume societatea umană este nebună după lucruri trecătoare și posesiuni materiale, cum ar fi pământurile, familia și tot felul de alte lucruri plăcute. Pentru a dobândi asemenea lucruri trecătoare, oamenii se închină semizeilor sau celor puternici din rândul societății umane. Când un om obține vreun minister în guvern, prin lingușirea unui conducător politic, își închipuie că a dobândit un mare dar. De aceea cu toții se ploconesc în fața așa-numiților conducători sau „mari ștabi", pentru a obține favoruri temporare, și le obțin cu adevărat. Acești oameni smintiți nu sunt interesați de conștiința de Kṛṣṇa ca soluție definitivă la greutățile existenței materiale. Ei caută numai plăcerile simțurilor, și, pentru a obține o cât de mică înlesnire pentru aceste plăceri, ei sunt atrași către adorarea acestor împuterniciți care sunt semizeii. Acest verset indică faptul că oamenii sunt rareori interesați de conștiința de Kṛṣṇa. Ei sunt mult mai mult atrași de plăcerile materiale și de aceea se închină anumitor entități vii înzestrate cu putere.

TEXTUL 13

चातुर्वर्ण्यं मया सृष्टं गुणकर्मविभागशः ।
तस्य कर्तारमपि मां विद्ध्यकर्तारमव्ययम् ॥१३॥

cātur-varṇyaṁ mayā sṛṣṭaṁ
guṇa-karma-vibhāgaśaḥ

tasya kartāram api mām
viddhy akartāram avyayam

cātuḥ-varṇyam—cele patru diviziuni ale societăţii umane; mayā—de Mine; sṛṣṭam—create; guṇa—a calităţilor; karma—şi a muncii; vibhāgaśaḥ—potrivit cu distribuţia; tasya—a acesteia; kartāram—părintele; api—deşi; mām—pe Mine; viddhi—cunoaşte; akartāram—ca nefăptuitor; avyayam—neschimbător.

Cele patru diviziuni ale societăţii umane au fost create de Mine, potrivit celor trei moduri ale naturii materiale şi tipului de activitate asociat acestora. Şi deşi Eu sunt creatorul acestui sistem, trebuie să ştii că Eu sunt şi Cel care nu înfăptuieşte, nefiind supus schimbărilor.

COMENTARIU

Domnul este creatorul tuturor lucrurilor. Totul se naşte din El, totul este susţinut de El, iar la sfârşitul lumilor totul se odihneşte în El. Prin urmare, El este creatorul celor patru diviziuni ale ordinii sociale, începând cu clasa intelectualilor, numită tehnic *brāhmaṇa*, datorită faptului că aceştia ţin de modul bunătăţii. Urmează clasa administrativă, numită tehnic *kṣatriya*, căci ei ţin de modul pasiunii. Comercianţii, numiţi *vaiśya*, aparţin modurilor pasiunii şi ignoranţei amestecate, iar *śudra*, clasa lucrătorilor, ţin de modul ignoranţei în cadrul naturii materiale. În ciuda faptului că El a creat cele patru diviziuni ale societăţii umane, Śrī Kṛṣṇa nu aparţine nici uneia din ele, pentru că El nu face parte dintre sufletele condiţionate, din care o parte alcătuiesc societatea umană. Societatea umană este similară oricărei alte societăţi animale, dar, pentru a-i ridica pe oameni de la starea animală, Domnul a creat cele patru diviziuni menţionate anterior, pentru dezvoltarea sistematică a conştiinţei de Kṛṣṇa. Înclinaţia unui anumit om către o muncă este determinată de modurile naturii materiale pe care le-a dobândit. Aceste caracteristici ale vieţii umane, în funcţie de diferitele moduri ale naturii materiale, sunt descrise în capitolul al optsprezecelea al acestei cărţi. Cu toate acestea, cel ce se află în conştiinţa de Kṛṣṇa este deasupra chiar şi a brahmanilor. Deşi prin natura lor brahmanii ar trebui să-L cunoască pe Brahman, Adevărul Absolut Suprem, cei mai mulţi dintre ei se apropie doar de manifestarea lui Śrī Kṛṣṇa sub aspectul Său de Brahman impersonal. Dar omul care trece dincolo de cunoaşterea limitată a unui brahman şi ajunge la cunoaşterea Personalităţii Supreme a Divinităţii, Śrī Kṛṣṇa, devine o persoană aflată în conştiinţa de Kṛṣṇa sau un Vaiṣṇava.

Conștiința de Kṛṣṇa include cunoașterea tuturor diferitelor expansiuni plenare ale lui Kṛṣṇa, adică Rāma, Nṛsiṁha, Varāha etc. Și așa cum Kṛṣṇa se află dincolo de acest sistem al celor patru diviziuni ale societății umane, la fel și cel aflat în conștiința de Kṛṣṇa este dincolo de orice diviziuni ale societății umane, fie că este vorba de cele ce țin de o comunitate, națiune sau rasă.

TEXTUL 14

न मां कर्माणि लिम्पन्ति न मे कर्मफले स्पृहा ।
इति मां योऽभिजानाति कर्मभिर्न स बध्यते ॥१४॥

na māṁ karmāṇi limpanti
na me karma-phale spṛhā
iti māṁ yo 'bhijānāti
karmabhir na sa badhyate

na—niciodată ; *mām*—pe Mine; *karmāṇi*—orice fel de activități; *limpanti*—afectează; *na*—nici; *me*—a Mea; *karma-phale*—în activitatea care aduce fruct; *spṛhā*—aspirație; *iti*—astfel; *mām*—pe Mine; *yaḥ*—cel care; *abhijānāti*—cunoaște; *karmabhiḥ*—de reacțiile acestor activități; *na*—niciodată; *saḥ*—el; *badhyate*—este înlănțuit.

Nu există activitate care să Mă afecteze; nici nu râvnesc la rezultatele activității. Cel care înțelege acest adevăr despre Mine, de asemenea nu devine încurcat în reacțiile fructuoase ale activității.

COMENTARIU

Așa cum în lumea materială există unele legi de bază care stabilesc că regele nu poate greși sau că nu este supus legilor statului, la fel și Domnul, deși este creatorul acestei lumi materiale, nu este afectat de activitățile din lume. El crează, dar rămâne în afara creației, în timp ce entitățile vii sunt prinse în capcana urmărilor ce rezultă din activitățile materiale, datorită înclinațiilor lor de a stăpâni asupra resurselor materiale. Proprietarul unei întreprinderi nu este răspunzător pentru acțiunile bune sau rele ale lucrătorilor, ci responsabili sunt lucrătorii înșiși. Toate viețuitoarele sunt angajate în diferitele lor activități destinate satisfacerii simțurilor, dar aceste activități nu sunt poruncite de Dumnezeu. Pentru a-și spori plăcerile simțurilor, ființele se angajează în activitățile din această lume, iar după moarte râvnesc la fericirea cerească. Dumnezeu, fiind perfect în El Însuşi, nu este atras de aşa-numita fericire cerească. Semizeii din ceruri sunt doar slujitorii aflaţi în slujba Sa. Proprietarul nu râvneşte niciodată la fericirea de tip inferior pe care ar putea-o dori angajaţii săi. El este dincolo de acţiunile şi reacţiunile materiale. De exemplu, ploaia nu este răspunzătoare pentru diferitele feluri de vegetaţie ce apar pe pământ, deşi fără ploaie vegetaţia nu poate creşte. În scripturile (*smṛti*) vedice acest lucru este confirmat astfel:

> *nimitta-mātram evāsau*
> *sṛjyānām sarga-karmaṇi*
> *pradhāna-kāraṇī-bhūtā*
> *yato vai sṛjya-śaktayaḥ*

„În cazul creaţiilor materiale, Dumnezeu este doar cauza supremă. Cauza imediată este natura materială, prin care manifestarea cosmică este făcută vizibilă." Fiinţele create sunt de mai multe feluri, cum ar fi semizeii, fiinţele umane şi animalele inferioare, şi toate sunt supuse reacţiilor activităţilor lor trecute, bune sau rele. Dumnezeu le dă doar înlesnirile necesare pentru asemenea activităţi şi reglementările ce ţin de modurile naturii materiale, dar El nu este răspunzător de activităţile lor trecute sau prezente. În *Vedānta-sūtra* (2.1.34) se confirmă acest lucru: *vaiṣamya-nairghṛṇye na sāpekṣatvāt*—Dumnezeu nu este părtinitor faţă de nici o fiinţă. Fiinţele sunt responsabile pentru propriile lor activităţi. Dumnezeu le dă doar înlesnirile necesare prin intermediul naturii materiale sau energia externă. Cel ce este familiarizat cu toate urzelile acestei legi a karmei sau a activităţilor fructuoase nu ajunge să fie afectat de rezultatele acţiunilor sale. Cu alte cuvinte, cel care înţelege această natură transcendentă a lui Dumnezeu este un om experimentat în conştiinţa de Kṛṣṇa şi deci nu este niciodată supus legilor karmei. Cel ce nu cunoaşte natura transcendentă a Domnului şi care crede că activităţile Sale ţintesc spre obţinerea fructului, aşa cum se întâmplă cu activităţile fiinţelor obişnuite, va fi cu siguranţă înlănţuit de urmările activităţilor. Dar cel care cunoaşte Adevărul Suprem este un suflet eliberat, neclintit în conştiinţa de Kṛṣṇa.

TEXTUL 15

एवं ज्ञात्वा कृतं कर्म पूर्वैरपि मुमुक्षुभिः ।
कुरु कर्मैव तस्मात्त्वं पूर्वैः पूर्वतरं कृतम् ॥१५॥

evaṁ jñātvā kṛtaṁ karma
pūrvair api mumukṣubhiḥ
kuru karmaiva tasmāt tvaṁ
pūrvaiḥ pūrvataraṁ kṛtam

evam—astfel; *jñātvā*—știind bine; *kṛtam*—a fost îndeplinită; *karma*—activitatea; *pūrvaiḥ*—de către autoritățile spirituale din trecut; *api*—desigur; *mumukṣubhiḥ*—care au atins eliberarea; *kuru*—săvârșește; *karma*—datoria prescrisă; *eva*—cu siguranță; *tasmāt*—de aceea; *tvam*—tu; *pūrvaiḥ*—de către predecesori; *pūrva-taram*—în vremurile vechi; *kṛtam*—așa cum au fost îndeplinite.

Toate sufletele eliberate din vremurile străvechi au acționat cu această înțelegere a naturii Mele transcendente. Prin urmare, tu trebuie să-ți îndeplinești datoria, pășind pe urmele lor.

COMENTARIU

Există două categorii de oameni. Unii au inima plină de tot felul de lucruri necurate, materiale, alții sunt eliberați de materie. Conștiința de Kṛṣṇa este benefică pentru ambele categorii. Cei ce sunt dominați de lucruri necurate pot să apuce pe calea conștiinței de Kṛṣṇa pentru a se supune unui proces treptat de purificare, urmând principiile regulatoare ale slujirii devoționale. Cei ce sunt deja curățați de impurificări, pot continua să acționeze în conștiința de Kṛṣṇa, astfel încât și alții să urmeze acțiunile lor exemplare și astfel să beneficieze de pe urma lor. Oamenii nechibzuiți sau începătorii în conștiința de Kṛṣṇa doresc să se retragă din viața activă, fără să fi ajuns la cunoașterea conștiinței de Kṛṣṇa. Dorința lui Arjuna de a se abține de la acțiune pe câmpul de luptă nu a fost aprobată de Domnul. Omul trebuie doar să știe cum să acționeze. A te retrage de la activitățile conștiinței de Kṛṣṇa și a sta de-o parte, făcând doar paradă de conștiința de Kṛṣṇa, este mai puțin important decât a te angaja în domeniul activităților dedicate lui Kṛṣṇa. Arjuna este sfătuit aici să acționeze în conștiința de Kṛṣṇa, pășind pe urmele discipolilor precedenți ai Domnului, precum zeul-soare Vivasvān, așa cum s-a menționat anterior. Domnul Suprem își cunoaște toate activitățile din trecut, la fel ca și pe cele ale persoanelor care au acționat în conștiința de Kṛṣṇa în trecut. De aceea El recomandă activitățile zeului-soare, care a învățat această artă de la Domnul în urmă cu câteva milioane de ani. Toți discipolii de acest fel ai lui Śrī Kṛṣṇa sunt menționați aici ca persoane eliberate din trecut, angajate în îndeplinirea datoriilor încredințate de Krșna.

TEXTUL 16

किं कर्म किमकर्मेति कवयोऽप्यत्र मोहिताः ।
तत्ते कर्म प्रवक्ष्यामि यज्ज्ञात्वा मोक्ष्यसेऽशुभात् ॥१६॥

*kim karma kim akarmeti
kavayo 'py atra mohitāḥ
tat te karma pravakṣyāmi
yaj jñātvā mokṣyase 'śubhāt*

kim—ce este; *karma*—activitatea; *kim*—ce este; *akarma*—inactivitatea; *iti*—astfel; *kavayaḥ*—cei inteligenți; *api*—chiar și; *atra*—în acest domeniu; *mohitāḥ*—sunt confuzionați; *tat*—acea; *te*—ție; *karma*—activitate; *pravakṣyāmi*—îți voi explica; *yat*—pe care; *jñātvā*—cunoscând-o; *mokṣyase*—vei fi eliberat; *aśubhāt*—de nenorocire.

Chiar și cei inteligenți sunt confuzionați în determinarea a ceea ce este acțiune și ceea ce este inacțiune. Acum am să-ți explic ce este activitatea, a cărei cunoaștere te va elibera de orice nenorocire.

COMENTARIU

Acțiunea în conștiința de Krșna trebuie înfăptuită în acord cu exemplele precedenților devoți autentici, așa cum se recomandă în versetul 15. De ce nu trebuie să acționăm independent, se explică în versetul următor. Pentru a acționa în conștiința de Krșna trebuie să ne lăsăm conduși de persoane autorizate, aflate pe linia succesiunii disciplice, așa cum s-a explicat la începutul acestui capitol. Sistemul conștiinței de Krșna a fost mai întâi relatat zeului-soare, zeul-soare l-a explicat fiului său Manu, Manu l-a explicat fiului său Ikșvāku, sistemul acesta continuându-se pe pământ din acele vremuri foarte îndepărtate. De aceea trebuie să pășim pe urmele autorităților spirituale precedente, pe linia succesiunii disciplice; astfel, chiar și oamenii cei mai înțelepți ar fi încurcați în ce privește rânduielile conștiinței de Krșna. Din acest motiv, Domnul a hotărât să-l instruiască pe Arjuna în mod direct asupra conștiinței de Kṛṣṇa. Datorită acestei învățături directe a Domnului transmisă lui Arjuna, oricine pășește pe urmele lui Arjuna este sigur că nu se va rătăci. S-a spus deja că principiile religioase nu pot fi determinate doar prin cunoașterea experimentală imperfectă. În realitate, principiile religioase pot fi stabilite doar de către Domnul Însuși. *Dharmaṁ tu sākṣād bhagavat-praṇītam* (*Bhāgavatam* 6.3.19). Nimeni nu poate fabrica un principiu religios prin speculații imperfecte. Omul trebuie să meargă pe urmele marilor autorități precum Brahmā, Śiva, Nārada, Manu, cei patru Kumāra, Kapila, Prahlāda, Bhīṣma, Śukadeva Gosvāmī, Yamarāja, Janaka și Bali Mahārāja. Prin speculație mentală nu se poate determina ce este religia sau realizarea de sine. De aceea, prin îndurarea Sa cea fără de cauză față de devoții Săi, Domnul explică direct lui Arjuna ce este activitatea și ce este inactivitatea. Numai acțiunea înfăptuită în conștiința de Kṛṣṇa poate elibera o persoană din capcana existenței materiale.

TEXTUL 17

कर्मणो ह्यपि बोद्धव्यं बोद्धव्यं च विकर्मणः ।
अकर्मणश्च बोद्धव्यं गहना कर्मणो गतिः ॥१७॥

karmaṇo hy api boddhavyaṁ
boddhavyaṁ ca vikarmaṇaḥ
akarmaṇaś ca boddhavyaṁ
gahanā karmaṇo gatiḥ

karmaṇaḥ—a activității; *hi*—desigur; *api*—de asemenea; *boddhavyam*—trebuie înțeles; *boddhavyam*—trebuie înțeles; *ca*—și; *vikarmaṇaḥ*—a activității neîngăduite; *akarmaṇaḥ*—a inactivității; *ca*—și; *boddhavyam*—trebuie înțeles; *gahanā*—foarte greu; *karmaṇaḥ*—a activității; *gatiḥ*—pătrundere.

Complicațiile activității sunt foarte greu de înțeles. Prin urmare, trebuie să înțelegi corect ce este activitatea, ce este activitatea interzisă și ce este inactivitatea.

COMENTARIU

Cel ce se preocupă în mod serios de eliberarea de legăturile materiale trebuie să înțeleagă deosebirea între activitate, inactivitate și activitatea neautorizată.

Trebuie să ne consacrăm acestui tip de analiză a acţiunii, reacţiunii şi acţiunii pervertite, căci acesta este un subiect foarte dificil. Pentru a înţelege conştiinţa de Kṛṣṇa şi acţiunea adecvată modalităţilor sale, trebuie să înţelegem relaţia noastră cu Supremul; aceasta înseamnă că acela care a înţeles în mod desăvârşit, ştie că orice fiinţă este eternul servitor al Domnului şi că, în consecinţă, trebuie să acţioneze în conştiinţa de Kṛṣṇa. Întreaga *Bhagavad-gītā* este îndreptată spre această concluzie. Orice alte concluzii contrare acestei conştiinţe şi acţiunilor ce decurg din ea constituie *vikarma* sau acţiuni prohibite. Pentru a înţelege toate aceste lucruri, trebuie să ne asociem cu cei ce sunt persoanele autorizate în cadrul conştiinţei de Kṛṣṇa şi să învăţăm acest secret de la ei; acest lucru este la fel de bun ca şi a învăţa direct de la Domnul. Altfel, chiar şi cei mai înţelepţi oameni se vor rătăci.

TEXTUL 18

कर्मण्यकर्म यः पश्येदकर्मणि च कर्म यः ।
स बुद्धिमान्मनुष्येषु स युक्तः कृत्स्नकर्मकृत् ॥१८॥

karmaṇy akarma yaḥ paśyed
akarmaṇi ca karma yaḥ
sa buddhimān manuṣyeṣu
sa yuktaḥ kṛtsna-karma-kṛt

karmaṇi—în activitate; *akarma*—inactivitatea; *yaḥ*—cel care; *paśyet*—zăreşte; *akarmaṇi*—în inactivitate; *ca*—şi; *karma*—activitatea interesată; *yaḥ*—cel care; *saḥ*—acela; *buddhi-mān*—este inteligent; *manuṣyeṣu*—în societatea umană; *saḥ*—el; *yuktaḥ*—situat la nivel transcendent; *kṛtsna-karma-kṛt*—deşi este angajat în tot felul de activităţi.

Cel ce vede inactivitatea în activitate şi activitatea în inactivitate, acela este inteligent printre oameni şi se află în poziţia transcendentă, deşi este angajat în tot felul de activităţi.

COMENTARIU

Cel ce acţionează în conştiinţa de Kṛṣṇa este în mod firesc eliberat de legăturile karmei. Toate activităţile sale sunt îndeplinite pentru Kṛṣṇa; de aceea, el nu se bucură şi nici nu suferă de nici unul din efectele activităţii. Prin urmare el este înțelept în societatea umană, chiar dacă este angajat în tot felul de activități pentru Kṛṣṇa. *Akarma* înseamnă lipsit de reacția la activități. Impersonalistul se oprește de la acțiunile interesate de teamă că rezultatul acțiunii sale ar putea fi o piatră de poticnire pe calea către realizarea de sine, dar personalistul își cunoaște în mod corect poziția de etern slujitor al Personalității Supreme a Divinității. De aceea, el se angajează în activitățile dedicate conștiinței de Kṛṣṇa. Deoarece totul este făcut pentru Kṛṣṇa, el se bucură doar de fericirea spirituală a îndeplinirii slujirii sale. Cei ce sunt angajați în acest proces sunt cunoscuți ca fiind lipsiți de dorința pentru satisfacerea simțurilor personale. Sentimentul stării de veșnică slujire față de Kṛṣṇa îl face pe om imun la orice fel de elemente ale activității care ar putea produce reacții.

TEXTUL 19

यस्य सर्वे समारम्भाः कामसङ्कल्पवर्जिताः ।
ज्ञानाग्निदग्धकर्माणं तमाहुः पण्डितं बुधाः ॥१९॥

yasya sarve samārambhāḥ
kāma-saṅkalpa-varjitāḥ
jñānāgni-dagdha-karmāṇaṁ
tam āhuḥ paṇḍitaṁ budhāḥ

yasya—cel ale cărui; *sarve*—toate felurile de; *samārambhāḥ*—inițiative; *kāma*—bazate pe dorința de satisfacere a simțurilor; *saṅkalpa*—intenție bine determinată; *varjitāḥ*—este lipsit de; *jñāna*—cunoașterii desăvârșite; *agni*—de focul; *dagdha*—arsă; *karmāṇam*—activitatea căruia; *tam*—pe el; *āhuḥ*—îl declară; *paṇḍitam*—învățat; *budhāḥ*—cei știutori.

Cineva se înțelege a fi în deplină cunoaștere, ale cărui strădanii sunt lipsite de dorința satisfacerii simțurilor. El este cel care activează, spun înțelepții, pentru care urmările activităților au fost arse de focul cunoașterii desăvârșite.

COMENTARIU

Numai un om care posedă cunoașterea deplină poate înțelege activitățile unei persoane aflată în conștiința de Kṛṣṇa. Întrucât cel aflat în conștiința de Kṛṣṇa este lipsit de orice fel de înclinaţii către plăcerile simţurilor, trebuie să înţelegem că el a ars reacţiile activităţilor sale prin cunoaşterea desăvârşită a poziţiei sale originare de etern slujitor al Personalităţii Supreme a Divinităţii. Cel ce a ajuns la o asemenea perfecţiune a cunoaşterii este cu adevărat învăţat. Dezvoltarea cunoaşterii acestei stări de etern slujitor al Domnului este comparată cu focul. Acest foc, odată aţâţat, poate arde complet toate felurile de reacţii ale activităţilor.

TEXTUL 20

त्यक्त्वा कर्मफलासङ्गं नित्यतृप्तो निराश्रयः ।
कर्मण्यभिप्रवृत्तोऽपि नैव किञ्चित्करोति सः ॥२०॥

tyaktvā karma-phalāsaṅgaṁ
nitya-tṛpto nirāśrayaḥ
karmaṇy abhipravṛtto 'pi
naiva kiñcit karoti saḥ

tyaktvā—părăsind; *karma-phala-āsaṅgam*—ataşamentul faţă de fructul activităţii; *nitya*—mereu; *tṛptaḥ*—fiind satisfăcut; *nirāśrayaḥ*—fără nici un adăpost; *karmaṇi*—în activitate; *abhipravṛttaḥ*—de a fi pe deplin angajat; *api*—în ciuda faptului; *na*—nu; *eva*—desigur; *kiñcit*—orice; *karoti*—face; *saḥ*—el.

Abandonând orice ataşament faţă de rezultatele activităţilor sale, mereu mulţumit şi independent, el nu îndeplineşte nici o activitate fructuoasă, deşi este angajat în tot felul de activităţi.

COMENTARIU

Această eliberare de legăturile activităţilor este posibilă numai în conştiinţa de Kṛṣṇa, când omul săvârşeşte orice activitate pentru Kṛṣṇa. Cel ce este conştient de Kṛṣṇa acţionează din dragoste pură faţă de Personalitatea Supremă a Divinităţii şi deci nu este atras de rezultatele acţiunii. Acesta nu mai este preocupat nici măcar de propria subzistenţă, căci totul este lăsat în seama lui Kṛṣṇa. El nu mai are grijă să agonisească alte lucruri, nici să le păstreze pe cele care le avea deja. El îşi face datoria cât poate de bine, potrivit înzestrărilor sale, şi lasă totul în seama lui Kṛṣṇa. Un astfel de om neataşat este întotdeauna eliberat de reacţiile ce rezultă din bine sau rău; este ca şi cum acesta nu ar îndeplini nimic. Acesta este semnul lui *akarma* sau acţiunea neurmată de fruct. Orice altă acţiune lipsită de conştiinţa de Kṛṣṇa îl leagă pe făptuitor; aceasta este principala trăsătură a lui *vikarma*, aşa cum s-a explicat anterior.

TEXTUL 21

निराशीर्यतचित्तात्मा त्यक्तसर्वपरिग्रहः ।
शारीरं केवलं कर्म कुर्वन्नाप्नोति किल्बिषम् ॥२१॥

nirāśīr yata-cittātmā
tyakta-sarva-parigrahaḥ
śārīraṁ kevalaṁ karma
kurvan nāpnoti kilbiṣam

nirāśīḥ—fără dorinţa de rezultat; *yata*—stăpânit; *citta-ātmā*—mintea şi inteligenţa; *tyakta*—părăsind; *sarva*—orice; *parigrahaḥ*—simţ de proprietate asupra posesiunilor; *śārīram*—păstrând corpul şi sufletul împreună; *kevalam* —doar; *karma*—activitatea; *kurvan*—făcând; *na*—niciodată; *āpnoti*— dobândeşte; *kilbiṣam*—reacţii păcătoase.

Un asemenea om luminat acţionează cu mintea şi inteligenţa perfect stăpânite, renunţă la orice sentiment de proprietate asupra celor aflate în posesia sa şi acţionează doar pentru cele strict necesare vieţii. Făcând astfel, el nu-şi mai atrage reacţii ale păcatelor.

COMENTARIU

O persoană conştientă de Kṛṣṇa nu aşteaptă rezultate bune sau rele de pe urma activităţilor sale. Mintea şi intelectul său sunt pe deplin controlate. El ştie că, întrucât este doar parte integrantă din Suprem, rolul pe care-l joacă ca parte componentă a întregului nu este propria sa activitate şi este doar înfăptuită prin el de către Cel Suprem. Când mâna se mişcă, ea nu se mişcă prin propria voinţă, ci prin efortul întregului corp. Cel ce este conştient de Kṛṣṇa se conformează întotdeauna dorinţei supreme, căci el nu doreşte satisfacerea simţurilor proprii. El se mişcă exact ca o parte a unui mecanism. Aşa cum o piesă a unei maşini are nevoie să fie unsă şi curăţată pentru a se păstra în bună stare, la fel şi omul conştient de Kṛṣṇa se întreţine pe sine prin munca sa, tocmai spre a fi în stare să acţioneze în slujirea cu iubire transcendentă a lui Dumnezeu. De aceea el este imun la orice urmări ale strădaniilor sale. Asemenea unui animal, el nu este nici măcar proprietarul propriului corp. Proprietarul nemilos al unui animal îşi ucide uneori animalul pe care-l stăpâneşte, însă animalul nu protestează şi nici nu are nici un fel de independenţă. O persoană conştientă de Kṛṣṇa, angajată pe deplin în realizarea de sine, nu prea are timp să se preocupe de presupusa posesiune a vreunui fel de lucru material. El nu are nevoie de mijloace necinstite pentru a aduna banii necesari întreţinerii corpului şi sufletului. De aceea, el nu este contaminat de asemenea păcate materiale. El este eliberat de orice reacţii ale activităţilor sale.

TEXTUL 22

यदृच्छालाभसन्तुष्टो द्वन्द्वातीतो विमत्सरः ।
समः सिद्धावसिद्धौ च कृत्वापि न निबध्यते ॥२२॥

yadṛcchā-lābha-santuṣṭo
dvandvātīto vimatsaraḥ
samaḥ siddhāv asiddhau ca
kṛtvāpi na nibadhyate

yadṛcchā—care vine de la sine; *lābha*—cu câştigul; *santuṣṭaḥ*—mulţumit; *dvandva*—dualitatea; *atītaḥ*—depăşită; *vimatsaraḥ*—lipsit de invidie; *samaḥ*—neclintit; *siddhau*—la reuşită; *asiddhau*—la nereuşită; *ca*—şi; *kṛtvā*—făptuind; *api*—deşi; *na*—niciodată; *nibadhyate*—nu este afectat.

Cel ce se mulţumeşte cu câştigul ce vine de la sine, lipsit de dualitate şi fără invidie, neclintit atât la reuşită cât şi la nereuşită, nu este niciodată încurcat, deşi săvârşeşte mereu activităţi.

COMENTARIU

Omul conştient de Kṛṣṇa nu se trudeşte prea mult nici măcar pentru a-şi întreţine corpul. El se mulţumeşte cu câştigurile care vin de la sine; nici nu cerşeşte, nici nu împrumută, ci munceşte în mod cinstit, după puterile sale, și se mulțumește cu orice obține prin muncă. El este deci independent prin modul său de viață. El nu îngăduie ca slujirea altuia să-i împiedice propria slujire în conștiința de Kṛṣṇa. Cu toate acestea, pentru slujirea lui Kṛṣṇa el poate să ia parte la orice fel de activitate, fără să fie tulburat de dualitatea lumii materiale. Dualitatea lumii materiale este resimțită ca frig și căldură sau fericire și nefericire etc. Cel ce este conștient de Kṛṣṇa se află deasupra dualității, căci el nu ezită să acționeze în orice fel pentru satisfacerea lui Kṛṣṇa. De aceea el rămâne neclintit atât la reușită cât și la nereușită. Aceste semne sunt vizibile la cel care a ajuns la deplina cunoaștere transcendentă.

TEXTUL 23

गतसङ्गस्य मुक्तस्य ज्ञानावस्थितचेतसः ।
यज्ञायाचरतः कर्म समग्रं प्रविलीयते ॥२३॥

gata-saṅgasya muktasya
jñānāvasthita-cetasaḥ
yajñāyācarataḥ karma
samagraṁ pravilīyate

gata-saṅgasya—a celui ce nu mai este atașat de modurile naturii materiale; *muktasya*—a celui eliberat; *jñāna-avasthita*—situată în transcendență; *cetasaḥ*—a cărui înțelepciune; *yajñāya*—în folosul lui Yajña (Kṛṣṇa); *ācarataḥ* —acționând; *karma*—activitatea; *samagram*—în întreg; *pravilīyate*—se con-topește cu totul.

Activitatea celui ce nu este atașat de modurile naturii materiale și care este pe deplin situat în cunoașterea transcendentă se contopește cu totul în transcendență.

COMENTARIU

Devenind pe deplin conștient de Kṛṣṇa, omul se eliberează de orice dualitate și astfel este eliberat de contaminările modurilor materiale. El poate fi eliberat deoarece își cunoaște poziția constitutivă în relație cu Kṛṣṇa și astfel mintea sa nu se poate abate de la conștiința de Kṛṣṇa. În consecință, orice face, face pentru Kṛṣṇa, care este Viṣṇu cel originar. De aceea, practic toate activitățile sale sunt sacrificii, căci sacrificiul are drept țel satisfacerea Persoanei Supre-me, Vișnu sau Krșna. Reacțiile ce rezultă din aceste activități se contopesc în mod cert în transcendență și omul nu mai suportă efectele lor materiale.

TEXTUL 24

ब्रह्मार्पणं ब्रह्म हविर्ब्रह्माग्नौ ब्रह्मणा हुतम् ।
ब्रह्मैव तेन गन्तव्यं ब्रह्मकर्मसमाधिना ॥२४॥

brahmārpaṇaṁ brahma havir
brahmāgnau brahmaṇā hutam
brahmaiva tena gantavyaṁ
brahma-karma-samādhinā

brahma—de natură spirituală; *arpaṇam*—participarea; *brahma*—Cel Suprem; *havih*—unt; *brahma*—spiritual; *agnau*—în focul care mistuie; *brahmaṇā*—de către sufletul spiritual; *hutam*—oferit; *brahma*—împărăția spirituală; *eva*—cu siguranță; *tena*—de către el; *gantavyam*—de atins; *brahma*—spirituale; *karma*—în activitățile; *samādhinā*—prin completa absorbție.

O persoană care este cu totul absorbită în conștiința de Krșna va ajunge cu siguranță în împărăția spirituală, datorită contribuției sale depline la activitățile spirituale, în care perfecțiunea este absolută iar ceea ce se dă ca ofrandă este de aceeași natură spirituală.

COMENTARIU

Aici se descrie felul în care activitățile în conștiința de Krșna ne pot condu-ce în final la atingerea țelului spiritual. Există felurite activități în conștiința de Krșna și toate vor fi descrise în versetele următoare. Dar deocamdată se enunță doar principiul conștiinței de Krșna. Un suflet condiționat, prins în capcana contaminărilor materiale, va acționa în mod cert în această ambian-ță materială și deci trebuie să iasă din acest mediu. Procesul prin care suflet-ul condiționat poate ieși din ambianța materială este conștiința de Krșna. De exemplu, un bolnav care suferă de tulburări intestinale datorită excesului de lactate este tratat cu un alt produs lactat, anume iaurtul. Sufletul condiție-nat absorbit de materie poate fi vindecat prin conștiința de Krșna, așa cum se arată aici în *Gītā*. Acest proces este cunoscut în general ca *yajña* sau activități ori sacrificii destinate doar satisfacerii lui Viṣṇu sau Kṛṣṇa. Cu cât activitățile din lumea materială sunt tot mai mult îndeplinite în conștiința de Kṛṣṇa sau numai pentru Viṣṇu, cu-atât atmosfera devine mai spiritualizată prin completa absorbție. Cuvântul *brahma* (Brahman) înseamnă „spiritual". Dumnezeu este spiritual iar razele corpului Său transcendent sunt numite *brahmajyoti*, strălucirea Sa spirituală. Tot ceea ce există se situează în acest *brahmajyoti*, dar atunci când *jyoti* este acoperit de iluzie (*māyā*) sau de plăcerile materiale, devine material. Acest văl material poate fi înlăturat dintr-o dată prin conștiința de Kṛṣṇa; astfel ofranda făcută în folosul conștiinței de Kṛṣṇa, agentul care consumă această ofrandă sau contribuție, procesul acestei consumări, cel care contribuie și rezultatul, toate împreună sunt Brahman sau Adevărul Absolut. Adevărul absolut acoperit de către *māyā* este numit materie. Materia care aderă cu totul la cauza Adevărului Absolut își recâștigă calitățile spirituale. Conștiința de Kṛṣṇa este procesul preschimbării conștiinței iluzorii în Brahman sau Cel Suprem. Când mintea este cu totul absorbită în conștiința de Kṛṣṇa se spune că se află în *samādhi* sau transă. Tot ce se săvârșește în această conștiință transcendentă poartă numele de *yajña* sau sacrificiu pentru Absolut. În această stare de conștiință spirituală contribuabilul, contribuția sa, consumarea acesteia, cel care săvârșește sau conduce acea îndeplinire și rezultatul sau câștigul ultim—toate devin una în Absolut, Supremul Brahman. Aceasta este metoda conștiinței de Kṛṣṇa.

TEXTUL 25

दैवमेवापरे यज्ञं योगिनः पर्युपासते ।
ब्रह्माग्नावपरे यज्ञं यज्ञेनैवोपजुह्वति ॥२५॥

daivam evāpare yajñaṁ
yoginaḥ paryupāsate
brahmāgnāv apare yajñaṁ
yajñenaivopajuhvati

daivam—adorându-i pe semizei; *eva*—astfel; *apare*—alții; *yajñam*—sacrificii; *yoginaḥ*—mistici; *paryupāsate*—adoră în mod desăvârșit; *brahma*—Adevărului Absolut; *agnau*—în focul; *apare*—alții; *yajñam*—sacrificiu; *yajñena*—prin sacrificiu; *eva*—astfel; *upajuhvati*—oferă.

Unii yoghini îi adoră în chip desăvârşit pe semizei oferindu-le diferite sacrificii, iar alţii oferă sacrificii în focul Supremului Brahman.

COMENTARIU

Aşa cum s-a menţionat mai sus, cel ce este angajat în îndeplinirea datoriilor în conştiinţa de Krşna este numit şi yoghin desăvârşit sau mistic de cel mai înalt grad. Dar există şi alţii care săvârşesc sacrificii similare, închinându-se semizeilor, precum şi alţii care sacrifică Supremului Brahman sau aspectului impersonal al Domnului Suprem. Astfel că există diferite tipuri de sacrificii, în funcţie de diversele categorii. Aceste diverse categorii de sacrificii făcute de diferite tipuri de sacrificatori delimitează doar în mod superficial felurile de sacrificii. În realitate, sacrificiu înseamnă a-L satisface pe Domnul Suprem, Vişnu, cunoscut şi ca Yajña. Toate tipurile de sacrificii diferite se pot încadra în două categorii principale: sacrificiul bunurilor materiale şi sacrificiul ce urmăreşte cunoaşterea transcendentă. Cei aflaţi în conştiinţa de Krşna sacrifică toate posesiunile materiale pentru satisfacţia Domnului Suprem, pe când alţii, care doresc anumite feluri de fericire materială, îşi sacrifică posesiunile materiale pentru a-i satisface pe semizeii ca Indra, zeul-soare etc. Iar alţii, care sunt impersonalişti, îşi sacrifică propria identitate, contopindu-se cu existenţa impersonalului Brahman. Semizeii sunt fiinţe puternice, stabilite de Domnul Suprem pentru a menţine şi supraveghea toate funcţiile materiale, cum ar fi încălzirea, udarea şi luminarea universului. Cei ce sunt preocupaţi de beneficii materiale îi adoră pe semizei prin diferite sacrificii, potrivit ritualurilor vedice. Ei sunt numiţi *bahv-īśvara-vādī* sau cei ce cred în mai mulţi zei. Dar alţii, care se închină aspectului impersonal al Adevărului Absolut şi consideră formele semizeilor ca fiind temporare, îşi sacrifică sinele individual în focul suprem şi astfel pun capăt existenţei lor individuale, contopindu-se cu existenţa Supremului. Aceşti impersonalişti îşi sacrifică tot timpul în speculaţii filosofice pentru a înţelege natura transcendentă a Supremului. Cu alte cuvinte, cei ce muncesc pentru obţinerea fructului îşi sacrifică posesiunile materiale pentru plăceri materiale, în timp ce impersonalistul îşi sacrifică identitatea materială în vederea contopirii cu existenţa Supremului. Pentru un impersonalist, altarul focului sacrificial este Supremul Brahman, iar ofranda este sinele mistuit de focul lui Brahman. Însă cel ce este conştient de Krşna, aşa cum este Arjuna, sacrifică totul pentru satisfacţia lui Krşna, şi astfel toate posesiunile sale materiale, precum şi propriul sine, totul este sacrificat pentru Krşna. Astfel, el este un yoghin de prima categorie, dar nu îşi pierde existenţa individuală.

TEXTUL 26

श्रोत्रादीनीन्द्रियाण्यन्ये संयमाग्निषु जुह्वति ।
शब्दादीन् विषयानन्य इन्द्रियाग्निषु जुह्वति ॥२६॥

śrotrādīnīndriyāny anye
saṁyamāgniṣu juhvati
śabdādīn viṣayān anya
indriyāgniṣu juhvati

śrotra-ādīni—cum ar fi auzul; *indriyāṇi*—simțurile; *anye*—alții; *saṁyama*—al stăpânirii de sine; *agniṣu*—în focurile; *juhvati*—oferă; *śabda-ādīn*—vibrația sonoră etc.; *viṣayān*—obiectele satisfacerii simțurilor; *anye*—alții; *indriya*—organelor de simț; *agniṣu*—în focurile; *juhvati*—sacrifică.

Unii [brahmacārī neprihăniți] sacrifică auzul și celelalte simțuri în focul controlului mental, iar alții [familiști care trăiesc după principii regulatoare] sacrifică obiectele simțurilor în focul simțurilor.

COMENTARIU

Cei ce sunt cuprinși în cele patru diviziuni ale vieții umane, adică *brahmacārī*, *gṛhastha*, *vānaprastha* și *sannyāsī* sunt cu toții destinați să devină yoghini desăvârșiți sau transcendentaliști. Întrucât viața umană nu este destinată satisfacerii simțurilor, cum fac animalele, cele patru diviziuni ale vieții umane sunt astfel alcătuite încât omul să poată deveni perfect în viața spirituală. Cei ce sunt *brahmacārī* sau învățăcei, aflați în grija unui maestru spiritual autentic, își stăpânesc mintea abținându-se de la plăcerile simțurilor. Un *brahmacārī* aude doar cuvinte privitoare la conștiința de Kṛṣṇa; ascultarea este principiul de bază al înțelegerii și de aceea un *brahmacārī* pur se angajează deplin în *harer nāmānukīrtanam*—cântarea și ascultarea gloriei lui Dumnezeu. El se abține de la ascultarea vibrațiilor sunetelor materiale și auzul său este cuprins de vibrația sonoră spirituală a lui Hare Kṛṣṇa, Hare Kṛṣṇa. În mod similar, cel ce este căsătorit, căruia îi sunt îngăduite anumite plăceri ale simțurilor, săvârșește aceste activități cu multă reținere. Societatea umană este în general înclinată spre plăcerile sexuale, beție și consumul de carne, dar cel ce duce o viață de familie potrivit prescripțiilor scripturilor nu se dedă practicării sexualității și altor plăceri ale simțurilor fără nici o restricție. Căsătoria întemeiată pe principiile vieții religioase este curentă în toate societățile umane civilizate, pentru că acesta este modul de a reglementa viaţa sexuală. Această viaţă sexuală limitată, lipsită de ataşament, este tot un fel de *yajña*, pentru că un om căsătorit care se stăpâneşte pe sine îşi sacrifică înclinaţiile obişnuite înspre plăcerile simţurilor pentru o viaţă mai înaltă, o viaţă spirituală.

TEXTUL 27

सर्वाणीन्द्रियकर्माणि प्राणकर्माणि चापरे ।
आत्मसंयमयोगाग्नौ जुह्वति ज्ञानदीपिते ॥२७॥

sarvāṇīndriya-karmāṇi
prāṇa-karmāṇi cāpare
ātma-saṁyama-yogāgnau
juhvati jñāna-dīpite

sarvāṇi—ale tuturor; *indriya*—simţurilor; *karmāṇi*—funcţii; *prāṇa-karmāṇi*—funcţiile suflurilor vitale; *ca*—şi; *apare*—alţii; *ātma-saṁyama*—al controlării minţii; *yoga*—procesului unificator; *agnau*—în focul; *juhvati*—oferă; *jñāna-dīpite*—din râvnă fierbinte pentru realizarea de sine.

Alţii, care sunt preocupaţi în obţinerea realizării de sine prin controlul minţii şi al simţurilor, oferă funcţiile tuturor simţurilor şi ale suflurilor vitale ca jertfe în focul minţii controlate.

COMENTARIU

Aici se face referinţă la sistemul yoga conceput de Patañjali. În *Yoga-sūtra* lui Patañjali sufletul este numit *pratyag-ātmā* şi *parāg-ātmā*. Atâta vreme cât sufletul este ataşat de plăcerile simţurilor, este numit *parāg-ātmā*, dar de îndată ce acelaşi suflet devine detaşat de aceste plăceri senzoriale este numit *pratyag-ātmā*. Sufletul este supus influenţei funcţiilor celor zece sufluri care acţionează în corp şi acestea sunt percepute prin intermediul sistemului respirator. Sistemul de yoga al lui Patañjali dă instrucţiuni tehnice asupra felului în care se pot controla funcţiile suflurilor din corp, astfel încât în final toate funcţiile suflurilor interne să favorizeze purificarea sufletului de legăturile materiale. Potrivit acestui sistem yoga, ţelul ultim este *pratyag-ātmā*. Acest *pratyag-ātmā* este retras de la activităţile în domeniul materiei. Simţurile interacţionează cu obiectele simţurilor, permiţând urechii să audă, ochilor să vadă, nasului să miroase, limbii să guste și mâinii să pipăie, și astfel toate acestea sunt angajate în activități în afara sinelui; acestea poartă numele de funcții ale lui *prāṇa-vāyu*. *Apāna-vāyu* este suflul care merge în jos, *vyāna-vāyu* determină restrângerea și expansiunea, *samāna-vāyu* asigură echilibrul iar *udāna-vāyu* merge în sus; cel ce este iluminat pune toate aceste sufluri în slujba realizării de sine.

TEXTUL 28

द्रव्ययज्ञास्तपोयज्ञा योगयज्ञास्तथापरे ।
स्वाध्यायज्ञानयज्ञाश्च यतयः संशितव्रताः ॥२८॥

dravya-yajñās tapo-yajñā
yoga-yajñās tathāpare
svādhyāya-jñāna-yajñāś ca
yatayaḥ saṁśita-vratāḥ

dravya-yajñāḥ—sacrificarea propriilor posesiuni; *tapaḥ-yajñāḥ*—sacrificiul ascezei; *yoga-yajñāḥ*—sacrificiul yogăi cu opt părți; *tathā*—astfel; *apare*—alții; *svādhyāya*—sacrificiul studierii *Vedelor*; *jñāna-yajñāḥ*—sacrificiul înaintării în cunoașterea transcendentă; *ca*—și; *yatayaḥ*—cei iluminați; *saṁśita-vratāḥ*—ce țin legăminte aspre.

Unii, ținând legăminte aspre, devin iluminați prin sacrificarea posesiunilor lor, alții prin severe austerități, practicând yoga mistică cu opt părți, sau prin studierea Vedelor pentru a înainta în cunoașterea transcendentă.

COMENTARIU

Aceste sacrificii pot fi clasificate în diverse categorii. Există persoane care-și sacrifică avuțiile sub forma diferitelor tipuri de binefaceri. În India, comunitatea negustorilor înstăriți sau aristocrații deschid tot felul de instituții de binefacere cum ar fi *dharma-śālā*, *anna-kṣetra*, *atithi-śālā*, *anāthālaya* și *vidyā-pīṭha*. La fel și în alte țări există multe spitale, cămine de bătrâni și alte fundații de binefacere destinate să distribuie gratuit hrană, educație și tratament medical pentru cei săraci. Toate aceste acțiuni caritabile sunt numite *dravyamaya-yajña*. Există alții care, pentru a obține o situație mai înaltă în viață sau pentru a ajunge pe planetele superioare din acest univers acceptă de bună voie tot felul de austerități cum ar fi *candrāyaṇa* și *cāturmāsya*. Aceste procese impun legăminte aspre, care cer respectarea unor reguli de viață foarte stricte. De exemplu, în legământul *cāturmāsya* practicantul nu se rade timp de patru luni pe an (din iulie până în octombrie), nu mănâncă anumite alimente, nu mănâncă mai mult de o dată pe zi sau nu-și părăsește de loc casa. Această sacrificare a confortului vieții este numită *tapomaya-yajña*. Există și alții care practică diferite tipuri de yoga mistică, cum este sistemul lui Patañjali, (pentru contopirea cu Absolutul) sau *haṭha-yoga* ori *aṣṭaṅga-yoga* (pentru anumite perfecțiuni). Alții fac pelerinaje la toate locurile sfinte. Toate aceste practici sunt numite *yoga-yajña*, sacrificiul pentru obținerea unui anume tip de perfecțiune în lumea materială. Există alții care se ocupă cu studierea diferitelor scrieri vedice, în special *Upaniṣadele* și *Vedānta-sūtra* sau filosofia Sāṅkhya. Toate acestea poartă numele de *svādhyāya-yajña* sau angajarea în sacrificiul studiului. Toți acești yoghini sunt angajați cu credință în diferite tipuri de sacrificii, căutând să ajungă la un stadiu de viață mai elevată. Conștiința de Kṛṣṇa este însă diferită de acestea, căci este slujire directă a Domnului Suprem. Conștiința de Kṛṣṇa nu poate fi obținută prin nici unul din sus-menționatele tipuri de sacrificii, dar poate fi obținută prin îndurarea Domnului și a devoților Săi adevărați. De aceea, conștiința de Kṛṣṇa este situată în transcendență.

TEXTUL 29

अपाने जुह्वति प्राणं प्राणेऽपानं तथापरे ।
प्राणापानगती रुद्ध्वा प्राणायामपरायणाः ।
अपरे नियताहाराः प्राणान् प्राणेषु जुह्वति ॥२९॥

apāne juhvati prāṇaṁ
prāṇe 'pānaṁ tathāpare
prāṇāpana-gatī ruddhvā
prāṇāyāma-parāyaṇāḥ
apare niyatāhārāḥ
prāṇān prāṇeṣu juhvati

apāne—în suflul care merge în jos; *juhvati*—oferă; *prāṇam*—suflul ce acționează în afară; *prāṇe*—în suflul ce merge în afară; *apānam*—suflul coborâtor; *tathā*—precum și; *apare*—alții; *prāṇa*—a suflului ce merge în afară;

apāna—și a suflului coborâtor; *gatī*—mișcare; *ruddhvā*—oprind; *prāṇa-āyāma*—transa provocată de oprirea completă a respirației; *parāyaṇāḥ*—înclinați spre aceasta; *apare*—alții; *niyata*—controlând; *āhārāḥ*—hrănirea; *prāṇān*—suflurile ce merg în afară; *prāṇeṣu*—în suflurile ce merg în afară; *juhvati*—sacrifică.

Și alții, care năzuiesc spre controlul respirației pentru a rămâne în transă, se deprind să sacrifice mișcarea suflului expirator în cel inspirator și a suflului inspirator în cel expirator, și astfel, oprindu-și complet respirația, ajung să rămână în transă. Alții, reducându-și hrana, oferă ca sacrificiu suflul expirator în el însuși.

COMENTARIU

Sistemul de yoga pentru controlul procesului respirator este numit *prāṇāyama* și este practicat la începutul sistemului *haṭha-yoga*, cu ajutorul diferitelor posturi de așezare. Toate aceste procese sunt recomandate pentru stăpânirea simțurilor și înaintarea către realizarea spirituală. Această practică cuprinde controlul suflurilor din interiorul corpului, astfel încât mișcarea lor să fie inversată. Suflul numit *apāna* merge în jos iar *prāṇa* merge în sus. Yoghinul care practică *prāṇāyama* se deprinde să respire în mod invers, până ce toate curentele sunt neutralizate în *pūraka*, echilibru. Oferirea aerului expirat în cel inspirat se numește *recaka*. Când ambele curente de aer sunt complet oprite, se spune că yoghinul este în *kumbhaka-yoga*. Practicând *kumbhaka-yoga* se poate prelungi durata vieții pentru a ajunge la perfecțiunea realizării spirituale. Yoghinul înțelept este interesat să obțină perfecțiunea într-o singură viață, fără să o aștepte pe cea viitoare. Practicând *kumbhaka-yoga*, yoghinii pot să-și prelungească viața cu foarte mulți ani. Însă cel ce este conștient de Kṛṣṇa, fiind situat mereu în slujirea cu iubire spirituală a Domnului, ajunge automat să-și stăpânească simțurile. Simțurile sale, fiind mereu angajate în slujba lui Kṛṣṇa, nu au cum să fie angajate în altceva. Astfel, la sfârșitul vieții, el este în mod firesc transferat la nivelul transcendent al lui Śrī Kṛṣṇa; în consecință, el nu încearcă să-și mărească longevitatea. El este de îndată ridicat la nivelul eliberării, așa cum se afirmă în *Bhagavad-gītā* (14.26):

> *māṁ ca yo 'vyabhicāreṇa*
> *bhakti-yogena sevate*
> *sa guṇān samatītyaitān*
> *brahma-bhūyāya kalpate*

„Cel ce se angajează în slujirea devoțională neprihănită a Domnului transcende modurile naturii materiale și este de îndată înălțat la nivel spiritual." Cel ce este conștient de Kṛṣṇa se află încă de la început la nivel transcendent și rămâne mereu în această stare de conștiință. De aceea aici nu există cădere, și până la urmă el intră în sălașul lui Dumnezeu fără nici o amânare. Practica reducerii hranei se face automat atunci când se consumă numai *kṛṣṇa-prasādam* sau hrana oferită mai întâi lui Dumnezeu. Diminuarea hranei este de mare ajutor în stăpânirea simțurilor, iar fără stăpânirea simțurilor nu se poate ieși din capcana materiei.

TEXTUL 30

सर्वेऽप्येते यज्ञविदो यज्ञक्षपितकल्मषाः ।
यज्ञशिष्टामृतभुजो यान्ति ब्रह्म सनातनम् ॥३०॥

sarve 'py ete yajña-vido
yajña-kṣapita-kalmaṣāḥ
yajña-śiṣṭāmṛta-bhujo
yānti brahma sanātanam

sarve—toți; *api*—deși aparent diferiți; *ete*—aceștia; *yajña-vidaḥ*—cunoscând scopul îndeplinirii de sacrificii; *yajña-kṣapita*—fiind purificați în urma acestor sacrificii; *kalmaṣāḥ*—de reacțiile păcătoase; *yajña-śiṣṭa*—al rezultatului îndeplinirii de *yajña*; *amṛta-bhujaḥ*—cei care au gustat acest nectar; *yānti*—ajung la; *brahma*—suprema; *sanātanam*—atmosferă eternă.

Toți acești făptuitori care cunosc rostul sacrificiului sunt curățați de reacțiile păcatelor și după ce-au gustat din nectarul roadelor sacrificiului avansează către atmosfera eternă supremă.

COMENTARIU

Din explicația anterioară a diverselor tipuri de sacrificii (sacrificarea propriilor bunuri, studierea *Vedelor* sau a doctrinelor filosofice și practicarea sistemului yoga) se înțelege că scopul comun tuturor acestora este stăpânirea simțurilor. Satisfacerea simțurilor este rădăcina care dă naștere existenței materiale; de aceea, până ce omul nu ajunge la un nivel situat dincolo de plăcerile simțurilor, nu există nici o șansă pentru el să fie înălțat la nivelul etern al cunoașterii perfecte, fericirii perfecte și existenței împlinite. Acest nivel se află în sfera eternității sau sfera lui Brahman. Toate sacrificiile menționate anterior îl ajută pe om să se curețe de toate păcatele rezultate din existența materială. Prin acest progres al vieții sale, nu numai că omul ajunge fericit și prosper în această viață, ci și la sfârșitul ei va intra în împărăția eternă a lui Dumnezeu, fie contopindu-se cu impersonalul Brahman, fie alăturându-se Personalității Supreme a Divinității, Kṛṣṇa.

TEXTUL 31

नायं लोकोऽस्त्ययज्ञस्य कुतोऽन्यः कुरुसत्तम ॥३१॥

nāyaṁ loko 'sty ayajñasya
kuto 'nyaḥ kuru-sattama

na—nicidecum; *ayam*—această; *lokaḥ*—planetă; *asti*—există; *ayajñasya*—pentru cel ce nu săvârșește sacrificii; *kutaḥ*—de unde; *anyaḥ*—cealaltă; *kuru-sat-tama*—o, cel mai bun din dinastia Kuru.

O, tu cel mai bun din dinastia Kuru, fără sacrificiu cineva nu poate niciodată trăi fericit pe această planetă, sau în această viață; ce să mai spunem despre următoarea?

COMENTARIU

În orice formă de existență materială ne-am afla, suntem fără nici o excepție supuși ignoranței în ce privește natura noastră reală. Cu alte cuvinte, existența în lumea materială se datorează multiplelor reacții ale existențelor noastre păcătoase. Ignoranța este cauza vieții în păcat, iar viața în păcat pricinuiește agățarea noastră de existența materială. Forma umană de viață este singura portiță de scăpare prin care putem ieși din această capcană. *Vedele* deci ne dau o șansă de scăpare, evidențiind calea religiei, a bunăstării economice, a satisfacerii reglementate a simțurilor și, la urmă, mijlocul de a ieși cu totul din această stare de suferință. Calea religiei sau diferitele feluri de sacrificii recomandate anterior rezolvă automat problemele noastre economice. Prin îndeplinirea de *yajña* putem obține suficientă hrană, suficient lapte etc.—chiar dacă se produce o așa-numită creștere a populației. Când corpul este îndestulat, urmează stadiul satisfacerii simțurilor. De aceea, *Vedele* prescriu căsătoria religioasă pentru reglementarea satisfacerii simţurilor. Prin aceasta, omul este înălţat treptat la nivelul eliberării de legăturile materiale, iar cea mai înaltă perfecţiune a vieţii eliberate este asocierea cu Domnul Suprem. Desăvârşirea se obţine prin îndeplinirea de *yajña* (sacrificii), aşa cum se descrie mai sus. Deci dacă un om nu este înclinat spre îndeplinirea de *yajña* conform cu *Vedele*, cum poate să se aştepte la o viaţă fericită chiar în acest corp, spre a nu mai vorbi de un alt corp, pe o altă planetă? Există diferite grade de confort material pe diferite planete cereşti şi, în toate cazurile, cei care săvârşesc diferite feluri de *yajña* se bucură acolo de o fericire nemărginită. Dar cea mai mare fericire pe care o poate dobândi un om este aceea de a fi înălţat pe planetele spirituale prin practicarea conştiinţei de Krşna. O viaţă dedicată conştiinţei de Krşna este deci soluţia tuturor problemelor existenţei materiale.

TEXTUL 32

एवं बहुविधा यज्ञा वितता ब्रह्मणो मुखे ।
कर्मजान् विद्धि तान् सर्वानेवं ज्ञात्वा विमोक्ष्यसे ॥३२॥

evaṁ bahu-vidhā yajñā
vitatā brahmaṇo mukhe
karma-jān viddhi tān sarvān
evaṁ jñātvā vimokṣyase

evam—astfel; *bahu-vidhāḥ*—multe feluri de; *yajñāḥ*—sacrificii; *vitatāḥ*—sunt răspândite; *brahmaṇaḥ*—a *Vedelor*; *mukhe*—prin gura; *karma-jān*—născute din activitate; *viddhi*—trebuie să le cunoşti; *tān*—pe acestea; *sarvān*—toate; *evam*—astfel; *jñātvā*—cunoscându-le; *vimokṣyase*—vei fi eliberat.

Toate aceste felurite sacrificii sunt aprobate de Vede şi toate se nasc din diferite activităţi. Cunoscându-le în acest fel, vei fi eliberat.

COMENTARIU

Diferitele tipuri de sacrificii discutate anterior sunt menţionate în *Vede* potrivit cu diferitele tipuri de făptuitori. Întrucât oamenii sunt atât de profund absorbiţi de concepţia corporală, aceste sacrificii sunt astfel alcătuite încât fiecare să-și poată folosi fie corpul, fie mintea, fie intelectul. Dar toate sunt recomandate pentru ca în final să se ajungă la eliberarea de corpul material. Acest lucru este confirmat aici de Domnul cu propria Sa gură.

TEXTUL 33

श्रेयान्द्रव्यमयाद्यज्ञाज्ज्ञानयज्ञ: परन्तप ।
सर्वं कर्माखिलं पार्थ ज्ञाने परिसमाप्यते ॥३३॥

śreyān dravya-mayād yajñāj
jñāna-yajñaḥ parantapa
sarvaṁ karmākhilaṁ pārtha
jñāne parisamāpyate 7

śreyān—mai bun; *dravya-mayāt*—a bunurilor materiale; *yajñāt*—decât sacrificiul; *jñāna-yajñaḥ*—sacrificiul în cunoaștere; *parantapa*—o, tu cel ce-ți pedepsești dușmanii; *sarvam*—toate; *karma*—activitățile; *akhilam*—în totalitate; *pārtha*—o, fiu al lui Pṛthā; *jñāne*—în cunoaștere; *parisamāpyate*—sfârșesc.

O, tu cel ce-ți pedepsești dușmanii, sacrificiul îndeplinit în cunoaștere este mai bun decât simpla sacrificare a posesiunilor materiale. O, fiu al lui Pṛthā, până la urmă toate sacrificiile activităților culminează în cunoașterea transcendentă.

COMENTARIU

Scopul tuturor sacrificiilor este acela de a ajunge la starea cunoașterii depline, apoi de a dobândi eliberarea de suferințele materiale și, în final, angajarea în slujirea cu iubire spirituală a Domnului Suprem (conștiința de Kṛṣṇa). Cu toate acestea, există un secret al tuturor acestor diverse acțiuni de sacrificare, și acest secret trebuie să fie dezvăluit. Sacrificiile iau uneori forme diferite, potrivit cu credința specifică celui ce le săvârșește. Atunci când credința sa atinge stadiul cunoașterii transcendente, executorul sacrificiului trebuie considerat a fi mult mai avansat decât cei care-și sacrifică doar bunurile materiale fără a avea această cunoaștere, deoarece fără atingerea cunoașterii sacrificiile rămân la nivel material și nu aduc beneficii spirituale. Adevărata cunoaștere culminează în conştiinţa de Kṛṣṇa, stadiul cel mai înalt al cunoaşterii transcendente. Dacă nu se ridică până la cunoaştere, sacrificiile rămân simple activităţi materiale. Când însă acestea se ridică la nivelul cunoaşterii transcendente, toate aceste activităţi ajung să facă parte din domeniul spiritual. În funcţie de diferenţa de conştiinţă, activităţile sacrificiale sunt uneori numite *karma-kāṇḍa* (activităţi fructuoase), iar alteori *jñāna-kaṇḍa* (cunoaşterea care urmăreşte adevărul). Cea mai bună dintre acestea este cea care are drept scop cunoaşterea.

TEXTUL 34

तद्विद्धि प्रणिपातेन परिप्रश्नेन सेवया ।
उपदेक्ष्यन्ति ते ज्ञानं ज्ञानिनस्तत्त्वदर्शिनः ॥३४॥

tad viddhi praṇipātena
paripraśnena sevayā
upadekṣyanti te jñānaṁ
jñāninas tattva-darśinaḥ

tat—această cunoaştere a diferitelor sacrificii; *viddhi*—încearcă să înţelegi; *praṇipātena*—apropiindu-te de un maestru spiritual; *paripraśnena*—întrebând cu supunere; *sevayā*—prin slujire; *upadekṣyanti*—ei te vor iniţia; *te*—pe tine; *jñānam*—în cunoaştere; *jñāninaḥ*—cei ce au dobândit realizarea de sine; *tattva*—ai adevărului; *darśinaḥ*—văzători.

Încearcă doar să afli adevărul apropiindu-te de un maestru spiritual. Întreabă-l cu supunere şi pune-te în slujba sa. Sufletele realizate de sine îţi pot împărtăşi cunoaşterea, căci ele au văzut adevărul.

COMENTARIU

Calea realizării spirituale este fără îndoială dificilă, de aceea Domnul ne sfătuieşte să ne apropiem de un maestru spiritual autentic aflat pe linia succesiunii disciplice ce porneşte de la Domnul Însuşi. Nimeni nu poate fi un adevărat maestru spiritual fără să se conformeze acestui principiu al succesiunii disciplice. Domnul este maestrul spiritual originar, iar cel ce face parte din succesiunea disciplică poate transmite mesajul Domnului aşa cum este către discipolul său. Nimeni nu poate ajunge la realizarea spirituală fabricând propria sa metodă, aşa cum este acum la modă printre făţarnicii fără minte. În

Bhāgavatam (6.3.19) se spune: *dharmaṁ tu sākṣād bhagavat-praṇītam*—calea religiei este enunțată direct de către Domnul. Prin urmare, spēculația mentală și argumentele seci nu-l pot ajuta pe om să apuce pe drumul drept. Și nici prin studierea independentă a cărților de înțelepciune nu se poate progresa în viața spirituală. Pentru a primi cunoașterea trebuie să ne apropiem de un maestru spiritual autentic. Un asemenea maestru spiritual trebuie acceptat cu deplină supunere și trebuie să-l slujim ca niște umili servitori, fără falsă mândrie. Secretul înaintării în viața spirituală este acela de a-l mulțumi pe maestrul spiritual care a ajuns la realizarea de sine. Întrebările și supunerea constituie combinația cea mai potrivită pentru cunoașterea spirituală. Fără supunere și slujire, informațiile obținute de la maestrul spiritual învățat nu aduc nici un folos. Trebuie să fim capabili să trecem încercarea la care ne supune maestrul spiritual și, atunci când el vede că dorința discipolului este sinceră, îl binecu-vântează de îndată cu cunoașterea spirituală veritabilă. În acest verset se con-damnă atât supunerea oarbă, cât și informațiile absurde. Nu trebuie doar să ascultăm cu supunere cele spuse de maestrul spiritual, ci trebuie să obținem de la el înțelegerea clară a acestor lucruri, prin supunere, slujire și cercetare. Un maestru spiritual autentic este prin natura sa plin de afecțiune față de discipol. De aceea, atunci când învățăcelul este supus și gata mereu să-l slu-jească, atunci schimbul reciproc de întrebări și învățătură ajunge desăvârșit.

TEXTUL 35

यज्ज्ञात्वा न पुनर्मोहमेवं यास्यसि पाण्डव ।
येन भूतान्यशेषाणि द्रक्ष्यस्यात्मन्यथो मयि ॥३५॥

yaj jñātvā na punar moham
evaṁ yāsyasi pāṇḍava
yena bhūtāny aśeṣāṇi
drakṣyasy ātmany atho mayi

yat—ceea ce; *jñātvā*—cunoscând; *na*—nu; *punaḥ*—din nou; *moham*—în iluzie; *evam*—ca aceasta; *yāsyasi*—vei merge; *pāṇḍava*—o, fiu al lui Pāṇḍu; *yena*—prin care; *bhūtāni*—entitățile vii; *aśeṣāṇi*—toate; *drakṣyasi*—vei vedea; *ātmani*—în Sufletul Suprem; *atha u*—sau, cu alte cuvinte; *mayi*—în Mine.

Dobândind adevărata cunoaştere de la un suflet realizat de sine, nu vei mai cădea niciodată într-o astfel de iluzie, căci prin această cunoaştere vei vedea că toate fiinţele sunt doar părţi ale Supremului sau, cu alte cuvinte, că ele Îmi aparţin Mie.

COMENTARIU

Rezultatul primirii cunoaşterii de la un suflet realizat sau de la cel ce cunoaşte lucrurile aşa cum sunt în mod real este înţelegerea faptului că toate fiinţele sunt părţi integrante ale Personalităţii Supreme a Divinităţii, Śrī Kṛṣṇa. Sentimentul existenţei separate de Kṛṣṇa este numit *māyā* (*mā*—nu; *yā*—aceasta). Unii cred că nu avem nimic de-a face cu Kṛṣṇa, că Kṛṣṇa este doar o mare personalitate istorică şi că Absolutul este impersonalul Brahman. În realitate, aşa cum se afirmă în *Bhagavad-gītā*, acest Brahman impersonal este strălucirea persoanei lui Kṛṣṇa. Kṛṣṇa, în calitate de Persoană Supremă a lui Dumnezeu este cauza tuturor lucrurilor. În *Brahma-samhitā* se afirmă limpede că Kṛṣṇa este Personalitatea Supremă a Divinităţii, cauza tuturor cauzelor. Chiar şi milioanele de încarnări sunt doar diferitele sale expansiuni. În mod similar, entităţile vii sunt şi ele expansiuni ale lui Kṛṣṇa. Filozofii *māyāvādī* consideră în mod greşit că Kṛṣṇa Îşi pierde propria existenţă separată în multiplele Sale expansiuni. Acesta este un mod de gândire material. În lumea materială suntem obişnuiţi ca atunci când un lucru este împărţit în fragmente să-şi piardă identitatea originară. Dar filosofii *māyāvādī* nu pot să înţeleagă că **absolut** înseamnă că unu şi cu unu face unu iar unu fără unu face tot unu. Aşa se întâmplă în domeniul absolutului.

Din lipsa unei cunoaşteri suficiente a ştiinţei absolutului suntem acum acoperiţi de iluzie şi credem că suntem separaţi de Kṛṣṇa. Deşi suntem părţi separate ale lui Kṛṣṇa, noi nu suntem totuşi diferiţi de El. Diferenţele corporale dintre entităţile vii constituie *māyā* sau ceea ce nu este real. Noi toţi suntem destinaţi să-L mulţumim pe Kṛṣṇa. Arjuna credea că relaţiile corporale vremelnice cu rudele sale erau mai importante decât legăturile sale spirituale eterne cu Kṛṣṇa. Întreaga învăţătură din *Gītā* ţinteşte spre această concluzie: entitatea vie, fiind în slujba lui Kṛṣṇa, nu poate fi separată de El, iar faptul de a se considera ca având o identitate separată de Kṛṣṇa este numit *māyā*. Entităţile vii, ca părţi integrante distincte ale Supremului, au de împlinit un scop. Uitându-şi acest scop din vremuri imemoriale, ajung în diferite corpuri ca oameni, animale, semizei etc. Aceste diferenţe corporale provin din uitarea slujirii spirituale datorate Domnului. Însă cel care se angajează în slujirea transcendentă prin intermediul conştiinţei de Kṛṣṇa este de îndată eliberat de această iluzie. O asemenea cunoaștere pură poate fi dobândită doar de la maestrul spiritual autentic și prin aceasta se poate înlătura iluzia că entitatea vie este egală cu Kṛṣṇa. Cunoașterea supremă înseamnă să știi că Kṛṣṇa, Sufletul Suprem, este refugiul suprem pentru toate entitățile vii, iar prin renunțarea la această ocrotire entitățile vii sunt amăgite de energia materială, închipuindu-și că au o identitate separată. Astfel, sub influența diferitelor tipuri de identitate materială, ele ajung să Îl uite pe Kṛṣṇa. Însă atunci când aceste entități vii amăgite ajung să fie situate în conștiința de Kṛṣṇa, se înțelege că ele se află pe calea eliberării, așa cum se confirmă în *Śrīmad-Bhāgavatam* (2.10.6): *muktir hitvānyathā-rūpaṁ svarūpeṇa vyavasthitiḥ*. Eliberarea înseamnă a te situa în starea originară de etern slujitor al lui Kṛṣṇa (sau în conștiința de Kṛṣṇa).

TEXTUL 36

अपि चेदसि पापेभ्यः सर्वेभ्यः पापकृत्तमः ।
सर्वं ज्ञानप्लवेनैव वृजिनं सन्तरिष्यसि ॥३६॥

api ced asi pāpebhyaḥ
sarvebhyaḥ pāpa-kṛt-tamaḥ
sarvaṁ jñāna-plavenaiva
vṛjinaṁ santariṣyasi

api—chiar; *cet*—dacă; *asi*—ești; *pāpebhyaḥ*—dintre păcătoși; *sarvebhyaḥ*—dintre toți; *pāpa-kṛt-tamaḥ*—cel mai mare păcătos; *sarvam*—toate aceste păcate; *jñāna-plavena*—cu corabia cunoașterii transcendente; *eva*—desigur; *vṛjinam*—oceanul suferințelor; *santariṣyasi*—vei trece în întregime.

Chiar de-ai fi socotit cel mai mare păcătos dintre toți păcătoșii, odată ajuns în corabia cunoașterii transcendente, vei fi în stare să străbați oceanul suferințelor.

COMENTARIU

Cunoașterea corectă a propriei poziții constitutive în raport cu Kṛṣṇa este atât de minunată încât poate să-l scoată dintr-o dată pe om din lupta pentru existență care se poartă continuu în acest ocean al ignoranței. Această lume materială este privită uneori ca un ocean al ignoranței iar alteori ca o pădure în flăcări. În mijlocul oceanului, oricât de bun înnotător ar fi cineva, lupta sa pentru existență este foarte dură. Însă dacă apare cineva care-l scoate pe acest înnotător care se chinuie, din valurile oceanului, el este cel mai mare salvator. Cunoașterea desăvârșită primită de la Personalitatea Supremă a Divinității este calea eliberării. Corabia conștiinței de Kṛṣṇa este foarte simplă, dar în același timp este și cea mai sublimă din toate.

TEXTUL 37

यथैधांसि समिद्धोऽग्निर्भस्मसात्कुरुतेऽर्जुन ।
ज्ञानाग्निः सर्वकर्माणि भस्मसात्कुरुते तथा ॥३७॥

yathaidhāṁsi samiddho 'gnir
bhasma-sāt kurute 'rjuna
jñānāgniḥ sarva-karmāṇi
bhasma-sāt kurute tathā

yathā—așa cum; *edhāṁsi*—lemnul de foc; *samiddhaḥ*—arzând; *agniḥ*—focul; *bhasma-sāt*—în cenușă; *kurute*—preface; *arjuna*—o, Arjuna; *jñāna-agniḥ*—focul cunoașterii; *sarva-karmāṇi*—toate reacțiile activităților materiale; *bhasma-sāt*—în cenușă; *kurute*—preface; *tathā*—de asemenea.

Așa cum focul care arde preface lemnele în cenușă, o Arjuna, la fel și focul cunoașterii preface în scrum toate reacțiile activităților materiale.

COMENTARIU

Cunoașterea desăvârșită a sinelui și Suprasinelui, ca și a legăturii lor, este comparată aici cu focul. Acest foc nu numai că arde toate reacțiile activităților lipsite de pietate, ci arde de asemenea și toate reacțiile activităților pioase, transformându-le în scrum. Există mai multe stadii ale acestor reacții: reacții în curs de pregătire, reacții care se împlinesc, reacții deja împlinite și reacții încă nemanifestate. Însă cunoașterea poziției constitutive a entității vii transformă totul în scrum. Când un om a ajuns la cunoașterea completă, toate reacțiile, atât *a priori* cât și *a posteriori* sunt consumate. În *Vede* (*Bṛhad-āraṇyaka Upaniṣad* 4.4.22) se afirmă: *ubhe uhaivaiṣa ete taraty amṛtaḥ sādhv-asādhūnī.* „Acela va trece dincolo de amândouă felurile de reacții ale activităților, atât de cele pioase, cât și de cele nepioase.“

TEXTUL 38

न हि ज्ञानेन सदृशं पवित्रमिह विद्यते ।
तत्स्वयं योगसंसिद्धः कालेनात्मनि विन्दति ॥३८॥

na hi jñānena sadṛśaṁ
pavitram iha vidyate
tat svayaṁ yoga-saṁsiddhaḥ
kālenātmani vindati

na—nimic; *hi*—cu siguranță; *jñānena*—cu cunoașterea; *sadṛśam*—în comparație; *pavitram*—sfințit; *iha*—în această lume; *vidyate*—există; *tat*—această; *svayam*—însăși; *yoga*—în devoțiune; *saṁsiddhaḥ*—cel desăvârșit; *kālena*—cu timpul; *ātmani*—în sine însuși; *vindati*—se bucură de.

Nimic din lumea aceasta nu este atât de pur și de sublim precum cunoașterea transcendentă. Această cunoaștere este fructul împlinit al întregului misticism. Iar cel desăvârșit în practica slujirii devoționale se bucură de această cunoaștere în el însuși, la vremea potrivită.

COMENTARIU

Când vorbim de cunoaștere transcendentă ne referim la ceea ce ține de înțelegerea celor spirituale. Ca atare, nu există nimic atât de sublim și pur precum cunoașterea transcendentă. Ignoranța este cauza legării noastre iar cunoașterea este cauza eliberării. Această cunoaștere este fructul matur al slujirii devoționale și când cineva ajunge la cunoașterea transcendentă, nu mai are nevoie să caute pacea în altă parte, pentru că se bucură de pace înăuntrul său. Cu alte cuvinte, această cunoaștere și pace culminează în conștiința de Kṛṣṇa. Aceasta este concluzia finală din *Bhagavad-gītā*.

TEXTUL 39

श्रद्धावाँल्लभते ज्ञानं तत्परः संयतेन्द्रियः ।
ज्ञानं लब्ध्वा परां शान्तिमचिरेणाधिगच्छति ॥३९॥

śraddhāvāl labhate jñānaṁ
tat-paraḥ saṁyatendriyaḥ

jñānaṁ labdhvā parāṁ śāntim
acireṇādhigacchati

śraddhā-vān—omul credincios; *labhate*—dobândeşte; *jñānam*—cunoaşterea; *tat-paraḥ*—foarte ataşat de ea; *saṁyata*—stăpânite; *indriyaḥ*—simţurile; *jñānam*—cunoaşterea; *labdhvā*—dobândind; *parām*—transcendentă; *śāntim* —pacea; *acireṇa*—de îndată; *adhigacchati*—atinge.

Un om credincios care este dedicat cunoaşterii transcendente şi care îşi stăpâneşte simţurile merită să dobândească o astfel de cunoaştere, iar dobândind-o, ajunge de îndată la pacea spirituală supremă.

COMENTARIU

Această cunoaştere în conştiinţa de Kṛṣṇa poate fi dobândită de un om credincios, care crede cu tărie în Kṛṣṇa. Omul credincios este acela care crede că prin simplul fapt de a acţiona în conştiinţa de Kṛṣṇa poate să ajungă la cea mai înaltă perfecţiune. La această credinţă se poate ajunge prin îndeplinirea slujirii devoţionale şi prin cântarea lui Hare Kṛṣṇa, Hare Kṛṣṇa, Kṛṣṇa Kṛṣṇa, Hare Hare/ Hare Rāma, Hare Rāma, Rāma Rāma, Hare Hare, care purifică inima de orice fel de impurităţi materiale. În plus, omul trebuie să-şi stăpânească simţurile. Cel ce Îi este credincios lui Kṛṣṇa şi care-şi stăpâneşte simţurile poate atinge cu uşurinţă perfecţiunea în cunoaşterea conştiinţei de Kṛṣṇa fără întârziere.

TEXTUL 40

अज्ञश्चाश्रद्दधानश्च संशयात्मा विनश्यति ।
नायं लोकोऽस्ति न परो न सुखं संशयात्मनः ॥४०॥

ajñaś cāśraddadhānaś ca
saṁśayātmā vinaśyati
nāyaṁ loko 'sti na paro
na sukhaṁ saṁśayātmanaḥ

ajñaḥ—smintitul ce nu cunoaşte scripturile; *ca*—şi; *aśraddadhānaḥ*—fără credinţă în scripturile revelate; *ca*—şi; *saṁśaya*—cu îndoieli; *ātmā*—o persoană; *vinaśyati*—cade îndărăt; *na*—niciodată; *ayam*—în această; *lokaḥ*—lume; *asti*—există; *na*—nici; *paraḥ*—în viața viitoare; *na*—nu; *sukham*—fericire; *saṁśaya*—care se îndoiește; *ātmanaḥ*—a persoanei.

Dar cei ignoranți și lipsiți de credință, care se îndoiesc de scripturile revelate, nu ajung la conștiința de Dumnezeu; ele decad. Pentru sufletul care se îndoiește nu există fericire nici în această lume și nici în următoarea.

COMENTARIU

Dintre multele scripturi revelate, autorizate și recunoscute, *Bhagavad-gītā* este cea mai importantă. Persoanele ce sunt asemeni animalelor nu cunosc aceste scripturi revelate sau nu cred în ele; iar unii, deși le cunosc sau pot cita pasaje din scripturile revelate, nu cred de fapt în aceste cuvinte. Și chiar dacă unii cred în scripturi precum *Bhagavad-gītā*, aceștia nu cred în Personalitatea Divinității, Śrī Kṛṣṇa și nu Îl adoră. Asemenea persoane nu pot ajunge la nici un rezultat în conștiința de Kṛṣṇa. Ele decad. Dintre persoanele menționate mai sus, cei lipsiți de credință și care se îndoiesc mereu, nu progresează în nici un fel. Oamenii fără credință în Dumnezeu și în cuvintele Sale revelate nu află nimic bun în această lume și nici în cealaltă. Pentru ei nu există nici un fel de fericire. De aceea, omul trebuie să urmeze cu credință principiile scripturilor revelate și prin aceasta să se ridice la nivelul cunoașterii. Numai această cunoaștere îl va ajuta pe om să fie înălțat la nivelul transcendent al înțelegerii spirituale. Cu alte cuvinte, cei ce se îndoiesc nu au nici un fel de statut în ce privește emanciparea spirituală. De aceea trebuie să pășim pe urmele marilor *ācārya* care fac parte din succesiunea disciplică și prin aceasta să ajungem la împlinire.

TEXTUL 41

योगसन्न्यस्तकर्माणं ज्ञानसञ्छिन्नसंशयम् ।
आत्मवन्तं न कर्माणि निबध्नन्ति धनञ्जय ॥४१॥

yoga-sannyasta-karmāṇaṁ
jñāna-sañchinna-saṁśayam
ātmavantaṁ na karmāṇi
nibadhnanti dhanañjaya

yoga—prin slujirea devoţională în *karma-yoga*; *sannyasta*—cel ce a renunţat; *karmāṇam*—la fructele activităţilor; *jñāna*—prin cunoaştere; *sañchinna*—tăiată; *saṁśayam*—îndoiala; *ātma-vantam*—situat în sine; *na*—niciodată; *karmāṇi*—activităţile; *nibadhnanti*—îl leagă; *dhanañjaya*—o, cuceritorule de bogăţii.

Cel ce acţionează în slujirea devoţională, renunţând la fructul activită-ţilor sale, şi ale cărui îndoieli au fost nimicite prin cunoaşterea trans-cendentă, este cu adevărat situat în sine. Astfel, el nu mai este legat de reacţiile activităţilor sale, o cuceritor de bogăţii.

COMENTARIU

Cel ce urmează învăţătura din *Bhagavad-gītā* aşa cum este împărtăşită de Domnul, de Însăşi Personalitatea Divinităţii, ajunge să fie eliberat de toate îndoielile, graţie cunoaşterii transcendente. Acesta, ca parte integrantă a lui Dumnezeu, situat pe deplin în conştiinţa de Krşna, este deja aşezat în cunoaş-terea de sine. Ca atare, fără îndoială că el este dincolo de legăturile activităţii.

TEXTUL 42

तस्मादज्ञानसम्भूतं हृत्स्थं ज्ञानासिनात्मनः ।
छित्त्वैनं संशयं योगमातिष्ठोत्तिष्ठ भारत ॥४२॥

tasmād ajñāna-sambhūtaṁ
hṛt-sthaṁ jñānāsinātmanaḥ
chittvainaṁ saṁśayaṁ yogam
ātiṣṭhottiṣṭha bhārata

tasmāt—de aceea; *ajñāna-sambhūtam*—născută din ignoranţă; *hṛt-stham*—aflată în inimă; *jñāna*—a cunoaşterii; *asinā*—cu arma; *ātmanaḥ*—sinelui; *chittvā*—tăind; *enam*—această; *saṁśayam*—îndoială; *yogam*—în yoga; *ātiṣṭha*—stabileşte-te; *uttiṣṭha*—ridică-te şi luptă; *bhārata*—o, descendent al lui Bharata.

Prin urmare, îndoielile ce s-au ivit în inima ta din pricina ignoran-ţei trebuie curmate cu arma cunoaşterii. Înarmat cu yoga, o, Bhārata, ridică-te şi luptă!

COMENTARIU

Sistemul yoga descris în acest capitol poartă numele de *sanātana-yoga* sau activitățile eterne ale ființelor. Această yoga are două ramuri: una este constituită de sacrificiile bunurilor materiale iar cealaltă este cunoașterea sinelui, care este activitate spirituală pură. Dacă sacrificarea bunurilor materiale nu este orientată către realizarea spirituală, atunci acest sacrificiu devine material. Dar cel care săvârșește acest sacrificiu cu un țel spiritual sau ca slujire devoțională, face un sacrificiu desăvârșit. Ajungând la activitățile spirituale, constatăm că și acestea se împart în două: înțelegerea propriului sine (sau propriei poziții constitutive) și adevărul privitor la Personalitatea Supremă a Divinității. Cel ce urmează calea din *Bhagavad-gītā* așa cum este ea poate înțelege foarte ușor aceste două părți importante ale cunoașterii spirituale. El nu întâmpină nici o dificultate în obținerea cunoașterii perfecte a sinelui ca parte integrantă a lui Dumnezeu. Iar această înțelegere este benefică, căci acest om poate să înțeleagă ușor activitățile transcendente ale Domnului. La începutul acestui capitol activitățile transcendente ale Domnului au fost discutate de Însuși Domnul Suprem. Cel ce nu înțelege învățăturile din *Gītā* este lipsit de credință și trebuie considerat că își folosește în mod greșit independența parțială dată lui de către Dumnezeu. Cel care, în ciuda acestor învățături, nu înțelege natura reală a Domnului ca fiind Personalitatea Supremă a Divinității, Cea eternă, atotcunoscătoare și plină de beatitudine, este cu siguranță cel mai mare smintit. Ignoranța poate fi înlăturată prin acceptarea treptată a principiilor conștiinței de Kṛṣṇa. Conștiința de Kṛṣṇa se trezește prin diferite tipuri de sacrificii făcute semizeilor, prin sacrificiul adus lui Brahman, sacrificiul în celibat, sacrificiul în viața de familie, în stăpânirea simțurilor, în practicarea yogăi mistice, în penitență, în renunțarea la bunurile materiale, în studierea Vedelor și în participarea la instituția socială cunoscută ca *varṇāśrama-dharma*. Toate acestea sunt cunoscute ca sacrificii și toate se bazează pe acțiuni prescrise în scripturi. Dar în toate aceste activități factorul cel mai important este realizarea de sine. Cel ce urmărește **acest** obiectiv, este adevăratul cercetător al *Bhagavad-gītei*, însă cel care se îndoiește de autoritatea lui Kṛṣṇa va cădea înapoi. De aceea omul este sfătuit să studieze *Bhagavad-gītā* sau orice altă scriptură sub îndrumarea unui maestru spiritual autentic, slujindu-l și supunându-se lui. Un maestru spiritual autentic face parte dintr-o succesiune disciplică ce vine din vremuri imemoriale; el nu se abate de la învățăturile Domnului Suprem, așa cum au fost ele împărtășite cu milioane de ani în urmă zeului-soare, de la care învățăturile din *Bhagavad-gītā* au coborât în împărăția pământeană. De-aceea trebuie să urmăm calea din *Bhagavad-gītā* așa cum este explicată în

Gītā însăşi şi să ne ferim de oamenii care-şi urmăresc propriul interes şi gloria personală, făcându-i pe ceilalţi să se abată de la adevărata cale. Domnul este în mod neîndoielnic persoana supremă şi activităţile Sale sunt transcendente. Cel ce înţelege aceasta este un om eliberat încă din momentul în care începe să studieze *Bhagavad-gītā*.

Astfel sfârşeşte comentariul lui Bhaktivedanta la capitolul al patrulea din Śrīmad Bhagavad-gītā, care tratează despre „Cunoaşterea transcendentă".

Karma-yoga — Activitatea în conștiința de Kṛṣṇa

TEXTUL 1

अर्जुन उवाच
सन्न्यासं कर्मणां कृष्ण पुनर्योगं च शंससि ।
यच्छ्रेय एतयोरेकं तन्मे ब्रूहि सुनिश्चितम् ॥ १ ॥

arjuna uvāca
sannyāsaṁ karmaṇāṁ kṛṣṇa
punar yogaṁ ca śaṁsasi
yac chreya etayor ekaṁ
tan me brūhi su-niścitam

arjunaḥ uvāca—Arjuna a spus; sannyāsam—renunțarea; karmaṇām—tutu-
ror activităților; kṛṣṇa—o, Kṛṣṇa; punaḥ—din nou; yogam—slujirea devo-

ţională; *ca*—şi; *śaṁsasi*—Tu lauzi; *yat*—care; *śreyaḥ*—este mai benefică; *etayoḥ*—dintre acestea două; *ekam*—una; *tat*—aceasta; *me*—mie; *brūhi*—te rog spune-mi; *su-niścitam*—în mod hotărât.

Arjuna a spus: O, Kṛṣṇa, mai întâi de toate mi-ai cerut să renunţ la activitate iar apoi mi-ai recomandat activitatea îndeplinită cu devoţiune. Te rog fii binevoitor şi spune-mi acum desluşit care din cele două este mai bună?

COMENTARIU

În acest al cincelea capitol din *Bhagavad-gītā* Domnul ne spune că acţiunea îndeplinită ca slujire devoţională este mai bună decât speculaţia mentală seacă. Slujirea devoţională este mai uşoară decât cealaltă metodă, deoarece fiind transcendentă prin natura sa, îl eliberează pe om de reacţiile activităţilor. În capitolul al doilea s-a explicat cunoaşterea preliminară despre suflet şi despre întemniţarea sa în corpul material. De asemenea, tot acolo s-a mai explicat cum se poate ieşi din această închisoare prin *buddhi-yoga* sau slujirea devoţională. În capitolul al treilea s-a explicat că acela care este situat la nivelul cunoaşterii nu mai are nici o altă datorie de îndeplinit, iar în capitolul al patrulea Domnul i-a spus lui Arjuna că toate tipurile de activităţi sacrificiale culminează în cunoaştere. Cu toate acestea, la sfârşitul celui de-al patrulea capitol Domnul îl sfătuieşte pe Arjuna să se ridice şi să lupte, fiind situat în cunoaşterea desăvârşită. De aceea, arătând simultan atât importanţa acţiunii devoţionale, cât şi a inacţiunii în cunoaştere, Kṛṣṇa l-a pus în dificultate pe Arjuna, făcând să i se clatine hotărârea. Arjuna înţelege că renunţarea în cunoaştere implică încetarea oricăror fapte legate de activitatea simţurilor. Dar dacă în slujirea devoţională se săvârşesc activităţi, atunci cum se opreşte activitatea? Cu alte cuvinte, el crede că *sannyāsa* sau renunţarea în cunoaştere trebuie să fie cu totul lipsită de orice fel de activităţi, deoarece i se pare că activitatea şi renunţarea sunt incompatibile. El pare să nu fi înţeles că activitatea în deplină cunoaştere nu produce reacţii şi deci este acelaşi lucru cu inactivitatea. De aceea, el întreabă dacă trebuie să se oprească de la orice activitate sau să activeze în deplină cunoaştere.

TEXTUL 2

श्रीभगवानुवाच
सन्न्यासः कर्मयोगश्च निःश्रेयसकरावुभौ ।
तयोस्तु कर्मसन्न्यासात्कर्मयोगो विशिष्यते ॥ २ ॥

śrī-bhagavān uvāca
sannyāsaḥ karma-yogaś ca
niḥśreyasa-karāv ubhau
tayos tu karma-sannyāsāt
karma-yogo viśiṣyate

śrī-bhagavān uvāca—Personalitatea Divinității a spus; *sannyāsaḥ*—renunța-rea la activitate; *karma-yogaḥ*—activitatea în devoțiune; *ca*—și; *niḥśreyasa-karau*—ducând pe calea spre eliberare; *ubhau*—amândouă; *tayoḥ*—dintre cele două; *tu*—însă; *karma-sannyāsāt*—decât renunțarea la activitatea fruc-tuoasă; *karma-yogaḥ*—activitatea îndeplinită în devoțiune; *viśiṣyate*—este mai bună.

Personalitatea Divinității a spus: Renunțarea la activitate și activitatea în devoțiune duc amândouă către eliberare. Dar dintre acestea două, activitatea în slujirea devoțională este mai bună decât renunțarea la activitate.

COMENTARIU

Activitățile fructuoase (urmărind satisfacerea simțurilor) sunt cauza legătu-rilor materiale. Atâta vreme cât omul este implicat în activități menite să-i sporească bunăstarea trupească, poate fi sigur că transmigrează în diferite tipuri de corpuri și prin aceasta perpetuează la nesfârșit legăturile materiale. *Śrīmad-Bhāgavatam* (5.5.4-6) confirmă astfel acest lucru:

nūnaṁ pramattaḥ kurute vikarma
yad indriya-prītaya āpṛṇoti
na sādhu manye yata ātmano 'yam
asann api kleśa-da āsa dehaḥ

parābhavas tāvad abodha-jāto
yāvan na jijñāsata ātma-tattvam

yāvat kriyās tāvad idaṁ mano vai
karmātmakaṁ yena śarīra-bandhaḥ

evaṁ manaḥ karma-vaśaṁ prayuṅkte
avidyayātmany upadhīyamāne
prītir na yāvan mayi vāsudeve
na mucyate deha-yogena tāvat

„Oamenii sunt nebuni după plăcerile simţurilor, fără să ştie că acest corp plin de suferinţe este rezultatul activităţilor sale din trecut care şi-au produs fructul. Deşi corpul este trecător, el aduce mereu tot felul de necazuri în diferite feluri. De aceea nu este bine să acţionăm pentru satisfacerea simţurilor. Atâta vreme cât omul nu se întreabă asupra identităţii sale reale, viaţa sa este considerată fără nici un rost. Atâta timp cât nu-şi cunoaşte adevărata identitate, el trebuie să muncească pentru obţinerea de rezultate necesare satisfacerii simţurilor, şi atâta timp cât rămâne prins în conştiinţa satisfacerii simţurilor, va trebui să transmigreze dintr-un corp în altul. Chiar dacă mintea sa este prinsă în activităţile fructuoase şi este influenţată de ignoranţă, omul trebuie să-şi dezvolte dragostea pentru slujirea devoţională a lui Vāsudeva. Doar atunci va avea prilejul să iasă din capcana existenţei materiale."

Prin urmare, *jñāna* sau cunoaşterea faptului că noi nu suntem corpuri materiale, ci suflete spirituale, nu este suficientă pentru eliberare. Noi trebuie să *acţionăm* potrivit calităţii noastre de suflete spirituale, altfel nu vom scăpa de legăturile materiale. Acţiunea în conştiinţa de Kṛṣṇa nu este însă la fel cu acţiunea aflată la nivelul beneficiilor materiale. Acţiunile îndeplinite în deplină cunoaştere consolidează progresul omului în cunoaşterea reală. Fără conştiinţa de Kṛṣṇa, simpla renunţare la activităţile fructuoase nu purifică în mod real inima unei fiinţe condiţionate. Cât timp inima nu este purificată, omul va trebui să acţioneze la nivelul activităţilor fructuoase. Dar acţiunea în conştiinţa de Kṛṣṇa îl ajută automat pe om să scape de urmările activităţilor fructuoase, astfel încât să nu mai trebuiască să coboare la nivelul material. De aceea acţiunea în conştiinţa de Kṛṣṇa este întotdeauna superioară renunţării, care atrage întotdeauna riscul căderii. Renunţarea fără conştiinţa de Kṛṣṇa este incompletă, aşa cum confirmă Śrīla Rūpa Gosvāmī în al său *Bhakti-rasāmṛta-sindhu* (1.2.258):

prāpañcikatayā buddhyā
hari-sambandhi-vastunaḥ

mumukṣubhiḥ parityāgo
vairāgyaṁ phalgu kathyate

„Când cei ce râvnesc să obțină eliberarea renunță la lucrurile ce au legătură cu Personalitatea Supremă a Divinității, gândindu-se că acestea sunt materiale, renunțarea lor este incompletă.“ Renunțarea completă este aceea în care există cunoașterea faptului că tot ceea ce există aparține lui Dumnezeu și că nimeni nu poate să se considere proprietarul vreunui lucru. Omul trebuie să înțeleagă că în realitate nimic nu aparține nimănui. Atunci, de care renunțare poate fi vorba? Cel ce știe că totul este în proprietatea lui Krṣna, este totdeauna situat în renunțare. Întrucât totul aparține lui Krṣna, totul trebuie folosit în slujba lui Krṣna. Această formă desăvârșită de acțiune în conștiința de Krṣna este de departe superioară oricărei renunțări artificiale a unui *sannyāsī* aparținând școlii Māyāvādī.

TEXTUL 3

श्रेयः स नित्यसन्न्यासी यो न द्वेष्टि न काङ्क्षति ।
निर्द्वन्द्वो हि महाबाहो सुखं बन्धात्प्रमुच्यते ॥ ३ ॥

jñeyaḥ sa nitya-sannyāsī
yo na dveṣṭi na kāṅkṣati
nirdvandvo hi mahā-bāho
sukhaṁ bandhāt pramucyate

jñeyaḥ—trebuie cunoscut; *saḥ*—acela; *nitya*—pentru totdeauna; *sannyāsī*—cel ce a renunțat; *yaḥ*—cel care; *na*—niciodată; *dveṣṭi*—detestă; *na*—nici; *kāṅkṣati*—dorește; *nirdvandvaḥ*—lipsit de orice dualitate; *hi*—cu adevărat; *mahā-bāho*—o, tu cel cu braț puternic; *sukham*—în mod plăcut; *bandhāt*—din legătură; *pramucyate*—este complet eliberat.

Cel care nici nu urăște și nici nu dorește fructele activităților sale este cunoscut ca fiind întotdeauna renunțat. O astfel de persoană, eliberată de toate dualitățile, cu ușurință depășește dependența materială și este complet eliberată, o, tu cel cu braț puternic.

COMENTARIU

Cel ce este cu totul în conştiinţa de Krşna este totdeauna situat în renunţare, căci el nu simte nici ură, nici dorinţă faţă de rezultatele acţiunilor sale. Acest om care a renunţat, dedicându-se slujirii transcendente cu iubire a Domnului, este cu totul desăvârşit în cunoaştere pentru că îşi cunoaşte propria poziţie originară în relaţie cu Krşna. El ştie foarte bine că Krşna este întregul iar el este doar parte integrantă a lui Krşna. Această cunoaştere este perfectă, deoarece este corectă şi din punct de vedere calitativ, şi cantitativ. Conceptul unicităţii cu Krşna este incorect, deoarece partea nu poate fi egală cu întregul. Cunoaşterea faptului că omul este una în calitate cu Dumnezeu, dar diferit din punct de vedere cantitativ este adevărata cunoaştere spirituală care îl duce pe om la împlinire, nerămânându-i nimic la care. să aspire sau pentru care să se lamenteze. În mintea sa nu mai există dualitate, căci orice face, face pentru Krşna. Scăpând astfel de stadiul dualităţii, el este eliberat chiar în această lume materială.

TEXTUL 4

साङ्ख्ययोगौ पृथग्बालाः प्रवदन्ति न पण्डिताः ।
एकमप्यास्थितः सम्यगुभयोर्विन्दते फलम् ॥ ४ ॥

sāṅkhya-yogau pṛthag bālāḥ
pravadanti na paṇḍitāḥ
ekam apy āsthitaḥ samyag
ubhayor vindate phalam

sāṅkhya—studiul analitic al lumii materiale; *yogau*—activitatea în slujirea devoţională; *pṛthak*—diferite; *bālāḥ*—cei lipsiţi de inteligenţă; *pravadanti*—spun; *na*—niciodată; *paṇḍitāḥ*—cei învăţaţi; *ekam*—în una; *api*—doar; *āsthitaḥ*—fiind situat; *samyak*—complet; *ubhayoḥ*—al amândurora; *vindate*—se bucură de; *phalam*—rezultatul.

Numai cei ignoranţi vorbesc despre slujirea devoţională (karma-yoga) ca fiind diferită de studierea analitică a lumii materiale (sāṅkhya). Cei cu adevărat învăţaţi spun că acela care se consacră temeinic uneia din aceste căi, obţine rezultatul amândurora.

COMENTARIU

Scopul studiului analitic al lumii materiale este aflarea existenței sufletului. Sufletul lumii materiale este Viṣṇu sau Suprasufletul. Slujirea devoțională a Domnului implică și slujirea adusă Suprasufletului. Unul din aceste procese urmărește găsirea rădăcinii copacului iar celălalt se ocupă de udarea acestei rădăcini. Cel ce studiază cu adevărat filosofia Sāṅkhya descoperă rădăcina lumii materiale, Viṣṇu, și apoi, în desăvârșită cunoaștere, se angajează în slujirea Domnului. De aceea, în esență nu există deosebire între cele două, deoarece țelul ambelor căi este Viṣṇu. Cei ce nu cunosc țelul ultim spun că Sāṅkhya și *karma-yoga* nu au același scop, dar cel învățat cunoaște scopul comun celor două procese diferite.

TEXTUL 5

यत्साङ्ख्यैः प्राप्यते स्थानं तद्योगैरपि गम्यते ।
एकं साङ्ख्यं च योगं च यः पश्यति स पश्यति ॥ ५ ॥

yat sāṅkhyaiḥ prāpyate sthānaṁ
tad yogair api gamyate
ekaṁ sāṅkhyaṁ ca yogaṁ ca
yaḥ paśyati sa paśyati

yat—ceea ce ; *sāṅkhyaiḥ*—prin intermediul filosofiei Sāṅkhya; *prāpyate*—se obține; *sthānam*—locul; *tat*—acela; *yogaiḥ*—prin slujire devoțională; *api*—de asemenea; *gamyate*—se poate atinge; *ekam*—una; *sāṅkhyam*—studiul analitic; *ca*—și; *yogam*—activitatea în devoțiune; *ca*—și; *yaḥ*—cel care; *paśyati*—vede; *saḥ*—acela; *paśyati*—vede într-adevăr.

Cel ce cunoaște faptul că acea poziție obținută prin studiul analitic se poate atinge și prin slujirea devoțională și care, prin urmare, vede că studiul analitic și slujirea devoțională se află la același nivel, vede lucrurile așa cum sunt.

COMENTARIU

Adevăratul scop al cercetării filosofice este aflarea țelului ultim al vieții. Întrucât țelul final al vieții este realizarea de sine, nu există deosebire între concluziile la care se ajunge prin cele două procese. Prin cercetările filosofiei Sāṅkhya se ajunge la concluzia că entitatea vie nu este parte integrantă a lumii materiale, ci a supremului întreg spiritual. În consecință, sufletul spiritual nu are nimic de-a face cu lumea materială; acțiunile sale trebuie să fie într-o oarecare relație cu Cel Suprem. Când acționează în conștiința de Kṛṣṇa, el se află de fapt în poziția sa originară. În primul proces, în Sāṅkhya, omul trebuie să se desprindă de materie, iar în procesul yogăi devoționale omul trebuie să se ataşeze de activitatea în conștiința de Kṛṣṇa. De fapt, ambele procese sunt similare, deşi la prima vedere unul din procese pare să implice detaşarea iar celălalt pare că implică ataşarea. Desprinderea de materie şi ataşamentul faţă de Kṛṣṇa este unul şi acelaşi lucru. Cel ce poate vedea acest lucru, acela vede lucrurile aşa cum sunt.

TEXTUL 6

सन्न्यासस्तु महाबाहो दुःखमाप्तुमयोगतः ।
योगयुक्तो मुनिर्ब्रह्म न चिरेणाधिगच्छति ॥ ६ ॥

sannyāsas tu mahā-bāho
duḥkham āptum ayogataḥ
yoga-yukto munir brahma
na cireṇādhigacchati

sannyāsaḥ—ordinul renunţării; *tu*—dar; *mahā-bāho*—o, tu cel cu braţ puternic; *duḥkham*—suferinţă; *āptum*—este cuprins de; *ayogataḥ*—fără slujire devoţională; *yoga-yuktaḥ*—angajat în slujirea devoţională; *muniḥ*—gânditorul; *brahma*—pe Cel Suprem; *na cireṇa*—fără întârziere; *adhigacchati*—atinge.

Doar renunţarea la toate activităţile, şi neangajarea în slujirea devoţională a Domnului, nu-i poate aduce omului fericirea. Însă cugetătorul angajat în slujirea devoţională îl poate realiza pe Suprem fără întârziere.

COMENTARIU

Există două categorii de *sannyāsī* sau oameni care fac parte din ordinul renunţării. Acei *sannyāsī* care aparţin şcolii Māyāvādī sunt preocupaţi de studiul

filosofiei Sāṅkhya, pe când *sannyāsī* Vaiṣṇava sunt angajați în studiul filoso-
fiei Bhāgavatam, care constituie comentariul corect la *Vedānta-sūtra*. *Sannyāsī*
din școala Māyāvādī studiază și ei *Vedānta-sūtra*, dar ei folosesc propriul lor
comentariu, numit *Śārīraka-bhāṣya*, scris de Śaṅkarācārya. Cei ce studiază
școala filosofică Bhāgavata sunt angajați în slujirea devoțională a Domnului,
potrivit regulilor *pāñcarātrikī*, și deci *sannyāsī* Vaiṣṇava au multiple sarcini în
slujirea transcendentă a Domnului. Acești *sannyāsī* Vaiṣṇava nu au nimic de-a
face cu activitățile materiale, și totuși ei săvârșesc diferite activități în slujirea
lor devoțională către Domnul. Dar *sannyāsī* Māyāvādī, angajați în studierea
filosofiei Sāṅkhya și Vedānta și în tot felul de speculații, nu pot să savureze
slujirea transcendentă a Domnului. Deoarece studiul lor ajunge foarte plicti-
sitor, aceștia, obosiți de speculațiile asupra lui Brahman, își caută uneori refu-
giul la Bhāgavatam, fără a avea înțelegerea necesară. În consecință, studierea
de către aceștia a lui *Śrīmad-Bhāgavatam* devine foarte anevoioasă. Speculația
aridă și interpretările impersonaliste prin mijloace artificiale nu le mai sunt
de nici un folos acestor *sannyāsī* Māyāvādī. *Sannyāsī* Vaiṣṇava, angajați în slu-
jirea devoțională, își împlinesc cu bucurie datoriile lor transcendente, având
garanția de a ajunge în final în împărăția lui Dumnezeu. *Sannyāsī* Māyāvā-
dī cad uneori de pe calea realizării de sine, reintrând în activitățile materiale
de natură filantropică și altruistă, care nu sunt nimic altceva decât activități
materiale. Deci concluzia este că aceia ce sunt angajați în activitățile ce țin de
conștiința de Krsna sunt mult mai bine situați decât acei *sannyāsī* angajați în
simple speculații despre ce este și ce nu este Brahman, deși chiar și ei ajung
la conștiința de Krsna după mai multe nașteri.

TEXTUL 7

योगयुक्तो विशुद्धात्मा विजितात्मा जितेन्द्रियः ।
सर्वभूतात्मभूतात्मा कुर्वन्नपि न लिप्यते ॥ ७ ॥

yoga-yukto viśuddhātmā
vijitātmā jitendriyaḥ
sarva-bhūtātma-bhūtātmā
kurvann api na lipyate

yoga-yuktaḥ—angajat în slujirea devoțională; *viśuddha-ātmā*—un suflet
purificat; *vijita-ātmā*—stăpânindu-se pe sine; *jita-indriyaḥ*—care și-a supus

simţurile; *sarva-bhūta*—faţă de toate entităţile vii; *ātma-bhūta-ātmā*—milostiv; *kurvan api*—deşi mereu angajat în activitate; *na*—niciodată; *lipyate*—este legat.

Cel care activează în devoţiune, care este un suflet pur şi care îşi stăpâneşte mintea şi simţurile, acela este drag fiecăruia, şi fiecare îi este drag lui. Deşi activează întotdeauna, un asemenea om nu este niciodată încurcat.

COMENTARIU

Cel ce se află pe calea eliberării prin conştiinţa de Kṛṣṇa este foarte îndrăgit de orice fiinţă, şi orice fiinţă îi este lui dragă. Aceasta se datorează conştiinţei de Kṛṣṇa. Un asemenea om nu se poate gândi la nici o fiinţă ca fiind separată de Kṛṣṇa, aşa cum frunzele şi crengile nu sunt separate de copac. El ştie foarte bine că stropind cu apă rădăcina copacului, apa va fi distribuită tuturor frunzelor şi ramurilor, sau că, dând hrană stomacului, energia ajunge automat în întregul corp. Întrucât cel ce activează în conştiinţa de Kṛṣṇa este slujitorul tuturor, el este foarte îndrăgit de toţi. Şi pentru că oricine este mulţumit de activităţile lui, conştiinţa sa este curată. Deoarece are conştiinţa curată, mintea sa este cu totul stăpânită. Şi pentru că mintea sa este stăpânită, simţurile sale sunt şi ele stăpânite. Deoarece mintea sa este mereu fixată asupra lui Kṛṣṇa, nu există riscul să fie abătută de la El. Şi nici nu există riscul ca el să-şi angajeze simţurile în altceva decât slujirea Domnului. Nu-i place să asculte nimic altceva decât subiectele legate de Kṛṣṇa; nu-i place să mănânce nimic din ceea ce nu a fost oferit lui Kṛṣṇa; şi nu doreşte să meargă în nici un loc, dacă nu este vorba de slujirea lui Kṛṣṇa. Deci simţurile sale sunt stăpânite. Un om cu simţurile stăpânite nu poate face rău nimănui. Se poate pune întrebarea: „Atunci cum se face că Arjuna i-a agresat pe ceilalţi (în bătălie)? Oare el nu era în conştiinţa de Kṛṣṇa?" Arjuna era agresiv doar în mod superficial, căci—aşa cum s-a explicat deja în capitolul al doilea—toţi cei care erau adunaţi pe câmpul de luptă vor continua să existe în mod individual, întrucât sufletul nu poate fi ucis. Astfel că, din punct de vedere spiritual, nimeni nu a fost ucis pe câmpul de bătălie din Kurukṣetra. Ei şi-au schimbat doar învelişul în care erau îmbrăcaţi, la porunca lui Kṛṣṇa care era prezent în persoană. De aceea Arjuna, deşi lupta pe câmpul de bătălie de la Kurukṣetra, de fapt nu se lupta deloc; el nu făcea decât să îndeplinească poruncile lui Kṛṣṇa, în deplină conştiinţă de Kṛṣṇa. Un asemenea om nu este niciodată cuprins de reacţiile activităţilor sale.

TEXTELE 8-9

नैव किञ्चित्करोमीति युक्तो मन्येत तत्त्ववित् ।
पश्यञ्शृण्वन् स्पृशञ्जिघ्रन्नश्नन् गच्छन् स्वपन् श्वसन् ॥ ८ ॥
प्रलपन् विसृजन् गृह्णन्नुन्मिषन्निमिषन्नपि ।
इन्द्रियाणीन्द्रियार्थेषु वर्तन्त इति धारयन् ॥ ९ ॥

naiva kiñcit karomīti
yukto manyeta tattva-vit
paśyañ śṛṇvan spṛśañ jighrann
aśnan gacchan svapan śvasan

pralapan visṛjan gṛhṇann
unmiṣan nimiṣann api
indriyāṇīndriyārtheṣu
vartanta iti dhārayan

na—niciodată; *eva*—desigur; *kiñcit*—nimic; *karomi*—fac; *iti*—astfel; *yuktaḥ*—angajat în conștiința divină; *manyeta*—gândește; *tattva-vit*—cel ce cunoaște adevărul; *paśyan*—văzând; *śṛṇvan*—auzind; *spṛśan*—atingând; *jighran*—mirosind; *aśnan*—mâncând; *gacchan*—mergând; *svapan*—visând; *śvasan*—respirând; *pralapan*—vorbind; *visṛjan*—eliminând; *gṛhṇan*—apucând; *unmiṣan*—deschizând; *nimiṣan*—închizând; *api*—chiar dacă; *indriyāṇi*—simțurile; *indriya-artheṣu*—în satisfacerea simțurilor; *vartante*—le lasă să se angajeze; *iti*—astfel; *dhārayan*—chibzuind.

Cel ce a ajuns la conștiința divină, deși vede, aude, atinge, miroase, mănâncă, merge, doarme și respiră, știe întotdeauna în el însuși că în realitate el nu face nimic din toate acestea. Căci atunci când vorbește, elimină, primește sau deschide și închide ochii, el știe întotdeauna că numai simțurile materiale sunt angajate cu obiectele lor și că el este depărtat de ele.

COMENTARIU

Cel aflat în conștiința de Kṛṣṇa are o existență pură și, în consecință, nu are nimic de-a face cu nici o acțiune ce depinde de cele cinci cauze directe sau indirecte: cel ce execută, fapta, locul, efortul și prilejul favorabil. Acest lucru se întâmplă datorită faptului că este angajat în slujirea transcendentă cu iubire pentru Kṛṣṇa. Deşi pare că acţionează cu corpul şi cu simţurile, el rămâne mereu conştient de poziţia sa reală, care este angajarea în activităţi spirituale. În conştiinţa materială simţurile sunt angajate în satisfacerea simţurilor, însă în conştiinţa de Kṛṣṇa simţurile sunt angajate în satisfacerea simţurilor lui Kṛṣṇa. Prin urmare, cel ce este conştient de Kṛṣṇa este întotdeauna liber, chiar dacă pare angajat în activităţile simţurilor. Activităţile unor simţuri precum văzul şi auzul sunt destinate primirii cunoaşterii, în timp ce mersul, vorbitul, eliminarea etc. sunt acţiuni ale simţurilor destinate activităţii. O persoană conştientă de Kṛṣṇa nu este niciodată afectată de activităţile simţurilor. Ea nu poate face nimic altceva în afara slujirii Domnului, ştiind că este eterna slujitoare a Domnului.

TEXTUL 10

ब्रह्मण्याधाय कर्माणि सङ्गं त्यक्त्वा करोति यः ।
लिप्यते न स पापेन पद्मपत्रमिवाम्भसा ॥१०॥

brahmaṇy ādhāya karmāṇi
saṅgaṁ tyaktvā karoti yaḥ
lipyate na sa pāpena
padma-patram ivāmbhasā

brahmaṇi—către Personalitatea Supremă a Divinităţii; *ādhāya*—abandonând; *karmāṇi*—toate activităţile; *saṅgam*—ataşamentul; *tyaktvā*—părăsind; *karoti*—face; *yaḥ*—cel care; *lipyate*—este afectat; *na*—niciodată; *saḥ*—el; *pāpena*—de păcat; *padma-patram*—frunza de lotus; *iva*—precum; *ambhasā*—de apă.

Cel ce-şi îndeplineşte datoria fără ataşament, oferind rezultatele Domnului Suprem, acela nu este atins de păcat, aşa cum frunza de lotus e neatinsă de apă.

COMENTARIU

Cuvântul *brahmaṇi* înseamnă aici conştiinţa de Kṛṣṇa. Lumea materială este manifestarea însumării celor trei moduri ale naturii materiale, numită tehnic *pradhāna*. Aşa cum se indică în imnurile vedice, *sarvaṁ hy etad brahma*

(*Māṇḍūkya Upaniṣad*, 2) sau *tasmād etad brahma nāma-rūpam annaṁ ca jāyate* (*Muṇḍaka Upaniṣad* 1.2.10), ca și în *Bhagavad-gītā* (14.3), *mama yonir mahad brahma*, tot ceea ce există în lumea materială este manifestarea lui Brahman; și chiar dacă efectele se manifestă diferențiat, ele sunt non-diferite de cauză. În *Īśopaniṣad* se spune că totul este legat de Supremul Brahman sau Kṛṣṇa, și deci totul Îi aparține doar Lui. Cel ce știe foarte bine că totul aparține lui Kṛṣṇa, că El este proprietarul tuturor lucrurilor și deci totul se află în slujba Domnului, în mod firesc nu are nimic de-a face cu rezultatul activităților sale, fie ele virtuoase sau păcătoase. Chiar și corpul material, fiind darul lui Dumnezeu pentru aducerea la îndeplinire a unui anumit fel de activitate, poate fi angajat în conștiința de Kṛṣṇa și atunci va fi dincolo de contaminările reacțiilor păcătoase, exact așa cum frunza lotusului, deși rămâne în apă, nu se umezește. De asemenea, în *Bhagavad-gītā* (3.30) Domnul spune: *mayi sarvāṇi karmāṇi sannyasya* — „părăsește în Mine [Kṛṣṇa] toate activitățile". Concluzia este că o persoană fără conștiința de Kṛṣṇa acționează potrivit concepției materiale asupra corpului și simțurilor, dar cel aflat în conștiința de Kṛṣṇa acționează potrivit cunoașterii că trupul este proprietatea lui Kṛṣṇa și deci trebuie pus în slujba lui Kṛṣṇa.

TEXTUL 11

कायेन मनसा बुद्ध्या केवलैरिन्द्रियैरपि ।
योगिनः कर्म कुर्वन्ति सङ्गं त्यक्त्वात्मशुद्धये ॥११॥

kāyena manasā buddhyā
kevalair indriyair api
yoginaḥ karma kurvanti
saṅgaṁ tyaktvātma-śuddhaye

kāyena — cu corpul; *manasā* — cu mintea; *buddhyā* — cu inteligența; *kevalaiḥ* — purificate; *indriyaiḥ* — cu simțurile; *api* — chiar; *yoginaḥ* — persoanele conștiente de Kṛṣṇa; *karma* — activități; *kurvanti* — săvârșesc; *saṅgam* — atașamentul; *tyaktvā* — abandonând; *ātma* — sinelui; *śuddhaye* — în scopul purificării.

Părăsind orice fel de atașare, yoghinii activează cu corpul, mintea, inteligența și chiar cu simțurile, având drept unic țel purificarea.

COMENTARIU

Dacă un om acţionează în conştiinţa de Kṛṣṇa pentru satisfacerea simţurilor lui Kṛṣṇa, orice acţiune de-a sa, fie a corpului, a minţii, a inteligenţei şi chiar a simţurilor este purificată de contaminările materiale. Din activităţile unei persoane conştiente de Kṛṣṇa nu rezultă nici un fel de reacţii materiale. Prin urmare, activităţile purificate, numite în general *sad-ācāra*, pot fi îndeplinite cu uşurinţă acţionând în conştiinţa de Kṛṣṇa. În al său *Bhakti-rasāmṛta-sindhu* (1.2.187) Śrī Rūpa Gosvāmī descrie acest lucru astfel:

īhā yasya harer dāsye
karmaṇā manasā girā
nikhilāsv apy avasthāsu
jīvan-muktaḥ sa ucyate

„Cel ce acţionează în conştiinţa de Kṛṣṇa (sau, cu alte cuvinte, în slujba lui Kṛṣṇa) cu corpul, mintea, inteligenţa şi cuvântul este un om eliberat chiar în lumea materială, deşi poate rămâne angajat într-o mulţime de aşa-numite activităţi materiale." El este lipsit de falsul ego, pentru că nu crede că este una cu corpul său material sau că el este proprietarul corpului. El ştie că nu este corpul său şi corpul nu-i aparţine. Atât el cât şi corpul său aparţin lui Kṛṣṇa. Când pune în slujba lui Kṛṣṇa tot ceea ce este produs de corp, mintea, inteligenţa, cuvintele, viaţa, averea etc.—orice ar putea fi în posesia sa—el ajunge dintr-o dată unit cu Kṛṣṇa. El este una cu Kṛṣṇa şi este lipsit de falsul ego care-l face pe om să creadă că el este corpul său etc. Acesta este stadiul desăvârşirii conştiinţei de Kṛṣṇa.

TEXTUL 12

युक्तः कर्मफलं त्यक्त्वा शान्तिमाप्नोति नैष्ठिकीम् ।
अयुक्तः कामकारेण फले सक्तो निबध्यते ॥१२॥

yuktaḥ karma-phalaṁ tyaktvā
śāntim āpnoti naiṣṭhikīm
ayuktaḥ kāma-kāreṇa
phale sakto nibadhyate

yuktaḥ—cel angajat în slujirea devoţională; *karma-phalam*—rezultatul tuturor activităţilor; *tyaktvā*—abandonând; *śāntim*—pacea desăvârşită; *āpnoti*—

dobândeşte; *naiṣṭhikīm*—netulburată; *ayuktaḥ*—cel ce nu se află în conştiin-
ţa de Kṛṣṇa; *kāma-kāreṇa*—pentru a se bucura de fructul activităţii; *phale*—
de acest fruct; *saktaḥ*—ataşat; *nibadhyate*—devine legat.

**Sufletul neclintit în devoţiune atinge pacea desăvârşită, căci Îmi dăru-
ieşte Mie rezultatele activităţilor sale, pe când cel ce nu este unit cu
Divinul, lacom după fructele activităţilor sale, devine înlănţuit.**

COMENTARIU

Diferenţa între un om aflat în conştiinţa de Kṛṣṇa şi cel aflat în conştiinţa
materială este aceea că primul este ataşat de Kṛṣṇa, pe când cel din urmă se
ataşează de rezultatele acţiunilor sale. Omul ataşat de Kṛṣṇa şi care activează
doar pentru El este cu siguranţă eliberat şi este fără grijă pentru rezultate-
le activităţilor sale. În *Bhāgavatam*, cauza grijii pentru rezultatele unei acti-
vităţi este explicată ca modalitate de existenţă a omului condiţionat de con-
cepţia dualităţii, adică lipsit de cunoaşterea Adevărului Absolut. Acest Adevăr
Absolut Suprem este Kṛṣṇa, Personalitatea Divinităţii. Tot ceea ce există este
produsul energiei lui Kṛṣṇa iar Kṛṣṇa este întru totul perfect. De aceea, acti-
vităţile în conştiinţa de Kṛṣṇa sunt situate la nivel absolut; ele sunt transcen-
dente şi nu au efecte materiale. De aceea, omul este cuprins de pacea deplină
în conştiinţa de Kṛṣṇa. Dar cel ce este prins în calcularea profitului destinat
satisfacerii simţurilor nu poate obţine această pace. Acesta este secretul con-
ştiinţei de Kṛṣṇa: realizarea faptului că nimic nu există în afara lui Kṛṣṇa
înseamnă atingerea stadiului păcii şi lipsei de orice teamă.

TEXTUL 13

सर्वकर्माणि मनसा सन्न्यस्यास्ते सुखं वशी ।
नवद्वारे पुरे देही नैव कुर्वन्न कारयन् ॥१३॥

sarva-karmāṇi manasā
sannyasyāste sukhaṁ vaśī
nava-dvāre pure dehī
naiva kurvan na kārayan

sarva—toate; *karmāṇi*—activităţile; *manasā*—cu mintea; *sannyasya*—
renunţând; *āste*—rămâne; *sukham*—fericit; *vaśī*—cel ce se stăpâneşte; *nava-
dvāre*—în locul cu nouă porţi; *pure*—în cetatea; *dehī*—sufletul întrupat; *na*

—niciodată; *eva*—cu siguranță; *kurvan*—făcând orice; *na*—nici; *kārayan*—provocând activități.

Când cel întrupat își stăpânește firea și renunță cu mintea la toate activitățile, el sălășluiește fericit în cetatea cu nouă porți, [adică în corpul material], fără să mai activeze sau să cauzeze activitate.

COMENTARIU

Sufletul întrupat trăiește în cetatea cu nouă porți. Activitățile corpului, înfățișat ca o cetate, sunt conduse în mod automat de către modurile naturii materiale care-l domină. Sufletul, deși se supune el însuși condițiilor corpului, poate să se afle dincolo de aceste condiții dacă dorește aceasta. Numai datorită uitării naturii sale superioare se identifică cu corpul material și deci suferă. Prin conștiința de Kṛṣṇa el poate să-și regăsească poziția adevărată și astfel să iasă din această întrupare. Prin urmare, de îndată ce omul se dedică conștiinței de Kṛṣṇa, devine dintr-o dată complet desprins de activitățile corporale. Într-o astfel de viață înfrânată, în care preocupările sale se schimbă, el trăiește fericit în cetatea cu nouă porți. Cele nouă porți sunt descrise astfel:

> *nava-dvāre pure dehī*
> *haṁso lelāyate bahiḥ*
> *vaśī sarvasya lokasya*
> *sthāvarasya carasya ca*

„Personalitatea Supremă a Divinității, care trăiește înăuntrul corpului ființelor, este stăpânitor peste toate făpturile ce viețuiesc în întregul univers. Corpul are nouă porți, [doi ochi, două nări, două urechi, o gură, anusul și organul genital]. Entitatea vie aflată în starea condiționată se identifică pe sine cu corpul, dar când se identifică cu Domnul ce se află înăuntrul său, devine întocmai la fel de liberă precum Domnul Însuși, chiar dacă este întrupată.“ (*Śvetāśvatara Upaniṣad* 3.18). De aceea, cel ce este conștient de Kṛṣṇa este eliberat de ambele tipuri de activități ale corpului material, atât exterioare, cât și interioare.

TEXTUL 14

न कर्तृत्वं न कर्माणि लोकस्य सृजति प्रभुः ।
न कर्मफलसंयोगं स्वभावस्तु प्रवर्तते ॥१४॥

na kartṛtvaṁ na karmāṇi
lokasya sṛjati prabhuḥ
na karma-phala-saṁyogaṁ
svabhāvas tu pravartate

na—niciodată; *kartṛtvam*—dreptul de proprietate; *na*—nici; *karmāṇi*—activitățile; *lokasya*—ale oamenilor; *sṛjati*—crează; *prabhuḥ*—stăpânul cetății cu nouă porți; *na*—nici; *karma-phala*—cu rezultatele acțiunilor; *saṁyogam*—legătura; *svabhāvaḥ*—modurile naturii materiale; *tu*—ci; *pravartate*—acționează.

Spiritul întrupat, stăpânul cetății corpului său, nu crează activitățile, nu-i face pe alții să activeze și nici nu crează fructele activităților. Toate acestea sunt puse în mișcare de modurile naturii materiale.

COMENTARIU

Așa cum se va vedea în capitolul al șaptelea, entitatea vie este una din energiile sau din naturile Domnului Suprem, dar este deosebită de materie, care ține de altă natură—natura inferioară a lui Dumnezeu. Într-un anumit fel, natura superioară sau entitatea vie a ajuns în contact cu natura materială, din vremuri imemoriale. Corpul temporar sau sălașul material pe care-l dobândește este cauza diferitelor activități și a reacțiilor ce rezultă din ele. Trăind într-o astfel de stare de dependență, omul suportă rezultatele activităților corpului, identificându-se (din ignoranță) cu corpul. Ignoranța dobândită din vremuri imemoriale este cea care cauzează suferința și întemnițarea în corp. De îndată ce entitatea vie se desprinde de activitățile corpului, se eliberează și de reacțiile acestora. Atâta vreme cât se află în cetatea corpului, ființa pare a fi stăpânul lui, dar de fapt nu este nici proprietarul, nici conducătorul acțiunilor și reacțiunilor sale. Aflat în mijlocul oceanului material, omul se luptă să supraviețuiască. Valurile oceanului îl azvârlu de ici-colo, fără ca el să le poată învinge. Cea mai bună soluție pentru el este să iasă din apă, adoptând conștiința de Krșna care este transcendentă. Numai aceasta îl va salva de toate necazurile.

TEXTUL 15

नादत्ते कस्यचित्पापं न चैव सुकृतं विभुः ।
अज्ञानेनावृतं ज्ञानं तेन मुह्यन्ति जन्तवः ॥१५॥

nādatte kasyacit pāpaṁ
na caiva sukṛtaṁ vibhuḥ
ajñānenāvṛtaṁ jñānaṁ
tena muhyanti jantavaḥ

na—niciodată; ādatte—acceptă; kasyacit—cuiva; pāpam—păcatul; na—nici; ca—şi; eva—desigur; su-kṛtam—activităţile pioase; vibhuḥ—Domnul Suprem; ajñānena—de ignoranţă; āvṛtam—acoperită; jñānam—cunoaşterea; tena—prin aceasta; muhyanti—sunt amăgiţi; jantavaḥ—făpturile create.

Nici Domnul Suprem nu-şi asumă activităţile păcătoase sau pioase ale nimănui; fiinţele întrupate, totuşi, sunt tulburate de ignoranţa care le acoperă cunoaşterea reală.

COMENTARIU

Cuvântul sanskrit *vibhu* înseamnă Domnul Suprem care este plin de nemărginită cunoaştere, bogăţie, putere, faimă, frumuseţe şi renunţare. El este întotdeauna împlinit în Sine Însuşi, netulburat de activităţile bune sau păcătoase. El nu crează vreo situaţie specială pentru nici o entitate vie, ci entitatea vie, amăgită de ignoranţă, îşi doreşte să ajungă în anumite condiţii de viaţă şi prin aceasta începe lanţul de acţiuni şi reacţiuni ale sale. Prin natura sa superioară, entitatea vie este plină de cunoaştere. Cu toate acestea, ea este predispusă să fie influenţată de ignoranţă, datorită puterii sale limitate. Dumnezeu este atotputernic, însă nu la fel este şi entitatea vie. Dumnezeu este *vibhu*, atotştiutor, dar entitatea vie este *aṇu* sau atomică. Fiind un suflet individual, ea are capacitatea de a dori după cum voieşte în mod liber. Această dorinţă este împlinită doar de către atotputernicul Dumnezeu. Şi astfel, atunci când dorinţele creaturii apucă pe căi greşite, Domnul îi îngăduie să-şi împlinească aceste dorinţe, dar El nu este responsabil pentru acţiunile şi reacţiunile ce decurg dintr-o anumită situaţie ce poate fi dorită. Fiind deci într-o stare de rătăcire, sufletul întrupat se identifică pe sine cu corpul material temporar şi astfel ajunge să fie supus trecătoarelor bucurii şi suferinţe ale vieţii. În calitatea Sa de Paramātmā sau Suprasuflet, Dumnezeu este însoţitorul permanent al entităţii vii şi deci poate să cunoască dorinţele sufletului individual, aşa cum cel ce stă lângă o floare îi poate simţi parfumul. Dorinţa este o formă subtilă de condiţionare a entităţii vii. Dumnezeu îi împlineşte dorinţa după cum merită: omul propune şi Domnul dispune. Prin urmare, individul nu este atotputernic în împlinirea dorințelor sale. Însă Dumnezeu poate împlini orice dorințe și, fiind neutru față de toți, nu intervine în dorințele nici celei mai minuscule vietăți independente. Cu toate acestea, când cineva Îl dorește pe Krṣṇa, Domnul îi acordă o atenție specială și-l încurajează să dorească în așa fel, încât să poată ajunge la El și să fie veșnic fericit. Astfel că imnurile vedice declară: *eṣa u hy eva sādhu karma kārayati taṁ yam ebhyo lokebhya unnīṣate.*

eṣa u evāsādhu karma kārayati yam adho ninīṣate — „Dumnezeu îl implică pe om în activități pioase, astfel încât să poată fi înălțat, și tot Dumnezeu îl lasă să comită activități nevrednice, astfel încât să ajungă în infern." (*Kauṣītakī Upaniṣad* 3.8).

> *ajño jantur anīśo 'yam*
> *ātmanaḥ sukha-duḥkhayoḥ*
> *īśvara-prerito gacchet*
> *svargaṁ vāśv abhram eva ca*

„Fericirea și durerea entității vii este în întregime dependentă. Prin voia Supremului ea poate ajunge în paradis sau în infern, așa cum norul este dus de vânt."

Deci sufletul întrupat, prin dorința sa imemorială de a da de-o parte conștiința de Krṣṇa, își provoacă propria rătăcire. În consecință, deși în mod originar el este etern, plin de beatitudine și cunoaștere, datorită existenței sale limitate își uită poziția constitutivă de slujire a Domnului și astfel este capturat de ignoranță, iar sub iluzia ignoranței, entitatea vie pretinde că Dumnezeu este responsabil pentru existența sa condiționată. Acest lucru este confirmat și de *Vedānta-sūtra* (2.1.34): *vaiṣamya-nairghṛṇye na sāpekṣatvāt tathā hi darśayati* — „Dumnezeu nici nu urăște, nici nu iubește pe cineva, deși pare să facă astfel."

TEXTUL 16

ज्ञानेन तु तदज्ञानं येषां नाशितमात्मनः ।
तेषामादित्यवज्ज्ञानं प्रकाशयति तत्परम् ॥१६॥

> *jñānena tu tad ajñānaṁ*
> *yeṣāṁ nāśitam ātmanaḥ*
> *teṣām āditya-vaj jñānaṁ*
> *prakāśayati tat param*

jñānena—prin cunoaştere; *tu*—însă; *tat*—acea; *ajñānam*—necunoaştere; *yeşām*—a celor care; *nāśitam*—este nimicită; *ātmanaḥ*—a entităţii vii; *teşām* —a acelora; *āditya-vat*—ca soarele răsărind; *jñānam*—cunoaştere; *prakāśayati*—dezvăluie; *tat param*—conştiinţa de Kṛṣṇa.

Când totuşi cineva este iluminat de cunoaşterea prin care neştiinţa este eliminată, atunci cunoaşterea îi revelează totul, aşa cum soarele luminează totul ziua.

COMENTARIU

Cei ce L-au uitat pe Kṛṣṇa se vor rătăci în mod sigur, dar cei ce sunt în conştiinţa de Kṛṣṇa nu se rătăcesc niciodată. Chiar în *Bhagavad-gītā* se afirmă *sarvaṁ jñāna-plavena, jñānāgniḥ sarva-karmāṇi* şi *na hi jñānena sadṛśam*. Cunoaşterea este întotdeauna foarte preţuită. Şi ce oare este această cunoaştere? Cunoaşterea desăvârşită se împlineşte atunci când omul se dăruieşte cu totul lui Kṛṣṇa, aşa cum se spune în capitolul al şaptelea, strofa 19: *bahūnāṁ janmanām ante jñānavān māṁ prapadyate*. După ce trece prin foarte multe naşteri, dacă cel desăvârşit în cunoaştere se dăruieşte cu totul lui Kṛṣṇa sau când atinge conştiinţa de Kṛṣṇa, atunci totul i se revelează, aşa cum toate lucrurile sunt revelate de soarele zilei. Entitatea vie este amăgită în foarte multe feluri. De exemplu, atunci când fără pic de sfială se crede Dumnezeu, el cade de fapt în capcana celei mai mari neştiinţe. Dacă o creatură poate fi Dumnezeu, atunci cum poate fi dezorientată de neştiinţă? Oare Dumnezeu este iluzionat de neştiinţă? Dacă ar fi aşa, atunci neştiinţa sau Satana este mai mare decât Dumnezeu. Cunoaşterea reală poate fi dobândită de la un om aflat în desăvârşita conştiinţă de Kṛṣṇa. De aceea, omul trebuie să caute un astfel de maestru spiritual de încredere şi sub îndrumarea lui să înveţe ce este conştiinţa de Kṛṣṇa, căci conştiinţa de Kṛṣṇa îi poate înlătura în mod sigur întreaga neştiinţă, aşa cum soarele alungă întunericul. Chiar dacă cineva ar putea fi pe deplin conştient de faptul că nu este una cu corpul său, ci este transcendent corpului, încă nu va fi în stare să discrimineze între suflet şi Suprasuflet. Cu toate acestea, el poate ajunge să cunoască perfect orice lucru, dacă are grijă să caute ocrotirea unui maestru spiritual autentic, desăvârşit în realizarea conştiinţei de Kṛṣṇa. Omul Îl poate cunoaşte pe Dumnezeu şi relaţia sa cu Dumnezeu doar atunci când ajunge în contact cu unul din reprezentanţii lui Dumnezeu. Un reprezentant al lui Dumnezeu nu pretinde niciodată că el este Dumnezeu, deşi i se arată tot respectul pe care de obicei îl datorăm lui Dumnezeu, pentru că el Îl cunoaște pe Dumnezeu. Trebuie să învățăm să facem deosebirea între Dumnezeu și creaturi. De aceea Domnul Śrī Krṣṇa afirmă în capitolul al doilea (2.12) că fiecare entitate vie este individuală iar Dumnezeu este de asemenea individual; ele au fost individuale în trecut, sunt individuale în prezent și vor continua să fie individuale în viitor, chiar și după eliberare. Noaptea, în întuneric, vedem totul ca și cum ar fi una, dar ziua, când soarele răsare, vedem fiecare lucru cu identitatea sa reală. Identitatea împreună cu individualitatea formează adevărata cunoaștere în viața spirituală.

TEXTUL 17

तद्बुद्धयस्तदात्मानस्तन्निष्ठास्तत्परायणाः ।
गच्छन्त्यपुनरावृत्तिं ज्ञाननिर्धूतकल्मषाः ॥१७॥

tad-buddhayas tad-ātmānas
tan-niṣṭhās tat-parāyaṇāḥ
gacchanty apunar-āvṛttiṁ
jñāna-nirdhūta-kalmaṣāḥ

tat-buddhayaḥ — cei a căror inteligență este mereu în Cel Suprem; *tat-ātmānaḥ* — cei a căror minte este mereu în Cel Suprem; *tat-niṣṭhāḥ* — cei a căror credință este destinată numai Celui Suprem; *tat-parāyaṇāḥ* — cei ce și-au aflat refugiul cu totul în El; *gacchanti* — merg; *apunaḥ-āvṛttim* — către eliberare; *jñāna* — prin cunoaștere; *nirdhūta* — curățați; *kalmaṣāḥ* — de îndoieli.

Când inteligența, mintea, credința și refugiul cuiva sunt toate fixate în Suprem, atunci acela devine pe deplin curățat de toate impuritățile, prin completa cunoaștere și astfel se angajează direct pe calea eliberării.

COMENTARIU

Supremul Adevăr Transcendent este Domnul Krṣṇa. Întreaga *Bhagavad-gītā* este centrată în jurul declarației că Krṣṇa este Personalitatea Supremă a Divinității. Aceasta este concluzia tuturor scrierilor vedice. *Para-tattva* înseamnă Realitatea Supremă care este înțeleasă doar de cei ce-L cunosc pe Cel Suprem ca Brahman, Paramātmā sau Bhagavān. Bhagavān sau Personalitatea Supremă a Divinității este aspectul ultim al Absolutului. Nu există nimic superior acestuia. Domnul spune: *mattaḥ parataram nānyat kiñcid asti dhanañjaya*. Brahman cel impersonal este de asemenea susținut de către Kṛṣṇa: *brahmaṇo hi pratiṣṭhāham*. Deci oricum, Kṛṣṇa este Realitatea Supremă. Cel cu mintea, inteligența, credința și refugiul permanent în Kṛṣṇa sau, cu alte cuvinte, cel ce este pe deplin în conștiința de Kṛṣṇa este desigur curățat de toate îndoielile și cunoaște perfect tot ceea ce se referă la transcendență. Cel ce este conștient de Kṛṣṇa poate înțelege așa cum se cuvine că există dualitate (adică simultană identitate și individualitate) în Kṛṣṇa și, înarmat cu această cunoaștere transcendentă, poate să înainteze ferm pe calea eliberării.

TEXTUL 18

विद्याविनयसम्पन्ने ब्राह्मणे गवि हस्तिनि ।
शुनि चैव श्वपाके च पण्डिताः समदर्शिनः ॥१८॥

vidyā-vinaya-sampanne
brāhmaṇe gavi hastini
śuni caiva śva-pāke ca
paṇḍitāḥ sama-darśinaḥ

vidyā—cu învățătură; *vinaya*—și politețe; *sampanne*—înzestrați din plin; *brāhmaṇe*—la un brahman; *gavi*—la o vacă; *hastini*—la un elefant; *śuni*—la un câine; *ca*—și; *eva*—desigur; *śva-pāke*—la un mâncător de câini (situat în afara castelor); *ca*—ca și; *paṇḍitāḥ*—cei înțelepți; *sama-darśinaḥ*—care privesc cu aceeași ochi.

În virtutea cunoașterii adevărate, înțelepții cei smeriți privesc la fel un brahman învățat și plin de cuviință, o vacă, un elefant, un câine și un mâncător de câini [situat în afara castelor].

COMENTARIU

Cel ce este conștient de Kṛṣṇa nu face nici o deosebire între specii sau caste. Brahmanul și cel din afara castelor pot să se deosebească din punct de vedere social, așa cum câinele, vaca și elefantul se deosebesc din punctul de vedere al speciei, dar aceste diferențe corporale sunt lipsite de sens din punctul de vedere al celor ce au ajuns la transcendență. Aceasta se datorează legăturii lor cu Supremul, deoarece Domnul Suprem, prin porțiunea Sa plenară cunoscută ca Paramātmā este prezent în inima fiecăruia. O astfel de înțelegere a Supremului este adevărata cunoaștere. În ce privește corpurile ce fac parte din diferite caste sau diferite specii de viață, Dumnezeu este la fel de binevoitor față de oricare, căci El tratează orice entitate vie ca pe un prieten, menținându-se totuși pe Sine ca Paramātmā, indiferent de circumstanțele în care se află entitățile vii. Sub aspectul de Paramātmā, Dumnezeu este prezent atât în cel ce este situat în afara castelor, cât și într-un brahman, chiar dacă corpurile unui brahman și al celui aflat în afara castelor nu sunt aceleași. Corpurile sunt produsele materiale ale diferitelor moduri ale naturii materiale, dar sufletul și Suprasufletul dinăuntrul corpului au aceeași calitate spirituală. Însă similitudinea calitativă dintre suflet și Suprasuflet nu le face să fie egale în cantitate, căci sufletul individual este prezent numai în acest corp, în vreme ce Paramātmā este prezent în fiecare și în toate corpurile. O persoană conștientă de Krṣna cunoaște pe deplin acest lucru și de aceea este cu adevărat învățată și are o viziune egalizatoare. Caracteristicile similare ale sufletului și Suprasufletului constau în aceea că ambele sunt conștiente, eterne și pline de beatitudine. Dar diferența între ele este aceea că sufletul individual este conștient numai în limitele jurisdicției unui corp, pe când Suprasufletul este conștient de toate corpurile. Suprasufletul este prezent în toate corpurile, fără deosebire.

TEXTUL 19

इहैव तैर्जितः सर्गो येषां साम्ये स्थितं मनः ।
निर्दोषं हि समं ब्रह्म तस्माद् ब्रह्मणि ते स्थिताः ॥१९॥

ihaiva tair jitaḥ sargo
yeṣāṁ sāmye sthitaṁ manaḥ
nirdoṣaṁ hi samaṁ brahma
tasmād brahmaṇi te sthitāḥ

iha—în această viață; *eva*—cu siguranță; *taiḥ*—de către ei; *jitaḥ*—învinsă; *sargaḥ*—nașterea și moartea; *yeṣām*—cei a căror; *sāmye*—în echilibru; *sthitam*—situată; *manaḥ*—minte; *nirdoṣam*—neprihănit; *hi*—cu adevărat; *samam*—în echilibru; *brahma*—precum Cel Suprem; *tasmāt*—de aceea; *brahmaṇi*—în Cel Suprem; *te*—ei; *sthitāḥ*—sunt așezați.

Cei ale căror minţi rămân mereu asemenea şi în egalitate, au învins deja naşterea şi moartea. Ei sunt fără de pată precum Brahman şi astfel sunt deja situaţi în Brahman.

COMENTARIU

Egalitatea minţii, aşa cum se menţionează mai sus, este semnul realizării de sine. Cei ce au atins acest stadiu trebuie socotiţi că au învins condiţionările materiale, în special naşterea şi moartea. Atâta timp cât omul se identifică cu corpul, este socotit un suflet condiţionat, dar de îndată ce se ridică la stadiul egalităţii minţii prin realizarea de sine, este eliberat de viaţa condiţionată. Cu alte cuvinte, el nu mai este supus naşterii în lumea materială, ci poate intra în lumea spirituală după moarte. Dumnezeu este fără defect, căci El este lipsit de atracţie şi repulsie. În mod similar, când o fiinţă este fără atracţie sau repulsie, ajunge de asemenea neprihănită şi merită să intre în lumea spirituală. Astfel de persoane sunt considerate ca fiind deja eliberate, iar semnele lor caracteristice sunt descrise mai jos.

TEXTUL 20

न प्रहृष्येत्प्रियं प्राप्य नोद्विजेत्प्राप्य चाप्रियम् ।
स्थिरबुद्धिरसम्मूढो ब्रह्मविद् ब्रह्मणि स्थितः ॥२०॥

na prahṛṣyet priyaṁ prāpya
nodvijet prāpya cāpriyam
sthira-buddhir asammūḍho
brahma-vid brahmaṇi sthitaḥ

na—niciodată; *prahṛṣyet*—se bucură; *priyam*—plăcutul; *prāpya*—dobândind; *na*—nu; *udvijet*—se frământă; *prāpya*—obţinând; *ca*—precum şi; *apriyam*—neplăcutul; *sthira-buddhiḥ*—cu inteligenţa statornicită în sine; *asammūḍhaḥ*—neamăgit; *brahma-vit*—cel ce Îl cunoaşte perfect pe Suprem; *brahmaṇi*—în transcendenţă; *sthitaḥ*—situat.

Cel ce nu se bucură de ceea ce-i plăcut şi nu se lamentează de ceea ce-i neplăcut, care este de sine inteligent, cel netulburat, care cunoaşte ştiinţa de Dumnezeu, acela este deja situat în transcendenţă.

COMENTARIU

Aici se descriu semnele unei persoane care a ajuns la realizarea de sine. Primul semn este faptul că el nu mai este iluzionat de falsa identificare dintre corpul și sinele său real. El știe perfect că nu este corpul său, ci porțiune fragmentară din Personalitatea Supremă a Divinității. De aceea nu este bucuros când obține ceva și nici nu se lamentează când pierde ceva ce ține de corp. Această statornicie a minții este numită *sthira-buddhi* sau înțelegerea sinelui. El nu mai este niciodată amăgit să facă greșeala de a confunda corpul material cu sufletul, și nici nu acceptă corpul ca fiind permanent, nesocotind existența sufletului. Această cunoaștere îl înalță la statutul de cunoscător al întregii științe a Adevărului Absolut, adică Brahman, Paramātmā și Bhagavān. Astfel, el își cunoaște poziția constitutivă în mod desăvârșit, fără să încerce în mod fals să devină una cu Cel Suprem în toate privințele. Aceasta se numește realizarea lui Brahman sau realizarea de sine. Asemenea conștiință statornică poartă numele de conștiință de Krșna.

TEXTUL 21

बाह्यस्पर्शेष्वसक्तात्मा विन्दत्यात्मनि यत्सुखम् ।
स ब्रह्मयोगयुक्तात्मा सुखमक्षयमश्नुते ॥२१॥

bāhya-sparśeṣv asaktātmā
vindaty ātmani yat sukham
sa brahma-yoga-yuktātmā
sukham akṣayam aśnute

bāhya-sparśeṣu—de plăcerea exterioară a simțurilor; *asakta-ātmā*—cel ce nu este atașat; *vindati*—se desfată; *ātmani*—în sine; *yat*—ceea ce; *sukham*—fericire; *saḥ*—el; *brahma-yoga*—prin concentrarea în Brahman; *yukta-ātmā*—cel aflat în legătură cu sinele; *sukham*—fericirea; *akṣayam*—nemărginită; *aśnute*—gustă.

Un astfel de om eliberat nu este atras de plăcerile materiale ale simțurilor, ci este mereu în transă, bucurându-se de plăcerea lăuntrică. În acest fel, cel ce a dobândit realizarea de sine se bucură de o fericire nemărginită, căci se concentrează asupra Supremului.

COMENTARIU

Śrī Yamunācārya, un mare devot în conştiinţa de Kṛṣṇa, spunea:

yad-avadhi mama cetaḥ kṛṣṇa-padāravinde
nava-nava-rasa-dhāmany udyataṁ rantum āsīt
tad-avadhi bata nārī-saṅgame smaryamāne
bhavati mukha-vikāraḥ suṣṭhu niṣṭhīvanaṁ ca

„De când m-am angajat în slujirea cu dragoste transcendentă faţă de Kṛṣṇa, experimentând o plăcere mereu nouă în El, ori de câte ori mă gândesc la plăcerile sexuale scuip la acest gând şi buzele mele se strâmbă cu dezgust." Cel ce practică *brahma-yoga* sau conştiinţa de Kṛṣṇa este atât de absorbit în slujirea cu iubire a Domnului, încât îşi pierde gustul pentru toate plăcerile materiale ale simţurilor. Cea mai mare plăcere din domeniul material este plăcerea sexuală. Întreaga lume se mişcă sub iluzia ei, iar o persoană materialistă nu poate să acţioneze deloc fără această motivaţie. Însă cel ce este angajat în conştiinţa de Kṛṣṇa acţionează cu şi mai multă vigoare fără plăcerea sexuală, pe care o evită. Acesta este testul realizării spirituale. Realizarea spirituală şi plăcerea sexuală nu se potrivesc una cu alta. O persoană conştientă de Kṛṣṇa nu este atrasă de nici un fel de plăcere a simţurilor, datorită faptului că este un suflet eliberat.

TEXTUL 22

ये हि संस्पर्शजा भोगा दुःखयोनय एव ते ।
आद्यन्तवन्तः कौन्तेय न तेषु रमते बुधः ॥२२॥

ye hi saṁsparśa-jā bhogā
duḥkha-yonaya eva te
ādy-antavantaḥ kaunteya
na teṣu ramate budhaḥ

ye—cei care; *hi*—desigur; *saṁsparśa-jāḥ*—prin contactul cu simţurile materiale; *bhogāḥ*—desfătări; *duḥkha*—suferinţei; *yonayaḥ*—sursele; *eva*—desigur; *te*—ei; *ādi*—început; *anta*—sfârşit; *vantaḥ*—supuse faţă de; *kaunteya*—o, fiu al lui Kuntī; *na*—niciodată; *teṣu*—în acelea; *ramate*—îşi află desfătarea; *budhaḥ*—cel înţelept.

O persoană inteligentă nu ia parte la cele ce sunt pricini de suferință, născute din contactul cu simțurile materiale. O, fiu al lui Kuntī, asemenea plăceri au un început și-un sfârșit, așa că cel înțelept nu se lasă cuprins de desfătările lor.

COMENTARIU

Plăcerile materiale ale simțurilor se datorează contactului realizat prin aceste simțuri, care sunt toate trecătoare, căci corpul însuși este trecător. Un suflet eliberat nu este interesat de nimic temporar. Cunoscând bine bucuriile plăcerilor spirituale, cum ar putea un suflet eliberat să accepte să se bucure de niște false plăceri? În *Padma-Purāṇa* se spune:

> *ramante yogino 'nante*
> *satyānande cid-ātmani*
> *iti rāma-padenāsau*
> *paraṁ brahmābhidhīyate*

„Misticii obțin plăceri spirituale nemărginite de la Adevărul Absolut și de aceea Adevărul Absolut Suprem, Personalitatea Divinității, este cunoscut și ca Rāma."

De asemenea, în *Śrīmad-Bhāgavatam* (5.5.1) se spune:

> *nāyaṁ deho deha-bhājāṁ nṛ-loke*
> *kaṣṭān kāmān arhate viḍ-bhujāṁ ye*
> *tapo divyaṁ putrakā yena sattvaṁ*
> *śuddhyed yasmād brahma-saukhyaṁ tv anantam*

„Dragul meu fiu, în această formă de viață umană nu are rost să trudești din greu pentru plăcerile simțurilor; aceste plăceri sunt date și [porcilor] mâncători de excremente. Mai degrabă să faci penitențe în această viață, prin care să-ți purifici existența și, ca urmare, vei fi în stare să te bucuri de fericirea transcendentă nelimitată."

Prin urmare, cei ce sunt cu adevărat yoghini sau transcendentaliști erudiți nu sunt atrași de plăcerile senzoriale care sunt cauzele perpetuării existenței materiale. Cu cât mai mult ne dedăm plăcerilor materiale, cu atât mai mult suntem prinși în capcana suferințelor materiale.

TEXTUL 23

शक्नोतीहैव यः सोढुं प्राक्शरीरविमोक्षणात् ।
कामक्रोधोद्भवं वेगं स युक्तः स सुखी नरः ॥२३॥

śaknotīhaiva yaḥ soḍhuṁ
prāk śarīra-vimokṣaṇāt
kāma-krodhodbhavaṁ vegaṁ
sa yuktaḥ sa sukhī naraḥ

śaknoti—este capabil; *iha eva*—în corpul prezent; *yaḥ*—cel care; *soḍhum*—să îndure; *prāk*—înainte de; *śarīra*—a corpului; *vimokṣaṇāt*—părăsire; *kāma*—dorință; *krodha*—și mânie; *udbhavam*—născute din; *vegam*—pornirile; *saḥ*—acela; *yuktaḥ*—în transă; *saḥ*—acel; *sukhī*—fericit; *naraḥ*—om.

Cel care înainte de a-și părăsi corpul prezent este în stare să-și înfrâneze pornirile simțurilor materiale și să stăvilească forța dorinței și mâniei, acela este bine așezat și fericit în această lume.

COMENTARIU

Cel ce dorește să progreseze statornic pe calea realizării de sine, trebuie să încerce să-și controleze forțele simțurilor materiale. Există forțe ale vorbirii, forțe ale mâniei, forțe ale minții, forțe ale stomacului, forțe ale organelor genitale și forțe ale limbii. Cel ce este în stare să stăpânească toate aceste forțe ale diferitelor simțuri, precum și mintea, este numit *gosvāmī* sau *svāmī*. Acești *gosvāmī* duc o viață strict controlată, restrângând cu totul forțele simțurilor. Dorințele materiale, atunci când nu sunt satisfăcute, generează mânie, și astfel mintea, ochii și pieptul sunt cuprinse de zbucium; de aceea, trebuie să învățăm să le stăpânim înainte de părăsirea acestui corp material. Când cineva poate să facă acest lucru, înseamnă că a obținut realizarea de sine și este astfel fericit în starea de realizare. Datoria oricărui transcendentalist este aceea de a încerca cu ardoare să-și stăpânească dorința și mânia.

TEXTUL 24

योऽन्तःसुखोऽन्तरारामस्तथान्तर्ज्योतिरेव यः ।
स योगी ब्रह्मनिर्वाणं ब्रह्मभूतोऽधिगच्छति ॥२४॥

yo 'ntaḥ-sukho 'ntar-ārāmas
tathāntar-jyotir eva yaḥ
sa yogī brahma-nirvāṇaṁ
brahma-bhūto 'dhigacchati

yaḥ—cel care; *antaḥ-sukhaḥ*—cel ce are fericirea lăuntrică; *antaḥ-ārāmaḥ*—desfătându-se din plin înăuntrul său; *tathā*—precum și; *antaḥ-jyotiḥ*—țintind către interior; *eva*—desigur; *yaḥ*—oricine ar fi; *saḥ*—acela; *yogī*—un mistic; *brahma-nirvāṇam*—eliberarea în Cel Suprem; *brahma-bhūtaḥ*—realizându-și sinele; *adhigacchati*—atinge.

Cel a cărui fericire este lăuntrică, care este activ, bucurându-se în interiorul său, și al cărui țel este lăuntric, acela este cu adevărat un mistic desăvârșit. El este eliberat în Suprem și în cele din urmă atinge Supremul.

COMENTARIU

Cum poate cineva să se retragă de la activitățile exterioare destinate obținerii unei fericiri superficiale, până ce nu este în stare să guste fericirea lăuntrică? Pentru cel eliberat, fericirea de care se bucură este o experiență trăită. De aceea el poate să stea liniștit în orice loc și să se bucure de activitățile lăuntrice. Un asemenea om eliberat nu mai dorește fericirea materială exterioară. Această stare este numită *brahma-bhūta*, pe care atingând-o omul este sigur că va merge înapoi la Dumnezeu, înapoi acasă.

TEXTUL 25

लभन्ते ब्रह्मनिर्वाणमृषयः क्षीणकल्मषाः ।
छिन्नद्वैधा यतात्मानः सर्वभूतहिते रताः ॥२५॥

labhante brahma-nirvāṇam
ṛṣayaḥ kṣīṇa-kalmaṣāḥ
chinna-dvaidhā yatātmānaḥ
sarva-bhūta-hite ratāḥ

labhante—obțin; *brahma-nirvāṇam*—eliberarea în Cel Suprem; *ṛṣayaḥ*—cei ce sunt lăuntric activi; *kṣīṇa-kalmaṣāḥ*—care sunt lipsiți de orice păcate;

chinna—care au tăiat; *dvaidhāḥ*—dualitatea; *yata-ātmānaḥ*—angajaţi în realizarea de sine; *sarva-bhūta*—pentru toate entităţile vii; *hite*—în activităţi de binefacere; *ratāḥ*—angajaţi.

Cei ce se află dincolo de dualităţile născute din îndoieli, ale căror minţi sunt angajate în interior, care sunt mereu ocupaţi să activeze pentru binele tuturor fiinţelor şi care sunt eliberaţi de orice păcat, dobândesc eliberarea în Suprem.

COMENTARIU

Numai un om pe deplin conştient de Kṛṣṇa poate fi considerat că săvârşeşte activităţi de binefacere pentru toate fiinţele. Când un om cunoaşte cu adevărat faptul că Kṛṣṇa este izvorul tuturor lucrurilor, de fiecare dată când acţionează în acest spirit, el acţionează pentru binele tuturor. Suferinţele umanităţii se datorează uitării faptului că Kṛṣṇa este beneficiarul suprem al tuturor plăcerilor, stăpânitorul suprem şi prietenul suprem. De aceea, cea mai mare operă de binefacere este reînvierea acestei conştiinţe în întreaga societate umană. Această operă de binefacere de cel mai înalt nivel nu poate fi făcută fără să fi obţinut eliberarea în Cel Suprem. Cel ce este conştient de Kṛṣṇa nu are nici o îndoială asupra supremaţiei lui Kṛṣṇa. El nu se îndoieşte, pentru că este cu totul eliberat de orice păcat. Aceasta este starea dragostei divine.

Cel ce se angajează numai în administrarea bunăstării fizice a societăţii umane nu poate de fapt să ajute pe nimeni. Alinarea temporară a suferinţelor corpului exterior şi ale minţii nu este îndestulătoare. Adevărata cauză a dificultăţilor în lupta dură pentru existenţă poate fi găsită în uitarea relaţiei noastre cu Domnul Suprem. Când omul ajunge pe deplin conştient de relaţia sa cu Kṛṣṇa, el este cu adevărat un suflet eliberat, chiar dacă rămâne în lăcaşul material al corpului.

TEXTUL 26

कामक्रोधविमुक्तानां यतीनां यतचेतसाम् ।
अभितो ब्रह्मनिर्वाणं वर्तते विदितात्मनाम् ॥२६॥

kāma-krodha-vimuktānāṁ
yatīnāṁ yata-cetasām

abhito brahma-nirvāṇaṁ
vartate viditātmanām

kāma—de dorințe; *krodʰa*—și mânie; *vimuktānām*—al celor ce sunt eliberați; *yatīnām*—a oamenilor sfinți; *yata-cetasām*—care-și stăpânesc pe deplin mintea; *abhitaḥ*—asigurată în viitorul apropiat; *brahma-nirvāṇam*—eliberarea în Cel Suprem; *vartate*—este acolo; *vidita-ātmanām*—a celor ajunși la realizarea de sine.

Cei eliberați de mânie și de toate dorințele materiale, care au ajuns la realizarea de sine, înfrânați și străduindu-se neîncetat pentru perfecțiune, au asigurată eliberarea în Suprem în viitorul foarte apropiat.

COMENTARIU

Dintre oamenii sfinți care se străduiesc neîncetat pentru eliberare, cel ce este în conștiința de Krsna este cel mai bun dintre toți. *Bhāgavatam* (4.22.39) confirmă acest lucru astfel:

yat-pāda-paṅkaja-palāśa-vilāsa-bhaktyā
karmāśayaṁ grathitam udgrathayanti santaḥ
tadvan na rikta-matayo yatayo 'pi ruddha-
sroto-gaṇās tam araṇaṁ bhaja vāsudevam

„Încearcă numai să-L adori prin slujire devoțională pe Vāsudeva, Personalitatea Supremă a Divinității. Nici chiar marii înțelepți nu ajung să-și stăpânească atât de bine forțele simțurilor, precum o fac cei ce participă la beatitudinea transcendentă, slujind picioarele de lotus ale Domnului, smulgând din rădăcină dorința adâncă pentru activitățile fructuoase."

În sufletul condiționat, dorința de a se bucura de fructul activităților sale este atât de adânc înrădăcinată, încât chiar și pentru marii înțelepți este foarte greu să-și stăpânească aceste dorințe, în ciuda unor mari eforturi. Un devot al Domnului, angajat fără încetare în slujirea devoțională în conștiința de Krsna, desăvârșit în realizarea de sine, atinge de îndată eliberarea în Cel Suprem. Datorită deplinei sale cunoașteri în realizarea de sine, el rămâne mereu în extaz. Putem cita un exemplu analog;

darśana-dhyāna-saṁsparśair
matsya-kūrma-vihaṅgamāḥ

svāny apatyāni puṣṇanti
tathāham api padma-ja

„Peştii, broaştele ţestoase şi păsările îşi îngrijesc puii doar prin privire, respectiv prin meditaţie şi prin atingere. Tot astfel fac şi eu, o, Padmaja!"

Peştele îşi creşte puii doar privind la ei. Broasca ţestoasă îşi creşte puii doar prin meditaţie. Ouăle broaştei ţestoase sunt lăsate pe uscat iar broasca stă în apă, meditând la aceste ouă. În mod similar, devotul aflat în conştiinţa de Kṛṣṇa, deşi este departe de sălaşul Domnului, se poate înălţa până acolo doar gândindu-se la El neîncetat, luând parte la conştiinţa de Kṛṣṇa. El nu simte chinurile suferinţei materiale; această stare de existenţă poartă numele de *brahma-nirvāṇa* sau absenţa suferinţelor materiale datorită neîncetatei cufundări în Suprem.

TEXTELE 27–28

स्पर्शान् कृत्वा बहिर्बाह्यांश्चक्षुश्चैवान्तरे भ्रुवोः ।
प्राणापानौ समौ कृत्वा नासाभ्यन्तरचारिणौ ॥२७॥

यतेन्द्रियमनोबुद्धिर्मुनिर्मोक्षपरायणः ।
विगतेच्छाभयक्रोधो यः सदा मुक्त एव सः ॥२८॥

sparśān kṛtvā bahir bāhyāṁś
cakṣuś caivāntare bhruvoḥ
prāṇāpānau samau kṛtvā
nāsābhyantara-cāriṇau

yatendriya-mano-buddhir
munir mokṣa-parāyaṇaḥ
vigatecchā-bhaya-krodho
yaḥ sadā mukta eva saḥ

sparśān—obiectele simţurilor, cum ar fi sunetul; *kṛtvā*—ţinând; *bahiḥ*—în afară; *bāhyān*—nefolositoare; *cakṣuḥ*—ochii; *ca*—şi; *eva*—desigur; *antare*—între; *bhruvoḥ*—cele două sprâncene; *prāṇa-apānau*—suflul urcător şi cel coborâtor; *samau*—în suspensie; *kṛtvā*—păstrând; *nāsa-abhyantara*—în nări; *cāriṇau*—răsuflând; *yata*—stăpânite; *indriya*—simţurile; *manaḥ*—mintea; *buddhiḥ*—inteligenţa; *muniḥ*—transcendentalistul; *mokṣa*—eliberării;

parāyaṇaḥ—fiind destinat; *vigata*—înlăturând; *icchā*—dorințele; *bhaya*—frica; *krodhaḥ*—mânia; *yaḥ*—cel care; *sadā*—pentru totdeauna; *muktaḥ*—eliberat; *eva*—cu siguranță; *saḥ*—el este.

Îndepărtând toate obiectele exterioare ale simțurilor, ținând ochii și privirea ațintită între sprâncene, suspendând suflul inspirator și cel expirator înăuntrul nărilor și ajungând astfel să-și stăpânească mintea, simțurile și inteligența, transcendentalistul ce năzuiește către eliberare ajunge să fie lipsit de dorință, frică și mânie. Cel ce se află întotdeauna în această stare este cu siguranță eliberat.

COMENTARIU

Fiind angajat în conștiința de Krșna, omul poate să-și înțeleagă de îndată identitatea spirituală și apoi poate să-L înțeleagă pe Domnul Suprem cu ajutorul slujirii devoționale. Cel ce este bine situat în slujirea devoțională, ajunge la nivel transcendent, fiind capabil să simtă prezența lui Dumnezeu în domeniul său de activitate. Această poziție specială este numită eliberare în Cel Suprem.

După ce i-a explicat principiile sus-menționate ale eliberării în Cel Suprem, Domnul îl învață pe Arjuna cum se poate ajunge la această stare prin practica mistică sau yoga, cunoscută ca *așțāṅga-yoga*, care se împarte în cele opt modalități de acțiune numite *yama, niyama, āsana, prāṇāyāma, pratyāhāra, dhāraṇā, dhyāna* și *samādhi*. În capitolul al șaselea se explică detaliat subiectul yoga, a cărui prezentare începe la sfârșitul capitolului cinci. Practicantul trebuie să înlăture obiectele simțurilor, cum ar fi sunetul, atingerea, forma, gustul și mirosul, prin procesul din yoga numit *pratyāhāra*, și apoi să-și țină privirea ochilor ațintită între cele două sprâncene și să se concentreze asupra vârfului nasului, cu pleoapele pe jumătate închise. Nu este bine ca ochii să fie complet închiși, căci există riscul de a adormi. Și nici nu este bine ca ochii să fie complet deschiși, căci atunci există posibilitatea de a fi atras de obiectele simțurilor. Mișcarea respirației este reținută înăuntrul nărilor prin neutralizarea în corp a suflului urcător cu cel coborât. Prin practicarea acestui tip de yoga se poate ajunge la obținerea controlului asupra simțurilor, înfrânarea de la obiectele exterioare ale simțurilor, și astfel omul ajunge pregătit pentru eliberarea în Cel Suprem.

Acest proces de yoga îl ajută pe om să se elibereze de orice fel de frică și mânie, și astfel ajunge să simtă prezența Suprasufletului într-o stare transcendentă. Cu alte cuvinte, conștiința de Krșna este cel mai simplu proces de a realiza principiile yoga. Acest lucru va fi explicat amănunţit în capitolul următor. Însă cel ce este conştient de Kṛṣṇa, fiind neîncetat angajat în slujirea devoţională, nu riscă să-şi rătăcească simţurile în alte activităţi. Aceasta este o cale mai bună de stăpânire a simţurilor decât prin *aṣṭāṅga-yoga*.

TEXTUL 29

भोक्तारं यज्ञतपसां सर्वलोकमहेश्वरम् ।
सुहृदं सर्वभूतानां ज्ञात्वा मां शान्तिमृच्छति ॥२९॥

bhoktāraṁ yajña-tapasāṁ
sarva-loka-maheśvaram
suhṛdaṁ sarva-bhūtānāṁ
jñātvā māṁ śāntim ṛcchati

bhoktāram—beneficiarul; *yajña*—sacrificiilor; *tapasām*—şi penitenţelor şi ascezelor; *sarva-loka*—al tuturor planetelor şi semizeilor din ele; *maha-īśvaram*—Domnul Suprem; *su-hṛdam*—binefăcătorul; *sarva*—tuturor; *bhūtānām*—fiinţelor; *jñātvā*—cunoscând astfel; *mām*—pe Mine (Śrī Kṛṣṇa); *śāntim*—alinarea chinurilor materiale; *ṛcchati*—dobândeşte.

Cel ce este pe deplin conştient de Mine, cunoscându-Mă pe Mine ca beneficiarul în final al tuturor sacrificiilor şi ascezelor, Domnul Suprem al tuturor planetelor şi semizeilor şi binefăcătorul şi binevoitorul tuturor entităţilor vii, atinge pacea din suferinţele mizeriilor materiale.

COMENTARIU

Sufletele condiţionate, aflate în ghearele energiei iluzorii, sunt în totalitate dornice să atingă pacea în lumea materială. Însă aceştia nu cunoasc principiul păcii, care este explicat în această parte din *Bhagavad-gītā*. Cel mai important principiu al păcii este acesta: Kṛṣṇa este beneficiarul în toate activităţile umane. Oamenii trebuie să ofere totul slujirii transcendente a lui Dumnezeu, căci El este stăpânitorul tuturor planetelor şi semizeilor din ele. Nimeni nu este mai mare decât El. El este mai mare decât cei mai mari dintre semizei, Śrī Śiva şi Śrī Brahmā. În *Vede* (*Śvetāśvatara Upaniṣad* 6.7) Domnul Suprem este descris ca *tam īśvarāṇām paramaṁ maheśvaram*. Sub vraja iluziei, creaturile încearcă să stăpânească tot ceea ce le înconjoară, dar în realitate ele sunt dominate de energia materială a lui Dumnezeu. Domnul este stăpânul naturii materiale iar sufletele condiționate se află sub stăpânirea legilor neîndurătoare ale naturii materiale. Până ce omul nu înțelege aceste adevăruri elementare, nu se poate obține pacea în lume, nici individuală, nici colectivă. Acesta este sensul conștiinței de Krșna: Domnul Krșna este supremul care controlează, iar toate creaturile, inclusiv marii semizei, sunt supușii Săi. Pacea desăvârșită se poate atinge numai în deplina conștiință de Krșna.

Acest al cincelea capitol cuprinde explicația practică a conștiinței de Krșna, cunoscută în general sub numele de *karma-yoga*. Problema speculațiilor mentale asupra felului în care *karma-yoga* duce la eliberare își află răspunsul aici. A activa în conștiința de Krșna înseamnă să acționezi având deplina cunoaștere a lui Dumnezeu ca stăpânitor. O asemenea activitate nu diferă de cunoașterea spirituală. Conștiința de Krșna propriu-zisă este *bhakti-yoga*, iar *jñāna-yoga* este o cale care duce la *bhakti-yoga*. Conștiința de Krșna înseamnă a activa în deplină cunoaștere a relației tale cu Absolutul Suprem iar perfecțiunea acestei conștiințe este deplina cunoaștere a lui Krșna sau Personalitatea Supremă a Divinității. Un suflet pur este eternul slujitor al lui Dumnezeu, ca parte integrantă fragmentară a Lui. El ajunge în contact cu *māyā* (iluzia) datorită dorinței de a domina această *māyā*, și aceasta este cauza nenumăratelor suferințe. Atâta vreme cât este în contact cu materia, el trebuie să îndeplinească activități datorită necesităților materiale. Cu toate acestea, conștiința de Krșna îl aduce pe om la o viață spirituală chiar în timp ce se află sub jurisdicția materiei, căci această conștiință înseamnă deșteptarea existenței spirituale prin practica în lumea materială. Cu cât omul este mai avansat, cu atât este mai eliberat din ghearele materiei. Dumnezeu nu este părtinitor față de nimeni. Totul depinde de îndeplinirea practică a datoriilor în conștiința de Krșna, ceea ce-l ajută pe om să-și stăpânească simțurile în toate privințele și să învingă influența dorinței și mâniei. Cel ce stă neclintit în conștiința de Krșna, controlându-și pasiunile menționate mai sus, rămâne cu adevărat în starea transcendentă de *brahma-nirvāna*. Yoga mistică cu opt părți este automat practicată în conștiința de Krșna, căci aceasta este pusă în slujba țelului suprem. Practicând *yama, niyama, āsana, prāṇāyāma, pratyāhāra, dhāraṇā, dhyāna* și *samādhi* se parcurge un proces treptat de elevare, dar acestea sunt doar preliminariile desăvârșirii prin slujirea devoțională, singura care poate aduce pacea ființei umane. Aceasta este perfecțiunea supremă a vieții.

Astfel sfârșește comentariul lui Bhaktivedanta la capitolul al cincelea din Śrīmad Bhagavad-gītā, tratând despre „Karma-yoga sau activitatea în conștiința de Krșna".

Dhyāna-yoga

TEXTUL 1

श्रीभगवानुवाच
अनाश्रितः कर्मफलं कार्यं कर्म करोति यः ।
स सन्न्यासी च योगी च न निरग्निर्न चाक्रियः ॥ १ ॥

śrī-bhagavān uvāca
anāśritaḥ karma-phalaṁ
kāryaṁ karma karoti yaḥ
sa sannyāsī ca yogī ca
na niragnir na cākriyaḥ

śrī-bhagavān uvāca—Domnul a spus; *anāśritaḥ*—fără a-şi lua ca refugiu; *karma-phalam*—fructul activităţilor; *kāryam*—obligatorie; *karma*—activitatea; *karoti*—săvârşeşte; *yaḥ*—cel care; *saḥ*—el; *sannyāsī*—în ordinul renunţării; *ca*—şi; *yogī*—mistic; *ca*—precum şi; *na*—nu; *niḥ*—fără; *agniḥ*—foc; *na*—nici; *ca*—şi; *akriyaḥ*—fără datorie.

Personalitatea Supremă a Divinităţii a spus: Cel ce nu este ataşat de fructul activităţii sale şi care activează aşa cum este obligat s-o facă,

acela face parte din ordinul renunțării și este adevăratul mistic, și nu cel care nu aprinde focul și nu îndeplinește nici o datorie.

COMENTARIU

În acest capitol Domnul explică faptul că procesul sistemului yoga cu opt părți este un mijloc de control al minții și simțurilor. Însă acesta este foarte greu de practicat de către oamenii obișnuiți, mai ales în epoca lui Kali. Deși în acest capitol se recomandă sistemul yoga cu opt părți, Domnul subliniază totuși că procesul *karma-yoga* (acțiunea în conștiința de Kṛṣṇa) este mai bun. Fiecare acționează în această lume pentru a-și întreține familia și bunurile sale, dar nimeni nu acționează fără un anumit interes, un anumit beneficiu personal, fie că este limitat la sine sau extins la mai mulți. Criteriul perfecțiunii este acela de a acționa în conștiința de Kṛṣṇa, și nu pentru a te bucura de fructele activității. Datoria oricărei entități vii este aceea de a acționa în conștiința de Kṛṣṇa, căci în mod originar toate entitățile vii sunt părți integrante ale Celui Suprem. Părțile corpului acționează pentru binele întregului corp. Membrele corpului nu acționează pentru propria satisfacție, ci pentru satisfacția întregului corp. În mod similar, entitatea vie care acționează pentru satisfacția întregului suprem și nu pentru satisfacția personală este un *sannyāsī* desăvâr-șit, un yoghin perfect.

Unii *sannyāsī* socotesc uneori în mod artificial că au ajuns să fie elibe-rați de toate datoriile materiale și deci încetează să mai săvârșească *agnihotra yajña* (sacrificiul focului), dar de fapt ei acționează în mod interesat, căci țelul lor este să devină una cu impersonalul Brahman. O asemenea dorință este mai puternică decât orice dorință materială, dar nu este dezinteresată. În mod similar, yoghinul mistic care practică sistemul yoga cu ochii pe jumă-tate închiși, încetând toate activitățile materiale, dorește o anumită satisfac-ție pentru sine însuși. Dar cel ce acționează în conștiința de Kṛṣṇa activează pentru satisfacția întregului, fără vreun interes personal. O persoană conștien-tă de Kṛṣṇa nu dorește propria satisfacție. Criteriul reușitei sale este satisfac-ția lui Kṛṣṇa, și astfel el este un *sannyāsī* perfect sau un yoghin perfect. Śrī Caitanya, simbolul cel mai înalt al perfecțiunii, se roagă astfel:

na dhanaṁ na janaṁ na sundarīṁ
kavitāṁ vā jagad-īśa kāmaye
mama janmani janmanīśvare
bhavatād bhaktir ahaitukī tvayi

„O, Stăpâne Atotputernic, nu îmi doresc să adun bogății, nici dezmierdările femeilor frumoase, și nici nu doresc să am discipoli, oricâți ar fi ei. Ceea ce îmi doresc este ca, prin îndurarea Ta cea fără de cauză, să Te slujesc în viața mea, naștere după naștere."

TEXTUL 2

यं सन्न्यासमिति प्राहुर्योगं तं विद्धि पाण्डव ।
न ह्यसन्न्यस्तसङ्कल्पो योगी भवति कश्चन ॥ २ ॥

yaṁ sannyāsam iti prāhur
yogaṁ taṁ viddhi pāṇḍava
na hy asannyasta-saṅkalpo
yogī bhavati kaścana

yam—ceea ce; *sannyāsam*—renunțare; *iti*—astfel; *prāhuḥ*—ei spun; *yogam*—unirea cu Cel Suprem; *tam*—aceasta; *viddhi*—trebuie să cunoști; *pāṇḍava*—o, fiu al lui Pāṇḍu; *na*—niciodată; *hi*—cu siguranță; *asannyasta*—fără să renunțe la; *saṅkalpaḥ*—dorința de satisfacere a simțurilor; *yogī*—un mistic transcendentalist; *bhavati*—devine; *kaścana*—cineva.

O, fiu al lui Pāṇḍu, să știi că ceea ce se cheamă renunțare este totuna cu yoga, sau legarea de Suprem, căci nimeni nu poate deveni vreodată yoghin fără să renunțe la dorința satisfacerii simțurilor.

COMENTARIU

Adevărata *sannyāsa-yoga* sau *bhakti* înseamnă că omul trebuie să-și cunoască poziția constitutivă ca entitate vie și să acționeze în consecință. Entitatea vie nu are o identitate separată independentă; ea este energia marginală a Supremului. Când este capturat de energia materială, omul este condiționat, iar când este conștient de Kṛṣṇa sau de energia spirituală, atunci el se află în natura sa reală sau starea naturală a vieții. Prin urmare, când omul ajunge la cunoașterea deplină, el încetează orice satisfacere a simțurilor sau renunță la orice fel de acțiuni destinate satisfacerii simțurilor. Acest lucru este practicat de yoghinii care își retrag simțurile de la atașările materiale. Dar cel aflat în conștiința de Kṛṣṇa nu are prilejul să-și angajeze simțurile în nimic care să nu fie destinat lui Kṛṣṇa. De aceea, o persoană conştientă de Kṛṣṇa este simultan un *sannyāsī* şi un *yogī*. Cunoaşterea şi stăpânirea simţurilor, aşa cum sunt prescrise în procesul de *jñāna* şi în cel de yoga sunt servite în mod automat în conştiinţa de Kṛṣṇa. Dacă omul nu poate renunţa la activităţile naturii sale egoiste, atunci *jñāna* şi yoga nu-i sunt de nici un folos. Scopul real al entităţii vii este acela de a renunţa la orice satisfacţie egoistă şi de a se pregăti să-L satisfacă pe Cel Suprem. O persoană conştientă de Kṛṣṇa nu are nici o dorinţă pentru vreun fel de plăcere egoistă. Acest om va fi mereu preocupat de a-L bucura pe Cel Suprem. Cel ce nu ştie despre Cel Suprem trebuie deci să rămână angajat în satisfacerea propriei persoane, căci nimeni nu poate rămâne la nivelul inactivităţii. Toate scopurile sunt însă slujite în mod perfect prin practicarea conştiinţei de Kṛṣṇa.

TEXTUL 3

आरुरुक्षोर्मुनेर्योगं कर्म कारणमुच्यते ।
योगारूढस्य तस्यैव शमः कारणमुच्यते ॥ ३ ॥

ārurukṣor muner yogaṁ
karma kāraṇam ucyate
yogārūḍhasya tasyaiva
śamaḥ kāraṇam ucyate

ārurukṣoḥ—care tocmai a început yoga; *muneḥ*—a înţeleptului; *yogam*—sistemul yoga cu opt părţi; *karma*—activitatea; *kāraṇam*—mijlocul; *ucyate*—se spune că este; *yoga*—yoga cu opt părţi; *ārūḍhasya*—a celui care a atins; *tasya*—a sa; *eva*—desigur; *śamaḥ*—încetare a tuturor activităţilor materiale; *kāraṇam*—mijlocul; *ucyate*—se spune că este.

Se spune că pentru începătorul în yoga cu opt părţi mijlocul de realizare este activitatea; iar pentru cel care este deja avansat în yoga, se spune că mijlocul este încetarea tuturor activităţilor.

COMENTARIU

Procesul prin care omul se uneşte pe sine cu Supremul este numit yoga. Acest proces poate fi comparat cu o scară care duce către cea mai înaltă realizare spirituală. Această scară pornește de la cea mai de jos stare materială a ființei și urcă până la desăvârșita realizare de sine în viața spirituală cea pură. După înălțimea la care se ridică, diferitele părți ale scării sunt cunoscute sub diverse nume, dar toate laolaltă, întreaga scară, poartă numele de yoga și poate fi împărțită în trei părți, *jñāna-yoga, dhyāna-yoga* și *bhakti-yoga*. Începutul acestei scări este stadiul *yogārurukṣu* iar treapta cea mai înaltă este numită *yogārūḍha*.

În ce privește sistemul yoga cu opt părți, încercările de la început de a intra în meditație cu ajutorul principiilor care reglementează viața și prin practicarea diferitelor posturi de așezare (care sunt mai mult sau mai puțin niște exerciții fizice) sunt considerate activități materiale. Toate aceste activități duc la obținerea unui perfect echilibru mental pentru a controla simțurile. Cel ce este desăvârșit în practica meditației oprește toate activitățile care tulbură mentalul.

Însă cel ce este conștient de Kṛṣṇa se situează de la început la nivelul meditației, căci se gândește întotdeauna la Kṛṣṇa. Și deoarece este angajat permanent în slujba lui Kṛṣṇa, se consideră că a încetat toate activitățile materiale.

TEXTUL 4

यदा हि नेन्द्रियार्थेषु न कर्मस्वनुषज्जते ।
सर्वसङ्कल्पसन्न्यासी योगारूढस्तदोच्यते ॥ ४ ॥

yadā hi nendriyārtheṣu
na karmasv anuṣajjate
sarva-saṅkalpa-sannyāsī
yogārūḍhas tadocyate

yadā—când; *hi*—cu adevărat; *na*—nu; *indriya-artheṣu*—în satisfacerea simțurilor; *na*—niciodată; *karmasu*—în activități fructuoase; *anuṣajjate*—se angajează cu tot dinadinsul; *sarva-saṅkalpa*—la toate dorințele materiale; *sannyāsī*—cel ce renunță; *yoga-ārūḍhaḥ*—avansat în yoga; *tadā*—atunci; *ucyate*—se spune că este.

Se spune că o persoană este avansată în yoga atunci când, renunțând la toate dorințele materiale, nu mai activează pentru satisfacerea simțurilor și nici nu se mai angajează în activități fructuoase.

COMENTARIU

Când un om este pe deplin angajat în slujirea transcendentă cu iubire a Domnului, el este împăcat în sine însuşi şi astfel nu se mai angajează în satisfacerea simţurilor sau în activităţi fructuoase. Altfel, omul trebuie să fie angajat în satisfacerea simţurilor, întrucât nu poate trăi fără a fi angajat în ceva. Fără conştiinţa de Krṣṇa omul trebuie să se preocupe mereu de acţiuni egoiste, fie centrate pe sine, fie extinse la mai mulţi. Dar o persoană conştientă de Krṣṇa poate face orice lucru pentru satisfacţia lui Krṣṇa şi prin aceasta să ajungă perfect detaşat de satisfacerea simţurilor. Cel ce nu a ajuns la această realizare trebuie în mod automat să încerce să scape de dorinţele materiale, înainte de a fi înălţat la treapta cea mai înaltă a scării yogăi.

TEXTUL 5

उद्धरेदात्मनात्मानं नात्मानमवसादयेत् ।
आत्मैव ह्यात्मनो बन्धुरात्मैव रिपुरात्मनः ॥ ५ ॥

uddhared ātmanātmānam
nātmānam avasādayet
ātmaiva hy ātmano bandhur
ātmaiva ripur ātmanaḥ

uddharet—trebuie să se izbăvească; *ātmanā*—cu mintea; *ātmānam*—sufletul condiţionat; *na*—niciodată; *ātmānam*—sufletul condiţionat; *avasādayet* —să se degradeze; *ātmā*—mintea; *eva*—desigur; *hi*—cu adevărat; *ātmanaḥ* —al sufletului condiţionat; *bandhuḥ*—prieten; *ātmā*—mintea; *eva*—cu siguranţă; *ripuḥ*—duşman; *ātmanaḥ*—al sufletului condiţionat.

Omul trebuie să se elibereze cu ajutorul minţii şi nu să se degradeze. Mintea este prietenul sufletului condiţionat, în aceeaşi măsură în care îi este şi duşman.

COMENTARIU

În funcţie de context, cuvântul *ātmā* desemnează corpul, mintea sau sufletul. În sistemul yoga contează în special mintea şi sufletul condiţionat. Întrucât în practica yoga cel mai important lucru este mintea, cuvântul *ātmā* se referă aici la minte. Scopul sistemului yoga este să stăpânească mintea şi s-o retragă de la ataşarea de obiectele simţurilor. Aici se subliniază faptul că mintea trebuie astfel antrenată, încât să poată izbăvi sufletul condiţionat din mlaştina neştiinţei. În existenţa materială omul este supus influenţei minţii şi simţurilor. De fapt, sufletul pur este prins în lumea materială pentru că mintea se confundă cu falsul ego care doreşte să domine natura materială. De aceea, mintea trebuie să fie astfel antrenată, încât să nu mai fie atrasă de sclipirea naturii materiale, şi astfel sufletul condiţionat poate să fie salvat. Omul nu trebuie să cadă pradă atracţiei obiectelor simţurilor. Cu cât omul este mai atras de obiectele simţurilor, cu atât devine mai tare prins în existenţa materială. Calea cea mai bună de a scăpa din această capcană este angajarea permanentă a minţii în conştiinţa de Kṛṣṇa. Cuvântul *hi* este folosit aici pentru a sublinia acest lucru, adică faptul că *trebuie* să facem astfel. De asemenea, se mai spune:

> *mana eva manuṣyāṇāṁ*
> *kāraṇaṁ bandha-mokṣayoḥ*
> *bandhāya viṣayāsaṅgo*
> *muktyai nirviṣayaṁ manaḥ*

„Mintea este cauza legării omului şi tot mintea este cauza eliberării sale. Mintea absorbită de obiectele simţurilor este cauza legării iar mintea detaşată de obiectele simţurilor este cauza eliberării." (*Amṛta-bindu Upaniṣad* 2). Prin urmare, mintea permanent angajată în conştiinţa de Kṛṣṇa este cauza supremei eliberări.

TEXTUL 6

बन्धुरात्मात्मनस्तस्य येनात्मैवात्मना जितः ।
अनात्मनस्तु शत्रुत्वे वर्तेतात्मैव शत्रुवत् ॥ ६ ॥

> *bandhur ātmātmanas tasya*
> *yenātmaivātmanā jitaḥ*
> *anātmanas tu śatrutve*
> *vartetātmaiva śatru-vat*

bandhuḥ—prieten; *ātmā*—mintea; *ātmanaḥ*—al entităţii vii; *tasya*—a celui; *yena*—de către care; *ātmā*—mintea; *eva*—desigur; *ātmanā*—de către entitatea vie; *jitaḥ*—cucerită; *anātmanaḥ*—al celui ce n-a reuşit să-şi stăpânească mintea; *tu*—însă; *śatrutve*—din pricina duşmăniei; *varteta*—rămâne; *ātmā eva*—mintea însăşi; *śatru-vat*—ca duşman.

Pentru cel ce şi-a învins mintea, mintea îi este cel mai bun dintre prieteni, dar pentru cel ce n-a reuşit să facă acest lucru mintea îi rămâne cel mai mare duşman.

COMENTARIU

Scopul practicării yogăi cu opt părţi este stăpânirea minţii pentru a o face să devină prieten în îndeplinirea misiunii umane. Până când mintea nu este stăpânită, practicarea yogăi (ca spectacol pentru alţii) este simplă pierdere de vreme. Cel ce nu-şi poate stăpâni mintea trăieşte permanent alături de cel mai mare duşman şi astfel viaţa sa şi misiunea acesteia sunt distruse. Poziţia constitutivă a entităţilor vii este aceea de a duce la îndeplinire poruncile superiorului. Atâta vreme cât mintea sa rămâne un duşman de neînvins, omul trebuie să se supună poruncilor lăcomiei, mâniei, zgârceniei, iluziei etc. Dar când mintea este învinsă, omul acceptă de bunăvoie să se supună poruncilor Personalităţii Divinităţii, care este situat înăuntrul inimii fiecăruia, în calitate de Paramātmā. Adevărata practică yoga impune întâlnirea cu Paramātmā înăuntrul inimii şi apoi supunerea la poruncile Sale. Pentru cel ce participă direct la conştiinţa de Kṛṣṇa, supunerea desăvârşită la porunca lui Dumnezeu vine în mod automat.

TEXTUL 7

जितात्मनः प्रशान्तस्य परमात्मा समाहितः ।
शीतोष्णसुखदुःखेषु तथा मानापमानयोः ॥ ७ ॥

jitātmanaḥ praśāntasya
paramātmā samāhitaḥ
śītoṣṇa-sukha-duḥkheṣu
tathā mānāpamānayoḥ

jita-ātmanaḥ—al celui ce şi-a învins mintea; *praśāntasya*—care a dobândit pacea prin acest control al minţii; *parama-ātmā*—Suprasufletul; *samāhitaḥ*—atins pe deplin; *śīta*—la frig; *uṣṇa*—căldură; *sukha*—fericire; *duḥkheṣu*—şi durere; *tathā*—precum şi; *māna*—onoare; *apamānayoḥ*—şi dezonoare.

Pentru cel ce și-a învins mintea, Suprasufletul este deja atins, căci el a dobândit pacea. Pentru un asemenea om fericirea sau nefericirea, arșița sau gerul, onoarea ori dezonoarea, toate îi sunt deopotrivă.

COMENTARIU

În realitate, orice entitate vie este făcută să stea sub ascultarea Personalității Supreme a Divinității care este așezat în inima fiecăruia ca Paramātmā. Când mintea este ispitită de energia externă iluzorie, omul este prins în capcana activităților materiale. De aceea, de îndată ce mintea cuiva este controlată prin unul din sistemele yoga, acel om poate fi considerat că a ajuns deja la destinație. Omul trebuie să stea sub ascultarea celui ce-i este superior. Când mintea sa este fixată asupra naturii superioare, omul nu mai are o altă alternativă decât să urmeze porunca Celui Suprem. Mintea trebuie să admită dominația cuiva care-i este superior și să se supună acestuia. Efectul stăpânirii minții este acela că omul se supune automat poruncii lui Paramātmā sau Sufletul Suprem. Deoarece această poziție transcendentă este obținută imediat de cel ce este în conștiința de Kṛṣṇa, devotul Domnului nu este afectat de dualitățile existenței materiale, cum ar fi fericirea și nefericirea, gerul și arșița etc. Această stare este practic *samādhi* sau scufundarea în Cel Suprem.

TEXTUL 8

ज्ञानविज्ञानतृप्तात्मा कूटस्थो विजितेन्द्रियः ।
युक्त इत्युच्यते योगी समलोष्ट्राश्मकाञ्चनः ॥ ८ ॥

jñāna-vijñāna-tṛptātmā
kūṭa-stho vijitendriyaḥ
yukta ity ucyate yogī
sama-loṣṭrāśma-kāñcanaḥ

jñāna—prin cunoașterea dobândită; *vijñāna*—și cunoașterea realizată; *tṛpta*—satisfăcut; *ātmā*—entitatea vie; *kūṭa-sthaḥ*—situat la nivel spiritual; *vijita-indriyaḥ*—cu simțurile stăpânite; *yuktaḥ*—capabil de realizarea spirituală; *iti*—astfel; *ucyate*—este numit; *yogī*—un mistic; *sama*—echilibrat; *loṣṭra*—bulgăre de pământ; *aśma*—piatră; *kāñcanaḥ*—aur.

Se spune că un om este neclintit în realizarea de sine și este numit yoghin (sau mistic) atunci când este pe deplin satisfăcut în virtutea

cunoaşterii şi realizării dobândite. Un asemenea om este situat în trans-cendenţă şi a ajuns la stăpânirea de sine. El vede totul ca fiind acelaşi lucru, fie că este vorba de cristale, de pietre sau de aur.

COMENTARIU

Cunoaşterea obţinută din cărţi, fără realizarea Adevărului Suprem, este fără de nici un folos. Acest lucru a fost exprimat astfel:

atah śrī-kṛṣṇa-nāmādi
na bhaved grāhyam indriyaih
sevonmukhe hi jihvādau
svayam eva sphuraty adah

„Nimeni nu poate înţelege natura transcendentă a numelui, formei, calităţi-lor şi petrecerilor lui Śrī Kṛṣṇa doar prin simţurile sale contaminate de mate-rie. Doar atunci când omul ajunge să fie împlinit spiritual prin slujirea trans-cendentă a Domnului, i se revelează numele, forma, calităţile şi petrecerile transcendente ale Domnului." (*Bhakti-rasāmṛta-sindhu* 1.2.234). *Bhagavad-gītā* este ştiinţa despre conştiinţa de Kṛṣṇa. Nimeni nu poate ajunge conştient de Kṛṣṇa doar prin învăţătură laică. Omul trebuie să fie destul de norocos pentru a ajunge alături de o persoană cu o conştiinţă pură. Cel ce este conştient de Kṛṣṇa a realizat cunoaşterea prin graţia lui Kṛṣṇa, deoarece el este satisfăcut de slujirea devoţională pură. Realizând cunoaşterea, omul devine perfect. Prin cunoaşterea transcendentă omul poate rămâne ferm în convingerile sale, însă prin simpla cunoaştere academică el poate fi cu uşurinţă amăgit şi încurcat de aparentele contradicţii. Doar sufletul realizat a ajuns cu adevărat la stăpâ-nirea de sine, căci el s-a dăruit cu totul lui Kṛṣṇa. El este transcendent, căci nu are nimic de-a face cu învăţătura lumească. Pentru el, erudiţia lumească şi speculaţia mentală, care sunt pentru alţii la fel de preţioase ca aurul, nu au mai multă valoare decât bulgării de pământ sau pietrele.

TEXTUL 9

सुहृन्मित्रार्युदासीनमध्यस्थद्वेष्यबन्धुषु ।
साधुष्वपि च पापेषु समबुद्धिर्विशिष्यते ॥ ९ ॥

suhṛn-mitrāry-udāsīna-
madhyastha-dveṣya-bandhuṣu

sādhuṣv api ca pāpeṣu
sama-buddhir viśiṣyate

su-hṛt—binevoitor din fire; *mitra*—binefăcători afectuoşi; *ari*—duşmani; *udāsīna*—neutri între beligeranţi; *madhya-stha*—mijlocitori între combatanţi; *dveṣya*—cei invidioşi; *bandhuṣu*—şi rude sau binevoitori; *sādhuṣu*— între cei pioşi; *api*—de asemenea; *ca*—şi; *pāpeṣu*—între păcătoşi; *sama-buddhiḥ*—cu inteligenţa echilibrată; *viśiṣyate*—este foarte avansat.

Dar încă şi mai avansat este socotit cel ce priveşte cu aceeaşi minte echilibrată pe binevoitorii oneşti, pe binefăcătorii plini de afecţiune, pe cei indiferenţi, pe cei ce mijlocesc, pe invidioşi, pe prieteni şi pe duşmani, ori pe cei pioşi şi pe păcătoşi.

TEXTUL 10

योगी युञ्जीत सततमात्मानं रहसि स्थितः ।
एकाकी यतचित्तात्मा निराशीरपरिग्रहः ॥१०॥

yogī yuñjīta satatam
ātmānaṁ rahasi sthitaḥ
ekākī yata-cittātmā
nirāśīr aparigrahaḥ

yogī—un transcendentalist; *yuñjīta*—trebuie să se concentreze în conştiinţa de Kṛṣṇa; *satatam*—în mod constant; *ātmānam*—el însuşi (prin corp, minte şi sine); *rahasi*—într-un loc retras; *sthitaḥ*—fiind aşezat; *ekākī*—singur; *yata-citta-ātmā*—cu mintea mereu ţinută sub control; *nirāśīḥ*—nefiind atras de nimic altceva; *aparigrahaḥ*—lipsit de simţul posesiunii.

Un transcendentalist trebuie întotdeauna să-şi angajeze corpul, mintea şi sinele în legătură cu Cel Suprem; el trebuie să trăiască singur, într-un loc retras, având mereu grijă să-şi stăpânească mintea. El trebuie să fie eliberat de dorinţe şi de simţământul posesiunii.

COMENTARIU

Kṛṣṇa este realizat în diferite trepte ca Brahman, Paramātmā şi Personalitatea Supremă a Divinităţii. Conştiinţa de Kṛṣṇa înseamnă angajarea permanentă în slujirea transcendentă cu iubire a Domnului. Dar cei ce sunt atraşi de impersonalul Brahman sau de Suprasufletul localizat sunt şi ei parţial conştienţi de Kṛṣṇa, deoarece impersonalul Brahman este constituit de radiaţia spirituală a lui Kṛṣṇa iar Suprasufletul este atotpătrunzătoarea expansiune parţială a lui Kṛṣṇa. Astfel impersonalistul şi cel care practică meditaţia sunt şi ei în mod indirect conştienţi de Kṛṣṇa. Cel care este direct conştient de Kṛṣṇa este cel mai mare transcendentalist, pentru că acest devot ştie ce se înţelege prin Brahman şi Paramātmā. Cunoaşterea sa asupra Adevărului Absolut este perfectă, în timp ce impersonalistul şi yoghinul care meditează sunt conştienţi de Kṛṣṇa în mod imperfect.

Cu toate acestea, toţi sunt sfătuiţi aici să rămână permanent angajaţi în practicile lor particulare, astfel încât să poată ajunge mai devreme sau mai târziu la cea mai înaltă perfecţiune. Cel mai important lucru pentru un transcendentalist este să-şi ţină mintea fixată întotdeauna asupra lui Kṛṣṇa. Omul trebuie să se gândească mereu la Kṛṣṇa şi să nu-L uite nici măcar o clipă. Concentrarea minţii asupra Supremului este numită *samādhi* sau transă. Pentru a-şi concentra mintea, omul trebuie să rămână mereu retras, înlăturând tulburarea provocată de obiectele externe. El trebuie să fie foarte atent să accepte condiţiile care-i sunt favorabile şi să le respingă pe cele nefavorabile, care-i afectează realizarea şi, cu hotărâre neclintită, să nu tânjească după lucrurile materiale nenecesare, care îl leagă prin simţul posesiunii.

Toate aceste realizări şi precauţii sunt îndeplinite în mod perfect atunci când omul este direct în conştiinţa de Kṛṣṇa, deoarece directa conştiinţă de Kṛṣṇa înseamnă abnegaţie totală, care lasă prea puţine şanse posesiunii materiale. Śrīla Rūpa Gosvāmī caracterizează astfel conştiinţa de Kṛṣṇa:

> *anāsaktasya viṣayān*
> *yathārham upayuñjataḥ*
> *nirbandhaḥ kṛṣṇa-sambandhe*
> *yuktaṁ vairāgyam ucyate*
>
> *prāpañcikatayā buddhyā*
> *hari-sambandhi-vastunaḥ*
> *mumukṣubhiḥ parityāgo*
> *vairāgyaṁ phalgu kathyate*

„Atunci când omul nu este ataşat de nimic, dar în acelaşi timp acceptă totul întru Kṛṣṇa, el este corect situat deasupra posesiunii. Pe de altă parte, renunţarea celui ce respinge totul fără a cunoaşte legătura sa cu Kṛṣṇa nu este destul de completă." (*Bhakti-rasāmṛta-sindhu* 2.255-256).

Un om conștient de Kṛṣṇa știe foarte bine că totul Îi aparține lui Kṛṣṇa și astfel este mereu liber de sentimentul posesiunii personale. Ca atare, el nu mai râvnește la nimic pentru propriul folos. El știe cum să accepte lucruri care sunt în favoarea conștiinței de Kṛṣṇa și știe cum să respingă cele ce sunt nefavorabile pentru conștiința de Kṛṣṇa. El este permenent desprins de lucrurile materiale, căci este totdeauna situat în transcendență și este mereu singur, neavând nimic de-a face cu cei ce nu se află în conștiința de Kṛṣṇa. Deci cel aflat în conștiința de Kṛṣṇa este un yoghin desăvârșit.

TEXTELE 11–12

शुचौ देशे प्रतिष्ठाप्य स्थिरमासनमात्मनः ।
नात्युच्छ्रितं नातिनीचं चैलाजिनकुशोत्तरम् ॥११॥

तत्रैकाग्रं मनः कृत्वा यतचित्तेन्द्रियक्रियः ।
उपविश्यासने युञ्ज्याद्योगमात्मविशुद्धये ॥१२॥

śucau deśe pratiṣṭhāpya
sthiram āsanam ātmanaḥ
nāty-ucchritaṁ nāti-nīcaṁ
cailājina-kuśottaram

tatraikāgraṁ manaḥ kṛtvā
yata-cittendriya-kriyaḥ
upaviśyāsane yuñjyād
yogam ātma-viśuddhaye

śucau—sfânt; *deśe*—într-un loc; *pratiṣṭhāpya*—așezând; *sthiram*—ferm; *āsanam*—loc de așezare; *ātmanaḥ*—al său propriu; *na*—nu; *ati*—prea; *ucchritam*—înalt; *na*—nici; *ati*—prea; *nīcam*—jos; *caila-ajina*—din pânză moale și piele de căprioară; *kuśa*—și iarbă kuśa; *uttaram*—înveliș; *tatra*—deasupra; *eka-agram*—să stea fixată asupra unui singur lucru; *manaḥ*—mintea; *kṛtvā*—făcând; *yata-citta*—stăpânind mintea; *indriya*—simțurile; *kriyaḥ*—și activitățile; *upaviśya*—stând așezat; *āsane*—pe locul de stat; *yuñjyāt*—trebuie să săvârșească; *yogam*—practica yoga; *ātma*—a inimii; *viśuddhaye*—pentru limpezirea.

Pentru a practica yoga, omul trebuie să meargă într-un loc retras, să așeze iarbă kuśa pe pământ și apoi să o acopere cu o piele de căprioară

şi cu pânză moale. Acest loc de stat să nu fie nici prea înalt, nici prea jos şi să fie situat într-un loc sacru. Yoghinul trebuie apoi să se aşeze acolo cu multă fermitate şi să practice yoga pentru a-şi purifica inima prin controlarea minţii, simţurilor şi acţiunilor, fixându-şi mintea într-un singur punct.

COMENTARIU

„Locul sfinţit" se referă la locurile de pelerinaj. În India toţi yoghinii, transcendentaliştii sau devoţii îşi părăsesc casa şi se stabilesc în locuri sacre precum Prayāga, Mathurā, Vṛndāvana, Hṛṣīkeśa şi Hardwar, şi practică yoga în singurătate în locurile prin care curg râurile sfinte Yamunā şi Gangele. Adeseori însă acest lucru nu este posibil, în special pentru occidentali. Aşa numitele asociaţii de yoga din marile oraşe pot fi foarte nimerite pentru obţinerea de beneficii materiale, dar nu sunt deloc potrivite pentru o adevărată practică yoga. Cel ce nu se stăpâneşte pe sine şi a cărui minte nu rămâne netulburată, nu poate să practice meditaţia. De aceea în *Bṛha-nāradīya Purāṇa* se spune că în Kali-yuga (*yuga* sau epoca prezentă), când oamenii în general trăiesc puţin, progresând foarte lent în viaţa spirituală şi fiind mereu tulburaţi de felurite griji, cel mai bun mijloc de realizare spirituală este cântarea numelui sfânt al Domnului.

harer nāma harer nāma
harer nāmaiva kevalam
kalau nāsty eva nāsty eva
nāsty eva gatir anyathā

„În această epocă de certuri şi ipocrizie singurul mijloc de eliberare este cântarea numelui sfânt al Domnului. Nu este altă cale. Nu este altă cale. Nu este altă cale."

TEXTELE 13–14

समं कायशिरोग्रीवं धारयन्नचलं स्थिरः ।
सम्प्रेक्ष्य नासिकाग्रं स्वं दिशश्चानवलोकयन् ॥१३॥

प्रशान्तात्मा विगतभीर्ब्रह्मचारिव्रते स्थितः ।
मनः संयम्य मच्चित्तो युक्त आसीत मत्परः ॥१४॥

samaṁ kāya-śiro-grīvaṁ
dhārayann acalaṁ sthiraḥ
samprekṣya nāsikāgraṁ svaṁ
diśaś cānavalokayan

praśāntātmā vigata-bhīr
brahmacāri-vrate sthitaḥ
manaḥ saṁyamya mac-citto
yukta āsīta mat-paraḥ

samam—drept; *kāya*—corpul; *śiraḥ*—capul; *grīvam*—şi gâtul; *dhārayan*—
ţinând; *acalam*—nemişcat; *sthiraḥ*—liniştit; *samprekṣya*—privind; *nāsikā*—
nasului; *agram*—la vârful; *svam*—propriu; *diśaḥ*—în toate părţile; *ca*—
şi; *anavalokayan*—fără să privească; *praśānta*—neagitată; *ātmā*—mintea;
vigata-bhīḥ—lipsit de teamă; *brahmacāri-vrate*—în legământul castităţii;
sthitaḥ—situat; *manaḥ*—mintea; *saṁyamya*—supunându-şi complet; *mat*
—asupra Mea (Krṣna); *cittaḥ*—concentrându-şi mintea; *yuktaḥ*—adevăratul yoghin; *āsīta*—trebuie să stea; *mat*—pe Mine; *paraḥ*—ţintă supremă.

**El trebuie să-şi ţină trunchiul, gâtul şi capul ridicate în linie dreaptă şi
să-şi aţintească privirea asupra vârfului nasului. Astfel, cu mintea neagitată şi înfrânată, fără de frică, complet desprins de viaţa sexuală, trebuie să mediteze asupra Mea în adâncul inimii, făcând din Mine ţelul
suprem al vieţii.**

COMENTARIU

Ţelul vieţii este cunoaşterea lui Krṣna care este situat înăuntrul inimii fiecărei fiinţe ca Paramātmā, forma lui Viṣṇu cu patru braţe. Procesul yoga este
practicat pentru a descoperi şi a vedea această formă particulară a lui Viṣṇu,
şi nu în vreun alt scop. Acest *viṣṇu-mūrti* localizat este reprezentarea plenară a lui Krṣna sălăşluind în inima fiecăruia. Cel ce nu îşi propune să realizeze acest *viṣṇu-mūrti* se angajează fără nici un folos într-o parodie de practică yoga şi îşi pierde cu siguranţă timpul. Krṣna este ţelul ultim al vieţii
iar *viṣṇu-mūrti* situat în inima fiecăruia este obiectul practicii yoga. Pentru a
realiza acest *viṣṇu-mūrti* înăuntrul inimii omul trebuie să respecte abstinenţa
completă de la viaţa sexuală; de aceea el trebuie să-şi părăsească locuinţa şi
să trăiască singur într-un loc retras, rămânând aşezat aşa cum se menţionează mai sus. Nimeni nu poate să devină yoghin bucurându-se zilnic de plăcerile vieţii sexuale, acasă sau altundeva, şi frecventând un aşa-numit curs de

yoga. Omul trebuie să practice stăpânirea minţii şi să dea la o parte orice fel de plăceri ale simţurilor, dintre care cea mai importantă este viaţa sexuală. În legile celibatului scrise de marele înţelept Yājñavalkya se spune;

> *karmaṇā manasā vācā*
> *sarvāvasthāsu sarvadā*
> *sarvatra maithuna-tyāgo*
> *brahmacaryaṁ pracakṣate*

„Legământul lui *brahmacarya* este destinat să-l ajute pe om să se abţină complet de la plăcerile sexuale în activitate, în vorbă şi în minte—în orice vreme, în orice împrejurări şi în orice loc." Nimeni nu poate realiza o practică yoga corectă dedându-se plăcerilor sexuale. De aceea, *brahmacarya* este predată din copilărie, când omul nu cunoaşte viaţa sexuală. La vârsta de cinci ani copiii sunt trimişi la *guru-kula* sau locul în care se află maestrul spiritual, iar maestrul îi antrenează pe băieţi în disciplina strictă de *brahmacārī*. Fără o asemenea practică, nimeni nu poate face progrese în nici un fel de yoga, fie ea *dhyāna, jñāna* sau *bhakti*. Însă cel ce duce o viaţă de familie conform legilor şi reglementărilor pentru cei căsătoriţi, având relaţii sexuale numai cu soţia sa (şi aceasta respectând anumite reguli) este de asemenea numit *brahmacārī*. Un asemenea *brahmacārī* căsătorit care s-a înfrânat pe sine poate fi acceptat în şcoala lui *bhakti*, dar şcolile *jñāna* şi *dhyāna* nici nu admit măcar pe aceşti *brahmacārī* căsătoriţi. Aceste şcoli cer abstinenţă totală, fără nici un compromis. În şcoala lui *bhakti*, unui *brahmacārī* căsătorit i se îngăduie o viaţă sexuală controlată, deoarece cultivarea lui *bhakti-yoga* este atât de puternică, încât omul îşi pierde automat atracţia sexuală, fiind angajat în slujirea superioară a Domnului. În *Bhagavad-gītā* (2.59) se spune:

> *viṣayā vinivartante*
> *nirāhārasya dehinaḥ*
> *rasa-varjaṁ raso 'py asya*
> *paraṁ dṛṣṭvā nivartate*

În vreme ce alţii se silesc să se abţină de la plăcerile simţurilor, devotul Domnului se înfrânează îm mod automat, datorită dobândirii unui gust superior. În afară de devoţi, nimeni altul nu are vreo ştire despre acest gust mai înalt. *Vigata-bhīḥ*. Omul nu poate scăpa de frică până ce nu este pe deplin în conştiinţa de Kṛṣṇa. Sufletul condiţionat este plin de teamă din pricina memoriei sale pervertite, a uitării eternei sale legături cu Kṛṣṇa. *Bhāgavatam* (11.2.37) spune: *bhayaṁ dvitīyābhiniveśataḥ syād īśād apetasya viparyayo 'smṛtiḥ*. Conștiința de Kṛṣṇa este singurul temei al lipsei de teamă. De aceea, practica desăvârșită este posibilă doar pentru cel ce este conștient de Kṛṣṇa. Și întrucât țelul ultim al practicii yoga este acela de a-L vedea pe Domnul aflat înăuntrul nostru, cel ce este conștient de Kṛṣṇa este deja cel mai bun dintre toți yoghinii. Principiile sistemului yoga menționate aici sunt diferite de cele ale așa numitelor asociații de yoga, atât de populare.

TEXTUL 15

युञ्जन्नेवं सदात्मानं योगी नियतमानसः ।
शान्तिं निर्वाणपरमां मत्संस्थामधिगच्छति ॥१५॥

yuñjann evaṁ sadātmānaṁ
yogī niyata-mānasaḥ
śāntiṁ nirvāṇa-paramāṁ
mat-saṁsthām adhigacchati

yuñjan—practicând; *evam*—așa cum s-a menționat anterior; *sadā*—în mod constant; *ātmānam*—corp, minte și suflet; *yogī*—misticul transcendentalist; *niyata-mānasaḥ*—cu mintea stăpânită; *śāntim*—pacea; *nirvāṇa-paramām*—încetarea existenței materiale; *mat-saṁsthām*—cerul spiritual (împărăția lui Dumnezeu); *adhigacchati*—atinge.

Practicând astfel în mod constant stăpânirea corpului, minții și acțiunilor, misticul transcendentalist cu mintea stăpânită atinge împărăția lui Dumnezeu [sau sălașul lui Kṛṣṇa] prin încetarea existenței materiale.

COMENTARIU

Țelul ultim al practicii yoga este explicat acum în mod limpede. Practica yoga nu este destinată dobândirii nici unui fel de înlesniri materiale, ci pentru a face posibilă încetarea existenței materiale. Conform cu *Bhagavad-gītā*, cel care caută să-și amelioreze sănătatea sau aspiră la perfecțiuni materiale nu este yoghin. Iar încetarea existenţei materiale nu implică nicidecum pătrunderea într-o stare de „vid", care este doar un mit. Nu există vid niciunde înăuntrul creaţiei lui Dumnezeu. Mai degrabă încetarea existenţei materiale dă omului posibilitatea să intre în cerul spiritual, sălaşul Domnului. Sălaşul Domnului este şi el descris foarte clar în *Bhagavad-gītā* ca fiind acel loc unde nu este nevoie de soare, lună sau electricitate. Toate planetele din împărăţia spirituală au propria lumină, aşa cum o are soarele din cerul material. Împărăţia lui Dumnezeu este pretutindeni, dar cerul spiritual şi planetele sale poartă numele de *param dhāma* sau locaşurile superioare.

Yoghinul desăvârşit, care Îl înţelege perfect pe Śrī Kṛṣṇa, aşa cum afirmă Însuşi Domnul aici (*mat-cittaḥ, mat-paraḥ, mat-sthānam*), poate obţine adevărata pace şi în final poate ajunge în supremul Său sălaş, Kṛṣṇaloka, cunoscut şi ca Goloka Vṛndāvana. În *Brahma-saṁhitā* (5.37) se afirmă clar: *goloka eva nivasaty akhilātma-bhūtaḥ*—Deşi Dumnezeu rămâne mereu în sălaşul Său numit Goloka, El este atotpătrunzătorul Brahman, ca şi Paramātmā, aspectul Său localizat, prin mijlocirea energiilor Sale spirituale superioare.

Nimeni nu poate atinge cerul spiritual (Vaikuṇṭha) sau să intre în eternul sălaş al Domnului (Goloka Vṛndāvana) fără să înţeleagă aşa cum se cuvine pe Kṛṣṇa şi expansiunea Sa plenară, Viṣṇu. Prin urmare, cel ce activează în conştiinţa de Kṛṣṇa este un yoghin desăvârşit, deoarece mintea sa este mereu absorbită în activităţile legate de Kṛṣṇa (*sa vai manaḥ kṛṣṇa-padāravindayoḥ*). La fel şi în *Vede* (*Śvetāśvatara Upaniṣad* 3.8) putem citi: *tam eva viditvāti mṛtyum eti*—„Omul poate trece dincolo de calea naşterii şi morţii doar înţelegându-L pe Dumnezeu, Persoana Supremă, Kṛṣṇa." Cu alte cuvinte, perfecţiunea sistemului yoga înseamnă atingerea eliberării de existenţa materială şi nu vreun fel de scamatorie magică sau o oarecare îndemânare gimnastică care să-i amăgească pe oamenii naivi.

TEXTUL 16

नात्यश्नतस्तु योगोऽस्ति न चैकान्तमनश्नतः ।
न चातिस्वप्नशीलस्य जाग्रतो नैव चार्जुन ॥१६॥

nāty-aśnatas tu yogo 'sti
na caikāntam anaśnataḥ
na cāti-svapna-śīlasya
jāgrato naiva cārjuna

na—niciodată; *ati*—prea mult; *aśnataḥ*—a celui care mănâncă; *tu*—însă; *yogaḥ*—unirea cu Supremul; *asti*—are loc; *na*—nici; *ca*—și; *ekāntam*—peste măsură; *anaśnataḥ*—care se abține de la mâncare; *na*—nici; *ca*—și; *ati*—prea mult; *svapna-śīlasya*—a celui care doarme; *jāgrataḥ*—sau care veghează prea mult; *na*—nu; *eva*—vreodată; *ca*—și; *arjuna*—o, Arjuna.

O, Arjuna, nu poate să ajungă yoghin cel care mănâncă prea mult sau care mănâncă prea puțin, nici cel care doarme prea mult ori nu doarme destul.

COMENTARIU

Aici se recomandă yoghinilor reglementarea dietei și somnului. A mânca prea mult înseamnă să mănânci mai mult decât este necesar pentru a menține împreună sufletul și corpul. Oamenii nu au nevoie să mănânce animale, căci există foarte multe cereale, legume, fructe și lapte. Conform cu *Bhagavad-gītā* o asemenea hrană simplă este considerată a face parte din modul natural al bunătății. Hrana animală este pentru cei stăpâniți de modul ignoranței. Deci cei ce consumă hrană animală, care beau, fumează și nu-și oferă hrana lui Kṛṣṇa înainte de a o mânca, vor îndura urmările păcatului, deoarece mănâncă doar lucruri necurate. *Bhuñjate te tv aghaṁ pāpā ye pacanty ātma-kāraṇāt.* Oricine mănâncă pentru plăcerea simțurilor sau gătește doar pentru el, fără a oferi hrana mai întâi lui Kṛṣṇa, se hrănește doar cu păcat. Cel ce se hrănește cu păcat și mănâncă mai mult decât îi este destinat nu poate să săvârșească yoga în mod perfect. Este mai bine ca omul să mănânce doar rămășițele din hrana oferită lui Kṛṣṇa. Cel aflat în conștiința de Kṛṣṇa nu mănâncă nici un fel de hrană care nu a fost mai întâi oferită lui Kṛṣṇa. De aceea, numai cel ce este conștient de Kṛṣṇa poate atinge perfecțiunea în practica yoga. Și nici cel care se abține în mod artificial de la mâncare, fabricându-și propriul procedeu de a posti, nu poate să practice yoga. Cel ce este conștient de Kṛṣṇa ține posturile recomandate în scripturi. El nu postește sau mănâncă mai mult decât este necesar, și astfel este competent să practice yoga. Cel ce mănâncă mai mult decât este necesar va visa foarte mult în timpul somnului și deci va trebui să doarmă mai mult decât este necesar. Omul nu trebuie să doarmă mai mult de șase ore pe zi. Cel ce doarme mai mult de șase ore din douăzeci și patru este cu siguranță sub influența modului ignoranței. Cel aflat sub influența modului ignoranței este leneș și înclinat spre somn îndelungat. Un asemenea om nu poate să practice yoga.

TEXTUL 17

युक्ताहारविहारस्य युक्तचेष्टस्य कर्मसु ।
युक्तस्वप्नावबोधस्य योगो भवति दुःखहा ॥१७॥

*yuktāhāra-vihārasya
yukta-ceṣṭasya karmasu
yukta-svapnāvabodhasya
yogo bhavati duḥkha-hā*

yukta—reglementat; *āhāra*—mâncatul; *vihārasya*—destinderea; *yukta*—reglementat; *ceṣṭasya*—ale celui ce acţionează pentru a se întreţine; *karmasu*—în îndeplinirea datoriilor; *yukta*—reglementat; *svapna-avabodhasya*—somnul şi veghrerea; *yogaḥ*—practicare a yogăi; *bhavati*—devine; *duḥkha-hā*—făcând să scadă suferinţele.

Cel ce este cumpătat atunci când mănâncă, doarme, se odihneşte sau lucrează, poate să-şi aline toate suferinţele materiale prin practicarea sistemului yoga.

COMENTARIU

Extravaganţele în ceea ce priveşte mâncatul, dormitul, apărarea şi împerecherea—care sunt cerinţe ale corpului—pot bloca înaintarea în practica yoga. În ce priveşte hrana, aceasta poate fi reglementată doar atunci când omul se obişnuieşte să ia şi să accepte *prasādam*, hrana sfinţită. Conform cu *Bhagavad-gītā* (9.26) lui Śrī Kṛṣṇa i se oferă legume, flori, fructe, cereale, lapte etc. În acest fel, cel aflat în conştiinţa de Kṛṣṇa se obişnuieşte în mod automat să nu accepte hrana care nu este destinată oamenilor sau care nu ţine de categoria bunătăţii. În ce priveşte somnul, cel ce este conştient de Kṛṣṇa este întotdeauna alert în îndeplinirea datoriilor sale în conştiinţa de Kṛṣṇa şi deci orice moment petrecut dormind fără să fie necesar este considerat o mare pierdere. *Avyartha-kālātvam*: cel conştient de Kṛṣṇa nu poate răbda să-şi petreacă nici măcar un minut din viaţă fără să se afle în slujba Domnului. De aceea, perioada de somn este redusă la minimum. Idealul său în această privinţă este Śrīla Rūpa Gosvāmī care se afla mereu în slujba lui Kṛṣṇa şi nu putea să doarmă mai mult de două ore pe zi, iar uneori nici măcar atât. Ṭhākura Haridāsa nu ar fi acceptat nici măcar *prasādam* şi n-ar fi dormit nici măcar o clipă înainte de a-și fi încheiat ocupația zilnică de a cânta pe mătănii de trei sute de mii de ori numele sfinte. Cât privește munca, un om conștient de Kṛṣṇa nu face nici un lucru care să nu fie în folosul lui Kṛṣṇa și astfel munca sa este mereu reglementată și neprihănită de satisfacerea simțurilor. Întrucât nu poate fi vorba de satisfacerea simțurilor, nu există momente de recreere materială pentru cel aflat în conștiința de Kṛṣṇa. Și întrucât munca, vorbirea, somnul, vegherea și alte activități corporale îi sunt complet reglementate, pentru el nu există nici o suferință materială.

TEXTUL 18

यदा विनियतं चित्तमात्मन्येवावतिष्ठते ।
निस्पृहः सर्वकामेभ्यो युक्त इत्युच्यते तदा ॥१८॥

yadā viniyataṁ cittam
ātmany evāvatiṣṭhate
nispṛhaḥ sarva-kāmebhyo
yukta ity ucyate tadā

yadā—atunci când; *viniyatam*—deosebit de disciplinate; *cittam*—mintea și activitățile sale; *ātmani*—în transcendență; *eva*—desigur; *avatiṣṭhate*—devine situată; *nispṛhaḥ*—fără vreo dorință; *sarva*—pentru toate felurile de; *kāmebhyaḥ*—plăceri materiale ale simțurilor; *yuktaḥ*—bine situat în yoga; *iti*—astfel; *ucyate*—se spune că este; *tadā*—atunci.

Când yoghinul își disciplinează activitățile mentale prin practicarea yogăi și ajunge să fie situat în transcendență—fără nici un fel de dorințe materiale—se spune că este bine stabilit în yoga.

COMENTARIU

Activitățile unui yoghin se deosebesc de cele ale omului obișnuit prin faptul caracteristic al încetării oricăror dorințe materiale, dintre care cea mai importantă este cea sexuală. Un yoghin desăvârșit este atât de bine disciplinat în ce privește activitățile minții, încât nu mai poate fi tulburat de nici un fel de dorințe materiale. Acest stadiu al perfecțiunii poate fi atins automat de persoanele aflate în conștiința de Kṛṣṇa, așa cum se afirmă în *Śrīmad Bhāgavatam* (9.4.18–20):

sa vai manaḥ kṛṣṇa-padāravindayor
vacāṁsi vaikuṇṭha-guṇānuvarṇane
karau harer mandira-mārjanādiṣu
śrutiṁ cakārācyuta-sat-kathodaye

mukunda-liṅgālaya-darśane dṛśau
tad-bhṛtya-gātra-sparśe 'ṅga-saṅgamam
ghrāṇaṁ ca tat-pāda-saroja-saurabhe
śrīmat-tulasyā rasanāṁ tad-arpite

pādau hareḥ kṣetra-padānusarpaṇe
śiro hṛṣīkeśa-padābhivandane
kāmaṁ ca dāsye na tu kāma-kāmyayā
yathottama-śloka-janāśrayā ratiḥ

„Mai întâi de toate, regele Ambarīṣa şi-a fixat mintea supra picioarelor de lotus ale lui Śrī Kṛṣṇa; apoi, rând pe rând, şi-a pus vorbele în slujba descrierii însuşirilor transcendente ale Domnului, şi-a folosit mâinile la curăţarea templului Domnului, urechile la ascultarea activităţilor Domnului, ochii la privirea formelor transcendente ale Domnului, corpul la atingerea corpurilor devoţilor, mirosul la mirosirea parfumului florilor de lotus oferite Domnului, limba la gustarea frunzelor de *tulasī* oferite la picioarele de lotus ale Domnului, picioarele pentru a merge la locurile de pelerinaj şi la templele Domnului, capul pentru a se pleca în faţa Domnului şi dorinţele pentru a îndeplini dorinţele Domnului. Toate aceste activităţi spirituale sunt cu totul nimerite pentru un devot pur.“

Acest stadiu transcendent poate fi inexprimabil în mod subiectiv de către cei ce urmează calea impersonalistă, dar devine foarte uşor accesibil şi practic pentru o persoană aflată în conştiinţa de Kṛṣṇa, aşa cum se vede în descrierea de mai sus a îndeletnicirilor lui Mahārāja Ambarīṣa. Până când mintea nu este fixată asupra picioarelor de lotus ale Domnului prin neîncetată aducere-aminte, aceste îndeletniciri spirituale nu pot fi aplicate practic. În slujirea devoţională a Domnului aceste activităţi prescrise sunt numite *arcana* sau angajarea tuturor simţurilor în slujba Domnului. Este necesar ca mintea şi simţurile să aibă o ocupaţie. Simpla lor negare nu este eficientă. De aceea, pentru oamenii obişnuiţi—în special pentru cei ce nu fac parte din ordinul renunţării—angajarea spirituală a minţii şi simţurilor descrisă mai sus este metoda perfectă de desăvârşire spirituală, numită *yukta* în *Bhagavad-gītā*.

TEXTUL 19

यथा दीपो निवातस्थो नेङ्गते सोपमा स्मृता ।
योगिनो यतचित्तस्य युञ्जतो योगमात्मनः ॥१९॥

yathā dīpo nivāta-stho
neṅgate sopamā smṛtā
yogino yata-cittasya
yuñjato yogam ātmanaḥ

yathā—aşa cum; *dīpaḥ*—o lampă; *nivāta-sthaḥ*—într-un loc fără vânt; *na*—nu; *iṅgate*—pâlpâie; *sā*—această; *upamā*—comparaţie; *smṛtā*—este menţionată; *yoginaḥ*—în cazul yoghinului; *yata-cittasya*—cu mintea stăpânită; *yuñjataḥ*—angajată permanent; *yogam*—în meditaţie; *ātmanaḥ*—asupra transcendenţei.

Aşa cum nu tremură flacăra unei lămpi într-un loc fără vânt, la fel şi yoghinul a cărui minte este stăpânită rămâne mereu neclintit în meditaţia sa asupra sinelui transcendent.

COMENTARIU

Un om cu adevărat conştient de Kṛṣṇa, absorbit mereu în transcendenţă, în meditaţie permanentă şi netulburată asupra Domnului său adorat, este la fel de neclintit precum flacăra unei lămpi într-un loc fără vânt.

TEXTELE 20-23

यत्रोपरमते चित्तं निरुद्धं योगसेवया ।
यत्र चैवात्मनात्मानं पश्यन्नात्मनि तुष्यति ॥२०॥

सुखमात्यन्तिकं यत्तद् बुद्धिग्राह्यमतीन्द्रियम् ।
वेत्ति यत्र न चैवायं स्थितश्चलति तत्त्वतः ॥२१॥

यं लब्ध्वा चापरं लाभं मन्यते नाधिकं ततः ।
यस्मिन् स्थितो न दुःखेन गुरुणापि विचाल्यते ॥२२॥

तं विद्याद् दुःखसंयोगवियोगं योगसंज्ञितम् ॥२३॥

yatroparamate cittaṁ
niruddhaṁ yoga-sevayā
yatra caivātmanātmānaṁ
paśyann ātmani tuṣyati

sukham ātyantikaṁ yat tad
buddhi-grāhyam atīndriyam
vetti yatra na caivāyaṁ
sthitaś calati tattvataḥ

yaṁ labdhvā cāparaṁ lābhaṁ
manyate nādhikaṁ tataḥ
yasmin sthito na duḥkhena
guruṇāpi vicālyate

taṁ vidyād duḥkha-saṁyoga-
viyogaṁ yoga-saṁjñitam

yatra—în acea stare de lucruri în care; *uparamate*—încetează (din pricină că se simte fericirea spirituală); *cittam*—activitățile mentale; *niruddham*—fiind desprins de materie; *yoga-sevayā*—prin practicarea yogăi; *yatra*—în care; *ca*—şi; *eva*—desigur; *ātmanā*—de către mintea purificată; *ātmānam*—sine; *paśyan*—realizând poziția acestui; *ātmani*—în sine; *tuṣyati*—devine împăcat; *sukham*—fericirea; *ātyantikam*—supremă; *yat*—care; *tat*—aceasta; *buddhi*—prin inteligență; *grāhyam*—accesibilă; *atīndriyam*—transcendentă; *vetti*—o cunoaşte; *yatra*—în care; *na*—niciodată; *ca*—şi; *eva*—cu siguranță; *ayam*—acesta; *sthitaḥ*—situat; *calati*—se mişcă; *tattvataḥ*—din adevăr; *yam*—cel care; *labdhvā*—prin dobândirea; *ca*—şi; *aparam*—oricare alt; *lābham*—câştig; *manyate*—socoteşte; *na*—niciodată; *adhikam*—mai mult; *tataḥ*—decât aceasta; *yasmin*—în care; *sthitaḥ*—fiind situat; *na*—niciodată; *duḥkhena*—de către suferință; *guruṇā api*—chiar dacă este foarte grea; *vicālyate*—este zguduit; *tam*—aceasta; *vidyāt*—trebuie să ştii; *duḥkha-saṁyoga*—a suferințelor contactului cu materia; *viyogam*—nimicire; *yoga-saṁjñitam*—numită transă în yoga.

În stadiul desăvârşirii numit samādhi, sau transă, prin practica yoga, mintea este pe deplin retrasă de la activitățile mentale materiale. Aceas-tă perfecțiune este caracterizată de putința omului de a vedea sinele cu ajutorul minții purificate şi de a se bucura şi desfăta înăuntrul sinelui. În această stare de bucurie omul ajunge la nemărginita fericire trans-

cendentă, realizată prin simțurile transcendente. Astfel situat, omul nu se mai îndepărtează de la adevăr, și după dobândirea acestuia devine încredințat că nu există vreun câștig mai mare. Ajuns aici, omul rămâne neclintit, chiar în mijlocul celor mai mari greutăți. Aceasta este adevărata eliberare de toate suferințele ce se ivesc din contactul cu materia.

COMENTARIU

Prin practicarea yogăi omul se detașează treptat de concepțiile materiale. Aceasta este prima caracteristica a metodei yoga, iar după aceasta omul ajunge în transă sau *samādhi*, ceea ce înseamnă că yoghinul realizează Suprasufletul cu mintea și inteligența spiritualizate, fără nici una din erorile identificării sinelui cu Suprasinele. Practica yoga se bazează mai mult sau mai puțin pe sistemul lui Patañjali. Unii comentatori neautorizați încearcă să identifice sufletul individual cu Suprasufletul, iar moniștii cred că aceasta este eliberarea, dar ei nu înțeleg scopul real al sistemului yoga al lui Patañjali. În sistemul lui Patañjali se acceptă existența unei fericiri transcendente, dar moniștii nu acceptă această fericire transcendentă, de teama de a nu dăuna teoriei unicității. Dualitatea cunoaștere-cunoscător nu este acceptată de non-dualiști, dar în această strofă se acceptă existența unei fericiri transcendente, realizată prin intermediul simțurilor spiritualizate. Acest fapt este confirmat de Patañjali Muni, vestitul exponent al sistemului yoga. Acest mare înțelept declară în *Yoga-sūtra* (4.34): *puruṣārtha-śūnyānāṁ guṇānāṁ pratiprasavaḥ kaivalyaṁ svarūpa-pratiṣṭhā vā citi-śaktir iti.*

Această *citi-śakti* sau puterea internă este transcendentă. *Puruṣārtha* înseamnă religiozitate materială, dezvoltare economică, satisfacerea simțurilor și, în final, încercarea de a deveni una cu Cel Suprem. Această „unire cu Cel suprem" este numită de moniști *kaivalyam*. Dar după opinia lui Patañjali, acest *kaivalyam* este o putere internă sau transcendentă, putere prin care entitatea vie devine conștientă de poziția sa constitutivă. În cuvintele lui Śrī Caitanya, această stare de lucruri este numită *ceto-darpaṇa-mārjanam* sau curățarea oglinzii impure a minții. Această „curățare" este de fapt eliberare sau *bhava-mahā-dāvāgni-nirvāpaṇam.* Teoria lui *nirvāṇa*—care este de asemenea o etapă preliminară—corespunde acestui principiu. În *Bhāgavatam* (2.10.6) această stare este numită *svarūpeṇa vyavasthitiḥ*. La fel și *Bhagavad-gītā* confirmă această situație în această strofă.

După *nirvāṇa* sau încetarea existenței materiale are loc manifestarea activităților spirituale sau slujirea devoțională către Domnul, cunoscută drept conștiința de Kṛṣṇa. În formularea din *Bhāgavatam: svarūpeṇa vyavasthitiḥ*—

aceasta este „viața reală a entității vii". *Māyā* sau iluzia este acea stare a vieții spirituale contaminată de impurificarea materiei. Eliberarea de această impurificare materială nu înseamnă distrugerea poziției originare eterne a entității vii. Patañjali acceptă și el acest fapt prin cuvintele *kaivalyaṁ svarūpa-pratiṣṭhā vā citi-śaktir iti*. Această *citi-śakti* sau plăcere transcendentă este adevărata viață. Acest lucru este confirmat în *Vedānta-sūtra* (1.1.12) ca *ānanda-mayo 'bhyāsāt*. Această fericire naturală și transcendentă este țelul ultim al yogăi și este ușor de obținut prin slujire devoțională sau *bhakti-yoga*. *Bhakti-yoga* va fi descris cu multă vivacitate în capitolul al șaptelea din *Bhagavad-gītā*.

În sistemul yoga descris în acest capitol există două feluri de *samādhi*, numite *samprajñāta-samādhi* și *asamprajñāta-samādhi*. Cel ce ajunge la nivel transcendent prin diferite cercetări filozofice se spune că a realizat *samprajñāta-samādhi*. În *asamprajñāta-samādhi* nu mai există nici un fel de legătură cu plăcerile lumești, deoarece omul ajunge să fie transcendent față de orice fel de fericire derivată din simțuri. Odată situat în această stare transcendentă, yoghinul nu mai poate fi clintit. Până ce yoghinul nu este capabil să ajungă la această stare, el nu a reușit încă. Așa numita practică yoga de astăzi, care cuprinde diferite plăceri ale simțurilor, este contrară acestor principii. Yoghinul care se dedă plăcerilor sexului și băuturilor amețitoare nu este decât un șarlatan. Chiar și yoghinii care sunt atrași de *siddhi* (perfecțiuni) în cadrul procesului yoga nu sunt pe calea cea bună. Dacă yoghinii se lasă atrași de efectele secundare ale yogăi, nu vor putea atinge stadiul perfecțiunii, așa cum se afirmă în această strofă. Persoanele preocupate doar să se dea în spectacol prin practicarea unor exerciții gimnastice sau unor *siddhi* trebuie să știe că în felul acesta se îndepărtează de țelul yogăi.

Cel mai bun mod de practicare a yogăi în această epocă este conștiința de Kṛṣṇa, care nu dezamăgește niciodată. O persoană conștientă de Kṛṣṇa este atât de fericită de ocupațiile sale, încât nu aspiră la nici o altă fericire. Există o mulțime de impedimente în a practica *haṭha-yoga*, *dhyāna-yoga* sau *jñāna-yoga*, mai ales în această epocă a prefăcătoriei, dar nu există asemenea probleme în practicarea lui *karma-yoga* sau *bhakti-yoga*.

Atâta vreme cât corpul material există, omul trebuie să vină în întâmpinarea cerințelor corpului, adică hrănirea, dormitul, apărarea și împerecherea. Dar cel ce a ajuns la *bhakti-yoga* pur sau la conștiința de Kṛṣṇa nu-și mai stârnește simțurile atunci când vine în întâmpinarea cerințelor corpului. Mai degrabă acceptă doar ceea ce îi este necesar pentru a trăi, întorcând în folosul său o situație nefavorabilă și bucurându-se de fericirea transcendentă în conștiința de Kṛṣṇa. El este călit în fața întâmplărilor care-i ies în cale—cum

ar fi accidentele, boala, lipsurile sau chiar moartea celei mai dragi rude—
dar rămâne mereu alert în împlinirea datoriilor sale în conștiința de Kṛṣṇa
sau *bhakti-yoga*. Accidentele nu-l abat niciodată de la datoria sa. Așa cum se
afirmă în *Bhagavad-gītā* (2.14), *āgamāpāyino 'nityās tāṁs titikṣasva bhārata*. El
suportă toate aceste întâmplări ce îi apar în cale, deoarece știe că ele vin și
se duc, fără să-i afecteze îndatoririle. În acest fel el ajunge la cea mai înaltă
desăvârșire în practica yoga.

TEXTUL 24

स निश्चयेन योक्तव्यो योगोऽनिर्विण्णचेतसा ।
सङ्कल्पप्रभवान् कामांस्त्यक्त्वा सर्वानशेषतः ।
मनसैवेन्द्रियग्रामं विनियम्य समन्ततः ॥२४॥

sa niścayena yoktavyo
yogo 'nirviṇṇa-cetasā
saṅkalpa-prabhavān kāmāṁs
tyaktvā sarvān aśeṣataḥ
manasaivendriya-grāmaṁ
viniyamya samantataḥ

saḥ—acesta; *niścayena*—cu hotărâre neclintită; *yoktavyaḥ*—trebuie practi-
cat; *yogaḥ*—sistemul yoga; *anirviṇṇa-cetasā*—fără să se abată; *saṅkalpa*—
speculațiile mentale; *prabhavān*—născute din; *kāmān*—dorințele materia-
le; *tyaktvā*—renunțând la; *sarvān*—toate; *aśeṣataḥ*—în mod complet;
manasā—cu mintea; *eva*—desigur; *indriya-grāmam*—ansamblul simțurilor;
viniyamya—reglementând; *samantataḥ*—din toate părțile.

**Omul trebuie să se angajeze în practica yoga cu hotărâre și credință,
fără să se abată din cale. El trebuie să abandoneze, fără nici o excepție,
toate dorințele materiale născute din speculația mentală, și astfel să-și
controleze, cu ajutorul minții, toate simțurile din toate părțile.**

COMENTARIU

Practicantul de yoga trebuie să fie hotărât și să-și urmeze practica cu răbda-
re, fără abatere. Omul trebuie să fie sigur de succes în final și să-și urmeze
drumul cu multă perseverență, fără să se descurajeze dacă apare vreo întâr-

ziere în atingerea succesului. Succesul este cert pentru cel ce practică neabă-
tut. În ce privește *bhakti-yoga*, Rūpa Gosvāmī a spus:

utsāhān niścayād dhairyāt
tat-tat-karma-pravartanāt
saṅga-tyāgāt sato vṛtteḥ
ṣaḍbhir bhaktiḥ prasidhyati

„Procesul lui *bhakti-yoga* poate fi îndeplinit cu succes prin entuziasmul pornit
din toată inima, prin perseverență și prin hotărâre, urmând datoriile prescri-
se în compania devoților și angajându-ne pe deplin în activități virtuoase."
(*Upadeśāmṛta* 3).

În ce privește hotărârea, trebuie să urmăm exemplul vrabiei care și-a pier-
dut ouăle în valurile oceanului. O vrabie și-a lăsat ouăle pe malul oceanu-
lui, dar valurile marelui ocean au luat ouăle cu ele. Foarte necăjită, vrabia i-a
cerut oceanului să-i înapoieze ouăle, dar oceanul nici nu a băgat-o în seamă.
Atunci vrabia a hotărât să sece oceanul. Astfel, ea a început să scoată apa cu
ciocul ei minuscul și toată lumea râdea de hotărârea ei imposibilă. Veștile
despre activitatea sa s-au răspândit, și până la urmă a auzit și Garuḍa, pasărea
gigantică care-l poartă pe Śrī Viṣṇu. Lui i s-a făcut milă de mica sa surioară
și astfel a venit să o vadă pe vrabie. Foarte încântat de hotărârea vrăbiuței,
Garuḍa a promis s-o ajute. Așa se face că Garuḍa i-a cerut de îndată oceanului
să-i înapoieze ouăle, ca nu cumva să se apuce el să facă ceea ce făcea vrabia.
Atunci oceanul, înspăimântat, a înapoiat ouăle. Și astfel vrabia a ajuns să fie
fericită prin grația lui Garuḍa.

În mod similar, practica yoga, și în special *bhakti-yoga* în conștiința de
Kṛṣṇa, poate părea un lucru foarte dificil. Dar dacă cineva urmează princi-
piile sale cu multă hotărâre, Domnul îl va ajuta cu siguranță, căci Dumnezeu
îi ajută pe cei ce se ajută singuri.

TEXTUL 25

शनैः शनैरुपरमेद् बुद्ध्या धृतिगृहीतया ।
आत्मसंस्थं मनः कृत्वा न किञ्चिदपि चिन्तयेत् ॥२५॥

śanaiḥ śanair uparamed
buddhyā dhṛti-gṛhītayā

ātma-saṁsthaṁ manaḥ kṛtvā
na kiñcid api cintayet

śanaiḥ—treptat; śanaiḥ—pas cu pas; uparamet—trebuie să reţină; buddhyā
—cu inteligenţa; dhṛti-gṛhītayā—susţinută de convingere; ātma-saṁstham—
aşezată în transcendenţă; manaḥ—mintea; kṛtvā—făcând; na—nu; kiñcit—
nimic altceva; api—chiar; cintayet—trebuie să se gândească la.

**Treptat, pas cu pas, el trebuie să ajungă în transă, cu ajutorul inteligen-
ţei susţinute de o convingere deplină, şi astfel mintea trebuie să rămână
fixată doar asupra sinelui, fără a se mai gândi la nimic altceva.**

COMENTARIU

Printr-o convingere corectă şi prin inteligenţă omul trebuie să se oprească trep-
tat de la activitatea simţurilor. Aceasta se numeşte *pratyāhāra*. Mintea stăpâ-
nită prin convingere, meditaţie şi retragerea de la simţuri trebuie să fie situa-
tă în transă sau *samādhi*. În acel moment nu mai există nici o primejdie de
a rămâne cuprins de concepţia materială asupra vieţii. Altfel spus, deşi omul
este afectat de materie atâta timp cât există corpul material, el trebuie să nu
se mai gândească la satisfacerea simţurilor. Omul nu trebuie să se mai gân-
dească la nici o plăcere care să fie diferită de plăcerea Sinelui Suprem. Această
stare se atinge cu uşurinţă practicând în mod direct conştiinţa de Kṛṣṇa.

TEXTUL 26

यतो यतो निश्चलति मनश्चञ्चलमस्थिरम् ।
ततस्ततो नियम्यैतदात्मन्येव वशं नयेत् ॥२६॥

yato yato niścalati
manaś cañcalam asthiram
tatas tato niyamyaitad
ātmany eva vaśaṁ nayet

yataḥ yataḥ—oriunde; niścalati—devine foarte agitată; manaḥ—mintea;
cañcalam—fluctuantă; asthiram—nestatornică; tataḥ tataḥ—de acolo;
niyamya—înfrânând-o; etat—aceasta; ātmani—în sine; eva—desigur;
vaśam—control; nayet—trebuie pusă sub.

De oriunde ar rătăci mintea, datorită naturii sale fluctuante şi nestatornice, ea trebuie cu siguranţă să fie retrasă şi adusă din nou sub controlul sinelui.

COMENTARIU

Natura minţii este fluctuantă şi nestatornică. Dar un yoghin ajuns la realizarea de sine trebuie să-şi stăpânească mintea, nu să fie el stăpânit de minte. Cel ce-şi stăpâneşte mintea (şi, prin aceasta, şi simţurile) este numit *gosvāmī* sau *svāmī*, iar cel ce este stăpânit de minte este numit *go-dāsa*, servitorul simţurilor. Un *gosvāmī* cunoaşte valoarea superioară a plăcerii date de simţuri. În plăcerea transcendentă a simţurilor, simţurile sunt angajate în slujba lui Hṛṣīkeśa sau proprietarul suprem al simţurilor—Kṛṣṇa. Slujirea lui Kṛṣṇa cu simţurile purificate poartă numele de conştiinţa de Kṛṣṇa. Aceasta este calea de a aduce simţurile sub control deplin. Şi chiar mai mult, aceasta este cea mai înaltă desăvârşire a practicii yoga.

TEXTUL 27

प्रशान्तमनसं ह्येनं योगिनं सुखमुत्तमम् ।
उपैति शान्तरजसं ब्रह्मभूतमकल्मषम् ॥२७॥

praśānta-manasaṁ hy enaṁ
yoginaṁ sukham uttamam
upaiti śānta-rajasaṁ
brahma-bhūtam akalmaṣam

praśānta—plină de pace, fixată asupra picioarelor de lotus ale lui Kṛṣṇa; *manasam*—a cărui minte; *hi*—cu siguranţă; *enam*—acesta; *yoginam*—yoghin; *sukham*—fericirea; *uttamam*—cea mai înaltă; *upaiti*—atinge; *śānta-rajasam*—pasiunea sa fiind potolită; *brahma-bhūtam*—eliberarea prin identificarea cu absolutul; *akalmaṣam*—eliberat de toate urmările păcatelor trecute.

Yoghinul a cărui minte este fixată asupra Mea atinge cu adevărat cea mai înaltă desăvârşire a fericirii transcendente. El este dincolo de starea de pasiune, realizându-şi identitatea calitativă cu Cel Suprem, şi astfel este eliberat de toate urmările activităţilor trecute.

COMENTARIU

Brahma-bhūta este starea eliberării de contaminările materiale și situarea în slujirea transcendentă a Domnului. *Mad-bhaktiṁ labhyate parām* (*Bhagavad-gītā* 18.54). Omul nu poate rămâne la nivelul lui Brahman sau al Absolutului până ce mintea sa nu ajunge să fie fixată asupra picioarelor de lotus ale Domnului. *Sa vai manaḥ kṛṣṇa-padāravindayoḥ.* A fi mereu angajat în slujirea transcendentă cu iubire a Domnului sau a rămâne mereu în conștiința de Kṛṣṇa înseamnă a fi cu adevărat eliberat de starea de pasiune și de toate contaminările materiale.

TEXTUL 28

युञ्ज्ञेवं सदात्मानं योगी विगतकल्मषः ।
सुखेन ब्रह्मसंस्पर्शमत्यन्तं सुखमश्नुते ॥२८॥

yuñjann evaṁ sadātmānaṁ
yogī vigata-kalmaṣaḥ
sukhena brahma-saṁsparśam
atyantaṁ sukham aśnute

yuñjan—angajându-și în practica yoga; *evam*—astfel; *sadā*—întotdeauna; *ātmānam*—sinele; *yogī*—cel ce este în contact cu Sinele Suprem; *vigata*—eliberat de; *kalmaṣaḥ*—toate contaminările materiale; *sukhena*—în fericirea transcendentă; *brahma-saṁsparśam*—fiind în contact permanent cu Cel Suprem; *atyantam*—cea mai înaltă; *sukham*—fericire; *aśnute*—atinge.

Astfel, yoghinul care a ajuns la stăpânirea de sine, angajat neîncetat în practica yoga, ajunge să fie eliberat de toate contaminările materiale și atinge stadiul cel mai înalt al fericirii desăvârșite în slujirea transcendentă cu iubire a Domnului.

COMENTARIU

Realizarea de sine înseamnă a-ți cunoaște poziția constitutivă în raport cu Cel Suprem. Sufletul individual este parte integrantă din Suprem iar poziția sa este aceea de a aduce slujire transcendentă Domnului. Acest contact spiritual cu Supremul este numit *brahma-saṁsparśa*.

TEXTUL 29

सर्वभूतस्थमात्मानं सर्वभूतानि चात्मनि ।
ईक्षते योगयुक्तात्मा सर्वत्र समदर्शनः ॥२९॥

sarva-bhūta-stham ātmānam
sarva-bhūtāni cātmani
īkṣate yoga-yuktātmā
sarvatra sama-darśanaḥ

sarva-bhūta-stham—situat în toate fiinţele; *ātmānam*—Suprasufletul; *sarva*—toate; *bhūtāni*—entităţile; *ca*—şi; *ātmani*—în sine; *īkṣate*—vede; *yoga-yukta-ātmā*—cel perfect în conştiinţa de Kṛṣṇa; *sarvatra*—pretutindeni; *sama-darśanaḥ*—privind în mod egal.

Adevăratul yoghin Mă vede pe Mine în toate fiinţele şi, de asemenea, vede orice fiinţă în Mine. Cu adevărat, cel ce ajunge la realizarea de sine Mă vede pretutindeni pe Mine, Domnul Suprem.

COMENTARIU

Un yoghin conştient de Kṛṣṇa este vizionarul desăvârşit, căci el Îl vede pe Kṛṣṇa, Cel Suprem, situat în inima fiecăruia în calitate de Suprasuflet (Paramātmā). *Īśvaraḥ sarva-bhūtānāṁ hṛd-deśe 'rjuna tiṣṭhati.* În ipostaza Sa de Paramātmā, Dumnezeu este situat atât în inima unui câine, cât şi în cea a unui brahman. Yoghinul desăvârşit ştie că Dumnezeu este veşnic transcendent, şi de aceea El nu este afectat din punct de vedere material, fie că este prezent într-un câine sau într-un brahman. Aceasta este suprema nepărtinire a Domnului. Sufletul individual este şi el situat în inima fiecărui individ, dar acest suflet nu este prezent simultan în toate inimile. Aceasta este deosebirea între sufletul individual şi Suprasuflet. Cel ce nu practică în mod real yoga, nu poate să vadă atât de limpede. Cel ce este conştient de Kṛṣṇa Îl poate vedea pe Kṛṣṇa atât în inima celui credincios, cât şi în a celui necredincios. În *smṛti* acest lucru este confirmat astfel: *ātatatvāc ca mātṛtvāc ca ātmā hi paramo hariḥ.* Dumnezeu, fiind originea tuturor fiinţelor, este ca o mamă şi ca un susţinător. Aşa cum o mamă este nepărtinitoare faţă de toţi copiii, la fel este şi tatăl suprem (sau mama). Prin urmare, Suprasufletul se află în permanenţă în fiecare fiinţă.

De asemenea, în exterior fiecare entitate vie este situată în energia lui Dumnezeu. Așa cum se va explica în capitolul al șaptelea, Dumnezeu are în principal două energii—cea spirituală (sau superioară) și cea materială (sau inferioară). Ființa vie, deși este parte a energiei superioare, este condiționată de energia inferioară; ființa vie rămâne mereu în energia lui Dumnezeu. Fiecare entitate vie este situată în El, într-un fel sau altul. Yoghinul privește totul în mod egal, deoarece el vede că toate viețuitoarele, deși aflate în situații diferite, în funcție de rezultatele activităților lor, rămân în orice împrejurări slujitoarele lui Dumnezeu. Atâta timp cât se află în energia materială, entitatea vie slujește simțurilor materiale; iar când se află în energia spirituală, ea Îl slujește direct pe Domnul Suprem. În ambele cazuri, entitatea vie este slujitoarea lui Dumnezeu. Această viziune a egalității este desăvârșită în cel ce se află în conștiința de Kṛṣṇa.

TEXTUL 30

यो मां पश्यति सर्वत्र सर्वं च मयि पश्यति ।
तस्याहं न प्रणश्यामि स च मे न प्रणश्यति ॥३०॥

yo māṁ paśyati sarvatra
sarvaṁ ca mayi paśyati
tasyāhaṁ na praṇaśyāmi
sa ca me na praṇaśyati

yaḥ—oricine; *mām*—pe Mine; *paśyati*—vede; *sarvatra*—pretutindeni; *sarvam*—totul; *ca*—și; *mayi*—în Mine; *paśyati*—vede; *tasya*—pentru el; *aham*—Eu; *na*—nu; *praṇaśyāmi*—sunt pierdut; *saḥ*—el; *ca*—și; *me*—pentru Mine; *na*—nu ; *praṇaśyati*—este pierdut.

Pentru cel ce Mă vede pe Mine pretutindeni și toate le vede în Mine, Eu nu sunt pierdut niciodată și nici el nu este pierdut pentru Mine vreodată.

COMENTARIU

Cel aflat în conștiința de Kṛṣṇa Îl vede cu siguranță pe Śrī Kṛṣṇa pretutindeni și toate le vede în Kṛṣṇa. Un asemenea om poate părea că vede separate toate manifestările naturii materiale, dar în fiecare moment el este conştient de Kṛṣṇa, ştiind că totul este manifestarea energiei lui Kṛṣṇa. Nimic nu poate exista fără Kṛṣṇa şi Kṛṣṇa este Domnul tuturor lucrurilor—acesta este principiul de bază al conştiinţei de Kṛṣṇa. Conştiinţa de Kṛṣṇa este dezvoltarea iubirii faţă de Kṛṣṇa—poziţie care transcende însăşi eliberarea de cele materiale. În acest stadiu al conştiinţei de Kṛṣṇa, în afară de realizarea de sine, devotul devine una cu Kṛṣṇa, în sensul că Kṛṣṇa devine totul pentru devot iar devotul ajunge împlinit prin iubirea faţă de Kṛṣṇa. În acel moment există o relaţie intimă între Domnul şi devotul Său. În acest stadiu, entitatea vie nu mai poate fi nimicită şi nici Personalitatea Divinităţii nu mai dispare din faţa ochilor devotului. Contopirea cu Kṛṣṇa înseamnă anihilare spirituală; devotul nu îşi asumă un asemenea risc. În *Brahma-saṁhitā* (5.38) se afirmă:

> *premāñjana-cchurita-bhakti-vilocanena*
> *santaḥ sadaiva hṛdayeṣu vilokayanti*
> *yaṁ śyāmasundaram acintya-guṇa-svarūpaṁ*
> *govindam ādi-puruṣaṁ tam ahaṁ bhajāmi*

„Îl ador pe Govinda, Domnul primordial, care este întotdeauna văzut de devotul ai cărui ochi sunt unşi cu balsamul iubirii. El este văzut în forma Sa eternă de Śyāmasundara, situat în inima devotului.“

În acest stadiu Śrī Kṛṣṇa nu mai dispare niciodată din faţa ochilor devotului, şi nici devotul nu mai este pierdut din vedere de către Domnul. Acelaşi lucru se întâmplă şi cu yoghinul care-L vede pe Domnul sub forma lui Paramātmā înăuntrul inimii. Un asemenea yoghin se preschimbă într-un devot pur şi nu mai poate răbda să trăiască nici măcar o clipă fără a-L vedea pe Dumnezeu înăuntrul său.

TEXTUL 31

सर्वभूतस्थितं यो मां भजत्येकत्वमास्थितः ।
सर्वथा वर्तमानोऽपि स योगी मयि वर्तते ॥३१॥

> *sarva-bhūta-sthitaṁ yo māṁ*
> *bhajaty ekatvam āsthitaḥ*
> *sarvathā vartamāno 'pi*
> *sa yogī mayi vartate*

sarva-bhūta-sthitam—situat în inima fiecăruia; *yaḥ*—cel care; *mām*—pe Mine; *bhajati*—Mă slujeşte cu devoţiune; *ekatvam*—în unitate; *āsthitaḥ*—situat; *sarvathā*—în toate; *varta-mānaḥ*—fiind situat; *api*—chiar; *saḥ*—el; *yogī*—transcendentalistul; *mayi*—în Mine; *vartate*—rămâne.

Un asemenea yoghin care se angajează în adorarea Suprasufletului, ştiind că Eu şi Suprasufletul suntem una, rămâne întotdeauna în Mine în orice împrejurare.

COMENTARIU

Yoghinul care practică meditaţia asupra lui Paramātmā sau Suprasufletul îl zăreşte înăuntrul său pe Viṣṇu, porţiunea plenară a lui Kṛṣṇa, având patru braţe care ţin scoica, discul, buzduganul şi floarea de lotus. Yoghinul trebuie să ştie că Viṣṇu nu este diferit de Kṛṣṇa. Sub această formă a Suprasufletului, Kṛṣṇa este situat în inima fiecăruia. Mai mult, nu există nici o deosebire între nenumăratele Suprasuflete prezente în nenumărate inimi ale vieţuitoarelor. Şi nici nu există vreo deosebire între o persoană conştientă de Kṛṣṇa, angajată mereu în slujirea transcendentă cu iubire faţă de Kṛṣṇa şi un yoghin desăvârşit, angajat în meditaţia asupra lui Paramātmā. Yoghinul aflat în conştiinţa de Kṛṣṇa—chiar dacă este angajat în felurite activităţi în existenţa materială—rămâne mereu situat în Kṛṣṇa. Acest lucru este confirmat în *Bhakti-rasāmṛta-sindhu* (1.2.187) al lui Śrīla Rūpa Gosvāmī: *nikhilāsv apy avasthāsu jīvan-muktaḥ sa ucyate*. Un devot al Domnului care acţionează mereu în conştiinţa de Kṛṣṇa este în mod automat eliberat. În *Nārada-pañcarātra* acest lucru este confirmat astfel:

> *dik-kālādy-anavacchinne*
> *kṛṣṇe ceto vidhāya ca*
> *tan-mayo bhavati kṣipraṁ*
> *jīvo brahmaṇi yojayet*

„Prin concentrarea atenţiei asupra formei transcendente a lui Kṛṣṇa, care este atotpătrunzătoare şi dincolo de spaţiu şi timp, omul ajunge să fie absorbit în cugetarea la Kṛṣṇa şi apoi atinge starea fericită a asocierii spirituale cu El. Conştiinţa de Kṛṣṇa este stadiul cel mai înalt al stării de transă în practica yoga. Această înţelegere adevărată a faptului că Kṛṣṇa este prezent ca Paramātmā în inima fiecăruia îl eliberează pe yoghin de orice vină. *Vedele* (*Gopāla-tāpanī*

Upaniṣad 1.21) confirmă această putere de neînchipuit a Domnului asfel: *eko 'pi san bahudhā yo 'vabhāti.* „Deşi Dumnezeu este unul, El este prezent în nenumărate inimi ca multiplu." La fel şi în *Smṛti-śāstra* se spune:

eka eva paro viṣṇuḥ
sarva-vyāpī na saṁśayaḥ
aiśvaryād rūpam ekaṁ ca
sūrya-vat bahudheyate

„Viṣṇu este unul şi totuşi este cu adevărat atotpătrunzător. Prin puterea Sa de neînchipuit, El este prezent pretutindeni, aşa cum soarele apare deodată în mai multe locuri."

TEXTUL 32

आत्मौपम्येन सर्वत्र समं पश्यति योऽर्जुन ।
सुखं वा यदि वा दुःखं स योगी परमो मतः ॥३२॥

ātmaupamyena sarvatra
samaṁ paśyati yo 'rjuna
sukhaṁ vā yadi vā duḥkhaṁ
sa yogī paramo mataḥ

ātma—cu sinele său; *aupamyena*—prin comparaţie; *sarvatra*—pretutindeni; *samam*—egalitatea; *paśyati*—vede; *yaḥ*—cel care; *arjuna*—o, Arjuna; *sukham*—fericire; *vā*—sau; *yadi*—dacă; *vā*—sau; *duḥkham*—suferinţă; *saḥ*—acest; *yogī*—transcendentalist; *paramaḥ*—perfect; *mataḥ*—este considerat.

O, Arjuna, acela este un yoghin desăvârşit, care prin comparaţie cu sinele său vede adevărata egalitate a tuturor fiinţelor, atât în fericirea, cât şi în suferinţa lor.

COMENTARIU

Cel ce este conştient de Kṛṣṇa este un yoghin desăvârşit; el este conştient de fericirea şi suferinţa fiecăruia, datorită propriei sale experienţe personale.

Cauza suferinței unei entități vii este uitarea legăturii sale cu Dumnezeu. Iar cauza fericirii este cunoașterea lui Kṛṣṇa ca supremul beneficiar al tuturor activităților ființei umane, proprietarul tuturor terenurilor și planetelor, și prietenul cel mai sincer al tuturor ființelor. Yoghinul desăvârșit știe că entitatea vie care este condiționată de cele trei moduri ale naturii materiale este supusă întreitei suferințe materiale datorită uitării legăturii sale cu Kṛṣṇa. Și pentru că omul aflat în conștiința de Kṛṣṇa este fericit, el încearcă să răspândească pretutindeni cunoașterea lui Kṛṣṇa. Întrucât yoghinul desăvârșit încearcă să transmită peste tot importanța faptului de a deveni conștient de Kṛṣṇa, el este cel mai mare filantrop din lume și este slujitorul cel mai drag al lui Dumnezeu. *Na ca tasmān manuṣyeṣu kaścin me priya-kṛttamaḥ* (*Bhagavad-gītā* 18.69). Altfel spus, devotul lui Dumnezeu se preocupă mereu de bunăstarea tuturor ființelor și astfel el este adevăratul prieten al tuturor. El este cel mai mare yoghin, deoarece nu dorește perfecțiunea în yoga numai în folosul său personal, ci și pentru alții. El nu-i invidiază pe ceilalți semeni ai săi. Aici apare o deosebire între un devot pur al Domnului și un yoghin care este interesat doar de propria sa evoluție. Yoghinul care se retrage într-un loc ascuns pentru a medita în mod perfect nu poate fi la fel de pefect ca un devot care face tot ce poate pentru a-i întoarce pe toți oamenii către conștiința de Kṛṣṇa.

TEXTUL 33

अर्जुन उवाच
योऽयं योगस्त्वया प्रोक्तः साम्येन मधुसूदन ।
एतस्याहं न पश्यामि चञ्चलत्वात्स्थिति स्थिराम् ॥३३॥

arjuna uvāca
yo 'yaṁ yogas tvayā proktaḥ
sāmyena madhusūdana
etasyāhaṁ na paśyāmi
cañcalatvāt sthitiṁ sthirām

arjunaḥ uvāca—Arjuna a spus; *yaḥ ayam*—acest sistem; *yogaḥ*—de mistică; *tvayā*—de către Tine; *proktaḥ*—descris; *sāmyena*—în general; *madhu-sūdana*—o, ucigător al demonului Madhu; *etasya*—a acestuia; *aham*—eu; *na*—nu; *paśyāmi*—văd; *cañcalatvāt*—datorită nestatorniciei; *sthitim*—situarea; *sthirām*—stabilă.

Arjuna a spus: O, Madhusūdana, sistemul yoga pe care Tu l-ai rezumat îmi apare impracticabil şi de neîndurat pentru mine, deoarece mintea este nestatornică şi fără odihnă.

COMENTARIU

Sistemul mistic descris de Śrī Kṛṣṇa lui Arjuna, începând cu cuvintele *śucau deśe* şi sfârşind cu *yogī paramaḥ* este respins aici de Arjuna, întrucât se simte incapabil de el. În această epocă a lui Kali nu este posibil ca un om obişnuit să-şi părăsească locuinţa şi să se ducă într-un loc retras în munţi sau în junglă pentru a practica yoga. Epoca actuală este caracterizată printr-o luptă amară pentru o existenţă de scurtă durată. Oamenii nu se mai preocupă serios de realizarea de sine, nici măcar prin mijloace simple şi practice, ca să nu mai vorbim de acest sistem yoga foarte dificil, care prescrie modul de viaţă, felul de aşezare, alegerea locului şi detaşarea minţii de preocupări materiale. Ca om practic, Arjuna socoteşte că este imposibil de urmat acest sistem de yoga, chiar dacă el era bine înzestrat în multe privinţe. El aparţinea unei familii regale şi avea numeroase calităţi din cele mai înalte; era un luptător vestit, cu o mare longevitate şi, mai presus de toate era prietenul cel mai intim al lui Śrī Kṛṣṇa, Personalitatea Supremă a Divinităţii. În urmă cu cinci mii de ani, Arjuna avea mult mai multe înlesniri decât avem noi astăzi, şi totuşi a refuzat să accepte acest sistem yoga. Într-adevăr, nu găsim nici o mărturie în istorie că el l-ar fi practicat vreodată. De aceea, acest sistem trebuie considerat în general ca fiind imposibil în această epocă a lui Kali. Desigur că el poate fi posibil pentru câţiva oameni foarte deosebiţi, dar pentru oamenii obişnuiţi este o cale imposibilă. Dacă aceasta era situaţia acum cinci mii de ani, ce să mai spunem despre prezent? Cei ce imită acest sistem yoga în aşa-numitele şcoli şi asociaţii de tot felul, chiar dacă se complac în această situaţie, îşi pierd cu siguranţă vremea. Ei sunt în deplină ignoranţă asupra ţelului dorit.

TEXTUL 34

चञ्चलं हि मनः कृष्ण प्रमाथि बलवद् दृढम् ।
तस्याहं निग्रहं मन्ये वायोरिव सुदुष्करम् ॥३४॥

cañcalaṁ hi manaḥ kṛṣṇa
pramāthi balavad dṛḍham

> *tasyāham nigraham manye*
> *vāyor iva su-duṣkaram*

cañcalam—nestatornică; *hi*—cu adevărat; *manaḥ*—mintea; *kṛṣṇa*—o, Kṛṣṇa; *pramāthi*—agitatoare; *bala-vat*—puternică; *dṛḍham*—îndărătnică; *tasya*—a sa; *aham*—eu; *nigraham*—supunere; *manye*—o socotesc; *vāyoḥ*—a vântului; *iva*—precum; *su-duṣkaram*—dificilă.

Căci mintea este nestatornică, zbuciumată, îndărătnică și foarte puternică, o, Kṛṣṇa, și socotesc că stăpânirea ei este mult mai grea decât a vântului.

COMENTARIU

Mintea este atât de puternică și îndărătnică, încât copleșește uneori inteligența, chiar dacă mintea ar trebui să fie subordonată inteligenței. Pentru omul aflat în contact cu realitatea practică, trebuind să lupte cu atâtea elemente ostile, este desigur foarte dificil să-și stăpânească mintea. Poate că unii ar putea să stabilească în mod artificial un echilibru mental, atât față de prieteni, cât și de dușmani, dar în ultimă instanță nici un om aflat în lume nu poate face astfel, căci acest lucru este mai greu de făcut decât a stăpâni vântul turbat. În scrierile vedice (*Kaṭha Upaniṣad* 1.3.3-4) se spune:

> *ātmānam rathinam viddhi*
> *śarīram ratham eva ca*
> *buddhim tu sārathim viddhi*
> *manaḥ pragraham eva ca*
>
> *indriyāṇi hayān āhur*
> *viṣayāms teṣu go-carān*
> *ātmendriya-mano-yuktam*
> *bhoktety āhur manīṣiṇaḥ*

„Sufletul individual este călătorul aflat în carul trupului material iar inteligența este vizitiul. Mintea este frâul cu care se mână, iar simțurile sunt caii. În acest fel, sinele este cel ce se bucură sau suferă în contact cu mintea și simțurile. Astfel este el înțeles de către marii cugetători." Se presupune că inteligența ar trebui să îndrume mintea, dar mintea este atât de puternică și încăpățânată, încât adeseori copleșește chiar și propria inteligență, așa cum o infecție acută poate fi mai puternică decât efectul medicamentului. O asemenea minte puternică ar trebui să fie stăpânită prin practicarea yogăi, dar o asemenea practică nu este deloc aplicabilă unei persoane implicată în lume, cum era Arjuna. Și ce să mai spunem despre omul modern? Comparația folosită aici este foarte potrivită: nu poți să prinzi vântul care bate. Și este chiar mai dificil să înfrânezi o minte zbuciumată. Calea cea mai uşoară de a stăpâni mintea, aşa cum ne sugerează Śrī Caitanya, este cântarea lui „Hare Kṛṣṇa", mantra cea mare a eliberării, cu toată umilinţa. Metoda prescrisă este *sa vai manaḥ kṛṣṇa-padāravindayoḥ*: omul trebuie să-şi angajeze mintea pe deplin în Kṛṣṇa. Numai atunci nu mai rămâne nici o altă preocupare care să tulbure mintea.

TEXTUL 35

श्रीभगवानुवाच
असंशयं महाबाहो मनो दुर्निग्रहं चलम् ।
अभ्यासेन तु कौन्तेय वैराग्येण च गृह्यते ॥३५॥

śrī-bhagavān uvāca
asaṁśayaṁ mahā-bāho
mano durnigrahaṁ calam
abhyāsena tu kaunteya
vairāgyeṇa ca gṛhyate

śrī-bhagavān uvāca—Personalitatea Divinităţii a spus; *asaṁśayam*—fără îndoială; *mahā-bāho*—o, tu cel cu braţ puternic; *manaḥ*—mintea; *durnigraham*—greu de înfrânt; *calam*—nestatornică; *abhyāsena*—prin practică; *tu*—însă; *kaunteya*—o, fiu al lui Kuntī; *vairāgyeṇa*—prin detaşare; *ca*—şi; *gṛhyate*—poate fi astfel stăpânită.

Domnul Śrī Kṛṣṇa a spus: O, tu fiu al lui Kuntī, cel cu braţ puternic, fără îndoială că este foarte greu de înfrânt mintea cea nestatornică, dar acest lucru este posibil printr-o practică potrivită şi prin detaşare.

COMENTARIU

Dificultatea stăpânirii acelei minţii îndărătnice, aşa cum a fost exprimată de Arjuna, este acceptată de Personalitatea Divinităţii. Dar în acelaşi timp, El sugerează că această stăpânire este posibilă prin practică şi detaşare. Ce înseamnă practică? În epoca actuală, nimeni nu poate respecta regulile și legile stricte care cer stabilirea într-un loc sfânt, concentrarea minții asupra lui Paramātmā, stăpânirea simțurilor și minții, respectarea celibatului, singurătatea etc. Însă prin practicarea conștiinței de Kṛṣṇa, omul se angajează în cele nouă tipuri de slujire devoțională a Domnului. Primul și cel dintâi dintre acestea este a asculta despre Kṛṣṇa. Aceasta este o metodă spirituală foarte puternică pentru a curăța mintea de toate relele. Cu cât ascultăm mai mult despre Kṛṣṇa, cu atât devenim mai iluminați și mai detașați de toate lucrurile care îndepărtează mintea de activitățile ce nu sunt dedicate Domnului, putem învăța foarte ușor *vairāgya*. *Vairāgya* înseamnă detașarea de materie și angajarea minții în cele spirituale. Detașarea spirituală impersonală este și mai dificilă decât atașarea minții față de activitățile legate de Kṛṣṇa. Acest lucru este foarte practic, deoarece ascultând despre Kṛṣṇa, omul devine automat atașat de Spiritul Suprem. Această atașare se numește *pareśānubhūti*, satisfacția spirituală. Este la fel ca sentimentul de satisfacție al unui om înfometat la fiecare bucățică de hrană pe care o mănâncă. Cu cât un om flămând mănâncă mai mult, cu atât simte mai multă satisfacție și putere. Similar, prin îndeplinirea slujirii devoționale omul simte satisfacția spirituală de îndată ce mintea ajunge detașată de obiectivele materiale. Este ca și cum s-ar vindeca o boală printr-un tratament iscusit și o dietă potrivită. Deci a asculta despre activitățile transcendente ale lui Śrī Kṛṣṇa este tratamentul cel mai iscusit pentru mintea smintită, iar consumarea hranei oferite lui Kṛṣṇa este dieta cea mai potrivită pentru pacientul care suferă. Acest tratament este procesul conștiinței de Kṛṣṇa.

TEXTUL 36

असंयतात्मना योगो दुष्प्राप इति मे मतिः ।
वश्यात्मना तु यतता शक्योऽवाप्तुमुपायतः ॥३६॥

asaṁyatātmanā yogo
duṣprāpa iti me matiḥ
vaśyātmanā tu yatatā
śakyo 'vāptum upāyataḥ

asaṁyata—neînfrânată; *ātmanā*—de către minte; *yogaḥ*—realizarea de sine; *duṣprāpaḥ*—dificil de obținut; *iti*—astfel; *me*—a Mea; *matiḥ*—părere; *vaśya*

—stăpânită; *ātmanā*—de către minte; *tu*—dar; *yatatā*—străduindu-se; *śakyaḥ*—practic; *avāptum*—să înfăptuiască; *upāyataḥ*—prin mijloacele adecvate.

Pentru cel cu mintea neînfrânată, realizarea de sine este greu de dobândit, dar cel cu mintea controlată, străduindu-se cu mijloacele potrivite, este sigur de reuşită. Aceasta este părerea Mea.

COMENTARIU

Personalitatea Supremă a Divinităţii declară că acela care nu acceptă tratamentul adecvat pentru detaşarea minţii de preocupările materiale, cu greu reuşeşte să obţină succesul în realizarea de sine. A încerca să practici yoga cu mintea prinsă în plăceri materiale este ca şi cum ai încerca să aprinzi focul turnând apă peste el. Practica yoga fără stăpânirea minţii este pierdere de timp. O asemenea paradă de yoga poate aduce câştiguri materiale, dar nu este de nici un folos în ce priveşte realizarea spirituală. De aceea, mintea trebuie controlată prin angajarea ei constantă în slujirea transcendentă cu iubire a Domnului. Până ce omul nu se angajează în conştiinţa de Kṛṣṇa, el nu poate să-şi stăpânească în mod ferm mintea. O persoană conştientă de Kṛṣṇa obţine cu uşurinţă rezultatul practicii yoga fără vreun efort separat, însă practicantul de yoga nu poate dobândi succesul fără a deveni conştient de Kṛṣṇa.

TEXTUL 37

अर्जुन उवाच
अयतिः श्रद्धयोपेतो योगाच्चलितमानसः ।
अप्राप्य योगसंसिद्धिं कां गतिं कृष्ण गच्छति ॥३७॥

arjuna uvāca
ayatiḥ śraddhayopeto
yogāc calita-mānasaḥ
aprāpya yoga-saṁsiddhiṁ
kāṁ gatiṁ kṛṣṇa gacchati

arjunaḥ uvāca—Arjuna a spus; *ayatiḥ*—transcendentalistul care nu a reuşit; *śraddhayā*—cu credinţă; *upetaḥ*—angajat; *yogāt*—de la legătura mistică;

calita—deviat; *mānasaḥ*—cel cu o astfel de minte; *aprāpya*—nereușind să atingă; *yoga-saṁsiddhim*—cea mai înaltă desăvârșire în mistică; *kām*—care; *gatim*—destinație; *kṛṣṇa*—o, Kṛṣṇa; *gacchati*—atinge.

Arjuna a spus: O, Kṛṣṇa, care este destinația transcendentalistului nerealizat, care la început se dedică cu credință procesului realizării de sine, dar care mai târziu se abate de la el, datorită atracției minții către cele lumești, și astfel nu atinge desăvârșirea în misticism?

COMENTARIU

Calea realizării de sine sau calea misticii este descrisă în *Bhagavad-gītā*. Principiul de bază al realizării de sine este cunoașterea faptului că entitatea vie nu este corpul material, ci este diferită de el iar fericirea sa se află în eterna existență, cunoaștere și beatitudine. Acestea sunt transcendente, dincolo de minte și de corp. Realizarea de sine poate fi găsită pe calea cunoașterii, prin practicarea yogăi cu opt părți sau prin *bhakti-yoga*. În fiecare din aceste procese omul trebuie să-și realizeze poziția constitutivă ca entitate vie, relația sa cu Dumnezeu și activitățile prin care poate să restabilească această legătură pierdută și să obțină stadiul celei mai înalte desăvârșiri a conștiinței de Kṛṣṇa. Urmând oricare din cele trei metode mai sus menționate, omul poate fi sigur că va ajunge la țelul suprem, mai devreme sau mai târziu. Acest lucru a fost afirmat de către Domnul în capitolul al doilea: chiar și o strădanie cât de mică pe calea spirituală aduce mari speranțe de eliberare. Dintre aceste trei metode, calea lui *bhakti-yoga* este în mod special potrivită acestei epoci, deoarece este metoda cea mai directă de realizare a lui Dumnezeu. Pentru a se încredința din nou, Arjuna Îi cere lui Śrī Kṛṣṇa să-Și confirme afirmația anterioară. Poate că unii acceptă în mod sincer calea realizării de sine, dar procesul de cultivare a cunoașterii și practica sistemului de yoga cu opt părți sunt în general foarte dificile pentru această epocă. De aceea, în ciuda unei strădanii permanente, unii pot să dea greș, din mai multe pricini. Întâi de toate, practicantul poate să nu fie suficient de serios în respectarea acestui proces. A urma o cale spirituală înseamnă, mai mult sau mai puțin, să declari război energiei iluzorii. În consecință, de câte ori cineva încearcă să scape din ghearele energiei iluzorii, aceasta încearcă să-l rețină prin felurite ademeniri. Sufletul condiționat este deja ademenit de modurile materiale și are toate șansele să fie ademenit din nou, chiar și atunci când practică disciplinele spirituale. Aceasta se numește *yogāc calita-mānasaḥ*: abaterea de la calea spirituală. Arjuna este curios să afle rezultatul abaterii de la calea realizării de sine.

TEXTUL 38

कच्चिन्नोभयविभ्रष्टश्छिन्नाभ्रमिव नश्यति ।
अप्रतिष्ठो महाबाहो विमूढो ब्रह्मणः पथि ॥३८॥

kaccin nobhaya-vibhraṣṭaś
chinnābhram iva naśyati
apratiṣṭho mahā-bāho
vimūḍho brahmaṇaḥ pathi

kaccit—cumva; *na*—nu; *ubhaya*—amândouă; *vibhraṣṭaḥ*—este deviat de la; *chinna*—destrămat; *abhram*— un nor; *iva*—ca; *naśyati*—piere; *apratiṣṭhaḥ* —fără nici o situare; *mahā-bāho*—o, Kṛṣṇa cel cu braț puternic; *vimūḍhaḥ*— rătăcit; *brahmaṇaḥ*—transcendenței; *pathi*—pe calea.

O, Kṛṣṇa cel cu brațul puternic, oare cel ce se rătăceşte pe calea spre transcendență, nu cumva se abate de la amândouă felurile de reuşită, atât spirituală, cât şi materială, pierind ca un nor ce se destramă, fără să-şi găsească niciunde locul?

COMENTARIU

Există două căi de a progresa. Oamenii materialişti nu sunt interesați de spiritualitate; de aceea, ei se interesează mai mult de progresul material prin dezvoltarea economică sau de înălțarea pe planete superioare prin activități adecvate. Cel ce se dedică unei căi spirituale trebuie să înceteze toate activitățile materiale şi să sacrifice toate formele aşa-numitei fericiri materiale. Dacă cel ce aspiră către spiritualitate dă greş, atunci aparent pierde ambele alternative; altfel spus, el nu se mai poate bucura nici de plăcerile materiale, nici de reuşita spirituală. El nu mai are nici un loc, fiind ca un nor destrămat. Un nor de pe cer se răzlețeşte dintr-un nor mai mic şi se alătură unuia mai mare. Dar dacă nu reuşeşte să se unească cu norul cel mare, atunci este risipit de vânt şi se pierde în cerul cel vast. *Brahmaṇaḥ pathi* este calea realizării transcendente prin cunoaşterea propriei esențe spirituale ca parte integrantă a Domnului Suprem care se manifestă ca Brahman, Paramātmā şi Bhagavān. Domnul Śrī Kṛṣṇa este manifestarea cea mai deplină a Adevărului Absolut Suprem şi de aceea cel ce se încredințează cu totul Persoanei Supreme este un transcendentalist care a reuşit. Atingerea acestui țel al vieții prin realizarea lui

Brahman și Paramātmā cere foarte multe nașteri (*bahūnāṁ janmanām ante*). Prin urmare, calea supremă pentru realizarea spirituală este *bhakti-yoga* sau conștiința de Kṛṣṇa, metoda directă.

TEXTUL 39

एतन्मे संशयं कृष्ण छेत्तुमर्हस्यशेषतः ।
त्वदन्यः संशयस्यास्य छेत्ता न ह्युपपद्यते ॥३९॥

etan me saṁśayaṁ kṛṣṇa
chettum arhasy aśeṣataḥ
tvad-anyaḥ saṁśayasyāsya
chettā na hy upapadyate

etat—aceasta este; *me*—a mea; *saṁśayam*—îndoială; *kṛṣṇa*—o, Kṛṣṇa; *chettum*—să o curmi; *arhasi*—Ţi se cade; *aśeṣataḥ*—fără urmă; *tvat*—decât Tine; *anyaḥ*—alt; *saṁśayasya*—al îndoielii; *asya*—acesteia; *chettā*—nimicitor; *na*—niciodată; *hi*—cu siguranță; *upapadyate*—poate fi găsit.

Aceasta este îndoiala mea, o, Kṛṣṇa, și Ţie Îţi cer să mi-o curmi pe de-a-ntregul. Nu este un altul în afară de Tine care să-mi poată spulbera această îndoială.

COMENTARIU

Kṛṣṇa este cunoscătorul perfect al trecutului, prezentului și viitorului. La începutul *Bhagavad-gītei* Domnul a spus că toate entitățile vii au existat în mod individual în trecut, există acum în prezent și vor continua să-și păstreze identitatea individuală în viitor, chiar și după eliberarea din capcana materiei. Astfel El a clarificat deja problema viitorului entităților vii individuale. Acum, Arjuna vrea să cunoască viitorul transcendentalistului care nu a reușit. Nimeni nu este egal sau deasupra lui Kṛṣṇa, și este evident că așa-numiții mari înțelepți și filozofii aflați la discreția naturii materiale nu pot să Îl egaleze. De aceea verdictul lui Kṛṣṇa este răspunsul ultim și complet la toate îndoielile, căci El cunoaște în mod desăvârșit trecutul, prezentul și viitorul—dar nimeni nu Îl cunoaște pe El. Numai Kṛṣṇa și devoții cei conștienți de Kṛṣṇa pot să cunoască lucrurile așa cum sunt în realitate.

TEXTUL 40

श्रीभगवानुवाच
पार्थ नैवेह नामुत्र विनाशस्तस्य विद्यते ।
न हि कल्याणकृत्कश्चिद् दुर्गतिं तात गच्छति ॥४०॥

śrī-bhagavān uvāca
pārtha naiveha nāmutra
vināśas tasya vidyate
na hi kalyāṇa-kṛt kaścid
durgatiṁ tāta gacchati

śrī-bhagavān uvāca—Personalitatea Supremă a Divinităţii a spus; *pārtha*—o, fiu al lui Pṛthā; *na eva*—niciodată nu este aşa; *iha*—în această lume materială; *na*—niciodată; *amutra*—în viaţa viitoare; *vināśaḥ*—nimicirea; *tasya*—a sa; *vidyate*—există; *na*—niciodată; *hi*—desigur; *kalyāṇa-kṛt*—cel ce este angajat în activităţi binefăcătoare; *kaścit*—oricine; *durgatim*—spre degradare; *tāta*—prietene al Meu; *gacchati*—merge.

Personalitatea Supremă a Divinităţii a spus: Fiu al lui Pṛthā, transcendentalistul angajat în activităţi binefăcătoare nu-şi află pieirea nici în această lume şi nici în lumea spirituală; o, prieten al Meu, cel ce face bine nu este copleşit niciodată de rău.

COMENTARIU

În *Śrīmad-Bhāgavatam* (1.5.17) Śrī Nārada Muni îl învaţă astfel pe Vyāsadeva:

tyaktvā sva-dharmaṁ caraṇāmbujaṁ harer
bhajann apakvo 'tha patet tato yadi
yatra kva vābhadram abhūd amuṣya kiṁ
ko vārtha āpto 'bhajatāṁ sva-dharmataḥ

„Dacă cineva renunţă la toate planurile materiale şi îşi caută refugiul deplin în Personalitatea Supremă a Divinităţii, nu poate să piardă ori să decadă în nici un fel. Pe de altă parte, cel ce nu este devot poate să se dedice complet datoriilor sale profesiunale şi totuşi să nu câştige nimic." Pentru planurile materiale sunt necesare o mulţime de activităţi, prescrise atât în scripturi, cât și tradiționale. Însă un transcendentalist ar trebui să renunțe la toate activitățile materiale în folosul progresului spiritual în viață, conștiința de Kṛṣṇa. Se poate obiecta că prin conștiința de Kṛṣṇa omul poate obține cea mai înaltă desăvârșire doar dacă ajunge până la capăt, dar dacă cineva nu atinge acest stadiu de perfecțiune, atunci el pierde atât din punct de vedere material, cât și spiritual. Scripturile spun că acela care nu-și îndeplinește datoriile prescrise trebuie să suporte consecințele acestui fapt; prin urmare, cel ce dă greș în îndeplinirea activităților spirituale ar ajunge să fie supus acestor reacții. Dar *Bhāgavatam* îl asigură pe transcendentalistul care nu a reușit, că nu are motive de îngrijorare. Chiar dacă ar putea fi supus reacțiilor rezultate din neîndeplinirea perfectă a datoriilor prescrise, el totuși nu va pierde, deoarece binefacerile conștiinței de Kṛṣṇa nu sunt niciodată uitate iar cel ce s-a angajat pe această cale va continua să rămână astfel chiar dacă obține o naștere inferioară în viața următoare. Pe de altă parte, cel ce nu face decât să respecte cu strictețe datoriile prescrise, nu va obține neapărat rezultate favorabile dacă este lipsit de conștiința de Kṛṣṇa.

Sensul acestor afirmații poate fi înțeles în felul următor. Omenirea poate fi împărțită în două categorii, anume cei care acceptă principiile regulatoare și cei ce resping aceste reglementări. Cei ce sunt angajați numai în plăcerile animalice ale simțurilor, fără a ști nimic despre viața lor viitoare sau despre salvarea spirituală, aparțin categoriei nereglementate. Iar cei ce urmează principiile datoriilor prescrise în scripturi fac parte din categoria reglementată. Cei din categoria nereglementată, fie că sunt civilizați sau necivilizați, educați sau needucați, puternici sau slabi, sunt dominați de porniri animalice. Activitățile lor nu sunt niciodată binefăcătoare, căci atunci când își satisfac înclinațiile animalice către hrănire, somn, apărare și împerechere, ei rămân neîncetat în cadrul existenței materiale, care este întotdeauna mizerabilă. Pe de altă parte, cei care se conduc după poruncile scripturii și astfel se ridică treptat la conștiința de Kṛṣṇa, cu siguranță că progresează în viață. Cei ce urmează calea favorabilă pot fi împărțiți în trei categorii, anume (1) cei ce respectă regulile și legile scripturilor, bucurându-se de prosperitate materială, (2) cei ce încearcă să ajungă la eliberarea de existența materială și (3) cei ce sunt devoți, aflați în conștiința de Kṛṣṇa. Cei ce urmează legile și reglementările scripturilor pentru fericirea materială pot fi și ei împărțiți în două clase: cei ce acționează pentru a obține fructul activității și cei ce nu doresc fructul activității pentru satisfacerea simțurilor. Cei ce urmăresc obținerea fructului pentru satisfacerea simțurilor pot ajunge să fie înălțați la un nivel de viață superior—sau chiar să ajungă pe planetele superioare—însă pentru că nu s-au eliberat de existenţa materială, ei nu urmează o cale cu adevărat favorabilă. Singurele activităţi favorabile sunt cele care conduc către eliberare. Orice activitate ce nu ţinteşte către realizarea de sine sau către eliberarea de concepţia materială şi corporală asupra vieţii nu este nicidecum favorabilă. Activitatea în conştiinţa de Kṛṣṇa este singura activitate binefăcătoare şi orice om care acceptă de bună voie orice fel de disconfort, în scopul de a progresa pe calea conştiinţei de Kṛṣṇa, poate fi numit transcendentalist perfect, supus unei aspre austerităţi. Şi întrucât sistemul yogăi cu opt părţi este îndreptat către realizarea ultimă a conştiinţei de Kṛṣṇa, această practică este de asemenea favorabilă, şi oricine se străduieşte cât poate de bine în această disciplină nu trebuie să se teamă de decădere.

TEXTUL 41

प्राप्य पुण्यकृतां लोकानुषित्वा शाश्वतीः समाः ।
शुचीनां श्रीमतां गेहे योगभ्रष्टोऽभिजायते ॥४१॥

prāpya puṇya-kṛtāṁ lokān
uṣitvā śāśvatīḥ samāḥ
śucīnāṁ śrīmatāṁ gehe
yoga-bhraṣṭo 'bhijāyate

prāpya—dobândind; *puṇya-kṛtām*—ale celor ce au îndeplinit activităţi pioase; *lokān*—planetele; *uṣitvā*—locuind acolo; *śāśvatīḥ*—mulţi; *samāḥ*—ani; *śucīnām*—a celor pioşi; *śrī-matām*—a celor prosperi; *gehe*—în casa; *yoga-bhraṣṭaḥ*—cel ce s-a abătut din cale; *abhijāyate*—se naşte.

După mulţi ani de bucurie pe planetele unde ajung cei pioşi, yoghinul fără succes se va naşte într-o familie de oameni drepţi, sau într-o familie bogată şi de neam nobil.

COMENTARIU

Yoghinii care nu au reuşit se împart în două categorii: cei care au căzut după un foarte mic progres şi cei ce au căzut după o îndelungată practicare a yogăi. Yoghinul care cade după o scurtă perioadă de timp ajunge pe planetele superioare, unde le este îngăduit să pătrundă fiinţelor pioase. După o viaţă îndelungată în acel loc, fiinţa este trimisă din nou pe această planetă,

pentru a renaşte în familia unui *brāhmaṇa vaiṣṇava* cinstit sau într-o familie
de negustori de neam mare.

Aşa cum se explică în ultima strofă a acestui capitol, adevăratul ţel al prac-
ticii yoga este obţinerea celei mai înalte desăvârşiri în conştiinţa de Kṛṣṇa. Dar
celor ce nu perseverează atât de mult şi ratează din pricina atracţiilor mate-
riale li se îngăduie prin graţia Domnului să îşi folosească pe deplin înclinaţii-
le materiale, după care li se dă prilejul să ducă o viaţă îmbelşugată în familii
cinstite sau aristocratice. Cei ce s-au născut în asemenea familii pot să profite
de acest prilej şi să încerce să se ridice până la deplina conştiinţă de Kṛṣṇa.

TEXTUL 42

अथ वा योगिनामेव कुले भवति धीमताम् ।
एतद्धि दुर्लभतरं लोके जन्म यदीदृशम् ॥४२॥

atha vā yoginām eva
kule bhavati dhīmatām
etad dhi durlabhataraṁ
loke janma yad īdṛśam

atha vā—sau; *yoginām*—de yoghini învăţaţi; *eva*—chiar; *kule*—într-o fami-
lie; *bhavati*—se naşte; *dhī-matām*—a celor înzestraţi cu multă înţelepciu-
ne; *etat*—această; *hi*—cu siguranţă; *durlabha-taram*—foarte rară; *loke*—în
această lume; *janma*—naştere; *yat*—care este; *īdṛśam*—ca aceasta.

**Sau [dacă nu atinge reuşita după o îndelungată practică yoga] se va
naşte într-o familie de transcendentalişti deosebit de înţelepţi. O astfel
de naştere este cu siguranţă foarte rară în această lume.**

COMENTARIU

Naşterea într-o familie de yoghini sau transcendentalişti care să fie foarte
înţelepţi este lăudată aici deoarece copilul născut într-o asemenea familie pri-
meşte un impuls spiritual încă de la începutul vieţii. Aceasta se întâmplă mai
ales în familiile de *ācārya* sau *gosvāmī*. Asemenea familii sunt foarte învăţa-
te şi credincioase prin tradiţie şi practică, şi astfel aceştia vor deveni maeştri
spirituali. În India există mai multe asemenea familii de *ācārya*, dar în pre-
zent ele au decăzut datorită unei educaţii şi practici insuficiente. Prin graţia

Domnului, există încă familii care perpetuează pe practicanţii spirituali din generaţie în generaţie. Fără îndoială că este un mare noroc să te naşti într-o astfel de familie. Din fericire, atât maestrul nostru spiritual Oṁ Viṣṇupāda Śrī Śrīmad Bhaktisiddhānta Sarasvatī Gosvāmī Mahārāja, cât şi umila noastră persoană am avut prilejul să ne naştem în astfel de familii, prin graţia Domnului, şi amândoi am fost educaţi în slujirea devoţională a Domnului chiar de la începutul vieţii noastre. Mai târziu, prin ordinul sistemului transcendent, ne-am întâlnit.

TEXTUL 43

तत्र तं बुद्धिसंयोगं लभते पौर्वदेहिकम् ।
यतते च ततो भूयः संसिद्धौ कुरुनन्दन ॥४३॥

tatra taṁ buddhi-saṁyogaṁ
labhate paurva-dehikam
yatate ca tato bhūyaḥ
saṁsiddhau kuru-nandana

tatra—acolo; *tam*—acea; *buddhi-saṁyogam*—reactivare a conştiinţei; *labhate*—dobândeşte; *paurva-dehikam*—din întruparea precedentă; *yatate*—se străduieşte; *ca*—şi; *tataḥ*—apoi; *bhūyaḥ*—din nou; *saṁsiddhau*—întru desăvârşire; *kuru-nandana*—o, fiu al lui Kuru.

O, fiu al lui Kuru, obţinând o asemenea naştere el îşi recapătă conştiinţa divină din viaţa precedentă şi încearcă din nou să progreseze în continuare, spre a ajunge la reuşita deplină.

COMENTARIU

Regele Bharata, care s-a născut pentru a treia oară în familia unui brahman virtuos este un exemplu de naştere bună pentru reactivarea conştiinţei spirituale precedente. Regele Bharata fusese împăratul lumii, şi din vremea sa această planetă este cunoscută printre semizei ca Bhārata-varṣa. Mai înainte era cunoscută sub numele de Ilāvṛta-varṣa. Acest împărat s-a retras încă de tânăr, dedicându-se perfecţionării spirituale, dar nu a reuşit să obţină succesul. În viaţa următoare s-a născut în familia unui brahman virtuos şi era cunoscut sub numele de Jaḍa Bharata, pentru că stătea mereu retras şi nu vorbea cu nimeni. După o vreme, regele Rahūgaṇa a descoperit în el pe cel mai de seamă transcendentalist. Din viața sa putem înțelege că strădania spirituală sau practica yoga nu este niciodată zadarnică. Prin grația lui Dumnezeu, practicantul spiritual dobândește prilejuri repetate de a atinge deplina perfecțiune în conștiința de Kṛṣṇa.

TEXTUL 44

पूर्वाभ्यासेन तेनैव ह्रियते ह्यवशोऽपि सः ।
जिज्ञासुरपि योगस्य शब्दब्रह्मातिवर्तते ॥४४॥

pūrvābhyāsena tenaiva
hriyate hy avaśo 'pi saḥ
jijñāsur api yogasya
śabda-brahmātivartate

pūrva—precedentă; *abhyāsena*—prin practica; *tena*—prin aceea; *eva*—tocmai; *hriyate*—este atras; *hi*—cu siguranță; *avaśaḥ*—automat; *api*—de asemenea; *saḥ*—el; *jijñāsuḥ*—doritor să afle; *api*—chiar; *yogasya*—despre yoga; *śabda-brahma*—principiile ritualiste ale scripturilor; *ativartate*—transcende.

În virtutea conștiinței divine din viața precedentă, acesta este atras în mod automat spre principiile yoghine, chiar fără să le caute dinadins. Un asemenea transcendentalist, doritor să cunoască, rămâne mereu deasupra prescripțiilor ritualiste ale scripturilor.

COMENTARIU

Yoghinii avansați nu sunt prea atrași de ritualurile din scripturi, dar sunt în mod automat atrași de principiile yogăi, care pot să-i înalțe la împlinirea conștiinței de Kṛṣṇa, cea mai înaltă perfecțiune a yogăi. În *Śrīmad-Bhāgavatam* (3.33.7) această desconsiderare a ritualurilor vedice de către transcendentaliștii avansați este explicată astfel:

aho bata śva-paco 'to garīyān
yaj-jihvāgre vartate nāma tubhyam
tepus tapas te juhuvuḥ sasnur āryā
brahmānūcur nāma gṛṇanti ye te

„O, Stăpâne al meu! Cei care cântă sfintele nume ale Înălțimii Tale sunt mult înaintați în viața spirituală, chiar dacă s-au născut în familii de mâncători de câini. Acești cântăreți au îndeplinit cu siguranță tot felul de austerități și sacrificii, s-au scăldat în toate locurile sfinte și au sfârșit de studiat toate scripturile."

Un exemplu faimos este prezentat de Śrī Caitanya care l-a acceptat pe Ṭhākura Haridāsa ca unul din cei mai importanți discipoli ai Săi. Deși Ṭhākura Haridāsa se întâmplase să se nască într-o familie musulmană, el a fost ridicat la rangul de *nāmācārya* de către Śrī Caitanya datorită principiului său, respectat cu mare strictețe, de a cânta trei sute de mii de nume sfinte ale Domnului în fiecare zi: Hare Kṛṣṇa, Hare Kṛṣṇa, Kṛṣṇa Kṛṣṇa, Hare Hare/ Hare Rāma, Hare Rāma, Rāma Rāma, Hare Hare. Și întrucât el cânta numele sfânt al Domnului în mod permanent, se înțelege de la sine că în viața precedentă trebuie să fi trecut prin toate metodele ritualistice din *Vede*, cunoscute ca *śabda-brahma*. Prin urmare, până ce omul nu este purificat, nu se poate dedica principiilor conștiinței de Kṛṣṇa sau să se angajeze în cântarea numelui sfânt al Domnului, Hare Kṛṣṇa.

TEXTUL 45

प्रयत्नाद्यतमानस्तु योगी संशुद्धकिल्बिषः ।
अनेकजन्मसंसिद्धस्ततो याति परां गतिम् ॥४५॥

prayatnād yatamānas tu
yogī saṁśuddha-kilbiṣaḥ
aneka-janma-saṁsiddhas
tato yāti parāṁ gatim

prayatnāt—prin practică strictă; *yatamānaḥ*—străduindu-se; *tu*—iar; *yogī*—un asemenea transcendentalist; *saṁśuddha*—au fost curățate; *kilbiṣaḥ*—ale cărui păcate în întregime; *aneka*—după foarte multe; *janma*—nașteri; *saṁsiddhaḥ*—ajungând la perfecțiune; *tataḥ*—după aceea; *yāti*—ajunge la; *parām*—cea mai înaltă; *gatim*—destinație.

Iar când yoghinul se angajează cu străduință sinceră să progreseze în continuare, fiind curățat de toate impuritățile, atingând desăvârșirea după numeroase nașteri dedicate practicii, ajunge până la urmă la țelul suprem.

COMENTARIU

Cel ce se naște într-o familie onorabilă, aristocratică sau sfântă, devine conștient de faptul că aceste condiții sunt deosebit de favorabile practicii yoga. Atunci, cu multă hotărâre, el se reapucă să-și împlinească sarcina nedusă la bun sfârșit, și astfel se purifică complet de toate contaminările materiale. Când în sfârșit s-a eliberat de toate contaminările, atinge perfecțiunea supremă— conștiința de Kṛṣṇa. Conștiința de Kṛṣṇa este stadiul desăvârșit al eliberării de toate contaminările. Acest lucru este confirmat în *Bhagavad-gītā* (7.28):

> *yeṣāṁ tv anta-gataṁ pāpaṁ*
> *janānāṁ puṇya-karmaṇām*
> *te dvandva-moha-nirmuktā*
> *bhajante māṁ dṛḍha-vratāḥ*

„După foarte multe nașteri în care a îndeplinit activități pioase, eliberându-se complet de toate impuritățile și de orice fel de dualitate iluzorie, omul se angajează în slujirea transcendentă cu iubire a Domnului.‟

TEXTUL 46

तपस्विभ्योऽधिको योगी ज्ञानिभ्योऽपि मतोऽधिकः ।
कर्मिभ्यश्चाधिको योगी तस्माद्योगी भवार्जुन ॥४६॥

> *tapasvibhyo 'dhiko yogī*
> *jñānibhyo 'pi mato 'dhikaḥ*
> *karmibhyaś cādhiko yogī*
> *tasmād yogī bhavārjuna*

tapasvibhyaḥ—decât asceții; *adhikaḥ*—mai important; *yogī*—yoghinul; *jñānibhyaḥ*—decât cei înțelepți; *api*—de asemenea; *mataḥ*—considerat; *adhikaḥ*—mai important; *karmibhyaḥ*—decât cei ce caută fructul activității; *ca*—și; *adhikaḥ*—mai important; *yogī*—yoghinul; *tasmāt*—de aceea; *yogī*—transcendentalist; *bhava*—devino; *arjuna*—o, Arjuna.

Yoghinul este deasupra asceților, deasupra filosofilor empirici și deasupra celor ce activează pentru rezultate fructuoase. De aceea, o, Arjuna, fii yoghin în orice împrejurare.

COMENTARIU

Când vorbim despre yoga, ne referim la reunirea conştiinţei noastre cu Supremul Adevăr Absolut. Acest proces este denumit în mod diferit de feluriţi practicanţi, în funcţie de metoda particulară adoptată. Când procesul de unire se bazează în principal pe activităţile fructuoase, el se numeşte *karma-yoga*, când predomină cercetarea empirică se numeşte *jñāna-yoga* iar când predomină legătura de devoţiune cu Domnul Suprem este numit *bhakti-yoga*. *Bhakti-yoga* sau conştiinţa de Kṛṣṇa este ultima desăvârşire a tuturor tipurilor de yoga, aşa cum se va explica în versetul următor. Domnul a confirmat aici superioritatea yogăi, dar El nu a menţionat că ar fi mai bună decât *bhakti-yoga*. *Bhakti-yoga* este plină de cunoaştere spirituală şi deci nu poate fi depăşită de nimic. Asceza fără cunoaşterea de sine este imperfectă. Cunoaşterea empirică fără supunere Domnului Suprem este de asemenea imperfectă. Iar activitatea pentru rezultate fructuoase lipsită de conştiinţa de Kṛṣṇa este pierdere de timp. De aceea, cea mai preţioasă formă de practică yoga menţionată aici este *bhakti-yoga* şi acest lucru este şi mai clar explicat în versetul următor.

TEXTUL 47

योगिनामपि सर्वेषां मद्गतेनान्तरात्मना ।
श्रद्धावान् भजते यो मां स मे युक्ततमो मतः ॥४७॥

yoginām api sarveṣām
mad-gatenāntar-ātmanā
śraddhāvān bhajate yo māṁ
sa me yuktatamo mataḥ

yoginām—dintre yoghini; *api*—iar; *sarveṣām*—dintre toate felurile de; *mat-gatena*—sălăşluind în Mine, gândindu-se mereu la Mine; *antaḥ-ātmanā*—în sine însuşi; *śraddhā-vān*—cu credinţă deplină; *bhajate*—aduce slujirea cu iubire transcendentă; *yaḥ*—cel care; *mām*—Mie (Domnul Suprem); *saḥ*—el; *me*—de Mine; *yukta-tamaḥ*—cel mai mare yoghin; *mataḥ*—este socotit.

Iar dintre toţi yoghinii, cel ce este plin de credinţă, care sălăşluieşte întotdeauna în Mine, se gândeşte la Mine înăuntrul său şi se dedică slujirii cu iubire transcendentă faţă de Mine, acela este cel mai intim unit cu Mine în yoga şi este cel mai mare dintre toţi. Aceasta este părerea Mea.

COMENTARIU

Cuvântul *bhajate* este semnificativ în acest context. *Bhajate* are ca rădăcină verbul *bhaj*, care este folosit atunci când se exprimă nevoia de a sluji. Cuvântul „a venera" nu poate fi folosit în același sens ca *bhaj*. Venerarea înseamnă a arăta respect și cinstire unei persoane onorabile, dar slujirea cu iubire și credință este destinată în mod special pentru Personalitatea Supremă a Divinității. Putem fi considerați ca lipsiți de respect dacă nu-l venerăm pe un om onorabil sau pe un semizeu, dar vom fi aspru condamnați dacă nu îl slujim pe Domnul Suprem. Orice entitate vie este parte integrantă din Personalitatea Supremă a Divinității și deci fiecare viețuitoare, prin propria natură, este destinată să-L slujească pe Domnul Suprem. Neîndeplinind aceasta, acea ființă va cădea. *Śrīmad-Bhāgavatam* (11.5.3) confirmă acest lucru:

ya eṣāṁ puruṣaṁ sākṣād
ātma-prabhavam īśvaram
na bhajanty avajānanti
sthānād bhraṣṭāḥ patanty adhaḥ

„Oricine nu-L slujește pe Domnul primordial și-și neglijează datoriile față de El, Cel ce este originea tuturor creaturilor, va decade cu siguranță de pe poziția sa constitutivă."

Cuvântul *bhajanti* este folosit și în această strofă. Prin urmare, *bhajanti* se aplică numai Domnului Suprem, în timp ce cuvântul „venerare" se poate aplica semizeilor sau oricărei alte entități vii obișnuite. Cuvântul *avajānanti* folosit în această strofă din *Śrīmad-Bhāgavatam* se găsește și în *Bhagavad-gītā*. *Avajānanti māṁ mūḍhāḥ*: „Doar nebunii și ticăloșii iau în derâdere Personalitatea Supremă a Divinității, Śrī Kṛṣṇa." Asemenea nesocotiți se apucă să scrie comentarii la *Bhagavad-gītā* fără o atitudine de slujire față de Domnul. În consecință, ei nu pot face deosebirea corectă între cuvântul *bhajanti* și cuvântul „a venera".

Toate tipurile de practică yoga culminează în *bhakti-yoga*. Toate celelalte feluri de yoga sunt doar mijloace de a ajunge la culmea lui *bhakti* în *bhakti-yoga*. Yoga de fapt înseamnă *bhakti-yoga*; toate celelalte forme de yoga sunt doar etape succesive având ca destinație *bhakti-yoga*. De la începutul cu *karma-yoga* și până la finalul lui *bhakti-yoga* este o cale îndelungată a realizării de sine. Începutul acestui drum este *karma-yoga* în care nu se urmărește obținerea fructului activităților. Când *karma-yoga* sporește în cunoaștere și renunțare, acest stadiu este numit *jñāna-yoga*. Când *jñāna-yoga* sporește în meditația asupra lui Paramātmā prin diverse procedee fizice, iar mintea rămâne fixată asupra Lui, aceasta se numeşte *aṣṭāṅga-yoga*. Iar când se depăşeş-te *aṣṭāṅga-yoga*, ajungându-se la Personalitatea Supremă a Divinităţii Kṛṣṇa, aceasta se numeşte *bhakti-yoga*, punctul culminant. De fapt, *bhakti-yoga* este ţelul suprem, dar pentru a analiza mai amănunţit *bhakti-yoga* trebuie să înţe-legem celelalte tipuri de yoga. Yoghinul care progresează este deci pe calea adevărată către fericirea cea veşnică. Cel ce rămâne la o anumită etapă, fără să progreseze în continuare este cunoscut sub o anume denumire: *karma-yogī*, *jñāna-yogī* ori *dhyāna-yogī*, *rāja-yogī*, *haṭha-yogī* etc. Cel ce este destul de norocos pentru a ajunge la nivelul lui *bhakti-yoga* trebuie considerat că a depăşit toate celelalte tipuri de yoga. Prin urmare, a ajunge la conştiinţa de Kṛṣṇa este stadiul cel mai înalt din yoga, tot aşa cum atunci când vorbim de Himalaya ne referim la munţii cei mai înalţi din lume, care culminează cu Everestul, vârful lor cel mai înalt.

Doar printr-un mare noroc se îndreaptă omul spre conştiinţa de Kṛṣṇa pe calea sistemului *bhakti-yoga*, pentru a ajunge într-o poziţie favorabilă, potri-vit poruncilor vedice. Yoghinul ideal îşi concentrează atenţia asupra lui Kṛṣṇa care este numit Śyāmasundara, având culoarea minunată a norilor întune-caţi, a cărui faţă precum lotusul străluceşte ca soarele, ale cărui veşmin-te sclipesc pline de nestemate, şi-al cărui corp este împodobit cu ghirlande de flori, iluminând totul împrejur cu lumina sa măreaţă ce poartă numele de *brahmajyoti*. El se încarnează în diferite forme, cum ar fi Rāma, Nṛsiṁ-ha, Varāha şi Kṛṣṇa, Personalitatea Supremă a Divinităţii, şi El descinde pe pământ în chip de fiinţă umană, ca fiu al mamei Yaśodā, şi este cunoscut ca Kṛṣṇa, Govinda sau Vāsudeva. El este copilul, soţul, prietenul şi stăpânul desăvârşit, plin de toate opulenţele şi calităţile transcendente. Cel ce rămâne mereu pe deplin conştient de aceste însuşiri ale Domnului este numit cel mai mare yoghin.

Stadiul cel mai înalt de desăvârşire în yoga poate fi atins numai prin *bhakti-yoga*, aşa cum se confirmă în toate scrierile vedice:

> *yasya deve parā bhaktir*
> *yathā deve tathā gurau*
> *tasyaite kathitā hy arthāḥ*
> *prakāśante mahātmanaḥ*

„Semnificaţia deplină a cunoaşterii vedice se revelează în mod automat doar acelor mari suflete ce au credinţă totală în Dumnezeu şi în maestrul spiri-tual." (*Śvetāśvatara Upaniṣad* 6.23).

Bhaktir asya bhajanaṁ tad ihāmutropādhi-nairāsyenāmuṣmin manaḥ-kalpanam, etad eva naiṣkarmyam. „*Bhakti* înseamnă slujirea devoțională față de Dumnezeu, care este lipsită de dorința de câștig material, fie în această viață, fie în cea viitoare. Lipsit de asemenea înclinații, omul trebuie să-și adâncească cu totul mintea în Cel Suprem. Acesta este scopul lui *naiṣkarmya.*" (*Gopāla-tāpanī Upaniṣad* 1.15).

Acestea sunt câteva din mijloacele de a practica *bhakti* sau conștiința de Kṛṣṇa, stadiul cel mai înalt de desăvârșire al sistemului yoga.

Astfel sfârșește comentariul lui Bhaktivedanta la capitolul al șaselea din Śrīmad Bhagavad-gītā, care tratează despre „Dhyāna-yoga".

Cunoașterea Absolutului

TEXTUL 1

श्रीभगवानुवाच
मय्यासक्तमनाः पार्थ योगं युञ्जन्मदाश्रयः ।
असंशयं समग्रं मां यथा ज्ञास्यसि तच्छृणु ॥ १ ॥

śrī-bhagavān uvāca
mayy āsakta-manāḥ pārtha
yogaṁ yuñjan mad-āśrayaḥ
asaṁśayaṁ samagraṁ mām
yathā jñāsyasi tac chṛṇu

śrī-bhagavān uvāca—Domnul Suprem a spus; *mayi*—la Mine; *āsakta-manāḥ*—mintea atașată; *pārtha*—o, fiu al lui Pṛthā; *yogam*—realizarea de sine; *yuñjan*—practicând; *mat-āśrayaḥ*—întru conștiința Mea (conștiința de Kṛṣṇa); *asaṁśayam*—fără nici o îndoială; *samagram*—pe deplin; *mām*—

pe Mine; *yathā*—cum; *jñāsyasi*—poți să Mă cunoști; *tat*—aceasta; *śṛṇu*—
încearcă să asculți.

**Personalitatea Supremă a Divinității a spus: Ascultă acum, o, fiu al lui
Pṛthā, felul în care prin practicarea sistemului yoga în deplină con-
ştiință de Mine, cu mintea atașată Mie, poți să Mă cunoști pe deplin,
eliberat de orice îndoială.**

COMENTARIU

În acest al şaptelea capitol din *Bhagavad-gītā* natura conştiinței de Kṛṣṇa este
descrisă în mod complet. Kṛṣṇa este plin de toate opulențele, iar felul în care
Îşi manifestă El aceste opulențe este descris aici. Tot în acest capitol sunt des-
crise patru feluri de oameni norocoşi, care ajung să se atașaze de Kṛṣṇa, şi
patru feluri de oameni nefericiți care nu se apropie niciodată de Kṛṣṇa.

În primele şase capitole din *Bhagavad-gītā* entitatea vie a fost descrisă ca
suflet spiritual nematerial, capabil să se înalțe la realizarea de sine prin dife-
rite tipuri de yoga. La sfârşitul capitolului al şaselea se afirmă în mod clar că
acea concentrare stabilă a minții asupra lui Kṛṣṇa sau, altfel spus, conştiința
de Kṛṣṇa, este cea mai înaltă formă de yoga. Concentrându-şi mintea asupra
lui Kṛṣṇa, omul este capabil să cunoască Adevărul Absolut în întregime, dar
nu şi prin alte metode. Realizarea impersonalului *brahmajyoti* sau a aspectu-
lui localizat Paramātmā nu înseamnă cunoaşterea desăvârşită a Adevărului
Absolut, căci este parțială. Cunoaşterea completă şi ştiințifică este Kṛṣṇa, şi
orice lucru se revelează celui aflat în conştiința de Kṛṣṇa. Cel aflat în depli-
na conştiință de Kṛṣṇa ştie că Kṛṣṇa este cunoaşterea ultimă, dincolo de orice
îndoială. Diferitele tipuri de yoga nu sunt decât trepte pe calea conştiinței
de Kṛṣṇa. Cel ce se dedică direct conştiinței de Kṛṣṇa cunoaşte automat totul
despre *brahmajyoti* şi Paramātmā. Practicând yoga conştiinței de Kṛṣṇa, omul
poate cunoaşte totul în mod complet—Adevărul Absolut, entitățile vii şi
natura materială, ca şi toate manifestările acestora. De aceea, omul trebuie să
înceapă practica yoga conform îndrumării date în ultima strofă din capito-
lul al şaselea. Concentrarea minții asupra lui Kṛṣṇa Cel Suprem devine posi-
bilă prin slujirea devoțională prescrisă sub cele nouă forme diferite, dintre
care *śravaṇama* este prima şi cea mai importantă. Din acest motiv, Domnul
îi spune lui Arjuna *tac chṛṇu*, „ascultă cele spuse de Mine". Nimeni nu poate
constitui o autoritate superioară lui Kṛṣṇa şi de aceea, ascultând cele spuse de
El, omul are marea ocazie de a deveni o persoană perfect conştientă de Kṛṣṇa.
Omul trebuie deci să învețe direct de la Kṛṣṇa sau de la un devot pur al lui

Kṛṣṇa, iar nu de la un arogant lipsit de devoțiune, care face paradă de erudiția sa.

În *Śrīmad-Bhāgavatam* acest proces al înțelegerii lui Kṛṣṇa, Personalitatea Supremă a Divinității, Adevărul Absolut, este descris în capitolul doi din primul cânt:

śṛnvatāṁ sva-kathāḥ kṛṣṇaḥ
puṇya-śravaṇa-kīrtanaḥ
hṛdy antaḥ-stho hy abhadrāṇi
vidhunoti suhṛt satām

naṣṭa-prāyeṣv abhadreṣu
nityaṁ bhāgavata-sevayā
bhagavaty uttama-śloke
bhaktir bhavati naiṣṭhikī

tadā rajas-tamo-bhāvāḥ
kāma-lobhādayaś ca ye
ceta etair anāviddhaṁ
sthitaṁ sattve prasīdati

evaṁ prasanna-manaso
bhagavad-bhakti-yogataḥ
bhagavat-tattva-vijñānaṁ
mukta-saṅgasya jāyate

bhidyate hṛdaya-granthiś
chidyante sarva-saṁśayāḥ
kṣīyante cāsya karmāṇi
dṛṣṭa evātmanīśvare

„A asculta despre Kṛṣṇa din scrierile vedice ori a asculta direct de la El prin *Bhagavad-gītā* este o activitate virtuoasă în sine. Iar pentru cel ce ascultă despre Kṛṣṇa, Domnul Kṛṣṇa care sălășluiește în inima fiecăruia acționează ca un prieten binevoitor și purifică pe devotul care se preocupă necontenit să asculte despre El. În acest fel, devotul își dezvoltă în mod firesc cunoașterea transcendentă adormită. Cu cât ascultă mai mult despre Kṛṣṇa din *Bhāgavatam* și de la devoți, el devine stabil în slujirea devoțională a Domnului. Prin dezvoltarea slujirii devoționale omul se eliberează de modurile pasiunii și ignoranței și astfel poftele materiale și lăcomia se diminuează. Când aceste impurități

sunt înlăturate, aspirantul rămâne stabil în starea sa de bunătate pură, însu-
flețit de slujirea devoțională, și înțelege știința lui Dumnezeu în mod perfect.
Astfel *bhakti-yoga* rupe nodul cel strâns al atașamentului material și-l face pe
om capabil să ajungă dintr-o dată la stadiul de *asaṁśayaṁ samagram*, înțele-
gerea Adevărului Suprem Absolut, Personalitatea Divinității" (*Bhāg.* 1.2.17-21).

Prin urmare, numai prin ascultarea spuselor lui Kṛṣṇa sau ale devoților Săi
aflați în conștiința de Kṛṣṇa putem înțelege știința despre Kṛṣṇa.

TEXTUL 2

ज्ञानं तेऽहं सविज्ञानमिदं वक्ष्याम्यशेषतः ।
यज्ज्ञात्वा नेह भूयोऽन्यज्ज्ञातव्यमवशिष्यते ॥ २ ॥

jñānaṁ te 'haṁ sa-vijñānam
idaṁ vakṣyāmy aśeṣataḥ
yaj jñātvā neha bhūyo 'nyaj
jñātavyam avaśiṣyate

jñānam—cunoașterea fenomenală; *te*—ție; *aham*—Eu; *sa*—împreună cu;
vijñānam—cunoașterea numenală; *idam*—aceasta; *vakṣyāmi*—voi explica;
aśeṣataḥ—în întregime; *yat*—pe care; *jñātvā*—cunoscând-o; *na*—nu; *iha*—
în această lume; *bhūyaḥ*—mai mult; *anyat*—nimic; *jñātavyam*—de cunos-
cut; *avaśiṣyate*—rămâne.

**Îți voi împărtăși acum în întregime această cunoaștere, atât fenomenală
cât și numenală. Aceasta fiind cunoscută, nimic nu mai rămâne pentru
tine de cunoscut.**

COMENTARIU

Cunoașterea completă include cunoașterea lumii fenomenale, a spiritului aflat
îndărătul ei și a sursei celor două. Aceasta înseamnă cunoaștere transcendentă.
Domnul dorește să explice sistemul de cunoaștere menționat anterior deoare-
ce Arjuna este devotul confidențial al lui Kṛṣṇa și totodată prietenul Său. La
începutul capitolului al patrulea acest lucru a fost explicat de către Domnul
și este din nou confirmat aici: cunoașterea deplină poate fi realizată doar de
către devotul lui Dumnezeu aflat în succesiunea discipulică ce pornește direct
de la Domnul. De aceea omul trebuie să fie destul de inteligent ca să înțe-
leagă originea întregii cunoașteri, care este cauza tuturor cauzelor și singu-

rul obiect de meditație în toate tipurile de practică yoga. Când cauza tuturor cauzelor ajunge să fie cunoscută, atunci tot ceea ce poate fi cunoscut ajunge să fie cunoscut și nimic nu rămâne necunoscut. Vedele spun: *kasmin bhagavo vijñāte sarvam idaṁ vijñātaṁ bhavati* (*Muṇḍaka Upaniṣad* 1.3).

TEXTUL 3

मनुष्याणां सहस्रेषु कश्चिद्यतति सिद्धये ।
यततामपि सिद्धानां कश्चिन्मां वेत्ति तत्त्वतः ॥ ३ ॥

manuṣyāṇāṁ sahasreṣu
kaścid yatati siddhaye
yatatām api siddhānāṁ
kaścin māṁ vetti tattvataḥ

manuṣyāṇām—de oameni; *sahasreṣu*—dintre mai multe mii; *kaścit*—vreunul; *yatati*—se străduiește; *siddhaye*—pentru desăvârșire; *yatatām*—dintre cei ce se străduiesc astfel; *api*—cu adevărat; *siddhānām*—dintre cei ce au ajuns la desăvârșire; *kaścit*—vreunul; *mām*—pe Mine; *vetti*—cunoaște; *tattvataḥ*—în mod real.

Dintre multe mii de oameni, unul poate se străduiește pentru perfecțiune, iar dintre cei ce au atins perfecțiunea, cu greu unul Mă cunoaște pe Mine cu adevărat.

COMENTARIU

Există diferite categorii de oameni, iar dintre mai multe mii de persoane, poate doar unul este suficient de interesat de realizarea spirituală pentru a încerca să cunoască ce este sinele, ce este corpul și ce este Adevărul Absolut. În general, ființele umane sunt preocupate de instinctele proprii animalelor, adică hrănirea, somnul, apărarea și împerecherea, și rareori cineva este interesat de cunoașterea spirituală. Primele șase capitole din *Gītā* sunt destinate celor interesați de cunoașterea transcendentă, de înțelegerea sinelui, de Sinele Suprem și de procesul de realizare prin *jñāna-yoga*, *dhyāna-yoga* și discriminarea sinelui de materie. Cu toate acestea, Kṛṣṇa poate fi cunoscut doar de oamenii aflați în conștiința de Kṛṣṇa. Alți transcendentaliști pot ajunge la realizarea impersonalului Brahman, căci acest lucru este mai ușor decât înțelegerea lui Kṛṣṇa. Kṛṣṇa este Persoana Supremă și în același timp El este dincolo de cunoașterea lui Brahman şi a lui Paramātmā. Cei ce sunt *yogī* şi *jñānī* au dificultăți în încercările lor de a-L înțelege pe Kṛṣṇa. Deşi cel mai mare dintre impersonaliști, Śrīpāda Śaṅkarācārya, a admis în comentariul său la *Gītā* faptul că Kṛṣṇa este Personalitatea Supremă a Divinității, discipolii săi nu Îl acceptă pe Kṛṣṇa în această calitate, căci Kṛṣṇa este foarte greu de cunoscut chiar pentru cel ce a ajuns la realizarea transcendentă a impersonalului Brahman.

Kṛṣṇa este Personalitatea Supremă a Divinității, cauza tuturor cauzelor, Domnul Govinda Cel primordial. *Īśvaraḥ paramaḥ kṛṣṇaḥ sac-cid-ānanda-vigrahaḥ/ anādir ādir govindaḥ sarva-kāraṇa-kāraṇam.* Este foarte dificil pentru cei ce nu sunt devoți să Îl cunoască pe El. Deşi cei ce nu sunt devoți declară că drumul sistemului *bhakti* sau al slujirii devoționale este foarte uşor, ei nu sunt în stare să-l practice. Dacă drumul sistemului *bhakti* este atât de uşor pe cât susține această categorie a nedevoților, atunci de ce adoptă ei calea mai grea? De fapt, calea sistemului *bhakti* nu este uşoară. Aşa numita cale a sistemului *bhakti* practicată de persoane neautorizate, lipsite de cunoaşterea de *bhakti*, poate fi uşoară, dar când este practicată conform legilor şi reglementărilor, erudiții şi filozofii speculativi părăsesc acest drum. Śrīla Rūpa Gosvāmī scrie în *Bhakti-rasāmṛta-sindhu* (1.2.101):

> *śruti-smṛti-purāṇādi-*
> *pañcarātra-vidhiṁ vinā*
> *aikāntikī harer bhaktir*
> *utpātāyaiva kalpate*

„Acea slujire devoțională a Domnului, care ignoră scrierile vedice autorizate, cum sunt *Upaniṣadele, Purāṇa* şi *Nārada-pañcarātra*, nu este decât o tulburare inutilă a societății."

Impersonalistul care a ajuns la realizarea lui Brahman sau yoghinul care a ajuns la realizarea lui Paramātmā nu pot să-L înțeleagă pe Kṛṣṇa, Personalitatea Supremă a Divinității, ca fiu al mamei Yaśodā sau conducător al carului lui Arjuna. Chiar şi marii semizei se întâmplă să nu aibă o cunoaştere limpede despre Kṛṣṇa (*muhyanti yat sūrayaḥ*). *Māṁ tu veda na kaścana*: „Nimeni nu Mă cunoaşte pe Mine aşa cum sunt", spune Domnul. Dar cel care-L cunoaşte pe El, *sa mahātmā su-durlabhaḥ*—„un asemenea suflet este extrem de rar". Până ce omul nu practică slujirea devoțională a Domnului, el nu Îl poate cunoaşte pe Kṛṣṇa aşa cum este El (*tattvataḥ*), chiar dacă este un mare învăţat sau filozof. Doar devoții puri pot şti ceva despre calitățile transcendente de neînchipuit aflate în Kṛṣṇa, în cauza tuturor cauzelor, în atotputernicia şi opulența Sa, în bogăția, faima, puterea, frumusețea, cunoaşterea şi renunțarea Sa, deoarece Kṛṣṇa este înclinat cu bunăvoință către devoții Săi. El este culminarea realizării lui Brahman și doar devoții pot să Îl realizeze pe El așa cum este. De aceea, s-a spus:

> *ataḥ śrī-kṛṣṇa-nāmādi*
> *na bhaved grāhyam indriyaiḥ*
> *sevonmukhe hi jihvādau*
> *svayam eva sphuraty adaḥ*

„Nimeni nu-L poate înțelege pe Kṛṣṇa așa cum este El numai prin simțurile materiale grosiere. Însă El Se revelează devoților, fiind mulțumit de ei datorită serviciului lor cu iubire transcendentă pentru El" (*Bhakti-rasāmṛta-sindhu* 1.2.234).

TEXTUL 4

भूमिरापोऽनलो वायुः खं मनो बुद्धिरेव च ।
अहङ्कार इतीयं मे भिन्ना प्रकृतिरष्टधा ॥ ४ ॥

> *bhūmir āpo 'nalo vāyuḥ*
> *kham mano buddhir eva ca*
> *ahaṅkāra itīyam me*
> *bhinnā prakṛtir aṣṭadhā*

bhūmiḥ—pământul; *āpaḥ*—apa; *analaḥ*—focul; *vāyuḥ*—aerul; *kham*—eterul; *manaḥ*—mintea; *buddhiḥ*—inteligența; *eva*—desigur; *ca*—și; *ahaṅkāraḥ*—falsul ego; *iti*—astfel; *iyam*—acestea toate; *me*—ale Mele; *bhinnā*—separate; *prakṛtiḥ*—energii; *aṣṭadhā*—de opt feluri.

Pământul, apa, focul, aerul, eterul, mintea, inteligența și falsul ego— acestea împreună constituie cele opt energii materiale separate ale Mele.

COMENTARIU

Știința de Dumnezeu analizează poziția constitutivă a lui Dumnezeu și diversele Sale energii. Natura materială este numită *prakṛti* sau energia lui Dumnezeu în diferitele Sale încarnări (sau expansiuni) ca *puruṣa*, așa cum se descrie în *Sātvata-tantra*:

viṣṇos tu trīṇi rūpāṇi
puruṣākhyāny atho viduḥ
ekaṁ tu mahataḥ sraṣṭr
dvitīyaṁ tv aṇḍa-saṁsthitam
tṛtīyaṁ sarva-bhūta-sthaṁ
tāni jñātvā vimucyate

„Pentru creația materială, expansiunea plenară a lui Śrī Kṛṣṇa îşi asumă cele trei aspecte ale lui Viṣṇu. Primul dintre acestea, Mahā-Viṣṇu, crează energia materială ca întreg, cunoscută ca *mahat-tattva*. Al doilea, Garbhodaka-śāyī Viṣṇu pătrunde în toate universurile pentru a crea diversitatea în fiecare dintre ele. Al treilea, Kṣīrodakaśāyī Viṣṇu, este răspândit în toate universurile sub forma Suprasufletului atotpătrunzător, cunoscut ca Paramātmā. El este prezent chiar şi în atomi. Oricine îi cunoaşte pe aceşti trei Viṣṇu poate fi eliberat de legăturile materiale."

Lumea aceasta este o manifestare temporară a uneia din energiile Domnului. Toate activitățile lumii materiale sunt conduse de aceşti trei Viṣṇu, expansiunile lui Śrī Kṛṣṇa. Aceşti *puruṣa* poartă numele de încarnări. În general, cel ce nu cunoaşte ştiința de Dumnezeu (Kṛṣṇa) crede că lumea materială este destinată desfătării entităților vii şi că aceste entități vii sunt *puruṣa*—cauzele, stăpânitorii şi beneficiarii energiei materiale. Conform cu *Bhagavad-gītā*, această concluzie ateistă este falsă. În versetul de care discutăm se afirmă că Kṛṣṇa este cauza originară a manifestării materiale. Acest lucru este confirmat şi de *Śrīmad-Bhāgavatam*. Ingredientele manifestării materiale sunt energiile separate ale lui Dumnezeu. Chiar şi *brahmajyoti*, care este țelul ultim al impersonaliştilor, este o energie spirituală manifestată în cerul spiritual. În *brahmajyoti* nu există diversitate spirituală, aşa cum există în Vaikuṇṭhaloka, iar impersonaliştii acceptă acest *brahmajyoti* ca fiind țelul etern şi ultim. Manifestarea lui Paramātmā este de asemenea aspectul temporar şi atotpătrunzător al lui Kṣīrodakaśāyī Viṣṇu. Manifestarea lui Paramātmā nu este veşnică în lumea spirituală. De aceea, Adevărul Absolut efectiv este Personalitatea Supremă a Divinității, Kṛṣṇa. El este persoana care posedă energiile în mod complet, având diferite energii separate şi energii interne. În cadrul energiei materiale, principalele manifestări sunt în număr de opt, aşa cum s-a menționat mai sus. Dintre acestea, primele cinci manifestări, adică pământul, apa, focul, aerul şi eterul sunt numite cele cinci creații gigantice sau creațiile grosiere, în care sunt incluse cele cinci obiecte ale simțurilor. Ele sunt manifestările fizice ale sunetului, tactilului, formei, gustului şi mirosului. Ştiința materială cuprinde aceste zece elemente şi nimic mai mult. Însă celelalte trei elemente, adică mintea, inteligența și falsul ego sunt neglijate de către materialiști. Chiar și filozofii care se preocupă de activitățile mentale nu posedă cunoașterea perfectă, deoarece ei nu cunosc sursa ultimă—Kṛṣṇa. Falsul ego—„Eu sunt" și „Al meu", constituenții principiului de bază al existenței materiale—include zece organe de simț pentru activitățile materiale. Inteligența se referă la creația materială ca totalitate, numită *mahat-tattva*. Prin urmare, din cele opt energii separate ale lui Dumnezeu se manifestă douăzeci și patru de elemente ale lumii materiale, care constituie subiectul principal al filosofiei Sāṅkhya ateiste; ele constituie la origine ramificații ale energiilor lui Kṛṣṇa și sunt desprinse din El, dar filozofii atei ai școlii Sāṅkhya, cu un bagaj redus de cunoștințe, nu Îl cunosc pe Kṛṣṇa ca fiind cauza tuturor cauzelor. Subiectul principal discutat în cadrul filosofiei Sāṅkhya este doar manifestarea energiei externe a lui Kṛṣṇa, așa cum se descrie în *Bhagavad-gītā*.

TEXTUL 5

अपरेयमितस्त्वन्यां प्रकृतिं विद्धि मे पराम् ।
जीवभूतां महाबाहो ययेदं धार्यते जगत् ॥ ५ ॥

apareyam itas tv anyāṁ
prakṛtiṁ viddhi me parām
jīva-bhūtāṁ mahā-bāho
yayedaṁ dhāryate jagat

aparā—inferioară; *iyam*—aceasta; *itaḥ*—în afară de; *tu*—însă; *anyām*—o alta; *prakṛtim*—energie; *viddhi*—încearcă să înțelegi; *me*—a Mea; *parām*—superioară; *jīva-bhūtām*—cuprinzând ființele însuflețite; *mahā-bāho*—o, tu cel cu braț puternic; *yayā*—prin care; *idam*—această; *dhāryate*—este utilizată sau exploatată; *jagat*—lumea materială.

În afara acestora, o, Arjuna cu brațul puternic, există o altă energie a Mea, superioară, ce cuprinde entitățile vii care trăiesc pe seama resurselor acestei naturi materiale inferioare.

COMENTARIU

În acest loc se menționează în mod clar că entitățile vii aparțin naturii sau energiei superioare a Domnului Suprem. Energia inferioară este materia manifestată în diferite elemente, anume pământul, apa, focul, aerul, eterul, mintea, inteligenţa şi falsul ego. Ambele forme ale naturii materiale, cea grosieră (pământul etc.) şi cea subtilă (mintea etc.), sunt produsele energiei inferioare. Entităţile vii care exploatează aceste energii inferioare în diferite scopuri constituie energia superioară a Domnului Suprem, şi întreaga funcţionare a lumii materiale se datorează acestei energii. Manifestarea cosmică nu are puterea de a acţiona până ce nu este pusă în mişcare de energia superioară constituită de entităţile vii. Însă energiile sunt întotdeauna sub controlul celui ce produce energia, şi deci entităţile vii se află întotdeauna sub controlul lui Dumnezeu, neavând o existenţă independentă. Ele nu sunt niciodată egale cu El. Deosebirea dintre entităţile vii şi Dumnezeu este descrisă în *Śrīmad-Bhāgavatam* (10.87.30) astfel:

> *aparimitā dhruvās tanu-bhṛto yadi sarva-gatās*
> *tarhi na śāsyateti niyamo dhruva netarathā*
> *ajani ca yan-mayaṁ tad avimucya niyantṛ bhavet*
> *samam anujānatāṁ yad amataṁ mata-duṣṭatayā*

„O, Tu Cel Veşnic Suprem! Dacă entităţile vii întrupate ar fi veşnice şi atotpătrunzătoare ca Tine, atunci nu s-ar afla sub stăpânirea Ta. Dar dacă entităţile vii sunt acceptate ca energii minuscule ale Domniei Tale, atunci ele sunt de îndată supuse supremei Tale stăpâniri. De aceea, adevărata eliberare presupune supunere din partea entităţilor vii faţă de stăpânirea Ta, iar această supunere le va face fericite. Doar în această poziţie constitutivă pot fi ele stăpânitoare. Prin urmare, oamenii cu o cunoaştere limitată, care susţin teoria monistă despre egalitatea dintre Dumnezeu şi entităţile vii în toate privinţele, se lasă conduşi de o părere greşită şi dăunătoare."

Kṛṣṇa, Domnul Suprem, este singurul stăpânitor, iar entităţile vii sunt sub stăpânirea Lui. Aceste entităţi vii constituie energia Lui superioară, deoarece calitatea existenţei lor este una şi aceeaşi cu a Celui Suprem, dar ele nu sunt nciodată egale Domnului în ce priveşte cantitatea sau puterea. Exploatând energia inferioară (sau materia) grosieră şi subtilă, energia superioară (entitatea vie) îşi uită adevărata sa minte şi inteligenţă spirituală. Această uitare se datorează influenţei materiei asupra entităţilor vii. Dar atunci când entitatea vie scapă de sub influenţa energiei materiale iluzorii, ea atinge stadiul numit *mukti* sau eliberare. Falsul ego, sub influenţa iluziei materiale, gândeşte: „Eu sunt materie şi bunurile materiale sunt ale mele". Poziţia sa adevărată este realizată atunci când se eliberează de toate ideile materiale, inclusiv de concepţia de a ajunge una cu Dumnezeu în toate privinţele. Prin urmare, se poate concluziona că *Gītā* confirmă faptul că entitatea vie este doar una din multiplele energii ale lui Kṛṣṇa; iar când această enegie scapă de contaminările materiale, omul devine pe deplin conștient de Kṛṣṇa sau eliberat.

TEXTUL 6

एतद्योनीनि भूतानि सर्वाणीत्युपधारय ।
अहं कृत्स्नस्य जगतः प्रभवः प्रलयस्तथा ॥ ६ ॥

etad-yonīni bhūtāni
sarvāṇity upadhāraya
ahaṁ kṛtsnasya jagataḥ
prabhavaḥ pralayas tathā

etat—aceste două naturi; *yonīni*—originile nașterii; *bhūtāni*—cele create; *sarvāṇi*—toate; *iti*—astfel; *upadhāraya*—să știi; *aham*—Eu; *kṛtsnasya*—atotcuprinzător; *jagataḥ*—al lumii; *prabhavaḥ*—originea manifestării; *pralayaḥ*—nimicirea; *tathā*—precum și.

Toate ființele create își au sursa în aceste două naturi. Fii deci încredințat că pentru toate cele materiale sau spirituale din această lume Eu sunt atât originea, cât și disoluția.

COMENTARIU

Tot ceea ce există este produsul materiei și spiritului. Spiritul este câmpul fundamental al creației iar materia este creată de spirit. Spiritul nu este ceva creat într-un anumit stadiu de dezvoltare a materiei. Mai degrabă lumea materială se manifestă doar pe temeiul energiei spirituale. Corpul material se dezvoltă pentru că spiritul este prezent înăuntrul materiei; pruncul devine treptat băiat și apoi bărbat, pentru că în el este prezentă energia superioară, sufletul spiritual. În mod similar, întreaga manifestare cosmică a universului gigantic se dezvoltă datorită prezenței Suprasufletului, Viṣṇu. Deci spiritul și materia, care se combină pentru a manifesta această formă gigantică a universului, sunt la origine cele două energii ale lui Dumnezeu și, prin urmare, Domnul este cauza originară a tuturor lucrurilor. O parte integrantă fragmentară a lui Dumnezeu, adică entitatea vie, poate fi cauza unui zgârie-nori uriaș, a unei mari fabrici sau chiar a unui mare oraș, dar nu va putea fi cauza marelui univers. Cauza acestui mare univers este un suflet mare, Suprasufletul. Iar Kṛṣṇa, Supremul, este atât cauza sufletului cel mare, cât și a celor minuscule.

Prin urmare, El este cauza originară a tuturor cauzelor. Acest lucru este confirmat în *Katha Upanişad* (2.2.13): *nityo nityānāṁ cetanaś cetanānām.*

TEXTUL 7

मत्तः परतरं नान्यत्किञ्चिदस्ति धनञ्जय ।
मयि सर्वमिदं प्रोतं सूत्रे मणिगणा इव ॥ ७ ॥

*mattaḥ parataraṁ nānyat
kiñcid asti dhanañjaya
mayi sarvam idaṁ protaṁ
sūtre maṇi-gaṇā iva*

mattaḥ—dincolo de Mine; *para-taram*—superior; *na*—nu; *anyat kiñcit*—nimic altceva; *asti*—există; *dhanañjaya*—o, cuceritorule de bogății; *mayi*—în Mine; *sarvam*—tot ceea ce există; *idam*—ceea ce vedem; *protam*—este înșirat; *sūtre*—pe o sfoară; *maṇi-gaṇāḥ*—perlele; *iva*—precum.

O, cuceritorule de bogății, nu este vreun adevăr mai presus decât Mine. Toate sunt susținute de Mine, precum perlele sunt înșirate pe ață.

COMENTARIU

Există o binecunoscută controversă asupra conceperii Adevărului Absolut Suprem ca personal sau impersonal. În ce privește *Bhagavad-gītā*, Adevărul Absolut este Personalitatea Divinității, Śrī Kṛṣṇa, și acest lucru este confirmat la fiecare pas. În special în această strofă se accentuează faptul că Adevărul Absolut este persoană. Faptul că Personalitatea Divinității este Adevărul Absolut Suprem este de asemenea afirmat în *Brahma-saṁhitā*: *īśvaraḥ paramaḥ kṛṣṇaḥ sac-cid-ānanda-vigrahaḥ*—adică Adevărul Absolut Suprem, Personalitatea Divinității, este Śrī Kṛṣṇa, care este Domnul originar, sălașul tuturor plăcerilor, Govinda, și forma cea veșnică a deplinei beatitudini și cunoașteri. Aceste autorități nu lasă nici o îndoială asupra faptului că Adevărul Absolut este Persoana Supremă, cauza tuturor cauzelor. Impersonaliștii își bazează argumentele pe textul vedic din *Śvetāśvatara Upaniṣad* (3.10): *tato yad uttarataraṁ tad arūpam anāmayam/ya etad vidur amṛtās te bhavanti athetare duḥkham evāpiyanti.* „În lumea materială, Brahmā, prima entitate vie din univers, este cunoscut ca suprem printre semizei, ființe umane și animale. Dar dincolo de Brahmā există Transcendentul, care nu are formă materială și este liber de orice contaminări materiale. Oricine Îl cunoaște pe Acesta, devine de asemenea transcendent, dar cei ce nu Îl cunosc pe Acesta suportă chinurile lumii materiale." Impersonaliștii pun mai mult accent pe cuvântul *arūpam*. Dar acest *arūpam* nu este impersonal. El indică forma transcendentă a eternității, beatitudinii și cunoașterii, descrisă în *Brahma-samhitā* citată mai sus. Alte versete din *Śvetāśvatara Upaniṣad* (3.8-9) dovedesc acest lucru:

> *vedāham etam puruṣam mahāntam*
> *āditya-varṇam tamasaḥ parastāt*
> *tam eva vidvān ati mṛtyum eti*
> *nānyaḥ panthā vidyate 'yanāya*
>
> *yasmāt param nāparam asti kiñcid*
> *yasmān nāṇīyo no jyāyo 'sti kiñcit*
> *vṛkṣa iva stabdho divi tiṣṭhaty ekas*
> *tenedam pūrṇam puruṣeṇa sarvam*

„Eu cunosc Personalitatea Supremă a Divinității care transcende toate întunecatele concepte materiale. Doar cel ce Îl cunoaște pe El poate trece dincolo de legăturile nașterii și morții. Nu există altă cale de eliberare decât cunoașterea acestei Persoane Supreme. Nu există Adevăr mai presus de această Persoană Supremă, pentru că El este cel mai măreț. El este mai mic decât cele mai mici și mai mare decât cele mai mari. El stă precum un arbore tăcut, iluminând transcendentul cer, și le fel cum un copac își întinde rădăcinile, El Își răspândește atotcuprinzătoarele energii."

Din aceste versete putem trage concluzia că Adevărul Absolut Suprem este Personalitatea Supremă a Divinității, care este atotpătrunzător prin multiplele Sale energii, atât materiale, cât și spirituale.

TEXTUL 8

रसोऽहमप्सु कौन्तेय प्रभास्मि शशिसूर्ययो: ।
प्रणव: सर्ववेदेषु शब्द: खे पौरुषं नृषु ॥ ८ ॥

raso 'ham apsu kaunteya
prabhāsmi śaśi-sūryayoḥ

praṇavaḥ sarva-vedeṣu
śabdaḥ khe pauruṣaṁ nṛṣu

rasaḥ—gustul; *aham*—Eu; *apsu*—din apă; *kaunteya*—o, fiu al lui Kuntī; *prabhā*—lumina; *asmi*—sunt; *śaśi-sūryayoḥ*—lunii şi soarelui; *praṇavaḥ*—cele trei litere *a-u-m*; *sarva*—din toate; *vedeṣu*—Vedele; *śabdaḥ*—vibraţia sonoră; *khe*—din eter; *pauruṣam*—destoinicia; *nṛṣu*—din oameni.

O, fiu al lui Kuntī, Eu sunt gustul apei, lumina soarelui şi a lunii, silaba oṁ din mantrele vedice; Eu sunt sunetul în eter şi destoinicia în oameni.

COMENTARIU

Această strofă explică felul în care Domnul este atotpătrunzător prin diversele Sale energii materiale şi spirituale. Domnul Suprem poate fi perceput mai întâi prin intermediul diveselor Sale energii, şi în acest fel El este realizat în mod impersonal. Aşa cum semizeul ce stăpâneşte soarele este o persoană şi este perceput prin energia sa atotpătrunzătoare care este lumina solară, la fel şi Dumnezeu, deşi aflat în lăcaşul Său etern, este perceput prin răspândirea energiilor Sale atotpătrunzătoare. Principiul activ al apei este gustul său. Nimănui nu-i place să bea apa de mare, pentru că gustul apei pure este amestecat cu cel sărat. Aprecierea apei depinde de puritatea gustului, iar acest gust pur este una din energiile Domnului. Impersonalistul percepe prezenţa Domnului în apă prin gustul acesteia, iar personalistul Îl slăveşte şi el pe Dumnezeu pentru că binevoieşte să dea apă gustoasă spre a astâmpăra setea oamenilor. Acesta este modul în care este perceput Supremul. Practic vorbind, nu există conflict între personalism şi impersonalism. Cel ce Îl cunoaşte pe Dumnezeu, ştie că atât concepţia impersonală, cât şi cea personală sunt prezente simultan în orice lucru, şi nu există vreo contradicţie. De aceea, Śrī Caitanya a întemeiat sublima sa doctrină *acintya-bheda-abheda-tattva*: simultana unitate şi diferenţiere.

Lumina soarelui şi a lunii emană în mod originar din *brahmajyoti*, care este strălucirea impersonală a lui Dumnezeu. Iar *praṇava* sau *oṁkāra*, sunetul transcendent de la începutul fiecărui imn vedic, Îl desemnează pe Domnul Suprem. Deoarece impersonaliştii se tem foarte tare de adresarea către Domnul Suprem Kṛṣṇa cu nenumăratele sale nume, ei preferă să pronunţe vibraţia transcendentă a sunetului *oṁkāra*, fără să realizeze faptul că *oṁkāra* este reprezentarea sonoră a lui Kṛṣṇa. Jurisdicţia conştiinţei de Kṛṣṇa se întinde pretutindeni, iar cel ce cunoaşte conştiinţa de Kṛṣṇa este binecuvântat.

Cei ce nu-L cunosc pe Kṛṣṇa se află în iluzie, și deci cunoașterea lui Kṛṣṇa
înseamnă eliberare iar ignorarea Lui este înlănțuire.

TEXTUL 9

पुण्यो गन्धः पृथिव्यां च तेजश्चास्मि विभावसौ ।
जीवनं सर्वभूतेषु तपश्चास्मि तपस्विषु ॥ ९ ॥

puṇyo gandhaḥ pṛthivyāṁ ca
tejaś cāsmi vibhāvasau
jīvanaṁ sarva-bhūteṣu
tapaś cāsmi tapasviṣu

puṇyaḥ—autentic; *gandhaḥ*—mireasmă; *pṛthivyām*—din pământ; *ca*—și;
tejaḥ—dogoarea; *ca*—și; *asmi*—sunt; *vibhāvasau*—din foc; *jīvanam*—viața;
sarva—în toate; *bhūteṣu*—entitățile vii; *tapaḥ*—asceza; *ca*—și; *asmi*—sunt;
tapasviṣu—în cei ce practică asceza.

**Eu sunt mireasma originară a pământului, Eu sunt dogoarea din foc.
Eu sunt viața din tot ce trăiește și asceza tuturor asceților.**

COMENTARIU

Puṇya înseamnă ceea ce este nealterat; *puṇya* este originarul. Toate lucrurile
lumii materiale au un anumit miros sau parfum, așa cum este mirosul sau
parfumul dintr-o floare, sau din pământ, din apă, din foc, din aer etc. Mirosul
necontaminat, mirosul originar care pătrunde totul este Kṛṣṇa. La fel, orice
lucru are un gust particular originar, iar acest gust poate fi schimbat prin
amestecul unor substanțe chimice. Astfel, orice lucru originar are un anume
miros, un anume parfum și un anumit gust. *Vibhavāsu* înseamnă foc. Fără
foc nu am putea pune în mișcare fabricile, nu am putea găti etc., iar acest
foc este Kṛṣṇa. Căldura din foc este Kṛṣṇa. Potrivit medicinei vedice, indi-
gestia se datorează scăderii temperaturii din pântece. Deci focul este necesar
până și digestiei. În cadrul conștiinței de Kṛṣṇa devenim conștienți de faptul
că pământul, apa, focul, aerul și orice alt principiu activ, toate substanțele
chimice și toate elementele materiale, se datorează lui Kṛṣṇa. Durata vieții
umane se datorează și ea lui Kṛṣṇa. Prin urmare, prin grația lui Kṛṣṇa omul
poate să-și prelungească sau să-și scurteze viața. Astfel, conștiința de Kṛṣṇa
este activă în toate domeniile.

TEXTUL 10

बीजं मां सर्वभूतानां विद्धि पार्थ सनातनम् ।
बुद्धिर्बुद्धिमतामस्मि तेजस्तेजस्विनामहम् ॥१०॥

bījaṁ māṁ sarva-bhūtānāṁ
viddhi pārtha sanātanam
buddhir buddhimatām asmi
tejas tejasvinām aham

bījam—ca sămânţă; *mām*—pe Mine; *sarva-bhūtānām*—a tuturor fiinţelor; *viddhi*—încearcă să Mă înţelegi; *pārtha*—o, fiu al lui Pṛthā; *sanātanam*—originar, etern; *buddhiḥ*—inteligenţa; *buddhi-matām*—celor inteligenţi; *asmi*—Eu sunt; *tejaḥ*—vitejia; *tejasvinām*—a celor puternici; *aham*—Eu sunt.

O, fiu al lui Pṛthā, să ştii că Eu sunt sămânţa originară a tuturor existenţelor, inteligenţa celor inteligenţi şi vitejia celor puternici.

COMENTARIU

Bījam înseamnă sămânţă; Kṛṣṇa este sămânţa tuturor. Există felurite entităţi vii, mişcătoare şi inerte. Păsările, mamiferele, oamenii şi multe alte vieţuitoare sunt fiinţe care se pot deplasa; însă copacii şi plantele nu se pot deplasa, ci doar să stea pe loc. Toate fiinţele se încadrează în cele 8.400.000 de specii de viaţă, dintre care unele se pot deplasa, altele sunt inerte, însă în toate aceste cazuri sămânţa vieţii lor este Kṛṣṇa. Aşa cum se afirmă în literatura vedică, Brahman sau Supremul Adevăr Absolut este cel care emană totul. Kṛṣṇa este Parabrahman, Spiritul Suprem. Brahman este impersonal iar Parabrahman este personal. Impersonalul Brahman este situat în aspectul personal—aceasta se afirmă în *Bhagavad-gītā*. Prin urmare, în mod originar Kṛṣṇa este sursa tuturor existenţelor. El este rădăcina. Aşa cum rădăcina susţine întregul copac, Kṛṣṇa, fiind rădăcina originară a tuturor lucrurilor, susţine tot ceea ce există în manifestarea materială. Aceasta se confirmă şi în scrierile vedice (*Kaṭha Upaniṣad* 2.2.13):

nityo nityānāṁ cetanaś cetanānām
eko bahūnāṁ yo vidadhāti kāmān

El este eternul primordial printre cele eterne. El este suprema entitate vie a tuturor entităților vii și doar El este păstrătorul întregii vieți. Nu se poate face nimic fără inteligență, iar Kṛṣṇa spune că El este rădăcina întregii inteligențe. Fără a fi inteligent, omul nu-L poate înțelege pe Kṛṣṇa, Personalitatea Supremă a Divinității.

TEXTUL 11

बलं बलवतां चाहं कामरागविवर्जितम् ।
धर्माविरुद्धो भूतेषु कामोऽस्मि भरतर्षभ ॥११॥

balaṁ balavatāṁ cāhaṁ
kāma-rāga-vivarjitam
dharmāviruddho bhūteṣu
kāmo 'smi bharatarṣabha

balam—puterea; *bala-vatām*—celui puternic; *ca*—și; *aham*—Eu sunt; *kāma*—pasiune; *rāga*—și atașament; *vivarjitam*—lipsită de; *dharma-aviruddhaḥ*—care nu este contrară principiilor religioase; *bhūteṣu*—în toate ființele; *kāmaḥ*—sexualitatea; *asmi*—Eu sunt; *bharata-ṛṣabha*—o, stăpân peste Bhārata.

Eu sunt tăria celui puternic, fără de pasiune și dorință. Eu sunt viața sexuală ce nu este contrară principiilor religioase, o, domn al neamului Bhārata [Arjuna].

COMENTARIU

Puterea celui puternic trebuie folosită pentru a-l ocroti pe cel slab, iar nu pentru agresiuni din motive personale. În mod similar, viața sexuală conformă principiilor religioase (*dharma*) trebuie să fie destinată nașterii copiilor, și nu altui scop. Părinții au apoi răspunderea să-i facă pe urmașii lor să devină conștienți de Kṛṣṇa.

TEXTUL 12

ये चैव सात्त्विका भावा राजसास्तामसाश्च ये ।
मत्त एवेति तान् विद्धि न त्वहं तेषु ते मयि ॥१२॥

ya caiva sāttvikā bhāvā
rājasās tāmasāś ca ye
matta eveti tān viddhi
na tv aham teṣu te mayi

ye—toate cele care; *ca*—şi; *eva*—cu siguranţă; *sāttvikāḥ*—în bunătate; *bhāvāḥ*—modurile de existenţă; *rājasāḥ*—în starea pasiunii; *tāmasāḥ*—în starea ignoranţei; *ca*—şi; *ye*—cei care; *mattaḥ*—de la Mine; *eva*—desigur; *iti*—astfel; *tān*—pe acelea; *viddhi*—încearcă să le cunoşti; *na*—nu; *tu*—dar; *aham*—Eu; *teṣu*—în ele; *te*—ele; *mayi*—în Mine.

Să ştii că toate modurile de existenţă—fie că este vorba de bunăta-te, pasiune sau ignoranţă—se manifestă prin energia Mea. Într-un anumit sens, Eu sunt tot ceea ce există, şi totuşi sunt independent. Eu nu sunt sub controlul modurilor naturii materiale, ci dimpotrivă, ele sunt înăuntrul Meu.

COMENTARIU

Toate activităţile materiale din lume sunt guvernate de cele trei moduri ale naturii materiale. Deşi aceste trei moduri materiale ale naturii emană de la Domnul Suprem Kṛṣṇa, El nu este supus lor. De pildă, omul obişnuit poate fi pedepsit de legile statului, dar regele, cel care face legile, nu este supus aces-tor legi. În mod similar, toate modurile naturii materiale—bunătatea, pasiu-nea şi ignoranţa—emană de la Domnul Suprem Śrī Kṛṣṇa, dar Kṛṣṇa nu este supus naturii materiale. De aceea, El este *nirguṇa*, ceea ce înseamnă că aceste *guṇa* sau moduri, deşi se ivesc din El, nu Îl afectează. Aceasta este una din trăsăturile speciale ale lui Bhagavān sau Personalitatea Supremă a Divinităţii.

TEXTUL 13

त्रिभिर्गुणमयैर्भावैरेभिः सर्वमिदं जगत् ।
मोहितं नाभिजानाति मामेभ्यः परमव्ययम् ॥१३॥

tribhir guṇa-mayair bhāvair
ebhiḥ sarvam idaṁ jagat

mohitaṁ nābhijānāti
mām ebhyaḥ param avyayam

tribhiḥ—de cele trei; *guṇa-mayaiḥ*—constituite din *guṇa*; *bhāvaiḥ*—de către stările de existență; *ebhiḥ*—de către toate acestea; *sarvam*—întreg; *idam*— acest; *jagat*—univers; *mohitam*—amăgit; *na abhijānāti*—nu cunoaște; *mām* —pe Mine; *ebhyaḥ*—deasupra acestora; *param*—Cel Suprem; *avyayam*— inepuizabil.

Amăgită de cele trei moduri, [bunătatea, pasiunea și ignoranța], întreaga lume nu Mă cunoaște pe Mine, care sunt deasupra modurilor și inepuizabil.

COMENTARIU

Întreaga lume este vrăjită de modurile naturii materiale. Cei tulburați de aceste trei moduri nu pot să înțeleagă că Cel ce transcende această natură materială este Domnul Suprem, Kṛṣṇa.

Fiecare entitate vie aflată sub influența naturii materiale are un anume tip de corp și un anumit tip de activități biologice și psihologice corespunzătoare acestuia. Există patru categorii de oameni aflați sub influența celor trei moduri materiale ale naturii. Cei ce țin de modul bunătății sunt numiți brahmani (*brāhmaṇa*). Cei ce țin doar de modul pasiunii sunt numiți *kṣatriya*. Cei ce țin atât de modul pasiunii cât și de cel al ignoranței sunt numiți *vaiśya*. Cei aflați cu totul în ignoranță poartă numele de *śūdra*. Mai prejos decât aceștia sunt fie animalele, fie cei ce duc o viață animalică. Însă aceste desemnări nu sunt definitive. Pot să fiu brahman, *kṣatriya*, *vaiśya* sau orice altceva—în orice caz, această existență este temporară. Însă chiar dacă viața este temporară și nu știm ce vom ajunge în viața următoare, prin vraja acestei energii iluzorii ne privim pe noi înșine în termenii concepției corporale asupra vieții, și astfel ne credem a fi americani, indieni, ruși, ori brahmani, hinduși, musulmani etc. Fiind prinși de modurile naturii materiale, ajungem să uităm de Personalitatea Supremă a Divinității care este dincolo de toate aceste moduri. Astfel, Śrī Kṛṣṇa spune că entitățile vii amăgite de aceste trei moduri ale naturii nu înțeleg că în spatele decorului material se află Personalitatea Supremă a Divinității.

Există multe feluri diferite de entități vii—oameni, semizei, animale etc.— și fiecare se află sub influența naturii materiale, și toți au uitat de Personalitatea Divinităţii care este transcendentă. Cei aflaţi în starea pasiunii sau a ignoranţei şi chiar şi cei aflaţi în starea bunătăţii nu pot să treacă dincolo de conceperea Adevărului Absolut ca fiind impersonalul Brahman. Ei se tulbură în faţa Domnului Suprem sub aspectul Său personal, înzestrat cu toată frumuseţea, opulenţa, cunoaşterea, puterea, faima şi renunţarea. Dacă până şi cei aflaţi în starea bunătăţii nu pot să înţeleagă, atunci ce nădejde mai au cei aflaţi în pasiune şi ignoranţă? Conştiinţa de Kṛṣṇa transcende toate aceste trei moduri ale naturii materiale, iar cei ce sunt cu adevărat situaţi în conştiinţa de Kṛṣṇa, sunt de fapt eliberaţi.

TEXTUL 14

दैवी ह्येषा गुणमयी मम माया दुरत्यया ।
मामेव ये प्रपद्यन्ते मायामेतां तरन्ति ते ॥१४॥

daivī hy eṣā guṇa-mayī
mama māyā duratyayā
mām eva ye prapadyante
māyām etāṁ taranti te

daivī—transcendentă; *hi*—cu adevărat; *eṣā*—această; *guṇa-mayī*—alcătuită din cele trei moduri ale naturii materiale; *mama*—a Mea; *māyā*—energie; *duratyayā*—foarte greu de depăşit; *mām*—la Mine; *eva*—desigur; *ye*—cei care; *prapadyante*—se predau; *māyām etām*—această energie iluzorie; *taranti*—depăşesc; *te*—aceştia.

Această energie divină a Mea, alcătuită din cele trei moduri ale naturii materiale, este greu de depăşit. Dar cei ce Mi s-au predat Mie pot trece cu uşurinţă dincolo de ea.

COMENTARIU

Personalitatea Supremă a Divinităţii are nenumărate energii, şi toate aceste energii sunt divine. Deşi entităţile vii sunt părţi din energiile Sale, şi deci sunt divine, prin contactul cu energia materială puterea lor originară superioară este acoperită. Fiind astfel acoperit de energia materială, omul nu mai are posibilitatea să depăşească influenţa ei. Cum am arătat anterior, atât natura materială cât și cea spirituală, fiind emanate din Personalitatea Supremă a Divinității, sunt eterne. Entitățile vii aparțin naturii superioare eterne a lui Dumnezeu, dar datorită contaminării de către natura inferioară, materia, iluzia lor devine și ea eternă. De aceea sufletul condiționat este numit *nitya-baddha* sau veșnic condiționat. Nimeni nu poate descoperi data istorică la care a devenit condiționat. Prin urmare, eliberarea sa din ghearele naturii materiale este foarte dificilă, chiar dacă această natură materială este o energie inferioară, deoarece energia materială este dirijată în ultimă instanță de voința supremă care nu poate fi depășită de entitățile vii. Natura materială inferioară este definită aici ca divină, datorită legăturii ei cu Divinitatea și mișcării ei de către voința divină. Fiind dirijată de voința divină, natura materială, deși inferioară, acționează atât de minunat în crearea și distrugerea manifestării cosmice. *Vedele* confirmă acest lucru astfel: *māyām tu prakṛtiṁ vidyān māyinaṁ tu maheśvaram.* „Chiar dacă *māyā* (iluzia) este falsă sau temporară, în spatele acestei *māyā* se află supremul magician“, Personalitatea Divinității care este Maheśvara, supremul care conduce.“ (*Śvetāśvatara Upaniṣad* 4.10)

Cuvântul *guṇa* mai înseamnă și frânghie; trebuie deci să înțelegem că sufletul condiționat este strâns legat cu frânghiile iluziei. Omul legat de mâini și de picioare nu se poate elibera singur, ci trebuie să fie ajutat de cineva care nu este legat. Întrucât cel ce este legat nu-l poate ajuta pe un altul care este legat, salvatorul trebuie să fie el însuși liber. De aceea, numai Śrī Kṛṣṇa sau reprezentantul Său autorizat, maestrul spiritual, poate să elibereze un suflet condiționat. Fără un astfel de ajutor superior, omul nu se poate elibera din legăturile naturii materiale. Slujirea devoțională sau conștiința de Kṛṣṇa ne poate ajuta să dobândim această eliberare. Kṛṣṇa fiind stăpânul energiei iluzorii, poate porunci acestei energii insurmontabile să dea drumul sufletului condiționat. El poruncește această eliberare prin îndurarea Sa cea fără de cauză față de sufletul care I se predă Lui și datorită iubirii Sale părintești față de entitatea vie, care este în realitate fiul cel iubit al lui Dumnezeu. De aceea, predarea la picioarele de lotus ale Domnului este singurul mijloc de a scăpa din ghearele asprei naturi materiale.

Cuvintele *mām eva* sunt de asemenea semnificative. *Mām* înseamnă numai la Kṛṣṇa (sau Viṣṇu), și nu la Brahmā sau Śiva. Deși Brahmā și Śiva se află la un nivel foarte înalt, aproape la același nivel cu Viṣṇu, aceste încarnări ale lui *rajo-guṇa* (pasiunea) și *tamo-guṇa* (ignoranța) nu pot să elibereze sufletul condiționat din ghearele lui *māyā.* Cu alte cuvinte, atât Brahmā cât și Śiva sunt și ei influențați de *māyā.* Numai Viṣṇu este stăpânul lui *māyā*; de aceea, numai El poate să acorde eliberarea sufletului condiționat. *Vedele* (*Śvetāśvatara*

Upaniṣad 3.8) confirmă acest lucru în propoziția *tam eva viditvā*, „libertatea este posibilă numai prin înțelegerea lui Kṛṣṇa". Chiar și Domnul Śiva afirmă că eliberarea se poate dobândi doar prin îndurarea lui Viṣṇu. Śiva spune *mukti-pradātā sarveṣāṁ viṣṇur eva na saṁśayaḥ*: „Nu există nici o îndoială că Viṣṇu este Cel ce dăruiește eliberarea tuturor."

TEXTUL 15

न मां दुष्कृतिनो मूढाः प्रपद्यन्ते नराधमाः ।
माययापहृतज्ञाना आसुरं भावमाश्रिताः ॥१५॥

na māṁ duṣkṛtino mūḍhāḥ
prapadyante narādhamāḥ
māyayāpahṛta-jñānā
āsuraṁ bhāvam āśritāḥ

na—nu; *mām*—față de Mine; *duṣkṛtinaḥ*—răufăcătorii; *mūḍhāḥ*—cei neghiobi; *prapadyante*—se predau; *nara-adhamāḥ*—cei mai josnici dintre oameni; *māyayā*—de către energia iluzorie; *apahṛta*—furată; *jñānāḥ*—a căror cunoaștere; *āsuram*—demonică; *bhāvam*—natura; *āśritāḥ*—acceptând.

Acei ticăloși deosebit de neghiobi, cei mai josnici dintre oameni, a căror cunoaștere este răpită de iluzie și care împărtășesc natura ateistă a demonilor, aceia nu Mi se predau Mie.

COMENTARIU

În *Bhagavad-gītā* se spune că doar prin simpla predare la picioarele de lotus ale lui Kṛṣṇa, Persoana Supremă, omul poate trece dincolo de legile aspre ale naturii materiale. Aici se poate pune întrebarea: Cum se face că filozofii erudiți, savanții, oamenii de afaceri, directorii și toți ceilalți conducători ai oamenilor de rând nu se predau la picioarele de lotus ale lui Śrī Kṛṣṇa, atotputernica Persoană a lui Dumnezeu? *Mukti* sau eliberarea de legile naturii materiale este căutată de conducătorii omenirii în diferite feluri, cu o mulțime de planuri și cu perseverență, timp de un mare număr de ani și de vieți. Dar dacă această eliberare este posibilă prin simpla predare la picioarele de lotus ale Personalității Supreme a Divinității, atunci de ce acești conducători inteligenți și care muncesc din greu nu adoptă această metodă simplă?

La această întrebare *Gītā* răspunde cât se poate de sincer. Conducătorii cu adevărat învățați ai societății, cum ar fi Brahmā, Śiva, Kapila, cei patru Kumāra, Manu, Vyāsa, Devala, Asita, Janaka, Prahlāda, Bali, iar mai târziu Madhvācārya, Rāmānujācārya, Śrī Caitanya și mulți alții—care sunt filozofi, politicieni, educatori, savanți etc. demni de încredere—aceștia se predau la picioarele de lotus ale Persoanei Supreme, autoritatea atotputernică. Cei ce nu sunt adevărați filozofi, savanți, educatori, directori etc., ci se prefac doar că sunt, pentru câștiguri materiale, aceia nu acceptă planul sau calea Domnului Suprem. Ei nu au nici o concepție despre Dumnezeu, ci doar își fabrică propriile planuri lumești și, ca urmare, complică problemele existenței materiale prin încercările lor zadarnice de a le rezolva. Întrucât energia sau natura materială este atât de puternică, ea poate să se opună planurilor neautorizate ale ateiștilor și să facă de ocară cunoștințele „comisiilor de planificare".

Planificatorii atei sunt descriși aici prin cuvântul *duṣkṛtinaḥ* sau „răufăcători". *Kṛtī* înseamnă cel care a făcut un lucru meritoriu. Planificatorul ateist este uneori foarte inteligent și merituos, pentru că orice plan gigantic, bun sau rău, are nevoie de inteligență pentru a fi executat. Dar pentru că creierul ateistului este utilizat în mod impropriu, pentru a se opune planului Domnului Suprem, planificatorul ateist este numit *duṣkṛtī*, ceea ce arată că inteligența și eforturile sale sunt direcționate în mod greșit.

În *Gītā* se menționează clar că energia materială funcționează cu totul sub direcția Domnului Suprem. Ea nu are autoritate independentă, ci funcționează așa cum se mișcă umbra după mișcările obiectului care aruncă umbra. Totuși energia materială este foarte puternică, iar ateistul, datorită firii sale fără de Dumnezeu, nu poate înțelege cum funcționează, și nici nu poate cunoaște planul Domnului Suprem. Fiind supus iluziei și influenței modurilor pasiunii și ignoranței, toate planurile sale sunt dejucate, la fel ca în cazul demonilor Hiraṇyakaśipu și Rāvaṇa, ale căror planuri au fost spulberate, deși amândoi posedau cunoștințele materiale ale unor savanți, filozofi, directori sau educatori. Acești *duṣkṛtinaḥ* sau răufăcători țin de patru categorii, după cum urmează. (1) *Mūḍha* sunt cei cu totul lipsiți de inteligență, precum animalele de povară care trudesc din greu. Aceștia vor să se bucure singuri de roadele muncii lor, și astfel ei nu vor să renunțe la ele pentru Suprem. Exemplul tipic al animalului de povară este măgarul. Acest biet animal este pus să muncească din greu de către stăpânul său. Măgarul nu știe de fapt pentru cine trudește zi și noapte. El se mulțumește să-și umple burta cu un snop de iarbă, să doarmă o clipă sub amenințarea de a fi bătut de stăpân și să-și satisfacă dorința sexuală, cu riscul de a fi lovit cu copita de partenerul său. Uneori măgarul recită poezii sau filozofează, dar răgetul său nu face decât să-i enerveze pe ceilalți. Aceasta este situația nechibzuitului care trudește pentru fructul activității fără să știe pentru cine trebuie să lucreze. El nu știe despre *karma* (acțiunea) că este destinată pentru *yajña* (sacrificiu).

De cele mai multe ori, cei care trudesc din greu zi și noapte, pentru a scăpa de povara datoriilor pe care ei singuri și le-au creat, spun că nu au timp să asculte despre nemurirea ființelor. Pentru acești *mūḍha*, câștigurile materiale pieritoare sunt lucrul cel mai important al vieții, în ciuda faptului că acești *mūḍha* se bucură doar de o foarte mică parte a rezultatului muncii lor. Uneori aceștia își petrec zile și nopți întregi fără să doarmă, pentru a obține câștiguri materiale, și deși suferă de ulcer sau de indigestie se mulțumesc să trăiască aproape fără hrană; ei rămân absorbiți zi și noapte în munca lor grea, spre folosul unor stăpâni iluzorii. Ignorându-și adevăratul stăpân, acești lucrători fără minte își pierd un timp prețios slujind lui Mamona. Din nefericire, aceștia nu se predau niciodată supremului stăpân al tuturor stăpânilor, și nici nu-și fac timp să audă despre El din surse autorizate. Porcul ce se hrănește cu gunoaie nu este atras de dulciurile făcute cu zahăr și unt limpezit. În mod similar, lucrătorul cel smintit va continua să asculte neobosit noutăți despre plăcerile simțurilor din sclipitoarea lume mondenă, dar nu va găsi decât foarte puțin timp pentru a asculta despre forța veșnic vie care mișcă lumea materială.

(2) O altă categorie de *duṣkṛtī* sau răufăcători este cea numită *narādhama* sau cei mai josnici dintre oameni. *Nara* înseamnă ființă umană iar *adhama* înseamnă cel mai de jos. Din cele 8.400.000 de diferite specii de viețuitoare, 400.000 sunt specii umane. Dintre acestea, există numeroase forme de viață umană inferioară care sunt în cea mai mare parte necivilizate. Ființele umane civilizate sunt cele care au principii care reglementează viața socială, politică și religioasă. Cei ce sunt dezvoltați din punct de vedere social și politic, dar nu au principii religioase, trebuie considerați *narādhama*. Iar religia fără Dumnezeu nu este religie, deoarece scopul respectării principiilor religioase este cunoașterea Adevărului Suprem și a relației omului cu El. În *Gītā* Personalitatea Divinității afirmă limpede că nu există o altă autoritate mai înaltă decât El și că El este Adevărul Absolut. Forma civilizată a vieții umane are ca țel *reînvierea conștiinței pierdute* a omului asupra eternei sale legături cu Adevărul Suprem, Personalitatea Divinității, Śrī Kṛṣṇa, care este atotputernic. Oricine își risipește această șansă, este categorisit ca *narādhama*. Din scripturile revelate aflăm că atunci când pruncul este în pântecele mamei sale (o situație extrem de inconfortabilă) el se roagă lui Dumnezeu să îl scape, promițând să Îl adore doar pe El de îndată ce va ieși. Rugăciunea către Dumne-

zeu într-o situație dificilă este un instinct natural în orice ființă, datorită eternei sale legături cu Dumnezeu. Dar după eliberarea sa, copilul uită greutățile nașterii și își uită și eliberatorul, fiind influențat de *māyā*, energia iluzorie. Este de datoria celor ce veghează asupra copiilor să le reînvie conștiința divină adormită în ei. Cele zece procese ale ceremoniilor de purificare prescrise în *Manu-smṛti*, ghidul principiilor religioase, sunt destinate să reînvie conștiința de Dumnezeu în cadrul sistemului *varṇāśrama*. Însă nici un astfel de proces nu mai este respectat cu rigurozitate în nici o parte a lumii, și de aceea 99,9 la sută din populație este *narādhama*.

Când întreaga populație devine *narādhama*, în mod firesc întreaga așanumita sa educație este anulată și golită de sens de către atotputernica energie a naturii fizice. Potrivit exigențelor din *Gītā*, un învățat este cel care privește în mod egal pe un brahman erudit, un câine, o vacă, un elefant sau un mâncător de câini. Aceasta este viziunea unui devot adevărat. Śrī Nityānanda Prabhu, care este încarnarea Domnului ca maestru divin, i-a eliberat pe cei mai tipici *narādhama*, frații Jagāi și Mādhāi, arătând cum îndurarea unui adevărat devot se poate extinde chiar și asupra celor mai josnici oameni. Deci un *narādhama* care este condamnat de Personalitatea Divinității poate să-și reînvie conștiința spirituală doar prin îndurarea unui devot.

Propagând *bhāgavata-dharma* sau activitățile devoționale, Śrī Caitanya Mahāprabhu a recomandat ca oamenii să asculte cu smerenie mesajul Personalității Divinității. Esența acestui mesaj este *Bhagavad-gītā*. Cea mai josnică dintre ființele umane poate fi eliberată doar prin acest proces simplu de ascultare smerită, dar, din nefericire, ei refuză chiar și să-și plece urechea la aceste mesaje, ca să nu mai vorbim de supunerea față de voința Domnului Suprem. *Narādhama* sau cei mai josnici dintre oameni vor neglija cu totul cea dintâi îndatorire a ființei umane.

(3) Următoarea categorie de *duṣkṛtī* este numită *māyayāpahṛta-jñānāḥ* sau persoanele a căror cunoaștere erudită a fost anulată de influența energiei materiale iluzorii. În cea mai mare parte, aceștia sunt indivizi foarte învățați — mari filozofi, poeți, literați, savanți etc. — dar energia iluzorie îi îndrumă pe căi greșite și astfel ei nu se mai supun Domnului Suprem.

Există în prezent un mare număr de *māyayāpahṛta-jñānāḥ*, chiar printre cei ce studiază *Bhagavad-gītā*. În *Gītā* se afirmă simplu și clar că Śrī Kṛṣṇa este Personalitatea Supremă a Divinității. Nu există un altul mai mare sau egal cu El. El este menționat ca părintele lui Brahmā, părintele originar al tuturor ființelor umane. De fapt, Śrī Kṛṣṇa este considerat nu numai părintele lui Brahmā, ci și părintele tuturor speciilor de viețuitoare. El este rădăcina impersonalului Brahman şi a lui Paramātmā; Suprasufletul din orice entitate este porţiunea Sa plenară. El este izvorul tuturor lucrurilor şi fiece om este sfătuit să se predea la picioarele Sale de lotus. În ciuda acestor afirmaţii clare, cei ce sunt *māyayāpahṛta-jñānāḥ* iau în bătaie de joc persoana Domnului Suprem şi Îl consideră doar o simplă fiinţă umană. Ei nu ştiu că binecuvântata formă de viaţă umană este alcătuită după chipul etern şi transcendent al Domnului Suprem.

Toate interpretările neautorizate ale *Gītei*, făcute de cei din categoria *māyayāpahṛta-jñānāḥ*, aflaţi în afara sistemului *paramparā*, sunt tot atâtea pietre de poticnire pe calea cunoaşterii spirituale. Aceşti comentatori rătăciţi nu se predau la picioarele de lotus ale lui Śrī Kṛṣṇa şi nici nu-i învaţă pe alţii să urmeze acest principiu.

(4) Ultima categorie de *duṣkṛtī* este numită *āsuraṁ bhāvam āśritāḥ* sau cei cu principii demonice. Această categorie este în mod declarat ateistă. Unii dintre aceştia susţin că Domnul Suprem nu poate niciodată să coboare în lumea materială, dar nu sunt în stare să aducă nici un argument concret pentru aceasta. Alţii Îl consideră subordonat aspectului impersonal, deşi în *Gītā* se susţine exact contrariul. Invidios pe Personalitatea Supremă a Divinităţii, ateul va prezenta o mulţime de încarnări nelegitime fabricate de mintea sa. Asemenea persoane, al căror principal scop în viaţă este denigrarea Personalităţii Divinităţii, nu se pot preda la picioarele de lotus ale lui Śrī Kṛṣṇa.

Śrī Yāmunācārya Albandaru din India de Sud spunea: „O, Doamne! Tu eşti incognoscibil pentru cei cuprinşi de principii ateiste, în ciuda calităţilor, trăsăturilor şi activităţilor Tale neobişnuite, în ciuda faptului că personalitatea Ta a fost confirmată de toate scripturile revelate ce ţin de calitatea bunătăţii, şi în ciuda faptului că Tu ai fost dovedit de cele mai vestite autorităţi, renumite pentru cunoaşterea lor profundă a ştiinţei spirituale şi situate în calităţile divine.“

Prin urmare, aşa cum s-a arătat mai sus, (1) persoanele smintite, (2) cei mai josnici dintre oameni, (3) speculatorii rătăciţi şi (4) ateiştii declaraţi nu se predau niciodată la picioarele de lotus ale Personalitătţii Divinităţii, în ciuda tuturor sfaturilor scripturilor şi autorităţilor spirituale.

TEXTUL 16

चतुर्विधा भजन्ते मां जनाः सुकृतिनोऽर्जुन ।
आर्तो जिज्ञासुरर्थार्थी ज्ञानी च भरतर्षभ ॥१६॥

catur-vidhā bhajante mām
janāḥ sukṛtino 'rjuna
ārto jijñāsur arthārthī
jñānī ca bharatarṣabha

catuḥ-vidhāḥ—patru feluri de; *bhajante*—Mă slujesc; *mām*—pe Mine; *janāḥ*—oamenii; *su-kṛtinaḥ*—cei pioși; *arjuna*—o, Arjuna; *ārtaḥ*—cel năpăstuit; *jijñāsuḥ*—cel curios; *artha-arthī*—cel ce dorește câștiguri materiale; *jñānī*—cel ce cunoaște lucrurile așa cum sunt; *ca*—și; *bharata-ṛṣabha*—o, tu cel mai măreț dintre urmașii lui Bharata.

O, cel mai bun din neamul Bharata, de patru feluri sunt oamenii pioși care încep să Mă slujească cu devoțiune: cel năpăstuit, cel dornic de bogăție, cel curios și cel ce caută cunoașterea Absolutului.

COMENTARIU

Spre deosebire de făcătorii de rău, cei enumerați aici sunt adepții principiilor regulatoare ale scripturilor, fiind numiți *sukṛtinaḥ* sau cei ce se supun legilor și reglementărilor scripturilor, legilor morale și sociale, și sunt mai mult sau mai puțin devotați Domnului Suprem. Din rândul acestora apar cele patru categorii de oameni—cei ce au dat de nenorociri, cei ce au nevoie de bani, cei ce au o anumită curiozitate și cei ce caută cunoașterea Adevărului Absolut. Aceste persoane se apropie de Domnul Suprem pentru slujire devoțională, cu diferite condiții. Aceștia nu sunt devoți puri, pentru că ei vor să-și împlinească anumite aspirații în schimbul slujirii devoționale. Slujirea devoțională pură este lipsită de orice aspirație sau dorință de câștig material. În *Bhakti-rasāmṛta-sindhu* (1.1.11) devoțiunea pură este definită astfel:

anyābhilāṣitā-śūnyaṁ
jñāna-karmādy-anāvṛtam
ānukūlyena kṛṣṇānu-
śīlanaṁ bhaktir uttamā

„Slujirea transcendentă cu iubire a Domnului Suprem Śrī Kṛṣṇa trebuie îndeplinită în mod favorabil și fără dorință de profit material sau câștig obținut prin activități interesate sau speculație filozofică. Aceasta se numește slujire devoțională pură.“

Când aceste patru categorii de persoane se apropie de Domnul Suprem pentru slujire devoțională și ajung să fie complet purificați prin asocierea cu un devot pur, aceștia devin și ei devoți puri. În ce-i privește pe făcătorii de rele, pentru ei slujirea devoțională este foarte dificilă, pentru că viețile lor sunt egoiste, dezordonate și lipsite de orice țeluri spirituale. Dar chiar și dintre aceștia, printr-un noroc deosebit, cei ce vin în contact cu un devot pur ajung și ei să fie devoți puri.

Cei ce sunt mereu ocupați cu activități interesate se apropie de Domnul când au necazuri materiale, și atunci, asociindu-se cu devoți puri, devin în nefericirea lor devoți ai Domnului. Uneori și cei ce sunt doar frustrați vin să se asocieze cu devoții puri și devin curioși să afle despre Domnul. În mod similar, atunci când filozofii arizi ajung să fie frustrați în orice domeniu de cunoaștere, ei ajung uneori să dorească să afle despre Dumnezeu și vin la Domnul Suprem pentru slujire devoțională, și astfel transcend cunoașterea impersonalului Brahman și a lui Paramātmā, ajungând la concepția personală despre Dumnezeu, prin grația Domnului Suprem sau a devoților Săi puri. În general, atunci când cei curioși, cei care caută cunoașterea și cei ce au nevoie de bani se eliberează de toate dorințele materiale, și când înțeleg pe deplin că remunerarea materială nu are nimic de-a face cu progresul spiritual, aceștia devin devoți puri. Atâta vreme cât nu se atinge acest stadiu de purificare, devoții aflați în slujirea transcendentă a Domnului sunt încă întinați de activitățile interesate, de căutarea unei cunoașteri lumești etc. Astfel, toate aceste motivații trebuie să fie depășite, înainte de a se putea ajunge la stadiul slujirii devoționale pure.

TEXTUL 17

तेषां ज्ञानी नित्ययुक्त एकभक्तिर्विशिष्यते ।
प्रियो हि ज्ञानिनोऽत्यर्थमहं स च मम प्रियः ॥१७॥

*teṣāṁ jñānī nitya-yukta
eka-bhaktir viśiṣyate
priyo hi jñānino 'tyartham
ahaṁ sa ca mama priyaḥ*

teṣām—dintre aceștia; *jñānī*—cel aflat în deplina cunoaștere; *nitya-yuktaḥ*—mereu angajat; *eka*—numai; *bhaktiḥ*—în slujirea devoțională; *viśiṣyate*—este în mod special; *priyaḥ*—foarte drag; *hi*—cu siguranță; *jñāninaḥ*—pentru cel ce posedă cunoașterea; *atyartham*—extrem de; *aham*—Eu; *saḥ*—el; *ca*—și; *mama*—pentru Mine; *priyaḥ*—drag.

Dintre aceștia, cel care este în deplină cunoaștere și care este întotdeauna angajat în slujirea devoțională pură, acela este cel mai bun. Căci Eu îi sunt nespus de drag, așa cum și el Îmi este drag Mie.

COMENTARIU

Eliberați de toate contaminările materiale, cei năpăstuiți, curioși, lipsiți de bani ori căutători ai cunoașterii supreme—aceștia toți pot să devină devoți puri. Dar dintre ei, cel care ajunge la cunoașterea Adevărului Absolut și se eliberează de toate dorințele materiale devine un adevărat devot pur al Domnului. Iar dintre cele patru categorii, devotul care are o cunoaștere desăvârșită și este în același timp angajat în slujirea devoțională, este cel mai bun, așa cum spune Domnul. Căutând cunoașterea, omul realizează că sinele său este diferit de corpul material, iar când avansează și mai mult, ajunge la cunoașterea impersonalului Brahman și a lui Paramātmā. Când omul este pe deplin purificat, el realizează că poziția sa constitutivă este aceea de etern slujitor al Domnului. Deci prin asocierea cu devoții puri, omul curios, cel năpăstuit, cel ce caută bunăstarea materială și cel ce a dobândit cunoașterea devin cu toții puri. Dar în stadiul pregătitor, omul care are cunoașterea desăvârșită a Domnului Suprem și în același timp săvârșește slujirea devoțională este foarte drag Domnului. Cel ce se situează în cunoașterea pură a transcendenței Personalității Supreme a Divinității este atât de ocrotit în slujirea devoțională, încât contaminarea materială nu îl poate atinge.

TEXTUL 18

उदाराः सर्व एवैते ज्ञानी त्वात्मैव मे मतम् ।
आस्थितः स हि युक्तात्मा मामेवानुत्तमां गतिम् ॥१८॥

udārāḥ sarva evaite
jñānī tv ātmaiva me matam
āsthitaḥ sa hi yuktātmā
mām evānuttamāṁ gatim

udārāḥ—mărinimoşi; *sarve*—toţi; *eva*—cu siguranţă; *ete*—aceştia; *jñānī*—cel ce posedă cunoaşterea; *tu*—dar; *ātmā eva*—întocmai ca pe Mine Însumi; *me*—a Mea; *matam*—părere; *āsthitaḥ*—situat; *saḥ*—el; *hi*—cu adevărat; *yukta-ātmā*—angajat în slujirea devoţională; *mām*—în Mine; *eva*—desigur; *anuttamām*—cea mai înaltă; *gatim*—destinaţie.

Toţi aceşti devoţi sunt desigur suflete nobile, dar pe acela care ajunge să Mă cunoască pe Mine, îl socotesc a fi întocmai ca Mine. Fiind angajat în slujirea Mea transcendentă, el este sigur că va ajunge la Mine, ţelul cel mai înalt şi mai desăvârşit.

COMENTARIU

Faptul că unii devoţi au o cunoaştere mai puţin desăvârşită nu înseamnă că ei nu sunt îndrăgiţi de Domnul. Domnul spune că toţi aceştia sunt plini de măreţie, căci oricine se apropie de Dumnezeu, în orice scop, este considerat un *mahātmā* sau suflet măreţ. Devoţii care urmăresc un anumit beneficiu din slujirea devoţională sunt primiţi de către Domnul, căci are loc un schimb afectiv. Din cauza acestei afecţiuni, ei Îi cer Domnului un anume beneficiu material, şi atunci când îl obţin sunt atât de mulţumiţi, încât progresează şi în slujirea devoţională. Dar devotul aflat în deplină cunoaştere este socotit a fi foarte îndrăgit de Dumnezeu, pentru că singurul său scop este slujirea Domnului Suprem cu iubire şi devoţiune. Un asemenea devot nu poate trăi nici măcar o clipă fără a fi în legătură cu Domnul Suprem sau fără a-L sluji. La fel şi Domnul Suprem este foarte atras de devoţii Săi şi nu se poate despărţi de ei. În *Śrīmad-Bhāgavatam* (9.4.68) Domnul spune:

sādhavo hṛdayaṁ mahyaṁ
sādhūnāṁ hṛdayaṁ tv aham
mad-anyat te na jānanti
nāhaṁ tebhyo manāg api

„Devoţii se află întotdeauna în inima Mea şi Eu sunt întotdeauna în inima devoţilor. Devoţii nu ştiu de nimic altceva decât de Mine, şi nici Eu nu-i pot uita pe devoţi. Există o legătură foarte intimă între Mine şi devoţii cei puri. Devoţii cei puri, având cunoaşterea desăvârşită, nu-şi întrerup niciodată contactul spiritual şi de aceea ei Îmi sunt foarte dragi."

TEXTUL 19

बहूनां जन्मनामन्ते ज्ञानवान्मां प्रपद्यते ।
वासुदेवः सर्वमिति स महात्मा सुदुर्लभः ॥१९॥

*bahūnāṁ janmanām ante
jñānavān māṁ prapadyate
vāsudevaḥ sarvam iti
sa mahātmā su-durlabhaḥ*

bahūnām—multe; *janmanām*—nașteri și morți repetate; *ante*—după; *jñāna-vān*—cel ce are cunoașterea desăvârșită; *mām*—la Mine; *prapadyate*—se predă; *vāsudevaḥ*—Personalitatea Divinității, Kṛṣṇa; *sarvam*—totul; *iti*—astfel; *saḥ*—acel; *mahā-ātmā*—suflet mare; *su-durlabhaḥ*—se vede foarte rar.

După multe nașteri și morți, cel ce a ajuns cu adevărat la cunoaștere Mi se predă Mie, cunoscându-Mă pe Mine ca fiind cauza tuturor cauzelor și tot ceea ce există. Un asemenea suflet măreț este extrem de rar.

COMENTARIU

După foarte multe nașteri și morți, prin îndeplinirea slujirii devoționale sau a ritualurilor transcendente entitatea vie poate ajunge cu adevărat la cunoașterea transcendentă și pură a faptului că Personalitatea Supremă a Divinității este țelul suprem al realizării spirituale. La începutul realizării spirituale, când omul încearcă să scape de atașamentele sale materialiste, apare o oarecare înclinație către impersonalism, dar când avansează ceva mai mult, omul poate înțelege că în viața spirituală există activități, și aceste activități constituie slujirea devoțională. Realizând aceasta, el se atașează de Personalitatea Supremă a Divinității și I se predă Lui. În acel moment omul înțelege că îndurarea lui Śrī Kṛṣṇa este totul și că El este cauza tuturor cauzelor, iar manifestarea materială nu este independentă de Kṛṣṇa. El realizează că lumea materială este o reflectare pervertită a varietății spirituale și realizează că în toate lucrurile există o legătură cu Domnul Suprem, Kṛṣṇa. Astfel, el socotește totul ca fiind în legătură cu Vāsudeva sau Śrī Kṛṣṇa. O asemenea viziune universală a lui Vāsudeva grăbește predarea deplină a omului către Domnul Suprem Śrī Kṛṣṇa, considerat a fi țelul suprem. Asemenea suflete mărețe și smerite sunt foarte rare.

Această strofă este foarte frumos explicată în capitolul al treilea (versetele 14-15) din *Śvetāśvatara Upaniṣad*:

sahasra-śīrṣā puruṣaḥ
sahasrākṣaḥ sahasra-pāt
sa bhūmiṁ viśvato vṛtvā-
tyātiṣṭhad daśāṅgulam

puruṣa evedaṁ sarvaṁ
yad bhūtaṁ yac ca bhavyam
utāmṛtatvasyeśāno
yad annenātirohati

În *Chāndogya Upaniṣad* (5.1.15) se spune: *na vai vāco na cakṣūṁṣi na śrotrāṇi na manāṁsīty ācakṣate prāṇa iti evācakṣate prāṇo hy evaitāni sarvāṇi bhavanti*— „Nici puterea de a vorbi, nici puterea de a vedea, nici puterea de a auzi, nici puterea de a gândi nu constituie factorul principal în corpul unei fiinţe; centrul tuturor activităţilor este viaţa." În mod similar, Śrī Vāsudeva sau Personalitatea Divinităţii, Domnul Śrī Kṛṣṇa, este entitatea primă în tot ce există. În corp există puterea de a vorbi, de a vedea, de a auzi, de a gândi etc., dar acestea sunt neînsemnate dacă nu sunt legate de Domnul Suprem. Şi întrucât Vāsudeva este atotpătrunzător, şi tot ceea ce există este Vāsudeva, devotul I se supune în deplină cunoaştere (vezi *Bhagavad-gītā* 7.17 şi 11.40).

TEXTUL 20

कामैस्तैस्तैर्हृतज्ञानाः प्रपद्यन्तेऽन्यदेवताः ।
तं तं नियममास्थाय प्रकृत्या नियताः स्वया ॥२०॥

kāmais tais tair hṛta-jñānāḥ
prapadyante 'nya-devatāḥ
taṁ taṁ niyamam āsthāya
prakṛtyā niyatāḥ svayā

kāmaiḥ—de către dorinţe; *taiḥ taiḥ*—de multe feluri; *hṛta*—lipsiţi de; *jñānāḥ*—cunoaştere; *prapadyante*—se predau; *anya*—altor; *devatāḥ*—semizei; *tam tam*—corespunzătoare acestora; *niyamam*—regulile; *āsthāya*—urmând; *prakṛtyā*—de către natura; *niyatāḥ*—controlaţi; *svayā*—de către cea care le este proprie.

Cei cu inteligența răpită de dorințele materiale se dăruiesc semizeilor și urmează legile și rânduielile particulare de adorare, conform cu propria lor natură.

COMENTARIU

Cei ce s-au eliberat de toate contaminările materiale se dăruiesc Domnului Suprem și se angajează în slujirea Sa devoțională. Atâta vreme cât contaminarea materială nu este complet curățată, prin însăși firea lor ei nu sunt încă devoți. Dar chiar și cei care au dorințe materiale și apelează la Domnul Suprem nu sunt atât de mult atrași de natura exterioară; deoarece se apropie de țelul adevărat, ei devin curând eliberați de toate poftele materiale. În *Śrīmad-Bhāgavatam* se recomandă ca atât cel care este un devot pur și eliberat de toate dorințele materiale, cât și cel plin de dorințe materiale sau cel care dorește eliberarea de contaminarea materială să se dăruiască lui Vāsudeva și să Îl adore. Așa cum se afirmă și în *Bhāgavatam* (2.3.10):

> *akāmaḥ sarva-kāmo vā*
> *mokṣa-kāma udāra-dhīḥ*
> *tīvreṇa bhakti-yogena*
> *yajeta puruṣaṁ param*

Oamenii mai puțin inteligenți, care și-au pierdut simțurile spirituale, își caută adăpost la semizei pentru îndeplinirea imediată a dorințelor materiale. În general, acești oameni nu se îndreaptă către Personalitatea Supremă a Divinității, pentru că ei țin de modurile inferioare ale naturii (adică ignoranța și pasiunea), și de aceea venerează feluriți semizei. Urmând legile și rânduielile ritualurilor, ei sunt satisfăcuți. Adoratorii semizeilor sunt conduși de dorințe mărunte și nu știu cum să ajungă la țelul suprem, dar un devot al Domnului Suprem nu se lasă înșelat. Deoarece în scrierile vedice se recomandă adorarea diferiților zei, în diferite scopuri (de exemplu, unui bolnav i se recomandă să adore soarele), cei ce nu sunt devoți ai Domnului cred că pentru anumite scopuri semizeii sunt mai potriviți decât Domnul Suprem. Dar un devot pur știe că Domnul Suprem Kṛṣṇa este stăpânitorul tuturor. În *Caitanya-caritāmṛta* (*Ādi* 5.142) se spune: *ekale īśvara kṛṣṇa, āra saba bhṛtya*—doar Personalitatea Supremă a Divinității, Kṛṣṇa, este stăpânul, iar toți ceilalți sunt servitori. De aceea, un devot nu se adresează niciodată semizeilor pentru satisfacerea nevoilor sale materiale. El depinde de Domnul Suprem. Iar un devot pur se mulțumește cu orice îi dă El.

TEXTUL 21

यो यो यां यां तनुं भक्तः श्रद्धयार्चितुमिच्छति ।
तस्य तस्याचलां श्रद्धां तामेव विदधाम्यहम् ॥२१॥

yo yo yāṁ yāṁ tanuṁ bhaktaḥ
śraddhayārcitum icchati
tasya tasyācalāṁ śraddhāṁ
tām eva vidadhāmy aham

yaḥ yaḥ—oricare ar fi aceea; *yām yām*—pe care; *tanum*—formă a unui semizeu; *bhaktaḥ*—devotul; *śraddhayā*—cu credință; *arcitum*—să slujească; *icchati*—dorește; *tasya tasya*—a sa; *acalām*—neclintită; *śraddhām*—credință; *tām*—pe aceea; *eva*—cu siguranță; *vidadhāmi*—i-o dau; *aham*—Eu.

Eu mă aflu în inima fiecăruia ca Suprasuflet. De îndată ce cineva dorește să adore un anumit semizeu, Eu sunt Cel care-i fac credința neclintită, spre a putea să se dedice acelei zeități particulare.

COMENTARIU

Dumnezeu a dat fiecăruia independență; de aceea, dacă o persoană dorește desfătări materiale și dorește cu sinceritate să obțină asemenea înlesniri de la semizeii din lumea materială, Domnul Suprem, în calitate de Suprasuflet situat în inima fiecăruia, înțelege acest lucru și ajută aceste persoane. Ca părinte suprem al tuturor ființelor, El nu stă în calea independenței lor, ci le dă toate înlesnirile, astfel încât să-și poată satisface dorințele materiale. Se poate pune întrebarea, de ce atotputernicul Dumnezeu înlesnește ființelor desfătările lumii materiale, lăsându-le astfel să cadă în capcana energiei iluzorii. Răspunsul este acela că, dacă Domnul Suprem în calitate de Suprasuflet nu dă oamenilor aceste înlesniri, atunci independența lor nu are nici un sens. De aceea, El dă fiecăruia independență deplină, indiferent ce ar dori, dar porunca Sa ultimă o găsim în *Bhagavad-gītā*: omul trebuie să se lepede de toate celelalte îndatoriri și să se predea cu totul Lui. Aceasta îl va face pe om fericit.

Atât entitățile vii cât și semizeii se subordonează voinței Personalității Supreme a Divinității; prin urmare, entitatea vie nu-i poate adora pe semizei după propria dorință, și nici semizeii nu pot da nici un fel de binecuvântare fără voința supremă. Așa cum s-a spus, nici măcar un fir de iarbă nu se mișcă fără voia Personalitatății Supreme a Divinitatății. În general, oamenii care suferă în lumea materială se adresează semizeilor, așa cum sunt sfătuiți în scrierile vedice. Cel ce dorește un anumit lucru, poate să venereze pe unul sau altul dintre semizei.

TEXTUL 22

स तया श्रद्धया युक्तस्तस्याराधनमीहते ।
लभते च ततः कामान्मयैव विहितान् हि तान् ॥२२॥

sa tayā śraddhayā yuktas
tasyārādhanam īhate
labhate ca tataḥ kāmān
mayaiva vihitān hi tān

saḥ—el; *tayā*—cu această; *śraddhayā*—credință inspirată; *yuktaḥ*—înzestrat; *tasya*—a acelui semizeu; *ārādhanam*—pentru venerarea; *īhate*—se străduiește; *labhate*—obține; *ca*—și; *tataḥ*—din aceasta; *kāmān*—cele dorite; *mayā*—de către Mine; *eva*—doar; *vihitān*—rânduite; *hi*—desigur; *tān*—acestea.

Înzestrat cu o asemenea credință, el se străduiește să adore un anume semizeu, obținând ceea ce dorește. Dar în realitate toate aceste binefaceri sunt dăruite doar de către Mine.

COMENTARIU

Semizeii nu pot acorda binecuvântări devoților lor fără îngăduința Domnului Suprem. Entitatea vie poate uita că totul este proprietatea Domnului Suprem, dar semizeii nu uită. Astfel, venerarea semizeilor și împlinirea rezultatelor dorite nu se datorează semizeilor, ci Personalitatății Supreme a Divinitatății, conform unor rânduieli bine stabilite. Entitatea vie mai puțin inteligentă nu știe acest lucru și de aceea se adresează semizeilor pentru anumite binefaceri. Însă devotul pur, atunci când are nevoie de ceva, se roagă doar Domnului Suprem. De fapt, cererea de binefaceri materiale nu este un semn de devoțiune pură. Entitatea vie se adresează de obicei semizeilor din cauza dorinței nebunești de a-și împlini poftele. Acest lucru se întâmplă când entitatea vie dorește ceva neîngăduit, iar Domnul Însuși nu îi împlinește dorința. În *Caitanya-caritāmṛta* se spune că dacă cineva Îl adoră pe Domnul Suprem și în același timp dorește desfătări materiale, dorințele sale se contrazic una pe alta. Slujirea devoțională a Domnului Suprem și venerarea unui semizeu nu se pot situa la același nivel, deoarece venerarea semizeilor este materială iar slujirea devoționată adusă Domnului Suprem este în întregime spirituală.

Pentru entitatea vie care dorește să se reîntoarcă la Dumnezeu, dorințele materiale sunt impedimente. De aceea unui devot pur al Domnului nu îi sunt acordate acele binefaceri materiale dorite de entitățile vii cu inteligență redusă, care deci preferă să-i venereze pe semizeii lumii materiale, mai degrabă decât să se angajeze în sujirea devoțională a Domnului Suprem.

TEXTUL 23

अन्तवत्तु फलं तेषां तद्भवत्यल्पमेधसाम् ।
देवान्देवयजो यान्ति मद्भक्ता यान्ति मामपि ॥२३॥

antavat tu phalaṁ teṣāṁ
tad bhavaty alpa-medhasām
devān deva-yajo yānti
mad-bhaktā yānti mām api

anta-vat—pieritor; *tu*—însă; *phalam*—fructul; *teṣām*—acestora; *tat*—acesta; *bhavati*—este; *alpa-medhasām*—al celor cu puțină inteligență; *devān*—la semizei; *deva-yajaḥ*—adoratorii semizeilor; *yānti*—se duc; *mat*—ai Mei; *bhaktāḥ*—devoți; *yānti*—merg; *mām*—la Mine; *api*—iarăși.

Cei puțin inteligenți îi adoră pe semizei, iar răsplata lor este limitată și temporară. Cei ce îi adoră pe semizei merg pe planetele semizeilor, dar devoții Mei ajung până la urmă pe planeta Mea supremă.

COMENTARIU

Unii comentatori ai *Bhagavad-gītei* spun că acela care venerează un semizeu poate ajunge la Domnul Suprem, dar aici este clar enunțat că adoratorii semizeilor ajung în diferitele sisteme planetare unde sunt situați feluriții semizei, așa cum adoratorul soarelui ajunge în soare sau adoratorul semizeului lunii ajunge pe lună. La fel și cel care dorește să venereze un alt semizeu, cum ar fi Indra, va putea ajunge pe planeta acelui semizeu. Nu este adevărat că oricine, indiferent ce semizeu venerează, ajunge la Personalitatea Supremă a Divinității. Acest lucru este respins aici, căci se afirmă clar că adoratorii semizeilor ajung pe diferite planete din lumea materială, dar devotul Domnului Suprem se duce direct pe planeta supremă a Personalitatăţii Divinităţii.

Se poate obiecta că, dacă semizeii sunt diferitele părţi ale corpului Domnului Suprem, atunci acelaşi scop se realizează şi prin venerarea lor. Cu toate acestea, adoratorii semizeilor sunt mai puţin inteligenţi, căci ei nu ştiu care din părţile corpului trebuie hrănită. Unii dintre ei sunt atât de smintiţi, încât afirmă că există mai multe părţi ce trebuie hrănite şi mai multe feluri de a hrăni. Acesta este un lucru lipsit de sens. Cine poate să-şi hrănească corpul prin ochi sau prin urechi? Ei nu ştiu că semizeii sunt doar diferitele părţi ale corpului universal al Domnului Suprem şi, în ignoranţa lor, ei cred că fiecare semizeu este un Dumnezeu separat şi rival al Domnului Suprem.

Nu numai semizeii sunt părţi ale Domnului Suprem, ci şi celelalte entităţi vii. În *Śrīmad-Bhāgavatam* se spune că brahmanii sunt capul Domnului Suprem, *kṣatriya* sunt braţele Sale, *vaiśya* sunt pieptul Său iar *śūdra* picioarele Sale, şi toţi aceştia au diferite funcţii. Cel care în orice împrejurare ştie că atât semizeii cât şi el însuşi sunt părţi integrante ale Domnului Suprem, cunoaşterea sa este desăvârşită. Dar cel ce nu înţelege acest lucru, obţine una din diferitele planete ale semizeilor, însă această destinaţie nu este aceeaşi cu a devoţilor.

Rezultatele obţinute prin binecuvântările semizeilor sunt pieritoare, căci în lumea materială toate sunt pieritoare, atât planetele, cât şi semizeii împreună cu adoratorii lor. Prin urmare, în această strofă se afirmă limpede că toate rezultatele obţinute prin venerarea semizeilor sunt pieritoare şi de aceea această venerare este îndeplinită de cele mai puţin inteligente entităţi vii. Întrucât devotul pur, angajat în slujirea devoţională a Domnului Suprem în conştiinţa de Kṛṣṇa dobândeşte o existenţă eternă, plină de beatitudine şi cunoaştere, realizările sale sunt diferite de cele ale adoratorilor obişnuiţi ai semizeilor. Domnul Suprem este fără de margini; binefacerile Sale sunt nemărginite; îndurarea Sa este nemărginită. Prin urmare, îndurarea Domnului Suprem faţă de devoţii Săi cei puri este şi ea nemărginită.

TEXTUL 24

अव्यक्तं व्यक्तिमापन्नं मन्यन्ते मामबुद्धयः ।
परं भावमजानन्तो ममाव्ययमनुत्तमम् ॥२४॥

avyaktaṁ vyaktim āpannaṁ
manyante mām abuddhayaḥ

param bhāvam ajānanto
mamāvyayam anuttamam

avyaktam—nemanifestat; *vyaktim*—personalitate; *āpannam*—dobândită; *manyante*—cred; *mām*—pe Mine; *abuddhayaḥ*—cei cu inteligenţă redusă; *param*—supremă; *bhāvam*—existenţa; *ajānantaḥ*—fără să cunoască; *mama* —a Mea; *avyayam*—nepieritoare; *anuttamam*—cea mai presus de toate.

Cei lipsiţi de inteligenţă, necunoscându-Mă în mod desăvârşit, socotesc că Eu, Personalitatea Supremă a Divinităţii, Kṛṣṇa, eram mai înainte impersonal, iar acum Mi-am asumat această personalitate. Din pricina cunoaşterii lor limitate, ei nu înţeleg natura Mea superioară, cea nepieritoare şi supremă.

COMENTARIU

Adoratorii semizeilor au fost descrişi ca persoane mai puţin inteligente şi la fel sunt descrişi aici şi impersonaliştii. Domnul Kṛṣṇa în forma Sa personală se află aici vorbind în faţa lui Arjuna, şi totuşi, datorită ignoranţei, impersonaliştii susţin că Domnul Suprem în aspectul Său ultim este lipsit de formă. Yāmunācārya, un mare devot al Domnului pe linia succesiunii disciplice ce porneşte de la Rāmānujācārya, a scris două strofe foarte potrivite în acest context. El spune:

tvāṁ śīla-rūpa-caritaiḥ parama-prakṛṣṭaiḥ
sattvena sāttvikatayā prabalaiś ca śāstraiḥ
prakhyāta-daiva-paramārtha-vidāṁ mataiś ca
naivāsura-prakṛtayaḥ prabhavanti boddhum

„O, Doamne, devoţii precum Vyāsadeva şi Nārada Te cunosc pe Tine ca Personalitatea Divinităţii. Prin înţelegerea diferitelor scrieri vedice, omul poate ajunge să cunoască caracteristicile Tale, forma Ta şi activităţile Tale, şi astfel poate să înţeleagă că Tu eşti Personalitatea Supremă a Divinităţii. Dar cei ce ţin de modurile pasiunii şi ignoranţei, demonii şi cei ce nu sunt devoţi, nu Te pot înţelege. Ei nu sunt în stare să Te înţeleagă pe Tine. Oricât ar fi de iscusiţi aceşti nedevoţi în discuţiile despre *Vedānta, Upaniṣade* şi alte scrieri vedice, ei nu au posibilitatea să înţeleagă Personalitatea Divinităţii" (*Stotra-ratna* 12).

În *Brahma-saṁhitā* se afirmă că Personalitatea Divinităţii nu poate fi înţeleasă doar prin studierea filozofiei *Vedānta*. Persoana Celui Suprem poate fi cunoscută doar prin îndurarea Domnului Suprem. De aceea, în această strofă se spune clar nu doar faptul că adoratorii semizeilor au o inteligență redusă, ci și că aceia care nu sunt devoți și se preocupă de *Vedānta* și de speculații asupra scrierilor vedice, fără să aibă nimic în comun cu conștiința de Kṛṣṇa, sunt și ei la fel de puțin inteligenți și nu sunt în stare să înțeleagă natura personală a lui Dumnezeu. Persoanele aflate sub impresia că Adevărul Absolut este impersonal sunt denumite *abuddhayaḥ*, ceea ce înseamnă cei ce nu cunosc aspectul ultim al Adevărului Absolut. În *Śrīmad-Bhāgavatam* se afirmă că realizarea supremă începe de la impersonalul Brahman și urcă la realizarea Suprasufletului localizat, dar expresia ultimă a Adevărului Absolut este Personalitatea Divinității. Impersonaliștii moderni sunt încă și mai puțin inteligenți, căci ei nici măcar nu-l urmează pe marele lor predecesor Śaṅkarācārya, care a afirmat în mod special că Kṛṣṇa este Personalitatea Supremă a Divinității. Impersonaliștii care nu cunosc Adevărul Suprem cred că Kṛṣṇa este doar fiul lui Devakī și al lui Vasudeva, ori un prinț sau o ființă foarte puternică. Acest lucru este și el condamnat în *Bhagavad-gītā* (9.11). *Avajānanti māṁ mūḍhā mānuṣīṁ tanum āśritam*: „Numai nebunii Mă privesc pe Mine ca pe un om obișnuit."

În realitate, nimeni nu-L poate înțelege pe Kṛṣṇa fără a practica slujirea devoțională șa fără a-și dezvolta conștiința de Kṛṣṇa. În *Bhāgavatam* (10.14.29) se confirmă acest lucru:

> *athāpi te deva padāmbuja-dvaya-*
> *prasāda-leśānugṛhīta eva hi*
> *jānāti tattvaṁ bhagavan mahimno*
> *na cānya eko 'pi ciraṁ vicinvan*

„O, Doamne, cel ce are norocul de a fi dăruit fie și cu cea mai mică urmă a îndurării picioarelor Tale de lotus, poate înțelege măreția personalității Tale. Dar cei ce fac tot felul de speculații pentru a înțelege Personalitatea Supremă a Divinității nu sunt în stare să Te cunoască pe Tine, chiar dacă ar continua să studieze *Vedele* o mulțime de ani." Omul nu poate înțelege pe Kṛṣṇa, Personalitatea Supremă a Divinității, ori forma Sa, calitățile Sale sau numele Său prin speculație mentală sau prin discutarea scrierilor vedice. El trebuie să fie înțeles prin slujire devoțională. Atunci când omul se angajează pe deplin în conștiința de Kṛṣṇa, începând să cânte *mahā-mantra*—Hare Kṛṣṇa, Hare Kṛṣṇa, Kṛṣṇa Kṛṣṇa, Hare Hare/ Hare Rāma, Hare Rāma, Rāma Rāma, Hare Hare—doar atunci poate să înțeleagă Personalitatea Supremă a Divinității. Impersonaliștii nedevoți cred că Kṛṣṇa are un corp alcătuit de natura materială și că toate activitățile Sale, forma Sa și toate lucrurile sunt doar *māyā*. Acești impersonaliști sunt cunoscuți ca *māyāvādī*. Ei nu cunosc adevărul ultim.

În versetul douăzeci se spune în mod limpede *kāmais tais tair hṛta-jñānāḥ prapadyante 'nya-devatāḥ*: „Cei ce sunt orbiți de dorințe arzătoare se dedică diferiților semizei". Se acceptă faptul că în afară de Personalitatea Supremă a Divinității există semizei care stăpânesc diferite planete, iar Domnul are și El planeta Sa. Aşa cum se spune în versetul 23, *devān deva-yajo yānti mad-bhaktā yānti mām api*: adoratorii semizeilor ajung pe diferitele planete ale semizeilor, iar cei ce sunt devoții lui Śrī Kṛṣṇa ajung pe planeta Kṛṣṇaloka. Deşi afirmația este clară, impersonaliştii smintiți susțin totuşi că Dumnezeu este fără formă și că aceste forme sunt doar nişte lucruri impuse din afară. Oare din studiul *Gītei* se vădeşte că semizeii şi sălaşurile lor sunt impersonale? Cu siguranță că nici semizeii şi nici Kṛṣṇa, Personalitatea Supremă a Divinității, nu sunt impersonali. Ei sunt cu toții persoane; Śrī Kṛṣṇa este Personalitatea Supremă a Divinității şi are propria Sa planetă, aşa cum şi semizeii le au pe ale lor.

Prin urmare, concepția monistă care susține că adevărul ultim este fără formă şi că forma este ceva impus, nu se poate susține. Aici se afirmă limpede că forma nu este impusă. Din *Bhagavad-gītā* putem înțelege cu claritate că formele semizeilor şi forma Domnului Suprem există simultan şi că Śrī Kṛṣṇa este *sac-cid-ānanda*, eterna cunoaştere plină de beatitudine. *Vedele* confirmă şi ele că Adevărul Absolut Suprem este *ānanda-mayo 'bhyāsāt* sau plin de plăcerea beatitudinii prin însăşi natura Sa, şi că El este rezervorul nelimitat al calităților favorabile. Iar în *Gītā* Domnul spune că deşi El este *aja* (nenăscut), El totuşi apare. Acestea sunt lucrurile evidente ce trebuie înțelese din *Bhagavad-gītā*. Nu putem să înțelegem cum anume poate Personalitatea Supremă a Divinității să fie impersonală; teoria impoziției a moniştilor impersonaliști este falsă în ce priveşte afirmațiile din *Gītā*. Aici se vede clar că Adevărul Absolut Suprem, Śrī Kṛṣṇa, are şi formă, şi personalitate.

TEXTUL 25

नाहं प्रकाशः सर्वस्य योगमायासमावृतः ।
मूढोऽयं नाभिजानाति लोको मामजमव्ययम् ॥२५॥

nāhaṁ prakāśaḥ sarvasya
yoga-māyā-samāvṛtaḥ
mūḍho 'yaṁ nābhijānāti
loko mām ajam avyayam

na—nici; *aham*—Eu; *prakāśaḥ*—manifest; *sarvasya*—pentru oricine; *yoga-māyā*—prin puterea internă; *samāvṛtaḥ*—acoperit; *mūḍhaḥ*—cel smintit; *ayam*—acestea; *na*—nu; *abhijānāti*—poate înțelege; *lokaḥ*—oamenii; *mām*—pe Mine; *ajam*—nenăscut; *avyayam*—inepuizabil.

Eu nu Mă manifest niciodată celor nechibzuiți și fără inteligență. Pentru aceștia Eu rămân ascuns de puterea Mea internă, și de aceea ei nu știu că Eu sunt nenăscut și infailibil.

COMENTARIU

Se poate face următoarea obiecție: dacă Kṛṣṇa a fost prezent pe acest pământ și a fost văzut de toată lumea, atunci de ce nu se mai manifestă și acum tuturor? Însă în realitate El nu S-a manifestat față de toată lumea. Când Kṛṣṇa era prezent, doar foarte puțini din oamenii de acolo Îl puteau înțelege ca fiind Personalitatea Supremă a Divinității. În adunarea neamului Kuru, când Śiśupala se împotrivea alegerii lui Kṛṣṇa ca să prezideze adunarea, Bhīṣma L-a susținut, proclamându-L ca fiind Dumnezeul Suprem. La fel, frații Pāṇḍava și încă câțiva știau că El este Supremul, dar nu oricine știa aceasta. El nu era revelat față de nedevoți și de oamenii de rând. De aceea Kṛṣṇa spune în *Bhagavad-gītā* că, în afară de devoții Săi, toți ceilalți oameni Îl socotesc a fi la fel ca ei. El se manifestase doar devoților Săi ca sălaș al tuturor plăcerilor. Dar față de alții, față de nedevoții lipsiți de inteligență, El a rămas ascuns de puterea Sa internă.

În rugăciunea reginei Kuntī din *Śrīmad-Bhāgavatam* (1.8.19) se spune că Domnul este ascuns de vălul lui *yoga-māyā* și astfel oamenii obișnuiți nu Îl pot înțelege. Existența acestui văl numit *yoga-māyā* este confirmată și în *Īśopaniṣad* (*mantra* 15), în care devotul se roagă:

> *hiraṇmayena pātreṇa*
> *satyasyāpihitaṁ mukham*
> *tat tvaṁ pūṣann apāvṛṇu*
> *satya-dharmāya dṛṣṭaye*

„O, Stăpâne, Tu ești susținătorul întregului univers iar slujirea Ta devoțională este cel mai înalt principiu religios. De aceea mă rog Ție să binevoiești a mă susține și pe mine. Forma Ta transcendentă este acoperită de *yoga-māyā*. *Brahmajyoti* este învelișul puterii interne. Rogu-te să ai bunătatea de a da la o parte această strălucire orbitoare ce mă împiedică a-Ți zări *sac-cid-ānanda-vigraha*, forma Ta cea eternă de beatitudine și cunoaștere." Personalitatea

Supremă a Divinității în forma Sa transcendentă de beatitudine și cunoaștere este învăluită de puterea internă a lui *brahmajyoti* iar impersonaliștii cei fără de minte nu-L pot vedea din această cauză pe Cel Suprem. La fel și în *Śrīmad-Bhāgavatam* (10.14.7) există această rugăciune a lui Brahmā: „O, Personalitate Supremă a Divinității, o, Suprasuflet, o, Stăpân al tuturor tainelor, cine Îți poate socoti puterea și petrecerile în această lume? Tu Îți răspândești necontenit puterea Ta internă și de aceea nimeni nu poate să Te înțeleagă. Savanții și învățații erudiți pot analiza alcătuirea atomică a lumii materiale și chiar planetele, dar nu sunt în stare să-Ți calculeze energia și puterea Ta, deși Tu ești mereu prezent înaintea lor." Personalitatea Supremă a Divinității, Śrī Kṛṣṇa, nu este numai nenăscut, ci și inepuizabil. Eterna Sa formă este beatitudine și cunoaștere iar energiile Sale sunt inepuizabile.

TEXTUL 26

वेदाहं समतीतानि वर्तमानानि चार्जुन ।
भविष्याणि च भूतानि मां तु वेद न कश्चन ॥२६॥

vedāhaṁ samatītāni
vartamānāni cārjuna
bhaviṣyāṇi ca bhūtāni
māṁ tu veda na kaścana

veda—știu; *aham*—Eu; *samatītāni*—cele definitiv trecute; *vartamānāni*—cele prezente; *ca*—și; *arjuna*—o, Arjuna; *bhaviṣyāṇi*—cele viitoare; *ca*—ca și; *bhūtāni*—toate entitățile vii; *mām*—pe Mine; *tu*—dar; *veda*—cunoaște; *na*—nu; *kaścana*—cineva.

O, Arjuna, ca și Personalitate Supremă a Divinității, cunosc toate cele întâmplate în trecut, tot ceea ce se întâmplă în prezent și toate cele ce vor veni. Eu cunosc de asemenea toate entitățile vii, dar pe Mine nu Mă cunoaște nimeni.

COMENTARIU

În această strofă se elucidează problema personalității și impersonalității. Dacă Kṛṣṇa, Personalitatea Supremă a Divinității, ar fi *māyā*, material, așa cum Îl socotesc impersonaliștii, atunci, la fel ca o entitate vie, Și-ar schimba corpul, uitând totul despre viața Sa trecută. Nimeni din cei ce au un corp material nu își poate aduce aminte viața sa trecută și nici nu poate spune dinainte care îi va fi viața viitoare, așa cum nici nu poate prevedea desfășurarea viitoare a vieții sale prezente; prin urmare, el nu poate ști cele ce au loc în trecut, în prezent ori în viitor. Până ce omul nu se eliberează de contaminarea materială, el nu poate să cunoască trecutul, prezentul și viitorul.

Spre deosebire de ființele umane obișnuite, Śrī Kṛṣṇa spune clar că El cunoaște în întregime ceea ce s-a întâmplat în trecut, ceea ce se întâmplă în prezent și ceea ce se va întâmpla în viitor. În capitolul al patrulea am văzut că Domnul Kṛṣṇa Își amintește cum l-a învățat pe Vivasvān, zeul-soare, în urmă cu milioane de ani. Kṛṣṇa cunoaște orice entitate vie, căci, în calitate de Suprasuflet, El este situat în inima fiecărei entități vii. Dar în ciuda prezenței Sale în fiecare entitate vie ca Suprasuflet și a prezenței Sale ca Persoană Supremă a lui Dumnezeu, cei cu inteligență limitată, chiar dacă reușesc să realizeze impersonalul Brahman, nu-L pot realiza pe Śrī Kṛṣṇa ca Persoană Supremă. Cu siguranță că corpul transcendent al lui Śrī Kṛṣṇa nu este perisabil. El este precum soarele, iar *māyā* este ca un nor. În lumea materială putem vedea că există soare, nori, diferite stele și planete. Norii pot acoperi temporar cerul cu toate aceste corpuri cerești, dar această acoperire este doar o aparență datorată viziunii noastre limitate. Soarele, luna și stelele nu sunt cu adevărat acoperite. La fel și *māyā* nu Îl poate acoperi pe Domnul Suprem. Datorită puterii Sale interne, El nu apare în chip manifest oamenilor cu inteligență limitată. Așa cum s-a afirmat în versetul al treilea din acest capitol, dintre milioane și milioane de oameni doar câțiva încearcă să ajungă la perfecțiune în această formă de viață umană, iar dintre mii și mii de astfel de oameni perfecți, abia unul poate înțelege ce este Domnul Kṛṣṇa. Chiar dacă un om ajunge la perfecțiune prin realizarea impersonalului Brahman sau a aspectului localizat Paramātmā, el nu are posibilitatea să înțeleagă Personalitatea Supremă a Divinității, Śrī Kṛṣṇa, fără să fie situat în conștiința de Kṛṣṇa.

TEXTUL 27

इच्छाद्वेषसमुत्थेन द्वन्द्वमोहेन भारत ।
सर्वभूतानि सम्मोहं सर्गे यान्ति परन्तप ॥२७॥

icchā-dveṣa-samutthena
dvandva-mohena bhārata
sarva-bhūtāni sammohaṁ
sarge yānti parantapa

icchā—dorință; *dveṣa*—și ură; *samutthena*—apărute din; *dvandva*—duali-tății; *mohena*—de iluzia; *bhārata*—o, vlăstar al lui Bharata; *sarva*—toate; *bhūtāni*—ființele; *sammoham*—în amăgire; *sarge*—atunci când se nasc; *yānti* —se duc; *parantapa*—o, tu cel ce-ți înfrângi vrăjmașii.

O, vlăstar al lui Bharata, tu cel care-ți înfrângi vrăjmașii, toate ființele se nasc în iluzie, tulburate de dualitatea născută din dorință și ură.

COMENTARIU

Adevărata poziție constitutivă a entității vii este cea de subordonare față de Domnul Suprem care este cunoaștere pură. Cel ce este iluzionat să se separe de această cunoaștere pură, ajunge să fie stăpânit de energia iluzorie și nu mai poate înțelege Personalitatea Supremă a Divinității. Energia iluzorie se mani-festă în dualitatea dorinței și urii. Datorită dorinței și urii, omul ignorant vrea să devină una cu Domnul Suprem și Îl invidiază pe Kṛṣṇa în calitatea Sa de Personalitatea Supremă a Divinității. Devoții cei puri, care nu sunt ilu-zionați sau contaminați de dorință și ură, pot înțelege că Domnul Śrī Kṛṣṇa apare prin puterile sale interne, dar cei ce sunt amăgiți de dualitate și neștiință cred că Personalitatea Supremă a Divinității este creată de energiile materiale. Aceasta este nenorocirea lor. Acești oameni iluzionați, în mod semnificativ își duc viața în dualitatea onoarei și dezonoarei, fericirii și nefericirii, femeii și bărbatului, binelui și răului, plăcerii și durerii etc., gândind: „Aceasta este soția mea, aceasta este casa mea; eu sunt stăpânul acestei case, eu sunt soțul acestei soții". Acestea sunt dualitățile amăgirii. Cei ce sunt astfel amăgiți de dualități sunt cu totul smintiți, și de aceea nu pot să înțeleagă Personalitatea Supremă a Divinității.

TEXTUL 28

येषां त्वन्तगतं पापं जनानां पुण्यकर्मणाम् ।
ते द्वन्द्वमोहनिर्मुक्ता भजन्ते मां दृढव्रताः ॥२८॥

yeṣāṁ tv anta-gataṁ pāpaṁ
janānāṁ puṇya-karmaṇām
te dvandva-moha-nirmuktā
bhajante māṁ dṛḍha-vratāḥ

yeṣām—al căror; *tu*—însă; *anta-gatam*—șters cu totul; *pāpam*—păcat; *janānām*—al persoanelor; *puṇya*—pioase; *karmaṇām*—ale căror activități anterioare; *te*—aceștia; *dvandva*—dualității; *moha*—amăgirea; *nirmuktāḥ*— eliberați de; *bhajante*—se angajează în slujirea devoțională; *mām*—față de Mine; *dṛḍha-vratāḥ*—cu hotărâre fermă.

Cei care atât în viețile precedente cât și în aceasta au îndeplinit activi-tăți pioase, și ale căror păcate au fost cu totul șterse, au scăpat de dua-litățile iluziei și se dedică slujirii Mele cu multă hotărâre.

COMENTARIU

În această strofă sunt menționați cei ce merită să fie înălțați la nivel trans-cendent. Este foarte dificil pentru cei păcătoși, atei, smintiți sau înșelători să devină transcendenți dualității dorinței și urii. Doar cei ce și-au petrecut viața practicând principiile regulatoare ale religiei, care au îndeplinit activi-tăți pioase și și-au înfrânat pornirile păcătoase pot să primească slujirea devo-țională și să se ridice treptat la cunoașterea pură a Personalitații Supreme a Divinității. Apoi treptat, aceștia vor putea să mediteze în extaz asupra Perso-nalității Supreme a Divinității. Acesta este procesul ajungerii la nivelul spiri-tual. Această înălțare este posibilă în conștiința de Kṛṣṇa, în asociere cu devo-ții cei puri, căci prin asocierea cu marii devoți omul poate fi eliberat de iluzie.

În *Śrīmad-Bhāgavatam* (5.5.2) se spune că acela care dorește cu adevărat eli-berarea trebuie să-i slujească pe devoți (*mahat-sevāṁ dvāram āhur vimukteḥ*); dar acela care se întovărășește cu oamenii materialiști se află pe calea ce duce către cel mai întunecat ținut al existenței (*tamo-dvāraṁ yoṣitāṁ saṅgi-saṅgam*). Toți devoții Domnului trec prin lume pentru a izbăvi sufletele con-diționate din iluzia în care se află. Impersonaliștii nu știu că a-ți uita poziția constitutivă de supus al Domnului Suprem este cea mai mare încălcare a legii lui Dumnezeu. Până când omul nu se restabilește în poziția sa constitutivă, nu poate să înțeleagă Persoana Supremă sau să se angajeze pe deplin și cu hotărâre în slujirea Sa cu iubire transcendentă.

TEXTUL 29

जरामरणमोक्षाय मामाश्रित्य यतन्ति ये ।
ते ब्रह्म तद्विदुः कृत्स्नमध्यात्मं कर्म चाखिलम् ॥२९॥

jarā-maraṇa-mokṣāya
mām āśritya yatanti ye
te brahma tad viduḥ kṛtsnam
adhyātmaṁ karma cākhilam

jarā—de bătrâneţe; *maraṇa*—şi moarte; *mokṣāya*—în scopul eliberării; *mām* —pe Mine; *āśritya*—luându-Mă drept refugiu; *yatanti*—se străduiesc; *ye*— toţi cei care; *te*—acele persoane; *brahma*—Brahman; *tat*—cu adevărat aceasta; *viduḥ*—ei cunosc; *kṛtsnam*—orice; *adhyātmam*—transcendente; *karma* —activităţi; *ca*—şi; *akhilam*—în întregime.

Oamenii inteligenţi care se străduiesc pentru eliberarea de bătrâneţe şi moarte îşi iau adăpost în Mine prin slujire devoţională. Aceştia sunt cu adevărat Brahman, căci ei ştiu totul despre activităţile transcendente.

COMENTARIU

Naşterea, moartea, bătrâneţea şi boala afectează corpul material, dar nu şi pe cel spiritual. Pentru corpul spiritual nu există naştere, moarte, bătrâneţe sau boală, astfel încât cel ce dobândeşte un corp spiritual şi devine unul din asociaţii Personalitatăţii Supreme a Divinităţii, angajându-se în slujirea devoţională eternă, este cu adevărat eliberat. *Ahaṁ brahmāsmi*: eu sunt spirit. În scripturi se spune că omul trebuie să înţeleagă că el este Brahman, suflet spiritual. Această concepţie a existenţei ca Brahman face şi ea parte din slujirea devoţională, aşa cum se descrie în această strofă. Devoţii puri sunt situaţi în mod transcendent la nivelul lui Brahman şi cunosc totul despre activităţile transcendente.

Cele patru categorii de devoţi impuri care se angajează în slujirea transcendentă a Domnului îşi îndeplinesc ţelurile pe care şi le-au propus şi, prin graţia Domnului Suprem, când ajung să fie pe deplin conştienţi de Kṛṣṇa se bucură cu adevărat de asocierea cu Domnul Suprem. Dar cei care îi venerează pe semizei nu ajung niciodată la Domnul Suprem pe planeta Sa supremă. Chiar şi cei ce au realizat pe Brahman, consideraţi a avea o inteligenţă limitată, nu pot atinge planeta supremă a lui Kṛṣṇa, cunoscută ca Goloka Vṛndāvana. Numai persoanele care săvârşesc activităţi în conştiinţa de Kṛṣṇa (*mām āśritya*) merită cu adevărat să fie considerate ca Brahman, căci se străduiesc efectiv să ajungă pe planeta lui Kṛṣṇa. Aceste persoane nu au îndoieli asupra lui Kṛṣṇa, şi astfel sunt cu adevărat Brahman.

Cei ce se angajează în adorarea formei sau *arcā* Domnului, sau cei care meditează asupra Domnului doar pentru a obține eliberarea de legăturile materiale, prin grația lui Dumnezeu ajung și ei să cunoască semnificațiile lui Brahman, *adhibhūta* etc., așa cum explică Domnul în capitolul următor.

TEXTUL 30

साधिभूताधिदैवं मां साधियज्ञं च ये विदुः ।
प्रयाणकालेऽपि च मां ते विदुर्युक्तचेतसः ॥३०॥

sādhibhūtādhidaivaṁ māṁ
sādhiyajñaṁ ca ye viduḥ
prayāṇa-kāle 'pi ca māṁ
te vidur yukta-cetasaḥ

sa-adhibhūta—ca principiu care guvernează manifestarea materială; *adhidaivam*—care guvernează peste toți semizeii; *mām*—pe Mine; *sa-adhiyajñam*—cel ce guvernează toate sacrificiile; *ca*—și ; *ye*—cei care; *viduḥ*—cunosc; *prayāṇa*—a morții; *kāle*—la vremea; *api*—chiar; *ca*—și; *mām*—pe Mine; *te*—ei; *viduḥ*—cunosc; *yukta-cetasaḥ*—cu mințile concentrate în Mine.

Cei ce sunt pe deplin conștienți de Mine și care Mă cunosc pe Mine, Domnul Suprem, ca principiu ce guvernează peste manifestarea materială, peste semizei și peste toate metodele de sacrificiu, pot să Mă cunoască și să Mă înțeleagă pe Mine, Personalitatea Supremă a Divinității, chiar și în clipa morții.

COMENTARIU

Cei ce activează în conștiința de Kṛṣṇa nu sunt niciodată abătuți de la calea înțelegerii depline a Personalității Supreme a Divinității. În asocierea spirituală a conștiinței de Kṛṣṇa omul poate înțelege felul în care Domnul Suprem este principiul ce guvernează manifestarea materială și chiar pe semizei. Treptat, prin această asociere spirituală, omul devine convins de Personalitatea Supremă a Divinității și în momentul morții acest om conștient de Kṛṣṇa nu mai poate nicidecum să-L uite pe Kṛṣṇa. Astfel, în mod firesc, el va fi înălțat pe planeta Domnului Suprem, Goloka Vṛndāvana.

Acest al şaptelea capitol explică în special felul în care omul poate deveni o persoană pe deplin conştientă de Kṛṣṇa. Începutul conştiinţei de Kṛṣṇa este asocierea cu persoane care sunt conştiente de Kṛṣṇa. O asemenea asociere este spirituală şi îl pune pe om în legătură cu Domnul Suprem, iar prin graţia Lui omul poate să-L înţeleagă pe Kṛṣṇa ca fiind Personalitatea Supremă a Divinităţii. În acelaşi timp, omul poate să înţeleagă în mod real poziţia constitutivă a entităţii vii şi felul în care entitatea vie Îl uită pe Kṛṣṇa şi devine captivată de activităţile materiale. Prin dezvoltarea treptată a conştiinţei de Kṛṣṇa într-o asociere benefică, omul poate să înţeleagă că datorită uitării lui Kṛṣṇa a ajuns să fie condiţiont de legile naturii materiale. De asemenea, el poate să înţeleagă că această formă de viaţă umană este un prilej de a recâştiga conştiinţa de Kṛṣṇa şi că trebuie să-l folosească pe deplin pentru a dobândi îndurarea cea fără de cauză a Domnului Suprem.

În acest capitol au fost discutate multe subiecte: omul în suferinţă, omul curios, omul care caută bunuri materiale, cunoaşterea lui Brahman, cunoaşterea lui Paramātmā, eliberarea de naştere, moarte şi boală şi adorarea Domnului Suprem. Cu toate acestea, cel ce s-a ridicat cu adevărat la conştiinţa de Kṛṣṇa nu trebuie să se mai preocupe de toate aceste procese diferite. El se angajează doar în activităţile ce ţin de conştiinţa de Kṛṣṇa şi prin aceasta atinge efectiv poziţia sa constitutivă de etern slujitor al Domnului Kṛṣṇa. În această stare el se desfată ascultând şi slăvind pe Domnul Suprem în pură slujire devoţională. El este încredinţat că făcând astfel, toate ţelurile sale vor fi împlinite. Această credinţă neclintită este numită *dṛḍha-vrata* şi este începutul sistemului *bhakti-yoga*, slujirea cu iubire transcendentă. Acesta este verdictul tuturor scripturilor. Acest al şaptelea capitol din *Bhagavad-gītā* este temeiul acestei convingeri.

Astfel sfârşeşte comentariul lui Bhaktivedanta la capitolul al şaptelea din Śrīmad Bhagavad-gītā, care tratează despre „Cunoaşterea Absolutului".

Atingerea Supremului

TEXTUL 1

अर्जुन उवाच
किं तद् ब्रह्म किमध्यात्मं किं कर्म पुरुषोत्तम ।
अधिभूतं च किं प्रोक्तमधिदैवं किमुच्यते ॥ १ ॥

arjuna uvāca
kiṁ tad brahma kim adhyātmaṁ
kiṁ karma puruṣottama
adhibhūtaṁ ca kiṁ proktam
adhidaivaṁ kim ucyate

arjunaḥ uvāca—Arjuna a spus; *kim*—ce; *tat*—acest; *brahma*—Brahman;
kim—ce; *adhyātmam*—sinele; *kim*—ce; *karma*—activitățile fructuoase;

puruṣa-uttama—o, Persoană Supremă; *adhibhūtam*—manifestarea materială; *ca*—şi; *kim*—ce; *proktam*—se numeşte; *adhidaivam*—semizei; *kim*—ce; *ucyate*—se cheamă.

Arjuna a întrebat: O, Domn al meu, o, Persoană Supremă, ce este Brahman? Ce este sinele? Ce sunt activitățile fructuoase? Ce este această manifestare materială? Şi ce anume sunt semizeii? Te rog explică-mi toate acestea.

COMENTARIU

În acest capitol Śrī Kṛṣṇa răspunde diferitelor întrebări ale lui Arjuna, începând cu „Ce este Brahman?". Domnul explică de asemenea *karma* (activitățile fructuoase), slujirea devoțională şi principiile yogāi, ca şi slujirea devoțională în forma ei pură. *Śrīmad-Bhāgavatam* explică faptul că Adevărul Absolut Suprem este cunoscut ca Brahman, Paramātmā şi Bhagavān. În plus, entitatea vie, sufletul individual este de asemenea numit Brahman. Arjuna mai întreabă şi despre *ātmā* care se referă la corp, suflet şi minte. Conform glosarului vedic, *ātmā* se referă la minte, suflet, corp şi de asemenea la simțuri. Arjuna s-a adresat Domnului Suprem cu numele de Puruṣottama, Persoană Supremă, ceea ce înseamnă că el nu pune aceste întrebări doar unui simplu prieten, ci Persoanei Supreme, recunoscându-L pe El ca autoritatea supremă capabilă să dea răspunsuri definitive.

TEXTUL 2

अधियज्ञः कथं कोऽत्र देहेऽस्मिन्मधुसूदन ।
प्रयाणकाले च कथं ज्ञेयोऽसि नियतात्मभिः ॥ २॥

adhiyajñaḥ katham ko 'tra
dehe 'smin madhusūdana
prayāṇa-kāle ca katham
jñeyo 'si niyatātmabhiḥ

adhiyajñaḥ—Domnul sacrificiului; *katham*—cum; *kaḥ*—cine; *atra*—aici; *dehe*—în corpul; *asmin*—acesta; *madhusūdana*—o, Madhusūdana; *prayāṇa-*

kāle—la vremea morții; *ca*—și; *katham*—cum; *jñeyaḥ asi*—poți Tu să fii cunoscut; *niyata-ātmabhiḥ*—de către cel ajuns la stăpânirea de sine.

Cine este Domnul sacrificiului și cum trăiește El înăuntrul corpului, o, Madhusūdana? Și cum pot cei ce sunt angajați în slujirea devoțională să Te cunoască în clipa morții?

COMENTARIU

„Domnul sacrificiului" se poate referi fie la Indra, fie la Viṣṇu. Viṣṇu este căpetenia zeilor principali, incluzând pe Brahmā și Śiva, iar Indra este căpetenia zeilor ce administrează lumea. Atât Indra cât și Viṣṇu sunt adorați prin îndeplinirea de *yajña*. Însă aici Arjuna întreabă cine este de fapt Domnul lui *yajña* (sacrificiu) și cum sălășluiește Domnul în corpul entității vii.

Arjuna se adresează Domnului ca Madhusūdana, pentru că odată Kṛṣṇa ucisese un demon numit Madhu. De fapt, aceste întrebări de natura unor îndoieli nu ar fi trebuit să apară în mintea lui Arjuna, căci Arjuna este un devot conștient de Kṛṣṇa. De aceea, aceste îndoieli sunt ca niște demoni. Deoarece Kṛṣṇa este atât de iscusit în a ucide demonii, Arjuna I se adresează aici cu Madhusūdana, astfel ca Kṛṣṇa să poată ucide îndoielile demonice ce apar în mintea lui Arjuna.

Cuvântul *prayāṇa-kāle* din această strofă este foarte semnificativ, căci tot ceea ce facem în viață va fi pus la încercare în momentul morții. Arjuna este foarte nerăbdător să afle despre cei ce sunt permanent angajați în conștiința de Kṛṣṇa. Care trebuie să fie atitudinea lor în clipa cea de pe urmă? În momentul morții toate funcțiile corpului se întrerup iar mintea nu este într-o stare favorabilă. Fiind tulburat de starea corporală, omul poată să nu fie în stare să-și aducă aminte de Domnul Suprem. Mahārāja Kulaśekhara, un mare devot, se roagă astfel: „O, Stăpâne iubit, acum sunt pe deplin sănătos și este mai bine să mor de îndată, astfel ca lebăda minții mele să-și poată afla drumul către tulpina lotusului picioarelor Tale." Această metaforă este folosită aici pentru că lebăda, care este o pasăre de apă, preferă să se bage printre florile de lotus; distracția sa favorită este aceea de a intra printre florile de lotus. Mahārāja Kulaśekhara Îi spune Domnului: „Acum mintea mea nu este tulburată și sunt cu totul sănătos. Dacă mor de îndată gândindu-mă la lotusul picioarelor Tale, voi fi sigur că împlinirea slujirii devoționale față de Tine își va atinge desăvârșirea. Dar dacă trebuie să aștept moartea mea firească, atunci nu știu ce se va întâmpla, pentru că în acel moment funcțiile corpului se vor întrerupe, gâtul mi se va sufoca şi nu ştiu dacă voi fi în stare să cânt numele Tău. Mai bine lasă-mă să mor de îndată." Arjuna întreabă deci cum poate cineva să-şi fixeze mintea asupra picioarelor de lotus ale lui Kṛṣṇa în acel moment.

TEXTUL 3

श्रीभगवानुवाच
अक्षरं ब्रह्म परमं स्वभावोऽध्यात्ममुच्यते ।
भूतभावोद्भवकरो विसर्गः कर्मसंज्ञितः ॥ ३ ॥

śrī-bhagavān uvāca
akṣaraṁ brahma paramaṁ
svabhāvo 'dhyātmam ucyate
bhūta-bhāvodbhava-karo
visargaḥ karma-saṁjñitaḥ

śrī-bhagavān uvāca—Personalitatea Supremă a Divinităţii a spus; *akṣaram*—indestructibil; *brahma*—Brahman; *paramam*—transcendent; *svabhāvaḥ*—natura eternă; *adhyātmam*—sine; *ucyate*—se numeşte; *bhūta-bhāva-udbhava-karaḥ*—care produce corpurile materiale ale fiinţelor; *visargaḥ*—creaţia; *karma*—activitatea fructuoasă; *saṁjñitaḥ*—se numeşte.

Personalitatea Supremă a Divinităţii a spus: Entitatea vie transcendentă şi indestructibilă se numeşte Brahman, iar natura sa eternă este numită adhyātma sau sinele. Acţiunea care ţine de dezvoltarea corpurilor materiale ale fiinţelor este numită karma, sau activitatea fructuoasă.

COMENTARIU

Brahman este indestructibil şi veşnic existent iar alcătuirea sa nu se modifică niciodată. Dar dincolo de Brahman se află Parabrahman. Brahman se referă la entitatea vie iar Parabrahman la Personalitatea Supremă a Divinităţii. Poziţia constitutivă a entităţii vii diferă de poziţia pe care ea şi-o asumă în lumea materială. În cadrul conştiinţei materiale, natura sa este aceea de a încerca să fie stăpânul materiei, dar în conştiinţa spirituală, conştiinţa de Kṛṣṇa, poziţia sa este aceea de slujitor al Celui Suprem. Când entitatea vie se află în domeniul conştiinţei materiale, ea este obligată să ia diverse corpuri în lumea materială. Aceasta este *karma* sau creația diversificată ce are loc prin puterea conștiinței materiale.

În scrierile vedice entitatea vie este numită *jīvātmā* și Brahman, dar niciodată nu este numită Parabrahman. Entitatea vie (*jīvātmā*) ocupă diferite poziții—uneori se scufundă în întunecata natură materială, identificându-se cu materia, iar alteori se identifică cu natura superioară sau spirituală. De aceea ea poartă numele de energie marginală a Domnului Suprem. Potrivit identificării sale cu natura materială sau spirituală, entitatea vie primește un corp material sau spiritual. În cadrul naturii materiale ea poate lua orice fel de corp din cele 8.400.000 de specii de viață, dar în natura spirituală nu are decât un singur fel de corp. În natura materială, entitatea vie se poate manifesta ca om, semizeu, mamifer, pasăre etc., potrivit cu *karma* sa. Pentru a ajunge pe planetele cerești din lumea materială și a se bucura de înlesnirile lor, ea săvârșește uneori sacrificii (*yajña*), însă atunci când meritele sale se sfârșesc, se va întoarce din nou pe pământ sub formă umană. Acest proces este numit *karma*.

În *Chāndogya Upaniṣad* se descrie ritualul sacrificiului vedic. Pe altarul sacrificial se aduc cinci feluri de ofrande în cele cinci feluri de focuri. Cele cinci feluri de focuri sunt considerate a reprezenta planetele cerești, norii, pământul, bărbatul și femeia, iar cele cinci feluri de ofrande sacrificiale reprezintă credința, entitatea vie ajunsă pe lună, ploaia, cerealele și sămânța. În cadrul procesului sacrificial, entitatea vie face anumite sacrificii specifice pentru a atinge anumite planete cerești, iar în urma lor ajunge pe aceste planete. Când meritele obținute prin sacrificiu se sfârșesc, entitatea vie se coboară pe pământ sub forma ploii, apoi ia forma cerealelor, acestea sunt mâncate de bărbat și transformate în sămânța, care fecundează femeia și astfel entitatea vie atinge încă odată forma umană pentru a îndeplini sacrificiul, repetând același ciclu. În acest mod, entitatea vie vine și pleacă perpetuu pe calea materială. Însă persoana conștientă de Kṛṣṇa înlătură aceste sacrificii; el ia parte direct la conștiința de Kṛṣṇa și prin aceasta se pregătește să se reîntoarcă la Dumnezeu.

Comentatorii impersonaliști ai *Bhagavad-gītei* consideră fără motiv că Brahman ia forma lui *jīva* în lumea materială și pentru a exemplifica aceasta fac referință la versetul al șaptelea din capitolul cincisprezece din *Gītā*. Dar și în această strofă Domnul vorbește despre entitatea vie ca despre „un fragment etern al meu". Entitatea vie, fragment al lui Dumnezeu, poate cădea în lumea materială, dar Domnul Suprem (Acyuta) nu cade niciodată. De aceea, ipoteza că Supremul Brahman își asumă forma lui *jīva* nu poate fi acceptată. Este important să ne amintim că în scrierile vedice Brahman (entitatea vie) este deosebit de Parabrahman (Domnul Suprem).

TEXTUL 4

अधिभूतं क्षरो भावः पुरुषश्चाधिदैवतम् ।
अधियज्ञोऽहमेवात्र देहे देहभृतां वर ॥ ४ ॥

adhibhūtaṁ kṣaro bhāvaḥ
puruṣaś cādhidaivatam
adhiyajño 'ham evātra
dehe deha-bhṛtāṁ vara

adhibhūtam—manifestarea fizică; *kṣaraḥ*—mereu schimbătoare; *bhāvaḥ*—natura; *puruṣaḥ*—forma universală, incluzând pe toți semizeii, cum ar fi soarele și luna; *ca*—și; *adhidaivatam*—numit *adhidaiva*; *adhiyajñaḥ*—Suprasufletul; *aham*—Eu (Kṛṣṇa); *eva*—desigur; *atra*—în acest; *dehe*—corp; *deha-bhṛtām*—al celui întrupat; *vara*—o, cel mai bun.

O, cel mai bun dintre fiinţele cu corp, natura fizică care se schimbă constant este numită adhibhūta [manifestarea materială]. Forma universală a Domnului, care include pe toți semizeii, precum cel al soarelui și cel al lunii, este numită adhidaiva. Iar Eu, Domnul Suprem, reprezentat ca Suprasuflet în inima fiecărei fiinţe întrupate, sunt numit adhiyajña [Domnul sacrificiului].

COMENTARIU

Natura fizică este în continuă schimbare. Corpurile materiale trec în general prin șase stadii: ele se nasc, cresc, se mențin o vreme, produc câțiva urmași, decad și apoi pier. Această natură fizică se cheamă *adhibhūta*. Ea este creată într-un anumit moment și va fi anihilată într-un anume moment. Conceptul de formă universală a Domnului Suprem, care include pe toți semizeii cu diferitele lor planete este numit *adhidaivata*. Iar împreună cu sufletul individual, în corp este prezent Suprasufletul, reprezentarea plenară a lui Śrī Kṛṣṇa. Acest Suprasuflet este numit Paramātmā sau *adhiyajña* și este situat în inimă. Cuvântul *eva* este deosebit de important în contextul acestei strofe, căci prin acest cuvânt Domnul scoate în evidență faptul că Paramātmā nu este diferit de El. Suprasufletul, Persoana Supremă a lui Dumnezeu, așezat alături de sufletul individual, este martorul activităților sufletului individual și sursa diferitelor tipuri de conștiință ale sufletului. Suprasufletul îi dă sufletului individual prilejul de a acționa în mod liber, rămânând martorul activităților lui. Funcțiile tuturor acestor manifestări ale Domnului Suprem devin automat clare pentru devotul pur, conștient de Kṛṣṇa, angajat în slujirea transcendentă a Domnului. Forma universală gigantică a lui Dumnezeu, numită *adhidaiva*, este contemplată de neofitul care nu se poate apropia de Domnul Suprem în manifestarea Sa ca Suprasuflet. Neofitul este sfătuit să contemple forma universală sau *virāṭ-puruṣa*, ale cărei picioare sunt socotite a fi planetele inferioare, ochii săi sunt socotiți a fi soarele și luna iar capul său este socotit a fi sistemul planetelor superioare.

TEXTUL 5

अन्तकाले च मामेव स्मरन्मुक्त्वा कलेवरम् ।
यः प्रयाति स मद्भावं याति नास्त्यत्र संशयः ॥५॥

anta-kāle ca mām eva
smaran muktvā kalevaram
yaḥ prayāti sa mad-bhāvaṁ
yāti nāsty atra saṁśayaḥ

anta-kāle—la sfârșitul vieții; *ca*—și; *mām*—pe Mine; *eva*—cu siguranță; *smaran*—ținând minte; *muktvā*—părăsind; *kalevaram*—corpul; *yaḥ*—cel care; *prayāti*—pleacă; *saḥ*—el; *mat-bhāvam*—natura Mea; *yāti*—dobândește; *na*—nu; *asti*—este; *atra*—aici; *saṁśayaḥ*—îndoială.

Și oricine la sfârșitul vieții își părăsește corpul amintindu-și numai de Mine, atinge dintr-o dată natura Mea. Despre aceasta nu este nici o îndoială.

COMENTARIU

În versetul acesta se evidențiază importanța conștiinței de Kṛṣṇa. Orice om care își părăsește corpul în conștiință de Kṛṣṇa este transferat îndată în natura transcendentă a Domnului Suprem. Domnul Suprem este Cel mai pur dintre cei puri. Prin urmare, oricine este necontenit conștient de Kṛṣṇa este de asemenea cel mai pur dintre cei puri. Cuvântul *smaran* (amintindu-și) este important. Amintirea lui Kṛṣṇa nu este posibilă pentru sufletul impur care nu a practicat conştiinţa de Kṛṣṇa în slujire devoţională. De aceea, omul trebuie să practice conştiinţa de Kṛṣṇa încă de la începutul vieţii. Pentru cel ce doreşte să obţină reuşita la sfârşitul vieţii sale, procesul amintirii lui Kṛṣṇa este esenţial. De aceea, omul trebuie să cânte mereu, fără încetare, *mahā-mantra*—Hare Kṛṣṇa, Hare Kṛṣṇa, Kṛṣṇa Kṛṣṇa, Hare Hare/ Hare Rāma, Hare Rāma, Rāma Rāma, Hare Hare. Śrī Caitanya ne-a sfătuit să fim la fel de răbdători precum copacii (*taror iva sahiṣṇunā*). Este posibil să apară foarte multe greutăţi în calea celui ce cântă Hare Kṛṣṇa. Cu toate acestea, îndurând toate greutăţile trebuie să continuăm să cântăm Hare Kṛṣṇa, Hare Kṛṣṇa, Kṛṣṇa Kṛṣṇa, Hare Hare/ Hare Rāma, Hare Rāma, Rāma Rāma, Hare Hare, astfel încât la sfârşitul vieţii noastre să putem obţine binefacerea deplină a conştiinţei de Kṛṣṇa.

TEXTUL 6

यं यं वापि स्मरन् भावं त्यजत्यन्ते कलेवरम् ।
तं तमेवैति कौन्तेय सदा तद्भावभावितः ॥ ६ ॥

yam yam vāpi smaran bhāvam
tyajaty ante kalevaram
tam tam evaiti kaunteya
sadā tad-bhāva-bhāvitaḥ

yam yam—oricare; *vā api*—fără excepţie; *smaran*—reamintindu-şi; *bhāvam* —natură; *tyajati*—îşi părăseşte; *ante*—la sfârşit; *kalevaram*—corpul acesta; *tam tam*—similară; *eva*—cu siguranţă; *eti*—obţine; *kaunteya*—o, fiu al lui Kuntī; *sadā*—întotdeauna; *tat*—acea; *bhāva*—stare de existenţă; *bhāvitaḥ*— reamintită.

Oricare ar fi starea de existenţă de care îşi aduce aminte cineva atunci când îşi părăseşte corpul, o, fiu al lui Kuntī, acea stare o va atinge fără greş.

COMENTARIU

Procesul schimbării propriei naturi în momentul critic al morţii este explicat aici. Omul care la sfârşitul vieţii sale îşi părăseşte corpul gândindu-se la Kṛṣṇa, atinge natura transcendentă a Domnului Suprem, dar nu este adevărat că acel ce se gândeşte la altceva decât la Kṛṣṇa atinge aceeaşi stare transcendentă. Cum poate cineva să moară păstrându-şi starea potrivită? Mahārāja Bharata, deși era o mare personalitate, la sfârșitul vieții sale s-a gândit la o căprioară, și astfel în viața următoare a fost transferat în corpul unei căprioare. Deși devenise o căprioară, el își aducea aminte de activitățile din viața trecută, însă era nevoit să accepte acel corp de animal. Bineînțeles că gândurile omului din timpul vieții se acumulează, influențând gândurile sale din momentul morții, și astfel viața aceasta creează următoarea viață a omului. Dacă în viața prezentă omul trăiește în starea bunătății și se gândește mereu la Kṛṣṇa, el poate să-și amintească de Kṛṣṇa la sfârșitul vieții. Aceasta îl va ajuta să fie transferat în natura transcendentă a lui Kṛṣṇa. Dacă un om este în mod transcendent absorbit în slujirea lui Kṛṣṇa, atunci corpul său următor va fi și el transcendent sau spiritual, și nu material. De aceea, cântarea mantrei Hare Kṛṣṇa, Hare Kṛṣṇa, Kṛṣṇa Kṛṣṇa, Hare Hare/ Hare Rāma, Hare Rāma, Rāma Rāma, Hare Hare este procesul cel mai bun pentru schimbarea cu succes a stării de existență la sfârșitul vieții.

TEXTUL 7

तस्मात्सर्वेषु कालेषु मामनुस्मर युध्य च ।
मय्यर्पितमनोबुद्धिमामेवैष्यस्यसंशयः ॥ ७ ॥

tasmāt sarveṣu kāleṣu
mām anusmara yudhya ca
mayy arpita-mano-buddhir
mām evaiṣyasy asaṁśayaḥ

tasmāt—de aceea; *sarveṣu*—în toate; *kāleṣu*—ocaziile; *mām*—de Mine; *anusmara*—continuă să-ți amintești; *yudhya*—luptă; *ca*—și; *mayi*—la Mine; *arpita*—predând; *manaḥ*—mintea; *buddhiḥ*—intelectul; *mām*—la Mine; *eva*—cu siguranță; *eṣyasi*—vei ajunge; *asaṁśayaḥ*—fără nici o îndoială.

De aceea, o, Arjuna, tu trebuie să te gândești întotdeauna la Mine sub forma lui Kṛṣṇa și în același timp să-ți îndeplinești datoria prescrisă de a lupta. Cu activitățile tale dedicate Mie și cu mintea și inteligența fixate asupra Mea, vei ajunge la Mine fără nici o îndoială.

COMENTARIU

Această învățătură dată lui Arjuna este foarte importantă pentru toți oamenii

angajaţi în activităţi materiale. Domnul nu spune că omul trebuie să-şi pără-
sească datoriile prescrise sau ocupaţiile, ci poate să şi le continue, şi în ace-
laşi timp să se gândească la Kṛṣṇa cântând *mantra* Hare Kṛṣṇa. Acest lucru
îl va elibera de contaminarea materială şi îi va angaja mintea şi intelectul în
Kṛṣṇa. Cântând numele lui Kṛṣṇa, omul va fi transferat pe planeta supremă,
Kṛṣṇaloka, fără nici o îndoială.

TEXTUL 8

अभ्यासयोगयुक्तेन चेतसा नान्यगामिना ।
परमं पुरुषं दिव्यं याति पार्थानुचिन्तयन् ॥ ८ ॥

abhyāsa-yoga-yuktena
cetasā nānya-gāminā
paramaṁ puruṣaṁ divyaṁ
yāti pārthānucintayan

abhyāsa-yoga—prin practică; *yuktena*—fiind angajat în meditaţie; *cetasā*—
de către minte şi inteligenţă; *na anya-gāminā*—fără ca acestea să fie abătu-
te; *paramam*—Cel Suprem; *puruṣam*—Personalitatea Divinităţii; *divyam*—
transcendent; *yāti*—obţine; *pārtha*—o, fiu al lui Pṛthā; *anucintayan*—gân-
dindu-se permanent la.

**Cel ce meditează la Mine ca la Personalitatea Supremă a Divinităţii, cu
mintea amintindu-şi neîncetat de Mine, neabătându-se din cale, acela,
o, Pārtha, este sigur că va ajunge la Mine.**

COMENTARIU

În această strofă Śrī Kṛṣṇa subliniază importanţa amintirii Sale. Amintirea lui
Kṛṣṇa se redeşteaptă cântând *mahā-mantra* Hare Kṛṣṇa. Prin această practi-
că a cântării şi ascultării vibraţiei sonore a Domnului Suprem este implicată
urechea, limba şi mintea omului. Această meditaţie mistică este foarte uşor
de practicat, ajutându-ne să ajungem la Domnul Suprem. *Puruṣam* înseamnă
„cel ce se desfată". Deşi entităţile vii aparţin energiei marginale a Domnului
Suprem, ele sunt contaminate de materie. Ele se consideră a fi beneficiarele
desfătărilor, însă nu ele sunt supremul beneficiar al acestor desfătări. În aces-
tă strofă se spune clar că supremul beneficiar al desfătărilor este Personalita-

tea Supremă a Divinității în diferitele Sale manifestări și expansiuni plenare, cum ar fi Nārāyaṇa, Vāsudeva etc.

Prin cântarea *mantrei* Hare Kṛṣṇa, devotul poate să se gândească permanent la obiectul adorării sale, Domnul Suprem, în oricare din aspectele Sale— Nārāyaṇa, Kṛṣṇa, Rāma etc. Această practică îl va purifica, iar la sfârșitul vieții sale, datorită cântării permanente, va fi transferat în împărăția lui Dumnezeu. Practica yoga înseamnă meditație asupra Suprasufletului dinăuntrul nostru; în mod similar, cântând *mantra* Hare Kṛṣṇa ne fixăm mintea mereu asupra Domnului Suprem. Mintea este nestatornică și de aceea este necesar ca ea să fie forțată să se gândească la Kṛṣṇa. Exemplul cel mai des citat este acela al omizii care se gândește să devină fluture și astfel este transformată în fluture în aceeași viață. La fel și noi, dacă ne vom gândi necontenit la Kṛṣṇa, cu siguranță că la sfârșitul vieții noastre vom avea aceeași alcătuire trupească precum Kṛṣṇa.

TEXTUL 9

कविं पुराणमनुशासितार-
मणोरणीयांसमनुस्मरेद्यः ।
सर्वस्य धातारमचिन्त्यरूप-
मादित्यवर्णं तमसः परस्तात् ॥ ९ ॥

kaviṁ purāṇam anuśāsitāram
aṇor aṇīyāṁsam anusmared yaḥ
sarvasya dhātāram acintya-rūpam
āditya-varṇaṁ tamasaḥ parastāt

kavim—cel care cunoaște totul; *purāṇam*—cel mai vechi; *anuśāsitāram*— stăpânitorul; *aṇoḥ*—decât atomul; *aṇīyāṁsam*—mai mărunt; *anusmaret*— se gândește mereu; *yaḥ*—cel care; *sarvasya*—al tuturor; *dhātāram*—susținătorul; *acintya*—de neînchipuit; *rūpam*—a cărui formă; *āditya-varṇam*— luminoasă ca soarele; *tamasaḥ*—față de întuneric; *parastāt*—transcendent.

Cineva ar trebui să mediteze asupra Persoanei Supreme ca fiind Cel ce cunoaște totul, Cel mai bătrân dintre toți, stăpânitorul, mai mic decât cel mai mic lucru, susținătorul tuturor, Cel aflat dincolo de întreaga

concepţie materială, Cel de neconceput şi care este întotdeauna o persoană. El este luminos precum soarele şi este transcendent, dincolo de această natură materială.

COMENTARIU

Procesul cugetării la Cel Suprem este menţionat în această strofă. Lucrul cel mai important este faptul că El nu este impersonal sau vid. Nu se poate medita la ceva impersonal sau vid. Acest lucru este extrem de dificil. Procesul cugetării la Krṣṇa este însă foarte uşor şi este arătat aici în mod concret. Înainte de toate, Domnul este *puruṣa*, o persoană—deci ne gândim la persoana Rāma şi la persoana Krṣṇa. Şi fie că ne gândim la Rāma sau la Krṣṇa, felul în care El este conceput este descris în această strofă din *Bhagavad-gītā*. Domnul este *kavi*; aceasta înseamnă că El cunoaşte trecutul, prezentul şi viitorul, şi deci cunoaşte totul. El este persoana cea mai veche, pentru că El este originea tuturor lucrurilor; toate se nasc din El. De asemenea, El este stăpânitorul suprem al universului şi tot El este susţinătorul şi învăţătorul umanităţii. El este mai mărunt decât cel mai mic lucru. Entitatea vie este a zecea mia parte din grosimea firului de păr, dar Domnul este atât de neînchipuit de mărunt, încât poate intra în inima acestei particule. De aceea, El este considerat mai mărunt decât cel mai mic lucru. În calitatea Sa de Suprem, El poate intra în atom şi în inima celor mai mici entităţi, controlându-le astfel în calitate de Suprasuflet. Deşi este atât de mic, El este totuşi atotpătrunzător şi susţinătorul tuturor. De El sunt susţinute toate sistemele planetare. Ne minunăm adesea cum pot pluti aceste planete în spaţiu. Aici se afirmă că Domnul Suprem, prin energia sa de neînchipuit, susţine toate aceste imense planete şi sisteme de galaxii. Cuvântul *acintya* („de neînchipuit") este foarte semnificativ în acest context. Energia lui Dumnezeu este dincolo de concepţia noastră, dincolo de jurisdicţia gândirii noastre, şi de aceea este numită „de neînchipuit" (*acintya*). Cine poate contrazice aceasta? El pătrunde lumea materială şi totuşi este dincolo de ea. Noi nu putem înţelege nici măcar această lume materială—care este neînsemnată în comparaţie cu cea spirituală—deci cum am putea înţelege ceea ce este dincolo de ea? *Acintya* înseamnă ceea ce este dincolo de lumea materială, ceea ce nu poate fi atins prin argumente, logică şi speculaţie filozofică, ceea ce este de neconceput. Prin urmare, oamenii înţelepţi, lăsând de-o parte argumentele şi speculaţiile nefolositoare, trebuie să accepte ceea ce se afirmă în scripturi precum *Vedele*, *Bhagavad-gītā*, şi *Śrīmad-Bhāgavatam*, şi să urmeze principiile stabilite de acestea. Aceasta îl va conduce pe om către cunoaştere.

TEXTUL 10

प्रयाणकाले मनसाचलेन
भक्त्या युक्तो योगबलेन चैव ।
भ्रुवोर्मध्ये प्राणमावेश्य सम्यक्
स तं परं पुरुषमुपैति दिव्यम् ॥१०॥

prayāṇa-kāle manasācalena
bhaktyā yukto yoga-balena caiva
bhruvor madhye prāṇam āveśya samyak
sa taṁ paraṁ puruṣam upaiti divyam

prayāṇa-kāle—la vremea morţii; *manasā*—cu mintea; *acalena*—fără să se abată; *bhaktyā*—cu deplină devoţiune; *yuktaḥ*—angajat; *yoga-balena*—prin puterea yogăi; *ca*—şi; *eva*—cu siguranţă; *bhruvoḥ*—cele două sprâncene; *madhye*—între; *prāṇam*—suflul vital; *āveśya*—statornicind; *samyak*—complet; *saḥ*—el; *tam*—această; *param*—transcendentă; *puruṣam*—Persoană a lui Dumnezeu; *upaiti*—dobândeşte; *divyam*—în împărăţia spirituală.

Cel care în clipa morţii îşi fixează suflul vital între cele două sprâncene şi prin puterea yogăi, cu mintea neclintită, îşi aduce aminte de Domnul Suprem cu deplină devoţiune, va ajunge cu siguranţă la Personalitatea Supremă a Divinităţii.

COMENTARIU

În versetul acesta se arată limpede că în momentul morţii mintea trebuie să fie fixată în devoţiunea faţă de Personalitatea Supremă a Divinităţii. Pentru cei ce au practicat yoga se recomandă să îşi ridice forţa vitală între sprâncene (adică în *ājñā-cakra*). Aici se sugerează practica lui *ṣaṭ-cakra-yoga*, care cuprinde meditaţia pe cele şase *cakra*. Un devot pur nu practică o asemenea yoga, însă deoarece el este mereu angajat în conştiinţa de Kṛṣṇa, poate să-şi amintească în momentul morţii de Personalitatea Supremă a Divinităţii prin graţia Sa. Acest lucru este explicat în versetul al patrusprezecelea.

Folosirea în mod special a cuvântului *yoga-balena* este semnificativă în această strofă, căci fără a practica yoga—fie *ṣaṭ-cakra-yoga* ori *bhakti-yoga*—omul nu poate ajunge la această stare transcendentă în clipa morţii. Omul nu-şi poate aminti brusc de Domnul Suprem atunci când moare, ci trebuie să fi practicat un anumit sistem de yoga, în mod special sistemul *bhakti-yoga*. Întrucât atunci când omul moare mintea sa este foarte tulburată, el trebuie să practice calea spirituală a yogăi de-a lungul vieţii.

TEXTUL 11

यदक्षरं वेदविदो वदन्ति
विशन्ति यद्यतयो वीतरागाः ।
यदिच्छन्तो ब्रह्मचर्यं चरन्ति
तत्ते पदं सङ्ग्रहेण प्रवक्ष्ये ॥११॥

yad akṣaraṁ veda-vido vadanti
viśanti yad yatayo vīta-rāgāḥ
yad icchanto brahmacaryaṁ caranti
tat te padaṁ saṅgraheṇa pravakṣye

yat—care; *akṣaram*—silaba *oṁ*; *veda-vidaḥ*—cunoscătorii *Vedelor*; *vadanti*—rostesc; *viśanti*—intră; *yat*—în care; *yatayaḥ*—mari înţelepţi; *vīta-rāgāḥ*—care fac parte din ordinul renunţării; *yat*—care; *icchantaḥ*—doresc; *brahmacaryam*—celibatul; *caranti*—practică; *tat*—această; *te*—ţie; *padam*—situaţie; *saṅgraheṇa*—pe scurt; *pravakṣye*—îţi voi explica.

Învăţaţii cunoscători ai Vedelor, care rostesc omkăra şi sunt mari înţelepţi, ce au ales calea renunţării, intră în Brahman. Cel ce doreşte o astfel de perfecţiune va practica celibatul. Acum îţi voi explica pe scurt acest proces prin care omul poate atinge eliberarea.

COMENTARIU

Śrī Kṛṣṇa i-a recomandat lui Arjuna practicarea sistemului *ṣaṭ-cakra-yoga*, în care suflul vital este plasat între sprâncene. Fiind încredinţat că Arjuna n-ar putea ştii cum să practice *ṣaṭ-cakra-yoga*, Domnul îi explică acest proces în strofele următoare. Domnul spune că Brahman, deşi este unul fără al doilea, are felurite manifestări şi aspecte. În special pentru impersonalişti, *akṣara* sau *omkāra*—adică silaba *oṁ*—este identică cu Brahman. Kṛṣṇa explică aici ce este impersonalul Brahman în care intră înţelepţii care au ales calea renunţării.

În sistemul cunoaşterii vedice discipolii sunt sfătuiţi încă de la început să facă să vibreze sunetul *oṁ* şi să înveţe despre supremul Brahman impersonal,

Grația Sa Divină A.C. Bhaktivedanta Swami Prabhupāda
Fondatorul-*ācārya* al Societății Internaționale a Conștiinței de Kṛṣṇa

Śrīla Bhaktisiddhānta Sarasvatī
Ṭhākura, maestrul spiritual al Graţiei
Sale Divine A.C. Bhaktivedanta Swami
Prabhupāda

Śrīla Gaurakiśora Dāsa Bābājī,
maestrul spiritual al lui Śrīla
Bhaktisiddhānta Sarasvatī Ṭhākura

Śrīla Bhaktivinoda Ṭhākura, pionierul
răspândirii conştiinţei de Krsna în limba
engleză

Śrī Rūpa Gosvāmī şi Śrī Sanātana
Gosvāmī, cei mai apropiaţi însoţitori
ai Domnului Caitanya

Śrī Pañca-tattva

Śrī Kṛṣṇa Caitanya, învăţătorul ideal al *Śrīmad Bhagavad-gītei*,
înconjurat de principalii Săi însoţitori.

„Dhṛtarāṣṭra a spus: O, Sañjaya, ce au făcut fiii mei şi fiii lui Pāṇḍu după ce s-au adunat în locul de pelerinaj de la Kurukṣetra, dornici de luptă?"

„De cealaltă parte, Domnul Kṛṣṇa și Arjuna, așezați în marele lor car de luptă tras de cai albi, suflară în scoicile lor transcendente.“

„N-a fost nici o vreme când Eu să nu fi existat, nici tu și nici acești regi;
nici în viitor nu va înceta cineva dintre noi să existe.“

„Personalitatea Supremă a Divinității, Śri Kṛṣṇa, a spus: L-am instruit
cu această nepieritoare știință a yogăi pe zeul-soare, Vivasvān, Vivasvān
l-a instruit pe Manu, părintele rasei umane, iar Manu la rândul său l-a
instruit pe Ikṣvāku.“

„Aşa cum sufletul întrupat trece mereu, în acest corp, de la copilărie la tinerețe și bătrânețe, la fel și sufletul după moarte trece într-un alt corp. Cel înțelept nu se lasă amăgit de o astfel de schimbare."

„Aşa cum un om îmbracă veşminte noi, lepădându-le pe cele vechi,
la fel şi sufletul primeşte noi corpuri materiale, lepădându-le pe cele
vechi şi nefolositoare.“

„În virtutea cunoașterii adevărate, înțelepții cei smeriți privesc la
fel un brahman învățat și plin de cuviință, o vacă, un elefant, un
câine și un mâncător de câini (situat în afara castelor)."

„Aşa cum nu tremură flacăra unei lămpi într-un loc fără vânt, la fel
şi yoghinul a cărui minte este stăpânită rămâne mereu neclintit în
meditaţia sa asupra sinelui transcendent."

„O, Domn al universului, o, formă universală, văd în corpul Tău multe, multe braţe, pântece, guri şi ochi, expandate pretutindeni, fără vreo limită. Nu văd în Tine nici sfârşit, nici mijloc şi nici început.“

„În această epocă a lui Kali, oamenii ce sunt înzestrați cu destulă inteligență Îl vor adora pe Domnul împreună cu însoțitorii Săi prin îndeplinirea de *saṅkīrtana-yajña*.“

„Entitatea vie în lumea materială poartă diferitele sale concepții de viață de la un corp la altul, așa precum aerul poartă aromele. Astfel, ea primește un anumit fel de corp, părăsindu-l din nou pentru a primi un altul."

„Entitatea vie, luând astfel un alt corp grosier, obține un anumit tip de urechi, ochi, limbă, nas și simț al pipăitului, care sunt grupate în jurul minții. Astfel, ea se bucură de un anumit set particular de obiecte de simț."

„Gândește-te mereu la Mine, fii devotul Meu, adoră-Mă și cinstește-Mă pe Mine. Astfel vei veni la Mine fără nici o îndoială. Eu îți promit acest lucru, deoarece Îmi ești cel mai drag prieten.“

trăind împreună cu maestrul spiritual în deplină castitate. În acest fel ei realizează două din aspectele lui Brahman. Această practică este foarte importantă pentru progresul discipolilor în viaţa spirituală, dar în prezent această viaţă de *brahmacārī* (băiat necăsătorit ce ţine jurământ de castitate) nu mai este nicidecum posibilă. Structura socială a lumii s-a schimbat atât de mult, încât nu se mai poate practica această castitate încă de la începutul vieţii celor ce studiază. În lume există multe instituţii pentru diverse domenii de cunoaştere, dar nu se cunosc instituţii în care cei ce studiază să fie educaţi conform principiilor unui *brahmacārī*. Fără practicarea castităţii progresul în viaţa spirituală este foarte dificil. De aceea Śrī Caitanya ne-a înştiinţat că, potrivit poruncilor scripturii, pentru această epocă a lui Kali nici un alt proces de realizare a Supremului nu este posibil, în afară de cântarea numelor sfinte ale lui Śrī Kṛṣṇa: Hare Kṛṣṇa, Hare Kṛṣṇa, Kṛṣṇa Kṛṣṇa, Hare Hare/ Hare Rāma, Hare Rāma, Rāma Rāma, Hare Hare.

TEXTUL 12

सर्वद्वाराणि संयम्य मनो हृदि निरुध्य च ।
मूर्ध्न्याधायात्मनः प्राणमास्थितो योगधारणाम् ॥१२॥

sarva-dvārāṇi saṁyamya
mano hṛdi nirudhya ca
mūrdhny ādhāyātmanaḥ prāṇam
āsthito yoga-dhāraṇām

sarva-dvārāṇi—toate porţile corpului; *saṁyamya*—controlând; *manaḥ*—mintea; *hṛdi*—în inimă; *nirudhya*—reţinând; *ca*—şi; *mūrdhni*—în cap; *ādhāya*—fixând; *ātmanaḥ*—al sufletului; *prāṇam*—suflu vital; *āsthitaḥ*—situat în; *yoga-dhāraṇām*—starea de yoga.

Starea de yoga înseamnă detaşarea de toate angajamentele simţurilor. Închizând toate porţile simţurilor şi fixându-şi mintea asupra inimii şi suflul vital în creştetul capului, acela se statorniceşte în yoga.

COMENTARIU

Pentru a practica yoga aşa cum se sugerează aici, omul trebuie să închidă porţile tuturor plăcerilor simţurilor. Această practică se numeşte *pratyāhāra* sau retragerea simţurilor de la obiectele simţurilor. Organele de simţ destinate cunoaşterii—ochii, urechile, nasul, limba şi pielea—trebuie să fie complet stăpânite şi nu trebuie să li se îngăduie să fie implicate în propria satisfacţie. În acest fel mintea se concentrează asupra lui Paramātmā din inimă şi forţa vitală se ridică în creştetul capului. Acest proces este descris amănunţit în capitolul şase. Dar, aşa cum s-a menţionat anterior, această practică nu se potriveşte în această epocă. Procesul cel mai bun este conştiinţa de Kṛṣṇa. Cel ce este în stare să-şi fixeze mintea asupra lui Kṛṣṇa în slujirea devoţională, poate foarte uşor să rămână netulburat în starea de transă spirituală sau *samādhi*.

TEXTUL 13

ॐ इत्येकाक्षरं ब्रह्म व्याहरन्मामनुस्मरन् ।
यः प्रयाति त्यजन्देहं स याति परमां गतिम् ॥१३॥

om ity ekākṣaraṁ brahma
vyāharan māṁ anusmaran
yaḥ prayāti tyajan dehaṁ
sa yāti paramāṁ gatim

oṁ—combinaţia de litere *oṁ* (*oṁkāra*); *iti*—astfel; *eka-akṣaram*—silaba unică; *brahma*—absolutul; *vyāharan*—vibrând; *mām*—de Mine (Kṛṣṇa); *anusmaran*—amintindu-şi; *yaḥ*—cel care; *prayāti*—părăseşte; *tyajan*—renunţând; *deham*—la acest corp; *saḥ*—el; *yāti*—obţine; *paramām*—suprema; *gatim*—destinaţie.

Fiind situat în practica yoga şi rostind vibraţia silabei sacre oṁ, suprema combinaţie de litere, cel ce îşi părăseşte corpul gândindu-se la Personalitatea Supremă a Divinităţii, va ajunge cu siguranţă pe planetele spirituale.

COMENTARIU

Aici se afirmă în mod clar că silaba *oṁ*, Brahman şi Śrī Kṛṣṇa nu sunt ceva diferit. Sunetul impersonal al lui Kṛṣṇa este *oṁ*, dar sunetul Hare Kṛṣṇa include şi *oṁ*. Cântarea *mantrei* Hare Kṛṣṇa este clar recomandată pentru această epocă. Deci dacă cineva îşi părăseşte corpul la sfârşitul vieţii cântând Hare Kṛṣṇa, Hare Kṛṣṇa, Kṛṣṇa Kṛṣṇa, Hare Hare/ Hare Rāma, Hare Rāma, Rāma Rāma, Hare Hare, el va ajunge cu siguranţă pe una din planetele spirituale, potrivit cu calitatea practicii sale. Devoţii lui Kṛṣṇa ajung pe planeta lui Kṛṣṇa, Goloka Vṛndāvana. Pentru personaliṣti există alte nenumărate planete, cunoscute ca planetele ce alcătuiesc Vaikuṇṭha, situate în cerul spiritual, în vreme ce impersonaliṣtii rămân situaţi în *brahmajyoti*.

TEXTUL 14

अनन्यचेताः सततं यो मां स्मरति नित्यशः ।
तस्याहं सुलभः पार्थ नित्ययुक्तस्य योगिनः ॥१४॥

ananya-cetāḥ satataṁ
yo māṁ smarati nityaśaḥ
tasyāhaṁ sulabhaḥ pārtha
nitya-yuktasya yoginaḥ

ananya-cetāḥ—cu mintea neabătută; *satatam*—întotdeauna; *yaḥ*—cel care; *mām*—de Mine (Kṛṣṇa); *smarati*—îṣi aminteṣte; *nityaśaḥ*—în mod regulat; *tasya*—pentru acela; *aham*—Eu; *su-labhaḥ*—foarte uṣor de dobândit; *pārtha*—o, fiu al lui Pṛthā; *nitya*—în mod regulat; *yuktasya*—angajat; *yoginaḥ*—pentru devotul.

Pentru cel ce îṣi aminteṣte întotdeauna de Mine, fără abatere, Eu sunt uṣor de dobândit, o, fiu al lui Pṛthā, datorită angajamentului său constant în slujirea devoţională.

COMENTARIU

Această strofă descrie în mod special destinaţia ultimă atinsă de devoţii neprihăniţi care slujesc Personalitatea Supremă a Divinităţii prin *bhakti-yoga*. Strofele anterioare menţionează patru categorii diferite de devoţi—cei năpăstuiţi, cei curioṣi, cei care caută câṣtiguri materiale ṣi filozofii speculativi. De asemenea, au fost descrise diferite metode de eliberare: *karma-yoga*, *jñāna-yoga* ṣi *haṭha-yoga*. Principiile acestor sisteme yoga cuprind ṣi o parte de *bhakti*, dar versetul acesta menţionează în mod special *bhakti-yoga* pură, fără nici un amestec de *jñāna*, *karma* sau *haṭha*. Aṣa cum indică cuvintele *ananya-cetāḥ*, în *bhakti-yoga* pură devotul nu doreṣte nimic altceva decât pe Kṛṣṇa. Un devot pur nu doreṣte să ajungă pe planetele cereṣti, nici nu caută unirea cu *brahmajyoti* sau salvarea ṣi eliberarea din capcana materiei. Devotul pur nu doreṣte nimic. În *Caitanya-caritāmṛta* devotul pur este numit *niṣkāma*, ceea ce înseamnă că el nu are nici o dorință pentru propriul său interes. Doar lui îi aparține pacea desăvârșită, iar nu acelora care râvnesc câștiguri personale. În timp ce un *jñāna-yogī, karma-yogī* sau *haṭha-yogī* are propriile interese egoiste, un devot desăvârșit nu are alt interes decât să facă plăcere Personalității Supreme a Divinității. De aceea Domnul spune că pentru orice om care este un devot neclintit al Său, El este ușor de atins.

Un devot pur se angajează permanent în slujirea devoțională față de Kṛṣṇa într-unul din aspectele Sale personale. Kṛṣṇa are felurite expansiuni plenare și încarnări precum Rāma și Nṛsiṁha, iar un devot poate alege să-și fixeze mintea în slujirea devoțională asupra oricăreia din aceste forme transcendente ale Domnului Suprem. Acest devot nu mai întâlnește nici una din problemele care îi afectează pe practicanții celorlalte tipuri de yoga. *Bhakti-yoga* este foarte simplă și pură, și ușor de îndeplinit. Se poate începe doar prin cântarea lui Hare Kṛṣṇa. Dumnezeu este îndurător față de oricine, dar așa cum am explicat deja, El este înclinat în mod special către cei ce Îl slujesc mereu fără să se abată. Domnul îi ajută pe acești devoți în diferite feluri. Cum se afirmă în *Vede* (*Kaṭha Upaniṣad* 1.2.23), *yam evaiṣa vṛnute tena labhyas/ tasyaiṣa ātmā vivṛnute tanuṁ svām*: cel ce se predă cu totul și se angajează în slujirea devoțională a Domnului Suprem, Îl poate înțelege pe Domnul Suprem așa cum este El. Și așa cum se afirmă în *Bhagavad-gītā* (10.10), *dadāmi buddhi-yogaṁ tam*: Domnul îi dă unui asemenea devot destulă înțelepciune, astfel încât până la urmă devotul poate să ajungă la El, în împărăția Sa spirituală.

Caracteristica specială a devotului pur este aceea că el cugetă mereu la Kṛṣṇa, neabătut și fără să țină seama de timp sau loc. Nimic nu trebuie să-l împiedice. El trebuie să fie în stare să-și îndeplinească slujirea oriunde și oricând. Unii spun că devotul trebuie să rămână în locurile sfinte, cum este Vṛndāvana sau vreunul din orașele sfinte în care a trăit Domnul, dar un devot pur poate să trăiască oriunde și să creeze în jurul său atmosfera din Vṛndāvana prin slujirea sa devoțională. De altfel, Śrī Advaita i-a spus lui Śrī Caitanya: „Oriunde ești Tu, o, Stăpâne, *acolo* se află și Vṛndāvana."

Așa cum indică și cuvintele *satatam* și *nityaśaḥ*, care înseamnă „întotdeauna" și „în mod regulat" sau „în fiecare zi", un devot pur își amintește permanent de Kṛṣṇa și meditează asupra Sa. Acestea sunt calitățile unui devot pur, pentru care Domnul este cel mai ușor de dobândit. *Bhakti-yoga* este sistemul pe care *Gītā* îl recomandă mai presus de toate celelalte. În general, acești *bhaktī-yogī* sunt angajați în cinci feluri diferite: (1) *śānta-bhakta*, cel angajat în slujirea devoțională în mod neutru; (2) *dāsya-bhakta*, cel angajat în slujirea devoțională ca servitor; (3) *sākhya-bhakta*, cel angajat ca prieten; (4) *vātsalya-*

bhakta, cel angajat ca părinte; și (5) *mādhurya-bhakta*, cel angajat în iubirea conjugală a Domnului Suprem. În oricare din aceste căi, devotul pur este angajat permanent în slujirea transcendentă cu iubire a Domnului Suprem și nu-L poate uita pe Domnul Suprem, astfel că pentru el este ușor de ajuns la Dumnezeu. Devotul pur nu-L poate uita pe Domnul Suprem nici măcar o clipă, și la fel și Domnul Suprem nu-l poate uita pe devotul Său cel pur nici măcar o clipă. Aceasta este marea binecuvântare a procesului conștiinței de Kṛṣṇa cântând *mahā-mantra*—Hare Kṛṣṇa, Hare Kṛṣṇa, Kṛṣṇa Kṛṣṇa, Hare Hare/ Hare Rāma, Hare Rāma, Rāma Rāma, Hare Hare.

TEXTUL 15

मामुपेत्य पुनर्जन्म दुःखालयमशाश्वतम् ।
नाप्नुवन्ति महात्मानः संसिद्धिं परमां गताः ॥१५॥

mām upetya punar janma
duḥkhālayam aśāśvatam
nāpnuvanti mahātmānaḥ
saṁsiddhiṁ paramāṁ gatāḥ

mām—pe Mine; *upetya*—dobândind; *punaḥ*—din nou; *janma*—naștere; *duḥkha-ālayam*—loc al suferinței; *aśāśvatam*—trecător; *na*—niciodată; *āpnuvanti*—ating; *mahā-ātmānaḥ*—marile suflete; *saṁsiddhim*—perfecțiunea; *paramām*—supremă; *gatāḥ*—cei care au dobândit.

După ce au ajuns la Mine, marile suflete care sunt yoghini ce practică devoțiunea nu se mai întorc niciodată în această lume trecătoare și plină de suferințe, căci ei au atins cea mai înaltă perfecțiune.

COMENTARIU

Întrucât această lume materială trecătoare este plină de suferințele nașterii, bătrâneții, bolii și morții, în mod firesc cel care realizează cea mai înaltă desăvârșire și ajunge pe planeta supremă, Kṛṣṇaloka sau Goloka Vṛndāvana, nu mai dorește să se reîntoarcă. Planeta supremă este numită în scrierile vedice *avyakta* și *akṣara* sau *paramā gati;* altfel spus, acea planetă este dincolo de viziunea noastră materială și este de neexplicat, dar este țelul cel mai înalt, destinaţia marilor suflete, *mahātmā*. Aceşti *mahātmā* primesc mesaje transcendente de la devoţii realizaţi şi astfel îşi dezvoltă treptat slujirea devoţională în conştiinţa de Kṛṣṇa şi devin atât de absorbiţi în slujirea transcendentă încât nu mai doresc să fie înălţaţi pe nici una din planetele materiale şi nici măcar nu mai doresc să fie transferaţi pe vreuna din planetele spirituale. Ei nu-L doresc decât pe Kṛṣṇa şi să fie alături de Kṛṣṇa, şi nimic altceva. Aceasta este cea mai înaltă desăvârşire a vieţii. Această strofă menţionează în mod special pe devoţii personalişti ai Domnului Suprem Kṛṣṇa. Aceşti devoţi ajunşi la conştiinţa de Kṛṣṇa realizează cea mai înaltă perfecţiune a vieţii. Cu alte cuvinte, ei sunt sufletele supreme.

TEXTUL 16

आब्रह्मभुवनाल्लोकाः पुनरावर्तिनोऽर्जुन ।
मामुपेत्य तु कौन्तेय पुनर्जन्म न विद्यते ॥१६॥

ā-brahma-bhuvanāl lokāḥ
punar āvartino 'rjuna
mām upetya tu kaunteya
punar janma na vidyate

ā-brahma-bhuvanāt—începând de la planeta Brahmaloka; *lokāḥ*—sistemele planetare; *punaḥ*—din nou; *āvartinaḥ*—reîntorcându-se; *arjuna*—o, Arjuna; *mām*—la Mine; *upetya*—sosind; *tu*—dar; *kaunteya*—o, fiu al lui Kuntī; *punaḥ janma*—renaşterea; *na*—niciodată; *vidyate*—are loc.

De la cea mai înaltă planetă din lumea materială şi până la cea mai de jos, toate sunt locuri ale suferinţei, în care au loc neîncetat naşterea şi moartea. Dar cel care ajunge în sălaşul Meu, o, fiu al lui Kuntī, acela nu se va mai naşte niciodată.

COMENTARIU

Toate tipurile de yoghini—*karma, jñāna, haṭha* etc.—trebuie eventual să atingă perfecţiunea devoţională în *bhakti-yoga* sau conştiinţa de Kṛṣṇa, înainte de a putea să ajungă în sălaşul spiritual al lui Kṛṣṇa din care să nu se mai întoarcă. Cei ce ating cele mai înalte planete materiale, planetele semizeilor, sunt supuşi din nou naşterilor şi morţilor repetate. Aşa cum oamenii de pe pământ sunt înălţaţi pe planetele superioare, oamenii de pe acele planete, cum ar fi Brahmaloka, Candraloka și Indraloka cad pe pământ. Săvârșirea sacrificiului numit *pañcāgni-vidyā*, recomandat în *Chāndogya Upaniṣad*, îl face pe om capabil să ajungă în Brahmaloka, dar dacă acolo el nu cultivă conștiința de Kṛṣṇa, atunci trebuie să se reîntoarcă pe pământ. Cei care progresează în conștiința de Kṛṣṇa pe planetele superioare sunt ridicați treptat pe planete din ce în ce mai înalte, iar în momentul devastării universului sunt transferați în eterna împărăție spirituală. Śrīdhara Svāmī în comentariul său la *Bhagavad-gītā* citează această strofă:

> *brahmaṇā saha te sarve*
> *samprāpte pratisañcare*
> *parasyānte kṛtātmānaḥ*
> *praviśanti paraṁ padam*

„Când are loc devastarea acestui univers material, Brahmā și devoții săi, care sunt permanent angajați în conștiința de Kṛṣṇa, sunt cu toții transferați în universul spiritual și pe anumite planete spirituale, potrivit cu dorințele lor."

TEXTUL 17

सहस्रयुगपर्यन्तमहर्यद् ब्रह्मणो विदुः ।
रात्रिं युगसहस्रान्तां तेऽहोरात्रविदो जनाः ॥१७॥

> *sahasra-yuga-paryantam*
> *ahar yad brahmaṇo viduḥ*
> *rātriṁ yuga-sahasrāntāṁ*
> *te 'ho-rātra-vido janāḥ*

sahasra—o mie; *yuga*—de epoci; *paryantam*—incluzând; *ahaḥ*—ziua; *yat*—care; *brahmaṇaḥ*—este a lui Brahmā; *viduḥ*—ei știu; *rātrim*—noaptea; *yuga*—epoci; *sahasra-antām*—se sfârșește tot după o mie de; *te*—aceia; *ahaḥ-rātra*—ziua și noaptea; *vidaḥ*—care înțeleg; *janāḥ*—oamenii.

După calculul omenesc, o mie de epoci puse laolaltă durează cât o zi a lui Brahma. Și tot atât de mare este durata nopții sale.

COMENTARIU

Durata universului material este limitată. Ea se manifestă în cicluri de *kalpa*. O *kalpa* este o zi a lui Brahmā, iar o zi a lui Brahmā cuprinde o mie de cicluri ale celor patru *yuga* sau epoci—Satya, Tretā, Dvāpara şi Kali. Ciclul lui Satya este caracterizat prin virtute, înțelepciune şi religiozitate, practic neexistând ignoranță şi viciu, iar acest *yuga* durează 1.728.000 de ani. În Tretā-yuga apare viciul şi acest *yuga* durează 1.296.000 de ani. În Dvāpara-yuga declinul virtuții şi religiei sporeşte şi mai mult iar acest *yuga* durează 864.000 de ani. Şi în final, în Kali-yuga (*yuga* în care ne aflăm noi de 5000 de ani încoace) există din belşug certuri, ignoranță, necredință şi viciu, iar adevărata virtute este practic inexistentă; acest *yuga* durează 432.000 de ani. În Kali-yuga viciul sporeşte atât de mult, încât la capătul acestui *yuga* apare Domnul Suprem Însuşi sub forma lui Kalki *avatāra*, îi zdrobeşte pe demoni, îi scapă pe devoții Săi şi inaugurează un alt Satya-yuga. După care acest ciclu porneşte din nou. Când aceste patru *yuga* s-au rotit de o mie de ori, aceasta este o zi a lui Brahmā, şi tot atât ține şi o noapte. Brahmā trăieşte o sută de „ani" şi apoi moare. Aceşti o sută de ani potrivit calculelor pământeşti ar totaliza 311 trilioane şi 40 de bilioane de ani pământeşti. După aceste calcule viaţa lui Brahmā pare fantastică şi nesfârşită, dar din punct de vedere al eternităţii ea este la fel de scurtă ca sclipirea unui fulger. În Oceanul Cauzal există nenumăraţi Brahmā care apar şi dispar ca bulele de aer în oceanul Atlantic. Brahmā şi creaţiile sale fac parte cu totul din universul material şi de aceea se află în continuă devenire.

În universul material, nici măcar Brahmā nu este ferit de procesul naşterii, bătrâneţii, bolii şi morţii. Însă Brahmā este angajat direct în slujba Domnului Suprem, ocupându-se de administrarea acestui univers şi de aceea el atinge de îndată eliberarea. Unii *sannyāsī* mai elevaţi sunt promovaţi pe planeta specială a lui Brahmā, numită Brahmaloka, care este planeta cea mai înaltă din universul material şi care supravieţuieşte tuturor planetelor cereşti de la nivelele superioare ale sistemului planetar, dar la vremea cuvenită Brahmā şi toţi locuitorii din Brahmāloka sunt supuşi morţii, potrivit legilor naturii materiale.

TEXTUL 18

अव्यक्ताद्व्यक्तयः सर्वाः प्रभवन्त्यहरागमे ।
रात्र्यागमे प्रलीयन्ते तत्रैवाव्यक्तसंज्ञके ॥१८॥

avyaktād vyaktayaḥ sarvāḥ
prabhavanty ahar-āgame

rātry-āgame pralīyante
tatraivāvyakta-saṁjñake

avyaktāt—din nemanifestare; *vyaktayaḥ*—entităţile vii; *sarvāḥ*—toate; *prabhavanti*—devin manifestate; *ahaḥ-āgame*—la începutul zilei; *rātri-āgame* —la căderea nopţii; *pralīyante*—sunt anihilate; *tatra*—în aceasta; *eva*—desigur; *avyakta*—nemanifestare; *saṁjñake*—care se numeşte.

La începutul zilei lui Brahmā toate entităţile vii devin manifestate din starea de nemanifestare, iar apoi la căderea nopţii ele se contopesc din nou în nemanifestare.

TEXTUL 19

भूतग्रामः स एवायं भूत्वा भूत्वा प्रलीयते ।
रात्र्यागमेऽवशः पार्थ प्रभवत्यहरागमे ॥१९॥

bhūta-grāmaḥ sa evāyaṁ
bhūtvā bhūtvā pralīyate
rātry-āgame 'vaśaḥ pārtha
prabhavaty ahar-āgame

bhūta-grāmaḥ—mulţimea tuturor entităţilor vii; *saḥ*—acestea; *eva*—desigur; *ayam*—acest; *bhūtvā bhūtvā*—născându-se în mod repetat; *pralīyate*— este anihilat; *rātri*—nopţii; *āgame*—la sosirea; *avaśaḥ*—în mod automat; *pārtha*—o, fiu al lui Pṛthā; *prabhavati*—se manifestă; *ahaḥ*—zilei; *āgame*— la sosirea.

Astfel, din nou şi din nou, la sosirea zilei lui Brahmā iau fiinţă toate entităţile vii, iar odată cu sosirea nopţii lui Brahmā ele sunt anihilate, fără să se poată împotrivi.

COMENTARIU

Cei mai puţin inteligenţi, care încearcă să rămână în lumea materială, pot să fie ridicaţi pe planetele mai înalte şi apoi din nou trebuie să coboare pe planeta pământeană. În timpul zilei lui Brahmā ei pot să-şi desfăşoare activităţile pe planetele superioare și inferioare din această lume materială, dar la venirea nopții lui Brahmā vor fi cu toții anihilați. În timpul zilei ei primesc diferite corpuri necesare activităților materiale, iar noaptea nu mai au corpuri, ci rămân compacți în corpul lui Viṣṇu. Apoi, la sosirea zilei lui Brahmā, ei se manifestă din nou. *Bhūtvā bhūtvā pralīyate:* în timpul zilei ei devin manifestați iar noaptea sunt din nou anihilați. În final, când viața lui Brahmā se sfârșeşte, ei sunt cu toții anihilați și rămân în nemanifestare milioane și milioane de ani. Iar atunci când Brahmā se naște din nou într-o altă epocă, ei se manifestă din nou. În acest fel ei sunt prinși de magia lumii materiale. Dar oamenii inteligenți care se dedică conștiinței de Kṛṣṇa își folosesc viața umană în întregime pentru slujirea devoțională a Domnului, cântând Hare Kṛṣṇa, Hare Kṛṣṇa, Kṛṣṇa Kṛṣṇa, Hare Hare/ Hare Rāma, Hare Rāma, Rāma Rāma, Hare Hare. În acest fel ei se mută chiar din această viață pe planeta spirituală a lui Kṛṣṇa, devenind veșnic fericiți acolo, nefiind supuși acestor renașteri.

TEXTUL 20

परस्तस्मात्तु भावोऽन्योऽव्यक्तोऽव्यक्तात्सनातनः ।
यः स सर्वेषु भूतेषु नश्यत्सु न विनश्यति ॥२०॥

paras tasmāt tu bhāvo 'nyo
'vyakto 'vyaktāt sanātanaḥ
yaḥ sa sarveṣu bhūteṣu
naśyatsu na vinaśyati

paraḥ—transcendentă; *tasmāt*—față de aceasta; *tu*—dar; *bhāvaḥ*—natură; *anyaḥ*—altă; *avyaktaḥ*—nemanifestată; *avyaktāt*—față de cea nemanifestată; *sanātanaḥ*—eternă; *yaḥ saḥ*—cea care; *sarveṣu*—întreaga; *bhūteṣu*—manifestare; *naśyatsu*—fiind anihilată; *na*—niciodată; *vinaśyati*—este anihilată.

Însă există o altă natură nemanifestată, care este eternă și transcendentă față de starea de manifestare și nemanifestare a materiei. Aceasta este supremă și nu este niciodată anihilată. Când întreaga lume este anihilată, acea parte rămâne neschimbată.

COMENTARIU

Energia spirituală superioară a lui Kṛṣṇa este transcendentă și eternă. Ea este dincolo de schimbările naturii materiale, care se manifestă și piere odată cu zilele și nopțile lui Brahmā. Energia superioară a lui Kṛṣṇa este din punct de vedere calitativ complet opusă naturii materiale. Natura superioară și cea inferioară sunt explicate în capitolul șapte.

TEXTUL 21

अव्यक्तोऽक्षर इत्युक्तस्तमाहुः परमां गतिम् ।
यं प्राप्य न निवर्तन्ते तद्धाम परमं मम ॥२१॥

*avyakto 'kṣara ity uktas
tam āhuḥ paramāṁ gatim
yaṁ prāpya na nivartante
tad dhāma paramaṁ mama*

avyaktaḥ—nemanifestat; *akṣaraḥ*—indestructibil; *iti*—astfel; *uktaḥ*—este numit; *tam*—acela; *āhuḥ*—este cunoscut; *paramām*—cea mai înaltă; *gatim* —destinație; *yam*—pe care; *prāpya*—dobândind-o; *na*—niciodată; *nivartante*—se întoarce; *tat*—acel; *dhāma*—sălaș; *paramam*—suprem; *mama*—al Meu.

Ceea ce vedantiștii descriu ca nemanifestat și infailibil, ceea ce este cunoscut ca destinație supremă, acel loc de unde, odată ajuns, cineva nu se mai întoarce niciodată—acela este sălașul Meu suprem.

COMENTARIU

Sălașul suprem al Personalitații Divinității, Kṛṣṇa, este descris în *Brahma-saṁhitā* ca *cintāmaṇi-dhāma*, locul în care toate dorințele se împlinesc. Sălașul suprem al lui Śrī Kṛṣṇa, cunoscut ca Goloka Vṛndāvana, este plin de palate făcute din pietre magice care împlinesc dorințele (*cintāmaṇi*). Tot acolo se găsesc „pomii dorinței" care furnizează la cerere orice fel de mâncare, ca și vacile numite *surabhi* care dau o cantitate nelimitată de lapte. În acest sălaș, Domnul este slujit de sute de mii de zeițe ale norocului (Lakṣmī) și este numit Govinda, Domnul primordial și cauza tuturor cauzelor. Domnul obișnuiește să cânte din flautul Său *(veṇuṁ kvaṇantam)*. Forma Sa transcendentă este cea mai atrăgătoare din toate lumile; ochii Săi sunt ca petalele de lotus iar culoarea corpului Său este întunecată ca norii. El este atât de atrăgător, încât frumusețea Sa întrece pe cea a o mie de Cupidoni. El este înveș-mântat în culoarea șofranului, poartă o ghirlandă în jurul gâtului și o pană de păun în păr. În *Bhagavad-gītā* Śrī Kṛṣṇa face doar o mică aluzie la sălaşul Său personal, Goloka Vṛndāvana, care este planeta cea mai minunată din lumea spirituală. O descriere foarte vie se găseşte în *Brahma-saṁhitā*. Scrierile vedice (*Kaṭha Upaniṣad* 1.3.11) afirmă că nu există nimic superior acestui sălaş al Supremului Dumnezeu şi că acest sălaş este destinaţia finală (*puruṣān na paraṁ kiñcit sā kāṣṭhā paramā gatiḥ*). Cel ce ajunge acolo nu se mai întoarce niciodată în lumea materială. Sălaşul suprem al lui Kṛṣṇa şi Kṛṣṇa Însuşi nu diferă, fiind de aceeaşi calitate spirituală. Pe acest pământ, ţinutul Vṛndāvana situat la nouăzeci de mile sud-est de Delhi este replica acelui suprem Goloka Vṛndāvana situat în cerul spiritual. Atunci când Kṛṣṇa a coborât pe pământ, petrecerile Sale au avut loc în acest ţinut cunoscut ca Vṛndāvana, cuprinzând o zonă de 84 de mile pătrate în districtul Mathurā din India.

TEXTUL 22

पुरुषः स परः पार्थ भक्त्या लभ्यस्त्वनन्यया ।
यस्यान्तःस्थानि भूतानि येन सर्वमिदं ततम् ॥२२॥

*puruṣaḥ sa paraḥ pārtha
bhaktyā labhyas tv ananyayā
yasyāntaḥ-sthāni bhūtāni
yena sarvam idaṁ tatam*

puruṣaḥ—Persoana Supremă; *saḥ*—El; *paraḥ*—Cel Suprem, faţă de care nu este nimeni mai mare; *pārtha*—o, fiu al lui Pṛthā; *bhaktyā*—prin slujirea devoţională; *labhyaḥ*—poate fi dobândit; *tu*—dar; *ananyayā*—neprihănită; *yasya*—al căruia; *antaḥ-sthāni*—înăuntrul; *bhūtāni*—întreaga manifestare materială; *yena*—de care; *sarvam*—tot; *idam*—ceea ce se poate vedea; *tatam*—este pătruns.

Personalitatea Supremă a Divinităţii, care este mai măreaţă decât toate, poate fi atinsă prin devoţiunea neprihănită. Deşi rămâne în sălaşul Său, El este atotpătrunzător şi toate sunt situate în El.

COMENTARIU

Se afirmă în mod limpede aici că ţinta supremă, de unde nu mai există întoarcere, este sălaşul lui Kṛṣṇa, Persoana Supremă. *Brahma-saṁhitā* descrie acest sălaș suprem ca *ānanda-cinmaya-rasa,* locul în care totul este plin de beatitudine spirituală. Întreaga varietate manifestată acolo are natura fericirii spirituale—nimic acolo nu este material. Această varietate emană ca expansiune spirituală din Însăși Divinitatea Supremă, deoarece acolo manifestarea este alcătuită în totalitate de energia spirituală, așa cum se explică în capitolul al șaptelea. În ce privește lumea materială, deși Domnul rămâne mereu în sălașul Său suprem, El este totuși atotpătrunzător, prin energia Sa materială. Astfel, prin energiile Sale, cea materială și cea spirituală, El este prezent pretutindeni—atât în universul material, cât și în cel spiritual. *Yasyāntaḥ-sthāni* înseamnă că totul se sprijină în El, fie în energia Sa spirituală, fie în cea materială. Domnul este atotpătrunzător prin aceste două energii.

Pătrunderea în sălașul suprem al lui Kṛṣṇa sau într-una din nenumăratele planete din Vaikuṇṭha este posibilă numai prin *bhakti,* slujirea devoțională, așa cum se arată limpede aici prin cuvântul *bhaktyā.* Nici un alt proces nu-l poate ajuta pe om să atingă acest sălaș suprem. *Vedele (Gopāla-tāpanī Upaniṣad, 3.2)* descriu și ele sălașul suprem al Personalității Supreme a Divinității. *Eko vaśī sarva-gaḥ kṛṣṇaḥ.* În acest sălaș există o singură Personalitate Supremă a Divinității, al cărei nume este Kṛṣṇa. El este Divinitatea supremă, plină de milă și, deși se află acolo în chip unic, El se răspândește pe Sine Însuși în milioane și milioane de expansiuni plenare. *Vedele* Îl compară pe Domnul cu un copac care rămâne nemișcat, purtând o mulțime de diferite fructe, flori și frunze care se schimbă. Expansiunile plenare ale Domnului, care prezidează întregul sistem al planetelor Vaikuṇṭha, au câte patru brațe și sunt cunoscute sub diverse nume: Puruṣottama, Trivikrama, Keśava, Mādhava, Aniruddha, Hṛṣīkeśa, Saṅkarṣaṇa, Pradyumna, Śrīdhara, Vāsudeva, Dāmodara, Janārdana, Nārāyaṇa, Vāmana, Padmanābha etc. Și în *Brahma-saṁhitā* (5.37) se confirmă faptul că, deși Domnul este mereu în sălașul suprem Goloka Vṛndāvana, el este atotpătrunzător, astfel încât totul funcționează atât de perfect (*goloka eva nivasaty akhilātma-bhūtaḥ*). Aceeași afirmație există și în *Vede (Śvetāśvatara Upaniṣad, 6.8): parāsya śaktir vividhaiva śrūyate/ svābhāvikī jñāna-bala-kriyā ca*—energiile Sale sunt atât de expansive, încât ele conduc sistematic întreaga manifestare cosmică fără de greș, chiar dacă Domnul Suprem este foarte departe.

TEXTUL 23

यत्र काले त्वनावृत्तिमावृत्तिं चैव योगिनः ।
प्रयाता यान्ति तं कालं वक्ष्यामि भरतर्षभ ॥२३॥

yatra kāle tv anāvṛttim
āvṛttiṁ caiva yoginaḥ
prayātā yānti taṁ kālaṁ
vakṣyāmi bharatarṣabha

yatra—la care; *kāle*—timpul; *tu*—şi; *anāvṛttim*—neîntoarcere; *āvṛttim*—întoarcere; *ca*—şi; *eva*—desigur; *yoginaḥ*—diferite feluri de yoghini; *prayātāḥ*—odată plecaţi; *yānti*—ajung; *tam*—acel; *kālam*—timp; *vakṣyāmi*—voi descrie; *bharata-ṛṣabha*—o, cel mai bun din neamul Bhārata.

O, cel mai bun dintre Bhārata, îţi voi explica acum diferitele momente în care, plecând din această lume, yoghinul ajunge sau nu să se întoarcă.

COMENTARIU

Devoţii neprihăniţi ai Domnului Suprem, suflete dăruite în întregime Lui, nu-şi fac griji asupra momentului în care îşi părăsesc corpul sau asupra metodei. Ei lasă totul în mâinile lui Kṛṣṇa şi astfel se reîntorc la Dumnezeu cu uşurinţă şi în mod plăcut. Dar cei ce nu sunt devoţi neprihăniţi şi care depind de anumite metode de realizare spirituală, cum ar fi *karma-yoga*, *jñāna-yoga* şi *haṭha-yoga*, trebuie să-şi părăsească corpul într-un moment potrivit, asigurându-se astfel că se vor întoarce sau nu în lumea naşterii şi morţii.

Dacă yoghinul este perfect, el poate alege locul şi timpul în care să părăsească lumea materială. Dar dacă nu este atât de iscusit, reuşita sa depinde de nimerirea întâmplătoare a momentului potrivit plecării din această lume. Momentul potrivit pentru cel care pleacă din această lume fără să se reîntoarcă este explicat de Domnul în versetul următor. După părerea lui Ācārya Baladeva Vidyābhūṣaṇa, cuvântul sanskrit *kāla* folosit aici se referă la zeitatea care prezidează asupra timpului.

TEXTUL 24

अग्निर्ज्योतिरहः शुक्लः षण्मासा उत्तरायणम् ।
तत्र प्रयाता गच्छन्ति ब्रह्म ब्रह्मविदो जनाः ॥२४॥

agnir jyotir ahaḥ śuklaḥ
ṣaṇ-māsā uttarāyaṇam

tatra prayātā gacchanti
brahma brahma-vido janāḥ

agniḥ—foc; *jyotiḥ*—lumină; *ahaḥ*—zi; *śuklaḥ*—două săptămâni de lună în creștere; *ṣaṭ-māsāḥ*—cele șase luni; *uttara-ayanam*—când soarele trece prin miazănoapte; *tatra*—atunci; *prayātāḥ*—cei care pleacă; *gacchanti*—se duc; *brahma*—la Absolut; *brahma-vidaḥ*—care cunosc Absolutul; *janāḥ*—persoanele.

Cei care cunosc Supremul Brahman ating acest Suprem părăsind această lume în timpul influenței zeului focului, pe lumină, într-un moment favorabil al zilei, în timpul celor două săptămâni cât luna este în creștere, sau în cele șase luni în care soarele traversează nordul.

COMENTARIU

Când se vorbește despre foc, lumină, zi și perioade de creștere ale lunii, trebuie să se înțeleagă că există diferite zeități care stăpânesc aceste manifestări și care influențează împrejurările în care sufletul părăsește lumea. În momentul morții, mintea îl atrage pe om pe calea unei noi vieți. Cel ce își părăsește corpul în momentele desemnate mai sus, fie întâmplător, fie în mod deliberat, poate să atingă impersonalul *brahmajyoti*. Misticii avansați în practica yoga pot să-și stabilească timpul și locul pentru a-și părăsi corpul. Alții însă nu pot să controleze acest moment; dacă din întâmplare își părăsesc corpul într-un moment favorabil, ei nu se vor mai întoarce în ciclul nașterii și morții, însă altfel există toate posibilitățile ca ei să trebuiască să se reîntoarcă. Dar pentru devotul pur, aflat în conștiința de Kṛṣṇa, nu există teama de întoarcere, fie că își părăsește corpul într-un moment favorabil sau nefavorabil, întâmplător sau deliberat.

TEXTUL 25

धूमो रात्रिस्तथा कृष्णः षण्मासा दक्षिणायनम् ।
तत्र चान्द्रमसं ज्योतिर्योगी प्राप्य निवर्तते ॥२५॥

dhūmo rātris tathā kṛṣṇaḥ
ṣaṇ-māsā dakṣiṇāyanam

tatra cāndramasaṁ jyotir
yogī prāpya nivartate

dhūmaḥ—fum; rātriḥ—noaptea; tathā—ca și; kṛṣṇaḥ—două săptămâni de
lună în descreștere; ṣaṭ-māsāḥ—cele șase luni; dakṣiṇa-ayanam—când soare-
le trece prin miazăzi; tatra—atunci; cāndra-masam—planeta lunii; jyotiḥ—
lumina; yogī—misticul; prāpya—dobândind; nivartate—se întoarce.

**Misticul care pleacă din această lume atunci când este fum, în timpul
nopții, în cele două săptămâni când luna descrește ori în cele șase luni
când soarele traversează sudul, ajunge pe planeta lunii, dar se întoarce
din nou.**

COMENTARIU

În cântul al treilea din *Śrīmad-Bhāgavatam*, Kapila Muni menționează faptul
că aceia care sunt pricepuți la activitățile fructuoase și la metodele de sacrifi-
ciu aici pe pământ ajung după moarte pe lună. Aceste suflete evoluate trăiesc
pe lună cam 10.000 de ani (după calculele semizeilor) și se bucură de plă-
cerile vieții bând *soma-rasa*. Ei se pot întoarce pe pământ. Aceasta înseamnă
că pe lună există categorii de ființe superioare, chiar dacă ele nu pot fi perce-
pute de simțurile grosiere.

TEXTUL 26

शुक्लकृष्णे गती ह्येते जगतः शाश्वते मते ।
एकया यात्यनावृत्तिमन्ययावर्तते पुनः ॥२६॥

*śukla-kṛṣṇe gatī hy ete
jagataḥ śāśvate mate
ekayā yāty anāvṛttim
anyayāvartate punaḥ*

śukla—lumină; kṛṣṇe—și întuneric; gatī—feluri de a pleca; hi—cu sigu-
ranță; ete—acestea două; jagataḥ—ale lumii materiale; śāśvate—a *Vedelor*;
mate—după părerea; ekayā—pe unul; yāti—se merge; anāvṛttim—fără
întoarcere; anyayā—pe celălalt; āvartate—se vine înapoi; punaḥ—din nou.

Potrivit opiniei Vedelor, există două căi de a pleca din această lume, una în lumină și alta în întuneric. Cel care pleacă în lumină nu se va întoarce, dar cel ce pleacă în întuneric, va veni înapoi.

COMENTARIU

Aceeași descriere a plecării și întoarcerii este citată de Ācārya Baladeva Vidyābhūṣaṇa din *Chāndogya Upaniṣad* (5.10.3-5). Cei ce muncesc pentru obținerea fructului activităților și filozofii speculativi se duc și vin fără încetare, din vremuri imemoriale. Ei nu pot de fapt să atingă eliberarea finală, pentru că ei nu se predau lui Kṛṣṇa.

TEXTUL 27

नैते सृती पार्थ जानन् योगी मुह्यति कश्चन ।
तस्मात्सर्वेषु कालेषु योगयुक्तो भवार्जुन ॥२७॥

naite sṛtī pārtha jānan
yogī muhyati kaścana
tasmāt sarveṣu kāleṣu
yoga-yukto bhavārjuna

na—niciodată; *ete*—aceste două; *sṛtī*—căi diferite; *pārtha*—o, fiu al lui Pṛthā; *jānan*—chiar dacă le cunoaște; *yogī*—devotul Domnului; *muhyati*—se tulbură; *kaścana*—nicidecum; *tasmāt*—de aceea; *sarveṣu kāleṣu*—întotdeauna; *yoga-yuktaḥ*—angajat în conștiința de Kṛṣṇa; *bhava*—să fii; *arjuna*—o, Arjuna.

Deși devoții cunosc aceste două căi, o, Arjuna, ei nu se tulbură niciodată. De aceea, rămâi mereu neclintit în devoțiune.

COMENTARIU

Kṛṣṇa îl sfătuiește aici pe Arjuna să nu fie tulburat de căile diferite pe care poate apuca sufletul când părăsește lumea materială. Devotul Domnului Suprem nu trebuie să-și facă griji dacă pleacă întâmplător sau în mod deliberat. Devotul trebuie să rămână neclintit în conștiința de Kṛṣṇa și să cânte Hare Kṛṣṇa. El trebuie să știe că preocuparea față de oricare din aceste două căi îi aduce tulburare. Modul cel mai bun de a rămâne absorbit în conştiinţa de Kṛṣṇa este dedicarea continuă slujirii Sale, iar aceasta va face ca drumul către împărăţia spirituală să devină neprimejdios, sigur şi direct. Cuvântul *yoga-yukta* este deosebit de semnificativ în această strofă. Cel ce este ferm în yoga este angajat în mod permanent în conştiinţa de Kṛṣṇa în toate activităţile sale. Śrī Rūpa Gosvāmī ne sfătuieşte: *anāsaktasya viṣayān yathārham upayuñjataḥ*—omul să rămână detaşat de problemele materiale şi să facă totul în conştiinţa de Kṛṣṇa. Prin acest sistem numit *yukta-vairāgya*, omul atinge desăvârşirea. De aceea devotul nu este tulburat de aceste descrieri, căci el ştie că trecerea sa către sălaşul suprem este asigurată de slujirea devoţională.

TEXTUL 28

वेदेषु यज्ञेषु तपःसु चैव
दानेषु यत्पुण्यफलं प्रदिष्टम् ।
अत्येति तत्सर्वमिदं विदित्वा
योगी परं स्थानमुपैति चाद्यम् ॥२८॥

vedeṣu yajñeṣu tapaḥsu caiva
dāneṣu yat puṇya-phalaṁ pradiṣṭam
atyeti tat sarvam idaṁ viditvā
yogī paraṁ sthānam upaiti cādyam

vedeṣu—în studierea *Vedelor*; *yajñeṣu*—în îndeplinirea de sacrificii sau *yajña*; *tapaḥsu*—în practicarea diferitelor tipuri de asceză; *ca*—şi; *eva*—desigur; *dāneṣu*—în darurile de binefacere; *yat*—ceea ce; *puṇya-phalam*—ca rezultat al activităţilor pioase; *pradiṣṭam*—este indicat; *atyeti*—depăşeşte; *tat sarvam*—toate acestea; *idam*—acest lucru; *viditvā*—cunoscând; *yogī*—devotul; *param*—supremul; *sthānam*—sălaş; *upaiti*—dobândeşte; *ca*—de asemenea; *ādyam*—originar.

Cel ce apucă pe calea slujirii devoţionale nu este lipsit de rezultatele derivate din studierea Vedelor, din îndeplinirea de sacrificii austere, de pe urma actelor de caritate, sau de pe urma cercetării filozofice ori activităţilor fructuoase. Prin simpla îndeplinire a slujirii devoţionale, el le dobândeşte pe toate, iar la sfârşit ajunge în sălaşul etern suprem.

COMENTARIU

Această strofă este rezumatul capitolelor șapte și opt, care se ocupă în mod special de conștiința de Kṛṣṇa și slujirea devoțională. Omul trebuie să studieze *Vedele* sub îndrumarea maestrului spiritual și să săvârșească multă asceză și penitențe atâta vreme cât se află în grija lui. Un *brahmacārī* trebuie să trăiască în casa maestrului spiritual exact ca un servitor și trebuie să ceară de pomană din poartă în poartă și s-o aducă maestrului spiritual. El mănâncă doar la porunca maestrului iar când maestrul nu îl cheamă pe discipol la masă, discipolul va posti. Acestea sunt câteva din principiile vedice referitoare la *brahmacarya*.

După ce discipolul studiază *Vedele* sub îndrumarea maestrului pentru perioada de la cinci până la douăzeci de ani, el poate deveni un om cu un caracter desăvârșit. Studiul *Vedelor* nu este destinat distracției celor ce fac speculații de la catedră, ci formării caracterului. După acest antrenament, unui *brahmacārī* i se îngăduie să intre în viața de familie și să se căsătorească. Câtă vreme este în viața de familie el trebuie să săvârșească multe sacrificii, astfel încât să progreseze în continuare în viața spirituală. El trebuie să dea și de pomană, în funcție de țară, timp și calitatea celui care cere, trebuind să discearnă între tipurile de binefacere—cea a bunătății, cea a pasiunii și cea a ignoranței—așa cum sunt descrise în *Bhagavad-gītā*. Apoi după ce se retrage din viața de familie, acceptând starea de *vānaprastha*, el săvârșește penitențe aspre—viața în pădure, îmbrăcămintea din scoarță de copac, neraderea părului și bărbii etc. Cel ce duce la îndeplinire etapele de *brahmacarya*, viață de familie, *vānaprastha* și în final *sannyāsa* se înalță la stadiul de perfecțiune a vieții. Unii dintre aceștia sunt apoi înălțați în regatele cerești iar când ajung să fie și mai avansați, ei sunt eliberați în cerul spiritual, fie în impersonalul *brahmajyoti*, fie pe planetele din Vaikuṇṭha sau Kṛṣṇaloka. Acesta este drumul trasat de scrierile vedice.

Însă frumusețea conștiinței de Kṛṣṇa vine din faptul că, dintr-o singură lovitură, prin angajarea în slujirea devoțională omul poate depăși toate ritualurile diferitelor etape ale vieții.

Cuvintele *idaṁ viditvā* indică faptul că trebuie să înțelegem învățăturile date de Śrī Kṛṣṇa în acest capitol și în capitolul șapte din *Bhagavad-gītā*. Trebuie să încercăm a înțelege aceste capitole nu prin erudiție sau speculație mentală, ci prin ascultarea lor alături de devoți. Capitolele de la al șaptelea până la al doisprezecelea sunt esența *Bhagavad-gītei*. Primele șase și ultimele șase capitole sunt ca niște învelișuri pentru cele șase capitole din mijloc care sunt ocrotite în mod special de Domnul. Dacă cineva este destul de norocos să înțeleagă *Bhagavad-gīta*—și în special aceste șase capitole de la mijloc—alături de devoți, atunci viața sa va fi de îndată slăvită, dincolo de orice fel de penitențe, sacrificii, acte de caritate, speculații etc., căci omul poate dobândi toate rezultatele acestor activități doar prin conștiința de Kṛṣṇa.

Cel cu credință slabă în *Bhagavad-gītā* trebuie să o învețe de la un devot, pentru că la începutul capitolului al patrulea se spune clar că *Bhagavad-gītā* poate fi înțeleasă doar de către devoți; nimeni altul nu poate înțelege perfect scopul *Bhagavad-gītei*. De aceea *Bhagavad-gītā* trebuie învățată de la un devot al lui Kṛṣṇa și nu de la cei ce fac speculații mentale. Acesta este un semn de credință. Când cineva caută un devot și în final ajunge să se asocieze cu devoții, el începe de fapt să studieze și să înțeleagă *Bhagavad-gītā*. Progresând în asociere cu devoții, omul intră în slujirea devoțională și această slujire îi înlătură toate îndoielile despre Kṛṣṇa sau Dumnezeu, despre activitățile, forma, petrecerile, numele și alte trăsături ale lui Kṛṣṇa. După ce aceste îndoieli au fost perfect lămurite, omul ajunge bine stabilit în studiu. Apoi el începe să savureze studiul *Bhagavad-gītei* și atinge starea în care se simte mereu conștient de Kṛṣṇa. Într-un stadiu mai avansat, omul se îndrăgostește cu totul de Kṛṣṇa. Acest stadiu de desăvârșire a vieții, care este cel mai înalt, îl face pe devot demn de a fi transferat în sălașul lui Kṛṣṇa, în cerul spiritual, Goloka Vṛndāvana, unde devotul devine veșnic fericit.

Astfel sfârșește comentariul lui Bhaktivedanta la capitolul al optulea din Śrīmad Bhagavad-gītā care tratează despre „Atingerea Supremului".

CAPITOLUL NOUĂ

Cea mai confidenţială cunoaştere

TEXTUL 1

श्रीभगवानुवाच
इदं तु ते गुह्यतमं प्रवक्ष्याम्यनसूयवे ।
ज्ञानं विज्ञानसहितं यज्ज्ञात्वा मोक्ष्यसेऽशुभात् ॥ १ ॥

śrī-bhagavān uvāca
idaṁ tu te guhyatamaṁ
pravakṣyāmy anasūyave
jñānaṁ vijñāna-sahitaṁ
yaj jñātvā mokṣyase 'śubhāt

śrī-bhagavān uvāca—Suprema Personalitate a Divinităţii a spus; *idam*— aceasta; *tu*—însă; *te*—ţie; *guhya-tamam*—cea mai confidenţială;

pravakṣyāmi—îți voi spune; *anasūyave*—celui lipsit de invidie; *jñānam*—cunoașterea; *vijñāna*—cunoașterea realizată; *sahitam*—împreună cu; *yat*—pe care; *jñātvā*—cunoscând-o; *mokṣyase*—vei fi eliberat; *aśubhāt*—de suferințele existenței materiale.

Suprema Personalitate a Divinității a spus: Dragul meu Arjuna, deoarece tu nu ești niciodată invidios pe Mine, îți voi împărtăși cea mai confidențială cunoaștere și realizare, prin care vei fi eliberat de toate suferințele existenței materiale.

COMENTARIU

Pe măsură ce devotul aude din ce în ce mai mult despre Domnul Suprem, el ajunge să fie iluminat. Acest proces de ascultare este recomandat în *Śrīmad-Bhāgavatam*: „Mesajele Supremei Personalități a Divinității au o mulțime de potențialități iar aceste potențialități pot fi realizate dacă subiectele referitoare la Suprema Divinitate sunt discutate între devoți. Acest lucru nu poate fi obținut în compania celor ce fac speculații mentale sau a savanților, deoarece aceasta este o cunoaștere realizată."

Devoții sunt permanent angajați în slujirea Domnului Suprem. Domnul înțelege atitudinea și sinceritatea unei entități vii angajate în conștiința de Kṛṣṇa și îi dă inteligența de a înțelege știința de Kṛṣṇa în compania devoților. Discuția despre Kṛṣṇa este foarte eficace iar dacă cineva are norocul să ajungă într-o asemenea companie și încearcă să asimileze cunoașterea, atunci cu siguranță că va progresa către realizarea spirituală. Pentru a-l încuraja pe Arjuna să se ridice tot mai sus în slujirea puternică a Sa, Domnul Kṛṣṇa descrie în acest al nouălea capitol subiecte mult mai confidențiale decât oricare din cele dezvăluite de El mai înainte. Capitolul întâi, cu care începe de fapt *Bhagavad-gītā*, este mai mult sau mai puțin o introducere la restul cărții; iar cunoașterea spirituală descrisă în capitolele doi și trei este numită confidențială. Subiectele discutate în capitolele șapte și opt sunt legate în mod special de slujirea devoțională și, deoarece aduc iluminarea în ce privește conștiința de Kṛṣṇa, sunt considerate a fi și mai confidențiale. Dar subiectele descrise în capitolul nouă se ocupă de devoțiunea pură, neprihănită. Prin urmare, acesta este considerat a fi cel mai confidențial dintre toate. Cel ce se situează în cunoașterea cea mai confidențială despre Kṛṣṇa este în mod firesc transcendent; de aceea el nu mai are dificultăți materiale, deși se află în lumea materială. În *Bhakti-rasāmṛta-sindhu* se spune că deși cel care dorește sincer să-L slujească cu dragoste pe Domnul Suprem este situat în starea condiționată a existenței materiale, el trebuie considerat ca fiind eliberat. La fel și în

Bhagavad-gītā, capitolul zece, vom vedea că acela ce se angajează pe această cale este un om eliberat.

Acest prim verset are o semnificație deosebită. Cuvintele *idaṁ jñānam* („această cunoaștere") se referă la slujirea devoțională pură care este alcătuită din nouă activități: ascultarea, cântarea, amintirea, slujirea, adorarea, rugăciunea, supunerea, împrietenirea și predarea totală. Prin practicarea acestor nouă elemente ale slujirii devoționale omul se înalță la conștiința spirituală, conștiința de Kṛṣṇa. Când inima sa este curățată de contaminarea materială, el poate înțelege această știință de Kṛṣṇa. Nu este suficientă simpla înțelegere a faptului că entitatea vie nu este materială. Aceasta poate fi doar începutul realizării spirituale, dar trebuie să recunoaștem diferența dintre activitățile corpului și activitățile spirituale ale celui care înțelege că el nu este corpul.

În capitolul al șaptelea am discutat deja despre puterea măreață a Supremei Personalități a Divinității, despre diferitele Sale energii, despre natura superioară și cea inferioară și despre întreaga manifestare materială. Acum, în capitolul nouă vor fi evidențiate gloriile Domnului.

Cuvântul sanscrit *anasūyave* din acest verset este de asemenea foarte semnificativ. În general comentatorii, chiar dacă sunt foarte învățați, sunt cu toții invidioși față de Kṛṣṇa, Suprema Personalitate a Divinității. Chiar și învățații cei mai eruditi scriu despre *Bhagavad-gītā* cu foarte multă inexactitate. Întrucât ei sunt invidioși pe Kṛṣṇa, comentariile lor sunt nefolositoare. Comentariile făcute de devoții Domnului sunt demne de încredere. Nimeni nu poate să explice *Bhagavad-gītā* sau să transmită cunoașterea perfectă despre Kṛṣṇa atâta vreme cât este invidios. Cel ce critică felul de a fi al lui Kṛṣṇa fără să Îl cunoască, este un smintit. Asemenea comentarii trebuie înlăturate cu multă grijă. Pentru cel ce înțelege că Kṛṣṇa este Suprema Personalitate a Divinității, Personalitatea pură și transcendentă, aceste capitole îi vor fi extrem de benefice.

TEXTUL 2

राजविद्या राजगुह्यं पवित्रमिदमुत्तमम् ।
प्रत्यक्षावगमं धर्म्यं सुसुखं कर्तुमव्ययम् ॥ २॥

rāja-vidyā rāja-guhyaṁ
pavitram idam uttamam
pratyakṣāvagamaṁ dharmyaṁ
su-sukhaṁ kartum avyayam

rāja-vidyā—regele învăţăturii; *rāja-guhyam*—regele cunoaşterii confidenţiale; *pavitram*—cel mai pur; *idam*—acesta; *uttamam*—transcendent; *pratyakṣa* —prin experienţă directă; *avagamam*—înţeles; *dharmyam*—principiul religiei; *su-sukham*—foarte plăcut; *kartum*—de îndeplinit; *avyayam*—etern.

Această cunoaştere este regina educaţiei, cea mai tainică dintre toate tainele. Ea este cunoaşterea cea mai pură şi, pentru că duce la perceperea directă a sinelui prin realizare, este perfecţiunea religiei. Ea este eternă şi este îndeplinită cu bucurie.

COMENTARIU

Acest capitol din *Bhagavad-gītā* este numit regele învăţăturii pentru că este esenţa tuturor doctrinelor şi filosofiilor explicate anterior. Printre principalii filosofi ai Indiei se numără Gautama, Kaṇāda, Kapila, Yājñavalkya, Śāṇḍilya şi Vaiśvānara, iar în final Vyāsadeva, autor al *Vedānta-sūtrei;* deci iată că domeniul filosofiei sau cunoaşterii transcendente nu duce lipsă de cunoaştere. Aici însă Domnul ne spune că acest al nouălea capitol este regele tuturor acestor cunoaşteri, esenţa întregii cunoaşteri ce se poate dobândi prin studiul *Vedelor* şi al diferitelor şcoli filosofice. El este cel mai confidenţial, deoarece cunoaşterea confidenţială sau transcendentă cuprinde înţelegerea diferenţei dintre suflet şi corp. Iar regele întregii cunoaşteri confidenţiale culminează în slujirea devoţională.

În general, oamenii nu sunt educaţi în această cunoaştere confidenţială, ci sunt educaţi în cunoaşterea exterioară. Cât priveşte învăţământul obişnuit, oamenii se preocupă de o mulţime de domenii: politică, sociologie, fizică, chimie, matematică, astronomie, inginerie etc. Există o mulţime de instituţii de învăţământ în întreaga lume şi o mulţime de mari universităţi, dar, din nefericire, nu există nici o universitate sau instituţie de învăţământ în care să se predea ştiinţa despre sufletul spiritual. Şi totuşi, sufletul este partea cea mai importantă a corpului; fără prezenţa sufletului, corpul nu are valoare. Totuşi oamenii dau foarte multă importanţă necesităţilor trupeşti ale vieţii, fără să se preocupe de sufletul care dă viaţă.

Începând mai ales din capitolul al doilea, *Bhagavad-gītā* subliniază importanţa sufletului. Chiar de la început Domnul spune că acest corp este pieritor iar sufletul este nepieritor *(antavanta ime dehā nityasyoktāḥ śarīriṇaḥ).* Aceasta este una din părţile confidenţiale ale cunoaşterii: a şti că sufletul spiritual este diferit de corp şi că natura sa este neschimbătoare, indestructibilă și eternă. Dar aceasta nu aduce informații pozitive asupra sufletului. Uneori oamenii au impresia că sufletul este diferit de corp și că atunci când corpul se sfârșește sau când cineva se eliberează de corp, sufletul rămâne într-un fel de vid și devine impersonal. Dar în realitate lucrurile nu stau astfel. Cum poate sufletul care este atât de activ în corp să fie inactiv după ce s-a eliberat de corp? El rămâne mereu activ. Dacă este etern, atunci este etern activ iar activitățile sale în împărăția spirituală constituie partea cea mai confidențială a cunoașterii spirituale. De aceea aceste activități ale sufletului spiritual sunt indicate aici ca fiind regina întregii cunoașteri, partea cea mai confidențială a întregii cunoașteri.

Această cunoaștere este forma cea mai pură a tuturor activităților, așa cum se explică în scrierile vedice. În *Padma Purāṇa* sunt analizate activitățile păcătoase ale omului, arătându-se că acestea sunt rezultatul unui păcat după altul. Cei angajați în activitatea cu rezultate fructuoase sunt prinși la diferite niveluri și în diferite forme de reacții păcătoase. De exemplu, când se sădește o sămânță a unui copac, aceasta nu începe să crească imediat, ci are nevoie de un anumit timp. Mai întâi apare un mic lăstar, acesta ajunge copac, apoi înflorește și dă fruct, și astfel, după ce a ajuns la maturitate, cei care au plantat sămânța se bucură de flori și fructe. La fel și când omul comite un păcat, acesta, la fel ca sămânța, are nevoie de timp pentru a-și aduce roadele. Există mai multe etape. Fapta păcătoasă poate să se fi încheiat deja în individul respectiv, dar el trebuie totuși să suporte roadele sau rezultatele acestei activități păcătoase. Există păcate care sunt încă sub formă de sămânță iar altele au rodit deja, dându-ne să le gustăm fructul sub forma suferinței și durerii.

Așa cum s-a explicat în versetul douăzeci și opt din capitolul al șaptelea, cel ce a pus definitiv capăt reacțiilor tuturor activităților păcătoase și care este pe deplin angajat în activități pioase, fiind eliberat de dualitatea acestei lumi materiale, ajunge să se dedice slujirii devoționale față de Suprema Personalitate a Divinității, Kṛṣṇa. Cu alte cuvinte, cei ce sunt în prezent angajați în slujirea devoțională a Domnului Suprem sunt deja eliberați de toate reacțiile. Această afirmație este confirmată și în *Padma Purāṇa*:

> *aprārabdha-phalaṁ pāpaṁ*
> *kūṭaṁ bījaṁ phalonmukham*
> *krameṇaiva pralīyeta*
> *viṣṇu-bhakti-ratātmanām*

Pentru cei ce sunt angajați în slujirea devoțională a Supremei Personalități a Divinității toate reacțiile păcătoase, fie fructificate, fie depozitate, sau sub formă de sămânță, sunt eliminate treptat. Prin urmare, puterea purificatoare a slujirii devoționale este foarte mare, acest proces purtând numele de *pavitram uttamam,* cel mai pur dintre toate. *Uttama* înseamnă transcendent. *Tamas* înseamnă lumea materială sau întunericul iar *uttama* înseamnă ceea ce este transcendent față de toate activitățile materiale. Activitățile devoționale nu trebuie niciodată să fie considerate materiale, deși uneori ni se pare că devoții acționează la fel ca oamenii obișnuiți. Cel ce știe să vadă și este familiarizat cu slujirea devoțională va înțelege că acestea nu sunt activități materiale. Acestea sunt în întregime spirituale și devoționale, necontaminate de modurile materiale ale naturii.

Se spune că îndeplinirea slujirii devoționale este atât de perfectă, încât rezultatele sale pot fi percepute direct. Acest rezultat direct se percepe cu adevărat, iar noi avem experiența practică a faptului că orice persoană care cântă numele sfinte ale lui Krṣṇa (Hare Krṣṇa, Hare Krṣṇa, Krṣṇa Krṣṇa, Hare Hare/ Hare Rāma, Hare Rāma, Rāma Rāma, Hare Hare) simte o oarecare plăcere transcendentă în timpul cântatului fără ofense și foarte repede ajunge să fie purificată de toate contaminările materiale. Acest lucru se vede în mod efectiv. Mai mult, dacă cineva se implică nu doar în ascultat, ci și în a încerca să răspândească mesajul activităților devoționale sau ajută el însuși la desfășurarea activităților misionare ale conștiinței de Krṣṇa, treptat ajunge să simtă progresul spiritual. Această înaintare în viața spirituală nu depinde de nici un fel de educație anterioară sau însușire. Metoda însăși este atât de pură, încât prin simpla angajare în acest proces omul devine pur.

Acest lucru este descris și în *Vedānta-sūtra* (3.2.26) cu următoarele cuvinte: *prakāśaś ca karmaṇy abhyāsāt.* „Slujirea devoțională este atât de puternică, încât prin simpla angajare în activitățile slujirii devoționale omul ajunge să fie iluminat, fără nici o îndoială." Un exemplu practic al acestui fapt îl putem vedea în viața precedentă a lui Nārada, care, în acea viață se întâmplase să fie fiul unei servitoare. Era lipsit de educație și nu era născut într-o familie nobilă. Dar când mama sa s-a angajat să servească unor mari devoți, Nārada a început și el să facă același lucru, iar uneori, când mama sa lipsea, avea ocazia să-i servească el însuși pe acești mari devoți. Nārada însuși spune:

ucchiṣṭa-lepān anumodito dvijaiḥ
sakṛt sma bhuñje tad-apāsta-kilbiṣaḥ
evaṁ pravṛttasya viśuddha-cetasas
tad-dharma evātma-ruciḥ prajāyate

În acest verset din *Śrīmad-Bhāgavatam* (1.5.25) Nārada relatează viața sa precedentă discipolului său Vyāsadeva. El spune că atâta vreme cât fusese angajat ca servitor al acelor devoți puri, în timpul celor patru luni ale șederii lor, fusese foarte intim legat de ei. Uneori acei înțelepți lăsau rămășițe de hrană pe farfurii iar băiatul, care trebuia să spele vasele, a dorit să mânânce acele resturi. Astfel că a cerut îngăduința acelor mari devoți, iar când ei i-au permis acest lucru, Nārada a mâncat resturile de hrană și astfel a ajuns să fie eliberat de toate reacțiile păcătoase. Continuând să mănânce astfel, treptat a ajuns la fel de curat la inimă ca și înțelepții. Acei mari devoți savurau gustul slujirii devoționale neîncetate a Domnului prin ascultat și cântat, iar Nārada și-a dezvoltat și el în mod treptat același gust. În continuare, Nārada spune:

tatrānvahaṁ kṛṣṇa-kathāḥ pragāyatām
anugraheṇāśṛṇavaṁ manoharāḥ
tāḥ śraddhayā me 'nupadaṁ viśṛṇvataḥ
priyaśravasy aṅga mamābhavad ruciḥ

Asociindu-se cu acei înțelepți, Nārada a dobândit gustul ascultării și cântării gloriilor Domnului și și-a dezvoltat o mare dorință pentru slujirea devoțională. Prin urmare, așa cum se descrie în *Vedānta-sūtra, prakāśaś ca karmaṇy abhyāsāt:* dacă cineva se angajează doar în activitățile slujirii devoționale, totul i se revelează automat și el poate să înțeleagă. Acest lucru poartă numele de *pratyakṣa,* percepere directă.

Cuvântul *dharmyam* înseamnă „calea religiei". Nārada era în realitate fiul unei servitoare și nu avea prilejul să meargă la școală. El nu făcea decât să o ajute pe mama sa și, din fericire, mama sa a ajuns să-i servească pe devoți. Astfel și copilul Nārada a avut acest prilej și, prin simpla asociere, a împlinit țelul cel mai înalt al religiei. Țelul cel mai înalt al oricărei religii este slujirea devoțională, așa cum se afirmă în *Śrīmad-Bhāgavatam (sa vai puṁsāṁ paro dharmo yato bhaktir adhokṣaje).* În general oamenii religioși nu știu că cea mai înaltă perfecțiune a religiei este ajungerea la slujirea devoțională. Așa cum am discutat deja în legătură cu ultimul verset din capitolul opt (*vedeṣu yajñeṣu tapaḥsu caiva*), în general este nevoie de cunoașterea vedică pentru realizarea de sine. Dar, așa cum am văzut aici, deși Nārada nu a mers niciodată la școala maestrului spiritual și nu fusese niciodată educat conform principiilor vedice, el a obținut cel mai înalt rezultat al studiilor vedice. Acest proces este atât de puternic, încât chiar și fără a îndeplini în mod regulat ritualurile religioase omul poate fi ridicat la cea mai înaltă perfecțiune. Cum este posibil acest lucru? Acest fapt este confirmat şi în scrierile vedice: *ācāryavān puruṣo veda*. Cel ce se asociază cu marii *ācārya*, chiar dacă nu este educat sau nu a studiat niciodată *Vedele*, poate să se familiarizeze cu întreaga cunoaştere necesară pentru realizare.

Acest proces al slujirii devoţionale este unul foarte plăcut *(susukham)*. De ce? Slujirea devoţională constă în *śravaṇaṁ kīrtanaṁ viṣṇoḥ*, astfel încât omul poate pur şi simplu să asculte cântarea gloriilor Domnului sau să participe la expuneri filosofice asupra cunoaşterii transcendente ţinute de *ācārya* autorizaţi. Omul poate doar să şadă şi să înveţe; apoi el poate să mănânce rămăşiţele hranei oferite lui Dumnezeu, acele feluri deosebit de gustoase. În orice stare, slujirea devoţională este plină de bucurie. Slujirea devoţională poate fi împlinită şi în starea de cea mai mare sărăcie. Domnul spune *patraṁ puṣpaṁ phalaṁ toyam:* El este gata să primească de la devot orice fel de ofrandă, indiferent ce ar fi. Chiar şi o frunză, o floare, câteva fructe sau puţină apă, lucruri ce se găsesc în orice parte a lumii, toate pot fi oferite de *orice* persoană, indiferent de poziţia ei socială, şi ele vor fi acceptate dacă sunt oferite cu dragoste. Există multe exemple de-a lungul istoriei. Numai prin simpla gustare a frunzelor de *tulasī* oferite la picioarele de lotus ale Domnului mari înţelepţi precum Sanat-kumāra au devenit mari devoţi. Deci procesul devoţional este foarte plăcut şi poate fi îndeplinit într-o stare plină de fericire. Dumnezeu acceptă numai dragostea cu care lucrurile Îi sunt oferite Lui.

Se spune aici că slujirea devoţională există veşnic. Acest lucru este cu totul diferit de ceea ce susţin filosofii *māyāvādī*. Deşi uneori se dedică unei aşa-numite slujiri devoţionale, ei se gândesc că îşi vor continua această slujire devoţională doar atâta vreme cât nu sunt eliberaţi, dar la sfârşit, când ajung să fie eliberaţi „vor fi una cu Dumnezeu". Această slujire devoţională temporară, pe o perioadă limitată în timp, nu este acceptată ca slujire devoţională pură. Adevărata slujire devoţională continuă chiar şi după eliberare. Când devotul se duce pe o planetă spirituală din împărăţia lui Dumnezeu, el rămâne şi acolo angajat în slujirea Domnului Suprem. El nu încearcă să devină una cu Domnul Suprem.

Aşa cum se va vedea în *Bhagavad-gītā*, adevărata slujire devoţională începe după eliberare. După ce omul este eliberat, ajungând să fie situat la nivelul Brahman *(brahma-bhūta)*, abia atunci începe slujirea devoţională *(samaḥ sarveṣu bhūteṣu mad-bhaktiṁ labhate parām)*. Nimeni nu poate înţelege Suprema Personalitate a Divinităţii executând *karma-yoga, jñāna-yoga, aṣṭāṅga-yoga* sau orice altă metodă de yoga independentă. Prin aceste metode yoghine se poate face un oarecare progres către *bhakti-yoga*, dar fără a ajunge la stadiul slujirii devoționale nu se poate înțelege ce este Personalitatea Divinității. Și în *Śrīmad-Bhāgavatam* se confirmă că atunci când omul ajunge purificat prin împlinirea procesului slujirii devoționale, ascultând mai ales *Śrīmad-Bhāgavatam* și *Bhagavad-gītā* de la sufletele realizate, el poate să înțeleagă știința de Kṛṣṇa sau știința de Dumnezeu. *Evaṁ prasanna-manaso bhagavad-bhakti-yogataḥ.* Când inima cuiva este curățată de toate lucrurile inutile, atunci el poate înțelege ce este Dumnezeu. Astfel, procesul slujirii devoționale, al conștiinței de Kṛṣṇa, este regele întregii învățături și al întregii cunoașteri confidențiale. El este forma cea mai pură a religiei și poate fi îndeplinit cu bucurie și fără dificultăți. Prin urmare, trebuie să-l adoptăm.

TEXTUL 3

अश्रद्दधानाः पुरुषा धर्मस्यास्य परन्तप ।
अप्राप्य मां निवर्तन्ते मृत्युसंसारवर्त्मनि ॥ ३ ॥

aśraddadhānāḥ puruṣā
dharmasyāsya parantapa
aprāpya māṁ nivartante
mṛtyu-saṁsāra-vartmani

aśraddadhānāḥ—care nu au credință; *puruṣāḥ*—acele persoane; *dharmasya*—față de procesul religiei; *asya*—acesta; *parantapa*—o, ucigătorule de dușmani; *aprāpya*—fără a obține; *mām*—pe Mine; *nivartante*—se reîntorc; *mṛtyu*—a morții; *saṁsāra*—în existența materială; *vartmani*—pe calea.

Cei ce nu cred în această slujire devoțională nu pot să ajungă la Mine, o, tu cel ce-ți înfrângi vrăjmașii. De aceea ei se reîntorc pe calea nașterii și a morții în această lume materială.

COMENTARIU

Cei necredincioși nu pot îndeplini acest proces de slujire devoțională; aceasta este semnificația versetului. Credința se naște prin asocierea cu devoții. Oamenii lipsiți de noroc, chiar după ce aud toate dovezile din scrierile vedice de la mari personalități, nu ajung totuși să creadă în Dumnezeu. Ei șovăie și nu pot rămâne stabili în slujirea devoțională a Domnului. Deci credința este unul din factorii cei mai importanți pentru progresul în conștiința de Kṛṣṇa.

În *Caitanya-caritāmṛta* se spune că credința este convingerea deplină că prin simpla slujire a Domnului Suprem, Śrī Kṛṣṇa, omul poate atinge întreaga desăvârșire. Aceasta este adevărata credință. Așa cum se afirmă și în *Śrīmad-Bhāgavatam* (4.31.14):

> *yathā taror mūla-niṣecanena*
> *tṛpyanti tat-skandha-bhujopaśākhāḥ*
> *prāṇopahārāc ca yathendriyāṇāṁ*
> *tathaiva sarvārhaṇam acyutejyā*

„Dând apă rădăcinii unui copac sunt satisfăcute crengile, rămurelele și frunzele, iar dând hrană stomacului se satură toate simțurile corpului. În același fel, prin angajarea în slujirea transcendentă a Domnului Suprem sunt automat satisfăcuți toți semizeii și toate celelalte ființe." Prin urmare, după ce citește *Bhagavad-gītā* omul trebuie să ajungă de îndată la concluzia din *Bhagavad-gītā*: trebuie să se renunțe la toate celelalte preocupări și să se adopte slujirea Domnului Suprem Kṛṣṇa, Suprema Personalitate a Divinității. Dacă cineva este convins de această filosofie a vieții, înseamnă că are credință.

Însă dezvoltarea acestei credințe ține de procesul conștiinței de Kṛṣṇa. Există trei clase de oameni conștienți de Kṛṣṇa. Cei de clasa a treia sunt oamenii lipsiți de credință. Chiar dacă oficial sunt angajați în slujirea devoțională, ei nu pot atinge stadiul cel mai înalt al desăvârșirii. Este foarte probabil ca aceștia să se prăbușească după un anumit timp. Chiar dacă se angajează în slujirea devoțională, deoarece nu au convingere și credință deplină, le este foarte greu să continue în conștiința de Kṛṣṇa. În îndeplinirea activităților noastre misionare am putut vedea în mod practic cum unii oameni vin și se dedică conștiinței de Kṛṣṇa dintr-un anume motiv ascuns, și de îndată ce se restabilesc puțin din punct de vedere economic, renunță la acest proces și-și reiau vechile lor deprinderi. Numai prin credință se poate avansa în conștiința de Kṛṣṇa. Cât privește dezvoltarea credinței, cel ce este foarte versat în scrierile referitoare la slujirea devoțională și a atins stadiul credinței ferme este considerat ca o persoană de prim rang în conștiința de Kṛṣṇa. Iar în cea de-a doua clasă se află cei ce nu sunt foarte avansați în înțelegerea scripturilor devoționale, dar au în mod automat credința fermă că *kṛṣṇa-bhakti* sau slujirea lui Kṛṣṇa este cea mai bună cale și astfel, cu bună-credință, au apucat pe ea. Ei sunt deci superiori celor din a treia clasă, care nu au nici cunoaștere desăvârșită a scripturilor, nici credință adevărată, ci prin asocierea cu ceilalți și prin simplitate încearcă să urmeze această cale. Persoana de clasa a treia în conștiința de Kṛṣṇa poate să cadă, dar nu și cel de-a doua clasă, pe când pentru o persoană de prim rang în conștiința de Kṛṣṇa nu există nici un pericol de cădere. Cel din prima categorie va ajunge cu siguranță să progreseze și să obțină în final un rezultat. Cât privește persoana de clasa a treia în conștiința de Kṛṣṇa, deși aceasta este încredințată că slujirea devoțională a lui Kṛṣṇa este foarte bună, nu a dobândit o adecvată cunoaștere de Kṛṣṇa prin intermediul scripturilor precum *Śrīmad-Bhāgavatam* și *Bhagavad-gītā*. Uneori aceste persoane de clasa a treia în conștiința de Kṛṣṇa au anumite înclinații spre *karma-yoga* și *jñāna-yoga* iar uneori sunt tulburate, dar de îndată ce contaminarea cu *karma-yoga* sau *jñāna-yoga* este înlăturată, ele devin persoane de prima sau a doua clasă în conștiința de Kṛṣṇa. Credința în Kṛṣṇa se împarte și ea în trei stadii, așa cum o descrie *Śrīmad-Bhāgavatam*. Încadrarea în prima, a doua și a treia categorie este de asemenea explicată în *Śrīmad-Bhāgavatam*, capitolul al unsprezecelea. Celor ce nu au credință nici după ce aud despre Kṛṣṇa și despre excelența slujirii devoționale și care cred că este doar o simplă elogiere, drumul acesta li se pare foarte greu, chiar dacă se presupune că sunt angajați în slujirea devoțională. Pentru ei există puține speranțe de a atinge perfecțiunea. De aceea credința este foarte importantă în îndeplinirea slujirii devoționale.

TEXTUL 4

मया ततमिदं सर्वं जगदव्यक्तमूर्तिना ।
मत्स्थानि सर्वभूतानि न चाहं तेष्ववस्थितः ॥ ४ ॥

mayā tatam idaṁ sarvaṁ
jagad avyakta-mūrtinā
mat-sthāni sarva-bhūtāni
na cāhaṁ teṣv avasthitaḥ

mayā—de către Mine; *tatam*—pătrunsă; *idam*—această; *sarvam*—întreagă; *jagat*—manifestare cosmică; *avyakta-mūrtinā*—de către forma nemanifestată; *mat-sthāni*—în Mine; *sarva-bhūtāni*—toate entitățile vii; *na*—nu; *ca*—și; *aham*—Eu; *teṣu*—în ele; *avasthitaḥ*—situat.

Acest întreg univers este pătruns de Mine, în forma Mea nemanifestată. Toate ființele sunt în Mine, dar Eu nu sunt în ele.

COMENTARIU

Suprema Personalitate a Divinităţii nu este perceptibilă prin simţurile materiale grosiere. Se spune că:

ataḥ śrī-kṛṣṇa-nāmādi
na bhaved grāhyam indriyaiḥ
sevonmukhe hi jihvādau
svayam eva sphuraty adaḥ
(*Bhakti-rasāmṛta-sindhu* 1.2.234)

Numele, faima, petrecerile etc. ale Domnului Śrī Kṛṣṇa nu pot fi înţelese cu ajutorul simţurilor materiale. El este revelat doar celui ce este angajat în slujirea devoţională pură, sub îndrumarea potrivită. În *Brahma-saṁhitā* (5.38) se afirmă *premāñjana-cchurita-bhakti-vilocanena santaḥ sadaiva hṛdayeṣu vilokayanti:* Îl putem vedea mereu pe Govinda, Suprema Personalitate a Divinităţii, atât înăuntrul, cât şi în afara noastră, dacă ne dezvoltăm atitudinea de dragoste transcendentă faţă de El. Deci pentru oamenii obişnuiţi El nu este vizibil. Aici se spune că deşi El este atotpătrunzător, prezent pretutindeni, El nu poate fi conceput cu ajutorul simţurilor materiale. Acest lucru este indicat aici prin cuvântul *avyakta-mūrtina*. Dar în realitate, deşi nu Îl putem vedea, totul se sprijină în El. Aşa cum am discutat în capitolul al şaptelea, întreaga manifestare cosmică materială este doar o combinaţie a celor două energii diferite ale Sale—cea superioară, energia spirituală, şi cea inferioară, energia materială. Aşa cum lumina soarelui se răspândeşte în întregul univers, energia Domnului este răspândită în întreaga creaţie şi totul se sprijină pe această energie.

Cu toate acestea, nu trebuie să tragem concluzia că, întrucât El este răspândit pretutindeni, Şi-ar fi pierdut existenţa Sa personală. Pentru a respinge un asemenea argument, Domnul spune: „Eu sunt pretutindeni şi totul se află în Mine, dar totuşi Eu sunt distinct.“ De exemplu, regele conduce un guvern care nu este decât manifestarea energiei regelui; diversele ministere din acel guvern nu sunt decât energiile regelui, şi fiecare minister se întemeiază pe puterea regelui. Însă nimeni nu se poate aştepta ca regele să fie prezent personal în fiecare minister. Acesta este doar un exemplu aproximativ. În mod similar, toate manifestările pe care le vedem şi tot ceea ce există, atât în lumea materială, cât şi în cea spirituală, se sprijină pe energia Supremei Personalităţi a Divinităţii. Creaţia are loc prin difuzarea diferitelor Sale energii şi, aşa cum se afirmă în *Bhagavad-gītā, viṣṭabhyāham idaṁ kṛtsnam:* El este prezent pretutindeni prin reprezentarea Sa personală, prin difuzarea diferitelor Sale energii.

TEXTUL 5

न च मत्स्थानि भूतानि पश्य मे योगमैश्वरम् ।
भूतभृन्न च भूतस्थो ममात्मा भूतभावनः ॥ ५ ॥

na ca mat-sthāni bhūtāni
paśya me yogam aiśvaram
bhūta-bhṛn na ca bhūta-stho
mamātmā bhūta-bhāvanaḥ

na—niciodată; *ca*—de asemenea; *mat-sthāni*—situată în Mine; *bhūtāni*—întreaga creație; *paśya*—privește; *me*—a Mea; *yogam aiśvaram*—putere mistică de neînchipuit; *bhūta-bhṛt*—susținătorul tuturor entităților vii; *na*—niciodată; *ca*—de asemenea; *bhūta-sthaḥ*—în manifestarea cosmică; *mama*—al Meu; *ātmā*—Sine; *bhūta-bhāvanaḥ*—sursa tuturor manifestărilor.

Și mai mult, tot ceea ce este creat nu se sprijină în Mine. Iată opulența Mea mistică! Deși Eu sunt susținătorul tuturor entităților vii și deși Mă aflu pretutindeni, Eu nu sunt o parte a acestei manifestări cosmice, deoarece Eu Însumi sunt chiar sursa creației.

COMENTARIU

Domnul spune că totul se sprijină pe El *(mat-sthāni sarva-bhūtāni)*. Acest lucru nu trebuie însă înțeles în mod greșit. Domnul nu se preocupă direct de păstrarea și susținerea acestei manifestări materiale. Vedem uneori imaginea lui Atlas purtând pe umeri globul pământesc; el pare foarte obosit ținând această planetă uriașă. Nu trebuie însă să ne facem o asemenea imagine în ce-L privește pe Kṛṣṇa care susține universul creat. El spune că deși totul se sprijină pe El, El rămâne distinct. Sistemele planetare plutesc în spațiu, iar acest spațiu este energia Domnului Suprem. Dar El este diferit de spațiu. El este altfel situat. De aceea, Domnul spune: „Deși acestea sunt situate în energia Mea inconceptibilă, ca Supremă Personalitate a Divinității Eu sunt diferit de acestea". Aceasta este opulența de neconceput a Domnului.

În *Nirukti*, Dicționarul vedic, se spune *yujyate 'nena durghaṭeṣu kāryeṣu*: „Domnul Suprem Își săvârșește minunatele petreceri de neînchipuit manifestându-Şi energia." Persoana Sa este plină de diferite energii puternice iar hotărârea Sa este ea însăşi un fapt real. Astfel trebuie înţeleasă Personalitatea Divinităţii. Noi ne putem gândi să facem un anumit lucru, dar apar multe piedici şi câteodată nu putem să facem aşa cum ne-ar place. Dar când Kṛṣṇa doreşte să facă ceva, doar prin simpla Sa voinţă se săvârşeşte totul atât de perfect, încât nu ne putem nici măcar imagina cum s-a întâmplat. Domnul ne explică acest lucru: deşi El este menţinătorul şi susţinătorul întregii manifestări materiale, El nu atinge această manifestare materială. Prin simpla Sa voinţă supremă totul este creat, totul este susţinut, totul este păstrat şi totul este anihilat. Nu există diferenţă între mintea Sa şi El Însuşi (aşa cum există diferenţă între noi înşine şi mintea noastră materială din prezent), pentru că El este spirit absolut. Domnul este prezent simultan în toate, însă omul obişnuit nu poate înţelege cum poate El să fie prezent şi în mod personal. El este diferit de această manifestare materială, şi totuşi, toate se sprijină pe El. Acest lucru este explicat aici ca *yogam aiśvaram*, puterea mistică a Supremei Personalităţi a Divinităţii.

TEXTUL 6

यथाकाशस्थितो नित्यं वायुः सर्वत्रगो महान् ।
तथा सर्वाणि भूतानि मत्स्थानीत्युपधारय ॥ ६ ॥

yathākāśa-sthito nityaṁ
vāyuḥ sarvatra-go mahān
tathā sarvāṇi bhūtāni
mat-sthānīty upadhāraya

yathā—aşa cum; *ākāśa-sthitaḥ*—situat în cer; *nityam*—întotdeauna; *vāyuḥ* —vântul; *sarvatra-gaḥ*—suflând pretutindeni; *mahān*—cel mare; *tathā*—la fel; *sarvāṇi bhūtāni*—toate fiinţele create; *mat-sthāni*—situate în Mine; *iti*— astfel; *upadhāraya*—încearcă să înţelegi.

Înţelege că precum vântul puternic, care suflă peste tot, rămâne întotdeauna în cer, tot aşa, toate fiinţele create rezidă în Mine.

COMENTARIU

Pentru omul obişnuit este aproape de neconceput felul în care creaţia materială se află în El. Dar Domnul ne dă un exemplu care ne poate ajuta să înţelegem. Cerul este poate cea mai mare manifestare pe care o putem concepe. Iar în acest cer, vântul sau aerul este cea mai mare manifestare din lumea cosmică. Mișcarea aerului influențează mișcarea tuturor lucrurilor. Dar deși vântul este mare, el este totuși situat în cuprinsul cerului; vântul nu este dincolo de cer. În mod similar, toate minunatele manifestări cosmice există prin voința supremă a lui Dumnezeu și toate sunt supuse acestei voințe supreme. Așa cum se spune de obicei, nici măcar un fir de iarbă nu se mișcă fără voia Supremei Personalități a Divinității. Deci totul se mișcă conform voinței Sale: prin voința Sa totul este creat, totul este menținut și totul este anihilat. Și totuși, El este distinct de toate, așa cum cerul este întotdeauna deosebit de acțiunile vântului.

În *Upanișade* se spune *yad-bhīṣā vātaḥ pavate:* „Vântul suflă de teama Domnului Suprem" (*Taittirīya Upaniṣad* 2.8.1). În *Bṛhad-āraṇyaka Upaniṣad* (3.8.9) se afirmă *etasya vā akṣarasya praśāsane gārgi sūrya-cadramasau vidhṛtau tiṣṭhata etasya vā akṣarasya praśāsane gārgi dyāv-āpṛthivyau vidhṛtau tiṣṭhataḥ.* „La porunca supremă, sub supravegherea Supremei Personalități a Divinității se mișcă luna, soarele și celelalte planete uriașe." De asemenea, în *Brahma-saṁhitā* (5.52) se spune:

> *yac-cakṣur eṣa savitā sakala-grahāṇāṁ*
> *rājā samasta-sura-mūrtir aśeṣa-tejāḥ*
> *yasyājñayā bhramati sambhṛta-kāla-cakro*
> *govindam ādi-puruṣaṁ tam ahaṁ bhajāmi*

Aceasta este o descriere a mișcării soarelui. Se spune că soarele este socotit a fi unul din ochii Domnului Suprem și are o putere imensă de a răspândi căldură și lumină. Cu toate acestea, el se mișcă pe orbita ce-i este rânduită prin porunca și voința supremă a lui Govinda. Astfel, din scrierile vedice găsim dovezi că această manifestare materială, care ne apare a fi minunată și măreață, se află sub stăpânirea deplină a Supremei Personalități a Divinității. Acest lucru este explicat mai amănunțit în ultimele versete ale acestui capitol.

TEXTUL 7

सर्वभूतानि कौन्तेय प्रकृतिं यान्ति मामिकाम् ।
कल्पक्षये पुनस्तानि कल्पादौ विसृजाम्यहम् ॥ ७ ॥

sarva-bhūtāni kaunteya
prakṛtiṁ yānti māmikām
kalpa-kṣaye punas tāni
kalpādau visṛjāmy aham

sarva-bhūtāni—toate entităţile create; *kaunteya*—o, fiu al lui Kuntī; *prakṛtim*—natura; *yānti*—intră în; *māmikām*—a Mea; *kalpa-kṣaye*—la sfârşitul unei perioade cosmice; *punaḥ*—din nou; *tāni*—toate acestea; *kalpa-ādau*—la începutul unei perioade cosmice; *visṛjāmi*—creez; *aham*—Eu.

O, fiu al lui Kuntī, la sfârşitul unei perioade cosmice toate manifestă-rile materiale intră în natura Mea, iar la începutul unei alte perioade cosmice, prin puterea Mea, Eu le creez din nou.

COMENTARIU

Crearea, menţinerea şi distrugerea acestei manifestări cosmice materiale sunt complet dependente de voinţa supremă a Personalităţii Divinităţii. „La sfârşi-tul unei perioade cosmice" înseamnă la moartea lui Brahmā. Brahmā trăieş-te o sută de ani, iar o zi din viaţa sa este socotită la 4.300.000.000 de ani pământeşti. O lună de-a sa constă din 30 de astfel de zile şi nopţi, iar un an de-al său are douăsprezece luni. După o sută de astfel de ani, când Brahmā moare, are loc devastarea sau anihilarea; aceasta înseamnă că energia manifes-tată de Domnul Suprem se întoarce din nou în El. Apoi din nou, atunci când este nevoie de manifestarea lumii cosmice, acest lucru se face prin voinţa Sa. *Bahu syām*: „Deşi Eu sunt unul, voi deveni multiplu." Astfel spune dictonul vedic (*Chāndogya Upaniṣad* 6.2.3). El se răspândeşte pe Sine Însuşi în această energie materială şi întreaga manifestare cosmică are loc din nou.

TEXTUL 8

प्रकृतिं स्वामवष्टभ्य विसृजामि पुनः पुनः ।
भूतग्राममिमं कृत्स्नमवशं प्रकृतेर्वशात् ॥ ८ ॥

prakṛtiṁ svām avaṣṭabhya
visṛjāmi punaḥ punaḥ

bhūta-grāmam imaṁ kṛtsnam
avaśaṁ prakṛter vaśāt

prakṛtim—natura materială; *svām*—a Sinelui Meu personal; *avaṣṭabhya*—intrând în; *visṛjāmi*—Eu creez; *punaḥ punaḥ*—din nou și din nou; *bhūta-grāmam*—toate manifestările cosmice; *imam*—acestea; *kṛtsnam*—în întregime; *avaśam*—în mod automat; *prakṛteḥ*—forței naturii; *vaśāt*—supuse constrângerii.

Întreaga ordine cosmică Mi se supune Mie. După voința Mea, ea este manifestă automat din nou și din nou, iar după voința Mea este anihilată la sfârșit.

COMENTARIU

Această lume materială este manifestarea energiei inferioare a Supremei Personalități a Divinității. Acest lucru a fost deja explicat de câteva ori. La vremea creației, energia materială este lăsată liberă sub forma lui *mahat-tattva* în care intră Domnul sub forma primei Sale încarnări ca Puruṣa, numită Mahā-Viṣṇu. El stă întins pe suprafața Oceanului Cauzal și cu fiecare expirație face să apară nenumărate universuri, iar în fiecare din aceste universuri Domnul intră din nou sub forma lui Garbhodakaśāyī Viṣṇu. Fiecare univers este creat în acest fel. În continuare El se manifestă pe Sine ca Kṣīrodakaśāyī Viṣṇu și intră în toate lucrurile—chiar și în minusculul atom. Acest fapt este explicat aici. El intră în toate lucrurile.

În ce privește entitățile vii, ele sunt însămânțate în această natură materială și, ca rezultat al activităților lor trecute, ele ocupă diferite poziții. Astfel încep activitățile acestei lumi materiale. Activitățile diferitelor specii de viețuitoare încep încă din momentul creației. Nu este adevărat că totul evoluează. Diferitele specii de viață sunt create imediat, împreună cu universul. Oamenii și animalele, mamiferele și păsările—toate sunt create simultan, deoarece toate dorințele pe care viețuitoarele le aveau la ultima anihilare se manifestă din nou. Aici se indică în mod clar, prin cuvântul *avaśam*, că entitățile vii nu au nimic de-a face cu acest proces. Starea de existență din viața lor trecută, în precedenta creție, se manifestă pur și simplu din nou, și toate acestea se îndeplinesc doar prin voința Lui. Aceasta este puterea de neînchipuit a Supremei Personalități a Divinității. Iar după ce crează diferitele specii de viață, El nu mai are legătură cu ele. Creația are loc pentru a satisface înclinațiile diferitelor entități vii, și astfel Domnul nu este implicat în ea.

TEXTUL 9

न च मां तानि कर्माणि निबध्नन्ति धनञ्जय ।
उदासीनवदासीनमसक्तं तेषु कर्मसु ॥ ९ ॥

na ca māṁ tāni karmāṇi
nibadhnanti dhanañjaya
udāsīna-vad āsīnam
asaktaṁ teṣu karmasu

na—niciodată; *ca*—şi; *mām*—pe Mine; *tāni*—toate aceste; *karmāṇi*—activităţi; *nibadhnanti*—leagă; *dhanañjaya*—o, cuceritorule de bogăţii; *udāsīna-vat*—ca neutru; *āsīnam*—situat; *asaktam*—lipsit de atracţie; *teṣu*—pentru acele; *karmasu*—activităţi.

O, Dhanañjaya, pe Mine toate aceste activităţi nu Mă leagă. Eu sunt veşnic detaşat de toate aceste activităţi materiale, rămânând ca şi cum aş fi neutru.

COMENTARIU

În acest context, nu trebuie să se creadă că Suprema Personalitate a Divinităţii nu este angajată în nici o activitate. În lumea Sa spirituală El este mereu angajat. În *Brahma-saṁhitā* (5.6) se afirmă *ātmārāmasya tasyāsti prakṛtyā na samāgamaḥ:* „El este totdeauna implicat în eternele Sale activităţi spirituale pline de beatitudine, dar nu are nimic de-a face cu aceste activităţi materiale." Activităţile materiale sunt duse la îndeplinire de diferitele Sale puteri. Dumnezeu este întotdeauna neutru în activităţile materiale ale lumii create. Această neutralitate este menţionată aici prin cuvântul *udāsīna-vat*. Deşi are controlul asupra fiecărui minuscul detaliu al activităţilor materiale, El rămâne ca şi cum ar fi neutru. Se poate da exemplul unui judecător de la curtea supremă stând în jilţul său. La porunca sa se întâmplă o mulţime de lucruri—unul este spânzurat, unul este băgat în temniţă, altuia i se dă o avere uriaşă—şi totuşi el rămâne neutru. El nu are nimic de-a face cu toate aceste câştiguri sau pierderi. În mod similar, Domnul este întotdeauna neutru, deşi braţul Său se află în orice domeniu de activitate. În *Vedānta-sūtra* (2.1.34) se spune *vaiṣamya-nairghṛnye na:* El nu este situat în dualităţile acestei lumi materiale. El este transcendent faţă de toate aceste dualităţi şi nu este ataşat nici de creația și anihilarea lumii materiale. Entitățile vii își iau diferitele lor forme în diferitele specii de viață potrivit cu activitățile lor trecute, fără ca Domnul să intervină.

TEXTUL 10

मयाध्यक्षेण प्रकृतिः सूयते सचराचरम् ।
हेतुनानेन कौन्तेय जगद्विपरिवर्तते ॥१०॥

*mayādhyakṣeṇa prakṛtiḥ
sūyate sa-carācaram
hetunānena kaunteya
jagad viparivartate*

mayā—de către Mine; *adhyakṣeṇa*—prin supraveghere; *prakṛtiḥ*—natura materială; *sūyate*—se manifestă; *sa*—împreună cu; *cara-acaram*—cele mișcătoare și cele nemișcătoare; *hetunā*—din pricina; *anena*—aceasta; *kaunteya*—o, fiu al lui Kuntī; *jagat*—manifestarea cosmică; *viparivartate*—funcționează.

Această natură materială, care este una din energiile Mele, lucrează sub îndrumarea Mea, o, fiu al lui Kuntī, producând toate ființele mișcătoare și nemișcătoare. Supunându-se legii sale, acestă manifestare este creată și anihilată din nou și din nou.

COMENTARIU

Aici se afirmă în mod clar că Domnul Suprem, deși se află deoparte de toate activitățile lumii materiale, rămâne totuși supremul îndrumător. Domnul Suprem este voința supremă și substratul acestei manifestări materiale, dar administrarea este făcută de natura materială. Kṛṣṇa afirmă de asemenea în *Bhagavad-gītā* că, pentru toate entitățile vii cu diferite forme și din diferite specii, „Eu sunt tatăl". Tatăl pune sămânța în pântecele mamei pentru a produce copilul și în mod similar Domnul Suprem, doar prin privirea Sa, introduce toate entitățile vii în pântecele naturii materiale, iar acestea apar sub diferite forme și specii, potrivit ultimelor lor dorințe și activități. Toate aceste entități vii, deși sunt născute sub privirea Supremului Domn, își iau diferitele corpuri potrivit cu activitățile și dorințele lor trecute. Astfel Dumnezeu nu este atașat direct de aceastǎ creație materială. El doar aruncă o privire asupra naturii materiale; în acest fel, natura materială este activată şi totul se creează imediat. Întrucât El Îşi aruncă privirea asupra naturii materiale, are loc neîndoielnic o activitate din partea Supremului Stăpân, dar El nu are nimic de-a face cu manifestarea lumii materiale în mod direct.

În *smṛti* se dă următorul exemplu: când în faţa cuiva se află o floare parfumată, parfumul intră în contact cu puterea de mirosire a acelei persoane, dar mirosul şi floarea sunt despărţite unul de cealaltă. O legătură similară există între lumea materială şi Suprema Personalitate a Divinităţii; în realitate, El nu are nimic de-a face cu această lume materială, dar creează prin privirea Sa şi predestinează. Pe scurt, fără supravegherea Supremei Personalităţi a Divinităţii, natura materială nu poate înfăptui nimic. Şi totuşi, Persoana Supremă este detaşată de toate activităţile materiale.

TEXTUL 11

अवजानन्ति मां मूढा मानुषीं तनुमाश्रितम् ।
परं भावमजानन्तो मम भूतमहेश्वरम् ॥११॥

avajānanti māṁ mūḍhā
mānuṣīṁ tanum āśritam
paraṁ bhāvam ajānanto
mama bhūta-maheśvaram

avajānanti—blamează; *mām*—pe Mine; *mūḍhāḥ*—oamenii proşti; *mānuṣīm*—sub formă umană; *tanum*—un corp; *āśritam*—asumând; *param*—transcendentă; *bhāvam*—natura; *ajānantaḥ*—necunoscând; *mama*—a Mea; *bhūta*—a tuturor celor ce există; *maha-īśvaram*—supremul proprietar.

Proştii Mă nesocotesc atunci când descind sub formă umană. Ei nu cunosc natura Mea transcendentă de Domn Suprem a tot ceea ce există.

COMENTARIU

Din celelalte explicaţii la versetele precedente din acest capitol este limpede că Suprema Personalitate a Divinităţii, deşi apare ca o fiinţă umană, nu este un om obişnuit. Personalitatea Divinităţii care conduce creaţia, menţinerea şi anihilarea întregii manifestări cosmice nu poate fi o fiinţă umană. Şi totuşi există mulţi oameni proşti care-L consideră pe Kṛṣṇa a fi doar un om puternic și nimic mai mult. În realitate, El este Persoana Supremă originară, așa cum se confirmă în *Brahma-saṁhitā (īśvaraḥ paramaḥ kṛṣṇaḥ),* El este Stăpânul Suprem.

Există o mulțime de *īśvara,* de stăpânitori, unul mai mare decât altul. În administrarea curentă a afacerilor din lumea materială găsim un anumit funcționar sau director, deasupra sa se află un secretar de stat, deasupra lui un ministru, iar deasupra acestuia un președinte. Fiecare din ei este un conducător, dar fiecare este controlat de un altul. În *Brahma-saṁhitā* se spune că Kṛṣṇa este supremul care controlează; fără îndoială, există o mulțime de conducători, atât în lumea materială, cât și spirituală, dar Kṛṣṇa este supremul care controlează *(īśvaraḥ paramaḥ kṛṣṇaḥ)* iar corpul Său este *sac-cid-ānanda,* adică nematerial.

Corpurile materiale nu pot îndeplini activitățile minunate descrise în versetele precedente. Corpul Său este etern, plin de beatitudine și cunoaștere. Deși El nu este un om obișnuit, proștii își râd de El și Îl consideră a fi un om. Corpul Său este numit aici *mānuṣīm* pentru că El acționează exact ca un om, un prieten al lui Arjuna, un politician implicat în bătălia de la Kurukṣetra. În foarte multe împrejurări El acționează exact ca un om obișnuit, dar de fapt corpul Său este *sac-cid-ānanda-vigraha*—beatitudine eternă și cunoaștere absolută. Acest lucru este confirmat și în limbajul vedic. *Sac-cid-ānanda-rūpāya kṛṣṇāya:* „Mă închin în fața Supremei Personalități a Divinității, Kṛṣṇa, care este eterna formă a cunoașterii pline de beatitudine." *(Gopāla-tāpanī Upaniṣad, 1.1).* De asemenea, există și alte descrieri în limbaj vedic. *Tam ekaṁ govindam:* „Tu ești Govinda, cel ce face plăcere simțurilor și vacilor." *Sac-cid-ānanda-vigraham:* „Iar forma Ta este transcendentă, plină de cunoaștere, beatitudine și eternitate." *(Gopāla-tāpanī Upaniṣad 1.35).*

În ciuda calităților transcendente ale corpului Domnului Kṛṣṇa, a deplinei Sale beatitudini și cunoașteri, există o mulțime de așa-ziși eruditi și comentatori ai *Bhagavad-gītei* care Îl denigrează pe Kṛṣṇa, considerându-L un om obișnuit. Acel erudit poate să se fi născut ca un om extraordinar, datorită activităților sale bune anterioare, dar această concepție despre Śrī Kṛṣṇa se datorează unui foarte sărac bagaj de cunoștinte. De aceea el este numit *mūḍha,* căci numai proștii Îl consideră pe Kṛṣṇa o ființă obișnuită. Proștii Îl consideră pe Kṛṣṇa o ființă umană obișnuită pentru că nu cunosc activitățile confidențiale ale Supremului Domn și diferitele Sale energii. Ei nu știu că corpul lui Kṛṣṇa este un simbol al deplinei cunoașteri și beatitudini, că El este proprietarul tuturor celor ce există și că El poate da eliberarea oricui. Neștiind că Kṛṣṇa are atât de multe însușiri transcendente, ei Îl denigrează.

Aceşti oameni nu ştiu că apariţia Supremei Personalităţi a Divinităţii în această lume materială este manifestarea energiei Sale interne. El este stăpânul energiei materiale. Aşa cum s-a explicat în mai multe locuri, *(mama māyā duratyayā)*, El proclamă că energia materială, deşi foarte puternică, se află sub controlul Său, şi oricine I se predă Lui poate ieşi de sub controlul acestei energii materiale. Dacă un suflet predat lui Kṛṣṇa poate ieşi de sub influenţa energiei materiale, atunci cum poate Supremul Domn, care conduce creaţia, menţinerea şi anihilarea întregii naturi cosmice să aibă un corp material la fel ca noi? Deci această concepţie asupra lui Kṛṣṇa este în întregime prostească. Însă persoanele lipsite de minte nu pot să conceapă faptul că Personalitatea Divinităţii, Kṛṣṇa, înfăţişându-Se exact ca un om obişnuit, poate fi cel care controlează toţi atomii şi manifestările gigantice ale formei universale. Cele uriaşe şi cele minuscule sunt dincolo de înţelegerea lor, astfel că ei nici nu-şi pot închipui că o formă precum cea a unei fiinţe umane poate controla simultan cele infinite şi cele minuscule. În realitate, deşi El controlează infinitul şi finitul, El este separat de întreaga manifestare. Cât despre *yogam aiśvaram*, energia Sa transcendentă de neimaginat, s-a afirmat în mod limpede că El poate controla simultan infinitul şi finitul, şi poate rămâne separat de ele. Deşi un prost nu-şi poate imagina felul în care Kṛṣṇa, care se înfăţişează exact ca o fiinţă umană, poate controla infinitul şi finitul, devoţii puri acceptă acest lucru, pentru că ei ştiu că Kṛṣṇa este Suprema Personalitate a Divinităţii. De aceea ei se predau cu totul Lui şi se angajează în conştiinţa de Kṛṣṇa, slujirea devoţională a Domnului.

Există o mulţime de controverse între impersonalişti şi personalişti asupra apariţiei Domnului ca fiinţă umană. Dar dacă consultăm *Bhagavad-gītā* şi *Śrīmad-Bhāgavatam*, textele autorizate pentru înţelegerea ştiinţei de Kṛṣṇa, putem înţelege că Kṛṣṇa este Suprema Personalitate a Divinităţii. El nu este un om obişnuit, deşi a apărut pe pământ ca oricare alt om. În *Śrīmad-Bhāgavatam*, cântul întâi, capitolul 1, înţelepţii prezidaţi de Śaunaka, întrebând despre activităţile lui Kṛṣṇa, au spus:

> *kṛtavān kila karmāṇi*
> *saha rāmeṇa keśavaḥ*
> *ati-martyāni bhagavān*
> *gūḍhaḥ kapaṭa-māṇuṣaḥ*

„Domnul Śrī Kṛṣṇa, Suprema Personalitate a Divinităţii, însoţit de Balarāma, Şi-a jucat rolul de fiinţă umană şi, sub această mască, a îndeplinit numeroase activități supraomenești." (*Bhāg.* 1.1.20). Apariția Domnului în chip de om i-a pus în încurcătură pe proști. Nici o ființă umană nu poate îndeplini activitățile minunate pe care le-a îndeplinit Kṛṣṇa când era prezent pe pământ. Când Kṛṣṇa a apărut în fața tatălui și mamei Sale, Vasudeva și Devakī, El a apărut cu patru brațe, dar la rugămintea părinților Săi, S-a transformat într-un copil obișnuit. Așa cum se afirmă în *Bhāgavatam* (10.3.46), *babhūva prākṛtaḥ śiśuḥ:* El a devenit exact ca un copil obișnuit, o ființă umană obișnuită. Deci din nou se indică aici că apariția Domnului ca ființă umană obișnuită este una din trăsăturile corpului Său transcendent. În capitolul al unsprezecelea din *Bhagavad-gītā* se afirmă de asemenea că Arjuna s-a rugat să vadă forma lui Kṛṣṇa cu patru brațe *(tenaiva rūpeṇa catur-bhujena).* După ce Kṛṣṇa Și-a revelat această formă, la cererea lui Arjuna, El Și-a luat din nou forma Sa originară cu înfățișare de om *(mānuṣaṁ rūpam).* Aceste diferite trăsături ale Domnului Suprem nu sunt în mod cert cele ale unei ființe umane obișnuite.

Unii dintre cei ce Îl iau în derâdere pe Kṛṣṇa și care sunt molipsiți de filosofia Māyāvādī citează următorul verset din *Śrīmad-Bhāgavatam* (3.29.21) pentru a dovedi că Kṛṣṇa este exact la fel ca un om obișnuit. *Ahaṁ sarveṣu bhūteṣu bhūtātmāvasthitaḥ sadā:* „Supremul este prezent în fiecare entitate vie". Este mai bine să aflăm despre acest verset de la acei *vaiṣṇava ācārya* precum Jīva Gosvāmī și Viśvanātha Cakravartī Ṭhākura, în loc să urmăm interpretarea persoanelor neautorizate care Îl iau în derâdere pe Kṛṣṇa. Jīva Gosvāmī, comentând acest verset, spune că Kṛṣṇa în expansiunea Sa plenară ca Paramātmā este situat în entitățile mișcătoare și nemișcătoare în chip de Suprasuflet; deci orice devot neofit care își îndreaptă atenția doar către *arcā-mūrti,* forma Domnului Suprem din templu, și nu respectă celelalte viețuitoare, adoră fără nici un folos forma Domnului din templu. Există trei feluri de devoți ai Domnului, iar neofitul este în stadiul cel mai de jos. Devotul neofit dă mai multă atenție formei Domnului din templu decât celorlalți devoți, astfel că Viśvanātha Cakravartī Ṭhākura avertizează că acest fel de mentalitate trebuie să fie corectată. Devotul trebuie să vadă că, întrucât Kṛṣṇa este prezent în inima fiecăruia ca Paramātmā, fiecare corp este întruparea sau templul Domnului Suprem; astfel că, așa cum cineva arată respect față de templul Domnului, tot așa trebuie să respecte cum se cuvine oricare corp în care sălășluiește Paramātmā. De aceea, fiecăruia trebuie să i se arate respectul cuvenit și nu trebuie să fie neglijat.

Există de asemenea o mulțime de impersonaliști care iau în derâdere adorarea în templu. Ei spun că dacă Dumnezeu este pretutindeni, de ce trebuie să ne limităm la adorarea în templu? Dar dacă Dumnezeu este pretutindeni, atunci nu este El oare şi în templu sau în forma Divinităţii din templu? Deşi personaliştii şi impersonaliştii se vor lupta unii cu alţii necontenit, un devot desăvârşit în conştiinţa de Kṛṣṇa ştie că deşi Kṛṣṇa este Personalitatea Supremă, El este atotpătrunzător, aşa cum se afirmă în *Brahma-saṁhitā*. Deşi sălaşul Său personal se află în Goloka Vṛndāvana iar El stă întotdeauna acolo, prin diferitele manifestări ale energiei Sale şi prin expansiunea Sa plenară El este prezent pretutindeni, în toate părţile creaţiei materiale şi spirituale.

TEXTUL 12

मोघाशा मोघकर्माणो मोघज्ञाना विचेतसः ।
राक्षसीमासुरीं चैव प्रकृतिं मोहिनीं श्रिताः ॥१२॥

moghāśā mogha-karmāṇo
mogha-jñānā vicetasaḥ
rākṣasīm āsurīṁ caiva
prakṛtiṁ mohinīṁ śritāḥ

mogha-āśāḥ—zădărnicite le sunt speranţele; *mogha-karmāṇaḥ*—zădărnicite activităţile fructuoase; *mogha-jñānāḥ*—zădărnicită cunoaşterea; *vicetasaḥ*—rătăciţi; *rākṣasīm*—demonici; *āsurīm*—atei; *ca*—şi; *eva*—cu siguranţă; *prakṛtim*—natura; *mohinīm*—amăgitoare; *śritāḥ*—aflându-şi adăpost în.

Cei ce sunt astfel rătăciţi, sunt atraşi de concepţiile demonice şi ateiste. În această stare de amăgire, speranţele lor de eliberare, activităţile lor fructuoase şi cultivarea cunoaşterii le sunt toate zădărnicite.

COMENTARIU

Există mulţi devoţi care susţin că se află în conştiinţa de Kṛṣṇa şi în slujirea devoţională, dar în inima lor nu Îl acceptă pe Kṛṣṇa, Suprema Personalitate a Divinităţii, ca fiind Adevărul Absolut. În cazul lor, fructul slujirii devoţionale—întoarcerea la Dumnezeu—nu va putea fi niciodată gustat. În mod similar, cei ce sunt anagajaţi în activităţi pioase care aduc fruct, sperând ca în final să fie eliberaţi din această legătură materială, nu vor reuşi nici ei, deoarece Îl iau în derâdere pe Kṛṣṇa, Suprema Personalitate a Divinităţii. Cu alte cuvinte, persoanele care-şi bat joc de Kṛṣṇa trebuie înţelese ca demonice sau ateiste. Așa cum este descris în capitolul al șaptelea din *Bhagavad-gītā*, asemenea răufăcători demonici nu se supun niciodată lui Kṛṣṇa. Prin urmare, speculațiile lor mentale pentru a ajunge la Adevărul Absolut îi conduc la falsa concluzie că ființele obișnuite și Kṛṣṇa sunt unul și același lucru. Cu o asemenea convingere falsă, ei cred că corpul oricărei ființe umane este în prezent doar acoperit de natura materială, iar de îndată ce un om se eliberează de acest corp material, nu mai există nici o diferență între Dumnezeu și el însuși. Această încercare de a deveni una cu Kṛṣṇa va fi zădărnicită datorită iluziei. O asemenea cultivare demonică și ateistă a cunoașterii spirituale este întotdeauna zadarnică. Acest lucru este indicat în versetul de față. Pentru asemenea persoane, cultivarea cunoașterii scrierilor vedice precum *Vedānta-sūtra* și *Upaniṣadele* este întotdeauna zădărnicită.

Prin urmare, este o mare ofensă să Îl consideri pe Kṛṣṇa, Suprema Personalitate a Divinității, ca fiind un om obișnuit. Cei ce fac acest lucru, sunt cu siguranță amăgiți, pentru că ei nu pot să înțeleagă forma eternă a lui Kṛṣṇa. *Bṛhad-viṣṇu-smṛti* afirmă limpede:

yo vetti bhautikaṁ dehaṁ
kṛṣṇasya paramātmanaḥ
sa sarvasmād bahiṣ-kāryaḥ
śrauta-smārta-vidhānataḥ
mukhaṁ tasyāvalokyāpi
sa-celaṁ snānam ācaret

„Cel ce consideră că trupul lui Kṛṣṇa este material, trebuie alungat de la toate ritualurile și activitățile legate de *śruti* și *smṛti*. Iar dacă din întâmplare cineva vede chipul acelui om, trebuie de îndată să se îmbăieze în Gange, pentru a scăpa de prihană. Oamenii Îl batjocoresc pe Kṛṣṇa pentru că sunt invidioși pe Suprema Personalitate a Divinității. Cu siguranță că soarta lor este aceea de a se naște mereu în forme de viață demonică și ateistă. Cunoașterea lor reală va rămâne necontenit sub iluzie și treptat vor regresa în cel mai întunecat ținut al creației.“

TEXTUL 13

महात्मानस्तु मां पार्थ दैवीं प्रकृतिमाश्रिताः ।
भजन्त्यनन्यमनसो ज्ञात्वा भूतादिमव्ययम् ॥१३॥

mahātmānas tu māṁ pārtha
daivīṁ prakṛtim āśritāḥ
bhajanty ananya-manaso
jñātvā bhūtādim avyayam

mahā-ātmānaḥ—marile suflete; *tu*—dar; *mām*—la Mine; *pārtha*—o, fiu al lui Pṛthā; *daivīm*—divină; *prakṛtim*—natura; *āśritāḥ*—găsindu-şi refugiul; *bhajanti*—slujesc; *ananya-manasaḥ*—cu mintea neabătută; *jñātvā*—cunos-când; *bhūta*—a creaţiei; *ādim*—originea; *avyayam*—inepuizabilă.

O, fiu al lui Pṛthā, cei ce nu sunt induşi în eroare, marile suflete, se află sub ocrotirea naturii divine. Ei sunt pe deplin angajaţi în slujirea devoţională, pentru că ei Mă cunosc pe Mine ca Suprema Personalitate a Divinităţii, originară şi inepuizabilă.

COMENTARIU

În acest verset se dă descrierea clară a lui *mahātmā*. Primul semn al lui *mahātmā* este faptul că el este deja situat în natura divină. El nu este supus controlului naturii materiale. Cum se realizează acest lucru? Aceasta se expli-că în capitolul al şaptelea: cel ce se predă Supremei Personalităţi a Divinităţii, Śrī Kṛṣṇa, este de îndată eliberat de sub stăpânirea naturii materiale. Aceas-ta este condiţia. Omul se poate elibera de sub stăpânirea naturii materiale de îndată ce îşi predă sufletul Supremei Personalităţi a Divinităţii. Aceasta este formula preliminară. Deoarece entitatea vie este putere marginală, de îndată ce este eliberată de sub stăpânirea naturii materiale ea este pusă sub îndruma-rea naturii spirituale. Îndrumarea de către natura spirituală este numită *daivī prakṛti,* natura divină. Deci cel ce este promovat în acest fel—prin predare către Suprema Personalitate a Divinităţii—ajunge la stadiul de *mahātmā* sau suflet măreţ.

Un *mahātmā* nu îşi abate atenţia către nimic altceva în afară de Kṛṣṇa, căci el ştie foarte bine că Kṛṣṇa este Persoana Supremă originară, cauza tuturor cauzelor. Nu este nici o îndoială asupra acestui lucru. Un astfel de *mahātmā* sau suflet mare se dezvoltă prin asocierea cu alţi *mahātmā,* devoţi puri. Devo-ţii puri nu sunt atraşi nici măcar de alte înfăţişări ale lui Kṛṣṇa, precum cea a lui Mahā-Viṣṇu cu patru braţe. Ei sunt atraşi doar de forma cu două braţe a lui Kṛṣṇa. Ei nu sunt atraşi de alte înfăţişări ale lui Kṛṣṇa şi nu se preocupă de nici o altă formă a vreunui semizeu sau ființă umană. Ei meditează numai asupra lui Kṛṣṇa în conștiința de Kṛṣṇa și sunt necontenit angajați în slujirea neabătută a Domnului în conștiința de Kṛṣṇa.

TEXTUL 14

सततं कीर्तयन्तो मां यतन्तश्च दृढव्रताः ।
नमस्यन्तश्च मां भक्त्या नित्ययुक्ता उपासते ॥१४॥

satataṁ kīrtayanto māṁ
yatantaś ca dṛḍha-vratāḥ
namasyantaś ca māṁ bhaktyā
nitya-yuktā upāsate

satatam—întotdeauna; *kīrtayantaḥ*—cântând; *mām*—despre Mine; *yatantaḥ*—pe deplin sârguincioși; *ca*—și; *dṛḍha-vratāḥ*—cu hotărâre; *namasyantaḥ*—închinându-se; *ca*—și; *mām*—pe Mine; *bhaktyā*—în devoțiune; *nitya-yuktāḥ*—angajați necontenit; *upāsate*—Mă adoră.

Cântând mereu gloriile Mele, străduindu-se cu multă hotărâre, închinându-se în fața Mea, aceste mari suflete Mă adoră necontenit, cu devoțiune.

COMENTARIU

Un *mahātmā* nu poate fi fabricat punând o ștampilă pe un om obișnuit. Semnele sale sunt descrise aici: un *mahātmā* este întotdeauna preocupat să cânte gloriile Domnului Suprem Kṛṣṇa, Personalitatea Divinității. El nu are altă ocupație, fiind mereu angajat în glorificarea Domnului. Cu alte cuvinte, el nu este impersonalist. Când se pune problema glorificării, omul trebuie să glorifice pe Domnul Suprem, să laude numele Său sfânt, forma Sa eternă, calitățile Sale transcendente și petrecerile Sale neobișnuite. Toate acestea trebuie glorificate; prin urmare, un *mahātmā* este atașat de Suprema Personalitate a Divinității.

Cel ce este atașat de aspectul impersonal al Domnului Suprem, de *brahmajyoti*, nu este descris ca *mahātmā* în *Bhagavad-gītā*; acesta este descris în mod diferit în versetul următor. *Mahātmā* este mereu angajat în diferite activități legate de slujirea devoțională, așa cum sunt descrise în *Śrīmad-Bhāgavatam,* ascultând și cântând despre Vișņu, nu despre un semizeu sau ființă umană. Aceasta este devoțiune: *śravaņaṁ kīrtanaṁ vișņoḥ* și *smaranam,* reamintirea Sa. Un astfel de *mahātmā* are hotărârea fermă de a atinge țelul ultim, asocierea cu Domnul Suprem în oricare din cele cinci *rasa* transcendente. Pentru a ajunge la această reușită, el își angajează toate activitățile— mentale, corporale și vocale, deci totul—în slujba Domnului Suprem, Śrī Kṛṣṇa. Aceasta se numește deplina conștiință de Kṛṣṇa.

În slujirea devoțională există anumite activități stabilite, cum ar fi postul în anumite zile, de exemplu a unsprezecea zi după luna nouă și după luna plină, Ekādaśī, și ziua apariției Domnului. Toate aceste legi și reglementări sunt date de mari *ācārya* pentru cei ce sunt cu adevărat interesați să fie admiși în lumea spirituală, alături de Suprema Personalitate a Divinității. Aceste *mahātmā,* mari suflete, respectă cu strictețe toate aceste legi și reglementări și deci sunt siguri că vor obține rezultatul dorit.

Așa cum se descrie în versetul al doilea din acest capitol, slujirea devoțională nu este doar ușoară, ci poate fi îndeplinită într-un mod plăcut. Omul nu trebuie să îndeplinească nici o penitență severă sau asceză. El își poate duce viața în slujirea devoțională, îndrumat de un maestru spiritual iscusit, ocupând orice fel de poziție, fie cea de om căsătorit, de *sannyāsī* sau de *brahmacārī;* în oricare din aceste situații și oriunde în lume el poate îndeplini acest serviciu devoțional către Suprema Personalitate a Divinității, devenind astfel cu adevărat un *mahātmā,* un mare suflet.

TEXTUL 15

ज्ञानयज्ञेन चाप्यन्ये यजन्तो मामुपासते ।
एकत्वेन पृथक्त्वेन बहुधा विश्वतोमुखम् ॥१५॥

jñāna-yajñena cāpy anye
yajanto mām upāsate
ekatvena pṛthaktvena
bahudhā viśvato-mukham

jñāna-yajñena—prin cultivarea cunoașterii; *ca*—de asemenea; *api*—cu certitudine; *anye*—alții; *yajantaḥ*—sacrificând; *mām*—Eu; *upāsate*—adoră;

ekatvena—în unitate; *pṛthaktvena*—în dualitate; *bahudhā*—în diversitate; *viśvataḥ-mukham*—și în forma universală.

Alții, care se angajează în sacrificiu prin cultivarea cunoașterii, Îl adoră pe Domnul Suprem fie ca fiind unul fără un al doilea, fie ca divers în mai mulți, precum și în forma universală.

COMENTARIU

Acest verset este rezumatul versetelor precedente. Domnul îi spune lui Arjuna că aceia care sunt puri în conștiința de Kṛṣṇa și nu cunosc nimic altceva decât pe Kṛṣṇa, sunt numiți *mahātmā;* totuși, există alte persoane care nu au ajuns exact în poziția de *mahātmā,* dar care Îl adoră pe Kṛṣṇa în diferite feluri. Unii dintre ei au fost descriși ca năpăstuiți, lipsiți de bani, curioși sau angajați în cultivarea cunoașterii. Dar există alții care sunt situați și mai jos, iar aceștia se împart în trei categorii: (1) cel ce se adoră pe sine însuși ca fiind una cu Domnul Suprem, (2) cel ce născocește o anumită formă a Domnului Suprem și o adoră pe aceea și (3) cel ce acceptă forma universală, *viśvarūpa,* a Supremei Personalități a Divinității și o adoră. Dintre aceste trei categorii, cea mai de jos, a celor care se adoră pe ei înșiși ca pe Domnul Suprem, crezându-se a fi moniști, este și cea mai răspândită. Acești oameni se socotesc pe ei înșiși a fi Domnul Suprem și cu această mentalitate se venerează pe ei înșiși. Chiar și aceasta este un fel de adorare a lui Dumnezeu, căci acești oameni pot înțelege că nu sunt corpul material, ci suflet spiritual; până la urmă, această resimțire este și ea importantă. În general impersonaliștii Îl adoră pe Domnul Suprem în acest fel. A doua categorie include pe adoratorii semizeilor, cei care în mod imaginar socotesc orice formă ca fiind forma Domnului Suprem. Iar a treia categorie îi include pe cei ce nu pot să conceapă nimic altceva dincolo de manifestarea acestui univers material. Ei consideră universul ca fiind supremul organism sau entitate și adoră acest lucru. Universul este și el una din formele Domnului.

TEXTUL 16

अहं क्रतुरहं यज्ञः स्वधाहमहमौषधम् ।
मन्त्रोऽहमहमेवाज्यमहमग्निरहं हुतम् ॥१६॥

aham kratur aham yajñaḥ
svadhāham aham auṣadham
mantro 'ham aham evājyam
aham agnir aham hutam

aham—Eu; *kratuḥ*—ritualul vedic; *aham*—Eu; *yajñaḥ*—sacrificiul din *smṛti; svadhā*—oblaţia; *aham*—Eu; *aham*—Eu; *auṣadham*—iarba de leac; *mantraḥ*—incantaţia transcendentă; *aham*—Eu; *aham*—Eu; *eva*—cu siguranţă; *ājyam*—untul topit; *aham*—Eu; *agniḥ*—focul; *aham*—Eu; *hutam*—ofranda.

Dar Eu sunt ritualul, Eu sunt sacrificiul, Eu sunt ofranda către strābuni, iarba vindecătoare şi cântarea transcendentă. Eu sunt untul, focul şi ofranda.

COMENTARIU

Sacrificiul vedic cunoscut ca *jyotiṣṭoma* este şi el Kṛṣṇa, la fel ca şi *mahā-yajña* menţionat în *smṛti.* Oblaţiile oferite către Pitṛloka sau sacrificiul îndeplinit pentru a câştiga bunăvoinţa celor din Pitṛloka, considerat ca un fel de leac sub formă de unt limpezit, este de asemenea Kṛṣṇa. *Mantrele* care se intonează cu acest prilej sunt de asemenea Kṛṣṇa. Multe alte preparate din produse lactate, făcute pentru a fi oferite în sacrificii, sunt de asemenea Kṛṣṇa. Focul este şi el Kṛṣṇa, pentru că focul este unul din cele cinci elemente materiale şi deci este declarat ca energia separată a lui Kṛṣṇa. Cu alte cuvinte, sacrificiile vedice recomandate în *karma-kāṇḍa,* una din părţile *Vedelor,* sunt de asemenea în întregime Kṛṣṇa. Sau, cu alte cuvinte, cei ce sunt angajaţi în slujirea devoţională faţă de Kṛṣṇa trebuie consideraţi ca şi cum ar fi îndeplinit toate sacrificiile recomandate în *Vede.*

TEXTUL 17

पिताहमस्य जगतो माता धाता पितामहः ।
वेद्यं पवित्रमोंकार ऋक्साम यजुरेव च ॥१७॥

pitāham asya jagato
mātā dhātā pitāmahaḥ

vedyaṁ pavitram oṁkāra
ṛk sāma yajur eva ca

pitā—tatăl; *aham*—Eu; *asya*—acestui; *jagataḥ*—univers; *mātā*—mama; *dhātā*—susținătorul; *pitāmahaḥ*—bunicul; *vedyam*—ceea ce trebuie cunoscut; *pavitram*—ceea ce purifică; *oṁ-kāra*—silaba *oṁ*; *ṛk*—Ṛg Veda; *sāma*—Sāma Veda; *yajuḥ*—Yajur Veda; *eva*—desigur; *ca*—și.

Eu sunt tatăl acestui univers, mama, susținătorul și străbunul. Eu sunt obiectul cunoașterii, cel ce purifică și silaba oṁ. Și tot Eu sunt Ṛg, Sāma și Yajur Veda.

COMENTARIU

Întregul manifestărilor cosmice, mișcătoare și nemișcătoare, se manifestă prin diferitele activități ale energiei lui Kṛṣṇa. În existența materială noi creăm diferite relații cu diferitele entități vii care nu sunt altceva decât energia marginală a lui Kṛṣṇa; supuse creației lui *prakṛti,* unele dintre ele apar ca tatăl nostru, mama, bunicul, creatorul nostru etc., dar în realitate ele sunt părți integrante ale lui Kṛṣṇa. Ca atare, aceste entități vii care par să ne fie tată, mamă etc., nu sunt altceva decât Kṛṣṇa. În acest verset cuvântul *dhātā* înseamnă „creator". Nu numai că tatăl și mama noastră sunt părți integrante ale lui Kṛṣṇa, dar și creatorul, bunicul și bunica etc. sunt de asemenea Kṛṣṇa. De fapt orice entitate vie, fiind parte integrantă din Kṛṣṇa, este Kṛṣṇa. De aceea, toate *Vedele* țintesc doar către Kṛṣṇa. Tot ceea ce vrem să aflăm prin intermediul *Vedelor* nu este decât un pas înainte către înțelegerea lui Kṛṣṇa. Acel subiect care ne ajută să ne purificăm propria poziție constitutivă este în mod special Kṛṣṇa. În mod similar, entitatea vie care este curioasă să înțeleagă toate principiile vedice, este și ea parte integrantă a lui Kṛṣṇa și astfel este și ea Kṛṣṇa. În toate *mantrele* vedice cuvântul *oṁ,* numit *praṇava,* este o vibrație sonoră transcendentă și este de asemenea Kṛṣṇa. Și pentru că în toate imnurile celor patru *Vede—Sāma, Yajur, Ṛg* și *Atharva—praṇava* sau *oṁkāra* ocupă un loc predominant, el este înțeles ca fiind Kṛṣṇa.

TEXTUL 18

गतिर्भर्ता प्रभुः साक्षी निवासः शरणं सुहृत् ।
प्रभवः प्रलयः स्थानं निधानं बीजमव्ययम् ॥१८॥

gatir bhartā prabhuḥ sākṣī
nivāsaḥ śaraṇaṁ suhṛt
prabhavaḥ pralayaḥ sthānaṁ
nidhānaṁ bījam avyayam

gatiḥ—ţelul; *bhartā*—sprijinitorul; *prabhuḥ*—Domnul; *sākṣī*—martorul; *nivāsaḥ*—sălaşul; *śaraṇam*—refugiul; *su-hṛt*—cel mai apropiat prieten; *prabhavaḥ*—creaţia; *pralayaḥ*—disoluţia; *sthānam*—temeiul; *nidhānam*—locul de odihnă; *bījam*—sămânţa; *avyayam*—nepieritoare.

Eu sunt ţelul, susţinătorul, stăpânul, martorul, sălaşul, refugiul şi cel mai drag prieten. Eu sunt creaţia şi anihilarea, baza a tot ce există, locul de repaos şi sămânţa eternă.

COMENTARIU

Gati înseamnă destinaţia la care vrem să ajungem. Dar ţelul nostru ultim este Kṛṣṇa, deşi oamenii nu ştiu acest lucru. Cel ce nu-L cunoaşte pe Kṛṣṇa se rătăceşte, iar aşa-numitul său mers înainte este fie parţial, fie halucinaţie. Mulţi îşi fixează ca destinaţie diferiţi semizei şi prin îndeplinirea neabătută a metodelor respective ajung pe diferite planete cunoscute ca Candraloka, Sūryaloka, Indraloka, Maharloka etc. Dar toate aceste *loka* sau planete, fiind creaţiile lui Kṛṣṇa, sunt şi în acelaşi timp nu sunt Kṛṣṇa. Aceste planete, fiind manifestări ale energiei lui Kṛṣṇa, sunt şi ele Kṛṣṇa, dar de fapt ele servesc doar ca treaptă către realizarea lui Kṛṣṇa. A te apropia de diferitele energii ale lui Kṛṣṇa înseamnă a te apropia în mod indirect de Kṛṣṇa. Trebuie să ne apropiem direct de Kṛṣṇa, căci acest lucru ne face să economisim timp şi energie. De exemplu, dacă există posibilitatea de a ajunge în vârful unei clădiri cu ajutorul unui ascensor, de ce-ar trebui să urcăm pe scări, treaptă cu treaptă? Totul se sprijină pe energia lui Kṛṣṇa; de aceea, fără ocrotirea lui Kṛṣṇa nimic nu poate să existe. Kṛṣṇa este supremul domnitor, căci totul Îi aparţine Lui şi totul există prin energia Sa. Kṛṣṇa fiind situat în inima fiecăruia este supremul martor. Reşedinţele, ţările sau planetele în care trăim sunt de asemenea Kṛṣṇa. Kṛṣṇa este refugiul ultim şi de aceea omul trebuie să-şi caute adăpost la Kṛṣṇa, fie pentru ocrotire, fie pentru a scăpa de necazuri. Şi ori de câte ori avem nevoie de ocrotire, trebuie să ştim că ocrotirea noastră trebuie să fie o forţă vie. Kṛṣṇa este suprema entitate vie. Şi întrucât Kṛṣṇa este sursa generării noastre sau părintele suprem, nimeni nu ne poate fi un prieten mai bun decât Kṛṣṇa şi nimeni nu ne poate dori mai mult binele. Kṛṣṇa este sursa originară a creației și ultimul repaos după anihilare. Prin urmare, Kṛṣṇa este cauza tuturor cauzelor.

TEXTUL 19

तपाम्यहमहं वर्ष निगृह्णाम्युत्सृजामि च ।
अमृतं चैव मृत्युश्च सदसच्चाहमर्जुन ॥१९॥

tapāmy aham aham varṣam
nigrhṇāmy utsrjāmi ca
amṛtaṁ caiva mṛtyuś ca
sad asac cāham arjuna

tapāmi—dau căldură; *aham*—Eu; *aham*—Eu; *varṣam*—ploaia; *nigrhṇāmi* —opresc; *utsrjāmi*—dau drumul; *ca*—și; *amṛtam*—nemurirea; *ca*—și; *eva* —desigur; *mṛtyuḥ*—moartea; *ca*—și; *sat*—spiritul; *asat*—materia; *ca*—și; *aham*—Eu; *arjuna*—o, Arjuna.

O, Arjuna, Eu dau căldura și Eu opresc și dau drumul ploii; Eu sunt nemurirea și tot Eu sunt moartea personificată. Atât spiritul, cât și materia se află în Mine.

COMENTARIU

Prin diferitele Sale energii, Kṛṣṇa răspândește căldură și lumină, prin intermediul electricității și soarelui. În timpul verii, Kṛṣṇa este Cel care oprește ploaia să cadă din cer iar în anotimpul ploilor El dă torente necontenite de ploaie. Energia care ne susține, prelungindu-ne durata vieții, este Kṛṣṇa și tot Kṛṣṇa este Cel ce ne întâmpină la sfârșit în chip de moarte. Analizând toate aceste diferite energii ale lui Kṛṣṇa, putem afirma că pentru Kṛṣṇa nu există deosebire între materie și spirit sau, cu alte cuvinte, el este atât materie, cât și spirit. Deci în stadiile avansate ale conștiinței de Kṛṣṇa omul nu mai face asemenea distincții; el Îl vede doar pe Kṛṣṇa în toate. Întrucât Kṛṣṇa este atât materie cât și spirit, forma universală gigantică care cuprinde toate manifestările materiale este de asemenea Kṛṣṇa, iar petrecerile Sale în Vṛndāvana sub înfățișarea lui Śyāmasundara cu două brațe, cântând din flaut, sunt cele ale Supremei Personalități a Divinității.

TEXTUL 20

त्रैविद्या मां सोमपाः पूतपापा
यज्ञैरिष्ट्वा स्वर्गतिं प्रार्थयन्ते ।
ते पुण्यमासाद्य सुरेन्द्रलोक-
मश्रन्ति दिव्यान्दिवि देवभोगान् ॥२०॥

trai-vidyā mām soma-pāḥ pūta-pāpā
yajñair iṣṭvā svar-gatim prārthayante
te puṇyam āsādya surendra-lokam
aśnanti divyān divi deva-bhogān

trai-vidyāḥ—cunoscătorii celor trei *Vede; mām*—pe Mine; *soma-pāḥ*—băutorii sucului *soma; pūta*—purificaţi; *pāpāḥ*—de păcate; *yajñaiḥ*—cu sacrificii; *iṣṭvā*—adorând; *svaḥ-gatim*—calea spre cer; *prārthayante*—se roagă pentru; *te*—ei; *puṇyam*—pioşi; *āsādya*—ajungând la; *sura-indra*—a lui Indra; *lokam*—lumea; *aśnanti*—se desfată; *divyān*—celeste; *divi*—în cer; *deva-bhogān*—plăcerile zeilor.

Cei ce studiază Vedele şi beau sucul soma, căutând să dobândească planetele cereşti, Mă adoră pe Mine în mod indirect. Purificaţi de păcate, ei se nasc pe planeta pioasă şi cerească a lui Indra, unde se bucură de desfătările zeilor.

COMENTARIU

Cuvântul *trai-vidyāḥ* se referă la cele trei *Vede—Sāma, Yajur* şi *Ŗg*. Un brahman care a studiat aceste trei *Vede* este numit *tri-vedī*. Oricine este foarte ataşat de cunoaşterea obţinută din cele trei *Vede* este respectat în societate. Din păcate, există o mulţime de mari erudiţi în ce priveşte *Vedele*, care nu cunosc scopul ultim al studierii lor. De aceea, Kṛṣṇa se declară aici pe Sine ca fiind scopul ultim al acestor *tri-vedī*. Adevăraţii *tri-vedī* îşi caută refugiul la picioarele de lotus ale lui Kṛṣṇa şi se angajează în slujirea devoţională pură, pentru a-L mulţumi pe Domnul. Slujirea devoţională începe prin a cânta Hare Kṛṣṇa *mantra* şi totodată prin încercarea de a-L înţelege pe Kṛṣṇa cu adevărat. Din nefericire, cei ce studiază doar formal *Vedele*, ajung să fie mai interesaţi de oferirea de sacrificii diferiţilor semizei, cum ar fi Indra şi Candra. Prin asemenea strădanii, adoratorii diferiţilor semizei sunt cu siguranţă purificaţi de contaminarea calităților inferioare ale naturii și prin aceasta sunt înălțați pe sistemele planetare superioare sau pe planetele celeste cunoscute ca Maharloka, Janoloka, Tapoloka etc. Cel ajuns pe aceste sisteme planetare superioare își poate satisface simțurile de sute de mii de ori mai bine decât pe această planetă.

TEXTUL 21

ते तं भुक्त्वा स्वर्गलोकं विशालं
क्षीणे पुण्ये मर्त्यलोकं विशन्ति ।
एवं त्रयीधर्ममनुप्रपन्ना
गतागतं कामकामा लभन्ते ॥२१॥

te taṁ bhuktvā svarga-lokaṁ viśālaṁ
kṣīṇe puṇye martya-lokaṁ viśanti
evaṁ trayī-dharmam anuprapannā
gatāgataṁ kāma-kāmā labhante

te—aceștia; *tam*—aceasta; *bhuktvā*—bucurându-se de; *svarga-lokam*—cerul; *viśālam*—vast; *kṣīṇe*—fiind epuizate; *puṇye*—rezultatele activităților lor pioase; *martya-lokam*—în lumea muritorilor; *viśanti*—cad; *evam*—astfel; *trayī*—ale celor trei *Vede*; *dharmam*—doctrinele; *anuprapannāḥ*—urmând; *gata-āgatam*—moartea și nașterea; *kāma-kāmāḥ*—dorind desfătarea simțurilor; *labhante*—dobândesc.

După ce s-au desfătat astfel cu vastele plăceri cerești ale simțurilor și când rezultatele activităților lor pioase s-au epuizat, ei se întorc din nou pe această planetă a morții. Astfel, cei ce caută bucuria simțurilor, prin aderarea la principiile celor trei Vede, au parte doar de repetatele nașteri și morți.

COMENTARIU

Cel ce este promovat pe sistemele planetare superioare se bucură de o lungă durată a vieții și de mai mari înlesniri pentru desfătarea simțurilor, însă nu i se îngăduie să rămână pe veci acolo. El este trimis din nou înapoi pe acest pământ, atunci când se sfârșesc rezultatele activităților sale pioase. Cel ce nu a ajuns la perfecţiunea cunoaşterii, aşa cum se indică în *Vedānta-sūtra* (*janmādy asya yataḥ*), sau, cu alte cuvinte, cel ce nu reuşeşte să-L înţeleagă pe Kṛṣṇa, cauza tuturor cauzelor, eşuează în împlinirea ţelului ultim al vieţii şi astfel ajunge să fie supus rutinei promovării pe planete superioare şi coborârii din nou pe pământ, ca şi cum ar fi aşezat pe o roată de bâlci care ba urcă, ba coboară. Ceea ce trebuie înţeles este faptul că, în loc de a fi înălţat în lumea spirituală, de unde nu mai este nici o posibilitate de cădere, omul nu face decât să se rotească în ciclul naşterii şi morţii, pe sisteme planetare superioare şi inferioare. De aceea este mai bine ca omul să se îndrepte către lumea spirituală, pentru a se bucura de o viaţă eternă, plină de beatitudine şi cunoaştere, şi să nu se mai întoarcă niciodată la această mizerabilă existenţă materială.

TEXTUL 22

अनन्याश्चिन्तयन्तो मां ये जनाः पर्युपासते ।
तेषां नित्याभियुक्तानां योगक्षेमं वहाम्यहम् ॥२२॥

ananyāś cintayanto māṁ
ye janāḥ paryupāsate
teṣāṁ nityābhiyuktānāṁ
yoga-kṣemaṁ vahāmy aham

ananyāḥ—neavând alt obiect; *cintayantaḥ*—concentrându-se; *mām*—asupra Mea; *ye*—care; *janāḥ*—persoanele; *paryupāsate*—adoră aşa cum se cuvine; *teṣām*—acelora; *nitya*—întotdeauna; *abhiyuktānām*—neclintiţi în devoţiune; *yoga*—cerinţele; *kṣemam*—ocrotire; *vahāmi*—aduc; *aham*—Eu.

Dar celor ce Mă adoră necontenit, cu devoţiune exclusivă, meditând asupra formei Mele transcendente—acelora le dau ceea ce le lipseşte şi le păstrez ceea ce au.

COMENTARIU

Cel ce nu este în stare să trăiască nici măcar o clipă fără conştiinţa de Kṛṣṇa, nu poate decât să se gândească la Kṛṣṇa douăzeci şi patru de ore pe zi, fiind angajat în slujirea devoţională prin ascultare, cântare, amintire, oferirea de rugăciuni, adorare, slujirea picioarelor de lotus ale Domnului, îndeplinirea altor servicii, cultivarea prieteniei şi deplina supunere faţă de Domnul. Aceste activități sunt toate binefăcătoare și pline de puteri spirituale care îl fac pe devot să fie desăvârșit în realizarea de sine, astfel încât singura sa dorință este aceea de a obține asocierea cu Suprema Personalitate a Divinității. Un asemenea devot se va apropia neîndoielnic de Domnul fără dificultate. Aceasta se numește yoga. Prin îndurarea Domnului, un astfel de devot nu se întoarce niciodată la această condiție materială a vieții. *Kṣema* se referă la ocrotirea milostivă a Domnului. Domnul îl ajută pe devot să-și desăvârșească conștiința de Kṛṣṇa prin yoga, iar când acesta devine pe deplin conștient de Kṛṣṇa, Domnul îl ferește de a cădea în starea mizerabilă a vieții condiționate.

TEXTUL 23

येऽप्यन्यदेवताभक्ता यजन्ते श्रद्धयान्विताः ।
तेऽपि मामेव कौन्तेय यजन्त्यविधिपूर्वकम् ॥२३॥

ye 'py anya-devatā-bhaktā
yajante śraddhayānvitāḥ
te 'pi mām eva kaunteya
yajanty avidhi-pūrvakam

ye—cei care; *api*—de asemenea; *anya*—ai altor; *devatā*—zei; *bhaktāḥ*—devoți; *yajante*—îi adoră; *śraddhayā anvitāḥ*—cu credință; *te*—aceia; *api*—de asemenea; *mām*—pe Mine; *eva*—doar; *kaunteya*—o, fiu al lui Kuntī; *yajanti*—ei adoră; *avidhi-pūrvakam*—în mod greșit.

Cei ce sunt devotați altor zei și îi adoră cu credință, Mă adoră de fapt doar pe Mine, o, fiu al lui Kuntī, dar o fac într-un mod greșit.

COMENTARIU

„Persoanele angajate în adorarea semizeilor nu sunt foarte inteligente, deși această adorare Îmi este oferită Mie în mod indirect", spune Kṛṣṇa. De exemplu, când un om toarnă apă pe frunzele și crengile copacului, fără să-i ude rădăcina, el face aceasta datorită insuficientei cunoașteri sau fără să țină seama de principiile regulatoare. În mod similar, procedeul prin care sunt servite diferitele părți ale corpului este acela de a da hrană stomacului. Semizeii sunt, ca să spunem așa, diferiți funcționari și directori în guvernul Domnului Suprem. Oamenii trebuie să se supună legilor făcute de guvern, nu de către funcționari sau directori. În mod similar, fiecare om trebuie să-și ofere adorarea numai către Domnul Suprem. Acest lucru va satisface în mod automat pe diferiţii funcţionari şi directori ai Domnului. Funcţionarii şi directorii sunt angajaţi ca reprezentanţi ai guvernului iar mituirea acestor funcţionari şi directori este ilegală. Acest lucru este afirmat aici ca *avidhi-pūrvakam.* Cu alte cuvinte, Kṛṣṇa nu aprobă inutila adorare a semizeilor.

TEXTUL 24

अहं हि सर्वयज्ञानां भोक्ता च प्रभुरेव च ।
न तु मामभिजानन्ति तत्त्वेनातश्च्यवन्ति ते ॥२४॥

*aham hi sarva-yajñānām
bhoktā ca prabhur eva ca
na tu mām abhijānanti
tattuvenātaś cyavanti te*

aham—Eu; *hi*—cu siguranţă; *sarva*—al tuturor; *yajñānām*—sacrificiilor; *bhoktā*—beneficiarul; *ca*—şi; *prabhuḥ*—Domnul; *eva*—de asemenea; *ca*—şi; *na*—nu; *tu*—dar; *mām*—pe Mine; *abhijānanti*—ei cunosc; *tattvena*—în realitate; *ataḥ*—de aceea; *cyavanti*—cad; *te*—ei.

Eu sunt singurul care se bucură de toate sacrificiile şi stăpânul acestora. De aceea, cei ce nu recunosc adevărata Mea natură transcendentă, se prăbuşesc.

COMENTARIU

Aici se afirmă clar că există mai multe feluri de a îndeplini *yajña,* recomandate în scrierile vedice, dar de fapt toate sunt destinate să-L mulţumească pe Domnul Suprem. *Yajña* înseamnă Viṣṇu. În capitolul al doilea din *Bhagavad-gītā* se spune clar că omul trebuie să lucreze doar pentru satisfacerea lui Yajña sau Viṣṇu. Forma perfectă a civilizaţiei umane care este *varṇāśrama-dharma* este destinată în mod special satisfacerii lui Viṣṇu. De aceea Kṛṣṇa spune în acest verset: „Eu sunt cel care se bucură de toate sacrificiile, pentru că Eu sunt supremul stăpân. Însă persoanele mai puţin inteligente, care nu ştiu acest lucru, îi adoră pe semizei pentru anumite beneficii temporare. De aceea ei cad înapoi în existenţa materială şi nu-şi împlinesc ţelul dorit al vieţii. Dacă cineva are vreo dorinţă materială care să-i fie îndeplinită, este mai bine să se roage pentru aceasta Domnului Suprem (deși acest lucru nu este devoțiune pură) și astfel va ajunge la rezultatul dorit.

TEXTUL 25

यान्ति देवव्रता देवान् पितॄन् यान्ति पितृव्रताः ।
भूतानि यान्ति भूतेज्या यान्ति मद्याजिनोऽपि माम् ॥२५॥

yānti deva-vratā devān
pitṝn yānti pitṛ-vratāḥ
bhūtāni yānti bhūtejyā
yānti mad-yājino 'pi mām

yānti—se duc; *deva-vratāḥ*—adoratorii semizeilor; *devān*—la semizei; *pitṝn*—la strămoși; *yānti*—se duc; *pitṛ-vratāḥ*—cei ce-i venerează pe strămoși; *bhūtāni*—la stafii și spirite; *yānti*—se duc; *bhūta-ijyāḥ*—cei ce slujesc stafiilor și spiritelor; *yānti*—se duc; *mat*—ai Mei; *yājinaḥ*—devoți; *api*—însă; *mām*—la Mine.

Cei ce îi adoră pe semizei se vor naște printre semizei; cei ce-i adoră pe strămoși se duc la strămoși; cei ce adoră stafiile și spiritele se vor naște printre asemenea ființe; iar cei ce Mă adoră pe Mine, vor trăi cu Mine.

COMENTARIU

Dacă cineva dorește să meargă pe lună, soare sau orice altă planetă, va putea ajunge la acea destinație urmând anumite principii vedice recomandate în acest scop, cum este metoda numită tehnic *darśa-paurṇamāsī*. Acestea sunt descrise foarte amănunțit în porțiunea *Vedelor* referitoare la activitățile fructuoase, unde se recomandă un anumit fel de adorare a semizeilor situați pe diferite planete cerești. În același fel, se poate ajunge pe planetele locuite de Pitā (Strămoși) prin îndeplinirea unui anumit *yajña*. La fel, oricine poate ajunge pe multe alte planete ale stafiilor, devenind un Yakṣa, Rakṣa sau Piśāca. Adorarea acestor Piśāca se numește „magie neagră". Există mulți oameni care practică magia neagră, crezând că aceasta înseamnă spiritualitate, dar aceste activități sunt complet materiale. În mod similar, devotul pur care adoră doar Suprema Personalitate a Divinității ajunge pe planetele din Vaikuṇṭha și Kṛṣṇaloka, fără nici o îndoială. Din acest verset extrem de important se poate înțelege foarte uşor că, dacă prin simpla adorare a semizeilor se poate ajunge pe planetele cereşti, sau adorând pe Pită se ajunge pe planetele acestor Pită, sau practicând magia neagră se ajunge pe planetele stafiilor, de ce oare un devot pur nu ar ajunge pe planeta lui Kṛṣṇa sau Viṣṇu? Din nefericire, mulţi oameni nu au informaţii despre aceste planete sublime unde trăiesc Kṛṣṇa şi Viṣṇu şi, neştiind aceasta, ei cad. Chiar şi impersonaliştii cad din *brahmajyoti*. Prin urmare, mişcarea pentru conştiinţa de Kṛṣṇa distribuie informaţii sublime întregii societăţi umane cu scopul ca, prin simpla cântare Hare Kṛṣṇa *mantra* omul să poată deveni perfect în această viaţă şi să se întoarcă înapoi acasă, înapoi la Divinitate.

TEXTUL 26

पत्रं पुष्पं फलं तोयं यो मे भक्त्या प्रयच्छति ।
तदहं भक्त्युपहृतमश्नामि प्रयतात्मनः ॥२६॥

patraṁ puṣpaṁ phalaṁ toyaṁ
yo me bhaktyā prayacchati
tad ahaṁ bhakty-upahṛtam
aśnāmi prayatāt manaḥ

patram—o frunză; *puṣpam*—o floare; *phalam*—un fruct; *toyam*—apă; *yaḥ* —oricine; *me*—Mie; *bhaktyā*—cu devoţiune; *prayacchati*—oferă; *tat*— aceea; *aham*—Eu; *bhakti-upahṛtam*—oferit cu devoţiune; *aśnāmi*—accept; *prayata-ātmanaḥ*—de la cel cu conştiinţa pură.

Dacă cineva Îmi oferă cu dragoste şi devoţiune o frunză, o floare, un fruct sau apă, Eu le voi accepta.

COMENTARIU

Pentru o persoană inteligentă este esenţial să fie în conştiinţa de Kṛṣṇa, angajată în slujirea transcendentă cu iubire a Domnului, astfel încât să obţină un sălaş permanent şi plin de beatitudine, pentru o fericire eternă. Procesul dobândirii unui asemenea rezultat minunat este foarte uşor şi poate fi încercat chiar şi de către cel mai sărac dintre săraci, fără nici un fel de calităţi. Singura calitate cerută în acest caz este aceea de a fi un devot pur al Domnului. Nu are importanţă ce anume este cineva sau la ce nivel se situează. Procesul este atât de simplu, încât chiar și o frunză sau puțină apă, sau un fruct pot fi oferite Domnului Suprem cu dragoste sinceră, iar Domnul va binevoi să le accepte. De aceea nimeni nu poate fi exclus de la conștiința de Kṛṣṇa, căci este atât de accesibilă și universală. Cine este atât de smintit încât să nu vrea să devină conștient de Kṛṣṇa prin această metodă simplă, și astfel să atingă cea mai înaltă și desăvârșită viață veșnică, în beatitudine și cunoaștere? Kṛṣṇa dorește doar să Îl slujim cu dragoste, și nimic altceva. Kṛṣṇa acceptă chiar și o floare oricât de mică de la devotul Său cel pur, dar nu dorește nici un fel de ofrandă de la cel ce nu este devot. El nu are nevoie de nimic, de la nimeni, căci El Își este suficient Sieși și totuși acceptă ofrandele devoților Săi în cadrul unui schimb de dragoste și afecțiune. Dezvoltarea conștiinței de Kṛṣṇa este cea mai înaltă perfecțiune a vieții. *Bhakti* este menționată de două ori în acest verset, cu scopul de a declara și mai tare faptul că *bhakti* sau slujirea devoțională este singurul mijloc de a te apropia de Kṛṣṇa. Nici o altă condiție, cum ar fi cea de a deveni brahman, învățat erudit, bogat sau mare filosof nu-L poate determina pe Kṛṣṇa să accepte vreo ofrandă. Fără principiile de bază ale procesului *bhakti*, nimic nu-L poate determina pe Domnul să binevoiască să accepte orice de la oricine. *Bhakti* nu are niciodată o motivație materială. Procesul acesta este etern. Este acțiune directă în slujba întregului absolut.

După ce a demonstrat că El este singurul care se bucură, Domnul primordial și obiectul real al tuturor ofrandelor sacrificiale, Domnul Kṛṣṇa dezvăluie aici tipurile de sacrificii pe care El le dorește să-I fie oferite. Dacă cineva dorește să se angajeze în slujirea devoțională față de Cel Suprem, cu scopul de a fi purificat și a atinge țelul vieții—slujirea transcendentă din dragoste față de Dumnezeu—trebuie să afle ce anume dorește Domnul de la el. Cel care-L iubește pe Kṛṣṇa Îi va dărui tot ceea ce El dorește și va evita să-I ofere orice lucru pe care El nu-l dorește sau nu-l cere. Astfel carnea, peștele și ouăle nu trebuie oferite lui Kṛṣṇa. Dacă ar fi dorit astfel de lucruri ca ofrande, El ne-ar fi spus. Însă în loc de acestea, El cere clar să I se dăruiască o frunză, un fruct, o floare și apă, și spune despre acest fel de ofrande „Eu le voi primi". Prin urmare, trebuie să înțelegem că El nu va accepta carne, pește sau ouă. Legumele, cerealele, fructele, laptele și apa constituie hrana potrivită pentru ființele umane și este prescrisă de Domnul Kṛṣṇa Însuși. Orice altceva am mânca, nu poate să fie oferit Lui, căci El nu va accepta. Deci oferind asemenea hrană, noi nu putem să acționăm la nivelul devoțiunii din dragoste.

În capitolul al treilea, strofa a treisprezecea, Śrī Kṛṣṇa explică faptul că numai rămășițele sacrificiului sunt pure și potrivite pentru a fi consumate de către cei ce caută să înainteze în viață și să scape din lanțurile materiei. În acelaşi verset El spune că acei ce nu îşi fac din hrana lor ofrandă, mănâncă numai păcat. Cu alte cuvinte, fiecare înghiţitură nu face decât să întărească implicarea lor în complicaţiile naturii materiale. Dar prepararea unor feluri vegetale simple şi plăcute, oferirea lor în faţa imaginii sau formei Divinităţii Domnului Kṛṣṇa, închinarea în faţa Lui şi rugăciunea către El ca să accepte această modestă ofrandă, ne dau posibilitatea să ne purificăm corpul şi să ne formăm ţesuturile fine ale creierului care vor determina o gândire limpede. Dar mai presus de orice, ofranda trebuie făcută cu o atitudine de dragoste. Kṛṣṇa nu are nevoie de hrană, căci El posedă deja tot ceea ce există, însă va accepta ofranda celui care doreşte să-I facă Lui plăcere în acest fel. Elemetul important la preparare, servire şi oferire este acela de a acţiona cu dragoste faţă de Kṛṣṇa.

Filozofii impersonalişti care doresc să susţină că Adevărul Absolut este lipsit de simţuri nu pot înţelege acest verset din *Bhagavad-gītā*. Pentru ei, aceasta este fie o metaforă, fie o dovadă a caracterului lumesc al lui Kṛṣṇa, Cel ce rosteşte *Bhagavad-gītā*. Dar în realitate Kṛṣṇa, Suprema Divinitate are simţuri şi se spune că simţurile Sale sunt interschimbabile; altfel spus, un simţ poate îndeplini funcţiile oricărui alt simţ. Aceasta este implicaţia faptului de a susţine că Kṛṣṇa este absolut. Dacă ar fi lipsit de simţuri, atunci cu greu am putea considera că El este plin de toate opulenţele. În capitolul al şaptelea Kṛṣṇa a explicat că El însămânţează entităţile vii în natura materială. Acest lucru se realizează prin aruncarea privirii Sale asupra naturii materiale. La fel şi în acest caz, ascultarea de către Kṛṣṇa a cuvintelor de dragoste ale devotului la oferirea hranei este *în întregime* identică cu consumarea şi savurarea ei reală de către El. Acest lucru trebuie subliniat: datorită poziţiei Sale absolute, auzul Său este în întregime identic cu mâncatul şi gustatul. Numai devotul care-L acceptă pe Kṛṣṇa aşa cum El Însuşi se descrie, fără interpretări, poate înţelege că Adevărul Absolut Suprem poate să mănânce hrană şi să se bucure de ea.

TEXTUL 27

यत्करोषि यदश्नासि यज्जुहोषि ददासि यत् ।
यत्तपस्यसि कौन्तेय तत्कुरुष्व मदर्पणम् ॥२७॥

yat karoṣi yad aśnāsi
yaj juhoṣi dadāsi yat
yat tapasyasi kaunteya
tat kuruṣva mad-arpaṇam

yat—orice; *karoṣi*—faci; *yat*—orice; *aśnāsi*—mănânci; *yat*—orice; *juhoṣi*—oferi; *dadāsi*—dai la o parte; *yat*—orice; *yat*—orice; *tapasyasi*—austerități pe care le săvârșești; *kaunteya*—o, fiu al lui Kuntī; *tat*—aceasta; *kuruṣva*—fă-o; *mat*—pentru Mine; *arpaṇam*—ca ofrandă.

Orice faci, orice mănânci, orice oferi sau dăruiești și orice asceză săvârșești—acestea, o, fiu al lui Kuntī, fă-le ca ofrandă pentru Mine.

COMENTARIU

Datoria fiecăruia este deci aceea de a-și întocmi astfel viața încât să nu-L uite pe Kṛṣṇa în nici o împrejurare. Fiecare trebuie să lucreze pentru a-și menține corpul și sufletul împreună, iar Kṛṣṇa recomandă aici să lucrăm pentru El. Fiecare om trebuie să mănânce ceva pentru a trăi; de aceea el trebuie să accepte rămășițele hranei oferite lui Kṛṣṇa. Orice om civilizat trebuie să îndeplinească anumite ceremonii religioase rituale; de aceea, Kṛṣṇa recomandă „Fă acest lucru pentru Mine" iar aceasta poartă numele de *arcana*. Fiecare om are tendința să dea ceva de pomană; Kṛṣṇa spune „Dă-Mi Mie", aceasta însemnând că toate surplusurile de bani acumulate trebuie să fie folosite în dezvoltarea mișcării pentru conștiința de Kṛṣṇa. În zilele noastre oamenii sunt foarte atrași de practicarea meditației, care nu este foarte potrivită pentru această epocă, dar oricine practică meditația asupra lui Kṛṣṇa douăzeci și patru de ore pe zi, cântând Hare Kṛṣṇa *mantra* pe mătănii, este cu siguranță cel mai mare meditator și cel mai mare yoghin, așa cum dovedește capitolul al șaselea din *Bhagavad-gītā*.

TEXTUL 28

शुभाशुभफलैरेवं मोक्ष्यसे कर्मबन्धनैः ।
सन्न्यासयोगयुक्तात्मा विमुक्तो मामुपैष्यसि ॥२८॥

śubhāśubha-phalair evaṁ
mokṣyase karma-bandhanaiḥ
sannyāsa-yoga-yuktātmā
vimukto mām upaiṣyasi

śubha—de cele binefăcătoare; *aśubha*—și cele răufăcătoare; *phalaiḥ*—rezultatele; *evam*—astfel; *mokṣyase*—vei fi eliberat; *karma*—ale activității; *bandhanaiḥ*—de legăturile; *sannyāsa*—a renunțării; *yoga*—în yoga; *yukta-*

ātmā—având mintea ferm stabilită; *vimuktaḥ*—eliberat; *mām*—la Mine; *upaiṣyasi*—vei ajunge.

În acest fel te vei elibera de legătura cu activitatea şi rezultatele ei bune sau rele. Cu mintea fixată asupra Mea în acest spirit de renunţare, vei ajunge să fi eliberat şi vei veni la Mine.

COMENTARIU

Cel ce acţionează în conştiinţa de Kṛṣṇa sub o îndrumare superioară este numit *yukta*. Termenul tehnic este *yukta-vairāgya*. Acesta este explicat mai amănunţit de către Rūpa Gosvāmī astfel:

> *anāsaktasya viṣayān*
> *yathārham upayuñjataḥ*
> *nirbandhaḥ kṛṣṇa-sambandhe*
> *yuktaṁ vairāgyam ucyate*
> (*Bhakti-rasāmṛta-sindhu* 2.255)

Rūpa Gosvāmī spune că atâta vreme cât ne aflăm în lumea materială trebuie să acţionăm; nu ne putem opri de la acţiune. Atunci când se execută acţiuni iar fructele lor sunt dăruite lui Kṛṣṇa, acest proces este numit *yukta-vairāgya*. În realitate aceste activităţi, fiind situate în renunţare, curăţă oglinda minţii şi, pe măsură ce făptuitorul progresează treptat în realizarea spirituală, el ajunge să se predea cu totul Supremei Personalităţi a Divinităţii. De aceea, în final el ajunge să fie eliberat iar această eliberare este de asemenea specificată aici. Prin această eliberare el nu devine una cu *brahmajyoti*, ci mai degrabă ajunge pe planeta Domnului Suprem. Aici se spune în mod clar: *mām upaiṣyasi*, „el vine la Mine", se întoarce acasă, se întoarce la Divinitate. Există cinci stadii diferite ale eliberării, iar în acest loc se specifică faptul că devotul care şi-a trăit întreaga viaţă sub îndrumarea Domnului Suprem, aşa cum s-a precizat, şi a progresat până acolo unde a putut, după ce-şi părăseşte corpul se întoarce la Divinitate şi ajunge direct în asociere cu Domnul Suprem.

Orice om care nu are nici un alt interes decât acela de a-şi dedica viaţa slujirii Domnului este de fapt un *sannyāsī*. Un astfel de om se consideră întotdeauna veşnic slujitor, dependent de voinţa supremă a Domnului. Ca atare, orice face, face în beneficiul Domnului. Orice acţiune pe care o săvârşeşte, o săvârşeşte ca slujire a lui Dumnezeu. El nu se preocupă foarte serios de activităţile ce aduc rezultate fructuoase sau de datoriile prescrise, menţionate în

Vede. Pentru oamenii obişnuiţi este obligatorie executarea datoriilor prescrise menţionate în *Vede*, dar deşi devotul pur care este complet angajat în slujirea devoţională poate părea uneori că acţionează împotriva datoriilor vedice prescrise, în realitate nu este aşa.

De aceea, autorităţile *vaişnava* spun că nici omul cel mai inteligent nu poate înţelege planurile şi activităţile unui devot pur. Cuvintele exacte sunt *tāṅra vākya, kriyā, mudrā vijñeha nā bujhaya (Caitanya-caritāmṛta, Madhya 23.39)*. Persoana care este astfel angajată neîncetat în slujirea Domnului sau care se gândeşte mereu şi plănuieşte cum să-L slujească pe Domnul trebuie considerată ca fiind complet eliberată în prezent, iar în viitor întoarcerea sa acasă, înapoi la Divinitate, este garantată. El este deasupra oricărei critici materialiste, tot aşa cum Kṛṣṇa este deasupra oricărei critici.

TEXTUL 29

समोऽहं सर्वभूतेषु न मे द्वेष्योऽस्ति न प्रियः ।
ये भजन्ति तु मां भक्त्या मयि ते तेषु चाप्यहम् ॥२९॥

samo 'haṁ sarva-bhūteṣu
na me dveṣyo 'sti na priyaḥ
ye bhajanti tu māṁ bhaktyā
mayi te teṣu cāpy aham

samaḥ—cu aceeaşi atitudine; *aham*—Eu; *sarva-bhūteṣu*—faţă de toate entităţile vii; *na*—nimeni; *me*—Mie; *dveṣyaḥ*—demn de ură; *asti*—este; *na*—nici; *priyaḥ*—drag; *ye*—cei care; *bhajanti*—săvârşesc slujirea transcendentă; *tu*—dar; *mām*—faţă de Mine; *bhaktyā*—cu devoţiune; *mayi*—sunt în Mine; *te*—aceste persoane; *teṣu*—în ei; *ca*—şi; *api*—cu siguranţă; *aham*—Eu.

Eu nu invidiez pe nimeni şi nu ţin partea nimănui. Eu sunt egal în faţa tuturor. Dar cine Mă slujeşte cu devoţiune, acela Îmi este prieten, este în Mine şi Eu sunt de asemenea prietenul său.

COMENTARIU

Se poate pune aici întrebarea: dacă Kṛṣṇa este la fel pentru toată lumea şi nimeni nu este prietenul Său special, de ce oare se interesează El în mod deosebit de devoţii angajaţi mereu în slujirea Sa transcendentă? Aceasta nu este discriminare, ci un lucru firesc. Orice om din lumea materială, oricât ar fi de milostiv, este totuşi interesat în mod special de proprii săi copii. Domnul proclamă că fiecare entitate vie—în orice formă—este fiul Său şi astfel El dă fiecăruia cu generozitate cele necesare vieţii. El este precum norul care împrăştie ploaia pretutindeni, indiferent că ea cade pe o stâncă, pe câmp sau în apă. Dar pentru devoţii Săi El acordă o atenţie specială. Aceşti devoţi sunt menţionaţi aici: ei se află mereu în conştiinţa de Kṛṣṇa şi de aceea sunt întotdeauna situaţi în mod transcendent în Kṛṣṇa. Chiar expresia „conştiinţa de Kṛṣṇa" sugerează că aceia care se află în această conştiinţă trăiesc în transcendenţă, situaţi în El. Domnul spune aici în mod clar: *mayi te*, „ei sunt în Mine". Fireşte, rezultă că şi Domnul este în ei. Acest lucru este reciproc. Aceasta explică şi sensul cuvintelor *ye yathā māṁ prapadyante tāṁs tathaiva bhajāmy aham*: „Oricine Mi se predă Mie, în aceeaşi măsură Mă îngrijesc şi Eu de el". Reciprocitatea spirituală există pentru că atât Domnul cât şi devoţii sunt conştienţi. Când un diamant este montat într-un inel de aur, el arată foarte frumos; aurul este înfrumuseţat la fel cum este înfrumuseţat şi diamantul. Domnul şi entitatea vie au o strălucire eternă iar atunci când entitatea vie devine înclinată spre slujirea Domnului Suprem, arată precum aurul; Domnul este diamantul şi astfel această combinaţie este foarte frumoasă. Entităţile vii aflate într-o stare pură sunt numite devoţi. Domnul Suprem devine devotul devoţilor Săi. Dacă nu există între devot şi Dumnezeu o relaţie reciprocă, atunci nu este vorba de o filosofie personalistă. În filosofia impersonalistă nu există reciprocitate între Cel Suprem şi entitatea vie, dar în filosofia personalistă aceasta există.

Se dă adeseori exemplul în care Domnul este comparat cu pomul dorinţelor şi orice doreşte cineva de la acest pom al dorinţelor, Domnul îi dă. Dar explicaţia de aici este mai complexă. Aici se afirmă că Domnul este părtinitor faţă de devoţii Săi. Aceasta este manifestarea milei speciale a Domnului faţă de devoţi. Reciprocitatea venită din partea Domnului nu trebuie considerată ca fiind supusă legii *karmei*. Ea aparţine situaţiei transcendente în care se găseşte Domnul împreună cu devoţii Săi. Slujirea devoţională a Domnului nu este o activitate a acestei lumi materiale; ea este parte a lumii spirituale, unde predomină eternitatea, beatitudinea şi cunoaşterea.

TEXTUL 30

अपि चेत्सुदुराचारो भजते मामनन्यभाक् ।
साधुरेव स मन्तव्यः सम्यग्व्यवसितो हि सः ॥३०॥

api cet su-durācāro
bhajate mām ananya-bhāk
sādhur eva sa mantavyaḥ
samyag vyavasito hi saḥ

api—chiar; *cet*—dacă; *su-durācāraḥ*—cineva comite cele mai abominabile activități; *bhajate*—este angajat în slujirea devoțională; *mām*—față de Mine; *ananya-bhāk*—neabătută; *sādhuḥ*—un sfânt; *eva*—cu siguranță; *saḥ*—el; *mantavyaḥ*—trebuie socotit; *samyak*—în mod complet; *vyavasitaḥ*—situat în hotărârea; *hi*—cu adevărat; *saḥ*—el.

Chiar dacă cineva comite cea mai abominabilă activitate, dacă el este angajat în slujirea devoțională, trebuie considerat a fi sfânt, deoarece este corect situat în hotărârea sa.

COMENTARIU

Cuvântul *su-durācāraḥ* folosit în acest verset este foarte semnificativ și trebuie să-l înțelegem în mod corect. Când o entitate vie este condiționată, ea are două feluri de activități: unul care ține de starea condiționată și altul care ține de poziția sa constitutivă. Desigur că există chiar și pentru devoți diferite activități legate de existența condiționată, cum ar fi protejarea corpului sau respectarea legilor societății și statului, iar aceste activități sunt numite condiționate. În afară de acestea, entitatea vie care este pe deplin conștientă de natura sa spirituală și este angajată în conștiința de Kṛṣṇa sau slujirea devoțională a Domnului, are un tip de activități numite transcendente. Aceste activități țin de poziția sa constitutivă și sunt numite tehnic „slujire devoțională". În starea condiționată prezentă slujirea devoțională și slujirea condiționată legată de corp ajung uneori să fie paralele una cu alta. Însă uneori aceste activități ajung să se opună una alteia. Pe cât îi este posibil, devotul este foarte atent, astfel încât să nu facă nimic din ceea ce ar putea să îi perturbe starea generală. El știe că perfecțiunea în activitățile sale depinde de realizarea progresivă a conștiinței de Kṛṣṇa. Uneori însă, putem vedea cum o persoană aflată în conștiința de Kṛṣṇa comite o oarecare activitate care din punct de vedere social sau politic poate fi considerată drept cea mai abominabilă. Dar o asemenea cădere temporară nu îl descalifică pe acel om. În *Śrīmad-Bhāgavatam* se afirmă că dacă o persoană cade, dar este angajată din toată inima în slujirea transcendentă a Domnului Suprem, Domnul care este situat înăuntrul inimii sale o purifică și îi iartă acea activitate abominabilă. Contaminarea materială este atât de puternică încât chiar şi un yoghin pe deplin angajat în slujba Domnului ajunge uneori să fie ispitit; dar conştiinţa de Kṛṣṇa este atât de puternică, încât o asemenea cădere ocazională este remediată imediat. Prin urmare, procesul slujirii devoţionale este întotdeauna o reuşită. Nimeni nu trebuie să-şi bată joc de un devot pentru vreo abatere întâmplătoare de la calea ideală, pentru că, aşa cum se explică în versetul următor, aceste căderi ocazionale sunt oprite la timp, de îndată ce devotul ajunge complet situat în conştiinţa de Kṛṣṇa.

De aceea, când o persoană este situată în conştiinţa de Kṛṣṇa şi este angajată cu hotărâre în procesul cântării Hare Kṛṣṇa, Hare Kṛṣṇa, Kṛṣṇa Kṛṣṇa, Hare Hare/ Hare Rāma, Hare Rāma, Rāma Rāma, Hare Hare, trebuie considerată a fi situată la nivel transcendent, chiar dacă printr-o întâmplare sau accident se descoperă că a căzut. Cuvintele *sādhur eva* „el este un sfânt", sunt foarte categorice. Ele sunt un avertisment la adresa celor ce nu sunt devoţi, ca să nu-l ia în derâdere pe un devot din pricina unei căderi accidentale; el trebuie să fie considerat în continuare un sfânt, chiar dacă s-a întâmplat să cadă. Iar cuvântul *mantavyaḥ* este şi mai categoric. Dacă cineva nu respectă această lege şi îşi bate joc de un devot din pricina unei căderi accidentale, el încalcă porunca Domnului Suprem. Singura calitate a unui devot este aceea de a rămâne angajat exclusiv şi neclintit în slujirea devoţională. În *Nṛsiṁha Purāṇa* se face următoarea afirmaţie:

> *bhagavati ca harāv ananya-cetā*
> *bhṛśa-malino 'pi virājate manuṣyaḥ*
> *na hi śaśa-kaluṣa-cchabiḥ kadācit*
> *timira-parābhavatām upaiti candraḥ*

Aceasta înseamnă că chiar dacă se află că cineva angajat în slujirea devoţională a Domnului este uneori implicat în activităţi abominabile, aceste activităţi trebuie socotite ca petele de pe lună care seamnănă cu imaginea unui iepure. Aceste pete nu împiedică răspândirea luminii lunii. La fel şi abaterea întâmplătoare a unui devot de la calea cea sfântă nu îl face să devină odios.

Pe de altă parte, nu trebuie să înţelegem în mod greşit că un devot aflat în slujirea transcendentă poate acţiona în cele mai odioase feluri; acest verset se referă doar la un accident datorat marii puteri a legăturilor materiale. Slujirea devoţională este mai mult sau mai puţin o declaraţie de război făcută energiei iluzorii. Atâta timp cât nu suntem destul de puternici pentru a ne lupta cu energia iluzorie pot să apară căderi accidentale. Dar când cineva ajunge destul de puternic, el nu mai este supus acestor căderi, așa cum am explicat anterior. Nimeni nu trebuie să profite de acest verset pentru a comite tot felul de absurdități, gândindu-se că rămâne totuși un devot. Dacă el nu-și îmbunătățește caracterul prin slujirea devoțională, atunci trebuie să se înțeleagă că nu este un devot prea avansat.

TEXTUL 31

क्षिप्रं भवति धर्मात्मा शश्वच्छान्तिं निगच्छति ।
कौन्तेय प्रतिजानीहि न मे भक्तः प्रणश्यति ॥३१॥

*kṣipraṁ bhavati dharmātmā
śaśvac-chāntiṁ nigacchati
kaunteya pratijānīhi
na me bhaktaḥ praṇaśyati*

kṣipram—foarte curând; *bhavati*—devine; *dharma-ātmā*—virtuos; *śaśvat-śāntim*—pacea veșnică; *nigacchati*—atinge; *kaunteya*—o, fiu al lui Kuntī; *pratijānīhi*—declară; *na*—niciodată; *me*—al Meu; *bhaktaḥ*—devot; *praṇaśyati*—piere.

Foarte curând el devine virtuos și ajunge la pacea eternă. O, fiu al lui Kuntī, poți declara cu toată îndrăzneala că devotul Meu nu piere niciodată.

COMENTARIU

Acest verset nu trebuie înțeles greșit. În capitolul al șaptelea Domnul spune că acela care este implicat în activități rele nu poate deveni un un devot al Domnului. Cel ce nu este devot al Domnului nu are nici un fel de calități virtuoase. Deci, rămâne întrebarea, cum poate un om angajat în activități abominabile—fie din întâmplare, fie intenționat—să fie un devot pur? Această întrebare este îndreptățită. Așa cum se afirmă în capitolul șapte, răufăcătorii care nu se apropie niciodată de slujirea devoțională a Domnului nu au calități virtuoase, așa cum se afirmă și în *Śrīmad-Bhāgavatam*. În general devotul angajat în cele nouă feluri de activități devoționale este preocupat de procesul curățării tuturor contaminărilor materiale din inima sa. El așează

Suprema Personalitate a Divinității înăuntrul inimii sale iar toate contaminările păcatului sunt în mod firesc curățate și îndepărtate. Gândul continuu la Domnul Suprem îl face să devină pur din fire. Conform *Vedelor*, există anumite reglementări după care cel ce a căzut din poziția sa înaltă trebuie să îndeplinească anumite practici rituale pentru a se purifica. Dar aici nu se pune o asemenea condiție, pentru că procesul de purificare este deja prezent în inima devotului, datorită reamintirii neîncetate a Supremei Personalități a Divinității. Prin urmare, cântarea Hare Kṛṣṇa, Hare Kṛṣṇa, Kṛṣṇa Kṛṣṇa, Hare Hare/ Hare Rāma, Hare Rāma, Rāma Rāma, Hare Hare trebuie continuată fără oprire. Acest lucru îl va apăra pe devot de toate căderile accidentale. Astfel, el va rămâne mereu liber de toate contaminările materiale.

TEXTUL 32

मां हि पार्थ व्यपाश्रित्य येऽपि स्युः पापयोनयः ।
स्त्रियो वैश्यास्तथा शूद्रास्तेऽपि यान्ति परां गतिम् ॥३२॥

māṁ hi pārtha vyapāśritya
ye 'pi syuḥ pāpa-yonayaḥ
striyo vaiśyās tathā śūdrās
te 'pi yānti parāṁ gatim

māṁ—la Mine; *hi*—desigur; *pārtha*—o, fiu al lui Pṛthā; *vyapāśritya*—îşi găsesc refugiul în mod special; *ye*—cei care; *api*—de asemenea; *syuḥ*—sunt; *pāpa-yonayaḥ*—născuți într-o familie de rând; *striyaḥ*—femei; *vaiśyāḥ*—comercianți; *tathā*—precum şi; *śūdrāḥ*—oameni de condiție inferioară; *te api*—chiar şi ei; *yānti*—se duc; *parām*—la suprema; *gatim*—destinație.

O, fiu al lui Pṛthā, cei care îşi iau adăpost în Mine, chiar dacă au o naştere inferioară—femei, vaiśya [negustori] şi śūdra [lucrători]—pot atinge destinația supremă.

COMENTARIU

Domnul Suprem declară limpede aici că în slujirea devoțională nu există deosebire între clasele inferioare şi cele superioare ale populației. În concepția materială asupra vieții aceste deosebiri există, dar pentru cel angajat în slujirea devoțională transcendentă a Domnului ele nu există. Oricine poate atinge destinația supremă. În *Śrīmad-Bhāgavatam* (2.4.18) se spune că până și cei mai josnici oameni, numiți *caṇḍāla* (mâncători de câini), pot fi purificați prin asocierea cu un devot pur. Prin urmare, slujirea devoțională sub îndrumarea unui devot pur este atât de puternică, încât nu mai există discriminare între categoriile inferioare și superioare de oameni; oricine poate să ia parte la ea. Chiar și omul cel mai simplu care își găsește adăpost lângă un devot pur poate fi purificat printr-o îndrumare adecvată. Conform cu diferitele moduri ale naturii materiale, oamenii se clasifică în cei ce țin de modul bunătății (brahmanii), cei ce țin de modul pasiunii (*kṣatriya* sau cei care conduc), cei ce țin de modul mixt al pasiunii și ignoranței (*vaiśya* sau comercianții) și cei aflați în modul ignoranței (*śūdra* sau lucrătorii). Cei ce sunt mai jos decât aceștia se numesc *caṇḍāla* și se nasc în familii păcătoase. În general, cei din clasele superioare nu acceptă să se asocieze cu cei născuți în familii păcătoase. Dar procesul slujirii devoționale este atât de puternic, încât un devot pur al Domnului Suprem îi poate face pe oamenii din toate categoriile inferioare să devină capabili să atingă cea mai înaltă perfecțiune a vieții. Acest lucru este posibil doar atunci când omul își găsește refugiul la Kṛṣṇa. Așa cum indică aici cuvântul *vyapāśritya*, omul trebuie să se refugieze cu totul la Kṛṣṇa. Atunci el poate să devină mult superior față de marii *jñānī* și *yogī*.

TEXTUL 33

किं पुनर्ब्राह्मणाः पुण्या भक्ता राजर्षयस्तथा ।
अनित्यमसुखं लोकमिमं प्राप्य भजस्व माम् ॥३३॥

kiṁ punar brāhmaṇāḥ puṇyā
bhaktā rājarṣayas tathā
anityam asukhaṁ lokam
imaṁ prāpya bhajasva mām

kim—cu cât mai mult; *punaḥ*—apoi; *brāhmaṇāḥ*—brahmanii; *puṇyāḥ*—virtuoși; *bhaktāḥ*—devoții; *rāja-ṛṣayaḥ*—regii sfinți; *tathā*—precum și; *anityam*—vremelnică; *asukham*—plină de suferințe; *lokam*—lumea; *imam*—aceasta; *prāpya*—câștigând; *bhajasva*—angajează-te în slujirea cu dragoste; *mām*—față de Mine.

Cu atât mai mult acest lucru este posibil pentru brahmanii virtuoși, pentru devoți și pentru regii cei sfinți. De aceea, întrucât ai venit în

această lume trecătoare şi nefericită, angajează-te în slujirea Mea cu iubire.

COMENTARIU

În lumea materială există mai multe categorii de oameni, dar, în ultimă instanţă, această lume nu este un loc fericit pentru nimeni. Aşa cum se spune în mod limpede aici, *anityam, asukhaṁ lokam:* lumea aceasta este trecătoare şi plină de suferinţă, de nelocuit pentru nici un om cu mintea sănătoasă. Această lume este declarată de către Suprema Personalitate a Divinităţii ca fiind temporară şi plină de suferinţe. Unii filozofi, în special filozofii Māyā-vādī, spun că această lume este falsă, dar din *Bhagavad-gītā* se poate înţelege că lumea nu este falsă; ea este temporară. Există o diferenţă între temporar şi fals. Această lume este trecătoare, dar există o altă lume care este eternă. Această lume este nefericită, dar lumea cealaltă este eternă şi plină de beatitudine.

Arjuna se născuse într-o familie regală, dar Domnul i-a spus şi lui: „Dedică-te slujirii Mele devoţionale şi întoarce-te imediat la Divinitate, întoarce-te acasă." Nimeni nu trebuie să rămână în această lume trecătoare, plină de suferinţe aşa cum este. Fiecare om trebuie să vină la pieptul Supremei Personalităţi a Divinităţii, astfel încât să poată fi veşnic fericit. Slujirea devoţională a Domnului Suprem este singurul proces prin care toate problemele tuturor categoriilor de oameni pot fi rezolvate. De aceea, fiecare om trebuie să se dedice conştiinţei de Kṛṣṇa şi să-şi desăvârşească viaţa.

TEXTUL 34

मन्मना भव मद्भक्तो मद्याजी मां नमस्कुरु ।
मामेवैष्यसि युक्त्वैवमात्मानं मत्परायणः ॥३४॥

man-manā bhava mad-bhakto
mad-yājī māṁ namaskuru
mām evaiṣyasi yuktvaivam
ātmānaṁ mat-parāyaṇaḥ

mat-manāḥ—gândindu-te mereu la Mine; *bhava*—devino; *mat*—al Meu; *bhaktaḥ*—devot; *mat*—al Meu; *yājī*—adorator; *mām*—către Mine;

namaskuru—adu închinare; *mām*—la Mine; *eva*—cu totul; *eṣyasi*—vei veni; *yuktvā*—fiind absorbit; *evam*—astfel; *ātmānam*—sufletul tău; *mat-parāyaṇaḥ*—devotat Mie.

Angajează-ți mintea întotdeauna cu gândul la Mine, devino devotul Meu, închină-Mi-te Mie și adoră-Mă. Fiind deplin absorbit în Mine, cu siguranță vei veni la Mine.

COMENTARIU

În acest verset se indică în mod clar faptul că conștiința de Kṛṣṇa este singurul mijloc pentru a ne elibera din ghearele acestei corupte lumi materiale. Uneori comentatorii lipsiți de scrupule distorsionează sensul celor afirmate atât de clar aici: faptul că întreaga slujire devoțională trebuie oferită Supremei Personalități a Divinității, Kṛṣṇa. Din nefericire, comentatorii lipsiți de scrupule abat mintea cititorului către ceea ce nu este deloc posibil. Astfel de comentatori nu știu că nu există deosebire între Kṛṣṇa și mintea lui Kṛṣṇa. Kṛṣṇa nu este o ființă umană obișnuită; El este Adevărul Absolut. Corpul Său, mintea Sa și El Însuși sunt o unitate absolută. În *Kūrma Purāṇa*, citată de Bhaktisiddhānta Sarasvatī Gosvāmī în al său *Anubhāṣya*, comentariu la *Caitanya-caritāmṛta* (capitolul cinci, *Ādi-līlā*, versetele 41-48), se afirmă *deha-dehi-vibhedo 'yaṁ neśvare vidyate kvacit*. Aceasta înseamnă că în Kṛṣṇa, Domnul Suprem, nu există diferență între El Însuși și corpul Său. Dar pentru că comentatorii nu cunosc această știință de Kṛṣṇa, ei Îl ascund pe Kṛṣṇa și despart personalitatea Sa de mintea Sa sau de corpul Său. Deși aceasta înseamnă ignoranță clară asupra științei de Kṛṣṇa, unii oameni profită de pe urma înșelării oamenilor.

Există unii oameni demonici; și aceștia se gândesc la Kṛṣṇa, dar cu invidie, la fel ca regele Kaṁsa, unchiul lui Kṛṣṇa. Și el se gândea mereu la Kṛṣṇa, dar se gândea la Kṛṣṇa ca la dușmanul său. El era mereu înfricoșat, întrebându-se când oare o să vină Kṛṣṇa să-l ucidă. Un astfel de mod de gândire nu ne va ajuta. Noi trebuie să ne gândim la Kṛṣṇa cu dragoste devoțională. Aceasta este *bhakti*. Trebuie să cultivăm cunoașterea lui Kṛṣṇa în mod continuu. Dar ce înseamnă o cultivare favorabilă? Aceasta înseamnă să învățăm de la un învățător autentic. Kṛṣṇa este Suprema Personalitate a Divinității iar noi am explicat în mai multe rânduri că trupul Său nu este material, ci este cunoaștere eternă și plină de beatitudine. Acest mod de a vorbi despre Kṛṣṇa ne ajută să devenim devoți. Înțelegerea lui Kṛṣṇa într-un alt mod, dintr-o sursă greșită, se va dovedi nefolositoare.

De aceea omul trebuie să-şi angajeze mintea în forma eternă, forma primordială a lui Kṛṣṇa; având în inimă convingerea că Kṛṣṇa este Supremul, omul trebuie să se angajeze în adorare. Există sute de mii de temple în India pentru adorarea lui Kṛṣṇa, în care se practică slujirea devoţională. Când se îndeplineşte această practică, omul trebuie să se închine în faţa lui Kṛṣṇa; el trebuie să-şi plece capul în faţa formei de adorare a Divinităţii şi să-şi implice mintea, corpul, activităţile—totul. Aceasta îl va face să fie pe deplin absorbit în Kṛṣṇa, fără nici o abatere. Aceasta îl va ajuta pe om să fie transferat în Kṛṣṇaloka. Nu trebuie să ne lăsăm deviaţi de către comentatorii lipsiţi de scrupule. Omul trebuie să se angajeze în cele nouă procese diferite ale slujirii devoţionale, începând cu ascultarea şi cântarea despre Kṛṣṇa. Slujirea devoţională pură este cea mai înaltă perfecţiune a societăţii umane.

Capitolele şapte şi opt din *Bhagavad-gītā* au explicat slujirea devoţională pură a Domnului, care este liberă de cunoaşterea speculativă, de yoga mistică şi de activităţile interesate. Cei care nu sunt pe deplin purificaţi, pot fi atraşi de diferitele aspecte ale Domnului, precum impersonalul *brahmajyoti* şi Paramātmā localizat, dar un devot pur se dedică direct slujirii Domnului Suprem.

Există un minunat poem despre Kṛṣṇa, în care se spune clar că oricine se angajează în adorarea semizeilor este cu totul lipsit de inteligenţă şi nu poate niciodată dobândi răsplata supremă a lui Kṛṣṇa. La început, devotul poate să se abată uneori de la principiile sale, totuşi el trebuie socotit superior tuturor celorlalţi filosofi şi yoghini. Cel ce se angajează permanent în conştiinţa de Kṛṣṇa trebuie cunoscut ca o persoană de o sfinţenie desăvârşită. Eventualele sale activităţi nedevoţionale se vor diminua şi curând el va ajunge să fie situat fără îndoială în deplina perfecţiune. Devotul pur nu are de fapt prilejul de a cădea, căci Suprema Divinitate are personal grijă de devoţii Săi puri. De aceea, persoanele inteligente trebuie să se dedice direct procesului conştiinţei de Kṛṣṇa şi să trăiască în mod fericit în această lume materială, iar în cele din urmă să primească răsplata supremă a lui Kṛṣṇa.

Astfel sfârşeşte comentariul lui Bhaktivedanta la capitolul al nouălea din Śrīmad Bhagavad-gītā, tratând despre „Cea mai confidenţială cunoaştere".

CAPITOLUL ZECE

Opulența Absolutului

TEXTUL 1

श्रीभगवानुवाच
भूय एव महाबाहो शृणु मे परमं वचः ।
यत्तेऽहं प्रियमाणाय वक्ष्यामि हितकाम्यया ॥ १ ॥

śrī-bhagavān uvāca
bhūya eva mahā-bāho
śṛṇu me paramaṁ vacaḥ
yat te 'haṁ priyamāṇāya
vakṣyāmi hita-kāmyayā

śrī-bhagavān uvāca—Personalitatea Supremă a Divinității a spus; *bhūyaḥ*—din nou; *eva*—desigur; *mahā-bāho*—o, tu cel cu braț puternic; *śṛṇu*—ascultă; *me*—a Mea; *paramam*—supremă; *vacaḥ*—învățătură; *yat*—cea care; *te*—

505

ţie; *aham*—Eu;*prīyamāņāya*—socotindu-te ca fiindu-Mi foarte drag; *vakṣyāmi*—voi spune; *hita-kāmyayā*—pentru binele tău.

Suprema Personalitate a Divinităţii a spus: Ascultă din nou, o, puternic-înarmatule Arjuna. Deoarece tu eşti prietenul Meu drag, în folosul tău îţi voi spune mai mult, dându-ţi o cunoaştere care este mai bună decât ceea ce ţi-am explicat deja.

COMENTARIU

Cuvântul Bhagavān este explicat astfel de către Parāśara Muni: cel ce este pe deplin înzestrat cu cele şase opulenţe, ce are deplină putere, deplină faimă, bogăţie, cunoaştere, frumuseţe şi renunţare este Bhagavān, sau Personalitatea Supremă a Divinităţii. Atunci când Kṛṣṇa era prezent pe acest pământ, El a manifestat toate cele şase opulenţe. De aceea, marii înţelepţi precum Parāśara Muni L-au acceptat cu toţii pe Kṛṣṇa ca fiind Personalitatea Supremă a Divinităţii. Acum Kṛṣṇa îl instruieşte pe Arjuna despre o şi mai confidenţială cunoaştere a opulenţelor Sale şi a activităţii Sale. Anterior, începând cu capitolul al şaptelea, Domnul a explicat deja diferitele Sale energii şi felul în care ele acţionează. Acum, în acest capitol, El îi explică lui Arjuna opulenţele Sale specifice. În capitolul precedent, El a explicat în mod limpede diferitele Sale energii, pentru a stabili devoţiunea într-o convingere fermă. În acest capitol, El îi spune din nou lui Arjuna despre manifestările Sale şi diferitele Sale opulenţe.

Cu cât cineva aude mai mult despre Dumnezeul Suprem, cu atât devine mai bine fixat în slujirea devoţională. Omul trebuie să asculte întotdeauna despre Domnul, în asociere cu devoţii; aceasta va face să-i sporească slujirea devoţională. Discursurile rostite în societatea devoţilor pot avea loc doar printre cei ce sunt cu adevărat dornici să fie în conştiinţa de Kṛṣṇa. Alţii nu pot să ia parte la asemenea convorbiri. Domnul îi spune în mod clar lui Arjuna că datorită faptului că Arjuna Îi este foarte drag, aceste convorbiri au loc pentru binele său.

TEXTUL 2

न मे विदुः सुरगणाः प्रभवं न महर्षयः ।
अहमादिर्हि देवानां महर्षीणां च सर्वशः ॥२॥

> *ne me viduḥ sura-gaṇāḥ*
> *prabhavaṁ na maharṣayaḥ*
> *aham ādir hi devānāṁ*
> *maharṣīṇāṁ ca sarvaśaḥ*

na—niciodată; *me*—a Mea; *viduḥ*—cunosc; *sura-gaṇāḥ*—semizeii; *prabhavam*—originea, opulențele; *na*—niciodată; *mahā-ṛṣayaḥ*—marii înțelepți; *aham*—Eu sunt; *ādiḥ*—originea; *hi*—cu adevărat; *devānām*—a semizeilor; *mahā-ṛṣīṇām*—a marilor înțelepți; *ca*—precum și; *sarvaśaḥ*—în toate privințele.

Nici mulțimea semizeilor, nici marii înțelepți nu cunosc originea Mea și opulențele Mele, căci, în orice privință, Eu sunt sursa semizeilor și a înțelepților.

COMENTARIU

Așa cum se afirmă în *Brahma-saṁhitā*, Śrī Kṛṣṇa este Domnul Suprem. Nimeni nu este mai mare decât El; El este cauza tuturor cauzelor. De asemenea, aici se afirmă personal de către Domnul că El este cauza tuturor semizeilor și înțelepților. Chiar semizeii și marii înțelepți nu-L pot înțelege pe Kṛṣṇa; ei nu pot înțelege nici numele Său, nici personalitatea Sa. Ce să mai spunem atunci de așa-numiții savanți ai acestei neînsemnate planete? Nimeni nu poate înțelege de ce Dumnezeul Suprem vine pe pământ precum un om obișnuit și îndeplinește asemenea activități minunate și neobișnuite. Trebuie deci să înțelegem că erudiția nu este calitatea necesară pentru a-L înțelege pe Kṛṣṇa. Chiar semizeii și marii înțelepți au încercat să-L înțeleagă pe Kṛṣṇa prin speculațiile lor mentale, dar nu au reușit s-o facă. Și în *Śrīmad-Bhāgavatam* se spune că nici măcar marii semizei nu sunt în stare să înțeleagă Personalitatea Supremă a Divinității. Ei pot să facă speculații până la limita simțurilor lor imperfecte și pot ajunge la concluzia opusă, a impersonalismului sau a unei realități nemanifestate de către cele trei moduri ale naturii materiale, sau la ceva imaginat de ei prin speculații mentale, dar Kṛṣṇa nu poate fi înțeles prin asemenea speculații prostești.

Domnul spune aici în mod indirect că dacă cineva dorește să cunoască Adevărul Absolut, „Eu sunt aici, prezent ca Personalitatea Supremă a Divinității; Eu sunt Cel Suprem." Trebuie să înțelegem acest lucru. Deși nu-L putem înțelege pe Domnul Cel de neconceput, care este prezent în mod personal, El totuşi există. De fapt, noi Îl putem înţelege pe Kṛṣṇa, care este etern, plin de beatitudine şi cunoaştere, doar prin studierea cuvintelor Sale din *Bhagavad-gītā* şi *Śrīmad-Bhāgavatam*. Concepţia asupra lui Dumnezeu ca o anumită putere conducătoare sau ca impersonalul Brahman poate fi atinsă de către cei aflaţi în energia inferioară a Domnului, dar Personalitatea Divinităţii nu poate fi concepută până ce omul nu ajunge la nivel transcendent.

Întrucât cei mai mulţi oameni nu-L pot înţelege pe Kṛṣṇa în adevărata Sa poziţie, prin mila Sa fără de cauză, El coboară pentru a-şi arăta bunăvoinţa faţă de aceşti speculanţi. Şi totuşi, în ciuda activităţilor neobişnuite ale Domnului Suprem, aceşti speculanţi, datorită contaminării cu energia materială, încă socotesc că impersonalul Brahman este Cel Suprem. Doar devoţii ce se dăruiesc cu totul Domnului Suprem pot înţelege, prin graţia Persoanei Supreme, că El este Kṛṣṇa. Devoţii Domnului nu-şi bat capul cu concepţia despre Dumnezeu ca impersonalul Brahman; credinţa şi devoţiunea lor îi fac să se supună de îndată Domnului Suprem şi prin îndurarea fără de cauză a lui Kṛṣṇa, ei îl pot înţelege pe Kṛṣṇa. Nimeni altul nu Îl poate înţelege. Astfel, chiar şi marii înţelepţi sunt de acord: Ce este *ātmā*, ce este Cel Suprem? El este Cel pe care trebuie să-L adorăm.

TEXTUL 3

यो मामजमनादिं च वेत्ति लोकमहेश्वरम् ।
असम्मूढः स मर्त्येषु सर्वपापैः प्रमुच्यते ॥ ३ ॥

yo mām ajam anādim ca
vetti loka-maheśvaram
asammūḍhaḥ sa martyeṣu
sarva-pāpaiḥ pramucyate

yaḥ—cel care; *mām*—pe Mine; *ajam*—nenăscut; *anādim*—fără început; *ca*—şi; *vetti*—cunoaşte; *loka*—al planetelor; *mahā-īśvaram*—stăpânitorul suprem; *asammūḍhaḥ*—neiluzionat; *saḥ*—el; *martyeṣu*—printre cei supuşi morţii; *sarva-pāpaiḥ*—de toate reacţiile păcătoase; *pramucyate*—este eliberat.

Cel ce Mă cunoaşte pe Mine ca nenăscut, ca cel fără de început, ca Domnul Suprem al tuturor lumilor—acela doar, neiluzionat printre oameni, este eliberat de toate păcatele.

COMENTARIU

Așa cum se afirmă în capitolul al șaptelea (7.3), *manuṣyāṇāṁ sahasreṣu kaścid yatati siddhaye:* cei ce încearcă să se înalțe la nivelul realizării spirituale nu sunt oameni obișnuiți; ei sunt superiori față de milioane și milioane de oameni obișnuiți care nu cunosc realizarea spirituală. Dar dintre cei ce încearcă într-adevăr să-și înțeleagă condiția spirituală, cel care ajunge să înțeleagă că Kṛṣṇa este Personalitatea Supremă a Divinității, proprietarul tuturor lucrurilor, Cel nenăscut, este cea mai desăvârșită dintre persoanele realizate spiritual. Doar în acest stadiu în care se înțelege pe deplin poziția supremă a lui Kṛṣṇa, se poate obține eliberarea completă de toate urmările păcatului.

Aici Domnul este descris prin cuvântul *aja,* însemnând „nenăscut", dar El este deosebit de entitățile vii care sunt descrise în capitolul al doilea ca *aja.* Domnul este diferit de entitățile vii care se nasc și mor datorită atașamentului material. Sufletele condiționate își schimbă corpurile, dar corpul Său nu este schimbător. Chiar și când vine în această lume materială, El vine tot ca nenăscut; de aceea, în capitolul al patrulea se spune că Domnul, prin puterea Sa internă, nu este supus energiei inferioare, materiale, ci rămâne mereu în energia superioară.

În strofa aceasta, cuvintele *vetti loka-maheśvaram* indică faptul că omul trebuie să știe că Śrī Kṛṣṇa este supremul proprietar al sistemelor planetare ale universului. El existase înaintea creației și este diferit de creația Sa. Toți semizeii au fost creați în această lume materială, dar în ceea ce-L privește pe Kṛṣṇa, se spune că El nu este creat; prin urmare, Kṛṣṇa este diferit chiar de marii semizei precum Brahmā și Śiva. Și pentru că El este creatorul lui Brahmā, Śiva și al tuturor celorlalți semizei, El este Persoana Supremă a tuturor planetelor.

Dar Śrī Kṛṣṇa este diferit de orice lucru creat și oricine Îl cunoaște ca atare, devine imediat eliberat de toate urmările păcatelor. Pentru a ajunge la cunoașterea Domnului Suprem, omul trebuie să fie eliberat de toate activitățile păcătoase. El poate fi cunoscut numai prin slujire devoțională și nu prin alt mijloc, oricare ar fi el, așa cum se spune în *Bhagavad-gītā.*

Nu trebuie să încercăm să-L înțelegem pe Kṛṣṇa ca pe o ființă umană. Cum s-a afirmat anterior, numai un smintit Îl socotește pe El ca fiind o ființă umană. Acest lucru este exprimat din nou aici, într-un mod diferit. Un om care nu este smintit, care este destul de inteligent pentru a înțelege poziția constitutivă a lui Dumnezeu, este eliberat pentru totdeauna de toate urmările păcatelor.

Dacă Kṛṣṇa este cunoscut ca fiul lui Devakī, atunci cum poate El să fie nenăscut? Acest lucru este de asemenea explicat în *Śrīmad-Bhāgavatam:* când El a apărut în fața lui Devakī și Vasudeva, El nu era născut ca un copil obișnuit; El a apărut în forma Sa originară și abia apoi S-a transformat pe Sine într-un copil obișnuit.

Orice lucru făcut la porunca lui Kṛṣṇa este transcendent; acesta nu poate fi contaminat de reacțiile materiale, care pot fi favorabile sau nefavorabile. Concepția potrivit căreia există lucruri favorabile și nefavorabile în lumea materială este mai mult sau mai puțin o născocire a minții, pentru că nu există nimic favorabil în lumea materială. Totul este nefavorabil, căci natura materială însăși este nefavorabilă. Noi doar ne imaginăm că ea este favorabilă. O situație cu adevărat favorabilă depinde de acțiunile în conștiința de Kṛṣṇa, îndeplinite cu deplină devoțiune și slujire. De aceea, dacă chiar vrem ca activitățile noastre să fie favorabile, atunci trebuie să acționăm supunându-ne îndrumărilor Domnului Suprem. Aceste îndrumări sunt date în scripturile autorizate cum sunt *Śrīmad-Bhāgavatam* și *Bhagavad-gītā*, sau prin intermediul unui maestru spiritual autentic. Întrucât maestrul spiritual este reprezentantul Domnului Suprem, porunca sa este porunca directă a Domnului Suprem. Maestrul spiritual, persoanele sfinte sau scripturile ne îndrumă în același fel. Nu există contradicție între aceste trei surse. Toate activitățile săvârșite potrivit acestor porunci sunt lipsite de urmările activităților pioase sau nepioase ale acestei lumi materiale. Atitudinea transcendentă a devotului în executarea activităților sale este cea a renunțării, iar aceasta poartă numele de *sannyāsa*. Așa cum se afirmă în prima strofă din capitolul al șaselea din *Bhagavad-gītā*, cel ce își săvârșește activitățile ca pe o datorie, pentru că i s-a poruncit să facă astfel de către Domnul Suprem, și care nu se refugiază în fructele activităților sale (*anāśritaḥ karma-phalam*), acela a renunțat cu adevărat. Oricine acționează sub îndrumarea Domnului Suprem este de fapt un *sannyāsī* și un *yogī*, și nu acel om care doar se îmbracă precum un *sannyāsī* sau un fals yoghin.

TEXTELE 4–5

बुद्धिर्ज्ञानमसम्मोहः क्षमा सत्यं दमः शमः ।
सुखं दुःखं भवोऽभावो भयं चाभयमेव च ॥ ४ ॥

अहिंसा समता तुष्टिस्तपो दानं यशोऽयशः ।
भवन्ति भावा भूतानां मत्त एव पृथग्विधाः ॥ ५ ॥

buddhir jñānam asammohaḥ
kṣamā satyaṁ damaḥ śamaḥ
sukhaṁ duḥkhaṁ bhavo 'bhāvo
bhayaṁ cābhayam eva ca

ahiṁsā samatā tuṣṭis
tapo dānaṁ yaśo 'yaśaḥ
bhavanti bhāvā bhūtānāṁ
matta eva pṛthag-vidhāḥ

buddhiḥ—inteligența; *jñānam*—cunoașterea; *asammohaḥ*—eliberarea de îndoială; *kṣamā*—iertarea; *satyam*—sinceritatea; *damaḥ*—stăpânirea simțurilor; *śamaḥ*—stăpânirea minții; *sukham*—fericirea; *duḥkham*—nefericirea; *bhavaḥ*—nașterea; *abhāvaḥ*—moartea; *bhayam*—frica; *ca*—și; *abhayam*—neînfricarea; *eva*—de asemenea; *ca*—și; *ahiṁsā*—nonviolența; *samatā*—echilibrul; *tuṣṭiḥ*—mulțumirea; *tapaḥ*—asceza; *dānam*—caritatea; *yaśaḥ*—faima; *ayaśaḥ*—defăimarea; *bhavanti*—se doresc; *bhāvāḥ*—naturile; *bhūtānām*—entităților vii; *mattaḥ*—de la Mine; *eva*—cu siguranță; *pṛthak-vidhāḥ*—diferit angajate.

Inteligența, cunoașterea, eliberarea de îndoială și iluzie, iertarea, sinceritatea, stăpânirea simțurilor, controlul minții, fericirea și nefericirea, nașterea, moartea, frica, curajul, nonviolența, calmul, mulțumirea, austeritatea, caritatea, faima și infamia—toate aceste diferite calități ale ființelor vii sunt create numai de Mine.

COMENTARIU

Diferitele calități ale ființelor, fie bune sau rele, sunt toate create de Kṛṣṇa și sunt descrise aici.

Inteligența se referă la puterea de a analiza lucrurile în perspectiva lor corectă, iar cunoașterea se referă la înțelegerea a ceea ce este spirit și ceea ce este materie. Cunoașterea obișnuită, obținută printr-o educație universitară, ține doar de materie și nu este acceptată drept cunoaștere. Cunoașterea înseamnă înțelegerea deosebirii dintre spirit și materie. În educația modernă nu există cunoștințe despre spirit; aceasta se preocupă doar de elementele materiale și de nevoile corpului. De aceea, cunoașterea academică nu este completă.

Asammoha, eliberarea de îndoială și iluzie, poate fi obținută atunci când omul nu este ezitant și când înțelege filosofia transcendentă. Încet dar sigur, el se eliberează de rătăcire. Nimic nu trebuie acceptat orbeşte; totul trebuie acceptat cu grijă şi precauţie. *Kṣamā*, toleranţa şi iertarea, trebuie să fie practicată; omul trebuie să fie tolerant şi să ierte ofensele minore ale altora. *Satyam*, sinceritatea, înseamnă că activităţile trebuie prezentate aşa cum sunt, în beneficiul altora. Faptele nu trebuie reprezentate în mod incorect. Potrivit convenţiilor sociale, se ştie că omul poate spune adevărul doar când este pe placul celorlalţi. Dar aceasta nu înseamnă sinceritate. Adevărul trebuie spus în mod direct, astfel încât ceilalţi să înţeleagă cu adevărat care sunt activităţile. Dacă un om este hoţ şi oamenii sunt avertizaţi că el este un hoţ, acesta este un adevăr. Deşi uneori adevărul este neplăcut, nu trebuie să ne abţinem de la a-l spune. Sinceritatea cere ca activităţile să fie prezentate aşa cum sunt ele, în beneficiul altora. Aceasta este definiţia adevărului.

Stăpânirea simţurilor înseamnă că simţurile nu trebuie să fie folosite pentru plăcerea personală care nu este necesară. Nu există vreo prohibiţie împotriva asigurării nevoilor fireşti ale simţurilor, dar desfătările simţurilor care nu sunt necesare sunt dăunătoare progresului spiritual. De aceea, trebuie să ne abţinem de la folosirea simţurilor fără să fie necesar. În mod similar, trebuie să ne înfrânăm mintea faţă de gândurile inutile; aceasta se numeşte *śama*. Nu trebuie să ne petrecem vremea chibzuind cum să adunăm bani. Aceasta este o folosire greşită a capacităţii de a gândi. Mintea trebuie folosită pentru a înţelege necesitatea primordială a fiinţelor umane şi aceasta trebuie prezentată din surse autorizate. Puterea de a gândi trebuie dezvoltată în asociere cu persoanele ce sunt autorităţi în ceea ce priveşte scripturile, persoane sfinte şi maeştrii spirituali, şi cei a căror gândire este extrem de dezvoltată. *Sukham*, plăcerea sau fericirea, trebuie să fie prezentă întotdeauna în cele ce sunt favorabile cultivării cunoaşterii spirituale a conştiinţei de Kṛṣṇa. Şi, în mod similar, ceea ce este dureros sau provoacă suferinţă este ceea ce este nefavorabil cultivării conştiinţei de Kṛṣṇa. Tot ceea ce este favorabil pentru dezvoltarea conştiinţei de Kṛṣṇa trebuie să fie acceptat, iar orice lucru nefavorabil trebuie respins.

Bhava, naşterea, trebuie înţeleasă ca referindu-se la corp. În ceea ce priveşte sufletul, pentru el nu există nici naştere, nici moarte; acest lucru l-am dezvoltat la începutul *Bhagavad-gītei*. Naşterea şi moartea se aplică întrupării omului în lumea materială. Frica se datorează grijii pentru viitor. Omul aflat în conştiinţă de Kṛṣṇa nu se teme, căci prin activităţile sale el este sigur că se va întoarce în cerul spiritual, se va întoarce acasă, înapoi la Dumnezeu. De aceea, viitorul său este foarte strălucit. Alţii însă nu ştiu ce le rezervă viitorul; ei nu au cunoştinţă despre ceea ce le rezervă viaţa viitoare. De aceea, ei se află într-o teamă permanentă. Dacă vrem să ne eliberăm de frică, atunci calea cea mai bună este aceea de a-L înțelege pe Kṛṣṇa și de a fi situați mereu în conștiința de Kṛṣṇa. În acest fel, ne vom elibera de orice frică. În *Śrīmad-Bhāgavatam* (11.2.37) se spune *bhayaṁ dvitīyābhiniveśataḥ syāt*: frica este pricinuită de faptul că suntem absorbiți în energia iluzorie. Dar cei ce s-au eliberat de energia iluzorie, cei ce sunt încredințați că nu sunt corpul material, ci părți spirituale ale Personalității Supreme a Divinității și care deci sunt angajați în slujirea transcendentă a Supremei Divinități, nu au de ce să se teamă. Viitorul lor este foarte luminos. Această teamă este o condiționare a celor care nu se află în conștiința de Kṛṣṇa. *Abhayam*, neînfricarea, este posibilă numai pentru cel aflat în conștiința de Kṛṣṇa.

Ahiṁsā, nonviolența, înseamnă că omul nu trebuie să facă nimic din ceea ce ar putea provoca altora suferință sau deznădejde. Acțiunile materiale promise de atâția politicieni, sociologi, filantropi etc. nu aduc rezultate prea bune, pentru că politicienii și filantropii nu au o viziune spirituală; ei nu știu ce este cu adevărat benefic pentru societatea umană. *Ahiṁsā* înseamnă că poporul trebuie instruit în așa fel încât să aibă loc folosirea deplină a corpului uman. Corpul uman este destinat realizării spirituale, astfel că fiecare mișcare sau activitate ce nu servește acest scop este o violență adusă corpului uman. Ceea ce promovează viitoarea fericire spirituală a oamenilor în general poartă numele de nonviolență.

Samatā, echilibrul, se referă la eliberarea de atașare și aversiune. A fi foarte atașat sau foarte detașat nu este cel mai bun lucru. Această lume materială trebuie acceptată fără atașament și fără aversiune. Ceea ce este favorabil practicării conștiinței de Kṛṣṇa trebuie să fie acceptat; ceea ce este nefavorabil trebuie respins. Aceasta se numește *samatā*, echilibru. Omul aflat în conștiința de Kṛṣṇa nu are nimic de respins și nimic de acceptat, decât în măsura în care este sau nu util practicării conștiinței de Kṛṣṇa.

Tuṣṭi, mulțumirea, înseamnă că omul nu trebuie să fie lacom să adune din ce în ce mai multe bunuri materiale prin acțiuni nefolositoare. Omul trebuie să fie mulțumit cu orice obține prin grația Domnului Suprem; aceasta înseamnă mulțumire. *Tapas* înseamnă asceză sau penitență. Există multe legi și reglementări în *Vede* care se încadrează în acest domeniu, cum ar fi sculatul dimineața devreme și îmbăierea. Uneori este foarte neplăcut să te scoli dimineața devreme, dar orice neplăcere voluntară pe care cineva o suportă în acest mod este numită penitență. De asemenea, există prescripții de a posti în anumite zile ale lunii. Poate că unii nu sunt înclinați să țină aceste posturi, dar datorită hotărârii lor de a progresa în știința conștiinței de Kṛṣṇa, ei trebuie să accepte asemenea neplăceri trupeşti atunci când sunt recomandate. Cu toate acestea, omul nu trebuie să postească în mod inutil sau contrar poruncilor vedice. Omul nu trebuie să postească din motive politice; acest lucru este descris în *Bhagavad-gītā* ca postire în ignoranţă şi orice lucru făcut în starea de ignoranţă sau pasiune nu duce la progres spiritual. Însă orice lucru făcut sub modul bunătăţii ne face să avansăm, iar postitul conform poruncilor vedice îmbogăţeşte cunoaşterea spirituală.

În ceea ce priveşte caritatea, omul trebuie să dea cincizeci la sută din câştigul său pentru o cauză dreaptă. Şi ce înseamnă o cauză dreaptă? Aceasta este cea care se desfăşoară în conformitate cu conştiinţa de Kṛṣṇa. Aceasta nu este doar o cauză dreaptă, ci este cea mai bună cauză. Deoarece Kṛṣṇa este bun, cauza Sa este şi ea bună. Deci darurile caritabile trebuie făcute unei persoane angajate în conştiinţa de Kṛṣṇa. Potrivit scrierilor vedice, se porunceşte ca pomenile să fie date brahmanilor. Această practică este încă respectată, deşi nu chiar exact în termenii prescripţiilor vedice. Dar totuşi, se porunceşte ca această pomană să fie dată brahmanilor. De ce? Pentru că ei sunt angajaţi în cultivarea superioară a cunoaşterii spirituale. Se presupune că un *brāhmaṇa* îşi dedică întreaga viaţă înţelegerii lui Brahman. *Brahma jānātīti brāhmaṇaḥ:* cel ce îl cunoaşte pe Brahman este numit *brāhmaṇa.* Deci pomana se oferă acestor *brāhmaṇa*, pentru că ei sunt necontenit angajaţi în slujirea spirituală superioară şi nu au timp să-şi câştige existenţa. În scrierile vedice se recomandă de asemenea să se dea de pomană celui aflat în etapa de renunţare a vieţii, unui *sannyāsī.* Aceşti *sannyāsī* cerşesc din poartă în poartă nu pentru bani, ci în scopuri misionare. Sistemul acesta de a merge de la uşă la uşă este destinat să-i trezească pe oamenii căsătoriţi din somnul ignoranţei. Deoarece oamenii căsătoriţi sunt angajaţi în treburile familiale, uitându-şi adevăratul scop al vieţii—trezirea conştiinţei lor de Kṛṣṇa—este datoria acestor *sannyāsī* să meargă în chip de cerşetori la aceşti famiişti şi să-i încurajeze să devină conştienţi de Kṛṣṇa. Aşa cum se spune în *Vede,* omul trebuie să se trezească şi să ducă la îndeplinire ceea ce este datoria sa în această formă umană de viaţă. Această cunoaştere şi metodă este răspândită de către *sannyāsī;* deci pomana trebuie dată celui ce a renunţat la viaţă, unui *brāhmaṇa*, ca şi pentru alte cauze drepte, dar nu pentru cauze dăunătoare.

Yaśa, faima, trebuie să fie cea aprobată de Śrī Caitanya, care a spus că un om este faimos atunci când este cunoscut ca un mare devot. Aceasta este adevărata faimă. Când cineva a ajuns o mare personalitate în conştiinţa de Kṛṣṇa şi este cunoscut, atunci el este cu adevărat faimos. Cel ce nu are o asemenea faimă este un infam.

Toate aceste calități se manifestă pretutindeni în univers, în societatea oamenilor și în societatea semizeilor. Există multe forme de existență umane și pe alte planete, iar aceste calități se manifestă și acolo. Pentru cel ce dorește să avanseze în conștiința de Kṛṣṇa, Kṛṣṇa creează toate aceste calități, dar omul le dezvoltă el însuși din interior. Cel ce se angajează în slujirea devoțională a Domnului Suprem își dezvoltă toate însușirile bune, așa cum sunt întocmite de Domnul Suprem.

Originea oricărui lucru, bun sau rău, pe care-l putem afla, este Kṛṣṇa. Nimic nu se poate manifesta în această lume materială, care să nu fie Kṛṣṇa. Aceasta este cunoașterea; deși noi cunoaștem fenomenele ca fiind diversificate, trebuie să realizăm că toate izvorăsc din Kṛṣṇa.

TEXTUL 6

महर्षयः सप्त पूर्वे चत्वारो मनवस्तथा ।
मद्भावा मानसा जाता येषां लोक इमाः प्रजाः ॥ ६ ॥

maharṣayaḥ sapta pūrve
catvāro manavas tathā
mad-bhāvā mānasā jātā
yeṣāṁ loka imāḥ prajāḥ

mahā-ṛṣayaḥ—mari înțelepți; *sapta*—cei șapte; *pūrve*—mai înainte; *catvāraḥ*—cei patru; *manavaḥ*—Manu; *tathā*—de asemenea; *mat-bhāvāḥ*—născuți din Mine; *mānasāḥ*—din minte; *jātāḥ*—născuți; *yeṣām*—acestora; *loke*—în lumea; *imāḥ*—toată această; *prajāḥ*—populație.

Cei șapte mari înțelepți, și înaintea lor ceilalți patru mari înțelepți, precum și toți Manu [părinții omenirii], se ivesc din Mine, născuți din mintea Mea, iar toate ființele ce viețuiesc pe diferite planete sunt descendenții acestora.

COMENTARIU

Domnul dă aici un rezumat al genealogiei populației universului. Brahmā este făptura originară, născută din energia Domnului Suprem, cunoscută ca Hiraṇyagarbha. Din Brahmā s-au manifestat toți cei șapte mari înțelepți, iar înainte de ei alți patru mari înțelepți, numiți Sanaka, Sananda, Sanātana și

Sanat-kumāra, ca şi toţi cei paisprezece Manu. Toţi aceşti douăzeci şi cinci de mari înţelepţi sunt cunoscuţi ca patriarhi ai fiinţelor din întregul univers. Există nenumărate universuri şi nenumărate planete în fiecare univers, iar fiecare planetă este plină de diferite tipuri de populaţii. Toate aceste populaţii sunt născute din aceşti douăzeci şi cinci de patriarhi. Brahmā a săvârşit peni-tenţe timp de o mie de ani de-ai semizeilor, înainte de a înţelege, prin graţia lui Kṛṣṇa, cum să creeze. Apoi din Brahmā s-au ivit Sanaka, Sananda, Sanā-tana şi Sanat-kumāra, apoi Rudra şi apoi cei şapte înţelepţi, şi astfel toţi brah-manii şi toţi *kṣatriya* s-au născut din energia Personalităţii Supreme a Divini-tăţii. Brahmā este cunoscut ca Pitāmaha, străbunul, iar Kṛṣṇa este cunoscut ca Prapitāmaha, tatăl străbunului. Acestea sunt declarate în capitolul al uns-prezecelea din *Bhagavad-gītā* (11.39).

TEXTUL 7

एतां विभूतिं योगं च मम यो वेत्ति तत्त्वतः ।
सोऽविकल्पेन योगेन युज्यते नात्र संशयः ॥ ७ ॥

etāṁ vibhūtiṁ yogaṁ ca
mama yo vetti tattvataḥ
so 'vikalpena yogena
yujyate nātra saṁśayaḥ

etām—întreagă aceastā; *vibhūtim*—opulenţă; *yogam*—putere mistică; *ca*—şi; *mama*—a Mea; *yaḥ*—oricine; *vetti*—cunoaşte; *tattvataḥ*—în mod real; *saḥ*—el; *avikalpena*—de nedespărţit; *yogena*—în slujirea devoţională; *yujyate*—se angajează; *na*—niciodată; *atra*—aici; *saṁśayaḥ*—îndoială.

Cel ce este cu adevărat convins de această opulenţă şi putere mistică a Mea, se angajează în slujirea devoţională pură; despre aceasta nu există nici o îndoială.

COMENTARIU

Culmea cea mai înaltă a desăvârşirii spirituale este cunoaşterea Personalităţii Supreme a Divinităţii. Până ce omul nu este ferm convins asupra diferitelor desăvârşiri şi opulenţe ale Domnului Suprem, el nu poate să se angajeze în slujirea devoţională. În general, oamenii ştiu că Dumnezeu este mare, dar nu ştiu prea multe detalii despre cât de mare este Dumnezeu. Aceste detalii se găsesc aici. Când cineva știe cu adevărat cât de mare este Dumnezeu, atunci în mod firesc devine un suflet dăruit și se angajează în slujirea devoțională a Domnului. Când omul cunoaște cu adevărat opulențele Supremului, nu mai are altă alternativă decât să se supună Lui. Această cunoaștere efectivă poate fi aflată din descrierile din *Śrīmad-Bhāgavatam, Bhagavad-gītā* și alte scrieri asemănătoare.

În administrația acestui univers există o mulțime de semizei răspândiți pretutindeni în sistemul planetar, iar aceștia sunt conduși de Brahmā, Śiva, cei patru mari Kumāra și ceilalți patriarhi. Există mulți strămoși ai populației universului și aceștia toți sunt născuți din Domnul Suprem, Kṛṣṇa. Personalitatea Supremă a Divinității, Kṛṣṇa, este strămoșul originar al tuturor strămoșilor.

Acestea sunt câteva din opulențele Domnului Suprem. Când omul este ferm convins de ele, el Îl acceptă pe Kṛṣṇa cu multă credință și fără nici o îndoială și se angajează în slujirea devoțională. Toată această cunoaștere particulară este necesară pentru a spori interesul omului pentru slujirea cu dragoste devoțională a Domnului. Omul nu trebuie să neglijeze înțelegerea deplină a măreției lui Kṛṣṇa, pentru că prin înțelegerea acestei măreții, el va fi capabil să rămână neclintit în slujirea devoțională îndeplinită cu sinceritate.

TEXTUL 8

अहं सर्वस्य प्रभवो मत्तः सर्वं प्रवर्तते ।
इति मत्वा भजन्ते मां बुधा भावसमन्विताः ॥ ८ ॥

aham sarvasya prabhavo
mattaḥ sarvam pravartate
iti matvā bhajante mām
budhā bhāva-samanvitāḥ

aham—Eu; *sarvasya*—al tuturor; *prabhavaḥ*—surse de generare; *mattaḥ*—din Mine; *sarvam*—totul; *pravartate*—emană; *iti*—astfel; *matvā*—cunoscând; *bhajante*—devine devotat; *mām*—față de Mine; *budhāḥ*—cei învățați; *bhāva-samanvitāḥ*—cu multă atenție.

Eu sunt sursa tuturor lucrurilor materiale și spirituale. Totul emană din Mine. Înțelepții care cunosc perfect acest lucru se angajează în slujirea Mea devoțională și Mă adoră din toată inima.

COMENTARIU

Un învățat erudit, care a studiat în mod desăvârșit *Vedele* și care are informații de la persoane autorizate precum Śrī Caitanya, și care știe cum să aplice aceste învățături, poate înțelege că Kṛṣṇa este originea tuturor lucrurilor, atât în lumea materială, cât și în cea spirituală, și pentru că el știe acest lucru în mod perfect, ajunge să fie ferm stabilit în slujirea devoțională a Domnului Suprem. El nu poate fi niciodată abătut de oricât de multe comentarii lipsite de sens, făcute de cei fără de minte. Toate scrierile vedice sunt de acord că Kṛṣṇa este sursa lui Brahmā, Śiva și a tuturor celorlalți semizei. În *Atharva Veda (Gopāla-tāpani Upaniṣad,* 1.24) se spune *yo brahmāṇaṁ vidadhāti pūrvaṁ yo vai vedāṁś ca gāpayati sma kṛṣṇaḥ:* „Kṛṣṇa este cel care la început l-a învățat pe Brahmā cunoașterea vedică și care a răspândit cunoașterea vedică în trecut." În continuare, *Nārāyaṇa Upaniṣad* (1) spune *atha puruṣo ha vai nārāyaṇo 'kāmayata prajāḥ sṛjeyeti:* „Apoi Nārāyaṇa, Persoana Supremă, a dorit să creeze entitățile vii." *Upaniṣada* continuă *nārāyaṇād brahmā jāyate, nārāyaṇād prajāpatiḥ prajāyate, nārāyaṇād indro jāyate, nārāyaṇād aṣṭau vasavo jāyante, nārāyaṇad ekādaśa rudrā jāyante, nārāyaṇād dvādaśādityāḥ:* „Din Nārāyaṇa s-a născut Brahmā, și tot din Nārāyaṇa s-au născut și patriarhii. Din Nārāyaṇa s-a născut Indra, din Nārāyaṇa s-au născut cei opt Vasu, din Nārāyaṇa s-au născut cei unsprezece Rudra, din Nārāyaṇa s-au născut cei doisprezece Āditya." Acest Nārāyaṇa este o expansiune a lui Kṛṣṇa.

În aceleași *Vede* se spune, *brahmaṇyo devakī-putraḥ:* „Fiul lui Devakī, Kṛṣṇa, este Persoana Supremă" (*Nārāyaṇa Upaniṣad,* 4). Apoi se spune *eko vai nārāyaṇa āsīn na brahmā na īśāno nāpo nāgni-samau neme dyāv-āpṛthivī na nakṣatrāṇi na sūryaḥ:* „La începutul creației exista doar Persoana Supremă, Nārāyaṇa. Nu exista nici Brahmā, nici Śiva, nici focul, nici luna, nici stelele pe cer, nici soarele" (*Mahā Upaniṣad* 1). Tot în *Mahā Upaniṣad* se spune că Śiva s-a născut din creștetul capului Domnului Suprem. Astfel, *Vedele* spun că cel ce trebuie adorat este Domnul Suprem, creatorul lui Brahmā și Śiva.

În *Mokṣa-dharma* Kṛṣṇa spune de asemenea:

> *prajāpatiṁ ca rudraṁ cāpy*
> *aham eva sṛjāmi vai*
> *tau hi māṁ na vijānīto*
> *mama māyā-vimohitau*

„Patriarhii, Śiva și ceilalți sunt creați de Mine, deși ei nu știu că sunt creați de

Mine, fiind amăgiți de energia Mea iluzorie." De asemenea, în *Varāha Purāṇa* se spune:

> *nārāyaṇaḥ paro devas*
> *tasmāj jātaś caturmukhaḥ*
> *tasmād rudro 'bhavad devaḥ*
> *sa ca sarva-jñatāṁ gataḥ*

„Nārāyaṇa este Personalitatea Supremă a Divinității și din El s-a născut Brahmā, din care s-a născut Śiva."

Domnul Kṛṣṇa este sursa tuturor nașterilor și El este numit cea mai eficientă cauză a tuturor lucrurilor. El spune: „Deoarece totul se naște din Mine, Eu sunt sursa originară a tuturor. Toate Mi se supun Mie; nimeni nu este deasupra Mea." Nu există un alt conducător suprem decât Kṛṣṇa. Cel care Îl înțelege astfel pe Kṛṣṇa de la un maestru spiritual autentic, cu referințe din sursele vedice, își angajează întreaga energie în conștiința de Kṛṣṇa și devine un om cu adevărat învățat. În comparație cu el, toți ceilalți care nu-L cunosc pe Kṛṣṇa în mod corect, nu sunt decât niște smintiți. Numai un smintit L-ar considera pe Kṛṣṇa a fi un om obișnuit. Un om conștient de Kṛṣṇa nu trebuie să se lase rătăcit de către smintiți; el trebuie să evite toate comentariile neautorizate și interpretările *Bhagavad-gītei* și să pornească pe calea conștiinței de Kṛṣṇa cu hotărâre și fermitate.

TEXTUL 9

मच्चित्ता मद्गतप्राणा बोधयन्तः परस्परम् ।
कथयन्तश्च मां नित्यं तुष्यन्ति च रमन्ति च ॥ ९ ॥

> *mac-cittā mad-gata-prāṇā*
> *bodhayantaḥ parasparam*
> *kathayantaś ca māṁ nityaṁ*
> *tuṣyanti ca ramanti ca*

mat-cittāḥ—minţile lor complet angajate în Mine; *mat-gata-prāṇāḥ*—viețile lor dedicate Mie; *bodhayantaḥ*—predicând; *parasparam*—între ei; *kathayantaḥ*—vorbind; *ca*—și; *mām*—despre Mine; *nityam*—veșnic;

tuşyanti—devin mulţumiţi; *ca*—de asemenea; *ramanti*—se bucură de beatitudinea spirituală; *ca*—şi.

Gândurile devoţilor Mei puri sălăşluiesc în Mine, vieţile lor sunt în întregime dedicate slujirii Mele şi ei dobândesc o mare satisfacţie şi fericire întotdeauna iluminându-se unii pe alţii şi conversând despre Mine.

COMENTARIU

Devoţii puri, ale căror caracteristici sunt menţionate aici, se angajează cu totul în slujirea cu iubire transcendentă a Domnului. Minţile lor nu pot fi abătute de la picioarele de lotus ale lui Kṛṣṇa. Discuţiile lor au numai subiecte spirituale. Semnele devoţilor puri sunt descrise în acest verset în mod foarte precis. Devoţii Domnului Suprem sunt angajaţi 24 de ore pe zi în glorificarea însuşirilor şi petrecerilor Domnului Suprem. Inimile şi sufletele lor sunt mereu cufundate în Kṛṣṇa şi ei se desfată discutând despre El cu alţi devoţi.

În stadiul preliminar al slujirii devoţionale, ei savurează plăcerea spirituală a slujirii însăşi, iar în stadiul de maturitate, ei ajung cu adevărat să fie situaţi în dragostea de Dumnezeu. Odată ajunşi în această poziţie transcendentă, ei pot să guste cea mai înaltă desăvârşire ce este înfăţişată de către Domnul în sălaşul Său. Śrī Caitanya compară slujirea devoţională transcendentă cu însămânţarea unei grăunţe în inima unei fiinţe. Există nenumărate fiinţe ce călătoresc prin diferitele planete ale universului, iar dintre ele doar foarte puţine au norocul să întâlnească un devot pur şi să obţină şansa de a cunoaşte slujirea devoţională. Această slujire devoţională este exact ca o sămânţă, iar dacă aceasta este semănată în inima unei fiinţe şi această fiinţă continuă să asculte şi să cânte Hare Kṛṣṇa, Hare Kṛṣṇa, Kṛṣṇa Kṛṣṇa, Hare Hare/ Hare Rāma, Hare Rāma, Rāma Rāma, Hare Hare, atunci sămânţa va rodi, aşa cum rodeşte sămânţa unui copac ce este udat mereu. Planta spirituală a slujirii devoţionale creşte treptat, şi creşte până ce răzbate prin învelişul universului material şi pătrunde în strălucirea *brahmajyoti* din cerul spiritual. În cerul spiritual, această plantă continuă să crească din ce în ce mai mult până ce ajunge la cea mai înaltă planetă, numită Goloka Vṛndāvana, planeta supremă a lui Kṛṣṇa. În final, această plantă se adăposteşte la picioarele de lotus ale lui Kṛṣṇa şi rămâne acolo. Treptat, aşa cum o plantă dă flori şi fructe, această plantă a slujirii devoţionale dă şi ea fructe, iar procesul udării sale sub forma cântării şi ascultării merge înainte. Această plantă a slujirii devoţionale este descrisă pe larg în *Caitanya-caritāmṛta (Madhya-līlā*, capitolul nouăsprezece). Acolo se explică faptul că atunci când întreaga plantă se adăposteşte la picioarele de lotus ale Domnului Suprem, omul devine cu totul absorbit în dragostea de

Dumnezeu; atunci el nu mai poate trăi nici măcar o clipă fără să fie în contact cu Domnul Suprem, la fel cum un pește nu poate trăi fără apă. În această stare, devotul dobândește cu adevărat calitățile transcendente în contact cu Domnul Suprem.

Srimad-Bhāgavatam este de asemenea plină de descrieri despre legăturile dintre Domnul Suprem și devoții Săi; de aceea *Srimad-Bhāgavatam* este foarte îndrăgită de către devoți, așa cum se spune în *Bhāgavatam* (12.13.18). *Srimad-bhāgavatam purāṇam amalaṁ yad vaiṣṇavānāṁ priyam.* În această istorisire nu se află nimic despre activitățile materiale, dezvoltarea economiei, satisfacerea simțurilor sau eliberare. *Srimad-Bhāgavatam* este singura istorisire în care este descrisă în mod complet natura transcendentă a Domnului Suprem și a devoților Săi. Astfel, sufletele realizate aflate în conștiința de Kṛṣṇa se desfată necontenit ascultând aceste scrieri transcendente, la fel cum un băiat și o fată se bucură să fie împreună.

TEXTUL 10

तेषां सततयुक्तानां भजतां प्रीतिपूर्वकम् ।
ददामि बुद्धियोगं तं येन मामुपयान्ति ते ॥१०॥

teṣāṁ satata-yuktānāṁ
bhajatāṁ prīti-pūrvakam
dadāmi buddhi-yogaṁ taṁ
yena māṁ upayānti te

teṣām—celor care; *satata-yuktānām*—ce sunt mereu angajați; *bhajatām*—în slujirea devoțională; *prīti-pūrvakam*—în extazul dragostei; *dadāmi*—Eu dau; *buddhi-yogam*—inteligența reală; *tam*—aceea; *yena*—prin care; *mām*—la Mine; *upayānti*—vin; *te*—ei.

Acelora ce se dedică necontenit slujirii Mele cu dragoste, Eu le dau înțelegerea prin care ei să poată veni la Mine.

COMENTARIU

În acest verset, cuvântul *buddhi-yoga* este foarte semnificativ. Ne aducem aminte că în al doilea capitol Domnul, învățându-l pe Arjuna, spune că i-a vorbit despre multe lucruri și că ar vrea acum să-l învețe despre calea sistemului *buddhi-yoga*. Acum se explică ce este *buddhi-yoga*. *Buddhi-yoga* este acțiunea în conștiința de Kṛṣṇa; aceasta este cea mai înaltă inteligență. *Buddhi* înseamnă inteligență, iar *yoga* înseamnă activități mistice sau înălțare mistică. Când cineva încearcă să se întoarcă acasă, înapoi la Divinitate, și se dedică total conștiinței de Kṛṣṇa în slujirea devoțională, acțiunea sa este numită *buddhi-yoga*. Cu alte cuvinte, *budhi-yoga* este procesul prin care omul scapă din capcana acestei lumi materiale. Țelul ultim al progresului este Kṛṣṇa. Oamenii nu știu acest lucru; de aceea este foarte importantă asocierea cu devoții și cu maestrul spiritual autentic. Omul trebuie să știe că țelul său este Kṛṣṇa, iar atunci când țelul este fixat, drumul este străbătut încet dar progresiv, iar scopul ultim este împlinit.

Atunci când un om cunoaște țelul vieții, dar este atașat de fructele activităților, el acționează în *karma-yoga*. Atunci când știe că țelul este Kṛṣṇa, dar se complace în speculații mentale pentru a-L înțelege pe Kṛṣṇa, el acționează în *jñāna-yoga*. Iar când omul cunoaște țelul și-L caută pe Kṛṣṇa în mod complet, în conștiința de Kṛṣṇa și în slujirea devoțională, el acționează în *bhakti-yoga* sau *buddhi-yoga*, care este yoga completă. Această yoga completă este stadiul cel mai înalt al desăvârșirii vieții.

Dacă o persoană are un maestru spiritual autentic și este atașat unei organizații spirituale, dar totuși nu este destul de inteligent pentru a progresa, atunci Kṛṣṇa îl îndrumă din interior, astfel încât până la urmă să poată veni la El fără dificultate. Condiția este ca omul să se angajeze în conștiința de Kṛṣṇa și să aducă tot felul de servicii cu dragoste și devoțiune. El trebuie să îndeplinească o anumită muncă pentru Kṛṣṇa, iar această muncă trebuie făcută cu dragoste. Dacă devotul nu este destul de inteligent pentru a progresa pe calea slujirii devoționale, Domnul îi dă șansa să progreseze și în final să ajungă la El.

TEXTUL 11

तेषामेवानुकम्पार्थमहमज्ञानजं तमः ।
नाशयाम्यात्मभावस्थो ज्ञानदीपेन भास्वता ॥११॥

teṣām evānukampārtham
aham ajñāna-jaṁ tamaḥ
nāśayāmy ātma-bhāva-stho
jñāna-dīpena bhāsvatā

teṣām—pentru ei; *eva*—desigur; *anukampā-artham*—pentru a le arăta o milă deosebită; *aham*—Eu; *ajñāna-jam*—datorită ignoranței; *tamaḥ*—întunericul; *nāśayāmi*—împrăștii; *ātma-bhāva*—înăuntrul inimilor lor; *sthaḥ*—situat; *jñāna*—a cunoașterii; *dīpena*—cu lampa; *bhāsvatā*—strălucitoare.

Pentru a le arăta o grație specială, Eu sălășluind în inimile lor, înlătur cu lampa strălucitoare a cunoașterii întunericul născut din ignoranță.

COMENTARIU

Când Śrī Caitanya era la Benares propovăduind cântarea *mantrei* Hare Kṛṣṇa, Hare Kṛṣṇa, Kṛṣṇa Kṛṣṇa, Hare Hare/ Hare Rāma, Hare Rāma, Rāma Rāma, Hare Hare, mii de persoane L-au urmat. Prakāśānanda Sarasvatī, un învățat foarte erudit și influent din Benaresul acelor timpuri, își râdea de Śrī Caitanya spunând că este un sentimentalist. Uneori filosofii îi critică pe devoți, căci ei cred că cea mai mare parte din acești devoți se află în întunericul ignoranței și din punct de vedere filosofic sunt doar niște sentimentali naivi. De fapt, acest lucru nu este adevărat. Există extrem de mulți învățați care au promovat filosofia devoțională. Dar chiar dacă un devot nu trage foloase din scrierile lor sau de la maestrul spiritual, dacă este sincer în slujirea sa devoțională, el este ajutat de Kṛṣṇa Însuși dinăuntrul inimii sale. Astfel că devotul sincer angajat în conștiința de Kṛṣṇa nu poate fi lipsit de cunoaștere. Singura condiție este aceea de a-și duce la îndeplinire slujirea devoțională în deplină conștiință de Kṛṣṇa.

Filozofii moderni socotesc că fără a discerne, omul nu poate dobândi cunoașterea pură. Pentru ei, Domnul Suprem dă următorul răspuns: cei ce sunt angajați în slujirea devoțională pură, chiar dacă sunt lipsiți de suficientă educație și chiar fără o cunoaștere suficientă a principiilor vedice, totuși sunt ajutați de Dumnezeul Suprem, așa cum se afirmă în acest verset.

Domnul îi spune lui Arjuna că, în mod fundamental, nu există posibilitatea înțelegerii Adevărului Suprem, Adevărului Absolut, Personalitatea Supremă a Divinității, numai prin speculație, căci Adevărul Suprem este atât de vast încât El nu poate fi înțeles sau dobândit doar printr-un efort mental. Omul poate continua să speculeze timp de multe milioane de ani, iar dacă nu este devot, dacă nu este îndrăgostit de Adevărul Suprem, nu Îl va înțelege niciodată pe Kṛṣṇa sau Adevărul Suprem. Doar prin slujirea devoțională poate fi mulțumit Adevărul Suprem, Kṛṣṇa, iar prin energia Sa de neconceput, El poate să Se reveleze pe Sine inimii devotului pur. Devotul cel pur Îl are întotdeauna pe Kṛṣṇa în inima sa; iar prin prezenţa lui Kṛṣṇa, care este întocmai soarelui, întunericul ignoranţei este de îndată risipit. Aceasta este mila deosebită arătată devotului pur de către Kṛṣṇa.

Datorită contaminării prin asocierea cu materia de-a lungul a milioane de naşteri, inima omului este acoperită cu praful materialismului, dar atunci când cineva se angajează în slujirea devoţională şi cântă în mod constant Hare Kṛṣṇa, praful este de îndată curăţat şi omul se înalţă la nivelul cunoaşterii pure. Ţelul ultim, Viṣṇu, poate fi atins numai prin această cântare şi prin slujire devoţională, şi nu prin speculaţii mentale sau argumente. Devotul pur nu trebuie să se îngrijească de necesităţile materiale ale vieţii; el nu trebuie să se teamă, pentru că atunci când îşi înlătură întunericul din inimă, totul îi este dat în mod automat de către Domnul Suprem, care este încântat de slujirea de dragoste devoţională a devotului. Aceasta este esenţa învăţăturilor din *Bhagavad-gītā*. Studiind *Bhagavad-gītā*, omul poate deveni un suflet complet dăruit Domnului Suprem şi să se angajeze în slujirea devoţională pură. Întrucât Domnul se îngrijeşte de toate, omul devine complet liber de toate felurile de eforturi materiale.

TEXTELE 12–13

अर्जुन उवाच
परं ब्रह्म परं धाम पवित्रं परमं भवान् ।
पुरुषं शाश्वतं दिव्यमादिदेवमजं विभुम् ॥१२॥

आहुस्त्वामृषयः सर्वे देवर्षिर्नारदस्तथा ।
असितो देवलो व्यासः स्वयं चैव ब्रवीषि मे ॥१३॥

arjuna uvāca
paraṁ brahma paraṁ dhāma
pavitraṁ paramaṁ bhavān
puruṣaṁ śāśvataṁ divyam
ādi-devam ajaṁ vibhum

āhus tvām ṛṣayaḥ sarve
devarṣir nāradas tathā
asito devalo vyāsaḥ
svayaṁ caiva bravīṣi me

arjunaḥ uvāca—Arjuna a spus; *param*—suprem; *brahma*—adevărul; *param* —suprem; *dhāma*—sălașul; *pavitram*—pur; *paramam*—suprem; *bhavān*— Tu; *puruṣam*—persoana; *śāśvatam*—originară; *divyam*—transcendentă; *ādidevam*—Domnul originar; *ajam*—nenăscut; *vibhum*—cel mai măreț; *āhuḥ* —spun; *tvām*—despre Tine; *ṛṣayaḥ*—înțelepții; *sarve*—toți; *deva-ṛṣih*—cei înțelepți printre semizei; *nāradaḥ*—Nārada; *tathā*—precum și; *asitaḥ*— Asita; *devalaḥ*—Devala; *vyāsaḥ*—Vyāsa; *svayam*—personal; *ca*—și ; *eva*— desigur; *bravīṣī*—Tu explici; *me*—mie.

Arjuna a spus: Tu ești Personalitatea Supremă a Divinității, sălașul ultim, cel mai pur, Adevărul Absolut. Tu ești etern, transcendent, persoana originară, cel nenăscut, cel mai măreț. Toți marii înțelepți, precum Nārada, Asita, Devala și Vyāsa confirmă acest adevăr despre Tine și acum Tu Însuți mi-l declari mie.

COMENTARIU

În aceste două versete, Domnul Suprem dă o șansă filosofului modern, căci se vede limpede aici că Supremul este diferit de sufletul individual. Arjuna, după ce a ascultat cele patru versete esențiale ale *Bhagavad-gītei* din acest capitol, a devenit complet eliberat de toate îndoielile și L-a acceptat pe Kṛṣṇa ca Personalitatea Supremă a Divinității. El declară imediat cu multă fermitate: „Tu ești *param brahma*, Personalitatea Supremă a Divinității." Iar mai înainte, Kṛṣṇa afirmase că El este originea tuturor lucrurilor și tuturor ființelor. Fiecare semizeu și fiecare ființă umană este dependentă de El. Oamenii și semizeii, datorită ignoranței, cred că ei sunt absoluți și independenți de Personalitatea Supremă a Divinității. Această ignoranță este înlăturată perfect prin îndeplinirea slujirii devoționale. Acest lucru a fost explicat deja în strofa precedentă de către Domnul. Acum, prin grația Sa, Arjuna Îl acceptă ca Adevăr Suprem, în concordanță cu prescripțiile vedice. Nu pentru că Kṛṣṇa este prietenul său intim și pentru a-L flata Îl numește Arjuna cu numele de Personalitatea Supremă a Divinității, Adevărul Absolut. Tot ceea ce Arjuna spune în aceste două versete este confirmat de adevărurile vedice. Prescripțiile vedice afirmă că doar cel ce se dedică slujirii devoționale a Domnului Suprem Îl poate înțelege pe El, în timp ce alții nu o pot face. Oricare din cuvintele acestor versete rostite de Arjuna este confirmat de adevărurile vedice.

În *Kena Upaniṣad* se afirmă că Supremul Brahman este adăpostul tuturor, iar Kṛṣṇa a explicat deja că toate se sprijină pe El. *Muṇḍaka Upaniṣad* afirmă că Domnul Suprem, în care toate își află sălașul, poate fi realizat doar de către cel ce se preocupă în mod permanent să se gândească la El. Această permanentă cugetare la Kṛṣṇa este *smaraṇam*, una dintre metodele slujirii devoţionale. Numai prin slujirea devoţională a lui Kṛṣṇa ne putem înţelege poziţia şi putem să ne desprindem de acest corp material.

În *Vede* Domnul Suprem este acceptat ca fiind cel mai pur dintre cele pure. Cel ce înţelege că Kṛṣṇa este cel mai pur dintre cele pure poate fi purificat de toate activităţile păcătoase. Omul nu poate fi dezinfectat de activităţile păcătoase până nu se predă Domnului Suprem. Acceptarea lui Kṛṣṇa de către Arjuna ca fiind suprema puritate, concordă cu prescripţiile scrierilor vedice. Acest fapt este confirmat şi de mari personalităţi, al căror principal reprezentant este Nārada.

Kṛṣṇa este Personalitatea Supremă a Divinităţii şi omul trebuie să mediteze necontenit asupra Lui şi să se bucure de relaţia sa transcendentă cu El. El este existenţa supremă. El este liber de nevoile corporale, de naştere şi de moarte. Nu numai Arjuna confirmă aceasta, dar şi toate scrierile vedice, *Purāṇa* şi relatările istorice. Kṛṣṇa este descris astfel în toate scrierile vedice, iar Domnul Suprem însuşi spune astfel în capitolul al patrulea: „Deşi Eu sunt nenăscut, apar pe acest pământ pentru a restabili preceptele religioase." El este originea supremă; El nu are cauză, căci El este cauza tuturor cauzelor şi totul emană de la El. Această cunoaştere desăvârşită poate fi obţinută prin graţia Domnului Suprem.

Arjuna se exprimă aici prin graţia lui Kṛṣṇa. Dacă vrem să înţelegem *Bhagavad-gītā*, trebuie să acceptăm afirmaţiile din aceste două versete. Acest lucru se numeşte sistemul *paramparā*, acceptarea succesiunii disciplice. Cel ce nu se află în succesiunea discipolilor nu poate înţelege *Bhagavad-gītā*. Acest lucru nu este posibil prin aşa-numita educaţie academică. Din nefericire, cei ce se mândresc cu educaţia lor academică se agaţă de convingerea lor încăpăţânată că Kṛṣṇa este o persoană obişnuită, în ciuda atâtor dovezi din scrierile vedice.

TEXTUL 14

सर्वमेतदृतं मन्ये यन्मां वदसि केशव ।
न हि ते भगवन् व्यक्तिं विदुर्देवा न दानवाः ॥१४॥

sarvam etad ṛtaṁ manye
yan māṁ vadasi keśava

na hi te bhagavan vyaktiṁ
vidur devā na dānavāḥ

sarvam—toate; *etat*—acestea; *ṛtam*—adevăr; *manye*—eu accept; *yat*—care; *mām*—mie; *vadasi*—Tu spui; *keśava*—o, Kṛṣṇa; *na*—niciodată; *hi*—cu siguranță; *te*—a Ta; *bhagavan*—o, Persoană a lui Dumnezeu; *vyaktim*—revelație; *viduḥ*—pot cunoaște; *devāḥ*—semizeii; *na*—nici; *dānavāḥ*—demonii.

O, Kṛṣṇa, accept în întregime ca adevărat tot ceea ce mi-ai spus. Nici semizeii și nici demonii, o, Doamne, nu pot să înțeleagă personalitatea Ta.

COMENTARIU

Arjuna confirmă aici că persoanele având o natură demonică și lipsite de credință nu-L pot înțelege pe Kṛṣṇa. El nu este cunoscut nici măcar de semizei, deci ce să mai vorbim de așa-numiții erudiți ai lumii moderne? Prin grația Domnului Suprem, Arjuna a înțeles că Adevărul Suprem este Kṛṣṇa și că El este Cel desăvârșit. Trebuie deci să urmăm calea lui Arjuna. El a acceptat *Bhagavad-gītā* ca autoritate. Așa cum se descrie în capitolul al patrulea, sistemul *paramparā* al succesiunii disciplice necesar pentru a înțelege *Bhagavad-gītā* se pierduse, de aceea Kṛṣṇa a restabilit această succesiune disciplică începând cu Arjuna, pentru că El îl socotea pe Arjuna ca prietenul Său intim și un mare devot. De aceea, așa cum s-a arătat în Introducere la *Gītopaniṣad*, trebuie să înțelegem *Bhagavad-gītā* în cadrul sistemului *paramparā*. Când sistemul *paramparā* s-a pierdut, Arjuna a fost ales pentru a-l reînvia. Acceptarea de către Arjuna a tuturor spuselor lui Kṛṣṇa este un exemplu ce trebuie urmat; atunci vom putea înțelege esența din *Bhagavad-gītā* și numai atunci vom putea înțelege că Kṛṣṇa este Personalitatea Supremă a Divinității.

TEXTUL 15

स्वयमेवात्मनात्मानं वेत्थ त्वं पुरुषोत्तम ।
भूतभावन भूतेश देवदेव जगत्पते ॥१५॥

svayam evātmanātmānaṁ
vettha tvaṁ puruṣottama

bhūta-bhāvana bhūteśa
deva-deva jagat-pate

svayam—în mod personal; *eva*—desigur; *ātmanā*—prin Tine Însuţi; *ātmānam*—pe Tine Însuţi; *vettha*—cunoşti; *tvam*—Tu; *puruşa-uttama*—o, cel mai măreţ dintre toate persoanele; *bhūta-bhāvana*—o, sursă a tuturor; *bhūta-īśa*—o, Domn al tuturor lucrurilor; *deva-deva*—o, Domn al semizeilor; *jagat-pate*—o, Domn al întregului univers.

Într-adevăr, doar Tu Te cunoşti pe Tine Însuţi, prin propria Ta putere internă, o, Supremă Persoană, originea tuturor, Domn al tuturor fiinţelor, Dumnezeu al Dumnezeilor, Domn al universului!

COMENTARIU

Domnul Suprem, Kṛṣṇa, poate fi cunoscut de către cei care sunt în legătură cu El prin îndeplinirea slujirii devoţionale, precum Arjuna şi descendenţii săi. Persoanele cu mentalitate ateistă sau demonică nu-L pot cunoaşte pe Kṛṣṇa. Speculaţia mentală care-l îndepărtează pe om de Domnul Suprem este un păcat grav, iar cel ce nu-L cunoaşte pe Kṛṣṇa nu trebuie să încerce să comenteze *Bhagavad-gītā*. *Bhagavad-gītā* este cuvântul lui Kṛṣṇa şi, întrucât este ştiinţa de Kṛṣṇa, ea trebuie înţeleasă de la Kṛṣṇa, aşa cum a înţeles-o Arjuna. Ea nu trebuie să fie primită de la persoane ateiste. Aşa cum se afirmă în *Śrīmad-Bhāgavatam* (1.2.11):

vadanti tat tattva-vidas
tattvaṁ yaj jñānam advayam
brahmeti paramātmeti
bhagavān iti śabdyate

Adevărul Suprem este realizat în trei aspecte: ca impersonalul Brahman, ca Paramātmā localizat şi în final ca Personalitatea Supremă a Divinităţii. Deci în ultimul stadiu al înţelegerii Adevărului Absolut, omul ajunge la Personalitatea Supremă a Divinităţii. Un om obişnuit sau chiar un om eliberat care a realizat impersonalul Brahman sau Paramātmā localizat poate să nu înţeleagă caracterul impersonal al lui Dumnezeu. Aceşti oameni trebuie doar să înţeleagă Persoana Supremă din versetele *Bhagavad-gītei*, care au fost rostite de către această persoană, Kṛṣṇa. Uneori impersonaliştii Îl acceptă pe Kṛṣṇa ca Bhagavān, sau acceptă autoritatea Sa. Totuşi, mulţi oameni eliberaţi nu-L pot înțelege pe Kṛṣṇa ca Puruṣottama, Persoana Supremă. De aceea Arjuna Îl numește Puruṣottama. Dar poate că altcineva nu înțelege că Kṛṣṇa este tatăl tuturor ființelor. De aceea Arjuna Îl numește Bhūta-bhāvana. Iar dacă cineva ajunge să-L cunoască pe El ca tată al tuturor ființelor, dar încă nu-L cunoaște ca supremul care controlează, pentru acela el Îl numește aici Bhūteśa, supremul care controlează peste toți. Și chiar dacă cineva Îl cunoaște pe Kṛṣṇa ca supremul care controlează toate ființele, poate că încă nu știe că El este originea tuturor semizeilor; de aceea El este numit aici Devadeva, adorat de toți semizeii. Și chiar dacă cineva Îl cunoaște pe El ca Dumnezeul adorat de toți semizeii, poate că nu știe că El este proprietarul suprem al tuturor lucrurilor; de aceea El este numit Jagatpati. Astfel, adevărul despre Kṛṣṇa este stabilit în acest verset prin realizarea lui Arjuna, iar noi trebuie să pășim pe urmele lui Arjuna pentru a-L înțelege pe Kṛṣṇa așa cum este.

TEXTUL 16

वक्तुमर्हस्यशेषेण दिव्या ह्यात्मविभूतयः ।
याभिर्विभूतिभिर्लोकानिमांस्त्वं व्याप्य तिष्ठसि ॥१६॥

vaktum arhasy aśeṣeṇa
divyā hy ātma-vibhūtayaḥ
yābhir vibhūtibhir lokān
imāṁs tvaṁ vyāpya tiṣṭhasi

vaktum—să spui; *arhasi*—se cuvine ca Tu; *aśeṣeṇa*—amănunțit; *divyāḥ*—divine; *hi*—cu adevărat; *ātma*—propriile Tale; *vibhūtayaḥ*—opulențe; *yābhiḥ*—prin care; *vibhūtibhiḥ*—opulențe; *lokān*—toate planetele; *imān*—acestea; *tvam*—Tu; *vyāpya*—pătrunzând; *tiṣṭhasi*—rămâi.

Te rog spune-mi în detaliu despre opulențele Tale divine, prin care Tu penetrezi toate aceste lumi.

COMENTARIU

În acest verset se vede că Arjuna este deja mulțumit de cunoașterea Personalității Supreme a Divinității, Kṛṣṇa. Prin grația lui Kṛṣṇa, Arjuna a obținut experiența personală, inteligența și cunoașterea, ca și orice alt lucru care se poate obține prin intermediul acestora, și L-a înțeles pe Kṛṣṇa ca fiind Personalitatea Supremă a Divinității. Pentru el nu mai există îndoială, totuși el îi cere lui Kṛṣṇa să explice natura Sa atotpătrunzătoare. Oamenii în general și impersonaliștii în special se preocupă de natura atotpătrunzătoare a Supremului. Astfel, Arjuna Îl întreabă pe Kṛṣṇa cum există El în aspectul Său atotpătrunzător prin diferitele Sale energii. Trebuie însă să fim conștienți de faptul că Arjuna pune această întrebare în folosul oamenilor de rând.

TEXTUL 17

कथं विद्यामहं योगिंस्त्वां सदा परिचिन्तयन् ।
केषु केषु च भावेषु चिन्त्योऽसि भगवन्मया ॥१७॥

katham vidyām aham yogims
tvām sadā paricintayan
keṣu keṣu ca bhāveṣu
cintyo 'si bhagavan mayā

katham—cum; *vidyām aham*—aș cunoaște; *yogin*—o, supremule mistic; *tvām*—Tu; *sadā*—întotdeauna; *paricintayan*—poți fi gândit; *keṣu*—în care; *keṣu*—în care; *ca*—și; *bhāveṣu*—dintre naturi; *cintyaḥ asi*—trebuie ca Tu să fi reamintit; *bhagavan*—o, Supremule; *mayā*—de mine.

O, Kṛṣṇa, o, supremule mistic, în ce fel trebuie să mă gândesc mereu la Tine și cum aș putea să Te cunosc? În ce forme diferite ești Tu de a fi amintit, o, Supremă Personalitate a Divinității?

COMENTARIU

Așa cum se afirmă în capitolul precedent, Personalitatea Supremă a Divinității este acoperită de a Sa *yoga-māyā*. Numai sufletele dăruite și devoții Îl pot vedea. Arjuna este convins acum că prietenul său Kṛṣṇa este Suprema Divinitate, dar vrea să afle metoda generală prin care Domnul cel atotpătrunzător poate fi înțeles de către omul obișnuit. Oamenii de rând, inclusiv demonii și ateii, nu Îl pot cunoaște pe Kṛṣṇa, pentru că El este păzit de energia Sa numită *yoga-māyā*. Aceste întrebări sunt din nou puse de Arjuna pentru binele acestor oameni. Devotul superior nu este preocupat doar de propria înțelegere, ci de înțelegerea întregii omeniri. Astfel Arjuna, datorită milei sale, deoarece el este un *vaiṣṇava*, un devot, dă posibilitatea omului de rând să înțeleagă aspectul atotpătrunzător al Domnului Suprem. El se adresează lui Kṛṣṇa în mod special cu termenul *yogin*, pentru că Śrī Kṛṣṇa este stăpânul energiei *yoga-māyā*, prin care el este ascuns și dezvăluit omului obișnuit. Omul obișnuit care nu Îl iubește pe Kṛṣṇa nu se poate gândi mereu la Kṛṣṇa; de aceea el trebuie să gândească în chip material. Arjuna ia în considerare modul de a gândi al persoanelor materialiste din această lume. Cuvintele *keṣu keṣu ca bhāveṣu* se referă la natura materială (cuvântul *bhāva* înseamnă „lucru fizic"). Deoarece materialiștii nu-L pot înțelege pe Kṛṣṇa în mod spiritual, ei sunt sfătuiți să-și concentreze mintea asupra unor lucruri fizice și să încerce să vadă felul în care se manifestă Kṛṣṇa prin aceste reprezentări fizice.

TEXTUL 18

विस्तरेणात्मनो योगं विभूतिं च जनार्दन ।
भूयः कथय तृप्तिर्हि शृण्वतो नास्ति मेऽमृतम् ॥१८॥

vistareṇātmano yogaṁ
vibhūtiṁ ca janārdana
bhūyaḥ kathaya tṛptir hi
śṛṇvato nāsti me 'mṛtam

vistareṇa—amănunțit; *ātmanaḥ*—a Ta; *yogam*—putere mistică; *vibhūtim*—opulențele; *ca*—precum și; *jana-ardana*—o, ucigător al ateilor; *bhūyaḥ*—din nou; *kathaya*—descrie; *tṛptiḥ*—satisfacția; *hi*—cu siguranță; *śṛṇvataḥ*—ascultând; *na asti*—nu există; *me*—pentru mine; *amṛtam*—nectar.

O, Janārdana, Te rog descrie din nou în detaliu puterea mistică a opulențelor Tale. Eu nu mă satur niciodată ascultând despre Tine, căci cu cât ascult mai mult, cu atât mai mult vreau să gust nectarul vorbelor Tale.

COMENTARIU

O afirmație similară a fost făcută lui Sūta Gosvāmī de către *ṛṣi* adunați la Naimiṣāraṇya, avându-l în frunte pe Śaunaka. Afirmația este următoarea:

vayaṁ tu na vitṛpyāma
uttama-śloka-vikrame

yac chṛnvatāṁ rasa-jñānāṁ
svādu svādu pade pade

„Omul nu se poate sătura niciodată, nici dacă aude continuu despre petrecerile transcendente ale lui Kṛṣṇa, care este glorificat prin rugăciuni sublime. Cei ce au intrat într-o relaţie transcendentă cu Kṛṣṇa, savurează la fiecare pas descrierea petrecerilor Domnului" (*Śrīmad-Bhāgavatam*, 1.1.19). Astfel, Arjuna este interesat să audă despre Kṛṣṇa şi mai ales despre felul în care El se manifestă ca Domn Suprem atotpătrunzător.

Referitor la cuvântul *amṛtam*, nectar, orice istorisire sau discuţie referitoare la Kṛṣṇa este precum nectarul. Acest nectar poate fi gustat prin experienţă practică. Povestirile mondene, fictive sau istorice, diferă de petrecerile transcendente ale Domnului prin aceea că omul oboseşte ascultând aceste povestiri lumeşti, dar nu oboseşte niciodată să asculte despre Kṛṣṇa. Doar din acest motiv istoria întregului univers este plină de referinţe la petrecerile încarnărilor lui Dumnezeu. *Purāṇele* sunt istorisiri din vremuri trecute care relatează petrecerile diferitelor încarnări ale Domnului. În acest fel, textul rămâne mereu nou, în ciuda citirilor repetate.

TEXTUL 19

श्रीभगवानुवाच
हन्त ते कथयिष्यामि दिव्या ह्यात्मविभूतयः ।
प्राधान्यतः कुरुश्रेष्ठ नास्त्यन्तो विस्तरस्य मे ॥१९॥

śrī-bhagavān uvāca
hanta te kathayiṣyāmi
divyā hy ātma-vibhūtayaḥ
prādhānyataḥ kuru-śreṣṭha
nāsty anto vistarasya me

śrī-bhagavān uvāca—Personalitatea Supremă a Divinităţii a spus; *hanta*—da; *te*—ţie; *kathayiṣyāmi*—îţi voi spune; *divyāḥ*—divine; *hi*—cu adevărat; *ātma-vibhūtayaḥ*—opulenţele personale; *prādhānyataḥ*—care sunt principale; *kuru-śreṣṭha*—o, cel mai bun din neamul Kuru; *na asti*—nu există; *antaḥ*—limită; *vistarasya*—întinderii; *me*—Mele.

Personalitatea Supremă a Divinității a spus: Da, îți voi vorbi despre minunatele Mele manifestări, dar numai despre cele mai însemnate, o, Arjuna, căci opulența Mea nu are limite.

COMENTARIU

Nu este posibil să cuprindem măreția lui Kṛṣṇa și opulențele Sale. Simțurile sufletului individual sunt limitate și nu-i permit să înțeleagă în totalitate aspectele lui Kṛṣṇa. Cu toate acestea, devoții încearcă să-L înțeleagă pe Kṛṣṇa, dar nu pornind de la principiul că ar fi capabili să-L înțeleagă pe Kṛṣṇa pe deplin, în orice vreme și în orice stare a vieții. Mai degrabă, subiectele referitoare la Kṛṣṇa sunt atât de plăcute încât ele le apar devoților ca un fel de nectar. Astfel, devoții se bucură de ele. Discutând despre opulența lui Kṛṣṇa și despre diversele Sale energii, devoții puri simt o plăcere transcendentă. De aceea ei doresc să asculte și să discute aceste subiecte. Kṛṣṇa știe că ființele nu înțeleg întinderea opulențelor Sale; de aceea El este de acord să expună numai manifestările principale ale diferitelor Sale energii. Cuvântul *prādhānyataḥ* („principal") este foarte important pentru că noi putem înțelege numai câteva din trăsăturile principale ale Domnului Suprem, căci aspectele Sale sunt nelimitate. Nu este posibil să le înțelegem pe toate. Iar *vibhūti*, în sensul în care se folosește în acest verset, se referă la opulențele prin care El controlează întreaga manifestare. În dicționarul *Amara-kośa* se spune că *vibhūti* indică o opulență extraordinară.

Impersonalistul sau panteistul nu poate înțelege excepționalele opulențe ale Domnului Suprem și nici manifestările energiilor Sale divine. Atât în lumea materială, cât și în cea spirituală, energiile Sale sunt răspândite în toate felurile de manifestare. Acum Kṛṣṇa începe să descrie ceea ce poate fi perceput în mod direct de către omul obișnuit; deci o parte din energia Sa atât de variată este descrisă în acest mod.

TEXTUL 20

अहमात्मा गुडाकेश सर्वभूताशयस्थितः ।
अहमादिश्च मध्यं च भूतानामन्त एव च ॥२०॥

aham ātmā guḍākeśa
sarva-bhūtāśaya-sthitaḥ

aham ādiś ca madhyaṁ ca
bhūtānām anta eva ca

aham—Eu; *ātmā*—sufletul; *guḍākeśa*—o, Arjuna; *sarva-bhūta*—tuturor vieţuitoarelor; *āśaya-sthitaḥ*—situat în inimă; *aham*—Eu sunt; *ādiḥ*—originea; *ca*—şi; *madhyam*—mijlocul; *ca*—şi; *bhūtānām*—al tuturor fiinţelor; *antaḥ*—sfârşitul; *eva*—desigur; *ca*—şi.

O, Arjuna, Eu sunt Suprasufletul situat în inimile tuturor entităţilor vii. Eu sunt începutul, mijlocul şi sfârşitul tuturor fiinţelor.

COMENTARIU

În acest verset Arjuna este numit Guḍākeśa, ceea ce înseamnă „cel ce a învins întunericul somnului". Pentru cei ce dorm în întunericul ignoranţei nu este posibilă înţelegerea felului în care Personalitatea Supremă a Divinităţii se manifestă pe Sine în diferite moduri în lumea materială şi în cea spirituală. De aceea, acest mod de adresare a lui Kṛṣṇa către Arjuna este semnificativ. Pentru că Arjuna este deasupra acestui întuneric, Personalitatea Divinităţii este de acord să descrie diferitele Sale opulenţe.

Mai întâi, Kṛṣṇa îl informează pe Arjuna că El este sufletul întregii manifestări cosmice, făcând aluzie la expansiunea Sa primară. Înainte de creaţia materială, Domnul Suprem, prin expansiunea Sa plenară, acceptă încarnările ca *puruṣa*, iar de la El începe totul. De aceea El este *ātmā*, sufletul lui *mahat-tattva*, cel ce cuprinde elementele universului. Totalitatea energiei materiale nu este cauza creaţiei; de fapt Mahā-Viṣṇu intră în *mahat-tattva*, totalitatea energiei materiale. El este sufletul. Când Mahā-Viṣṇu intră în universul manifestat, El se manifestă în continuare pe Sine ca Suprasuflet în fiecare din entităţile existente. Noi avem experienţa faptului că trupul personal al entităţii vii există datorită prezenţei scânteii spirituale. Fără existenţa scânteii spirituale, corpul nu se poate dezvolta. În mod similar, manifestarea materială nu se poate produce dacă nu intră Sufletul Suprem, Kṛṣṇa. Aşa cum se afirmă în *Subala Upaniṣad, prakṛty-ādi-sarva-bhūtāntar-yāmī sarva-śeṣī ca nārāyaṇaḥ*: „Personalitatea Supremă a Divinităţii există ca Suprasuflet în toate universurile manifestate."

Cele trei *puruṣa-avatāra* sunt descrise în *Śrīmad-Bhāgavatam*. Acestea sunt descrise şi în *Sātvata-tantra. Viṣṇos tu trīṇi rūpāṇi puruṣākhyāny atho viduḥ*: Personalitatea Supremă a Divinităţii manifestă trei aspecte—Kāraṇodakaśāyī Viṣṇu, Garbhodakaśāyī Viṣṇu şi Kṣīrodakaśāyī Viṣṇu—în această manifestare materială. Mahā-Viṣṇu sau Kāraṇodakaśāyī Viṣṇu este descris în *Brahma-saṁhitā* (5.47). *Yah kāraṇārṇava-jale bhajati sma yoga-nidrām:* Domnul Suprem, Kṛṣṇa, cauza tuturor cauzelor, stă culcat în oceanul cosmic ca Mahā-Viṣṇu. De aceea, Personalitatea Supremă a Divinității este începutul acestui univers, menținătorul manifestării generale și sfârșitul tuturor energiilor.

TEXTUL 21

आदित्यानामहं विष्णुर्ज्योतिषां रविरंशुमान् ।
मरीचिर्मरुतामस्मि नक्षत्राणामहं शशी ॥२१॥

ādityānām ahaṁ viṣṇur
jyotiṣāṁ ravir aṁśumān
marīcir marutām asmi
nakṣatrāṇām ahaṁ śaśī

ādityānām—dintre Āditya; *aham*—Eu sunt; *viṣṇuḥ*—Domnul Suprem; *jyotiṣām*—dintre toți luminătorii; *raviḥ*—soarele; *aṁśu-mān*—strălucitor; *marīciḥ*—Marīci; *marutām*—dintre Maruți; *asmi*—Eu sunt; *nakṣatrāṇām*—pentru stele; *aham*—Eu sunt; *śaśī*—luna.

Dintre Āditya, Eu sunt Viṣṇu, dintre luminători Eu sunt soarele strălucitor, dintre Maruți Eu sunt Marīci, iar între stele Eu sunt luna.

COMENTARIU

Există doisprezece Āditya, dintre care Kṛṣṇa este cel principal, dintre toți luminătorii ce sclipesc pe cer, soarele este căpetenia, iar în *Brahma-saṁhitā* soarele este acceptat ca ochiul strălucitor al Domnului Suprem. Există cincizeci de feluri de vânturi care suflă în spațiu, iar zeitatea care conduce aceste vânturi, Marīci, Îl reprezintă pe Kṛṣṇa.

Noaptea, între stele, luna este cea mai proeminentă, astfel că luna Îl reprezintă pe Kṛṣṇa. Din acest verset rezultă că luna este una dintre stele; deci stelele care sclipesc pe cer reflectă de asemenea lumina soarelui. Teoria conform căreia există mai mulți sori în univers nu este acceptată de scrierile vedice. Soarele este unul singur și, așa cum luna luminează prin reflectarea luminii soarelui, la fel fac și stelele. Întrucât *Bhagavad-gītā* indică aici că luna este una dintre stele, aceste stele sclipitoare nu sunt sori, ci sunt similare lunii.

TEXTUL 22

वेदानां सामवेदोऽस्मि देवानामस्मि वासवः ।
इन्द्रियाणां मनश्चास्मि भूतानामस्मि चेतना ॥२२॥

vedānāṁ sāma-vedo 'smi
devānām asmi vāsavaḥ
indriyāṇāṁ manaś cāsmi
bhūtānām asmi cetanā

vedānām—dintre toate *Vedele; sāma-vedaḥ*—*Sāma Veda; asmi*—Eu sunt; *devānām*—al tuturor semizeilor; *asmi*—Eu sunt; *vāsavaḥ*—regele ceresc; *indriyāṇām*—dintre simţuri; *manaḥ*—mintea; *ca*—şi; *asmi*—Eu sunt; *bhūtānām*—al tuturor fiinţelor; *asmi*—Eu sunt; *cetanā*—forţa vitală.

Dintre Vede, Eu sunt Sāma Veda; dintre semizei Eu sunt Indra, regele cerului; dintre simţuri Eu sunt mintea, iar în fiinţele vii, Eu sunt forţa vitală [conştiinţa].

COMENTARIU

Diferenţa dintre materie şi spirit este aceea că materia nu are conştiinţă ca o entitate vie; prin urmare, această conştiinţă este supremă şi eternă. Conştiinţa nu poate fi produsă printr-o combinaţie materială.

TEXTUL 23

रुद्राणां शङ्करश्चास्मि वित्तेशो यक्षरक्षसाम् ।
वसूनां पावकश्चास्मि मेरुः शिखरिणामहम् ॥२३॥

rudrāṇāṁ śaṅkaraś cāsmi
vitteśo yakṣa-rakṣasām
vasūnāṁ pāvakaś cāsmi
meruḥ śikhariṇām aham

rudrāṇām—dintre toţi Rudra; *śaṅkaraḥ*—Domnul Śiva; *ca*—şi; *asmi*—Eu sunt; *vitta-īśaḥ*—stăpânul tezaurului semizeilor; *yakṣa-rakṣasām*—dintre toţi

Yakṣa și Rākṣasa; *vasūnām*—dintre Vasu; *pāvakaḥ*—focul; *ca*—și; *asmi*—Eu sunt; *meruḥ*—Meru; *śikhariṇām*—dintre toți munții; *aham*—Eu sunt.

Dintre toți Rudra Eu sunt Domnul Śiva, iar dintre toți Yakṣa și Rākṣasa Eu sunt Domnul bogăției [Kuvera], dintre Vasu Eu sunt focul [Agni] și dintre munți Eu sunt Meru.

COMENTARIU

Există unsprezece Rudra, dintre care cel mai important este Śaṅkara, Domnul Śiva. El este încarnarea Domnului Suprem, însărcinat cu modul ignoranței din univers. Conducătorul spiritelor Yakṣa și Rākṣasa este Kuvera, trezorierul-șef al semizeilor, el fiind o reprezentare a Domnului Suprem. Meru este un munte faimos pentru bogatele sale resurse naturale.

TEXTUL 24

पुरोधसां च मुख्यं मां विद्धि पार्थ बृहस्पतिम् ।
सेनानीनामहं स्कन्दः सरसामस्मि सागरः ॥२४॥

purodhasāṁ ca mukhyaṁ māṁ
viddhi pārtha bṛhaspatim
senānīnām ahaṁ skandaḥ
sarasām asmi sāgaraḥ

purodhasām—dintre toți preoții; *ca*—iar; *mukhyam*—cel dintâi; *mām*—pe Mine; *viddhi*—înțelege; *pārtha*—o, fiu al lui Pṛthā; *bṛhaspatim*—Bṛhaspati; *senānīnām*—dintre toate căpeteniile; *aham*—Eu sunt; *skandaḥ*—Kārtikeya; *sarasām*—dintre toate întinderile de apă; *asmi*—Eu sunt; *sāgaraḥ*—oceanul.

Dintre preoți, o Arjuna, cunoaște-Mă ca fiind căpetenia, Bṛhaspati. Dintre generali, Eu sunt Kārtikeya, iar dintre întinderile de ape, Eu sunt oceanul.

COMENTARIU

Indra este semizeul care conduce planetele cerești și este cunoscut ca rege al cerurilor. Planeta pe care domnește el este numită Indraloka. Bṛhaspati este preotul lui Indra și, pentru că Indra este căpetenia tuturor regilor, Bṛhaspati este căpetenia tuturor preoților. Aşa cum Indra este căpetenia tuturor regilor, la fel şi Skanda sau Kārtikeya, fiul lui Pārvatī şi al Domnului Śiva, este căpetenia conducătorilor militari. Şi dintre toate cuprinsurile de ape, oceanul este cel mai mare. Toate aceste reprezentări ale lui Krṣṇa dau doar sugestii asupra măreției Sale.

TEXTUL 25

महर्षीणां भृगुरहं गिरामस्म्येकमक्षरम् ।
यज्ञानां जपयज्ञोऽस्मि स्थावराणां हिमालयः ॥२५॥

maharṣīṇāṁ bhṛgur ahaṁ
girām asmy ekam akṣaram
yajñānāṁ japa-yajño 'smi
sthāvarāṇāṁ himālayaḥ

mahā-ṛṣīṇām—printre marii înțelepți; *bhṛguḥ*—Bhṛgu; *aham*—Eu sunt; *girām*—dintre vibrații; *asmi*—Eu sunt; *ekam akṣaram*—praṇava; *yajñānām*—dintre sacrificii; *japa-yajñaḥ*—cântarea; *asmi*—Eu sunt; *sthāvarāṇām*—dintre cele nemişcătoare ; *himālayaḥ*—munții Himālaya.

Dintre marii înțelepți Eu sunt Bhṛgu; dintre vibrații Eu sunt transcendentul oṁ. Dintre sacrificii, Eu sunt cântarea numelor sfinte [japa], iar dintre lucrurile imobile Eu sunt Himālaya.

COMENTARIU

Brahmā, prima ființă creată din acest univers, a creat mai mulți fii pentru propagarea diferitelor specii de viață. Dintre acești fii, Bhṛgu este cel mai puternic înțelept. Dintre toate vibrațiile transcendente, *oṁ* (sau *oṁkāra*) Îl reprezintă pe Krṣṇa. Dintre toate sacrificiile, cântarea Hare Krṣṇa, Hare Krṣṇa, Krṣṇa Krṣṇa, Hare Hare/ Hare Rāma, Hare Rāma, Rāma Rāma, Hare Hare este cea mai pură reprezentare a lui Krṣṇa. Uneori se recomandă sacrificii animale, dar în sacrificiul cântării Hare Krṣṇa, Hare Krṣṇa nu se pune problema violenței. Este cel mai simplu şi mai pur sacrificiu. Tot ceea ce este sublim în lume este reprezentarea lui Krṣṇa. De aceea, Himālaya, lanțul muntos cel mai măreț, Îl reprezintă pe El. Muntele Meru a fost menționat într-o strofă anterioară, dar muntele Meru se mişcă uneori, în timp ce Himālaya nu se mişcă niciodată. Astfel, Himālaya este mai măreț decât Meru.

TEXTUL 26

अश्वत्थः सर्ववृक्षाणां देवर्षीणां च नारदः ।
गन्धर्वाणां चित्ररथः सिद्धानां कपिलो मुनिः ॥२६॥

aśvatthaḥ sarva-vṛkṣāṇāṁ
devarṣīṇāṁ ca nāradaḥ
gandharvāṇāṁ citrarathaḥ
siddhānāṁ kapilo muniḥ

aśvatthaḥ—arborele banian; *sarva-vṛkṣāṇām*—dintre toți copacii; *deva-rṣīṇām*—printre cei mai înțelepți dintre semizei; *ca*—și; *nāradaḥ*—Nārada; *gandharvāṇām*—dintre locuitorii de pe planeta Gandharva; *citrarathaḥ*—Citraratha; *siddhānām*—dintre cei desăvârșiți; *kapilaḥ muniḥ*—Kapila Muni.

Dintre toți copacii, Eu sunt copacul banyan, iar printre cei mai înțelepți dintre semizei Eu sunt Nārada. Dintre toți Gandharva, Eu sunt Citraratha, iar între ființele perfecte, Eu sunt înțeleptul Kapila.

COMENTARIU

Copacul banyan (*aśvattha*) este unul din cei mai înalți și cei mai frumoși copaci, iar în India oamenii îl venerează adeseori în unul dintre ritualurile lor de dimineață. Între semizei, ei îl venerează de asemenea pe Nārada, care este considerat cel mai mare devot din univers. Deci el este reprezentarea lui Kṛṣṇa ca devot. Planeta Gandharva este plină de ființe care cântă minunat, iar dintre acestea, cel mai bun cântăreț este Citraratha. Dintre ființele desă-vârșite, Kapila, fiul lui Devahūti, este reprezentantul lui Kṛṣṇa. El este con-siderat ca o încarnare a lui Kṛṣṇa, iar filosofia Sa este menționată în *Śrīmad-Bhāgavatam*. Mai târziu, un alt Kapila a devenit faimos, dar filosofia lui era ateistă. Deci între aceștia doi este o diferență imensă.

TEXTUL 27

उच्चैःश्रवसमश्वानां विद्धि माममृतोद्भवम् ।
ऐरावतं गजेन्द्राणां नराणां च नराधिपम् ॥२७॥

uccaiḥśravasam aśvānāṁ
viddhi mām amṛtodbhavam

airāvataṁ gajendrāṇāṁ
narāṇāṁ ca narādhipam

uccaiḥśravasam—Uccaiḥśravā; *aśvānām*—dintre cai; *viddhi*—să ştii; *mām*—pe Mine; *amṛta-udbhavam*—produs prin baterea oceanului; *airāvatam*—Airāvata; *gaja-indrāṇām*—dintre elefanţii nobili; *narāṇām*—dintre fiinţele umane; *ca*—iar; *nara-adhipam*—regele.

Dintre cai cunoaşte-Mă ca fiind Uccaiḥśravā, cel născut în timpul baterii oceanului de lapte pentru obţinerea nectarului. Dintre elefanţii domneşti Eu sunt Airāvata, iar printre oameni Eu sunt monarhul.

COMENTARIU

Odată, devoţii semizei şi cu demonii (*asura*) au luat parte la smântânirea mării. Din această smântânire s-a produs nectarul şi otrava, iar Domnul Śiva a băut otrava. Din nectar s-au produs mai multe entităţi, printre care un cal numit Uccaiḥśravā. Un alt animal produs din nectarul nemuririi a fost un elefant numit Airāvata. Deoarece aceste două animale au fost produse din nectarul nemuririi, ele au o semnificaţie specială şi sunt reprezentantele lui Kṛṣṇa.

Printre fiinţele umane, regele este reprezentantul lui Kṛṣṇa, pentru că Kṛṣṇa este păstrătorul universului, iar regii, care sunt puşi în acel loc datorită calităţilor lor divine, sunt păstrătorii regatelor lor. Regi precum Mahārāja Yudhiṣṭhira, Mahārāja Parīkṣit şi Domnul Rāma au fost cu toţii regi extrem de drepţi, care se gândeau întotdeauna la bunăstarea cetăţenilor. În scrierile vedice, regele este considerat ca fiind reprezentantul lui Dumnezeu. În această epocă însă, prin decăderea principiilor religiei, a decăzut şi monarhia şi în final a fost abolită. Dar trebuie să se ştie că în trecut oamenii erau mai fericiţi sub conducerea unor regi drepţi.

TEXTUL 28

आयुधानामहं वज्रं धेनूनामस्मि कामधुक् ।
प्रजनश्चास्मि कन्दर्पः सर्पाणामस्मि वासुकिः ॥२८॥

āyudhānām ahaṁ vajraṁ
dhenūnām asmi kāmadhuk

prajanaś cāsmi kandarpaḥ
sarpāṇām asmi vāsukiḥ

āyudhānām—dintre toate armele; *aham*—Eu sunt; *vajram*—trăsnetul; *dhenūnām*—dintre vaci; *asmi*—Eu sunt; *kāma-dhuk*—vaca *surabhi*; *prajanaḥ*—cauza procreației; *ca*—și; *asmi*—Eu sunt; *kandarpaḥ*—Cupidon; *sarpāṇām*—dintre șerpi; *asmi*—Eu sunt; *vāsukiḥ*—Vāsuki.

Dintre arme Eu sunt trăsnetul, printre vaci Eu sunt vaca surabhi. Dintre cauzele procreației Eu sunt Kandarpa, zeul dragostei, iar dintre șerpi Eu sunt Vāsuki.

COMENTARIU

Trăsnetul, care este cu adevărat o armă puternică, reprezintă puterea lui Kṛṣṇa. În Kṛṣṇaloka, cerul spiritual, există vaci care pot fi mulse oricând și care dau cât lapte vrei. Desigur că asemenea vaci nu există în lumea materială, dar ele sunt menționate în Kṛṣṇaloka. Domnul ține multe astfel de vaci, numite *surabhi*. Se spune că Domnul se ocupă cu păstoritul vacilor *surabhi*. Kandarpa este dorința sexuală de a obține fii buni; de aceea Kandarpa este reprezentantul lui Kṛṣṇa. Uneori se practică viața sexuală doar pentru plăcerea simțurilor; acest tip de viață sexuală nu Îl reprezintă pe Kṛṣṇa. Dar viața sexuală pentru procrearea de copii buni este numită Kandarpa și Îl reprezintă pe Kṛṣṇa.

TEXTUL 29

अनन्तश्चास्मि नागानां वरुणो यादसामहम् ।
पितॄणामर्यमा चास्मि यमः संयमतामहम् ॥२९॥

anantaś cāsmi nāgānāṁ
varuṇo yādasām aham
pitṝṇām aryamā cāsmi
yamaḥ saṁyamatām aham

anantaḥ—Ananta; *ca*—iar; *asmi*—Eu sunt; *nāgānām*—dintre șerpii cu multe capete; *varuṇaḥ*—semizeul care stăpânește apele; *yādasām*—viețuitoarele acvatice; *aham*—Eu sunt; *pitṝṇām*—dintre strămoși; *aryamā*—Aryamā; *ca*—precum și; *asmi*—Eu sunt; *yamaḥ*—cotrolorul morții; *saṁyamatām*—dintre toți legiuitorii; *aham*—Eu sunt.

Dintre toţi Nāga cu multe capete Eu sunt Ananta, iar printre acvatice Eu sunt semizeul Varuņa. Dintre strămoşii apuşi Eu sunt Aryamā, iar printre cei ce împart dreptatea legii Eu sunt Yama, domnul morţii.

COMENTARIU

Printre şerpii Nāga cu multe capete, Ananta este cel mai măreţ, la fel cum este semizeul Varuņa pentru fiinţele apelor. Amândoi Îl reprezintă pe Kṛṣṇa. Există de asemenea o planetă stăpânită de Pitā, strămoşii, având drept căpetenie pe Aryamā, care Îl reprezintă pe Kṛṣṇa. Există multe fiinţe care-i pedepsesc pe răufăcători, iar dintre acestea Yama este cel dintâi. Yama stă pe o planetă apropiată de planeta pământească. După moarte, cei ce sunt foarte păcătoşi sunt duşi acolo şi Yama le fixează diferite tipuri de pedepse.

TEXTUL 30

प्रह्लादश्चास्मि दैत्यानां कालः कलयतामहम् ।
मृगाणां च मृगेन्द्रोऽहं वैनतेयश्च पक्षिणाम् ॥३०॥

*prahlādaś cāsmi daityānām
kālaḥ kalayatām aham
mṛgāṇāṁ ca mṛgendro 'ham
vainateyaś ca pakṣiṇām*

prahlādaḥ—Prahlāda; *ca*—şi; *asmi*—Eu sunt; *daityānām*—dintre demoni; *kālaḥ*—timpul; *kalayatām*—dintre cei ce supun; *aham*—Eu sunt; *mṛgāṇām*—dintre animale; *ca*—şi; *mṛga-indraḥ*—leul; *aham*—Eu sunt; *vainateyaḥ*—Garuḍa; *ca*—precum şi; *pakṣiṇām*—dintre păsări.

Printre demonii Daitya Eu sunt devotatul Prahlāda, dintre cei ce subjugă Eu sunt timpul, printre fiare Eu sunt leul, iar printre păsări Eu sunt Garuḍa.

COMENTARIU

Diti şi Aditi sunt două surori. Fii lui Aditi se numesc Āditya, iar fii lui Diti se numesc Daitya. Toţi Āditya sunt devoţi ai Domnului, iar toţi Daitya sunt atei. Deşi Prahlāda se născuse în familia unor Daitya, el era un mare devot încă din copilărie. Din pricina slujirii sale devoţionale şi a naturii sale sfinte, el este considerat a fi un reprezentant al lui Kṛṣṇa.

Există multe principii care subjugă, dar timpul este cel care macină toate lucrurile din universul material și astfel Îl reprezintă pe Kṛṣṇa. Leul este cel mai puternic și mai feroce dintre multe alte animale, iar dintre milioanele de feluri de păsări, Garuḍa, care Îl poartă pe Śrī Viṣṇu, este cea mai măreață.

TEXTUL 31

पवनः पवतामस्मि रामः शस्त्रभृतामहम् ।
झषाणां मकरश्चास्मि स्रोतसामस्मि जाह्नवी ॥३१॥

pavanaḥ pavatām asmi
rāmaḥ śastra-bhṛtām aham
jhaṣāṇāṁ makaraś cāsmi
srotasām asmi jāhnavī

pavanaḥ—vântul; *pavatām*—dintre cei ce purifică; *asmi*—Eu sunt; *rāmaḥ*—Rāma; *śastra-bhṛtām*—dintre purtătorii de arme; *aham*—Eu sunt; *jhaṣāṇām*—dintre toți peștii; *makaraḥ*—rechinul; *ca*—de asemenea; *asmi*—Eu sunt; *srotasām*—al râurilor curgătoare; *asmi*—Eu sunt; *jāhnavī*—fluviul Gange.

Printre cei ce purifică Eu sunt vântul, printre mânuitorii de arme Eu sunt Rāma, dintre pești Eu sunt rechinul, iar dintre râurile curgătoare Eu sunt Gangele.

COMENTARIU

Dintre toate viețuitoarele acvatice, rechinul este unul din cele mai mari și, cu siguranță, cel mai periculos pentru om. Astfel, rechinul Îl reprezintă pe Kṛṣṇa.

TEXTUL 32

सर्गाणामादिरन्तश्च मध्यं चैवाहमर्जुन ।
अध्यात्मविद्या विद्यानां वादः प्रवदतामहम् ॥३२॥

sargāṇām ādir antaś ca
madhyaṁ caivāham arjuna
adhyātma-vidyā vidyānāṁ
vādaḥ pravadatām aham

sargāṇām—dintre toate creaţiile; *ādiḥ*—începutul; *antaḥ*—sfârşitul; *ca*—şi; *madhyam*—mijlocul; *ca*—şi; *eva*—cu siguranţă; *aham*—Eu sunt; *arjuna*—o, Arjuna; *adhyātma-vidyā*—cunoaşterea spirituală; *vidyānām*—dintre toate învăţăturile; *vādaḥ*—concluzia firească; *pravadatām*—dintre argumente; *aham*—Eu sunt.

Dintre toate creaţiile Eu sunt începutul, sfârşitul şi de asemenea mijlocul, o, Arjuna. Dintre toate ştiinţele Eu sunt ştiinţa spirituală a sinelui, iar printre logicieni Eu sunt adevărul concludent.

COMENTARIU

Dintre manifestările create, cea dintâi este creaţia totalităţii elementelor materiale. Aşa cum s-a explicat anterior, manifestarea cosmică este creată şi condusă de Mahā-Viṣṇu, Garbhodakaśāyī Viṣṇu şi Kṣīrodakaśāyī Viṣṇu şi după aceea este anihilată de către Domnul Śiva. Brahmā este un creator secundar. Toţi aceşti agenţi ai creaţiei, menţinerii şi anihilării sunt încarnări ale calităţilor materiale ale Domnului Suprem. De aceea, El este începutul, mijlocul şi sfârşitul întregii creaţii.

Pentru o educaţie avansată există diferite feluri de cărţi de cunoaştere, cum ar fi cele patru *Vede*, cele şase suplimente ale lor, *Vedānta-sūtra*, cărţile de logică, cărţile de religie şi *Purāṇele*. Deci toate acestea formează cele paisprezece categorii de cărţi de educaţie. Dintre acestea, cărţile care prezintă *adhyātma-vidyā*, cunoaşterea spirituală—şi în mod particular *Vedānta-sūtra*—Îl reprezintă pe Kṛṣṇa.

Printre logicieni se cunosc diferite tipuri de argumente. Susţinerea propriului argument cu o dovadă care susţine şi argumentul părţii opuse se numeşte *jalpa*. Simpla încercare de a-l combate pe oponent se numeşte *vitaṇḍā*. Dar adevărata concluzie este numită *vāda*. Acest adevăr concludent este reprezentarea lui Kṛṣṇa.

TEXTUL 33

अक्षराणामकारोऽस्मि द्वन्द्वः सामासिकस्य च ।
अहमेवाक्षयः कालो धाताहं विश्वतोमुखः ॥३३॥

akṣarāṇām a-kāro 'smi
dvandvaḥ sāmāsikasya ca

aham evākṣayaḥ kālo
dhātāhaṁ viśvato-mukhaḥ

akṣarāṇām—dintre litere; *a-kāraḥ*—prima literă; *asmi*—Eu sunt; *dvandvaḥ*
—compus din două; *sāmāsikasya*—dintre cuvintele compuse; *ca*—și; *aham*
—Eu sunt; *eva*—desigur; *akṣayaḥ*—nepieritor; *kālaḥ*—timpul; *dhātā*—
creatorul; *aham*—Eu sunt; *viśvataḥ-mukhaḥ*—Brahmā.

**Dintre litere Eu sunt litera A, iar dintre cuvintele compuse Eu sunt
cuvântul compus din două. Eu sunt de asemenea timpul inepuizabil,
iar dintre creatori Eu sunt Brahmā.**

COMENTARIU

A-kāra, prima literă a alfabetului sanscrit, este începutul scrierilor vedice.
Fără *a-kāra* nimic nu poate fi pronunțat; de aceea, această literă este începu-
tul sunetului. În sanscrită există și multe feluri de cuvinte compuse, dintre
care cuvintele compuse din două, precum *rāma-kṛṣṇa*, se numesc *dvandva*. În
acest tip de compus, cuvintele *rāma* și *kṛṣṇa* au aceeași formă, de aceea com-
pusul este numit dual.

Dintre toți ucigașii, timpul este cel mai mare, căci timpul ucide totul.
Timpul este reprezentantul lui Kṛṣṇa pentru că la timpul potrivit se va pro-
duce un mare incendiu și totul va fi nimicit.

Printre ființele care sunt creative, Brahmā, care are patru capete, este cel
mai mare. De aceea, el este reprezentantul Domnului Suprem, Kṛṣṇa.

TEXTUL 34

मृत्युः सर्वहरश्चाहमुद्भवश्च भविष्यताम् ।
कीर्तिः श्रीर्वाक्च नारीणां स्मृतिर्मेधा धृतिः क्षमा ॥३४॥

mṛtyuḥ sarva-haraś cāham
udbhavaś ca bhaviṣyatām
kīrtiḥ śrīr vāk ca nārīṇām
smṛtir medhā dhṛtiḥ kṣamā

mṛtyuḥ—moartea; *sarva-haraḥ*—atotdevoratoare; *ca*—și; *aham*—Eu sunt;
udbhavaḥ—generarea; *ca*—precum și; *bhaviṣyatām*—manifestărilor viitoa-

re; *kīrtih*—faima; *śrīh*—bogăția sau frumusețea; *vāk*—vorbirea aleasă; *ca*—precum și; *nārīnām*—printre femei; *smṛtih*—ținerea de minte; *medhā*—înțelepciunea; *dhṛtih*—fermitatea; *kṣamā*—răbdarea.

Eu sunt moartea atotdevoratoare și tot Eu sunt principiul generator a tot ceea ce urmează să fie. Printre femei Eu sunt faima, norocul, vorbirea aleasă, ținerea de minte, inteligența, statornicia și răbdarea.

COMENTARIU

De îndată ce omul se naște, el moare în fiecare clipă. Astfel, moartea devorează fiecare ființă vie în orice moment, dar numai ultima lovitură este numită moarte propriu-zisă. Moartea este Kṛṣṇa. Cât privește dezvoltarea viitoare, toate ființele trec prin șase transformări principale. Ele se nasc, cresc, se mențin o vreme, se reproduc, decad și în final dispar. Dintre aceste transformări, prima este eliberarea din pântecele mamei și aceasta este Kṛṣṇa. Momentul inițial al generării este începutul tuturor activităților viitoare.

Cele șapte calități enumerate—faima, norocul, vorbirea aleasă, ținerea de minte, inteligența, statornicia și răbdarea—sunt considerate feminine. Dacă o persoană le posedă pe toate sau câteva din ele, ea devine renumită. Dacă un om este renumit ca un om drept, aceasta îl face să fie glorificat. Sanscrita este o limbă perfectă și de aceea este foarte slăvită. Dacă după ce studiază, omul poate să-și aducă aminte de un anumit subiect, el este dăruit cu o memorie bună, *smṛti.* Iar iscusința, nu doar de a citi o mulțime de cărți din diferite domenii, ci de a le înțelege și de a le aplica atunci când este necesar, este inteligența (*medhā),* o altă calitate. Iscusința de a depăși instabilitatea este numită fermitate sau statornicie (*dhṛti).* Iar când cineva este foarte înzestrat, dar este modest și amabil, și când acel om este în stare să-și păstreze cumpătul atât la mâhnire cât și în extazul bucuriei, are calitatea numită răbdare (*kṣamā).*

TEXTUL 35

बृहत्साम तथा साम्नां गायत्री छन्दसामहम् ।
मासानां मार्गशीर्षोऽहमृतूनां कुसुमाकरः ॥३५॥

bṛhat-sāma tathā sāmnāṁ
gāyatrī chandasām aham

*māsānāṁ mārga-śīrṣo 'ham
ṛtūnāṁ kusumākaraḥ*

bṛhat-sāma—Bṛhat-sāma; *tathā*—de asemenea; *sāmnām*—dintre cântecele din *Sāma Veda; gāyatrī*—imnurile *gāyatrī; chandasām*—dintre toate poemele; *aham*—Eu sunt; *māsānām*—dintre luni; *mārga-śīrṣaḥ*—luna noiembrie-decembrie; *aham*—Eu sunt; *ṛtūnām*—dintre toate anotimpurile; *kusuma-ākaraḥ*—primăvara.

Dintre imnurile din Sāma Veda Eu sunt Bṛhat-sāma, iar din poezie Eu sunt Gāyatrī. Dintre luni Eu sunt Mārgaśīrṣa [noiembrie-decembrie], iar dintre anotimpuri sunt primăvara cea plină de flori.

COMENTARIU

Anterior, Domnul a explicat că dintre toate *Vedele*, El este *Sāma Veda. Sāma Veda* este plină de cântece minunate, cântate de diferiți semizei. Unul dintre aceste cântece este *Bṛhat-sāma,* care are o melodie fermecătoare și se cântă la miezul nopții.

În sanscrită există reguli precise care se aplică poeziei; rima și metrica nu sunt alcătuite la întâmplare, ca în majoritatea poeziei moderne. Printre aceste poeme compuse conform regulilor, *mantra* Gāyatrī, care este cântată de brahmanii foarte bine instruiți, este cea mai importantă. *Mantra* Gāyatrī este menționată în *Śrīmad-Bhāgavatam.* Deoarece *mantra* Gāyatrī este destinată în mod special pentru realizarea lui Dumnezeu, ea Îl reprezintă pe Domnul Suprem. Această *mantra* este destinată oamenilor avansați spiritual, iar cel ce obține succesul prin cântarea sa poate ajunge la nivelul transcendent al Domnului. Pentru a cânta *mantra* Gāyatrī, omul trebuie să dobândească mai întâi calitățile unei persoane desăvârșit situate, calitățile bunătății, potrivit legilor naturii materiale. *Mantra* Gāyatrī este foarte importantă în civilizația vedică și este considerată a fi încarnarea sonoră a lui Brahman. Aceasta a fost inițiată de Brahmā și transmisă mai departe de la el prin succesiune disciplică.

Luna ce corespunde cu noiembrie-decembrie este considerată a fi cea mai importantă dintre toate lunile, căci în India în acea vreme se adună grânele de pe câmp, iar oamenii sunt foarte bucuroși. Desigur că primăvara este anotimpul îndrăgit peste tot, pentru că nu este nici prea cald, nici prea frig, iar florile și copacii înmuguresc și înfloresc. Primăvara sunt și multe sărbători care comemorează petrecerile lui Kṛṣṇa; de aceea, acest anotimp este considerat a fi cel mai vesel dintre toate anotimpurile şi este reprezentantul Domnului Suprem, Kṛṣṇa.

TEXTUL 36

धूतं छलयतामस्मि तेजस्तेजस्विनामहम् ।
जयोऽस्मि व्यवसायोऽस्मि सत्त्वं सत्त्ववतामहम् ॥३६॥

dyūtaṁ chalayatām asmi
tejas tejasvinām aham
jayo 'smi vyavasāyo 'smi
sattvaṁ sattvavatām aham

dyūtam—jocul de noroc; *chalayatām*—al tuturor înşelătorilor; *asmi*—Eu sunt; *tejaḥ*—splendoarea; *tejasvinām*—a tuturor celor splendide; *aham*—Eu sunt; *jayaḥ*—victoria; *asmi*—Eu sunt; *vyavasāyaḥ*—aventura sau spiritul de a întreprinde; *asmi*—Eu sunt; *sattvam*—puterea; *sattva-vatām*—celor puternici; *aham*—Eu sunt.

Eu sunt de asemenea jocul de noroc al înşelătorilor, iar dintre cele minunate Eu sunt splendoarea. Eu sunt victoria, Eu sunt aventura, Eu sunt tăria celui puternic.

COMENTARIU

Există multe feluri de înşelători pretutindeni în univers. Dintre toate metodele de înşelătorie, jocul de noroc este pe primul loc şi de aceea Îl reprezintă pe Kṛṣṇa. Fiind Supremul, Kṛṣṇa poate fi mai mare înşelător decât orice om. Dacă Kṛṣṇa alege pe cineva pentru a-l înşela, nimeni nu poate să-L întreacă în înşelătoria Sa. Măreţia Sa nu cuprinde numai o singură latură, ci cuprinde toate laturile posibile.

Printre cei victorioşi, El este victoria. El este splendoarea celor splendide. Printre întreprinzători şi cei sârguincioşi, El este cel mai întreprinzător şi cel mai sârguincios. Printre aventurieri, El este cel mai aventuros, iar printre cei puternici, El este cel mai puternic. Când Kṛṣṇa era prezent pe pământ, nimeni nu-L putea întrece în forţă. Chiar în copilăria Sa, El a ridicat dealul Govardhana. Nimeni nu-L poate întrece în înşelăciune, nimeni nu-L poate întrece în splendoare, nimeni nu-L poate întrece în victorie, nimeni nu-L poate întrece în spiritul întreprinzător și nimeni nu-L poate întrece în forță.

TEXTUL 37

वृष्णीनां वासुदेवोऽस्मि पाण्डवानां धनञ्जयः ।
मुनीनामप्यहं व्यासः कवीनामुशना कविः ॥३७॥

vrsnīnāṁ vāsudevo 'smi
pāṇḍavānāṁ dhanañjayaḥ
munīnām apy ahaṁ vyāsaḥ
kavīnām uśanā kaviḥ

vrsnīnām—dintre descendenții lui Vṛṣṇi; *vāsudevaḥ*—Kṛṣṇa în Dvārakā; *asmi*—Eu sunt; *pāṇḍavānām*—dintre Pāṇḍava; *dhanañjayaḥ*—Arjuna; *munīnām*—dintre înțelepți; *api*—de asemenea; *aham*—Eu sunt; *vyāsaḥ*—Vyāsa, compilatorul tuturor scrierilor vedice; *kavīnām*—dintre toți marii gânditori; *uśanā*—Uśanā; *kaviḥ*—gânditorul.

Dintre descendenții lui Vṛṣṇi Eu sunt Vāsudeva, iar dintre Pāṇḍava Eu sunt Arjuna. Dintre înțelepți Eu sunt Vyāsa, iar dintre marii gânditori Eu sunt Uśanā.

COMENTARIU

Kṛṣṇa este originara Personalitate Supremă a Divinității, iar Baladeva este expansiunea nemijlocită a lui Kṛṣṇa. Atât Domnul Kṛṣṇa, cât și Baladeva au apărut ca fii ai lui Vasudeva, astfel că amândoi pot fi numiți Vāsudeva. Dintr-un alt punct de vedere, deoarece Kṛṣṇa nu părăsește niciodată Vṛndāvana, toate formele lui Kṛṣṇa care apar în altă parte sunt expansiuni ale Sale. Vāsudeva este expansiunea nemijlocită a lui Kṛṣṇa, astfel că Vāsudeva nu este diferit de Kṛṣṇa. Trebuie să se înțeleagă că Vāsudeva la care se referă acest verset din *Bhagavad-gītā* este Baladeva sau Balarāma, pentru că El este sursa originară a tuturor încarnărilor și deci El este unica sursă a lui Vāsudeva. Expansiunile nemijlocite ale Domnului sunt numite *svāṁśa* (expansiuni personale) și există de asemenea și expansiuni numite *vibhinnāṁśa* (expansiuni separate).

Printre fii lui Pāṇḍu, Arjuna este vestit ca Dhanañjaya. El este cel mai bun dintre oameni şi astfel Îl reprezintă pe Kṛṣṇa. Dintre *muni* sau oamenii învăţaţi, versaţi în cunoaşterea vedică, Vyāsa este cel mai mare, căci el a explicat cunoaşterea vedică în mai multe feluri pentru înţelegerea masei de oameni de rând din această epocă a lui Kali. Vyāsa este cunoscut şi ca o încarnare a lui Kṛṣṇa; de aceea şi Vyāsa Îl reprezintă pe Kṛṣṇa. *Kavi* sunt cei în stare să cugete cu multă atenţie la orice subiect. Printre *kavi*, Uśanā sau Śukrācārya era maestrul spiritual al demonilor; el era extrem de inteligent şi un politician clarvăzător. Astfel, Śukrācārya este un alt reprezentant al măreţiei lui Kṛṣṇa.

TEXTUL 38

दण्डो दमयतामस्मि नीतिरस्मि जिगीषताम् ।
मौनं चैवास्मि गुह्यानां ज्ञानं ज्ञानवतामहम् ॥३८॥

daṇḍo damayatām asmi
nītir asmi jigīṣatām
maunaṁ caivāsmi guhyānāṁ
jñānaṁ jñānavatām aham

daṇḍaḥ—pedeapsa; *damayatām*—dintre toate mijloacele de înlăturare; *asmi*—Eu sunt; *nītiḥ*—moralitatea; *asmi*—Eu sunt; *jigīṣatām*—dintre cei ce caută izbânda; *maunam*—tăcerea; *ca*—şi; *eva*—de asemenea; *asmi*—Eu sunt; *guhyānām*—printre cele tainice; *jñānam*—cunoaşterea; *jñāna-vatām*—celor înţelepţi; *aham*—Eu sunt.

Dintre toate mijloacele de curmare a nelegiuirii Eu sunt pedeapsa, iar dintre cei ce caută victoria Eu sunt moralitatea. Dintre lucrurile secrete Eu sunt tăcerea, iar printre înţelepţi Eu sunt înţelepciunea.

COMENTARIU

Există multe mijloace de represiune, dintre care cele mai importante sunt cele care doboară pe răufăcători. Când răufăcătorii sunt pedepsiţi, instanţa care pedepseşte Îl reprezintă pe Kṛṣṇa. Printre cei ce încearcă să izbândească într-un domeniu de activitate, elementul cel mai sigur al izbânzii este moralitatea. Printre activităţile confidenţiale ale ascultatului, cugetatului şi meditatului, tăcerea este cea mai importantă, pentru că prin tăcere se poate progresa foarte rapid. Omul înțelept este acela care poate discrimina între materie și spirit, între natura inferioară și superioară a lui Dumnezeu. O astfel de cunoaștere este Kṛṣṇa Însuși.

TEXTUL 39

यच्चापि सर्वभूतानां बीजं तदहमर्जुन ।
न तदस्ति विना यत्स्यान्मया भूतं चराचरम् ॥३९॥

yac cāpi sarva-bhūtānāṁ
bījaṁ tad aham arjuna
na tad asti vinā yat syān
mayā bhūtaṁ carācaram

yat—oricare; *ca*—de asemenea; *api*—ar putea fi; *sarva-bhūtānām*—al tuturor creațiilor; *bījam*—sămânța; *tat*—aceea; *aham*—Eu sunt; *arjuna*—o, Arjuna; *na*—nu; *tat*—acel; *asti*—este; *vinā*—fără; *yat*—care; *syāt*—să existe; *mayā*—Mine; *bhūtam*—ființă creată; *cara-acaram*—mișcătoare și nemișcătoare.

Mai mult, o, Arjuna, Eu sunt sămânța generatoare a tuturor existențelor. Nu există ființă—mișcătoare sau nemișcătoare—care să poată exista fără Mine.

COMENTARIU

Orice lucru are o cauză, iar această cauză sau sămânță a manifestării este Kṛṣṇa. Fără energia lui Kṛṣṇa nimic nu poate să existe; de aceea, El este numit atotputernic. Fără puterea Sa, nici cele mișcătoare, nici cele nemișcătoare nu pot să existe. Orice existență care nu se fundamentează pe energia lui Kṛṣṇa este numită *māyā*, „ceea ce nu există".

TEXTUL 40

नान्तोऽस्ति मम दिव्यानां विभूतीनां परन्तप ।
एष तूद्देशतः प्रोक्तो विभूतेर्विस्तरो मया ॥४०॥

nānto 'sti mama divyānāṁ
vibhūtīnāṁ parantapa
eṣa tūddeśataḥ prokto
vibhūter vistaro mayā

na—nici; *antaḥ*—o limită; *asti*—există; *mama*—ale Mele; *divyānām*—a divinelor; *vibhūtīnām*—opulenţe; *parantapa*—o, învingător al vrăjmaşilor; *eṣaḥ*—toate acestea; *tu*—doar; *uddeśataḥ*—ca exemple; *proktaḥ*—spuse; *vibhūteḥ*—a opulenţelor; *vistaraḥ*—întindere; *mayā*—de către Mine.

O, puternic învingător al vrăjmaşilor, nu există capăt pentru manifestările Mele divine. Ceea ce ţi-am spus este doar o simplă indicare a opulenţelor Mele infinite.

COMENTARIU

Aşa cum se afirmă în scrierile vedice, deşi opulenţele Supremului sunt înţelese în diferite feluri, aceste opulenţe nu au limită; de aceea, aceste opulenţe şi energii nu pot fi explicate în totalitate. Lui Arjuna i se dau doar câteva exemple, pentru a-i potoli curiozitatea.

TEXTUL 41

यद्यद्विभूतिमत्सत्त्वं श्रीमदूर्जितमेव वा ।
तत्तदेवावगच्छ त्वं मम तेजोंऽशसम्भवम् ॥४१॥

yad yad vibhūtimat sattvaṁ
śrīmad ūrjitam eva vā
tat tad evāvagaccha tvaṁ
mama tejo-'ṁśa-sambhavam

yat yat—oricare; *vibhūti*—opulenţe; *mat*—înzestrat cu; *sattvam*—existent; *śrī-mat*—frumos; *ūrjitam*—glorios; *eva*—desigur; *vā*—sau; *tat tat*—toate acelea; *eva*—cu siguranţă; *avagaccha*—trebuie să ştii; *tvam*—tu; *mama*—Mele; *tejaḥ*—a splendorii; *aṁśa*—o parte; *sambhavam*—născute din.

Să ştii că toate creaţiile opulente, frumoase şi glorioase sunt doar o scânteie izvorând din splendoarea Mea.

COMENTARIU

Orice existență glorioasă sau minunată trebuie înțeleasă ca fiind doar o manifestare fragmentară a opulenței lui Kṛṣṇa, fie în lumea spirituală, fie în cea materială. Tot ceea ce este extraordinar de opulent trebuie considerat a reprezenta opulența lui Kṛṣṇa.

TEXTUL 42

अथ वा बहुनैतेन किं ज्ञातेन तवार्जुन ।
विष्टभ्याहमिदं कृत्स्नमेकांशेन स्थितो जगत् ॥४२॥

atha vā bahunaitena
kiṁ jñātena tavārjuna
viṣṭabhyāham idaṁ kṛtsnam
ekāṁśena sthito jagat

atha vā—sau; *bahunā*—multiplă; *etena*—cu acest fel; *kim*—ce; *jñātena*—prin cunoașterea; *tava*—a ta; *arjuna*—o, Arjuna; *viṣṭabhya*—pătrunzând; *aham*—Eu; *idam*—acest; *kṛtsnam*—întreg; *eka*—cu o; *aṁśena*—parte; *sthitaḥ*—sunt așezat; *jagat*—univers.

Dar ce nevoie este, Arjuna, pentru toată această cunoaștere amănunțită? Cu un singur fragment din Mine Însumi Eu pătrund și susțin întregul univers.

COMENTARIU

Domnul Suprem este reprezentat peste tot în universul material prin pătrunderea Sa în toate lucrurile ca Suprasuflet. Aici Domnul Îi spune lui Arjuna că nu există temei în a înțelege cum lucrurile pot exista cu opulența și grandoarea lor separată. El trebuie să știe că toate lucrurile există datorită pătrunderii lui Kṛṣṇa în ele ca Suprasuflet. De la Brahmā, cea mai uriașă entitate, până la cea mai mică furnică, toate există pentru că Domnul a penetrat în fiecare din ele și le susține pe toate.

Există o Misiune care propovăduiește mereu că adorarea oricărui semizeu îl va conduce pe om la Personalitatea Supremă a Divinității sau la țelul suprem. Dar adorarea semizeilor este descurajată clar aici, pentru că până și cei mai mari dintre semizei, precum Brahmā și Śiva, reprezintă doar o parte din măreţia Domnului Suprem. El este originea oricărei fiinţe născute şi nimeni nu este mai mare decât El. El este *asamaurdhva*, ceea ce înseamnă că nimeni nu Îi este superior Lui şi nimeni nu este egalul Său. În *Padma Purāṇa* se spune că acela care Îl consideră pe Domnul Suprem, Kṛṣṇa, în aceeaşi categorie cu semizeii—fie ei chiar Brahmā sau Śiva—devine de îndată un ateu. Însă dacă cineva studiază cu grijă diferitele descrieri ale opulenţelor şi expansiunilor energiilor lui Kṛṣṇa, atunci el poate înţelege fără nici o îndoială poziţia Domnului Śrī Kṛṣṇa şi îşi poate fixa mintea asupra adorării lui Kṛṣṇa fără nici o abatere. Domnul este atotpătrunzător prin expansiunea reprezentării Sale parţiale, Suprasufletul, care pătrunde în tot ceea ce există. Prin urmare, devoţii puri îşi concentrează mintea în conştiinţa de Kṛṣṇa, în deplină slujire devoţională; de aceea, ei sunt mereu situaţi la nivel transcendent. Slujirea devoţională şi adorarea lui Kṛṣṇa sunt foarte clar indicate în acest capitol, versetele 8-11. Aceasta este calea slujirii devoţionale pure. Felul în care putem atinge cea mai înaltă desăvârşire devoţională a asocierii cu Personalitatea Supremă a Divinităţii a fost explicat amănunţit în acest capitol. Śrīla Baladeva Vidyābhūṣaṇa, un mare *ācārya* în succesiunea diciplică de la Kṛṣṇa, îşi încheie comentariul la acest capitol spunând

> *yac-chakti-leśāt suryādyā*
> *bhavanty aty-ugra-tejasaḥ*
> *yad-aṁśena dhṛtaṁ viśvaṁ*
> *sa kṛṣṇo daśame 'rcyate*

Chiar şi puternicul soare îşi capătă energia din puternica energie a Domnului Kṛṣṇa, iar prin expansiunea parţială a lui Kṛṣṇa întreaga lume este menţinută. De aceea, Domnul Śrī Kṛṣṇa trebuie adorat.

Astfel sfârşeşte comentariul lui Bhaktivedanta la capitolul al zecelea din Śrīmad Bhagavad-gītā, ce tratează despre „Opulenţa Absolutului".

Forma universală

TEXTUL 1

अर्जुन उवाच
मदनुग्रहाय परमं गुह्यमध्यात्मसंज्ञितम् ।
यत्त्वयोक्तं वचस्तेन मोहोऽयं विगतो मम ॥ १ ॥

arjuna uvāca
mad-anugrahāya paramaṁ
guhyam adhyātma-saṁjñitam
yat tvayoktaṁ vacas tena
moho 'yaṁ vigato mama

arjunaḥ uvāca—Arjuna a spus; *mat-anugrahāya*—tocmai pentru a-mi arăta bunăvoință; *paramam*—suprem; *guhyam*—subiect confidențial; *adhyātma*—spiritual; *saṁjñitam*—referitor la; *yat*—care; *tvayā*—de către Tine; *uktam*—spuse; *vacaḥ*—cuvintele; *tena*—prin aceasta; *mohaḥ*—iluzia; *ayam*—aceasta; *vigataḥ*—este înlăturată; *mama*—a mea.

Arjuna a spus: Ascultând învăţăturile despre aceste subiecte spirituale, cele mai confidenţiale dintre toate, pe care Tu cu bunăvoinţă mi le-ai împărtăşit, iluzia mea s-a risipit acum.

COMENTARIU

Acest capitol Îl dezvăluie pe Kṛṣṇa ca fiind cauza tuturor cauzelor. El este chiar şi cauza lui Mahā-Viṣṇu, din care emană universul material. Kṛṣṇa nu este o încarnare; El este sursa tuturor încarnărilor. Acest lucru a fost deja explicat în capitolul precedent.

Acum, în ce-l priveşte pe Arjuna, el spune că iluzia sa a luat sfârşit. Aceasta înseamnă că Arjuna nu-L mai socoteşte pe Kṛṣṇa doar ca pe o fiinţă umană, ca pe un prieten al său, ci Îl consideră sursa tuturor lucrurilor. Arjuna este complet edificat şi mulţumit că are un asemenea prieten măreţ precum Kṛṣṇa, dar acum el se gândeşte că deşi Îl poate accepta pe Kṛṣṇa ca sursa tuturor lucrurilor, alţii nu pot s-o facă. Astfel, pentru a stabili divinitatea lui Kṛṣṇa pentru toţi, el Îi cere lui Kṛṣṇa în acest capitol să-şi arate forma Sa universală. În realitate, când cineva vede forma universală a lui Kṛṣṇa, se înspăimântă, la fel ca şi Arjuna, dar Kṛṣṇa este atât de bun încât după această înfăţişare El se preschimbă din nou în forma Sa originară. Arjuna este de acord cu ceea ce Kṛṣṇa a spus de mai multe ori: Kṛṣṇa îi vorbeşte tocmai pentru binele său. Astfel, Arjuna recunoaşte că toate acestea i se întâmplă prin graţia lui Kṛṣṇa. Acum el este convins că Kṛṣṇa este cauza tuturor cauzelor şi este prezent în inima fiecăruia ca Suprasuflet.

TEXTUL 2

भवाप्ययौ हि भूतानां श्रुतौ विस्तरशो मया ।
त्वत्तः कमलपत्राक्ष माहात्म्यमपि चाव्ययम् ॥२॥

bhavāpyayau hi bhūtānāṁ
śrutau vistaraśo mayā
tvattaḥ kamala-patrākṣa
māhātmyam api cāvyayam

bhava—apariţia; *apyayau*—dispariţia; *hi*—desigur; *bhūtānām*—tuturor fiinţelor; *śrutau*—au fost auzite; *vistaraśaḥ*—în amănunt; *mayā*—de mine;

tvattaḥ—de la Tine; *kamala-patra-akṣa*—o, Tu cu ochii ca lotusul; *māhātmyam*—gloriile; *api*—de asemenea; *ca*—și; *avyayam*—nepieritoare.

O, Tu cel cu ochii ca lotusul, am auzit de la Tine în amănunt despre apariția și dispariția oricărei ființe și am realizat splendorile Tale inepuizabile.

COMENTARIU

Arjuna se adresează Domnului Kṛṣṇa numindu-L „cel cu ochii ca lotusul" (ochii lui Kṛṣṇa arată exact ca petalele florii de lotus) din pricina bucuriei, deoarece Kṛṣṇa îl asigurase în capitolul precedent *ahaṁ kṛtsanasya jagataḥ prabhavaḥ pralayas tathā*: „Eu sunt sursa apariției și dispariției întregii manifestări materiale". Arjuna a ascultat în detaliu despre aceasta de la Domnul. Arjuna mai știe că în ciuda faptului că El este sursa tuturor aparițiilor și dispariților, El este detașat de ele. Așa cum Domnul a spus în capitolul al nouălea, El este atotpătrunzător, dar nu este prezent personal peste tot. Aceasta este opulența de neconceput a lui Kṛṣṇa, pe care Arjuna consideră că a înțeles-o așa cum se cuvine.

TEXTUL 3

एवमेतद्यथात्थ त्वमात्मानं परमेश्वर ।
द्रष्टुमिच्छामि ते रूपमैश्वरं पुरुषोत्तम ॥ ३ ॥

evam etad yathāttha tvam
ātmānaṁ parameśvara
draṣṭum icchāmi te rūpam
aiśvaraṁ puruṣottama

evam—astfel; *etat*—această; *yathā*—așa precum este; *āttha*—ai spus-o; *tvam*—Tu; *ātmānam*—Însuți; *parama-īśvara*—o, Domn Suprem; *draṣṭum*—să văd; *icchāmi*—doresc; *te*—a Ta; *rūpam*—formă; *aiśvaram*—divină; *puruṣa-uttama*—o, cea mai măreață dintre personalități.

O, Tu cea mai măreață dintre toate personalitățile, o, formă supremă, deși Te văd aici în fața mea, în starea Ta reală, așa cum Însuți ai des-

cris-o, doresc să aflu cum ai intrat Tu în această manifestare cosmică. Doresc să văd această formă a Ta.

COMENTARIU

Domnul a spus că întrucât El a intrat în universul material prin reprezentarea Sa personală, manifestarea cosmică a fost făcută posibilă şi se desfăşoară în continuare. În ceea ce-l priveşte pe Arjuna, el este inspirat de afirmaţiile lui Kṛṣṇa, dar pentru a-i convinge pe alţii, în viitor, care ar putea gândi că Kṛṣṇa este un om obişnuit, Arjuna doreşte să-L vadă pe El în mod concret în forma Sa universală, pentru a vedea felul în care El acţionează din interiorul universului, deşi El este separat de acesta. Adresarea lui Arjuna către Domnul cu cuvântul *puruṣottama* este de asemenea semnificativă. Deoarece Domnul este Suprema Personalitate a Divinităţii, El este prezent şi înăuntrul lui Arjuna însuşi; de aceea El cunoaşte dorinţa lui Arjuna şi poate înţelege că Arjuna nu doreşte în mod special să-L vadă pe El în forma Sa universală, căci Arjuna este perfect satisfăcut să-L vadă în forma personală a lui Kṛṣṇa. Dar Domnul poate de asemenea să înţeleagă că Arjuna doreşte să vadă forma universală pentru a-i convinge pe alţii. Arjuna nu are nici o dorinţă personală de confirmare. Kṛṣṇa de asemenea înţelege că Arjuna doreşte să vadă forma universală pentru a stabili un criteriu, pentru că în viitor s-ar putea să apară o mulţime de impostori care s-ar înfăţişa pe ei înşişi ca încarnări ale lui Dumnezeu. Oamenii, deci, trebuie să fie atenţi; cel ce proclamă că este Kṛṣṇa trebuie să fie gata să-şi arate forma universală pentru a confirma în faţa oamenilor ceea ce proclamă.

TEXTUL 4

मन्यसे यदि तच्छक्यं मया द्रष्टुमिति प्रभो ।
योगेश्वर ततो मे त्वं दर्शयात्मानमव्ययम् ॥ ४ ॥

manyase yadi tac chakyaṁ
mayā draṣṭum iti prabho
yogeśvara tato me tvaṁ
darśayātmānam avyayam

manyase—Tu crezi; *yadi*—dacă; *tat*—aceea; *śakyam*—este posibil; *mayā*—de mine; *draṣṭum*—să fie văzută; *iti*—astfel; *prabho*—o, Doamne; *yoga-īśvara*

—o, Domn al tuturor puterilor mistice; *tataḥ*—atunci; *me*—mie; *tvam*—Tu; *darśaya*—arată; *ātmānam*—Sinele Tău; *avyayam*—etern.

Dacă Tu crezi că eu sunt capabil să privesc forma Ta cosmică, o, Domn al meu, o, stăpân al tuturor puterilor mistice, atunci arată-mi cu bunăvoință acest Sine universal nelimitat.

COMENTARIU

S-a spus că nimeni nu poate să vadă, să audă, să înțeleagă sau să percepă pe Domnul Suprem, Kṛṣṇa, prin simțurile materiale. Dar dacă cineva se angajează în slujirea transcendentă cu iubire a Domnului încă de la început, atunci el îl poate vedea pe Domnul prin revelație. Fiecare ființă este doar o scânteie spirituală; de aceea nu este posibil să-L vedem sau să-L înțelegem pe Domnul Suprem. Ca orice devot, Arjuna nu se bazează pe capacitatea sa speculativă; mai degrabă, el își admite limitările ca ființă vie și recunoaște poziția inestimabilă a lui Kṛṣṇa. Arjuna poate înțelege că pentru o entitate vie nu este posibil să înțeleagă infinitul nelimitat. Dacă infinitul se revelează pe El Însuși, atunci se poate înțelege natura infinitului prin grația infinitului. Cuvântul *yogeśvara* este iarăși semnificativ aici, pentru că Domnul are o putere de neînchipuit. Dacă El dorește, Se poate revela pe Sine prin grația Sa, deși El este nelimitat. De aceea, Arjuna apelează la grația de neînchipuit a lui Kṛṣṇa. El nu Îi dă porunci lui Kṛṣṇa. Kṛṣṇa nu este obligat să Se reveleze pe Sine până ce omul nu I se predă cu totul în conștiința de Kṛṣṇa, angajându-se în slujirea devoțională. Astfel că persoanele care se bazează pe puterea speculațiilor lor mentale nu au posibilitatea să-L vadă pe Kṛṣṇa.

TEXTUL 5

श्रीभगवानुवाच
पश्य मे पार्थ रूपाणि शतशोऽथ सहस्रशः ।
नानाविधानि दिव्यानि नानावर्णाकृतीनि च ॥ ५ ॥

śrī-bhagavān uvāca
paśya me pārtha rūpāṇi
śataśo 'tha sahasraśaḥ
nānā-vidhāni divyāni
nānā-varṇākṛtīni ca

śrī-bhagavān uvāca—Suprema Personalitate a Divinităţii a spus; *paśya*—priveşte; *me*—ale Mele; *pārtha*—o, fiu al lui Pṛthā; *rūpāṇi*—forme; *śataśaḥ*—sute; *atha*—şi; *sahasraśaḥ*—mii; *nānā-vidhāni*—de multe feluri; *divyāni*—divine; *nānā*—diferite; *varṇa*—culori; *ākṛtīni*—forme; *ca*—precum şi.

Suprema Personalitate a Divinităţii a spus: Dragul Meu Arjuna, o, fiu al lui Pṛthā, priveşte acum opulenţele Mele, sute de mii de forme variate şi multicolore.

COMENTARIU

Arjuna dorea să-L vadă pe Kṛṣṇa în forma Sa universală, care, deşi transcendentă, apare tocmai pentru manifestarea cosmică, şi de aceea se supune duratei temporare a acestei naturi materiale. Aşa cum natura materială este manifestată şi nemanifestată, la fel şi această formă universală a lui Kṛṣṇa este manifestată şi nemanifestată. Ea nu este situată etern în cerul spiritual, la fel cum sunt celelalte forme ale lui Kṛṣṇa. În ce-l priveşte pe devot, el nu tânjeşte să vadă forma universală, dar pentru că Arjuna dorea să-L vadă pe Kṛṣṇa în acest mod, Kṛṣṇa revelează această formă. Forma universală nu poate fi văzută de nici un om obişnuit. Kṛṣṇa trebuie să-i dea omului puterea de a vedea aceasta.

TEXTUL 6

पश्यादित्यान् वसून् रुद्रानश्विनौ मरुतस्तथा ।
बहून्यदृष्टपूर्वाणि पश्याश्चर्याणि भारत ॥ ६ ॥

paśyādityān vasūn rudrān
aśvinau marutas tathā
bahūny adṛṣṭa-pūrvāṇi
paśyāścaryāṇi bhārata

paśya—priveşte; *ādityān*—pe cei doisprezece fii ai lui Aditi; *vasūn*—cei opt Vasu; *rudrān*—cele unsprezece forme ale lui Rudra; *aśvinau*—cei doi Aśvinī; *marutaḥ*—cei patruzeci şi nouă de Marut (semizei ai vântului); *tathā*—precum şi; *bahūni*—multe; *adṛṣṭa*—pe care nu le-ai văzut; *pūrvāṇi*—înainte; *paśya*—priveşte; *āścaryāṇi*—toate minunăţiile; *bhārata*—o, cel mai bun din dinastia Bhārata.

O, cel mai bun dintre Bhārata, privește diferitele manifestări ale acestor Āditya, Vasu, Rudra, Aśvinī-kumāra și ale tuturor celorlalți semizei. Privește mulțimea de lucruri minunate pe care nimeni nu le-a văzut sau a auzit de ele înainte.

COMENTARIU

Chiar dacă Arjuna era prietenul cel mai apropiat al lui Kṛṣṇa și cel mai avansat dintre învățați, totuși nu putea să știe totul despre Kṛṣṇa. Aici se afirmă că ființele umane nici n-au cunoscut și nici n-au auzit despre toate aceste forme și manifestări. Acum Kṛṣṇa revelează aceste minunate forme.

TEXTUL 7

इहैकस्थं जगत्कृत्स्नं पश्याद्य सचराचरम् ।
मम देहे गुडाकेश यच्चान्यद्द्रष्टुमिच्छसि ॥ ७ ॥

ihaika-sthaṁ jagat kṛtsnaṁ
paśyādya sa-carācaram
mama dehe guḍākeśa
yac cānyad draṣṭum icchasi

iha—în acesta; *eka-stham*—laolaltă; *jagat*—universul; *kṛtsnam*—complet; *paśya*—privește; *adya*—imediat; *sa*—cu; *cara*—cele mișcătoare; *acaram*—și cele nemișcătoare; *mama*—al Meu; *dehe*—în acest corp; *guḍākeśa*—o, Arjuna; *yat*—ceea ce; *ca*—și ; *anyat*—altceva; *draṣṭum*—să vezi; *icchasi*—dorești.

O, Arjuna, orice dorești să vezi, iată dintr-odată în acest corp al Meu! Această formă universală îți poate arăta tot ce dorești să vezi acum și tot ce ai putea dori să vezi în viitor. Totul—mișcător și nemișcător—este aici în întregime, într-un singur loc.

COMENTARIU

Nimeni nu poate să vadă întregul univers stând într-un singur loc. Nici cei mai evoluați oameni de știință nu pot să vadă ceva ce se întâmplă în alte părți ale universului. Dar un devot ca Arjuna poate să vadă tot ceea ce există în orice parte a universului. Kṛṣṇa îi dă puterea să vadă tot ceea ce dorește să vadă, trecut, prezent și viitor. Astfel, prin îndrumarea lui Kṛṣṇa, Arjuna este în stare să vadă orice lucru.

TEXTUL 8

न तु मां शक्यसे द्रष्टुमनेनैव स्वचक्षुषा ।
दिव्यं ददामि ते चक्षुः पश्य मे योगमैश्वरम् ॥८॥

na tu māṁ śakyase draṣṭum
anenaiva sva-cakṣuṣā
divyaṁ dadāmi te cakṣuḥ
paśya me yogam aiśvaram

na—niciodată; *tu*—însă; *mām*—pe Mine; *śakyase*—ești capabil; *draṣṭum*—a vedea; *anena*—cu aceşti; *eva*—tocmai; *sva-cakṣuṣā*—proprii ochi; *divyam*—divini; *dadāmi*—îţi dau; *te*—ție; *cakṣuḥ*—ochi; *paśya*—privește; *me*—a Mea; *yogam aiśvaram*—putere mistică de neînchipuit.

Dar tu nu Mă poți vedea cu actualii tăi ochi. Prin urmare îţi voi da ochi divini. Privește opulența Mea mistică!

COMENTARIU

Unui devot pur nu îi place să-L vadă pe Kṛṣṇa în nici o altă formă în afară de forma Sa cu două brațe; devotul trebuie să vadă forma Sa universală prin grația Lui, însă nu cu mintea, ci cu ochii spirituali. Pentru a vedea forma universală a lui Kṛṣṇa, Arjuna nu este sfătuit să-și schimbe mintea, ci viziunea. Forma universală a lui Kṛṣṇa nu este foarte importantă; acest lucru se va vedea limpede în versetele următoare. Însă pentru că Arjuna a dorit să o vadă, Domnul îi dă acea viziune specială care se cere pentru a vedea acea formă universală.

Devoţii care sunt situați așa cum se cuvine într-o relație transcendentă cu Kṛṣṇa, sunt atrași de aspectele Sale încântătoare și nu de înfățișarea opulențelor lipsite de prezența divină. Cei ce iau parte la jocurile lui Kṛṣṇa, prietenii lui Kṛṣṇa și părinții lui Kṛṣṇa nu doresc niciodată ca Kṛṣṇa să-Şi arate opulența. Ei sunt atât de cufundați în dragostea pură încât nici nu mai știu că Kṛṣṇa este Suprema Personalitate a Divinității. În relația lor de iubire, ei uită că Kṛṣṇa este Domnul Suprem. În *Śrīmad-Bhāgavatam* se afirmă că devoţii care se joacă cu Kṛṣṇa sunt suflete extrem de pioase, care după multe vieți ajung în stare să se joace cu Kṛṣṇa. Aceşti băieţi nu ştiu că Kṛṣṇa este Suprema Personalitate a Divinităţii. Ei Îl consideră ca pe un prieten intim. De aceea Śukadeva Gosvāmī recită acest verset:

> *itthaṁ satāṁ brahma-sukhānubhūtyā*
> *dāsyaṁ gatānāṁ para-daivatena*
> *māyāśritānāṁ nara-dārakeṇa*
> *sākaṁ vijahruḥ kṛta-puṇya-puñjāḥ*

„Iată Persoana Supremă, socotită ca impersonalul Brahman de către marii înţelepţi, ca Suprema Personalitate a Divinităţii de către devoţi şi ca produs al naturii materiale de către oamenii de rând. Acum aceşti băieţi, care au săvârşit o mulţime de fapte pioase în vieţile lor trecute, se joacă cu Suprema Personalitate a Divinităţii" (*Śrīmad-Bhāgavatam* 10.12.11).

În realitate, devotul nu este preocupat să vadă *viśva-rūpa*, forma universală, dar Arjuna dorea să o vadă pentru a proba afirmaţiile lui Kṛṣṇa, astfel ca în viitor oamenii să poată înţelege că Kṛṣṇa S-a prezentat pe Sine Însuşi ca Suprem nu numai teoretic sau filosofic, ci S-a prezentat pe Sine în mod real ca atare, în faţa lui Arjuna. Arjuna trebuie să confirme acest lucru, pentru că el este începutul sistemului *paramparā*. Cei ce sunt cu adevărat interesaţi în înţelegerea Personalităţii Supreme a Divinităţii, Kṛṣṇa, şi care păşesc pe urmele lui Arjuna, trebuie să înţeleagă că Kṛṣṇa nu S-a prezentat pe Sine ca Suprem doar în mod teoretic, ci într-adevăr S-a revelat pe Sine ca Suprem.

Domnul i-a dat lui Arjuna puterea necesară pentru a vedea forma Sa universală pentru că El ştia că Arjuna nu dorea neapărat să o vadă pentru sine, aşa cum am explicat deja.

TEXTUL 9

सञ्जय उवाच
एवमुक्त्वा ततो राजन्महायोगेश्वरो हरिः ।
दर्शयामास पार्थाय परमं रूपमैश्वरम् ॥ ९ ॥

> *sañjaya uvāca*
> *evam uktvā tato rājan*
> *mahā-yogeśvaro hariḥ*
> *darśayām āsa pārthāya*
> *paramaṁ rūpam aiśvaram*

sañjayaḥ uvāca—Sañjaya a spus; *evam*—astfel; *uktvā*—spunând; *tataḥ*—după aceea; *rājan*—o, rege; *mahā-yoga-īśvaraḥ*—cel mai puternic mistic; *hariḥ*—Suprema Personalitate a Divinităţii; *darśayām āsa*—a arătat; *pārthāya*—lui Arjuna; *paramam*—divina; *rūpam aiśvaram*—formă universală.

Sañjaya a spus: O, rege, spunând acestea, Domnul Suprem al tuturor puterilor mistice, Personalitatea Divinităţii, i-a arătat lui Arjuna forma Sa universală.

TEXTELE 10–11

अनेकवक्त्रनयनमनेकाद्भुतदर्शनम् ।
अनेकदिव्याभरणं दिव्यानेकोद्यतायुधम् ॥१०॥

दिव्यमाल्याम्बरधरं दिव्यगन्धानुलेपनम् ।
सर्वाश्चर्यमयं देवमनन्तं विश्वतोमुखम् ॥११॥

> *aneka-vaktra-nayanam*
> *anekādbhuta-darśanam*
> *aneka-divyābharaṇaṁ*
> *divyānekodyatāyudham*
>
> *divya-mālyāmbara-dharaṁ*
> *divya-gandhānulepanam*
> *sarvāścarya-mayaṁ devam*
> *anantaṁ viśvato-mukham*

aneka—diferite; *vaktra*—guri; *nayanam*—ochi; *aneka*—diferite; *adbhuta*—minunate; *darśanam*—priviri; *aneka*—numeroase; *divya*—divine; *ābharaṇam*—podoabe; *divya*—divine; *aneka*—diferite; *udyata*—ridicate; *āyudham*—arme; *divya*—divine; *mālya*—ghirlande; *ambara*—veşminte; *dharam*—purtând; *divya*—divine; *gandha*—miresme; *anulepanam*—uns cu; *sarva*—totul; *āścarya-mayam*—minunat; *devam*—strălucitor; *anantam*—nelimitat; *viśvataḥ-mukham*—atotpătrunzător.

Arjuna a văzut în această formă universală nelimitate guri, nelimitaţi ochi, nelimitate viziuni minunate. Forma era împodobită cu multe

ornamente celeste și purta arme divine ținute în sus. El purta ghir-
lande și veșminte celeste și cu multe uleiuri aromatizante divine Îi
era uns corpul. Totul era minunat, strălucitor, nelimitat, în completă
expansiune.

COMENTARIU

Folosirea repetată a cuvântului „multe" în aceste două versete indică faptul că
nu există o limită pentru numărul de brațe, guri, picioare și alte manifestări
pe care Arjuna le vedea. Aceste manifestări erau răspândite pretutindeni în
univers, dar, prin grația Domnului, Arjuna putea să le vadă dintr-un singur
loc. Acest lucru se datora puterii de neconceput a lui Krșna.

TEXTUL 12

दिवि सूर्यसहस्रस्य भवेद्युगपदुत्थिता ।
यदि भाः सदृशी सा स्याद्भासस्तस्य महात्मनः ॥१२॥

divi sūrya-sahasrasya
bhaved yugapad utthitā
yadi bhāḥ sadṛśī sā syād
bhāsas tasya mahātmanaḥ

divi—în cer; *sūrya*—de sori; *sahasrasya*—a mai multor mii; *bhavet*—a fi;
yugapat—simultan; *utthitā*—prezent; *yadi*—dacă; *bhāḥ*—lumina; *sadṛśī*—
la fel ca; *sā*—aceea; *syāt*—ar putea fi; *bhāsaḥ*—strălucirea; *tasya*—a Sa;
mahā-ātmanaḥ—mărețul Domn.

**Dacă sute de mii de sori ar fi să răsară dintr-odată pe cer, iradierea lor
ar putea semăna cu strălucirea Persoanei Supreme în această formă
universală.**

COMENTARIU

Ceea ce a văzut Arjuna era de nedescris, totuși Sañjaya încearcă să-i ofere lui
Dhṛtarāṣtra o imagine mentală a acestei mărețe revelații. Nici Sañjaya și nici
Dhṛtarāṣtra nu erau prezenți acolo, dar Sañjaya, prin grația lui Vyāsa, putea să

vadă tot ceea ce se întâmpla. Astfel, el compară acum situaţia, atât cât poate fi ea înţeleasă, cu un fenomen de neînchipuit (adică apariţia a mii de sori).

TEXTUL 13

तत्रैकस्थं जगत्कृत्स्नं प्रविभक्तमनेकधा ।
अपश्यद्देवदेवस्य शरीरे पाण्डवस्तदा ॥१३॥

tatraika-stham jagat kṛtsnaṁ
pravibhaktam anekadhā
apaśyad deva-devasya
śarīre pāṇḍavas tadā

tatra—acolo; *eka-stham*—într-un loc; *jagat*—universul; *kṛtsnam*—complet; *pravibhaktam*—împărţit; *anekadhā*—în mai multe părţi; *apaśyat*—putea să vadă; *deva-devasya*—a Personalităţii Supreme a Divinităţii; *śarīre*—în forma universală; *pāṇḍavaḥ*—Arjuna; *tadā*—atunci.

În acel moment Arjuna a putut să vadă în forma universală a Domnului expansiunile nelimitate ale universului situate într-un singur loc, deşi divizate în multe, multe mii.

COMENTARIU

Cuvântul *tatra* („acolo") este foarte semnificativ. El indică faptul că atât Arjuna cât şi Kṛṣṇa erau aşezaţi în carul de luptă atunci când Arjuna a văzut forma universală. Ceilalţi de pe câmpul de luptă nu au putut vedea această formă, pentru că Kṛṣṇa i-a dat această viziune numai lui Arjuna. Arjuna a putut vedea în corpul lui Kṛṣṇa multe mii de planete. Aşa cum aflăm din scripturile vedice, există multe universuri şi multe planete. Unele sunt făcute din pământ, altele din aur, altele din nestemate; unele sunt foarte mari, altele mai mici etc. Stând în carul său, Arjuna putea să vadă aceste lucruri. Dar nimeni nu putea să înţeleagă ceea ce se petrecea între Arjuna şi Kṛṣṇa.

TEXTUL 14

ततः स विस्मयाविष्टो हृष्टरोमा धनञ्जयः ।
प्रणम्य शिरसा देवं कृताञ्जलिरभाषत ॥१४॥

tataḥ sa vismayāviṣṭo
hṛṣṭa-romā dhanañjayaḥ
praṇamya śirasā devaṁ
kṛtāñjalir abhāṣata

tataḥ—apoi; *saḥ*—el; *vismaya-āviṣṭaḥ*—fiind copleşit de uimire; *hṛṣṭa-romā*—făcându-i-se părul măciucă de mare extaz; *dhanañjayaḥ*—Arjuna; *praṇamya*—făcând plecăciune; *śirasā*—cu capul; *devam*—către Suprema Personalitate a Divinităţii; *kṛta-añjaliḥ*—cu mâinile împreunate; *abhāṣata*—a început să vorbească.

Apoi, tulburat şi uimit, cu părul măciucă, Arjuna şi-a plecat capul pentru a arăta supunere şi cu mâinile împreunate a început să se roage către Domnul Suprem.

COMENTARIU

De îndată ce viziunea divină se revelează, relaţia dintre Kṛṣṇa şi Arjuna se schimbă. Înainte, Kṛṣṇa şi Arjuna erau într-o relaţie bazată pe prietenie, dar aici, după revelaţie, Arjuna se închină cu mare respect şi cu mâinile împreunate se roagă lui Kṛṣṇa. El slăveşte forma universală. Astfel, relaţia lui Arjuna devine una de uimire, mai degrabă decât de prietenie. Marii devoţi văd în Kṛṣṇa rezervorul tuturor relaţiilor. În scripturi sunt menţionate douăsprezece tipuri de relaţii de bază şi toate sunt prezente în Kṛṣṇa. Se spune că El este oceanul tuturor relaţiilor stabilite între două fiinţe, între zei sau între Domnul Suprem şi devoţii Săi.

Aici Arjuna era inspirat de o relaţie de uimire, iar în această uimire, deşi era din fire foarte sobru, calm şi reţinut, el devine extatic, părul i se ridică şi începe să se închine Domnului Suprem cu mâinile împreunate. Desigur că el nu era înspăimântat; era doar impresionat de minunăţiile Domnului Suprem. Reacţia imediată este minunarea; prietenia sa firească şi plină de dragoste a fost copleşită de minunare, şi aşa se face că a reacţionat în acest mod.

TEXTUL 15

अर्जुन उवाच
पश्यामि देवांस्तव देव देहे
सर्वांस्तथा भूतविशेषसङ्घान् ।

ब्रह्माणमीशं कमलासनस्थ-
मृषींश्च सर्वानुरगांश्च दिव्यान् ॥१५॥

arjuna uvāca
paśyāmi devāṁs tava deva dehe
sarvāṁs tathā bhūta-viśeṣa-saṅghān
brahmāṇam īśaṁ kamalāsana-stham
ṛṣīṁś ca sarvān uragāṁś ca divyān

arjunaḥ uvāca—Arjuna a spus; *paśyāmi*—văd; *devān*—toți semizeii; *tava*—al Tău; *deva*—o, Doamne; *dehe*—în corpul; *sarvān*—toate; *tathā*—precum şi; *bhūta*—ființele; *viśeṣa-saṅghān*—adunate conform speciilor; *brahmāṇam*—Domnul Brahmā; *īśam*—Domnul Śiva; *kamala-āsana-stham*—stând pe floarea de lotus; *ṛṣīn*—marii înțelepți; *ca*—şi; *sarvān*—toți; *uragān*—şerpii; *ca*—precum şi; *divyān*—divini.

Arjuna a spus: Dragul meu Domn Kṛṣṇa, văd laolaltă în corpul Tău toți semizeii şi diferite alte entități vii. Îl văd pe Brahmā stând pe floarea de lotus, precum şi pe Domnul Śiva şi pe toți înțelepții şi şerpii divini.

COMENTARIU

Arjuna vede toate cele ce există în univers, deci îl vede pe Brahmā, prima ființă creată în univers, precum şi pe şerpii celeşti pe care stă întins Garbhodakaśāyī Viṣṇu în regiunile inferioare ale universului. Acest şarpe ce serveşte drept pat este numit Vāsuki. Există şi alți şerpi numiți de asemenea Vāsuki. Arjuna poate vedea de la Garbhodakaśāyī Viṣṇu până la partea cea mai de sus a universului, la planeta în formă de floare de lotus unde locuieşte Brahmā, prima ființă creată din univers. Aceasta înseamnă că de la început până la sfârşit, totul putea fi văzut de Arjuna, care era aşezat într-un singur loc în carul său. Acest lucru era posibil prin grația Domnului Suprem, Kṛṣṇa.

TEXTUL 16

अनेकबाहूदरवक्त्रनेत्रं
पश्यामि त्वां सर्वतोऽनन्तरूपम् ।
नान्तं न मध्यं न पुनस्तवादिं
पश्यामि विश्वेश्वर विश्वरूप ॥१६॥

aneka-bāhūdara-vaktra-netraṁ
paśyāmi tvāṁ sarvato 'nanta-rūpam
nāntaṁ na madhyaṁ na punas tavādiṁ
paśyāmi viśveśvara viśva-rūpa

aneka—multe; *bāhu*—braţe; *udara*—pântece; *vaktra*—guri; *netram*—ochi; *paśyāmi*—văd; *tvām*—pe Tine; *sarvataḥ*—în toate părţile; *ananta-rūpam*—formă nelimitată; *na antam*—fără sfârşit; *na madhyam*—fără mijloc; *na punaḥ*—şi încă nici; *tava*—al Tău; *ādim*—început; *paśyāmi*—văd; *viśva-īśvara*—o, Domn al universului; *viśva-rūpa*—în forma universului.

O, Domn al universului, o, formă universală, văd în corpul Tău multe, multe braţe, pântece, guri şi ochi, expandate pretutindeni, fără vreo limită. Nu văd în Tine nici sfârşit, nici mijloc şi nici început.

COMENTARIU

Kṛṣṇa este Suprema Personalitate a Divinităţii şi este nelimitat; deci prin El totul poate fi văzut.

TEXTUL 17

किरीटिनं गदिनं चक्रिणं च
तेजोराशिं सर्वतो दीप्तिमन्तम् ।
पश्यामि त्वां दुर्निरीक्ष्यं समन्ताद्
दीप्तानलार्कद्युतिमप्रमेयम् ॥१७॥

kirīṭinaṁ gadinaṁ cakriṇaṁ ca
tejo-rāśiṁ sarvato dīptimantam
paśyāmi tvāṁ durnirīkṣyaṁ samantād
dīptānalārka-dyutim aprameyam

kirīṭinam—cu coifuri; *gadinam*—cu buzdugane; *cakriṇam*—cu discuri; *ca*—şi; *tejaḥ-rāśim*—strălucirea; *sarvataḥ*—în toate părţile; *dīpti-mantam*—radiind; *paśyāmi*—văd; *tvām*—pe Tine; *durnirīkṣyam*—dificil de zărit; *samantāt*—pretutindeni; *dīpta-anala*—foc arzător; *arka*—al soarelui; *dyutim*—strălucirea soarelui; *aprameyam*—de nemăsurat.

Forma Ta este dificil de văzut datorită strălucirii Tale orbitoare, răs-
pândită în toate părţile ca un foc arzător sau ca iradierea nemăsura-
tă a soarelui. Şi totuşi eu văd pretutindeni această formă strălucitoare,
împodobită cu variate coroane, buzdugane şi discuri.

TEXTUL 18

त्वमक्षरं परमं वेदितव्यं
त्वमस्य विश्वस्य परं निधानम् ।
त्वमव्ययः शाश्वतधर्मगोप्ता
सनातनस्त्वं पुरुषो मतो मे ॥१८॥

tvam akṣaraṁ paramaṁ veditavyaṁ
tvam asya viśvasya paraṁ nidhānam
tvam avyayaḥ śāśvata-dharma-goptā
sanātanas tvaṁ puruṣo mato me

tvam—Tu; *akṣaram*—infailibil; *paramam*—suprem; *veditavyam*—de înţe-
les; *tvam*—Tu; *asya*—al acestui; *viśvasya*—univers; *param*—suprem;
nidhānam—temelia; *tvam*—Tu; *avyayaḥ*—inepuizabil; *śāśvata-dharma-
goptā*—menţinătorul religiei eterne; *sanātanaḥ*—veşnic; *tvam*—Tu; *puruṣaḥ*
—Persoana Supremă; *mataḥ me*—aceasta este părerea mea.

**Tu eşti obiectivul suprem primordial. Tu eşti sălaşul fundamental al
acestui univers. Tu eşti inepuizabil şi cel mai bătrân. Tu eşti menţinăto-
rul religiei eterne, Personalitatea Divinităţii. Aceasta este părerea mea.**

TEXTUL 19

अनादिमध्यान्तमनन्तवीर्य-
मनन्तबाहुं शशिसूर्यनेत्रम् ।
पश्यामि त्वां दीप्तहुताशवक्त्रं
स्वतेजसा विश्वमिदं तपन्तम् ॥१९॥

anādi-madhyāntam ananta-vīryam
ananta-bāhuṁ śaśi-sūrya-netram

paśyāmi tvāṁ dīpta-hutāśa-vaktraṁ
sva-tejasā viśvam idaṁ tapantam

anādi—fără început; *madhya*—mijloc; *antam*—sau sfârşit; *ananta*—nelimitate; *vīryam*—glorii; *ananta*—nelimitate; *bāhum*—braţe; *śaśi*—luna; *sūrya*—şi soarele; *netram*—ochii; *paśyāmi*—văd; *tvām*—Tu; *dīpta*—arzând; *hutāśa-vaktram*—foc ieşind din gura Ta; *sva-tejasā*—prin strălucirea Ta; *viśvam*—universul; *idam*—acesta; *tapantam*—încălzind.

Tu eşti fără origine, mijloc sau sfârşit. Gloria Ta este nelimitată. Tu ai nenumărate braţe, iar ochii Tăi sunt soarele şi luna. Te văd cu foc aprins ieşindu-Ţi din gură, arzând întregul univers prin propria Ta iradiere.

COMENTARIU

Nu există limită pentru cele şase opulenţe ale Personalităţii Supreme a Divinităţii. Aici şi în multe alte locuri apar repetiţii, dar potrivit scripturilor, repetarea gloriilor lui Kṛṣṇa nu este o scădere din punct de vedere literar. Se spune că în momente de rătăcire, uimire sau mare extaz, unele afirmaţii se repetă din nou şi din nou. Acesta însă nu reprezintă un neajuns.

TEXTUL 20

द्यावापृथिव्योरिदमन्तरं हि
व्याप्तं त्वयैकेन दिशश्च सर्वाः ।
दृष्ट्वाद्भुतं रूपमुग्रं तवेदं
लोकत्रयं प्रव्यथितं महात्मन् ॥२०॥

dyāv ā-pṛthivyor idam antaraṁ hi
vyāptaṁ tvayaikena diśaś ca sarvāḥ
dṛṣṭvādbhutaṁ rūpam ugraṁ tavedaṁ
loka-trayaṁ pravyathitaṁ mahātman

dyau—din spaţiul exterior; *ā-pṛthivyoḥ*—până pe pământ; *idam*—acest; *antaram*—interval; *hi*—desigur; *vyāptam*—pătruns; *tvayā*—de Tine; *ekena*—singur; *diśaḥ*—direcţiile; *ca*—şi; *sarvāḥ*—toate; *dṛṣṭvā*—văzând; *adbhutam*—minunata; *rūpam*—formă; *ugram*—teribilă; *tava*—a Ta; *idam*

—aceste; *loka*—sisteme planetare; *trayam*—trei; *pravyathitam*—perturbate; *mahā-ātman*—o, măreţule.

Deşi Tu eşti unul, Te răspândeşti în tot cerul, în toate planetele şi în tot spaţiul dintre ele. O, Tu cel măreţ, văzând această minunată şi teribilă formă, toate sistemele planetare sunt tulburate.

COMENTARIU

Dyāvā-pṛthivyoḥ („spaţiul dintre cer şi pământ") şi *loka-trayam* („cele trei lumi") sunt cuvintele semnificative din acest verset, pentru că aici se arată că nu numai Arjuna a văzut această formă universală a Domnului, ci şi alţii de pe alte sisteme planetare au văzut-o. Viziunea formei universale avută de Arjuna nu era un vis. Toţi cei care au fost înzestraţi de Domnul cu viziunea divină au văzut acea formă universală pe câmpul de luptă.

TEXTUL 21

अमी हि त्वां सुरसङ्घा विशन्ति
केचिद्भीताः प्राञ्जलयो गृणन्ति ।
स्वस्तीत्युक्त्वा महर्षिसिद्धसङ्घाः
स्तुवन्ति त्वां स्तुतिभिः पुष्कलाभिः ॥२१॥

amī hi tvāṁ sura-saṅghā viśanti
kecid bhītāḥ prāñjalayo gṛṇanti
svastīty uktvā maharṣi-siddha-saṅghāḥ
stuvanti tvāṁ stutibhiḥ puṣkalābhiḥ

amī—toate aceste; *hi*—cu siguranţă; *tvām*—în Tine; *sura-saṅghāḥ*—cohorte de semizei; *viśanti*—pătrund; *kecit*—unii dintre ei; *bhītāḥ*—de frică; *prāñjalayaḥ*—cu mâinile împreunate; *gṛṇanti*—aduc rugăciuni; *svasti*—toată pacea; *iti*—astfel; *uktvā*—spunând; *mahā-ṛṣi*—marii înţelepţi; *siddha-saṅghāḥ*—fiinţele perfecte; *stuvanti*—cântă imnuri; *tvām*—către Tine; *stutibhiḥ*—cu rugăciuni; *puṣkalābhiḥ*—imnuri vedice.

Toate cohortele de semizei se supun în faţa Ta şi pătrund în Tine. Unii dintre ei, care se tem foarte mult, aduc rugăciuni cu mâinile împreuna-

te. Mulțimile de mari înțelepți și ființe perfecte, strigând „Toată pacea!",
se roagă Ție cântând imnuri vedice.

COMENTARIU

Semizeii din toate sistemele planetare s-au speriat de manifestarea înspăimân-
tătoare a formei universale și de orbitoarea ei strălucire, și astfel s-au rugat,
cerând ocrotire.

TEXTUL 22

रुद्रादित्या वसवो ये च साध्या
विश्वेऽश्विनौ मरुतश्चोष्मपाश्च ।
गन्धर्वयक्षासुरसिद्धसङ्घा
वीक्षन्ते त्वां विस्मिताश्चैव सर्वे ॥२२॥

rudrādityā vasavo ye ca sādhyā
viśve 'śvinau marutaś coṣmapāś ca
gandharva-yakṣāsura-siddha-saṅghā
vīkṣante tvāṁ vismitāś caiva sarve

rudra—manifestările Domnului Śiva; *ādityāḥ*—[cei doisprezece] Āditya;
vasavaḥ—[cei opt] Vasu; *ye*—toți aceștia; *ca*—și; *sādhyāḥ*—acei Sādhya;
viśve—acei Viśvedeva; *aśvinau*—cei doi Aśvinī-kumāra; *marutaḥ*—semizeii
Marut; *ca*—și; *uṣma-pāḥ*—strămoșii; *ca*—și; *gandharva*—acelor Gandhar-
va; *yakṣa*—acelor Yakṣa; *asura*—a demonilor; *siddha*—și a semizeilor per-
fecți; *saṅghāḥ*—adunările; *vīkṣante*—privesc; *tvām*—pe Tine; *vismitāḥ*—cu
uimire; *ca*—și; *eva*—desigur; *sarve*—cu toții.

**Toate manifestările diferite ale Domnului Śiva, ale tuturor Āditya,
Vasu, Sādhya, Viśvadeva, ale celor doi Aśvī, ale semizeilor Marut, stră-
moșilor, precum și ale tuturor Gandharva, Yakṣa, Asura și ale semizei-
lor perfecți Te privesc cu uimire.**

TEXTUL 23

रूपं महत्ते बहुवक्त्रनेत्रं
महाबाहो बहुबाहूरुपादम् ।

बहूदरं बहुदंष्ट्राकरालं
दृष्ट्वा लोकाः प्रव्यथितास्तथाहम् ॥२३॥

rūpaṁ mahat te bahu-vaktra-netraṁ
mahā-bāho bahu-bāhūru-pādam
bahūdaraṁ bahu-daṁṣṭrā-karālaṁ
dṛṣṭvā lokāḥ pravyathitās tathāham

rūpam—forma; *mahat*—foarte măreață; *te*—a Ta; *bahu*—multe; *vaktra*—fețe; *netram*—și ochi; *mahā-bāho*—o, puternic înarmatule; *bahu*—multe; *bāhu*—brațe; *ūru*—coapse; *pādam*—și picioare; *bahu-udaram*—multe pântece; *bahu-daṁṣṭrā*—mulți dinți; *karālam*—teribili; *dṛṣṭvā*—văzând; *lokāḥ*—toate planetele; *pravyathitāḥ*—tulburate; *tathā*—la fel; *aham*—eu.

O, puternic înarmatule, toate planetele cu semizeii lor sunt tulburate văzându-Ţi măreaţa formă cu multele ei feţe, ochi, braţe, coapse, picioare şi pântece şi multitudinea Ta de dinţi teribili; şi cum sunt ei tulburaţi, aşa sunt şi eu.

TEXTUL 24

नभःस्पृशं दीप्तमनेकवर्णं
व्यात्ताननं दीप्तविशालनेत्रम् ।
दृष्ट्वा हि त्वां प्रव्यथितान्तरात्मा
धृतिं न विन्दामि शमं च विष्णो ॥२४॥

nabhaḥ-spṛśaṁ dīptam aneka-varṇaṁ
vyāttānanaṁ dīpta-viśāla-netram
dṛṣṭva hi tvāṁ pravyathitāntar-ātmā
dhṛtiṁ na vindāmi śamaṁ ca viṣṇo

nabhaḥ-spṛśam—atingând cerul; *dīptam*—strălucitoare; *aneka*—multe; *varṇam*—culori; *vyātta*—deschise; *ānanam*—guri; *dīpta*—strălucitori; *viśāla*—foarte mari; *netram*—ochi; *dṛṣṭvā*—văzând; *hi*—desigur; *tvām*—pe Tine; *pravyathita*—tulburat; *antaḥ*—înăuntru; *ātmā*—sufletul; *dhṛtim*—stabilitatea; *na*—nu; *vindāmi*—am; *śamam*—echilibrul minţii; *ca*—precum şi; *viṣṇo*—o, Domn Viṣṇu.

O, atotpătrunzătorule Vișṇu, văzându-Te cu multele Tale culori radiante atingând cerul, cu gurile Tale larg deschise și cu ochii Tăi mari, strălucitori, mintea mea este tulburată de frică. Eu nu mai pot să-mi păstrez stabilitatea sau echilibrul minții.

TEXTUL 25

दंष्ट्राकरालानि च ते मुखानि
दृष्ट्वैव कालानलसन्निभानि ।
दिशो न जाने न लभे च शर्म
प्रसीद देवेश जगन्निवास ॥२५॥

daṁṣṭrā-karālāni ca te mukhāni
dṛṣṭvaiva kālānala-sannibhāni
diśo na jāne na labhe ca śarma
prasīda deveśa jagan-nivāsa

daṁṣṭrā—dinții; karālāni—înspăimântători; ca—și; te—ale Tale; mukhāni—fețe; dṛṣṭvā—văzând; eva—astfel; kāla-anala—focul morții; sannibhāni—ca și cum; diśaḥ—direcțiile; na—nu; jāne—cunosc; na—nu; labhe—dobândesc; ca—și; śarma—grația; prasīda—îndură-te; deva-īśa—o, Domn al tuturor domnilor; jagat-nivāsa—o, refugiu al lumilor.

O, Domn al domnilor, o, adăpost al lumilor, Te rog ai milă de mine. Eu nu mai pot să-mi păstrez echilibrul văzând astfel fețele Tale arzătoare ca moartea și dinții îngrozitori. Sunt zăpăcit în toate privințele.

TEXTELE 26-27

अमी च त्वां धृतराष्ट्रस्य पुत्राः
सर्वे सहैवावनिपालसङ्घैः ।
भीष्मो द्रोणः सूतपुत्रस्तथासौ
सहास्मदीयैरपि योधमुख्यैः ॥२६॥

वक्त्राणि ते त्वरमाणा विशन्ति
दंष्ट्राकरालानि भयानकानि ।

केचिद्विलग्ना दशनान्तरेषु
सन्दृश्यन्ते चूर्णितैरुत्तमाङ्गैः ॥२७॥

*amī ca tvāṁ dhṛtarāṣṭrasya putrāḥ
sarve sahaivāvani-pāla-saṅghaiḥ
bhīṣmo droṇaḥ sūta-putras tathāsau
sahāsmadīyair api yodha-mukhyaiḥ*

*vaktrāṇi te tvaramāṇā viśanti
daṁṣṭrā-karālāni bhayānakāni
kecid vilagnā daśanāntareṣu
sandṛśyante cūrṇitair uttamāṅgaiḥ*

amī—aceştia; *ca*—şi; *tvām*—pe Tine; *dhṛtarāṣṭrasya*—ai lui Dhṛtarāṣṭra; *putrāḥ*—fiii; *sarve*—toţi; *saha*—împreună cu; *eva*—desigur; *avani-pāla*—ale regilor luptători; *saṅghaiḥ*—cetele; *bhīṣmaḥ*—Bhīṣmadeva; *droṇaḥ*—Droṇācārya; *sūta-putraḥ*—Karṇa; *tathā*—de asemenea; *asau*—acela; *saha*—împreună cu; *asmadīyaiḥ*—ale noastre; *api*—precum şi; *yodha-mukhyaiḥ*—căpeteniile oştenilor; *vaktrāṇi*—gurile; *te*—Tale; *tvaramāṇāḥ*—năvălind; *viśanti*—intră în; *daṁṣṭrā*—dinţii; *karālāni*—groaznici; *bhayānakāni*—foarte înfricoşători; *kecit*—unii; *vilagnāḥ*—agăţându-se; *daśana-antareṣu*—între dinţi; *sandṛśyante*—se văd; *cūrṇitaiḥ*—sfărâmate; *uttama-aṅgaiḥ*—cu capetele.

Toţi fiii lui Dhṛtarāṣṭra, împreună cu regii aliaţi lor, cu Bhīṣma, Droṇa, Karṇa şi de asemenea soldaţii noştri de frunte, se năpustesc în gurile Tale înfricoşătoare. Şi pe unii îi văd prinşi cu capetele zdrobite între dinţii Tăi.

COMENTARIU

Într-un verset anterior, Domnul i-a promis lui Arjuna că-i arată lucruri pe care ar fi foarte interesat să le vadă. Acum Arjuna vede cum conducătorii părţii adverse (Bhīṣma, Droṇa, Karṇa şi toţi fiii lui Dhṛtarāṣṭra), la fel ca şi soldaţii lor, împreună cu soldaţii lui Arjuna, erau cu toţii nimiciţi. Aceasta este o indicaţie a faptului că, după ce aproape toate persoanele adunate la Kurukṣetra vor muri, Arjuna va ieşi victorios. Tot aici se menţionează şi faptul că Bhīṣma, care se presupune că era de neînvins, va fi zdrobit, la fel ca și Karṇa. Dar nu numai marii luptători din cealaltă tabără, cum ar fi Bhiṣma, vor fi zdrobiți, ci și unii din marii luptători aflați de partea lui Arjuna.

TEXTUL 28

यथा नदीनां बहवोऽम्बुवेगाः
समुद्रमेवाभिमुखा द्रवन्ति ।
तथा तवामी नरलोकवीरा
विशन्ति वक्त्राण्यभिविज्वलन्ति ॥२८॥

yathā nadīnāṁ bahavo 'mbu-vegāḥ
samudram evābhimukhā dravanti
tathā tavāmī nara-loka-vīrā
viśanti vaktrāṇy abhivijvalanti

yathā—așa cum; *nadīnām*—ale râurilor; *bahavaḥ*—multele; *ambu-vegāḥ*—valuri de apă; *samudram*—ocean; *eva*—desigur; *abhimukhāḥ*—îndreptate spre; *dravanti*—curg; *tathā*—la fel; *tava*—ale Tale; *amī*—toți aceşti; *nara-loka-vīrāḥ*—regi ai societății umane; *viśanti*—intră în; *vaktrāṇi*—guri; *abhivijvalanti*—și ard.

Așa cum multele valuri ale unui râu se varsă în ocean, la fel toți aceşti mari luptători intră arzând în gurile Tale.

TEXTUL 29

यथा प्रदीप्तं ज्वलनं पतङ्गा
विशन्ति नाशाय समृद्धवेगाः ।
तथैव नाशाय विशन्ति लोका-
स्तवापि वक्त्राणि समृद्धवेगाः ॥२९॥

yathā pradīptaṁ jvalanaṁ pataṅgā
viśanti nāśāya samṛddha-vegāḥ
tathaiva nāśāya viśanti lokās
tavāpi vaktrāṇi samṛddha-vegāḥ

yathā—aşa cum; *pradīptam*—arzător; *jvalanam*—focul; *patangāḥ*—fluturii; *viśanti*—intră în; *nāśāya*—spre a pieri; *samṛddha*—cu toată; *vegāḥ*—viteza; *tathā eva*—la fel; *nāśāya*—spre pieire; *viśanti*—intră în; *lokāḥ*—toţi oamenii; *tava*—ale Tale; *api*—de asemenea; *vaktrāṇi*—guri; *samṛddha-vegāḥ*—cu toată viteza.

Văd toţi oamenii intrând cu toată viteza în gurile Tale, precum fluturii sunt nimiciţi zburând deasupra flăcărilor.

TEXTUL 30

लेलिह्यसे ग्रसमानः समन्ता-
ल्लोकान् समग्रान् वदनैर्ज्वलद्भिः ।
तेजोभिरापूर्य जगत्समग्रं
भासस्तवोग्राः प्रतपन्ति विष्णो ॥३०॥

lelihyase grasamānaḥ samantāl
lokān samagrān vadanair jvaladbhiḥ
tejobhir āpūrya jagat samagram
bhāsas tavograḥ pratapanti viṣṇo

lelihyase—Tu îi răpui; *grasamānaḥ*—devorând; *samantāt*—din toate părţile; *lokān*—pe oameni; *samagrān*—pe toţi; *vadanaiḥ*—cu gurile; *jvaladbhiḥ*—arzătoare; *tejobhiḥ*—cu strălucirea; *āpūrya*—acoperind; *jagat*—universul; *samagram*—întreg; *bhāsaḥ*—razele; *tava*—Tale; *ugrāḥ*—cumplite; *pratapanti*—ard; *viṣṇo*—o, atotpătrunzătorule Domn.

O, Vişnu, Te văd devorând toţi oamenii din toate părţile cu gurile Tale în flăcări. Acoperind întreg universul cu strălucirea Ta, Te manifeşti cu razele Tale pârjolitoare.

TEXTUL 31

आख्याहि मे को भवानुग्ररूपो
नमोऽस्तु ते देववर प्रसीद ।

विज्ञातुमिच्छामि भवन्तमाद्यं
न हि प्रजानामि तव प्रवृत्तिम् ॥३१॥

ākhyāhi me ko bhavān ugra-rūpo
namo 'stu te deva-vara prasīda
vijñātum icchāmi bhavantam ādyaṁ
na hi prajānāmi tava pravṛttim

ākhyāhi—Te rog explică; *me*—mie; *kaḥ*—cine; *bhavān*—Tu; *ugra-rūpaḥ*—formă înfiorătoare; *namaḥ astu*—închinare; *te*—Ție; *deva-vara*—o, Tu Cel măreț printre semizei; *prasīda*—îndură-Te; *vijñātum*—să cunosc; *icchāmi*—doresc; *bhavantam*—pe Tine; *ādyam*—Cel originar; *na*—nu; *hi*—cu adevărat; *prajānāmi*—cunosc; *tava*—a Ta; *pravṛttim*—misiune.

O, Domn al domnilor cu formă atât de înfiorătoare, Te rog spune-mi cine ești Tu. Îți acord toată supunerea mea; Te rog ai milă de mine. Tu ești Domnul primordial. Aș vrea să Te cunosc pe Tine, căci nu știu care Îți este misiunea.

TEXTUL 32

श्रीभगवानुवाच
कालोऽस्मि लोकक्षयकृत्प्रवृद्धो
लोकान् समाहर्तुमिह प्रवृत्तः ।
ऋतेऽपि त्वां न भविष्यन्ति सर्वे
येऽवस्थिताः प्रत्यनीकेषु योधाः ॥३२॥

śrī-bhagavān uvāca
kālo 'smi loka-kṣaya-kṛt pravṛddho
lokān samāhartum iha pravṛttaḥ
ṛte 'pi tvāṁ na bhaviṣyanti sarve
ye 'vasthitāḥ pratyanīkeṣu yodhāḥ

śrī-bhagavān uvāca—Personalitatea Divinității a spus; *kālaḥ*—timpul; *asmi*—Eu sunt; *loka*—al lumilor; *kṣaya-kṛt*—distrugătorul; *pravṛddhaḥ*—mare;

lokān—toţi oamenii; *samāhartum*—să distrugă; *iha*—în această lume; *pravṛttaḥ*—angajat; *ṛte*—în afară de; *api*—chiar; *tvām*—tine; *na*—niciodată; *bhaviṣyanti*—vor fi; *sarve*—toţi; *ye*—cei care; *avasthitāḥ*—aşezaţi; *pratianīkeṣu*—în tabere opuse; *yodhāḥ*—soldaţi.

Suprema Personalitate a Divinităţii a spus: Eu sunt timpul, marele distrugător al lumilor, şi am venit aici să distrug toţi oamenii. În afară de voi [fraţii Pāṇḍava], toţi soldaţii de aici, din ambele tabere, vor fi ucişi.

COMENTARIU

Deşi Arjuna ştia că Kṛṣṇa este prietenul său şi Suprema Personalitate a Divinităţii, era descumpănit de diferitele forme înfăţişate de Kṛṣṇa. De aceea, el întreabă în continuare despre adevărata misiune a acestei forţe devastatoare. În *Vede* scrie că Adevărul Suprem distruge totul, chiar şi pe brahmani. Aşa cum se arată în *Kaṭha Upaniṣad* (1.2.25)

> *yasya brahma ca kṣatraṁ ca*
> *ubhe bhavata odanaḥ*
> *mṛtyur yasyopasecanaṁ*
> *ka itthā veda yatra saḥ*

În cele din urmă, toţi brahmanii, *kṣatriya* şi oricine altcineva sunt devoraţi ca mâncarea de către Cel Suprem. Această formă a Domnului Suprem este uriaşul atotdevorator, iar Kṛṣṇa se prezintă pe Sine aici sub forma timpului atotdevorator. În afară de câţiva dintre Pāṇḍava, toţi cei prezenţi pe câmpul de bătălie urmau să fie devoraţi de El.

Arjuna nu era în favoarea luptei şi socotea că este mai bine să nu lupte; atunci n-ar mai fi existat nici un fel de frustrare. Ca răspuns, Domnul spune că şi dacă n-ar fi luptat, toţi aceştia ar fi fost nimiciţi, căci acesta era planul Său. Dacă Arjuna ar fi încetat să lupte, ei ar fi murit într-un alt mod. Moartea nu putea fi oprită, chiar dacă el nu ar fi luptat. De fapt, ei erau deja morţi. Timpul înseamnă distrugere şi toate manifestările sunt destinate pieirii prin dorinţa Domnului Suprem. Aceasta este legea naturii.

TEXTUL 33

तस्मात्त्वमुत्तिष्ठ यशो लभस्व
जित्वा शत्रून् भुङ्क्ष्व राज्यं समृद्धम् ।

मयैवैते निहताः पूर्वमेव
निमित्तमात्रं भव सव्यसाचिन् ॥३३॥

tasmāt tvam uttiṣṭha yaśo labhasva
jitvā śatrūn bhuṅkṣva rājyaṁ samṛddham
mayaivaite nihatāḥ pūrvam eva
nimitta-mātraṁ bhava savya-sācin

tasmāt—de aceea; *tvam*—tu; *uttiṣṭha*—ridică-te; *yaśaḥ*—faima; *labhasva*—câștigă; *jitvā*—învingând; *śatrūn*—vrăjmașii; *bhuṅkṣva*—bucură-te de; *rājyam*—domnie; *samṛddham*—înfloritoare; *mayā*—de Mine; *eva*—desigur; *ete*—toți aceștia; *nihatāḥ*—uciși; *pūrvam eva*—chiar de mai înainte; *nimitta-mātram*—doar cauza; *bhava*—devino; *savya-sācin*—o, Savyasācī.

De aceea, ridică-te. Pregătește-te de luptă și dobândește gloria. Învinge-ți dușmanii și bucură-te de un regat înfloritor. Ei sunt deja condamnați la moarte prin aranjamentul Meu, iar tu, o, Savyasācī, poți fi doar un instrument în această luptă.

COMENTARIU

Savya-sācin se referă la acela care poate lansa săgețile cu multă iscusință pe câmpul de luptă; astfel, Kṛṣṇa se adresează lui Arjuna ca unui luptător iscusit, capabil să tragă cu săgețile astfel încât să-și ucidă dușmanii. „Să devii doar un instrument", *nimitta-mātram*. Aceste cuvinte sunt de asemenea foarte semnificative. Întreaga lume se mișcă conform planului Personalității Supreme a Divinității. Nesocotiții care nu au suficientă cunoaștere cred că natura se mișcă fără nici un plan și că toate manifestările sunt doar accidentale.

Există o mulțime de așa-numiți oameni de știință care sugerează că este posibil să fi fost așa, sau poate altfel, dar nu este vorba de „posibil" și „poate că". Există un plan anume ce se îndeplinește în lumea materială. Ce este acest plan? Manifestarea cosmică este o șansă pentru sufletele condiționate să se întoarcă la Divinitate, să se întoarcă acasă. Atâta vreme cât sunt dominați de mentalitatea care îi face să încerce să stăpânească asupra naturii materiale, ei rămân condiționați. Dar cel ce poate înțelege planul Domnului Suprem și poate cultiva conștiința de Kṛṣṇa este cel mai inteligent. Creația și distrugerea manifestării cosmice se află sub îndrumarea superioară a lui Dumnezeu. De aceea, bătălia de la Kurukṣetra s-a desfășurat după planul lui Dumnezeu.

Arjuna refuzase să lupte, dar i s-a spus că trebuie să lupte pentru a se confor-
ma dorinţei Domnului Suprem. Atunci ar fi putut să fie fericit. Dacă omul
este pe deplin în conştiinţa de Kṛṣṇa şi viaţa sa este dedicată slujirii transcen-
dente a Domnului, el este desăvârşit.

TEXTUL 34

द्रोणं च भीष्मं च जयद्रथं च
कर्णं तथान्यानपि योधवीरान् ।
मया हतांस्त्वं जहि मा व्यथिष्ठा
युध्यस्व जेतासि रणे सपत्नान् ॥३४॥

droṇaṁ ca bhīṣmaṁ ca jayadrathaṁ ca
karṇaṁ tathānyān api yodha-vīrān
mayā hatāṁs tvaṁ jahi mā vyathiṣṭhā
yudhyasva jetāsi raṇe sapatnān

droṇam ca—şi Droṇa; *bhīṣmam ca*—şi Bhīṣma; *jayadratham ca*—şi Jayad-
ratha; *karṇam*—Karṇa; *tathā*—precum şi; *anyān*—alţii; *api*—desigur;
yodha-vīrān—mari luptători; *mayā*—de Mine; *hatān*—deja ucişi; *tvam*—
Tu; *jahi*—distruge; *mā*—nu; *vyathiṣṭhāḥ*—tulburat; *yudhyasva*—luptă doar;
jetā asi—vei învinge; *raṇe*—în bătălie; *sapatnān*—duşmanii.

**Droṇa, Bhīṣma, Jayadratha, Karṇa şi ceilalţi mari războinici au fost
deja nimiciţi de Mine. Ca urmare, omoară-i şi nu fi tulburat. Luptă
doar şi îţi vei învinge duşmanii în bătălie.**

COMENTARIU

Orice plan este alcătuit de Suprema Personalitate a Divinităţii, dar El este atât
de bun şi milostiv faţă de devoţii Săi încât doreşte să atribuie toate merite-
le devoţilor Săi care duc la îndeplinire planul Său, potrivit dorinţei Sale. De
aceea viaţa trebuie să se desfăşoare în aşa fel încât fiecare să acţioneze în con-
ştiinţa de Kṛṣṇa şi să înţeleagă Suprema Personalitate a Divinităţii prin inter-
mediul unui maestru spiritual. Planurile Personalităţii Supreme a Divinită-
ţii sunt înţelese prin mila Sa, iar planurile devoţilor sunt la fel de bune ca şi

planurile Sale. Omul trebuie să urmeze aceste planuri și să iasă victorios din lupta pentru existență.

TEXTUL 35

सञ्जय उवाच
एतच्छ्रुत्वा वचनं केशवस्य
कृताञ्जलिर्वेपमानः किरीती ।
नमस्कृत्वा भूय एवाह कृष्णं
सगद्गदं भीतभीतः प्रणम्य ॥३५॥

sañjaya uvāca
etac chrutvā vacanaṁ keśavasya
kṛtāñjalir vepamānaḥ kirīṭī
namaskṛtvā bhūya evāha kṛṣṇaṁ
sa-gadgadaṁ bhīta-bhītaḥ praṇamya

sañjayaḥ uvāca—Sañjaya a spus; *etat*—astfel; *śrutvā*—auzind; *vacanam*—vorbele; *keśavasya*—lui Kṛṣṇa; *kṛta-añjaliḥ*—cu palmele împreunate; *vepamānaḥ*—tremurând; *kirīṭī*—Arjuna; *namaskṛtvā*—închinându-se; *bhūyaḥ*—din nou; *eva*—de asemenea; *āha*—spuse; *kṛṣṇam*—către Kṛṣṇa; *sa-gadgadam*—cu vocea întretăiată; *bhīta-bhītaḥ*—plin de spaimă; *praṇamya*—închinându-se.

Sañjaya i-a spus lui Dhṛtarāṣṭra: O, Rege, auzind aceste cuvinte din partea Personalității Supreme a Divinității, Arjuna tremurând I-a oferit supunere cu mâinile împreunate din nou și din nou. Înfricoșat, cu vocea tremurândă, el I-a vorbit Domnului Kṛṣṇa astfel.

COMENTARIU

Așa cum am explicat deja, datorită situației create de forma universală a Personalității Supreme a Divinității, Arjuna a fost copleșit de uimire; astfel, el a început să se închine cu mult respect în fața lui Kṛṣṇa, mereu și mereu, și, cu vocea întretăiată, a început să se roage, nu ca un prieten, ci ca un devot cuprins de uimire.

TEXTUL 36

अर्जुन उवाच
स्थाने हृषीकेश तव प्रकीर्त्या
जगत्प्रहृष्यत्यनुरज्यते च ।
रक्षांसि भीतानि दिशो द्रवन्ति
सर्वे नमस्यन्ति च सिद्धसङ्घाः ॥३६॥

arjuna uvāca
sthāne hṛṣīkeśa tava prakīrtyā
jagat prahṛṣyaty anurajyate ca
rakṣāṁsi bhītāni diśo dravanti
sarve namasyanti ca siddha-saṅghāḥ

arjunaḥ uvāca—Arjuna a spus; *sthāne*—drept este; *hṛṣīka-īśa*—o, stăpân al tuturor simţurilor; *tava*—Tale; *prakīrtyā*—prin gloriile; *jagat*—întreaga lume; *prahṛṣyati*—se bucură; *anurajyate*—devine ataşată; *ca*—şi; *rakṣāṁsi*—demonii; *bhītāni*—de frică; *diśaḥ*—în toate direcţiile; *dravanti*—se reped; *sarve*—toţi; *namasyanti*—închinându-se; *ca*—precum şi; *siddha-saṅghāḥ*—oamenii cei desăvârşiţi.

Arjuna a spus: O, stăpân al simţurilor, lumea se bucură la auzul numelui Tău şi astfel toţi devin ataşaţi de Tine. Deşi fiinţele perfecte Îţi aduc omagiul lor plin de respect, demonii se înspăimântă şi aleargă dintr-o parte în alta. Toate acestea sunt corect alcătuite.

COMENTARIU

După ce află de la Kṛṣṇa despre deznodământul bătăliei de la Kurukṣetra, Arjuna se luminează şi, ca un mare devot şi prieten al Personalităţii Supreme a Divinităţii, spune că tot ceea ce este făcut de Kṛṣṇa este aşa cum trebuie să fie. Arjuna a confirmat că Kṛṣṇa este susţinătorul şi obiectul adorării devoţilor, precum şi ditrugătorul celor nedorite. Acţiunile Sale sunt deopotrivă de bune pentru toţi. Arjuna a înţeles acum că, atunci când bătălia de la Kurukṣetra se va încheia, în spaţiul cosmic vor fi prezenţi o mulţime de semizei, *siddha* şi toate fiinţele superioare de pe planetele înalte, privind desfăşurarea bătăliei, datorită faptului că Kṛṣṇa era prezent acolo. Când Arjuna a văzut forma universală a Domnului, semizeii s-au desfătat, dar alţii, care erau demoni şi atei, nu au putut să suporte laudele aduse Domnului. Dintr-o frică firească față de forma devastatoare a Personalității Supreme a Divinității, ei au luat-o la goană. Atitudinea lui Kṛṣṇa față de devoți și față de atei este lăudată de Arjuna. Devotul Îl slăvește pe Domnul în toate împrejurările, căci știe că tot ceea ce face El este bun pentru toți.

TEXTUL 37

कस्माच्च ते न नमेरन्महात्मन्
गरीयसे ब्रह्मणोऽप्यादिकर्त्रे ।
अनन्त देवेश जगन्निवास
त्वमक्षरं सदसत्तत्परं यत् ॥३७॥

kasmāc ca te na nameran mahātman
garīyase brahmaṇo 'py ādi-kartre
ananta deveśa jagan-nivāsa
tvam akṣaraṁ sad-asat tat paraṁ yat

kasmāt—de ce; *ca*—și; *te*—Ție; *na*—nu; *nameran*—ar trebui să se închine așa cum se cuvine; *mahā-ātman*—o, mărețule; *garīyase*—care ești mai presus; *brahmaṇaḥ*—decât Brahmā; *api*—deși; *ādi-kartre*—creatorului suprem; *ananta*—o, Tu Cel nelimitat; *deva-īśa*—o, Dumnezeu al dumnezeilor; *jagat-nivāsa*—o, adăpost al universului; *tvam*—Tu ești; *akṣaram*—nepieritor; *sat-asat*—față de cauză și efect; *tat param*—transcendent; *yat*—pentru că.

O, mărețule, Cel ce ești mai presus decât Brahmā, Tu ești creatorul original. Atunci de ce aceștia nu Ți se închină cu tot respectul? O, Tu Cel fără limite, Dumnezeu al dumnezeilor, adăpost al universului! Tu ești sursa invincibilă, cauza tuturor cauzelor, transcendent față de această manifestare materială.

COMENTARIU

Oferind aceste plecăciuni, Arjuna arată că Kṛṣṇa trebuie adorat de fiecare ființă. El este atotpătrunzător și este Sufletul oricărui suflet. Arjuna I se adresează lui Kṛṣṇa cu numele de *mahātmā*, ceea ce înseamnă că El este cel mai măreț și nelimitat. *Ananta* indică faptul că nu există nici un lucru care să nu fie acoperit de influența și energia Domnului Suprem, iar *deveśa* înseamnă că

El este conducătorul tuturor semizeilor și se află deasupra lor. El este refugiul întregului univers. Arjuna se gândește că se cuvenea ca toate ființele desăvâr-șite și puternicii semizei să se închine cu respect în fața Lui, căci nimeni nu este mai presus de El. În mod special, Arjuna menționează că Kṛṣṇa este mai presus de Brahmā, căci Brahmā este creat de El. Brahmā s-a născut din lotusul crescut din ombilicul lui Garbhodakaśāyī Viṣṇu, care este expansiunea plenară a lui Kṛṣṇa; de aceea Brahmā și Domnul Śiva cel născut din Brahmā, ca și toți ceilalți semizei trebuie să se închine cu mult respect. În *Śrīmad-Bhāgavatam* se spune că Domnului I se aduce omagiu de către Domnul Śiva și Brahmā și alți asemenea semizei. Cuvântul *akṣaram* este foarte semnificativ, căci aceas-tă creație materială este supusă distrugerii, dar Domnul este deasupra creației materiale. El este cauza tuturor cauzelor și, de aceea, El este superior tuturor sufletelor condiționate din această natură materială, ca și însăși manifestării cosmice materiale. Prin urmare, El este Supremul Cel atotputernic.

TEXTUL 38

त्वमादिदेवः पुरुषः पुराण-
स्त्वमस्य विश्वस्य परं निधानम् ।
वेत्तासि वेद्यं च परं च धाम
त्वया ततं विश्वमनन्तरूप ॥३८॥

tvam ādi-devaḥ puruṣaḥ purāṇas
tvam asya viśvasya paraṁ nidhānam
vettāsi vedyaṁ ca paraṁ ca dhāma
tvayā tataṁ viśvam ananta-rūpa

tvam—Tu; *ādi-devaḥ*—Supremul Dumnezeu original; *puruṣaḥ*—persoană; *purāṇaḥ*—bătrân; *tvam*—Tu; *asya*—al acestui; *viśvasya*—univers; *param*—transcendent; *nidhānam*—adăpostul; *vettā*—cunoscătorul; *asi*—Tu ești; *vedyam*—Cel ce trebuie cunoscut; *ca*—și; *param*—transcendent; *ca*—și; *dhāma*—sălașul; *tvayā*—prin Tine; *tatam*—pătruns; *viśvam*—universul; *ananta-rūpa*—o, formă nesfârșită.

Tu ești Personalitatea originară a Divinității, cel mai bătrân, sanctua-rul fundamental al acestei lumi cosmice manifestate. Tu ești cunoscăto-

rul tuturor lucrurilor și tot ceea ce poate fi cunoscut. Tu ești supremul adăpost, deasupra modurilor materiale. O, formă nelimitată! Întreaga manifestare cosmică este pătrunsă de Tine!

COMENTARIU

Tot ceea ce există se întemeiază pe Suprema Personalitate a Divinității; de aceea, El este sălașul ultim. *Nidhānam* înseamnă că toate lucrurile, chiar și strălucirea lui Brahman, își află temeiul în Suprema Personalitate a Divinității, Kṛṣṇa. El este cunoscătorul tuturor lucrurilor ce se petrec în lume, iar dacă cunoașterea are vreun capăt, El este capătul tuturor cunoașterilor; de aceea, El este cunoscătorul și cunoscutul. El este obiectul cunoașterii pentru că El este atotpătrunzător. Deoarece este cauza în lumea spirituală, El este transcendent. El este de asemenea personalitatea conducătoare în lumea spirituală.

TEXTUL 39

वायुर्यमोऽग्निर्वरुणः शशाङ्कः
प्रजापतिस्त्वं प्रपितामहश्च ।
नमो नमस्तेऽस्तु सहस्रकृत्वः
पुनश्च भूयोऽपि नमो नमस्ते ॥३९॥

vāyur yamo 'gnir varuṇaḥ śaśāṅkaḥ
prajāpatis tvaṁ prapitāmahaś ca
namo namas te 'stu sahasra-kṛtvaḥ
punaś ca bhūyo 'pi namo namas te

vāyuḥ—aerul; *yamaḥ*—stăpânitorul; *agniḥ*—focul; *varuṇaḥ*—apa; *śaśā-aṅkaḥ*—luna; *prajāpatiḥ*—Brahmā; *tvam*—Tu; *prapitāmahaḥ*—marele stră-bun; *ca*—și; *namaḥ*—plecăciunile mele; *namaḥ*—din nou închinare; *te*—Ție; *astu*—fie; *sahasra-kṛtvaḥ*—de o mie de ori; *punaḥ ca*—și din nou; *bhūyaḥ*—mai mult; *api*—chiar; *namaḥ*—închinându-mă; *namaḥ te*—închinân-du-mă Ție.

Tu ești aerul și tot Tu ești supremul care controlează! Tu ești focul, apa și luna! Tu ești Brahmā, prima creatură vie și tot Tu ești marele stră-

bun. De aceea, mă închin cu respect Ţie de o mie de ori, iar apoi din nou şi din nou!

COMENTARIU

Domnul este numit aici „aer", pentru că aerul este reprezentarea cea mai importantă a tuturor semizeilor, fiind atotpătrunzător. Arjuna Îl mai numeşte pe Kṛṣṇa „marele strābun", pentru că El este tatăl lui Brahmā, prima fiinţă creată din univers.

TEXTUL 40

नमः पुरस्तादथ पृष्ठतस्ते
नमोऽस्तु ते सर्वत एव सर्व ।
अनन्तवीर्यामितविक्रमस्त्वं
सर्वं समाप्नोषि ततोऽसि सर्वः ॥४०॥

namaḥ purastād atha pṛṣṭhatas te
namo 'stu te sarvata eva sarva
ananta-vīryāmita-vikramas tvaṁ
sarvaṁ samāpnoṣi tato 'si sarvaḥ

namaḥ—închinare; *purastāt*—din faţă; *atha*—precum şi; *pṛṣṭhataḥ*—din spate; *te*—Ţie; *namaḥ astu*—mă închin cu cinste; *te*—Ţie; *sarvataḥ*—din toate părţile; *eva*—cu adevărat; *sarva*—pentru că Tu eşti totul; *ananta-vīrya* —energie nelimitată; *amita-vikramaḥ*—şi forţă nelimitată; *tvam*—Tu; *sarvam*—totul; *samāpnoṣi*—Tu acoperi; *tataḥ*—de aceea; *asi*—Tu eşti; *sarvaḥ*—totul.

Plecăciune Ţie din faţă, din spate şi din toate părţile. O, putere descătuşată, Tu eşti stăpânul puterii fără de limite! Tu eşti atotpătrunzător şi astfel Tu eşti totul.

COMENTARIU

Datorită extazului iubirii pentru Kṛṣṇa, prietenul Său Arjuna I se închină din toate părţile. Arjuna acceptă faptul că El este stăpânitorul tuturor puterilor şi tuturor vitejiilor, şi este de departe superior tuturor marilor luptători pe câmpul de luptă. În *Viṣṇu Purāṇa* (1.9.69) se spune:

yo 'yaṁ tavāgato deva
samīpaṁ devatā-gaṇaḥ
sa tvam eva jagat-sraṣṭā
yataḥ sarva-gato bhavān

„Oricine vine în faţa Ta, fie el şi semizeu, este creat de Tine, o, Supremă Personalitate a Divinităţii."

TEXTELE 41–42

सखेति मत्वा प्रसभं यदुक्तं
हे कृष्ण हे यादव हे सखेति ।
अजानता महिमानं तवेदं
मया प्रमादात्प्रणयेन वापि ॥४१॥

यच्चावहासार्थमसत्कृतोऽसि
विहारशय्यासनभोजनेषु ।
एकोऽथ वाप्यच्युत तत्समक्षं
तत्क्षामये त्वामहमप्रमेयम् ॥४२॥

sakheti matvā prasabhaṁ yad uktaṁ
he kṛṣṇa he yādava he sakheti
ajānatā mahimānaṁ tavedaṁ
mayā pramādāt praṇayena vāpi

yac cāvahāsārtham asat-kṛto 'si
vihāra-śayyāsana-bhojaneṣu
eko 'tha vāpy acyuta tat-samakṣaṁ
tat kṣāmaye tvām aham aprameyam

sakhā—prieten; iti—astfel; matvā—socotind; prasabham—în mod impertinent; yat—orice; uktam—am spus; he kṛṣṇa—o, Kṛṣṇa; he yādava—o, Yādava; he sakhe—o, dragul meu prieten; iti—astfel; ajānatā—fără a cunoaşte; mahimānam—gloriile; tava—Tale; idam—acestea; mayā—de mine; pramādāt—din nesocotinţă; praṇayena—din dragoste; vā api—fie; yat—orice; ca—şi; avahāsa-artham—în glumă; asat-kṛtaḥ—dezonorat; asi—Tu ai fost; vihāra—la odihnă; śayyā—stând culcaţi; āsana—fiind aşezaţi;

bhojaneşu—sau mâncând împreună; *ekaḥ*—singur; *atha vā*—sau; *api*—precum şi; *acyuta*—o, cel infailibil; *tat-samakşam*—printre însoţitori; *tat*—toate acestea; *kşāmaye*—cer iertare; *tvām*—de la Tine; *aham*—Eu; *aprameyam*—de necuprins.

Socotindu-Te prietenul meu, cu nesăbuinţă m-am adresat Ţie, numindu-Te „O, Krşna", „O, Yādava", „O, prietene", necunoscând gloriile Tale. Te rog să-mi ierţi tot ceea ce am putut face din nebunie sau din dragoste. Te-am dezonorat de multe ori, glumind pe când ne odihneam, stăteam întinşi pe acelaşi pat, sau eram aşezaţi, mâncând împreună, uneori singuri, alteori în faţa multor prieteni. O, Tu, Cel infailibil, Te rog iartă-mă pentru toate aceste ofense.

COMENTARIU

Deşi Krşna se manifestă în faţa lui Arjuna în forma Sa universală, Arjuna îşi aminteşte relaţia sa de prietenie cu Krşna şi de aceea Îi cere iertare, rugându-L pe Krşna să-l scuze pentru multele gesturi familiare făcute din prietenie. El admite că mai înainte nu ştia că Krşna poate să-Şi asume o astfel de formă universală, chiar dacă Krşna, în calitate de prieten intim, i-a explicat-o. Arjuna nu mai ştie de câte ori L-a nesocotit pe Krşna, adresându-se Lui cu cuvintele „O, prietene", „O, Krşna", „O, Yādava" etc., fără să ţină seama de măreţia Lui. Dar Krşna este atât de bun şi milostiv încât, în ciuda măreţiei Sale, El a jucat cu Arjuna rolul de prieten. Aceasta este dragostea transcendentă reciprocă dintre devot şi Domnul. Relaţia dintre entitatea vie şi Krşna este stabilită din veşnicie; ea nu poate fi uitată, aşa cum putem vedea din comportarea lui Arjuna. Deşi Arjuna văzuse opulenţa formei universale, el nu poate uita relaţia sa de prietenie cu Krşna.

TEXTUL 43

पितासि लोकस्य चराचरस्य
त्वमस्य पूज्यश्च गुरुर्गरीयान् ।
न त्वत्समोऽस्त्यभ्यधिकः कुतोऽन्यो
लोकत्रयेऽप्यप्रतिमप्रभाव ॥४३॥

pitāsi lokasya carācarasya
tvam asya pūjyaś ca gurur garīyān

na tvat-samo 'sty abhyadhikaḥ kuto 'nyo
loka-traye 'py apratima-prabhāva

pitā—tatăl; *asi*—Tu ești; *lokasya*—al tuturor lumilor; *cara*—mișcătoare; *acarasya*—nemișcătoare; *tvam*—Tu ești; *asya*—al acesteia; *pūjyaḥ*—de adorat; *ca*—și; *guruḥ*—maestrul spiritual; *garīyān*—glorios; *na*—niciodată; *tvat-samaḥ*—egal cu Tine; *asti*—există; *abhyadhikaḥ*—mai mare; *kutaḥ*— cum este posibil; *anyaḥ*—un altul; *loka-traye*—în cele trei sisteme planetare; *api*—de asemenea; *apratima-prabhāva*—o, putere de nemăsurat.

Tu ești tatăl întregii manifestări cosmice, al celor mișcătoare și nemiș-cătoare. Tu ești conducătorul ei ce trebuie adorat, supremul maestru spiritual. Nimeni nu este egalul Tău și nici nu poate cineva să fie una cu Tine. Cum deci ar putea să existe un altul mai mare decât Tine în cele trei lumi, o, Domn cu putere nemăsurată?

COMENTARIU

Suprema Personalitate a Divinității, Kṛṣṇa, trebuie adorat, așa cum un tată trebuie să fie adorat de fiul său. El este maestru spiritual pentru că inițial El a dat învățătura vedică lui Brahmā și de asemenea în prezent îi transmi-te *Bhagavad-gītā* lui Arjuna; deci El este maestrul spiritual originar, iar orice maestru spiritual din prezent trebuie să fie un descendent pe calea succesiu-nii disciplice care pornește de la Kṛṣṇa. Fără a fi un reprezentant al lui Kṛṣṇa, nimeni nu poate să devină un învățător sau maestru spiritual în domeniul subiectelor transcendente.

Domnului i se aduce aici supunere în toate privințele. Măreția Sa este de necuprins. Nimeni nu poate fi mai mare decât Suprema Personalitate a Divi-nității, Kṛṣṇa, pentru că nimeni nu este egal cu Kṛṣṇa sau mai presus de El în întreaga manifestare, spirituală sau materială. Toți se află mai prejos de El. Nimeni nu poate să-L întreacă pe El. Acest lucru este confirmat în *Śvetāśvatara Upaniṣad* (6.8):

na tasya kāryaṁ karaṇaṁ ca vidyate
na tat-samaś cābhyadhikaś ca dṛśyate

Domnul Suprem Kṛṣṇa are simțuri și corp ca omul obișnuit, dar pentru El nu există diferență între simțurile Sale, corpul Său, mintea Sa și El Însuși. Smintiții care nu Îl cunosc pe El în mod desăvârșit spun că Kṛṣṇa este diferit de sufletul, mintea, inima Sa etc. Krșņa este absolut; prin urmare, acțiunile și puterile Sale sunt supreme. De asemenea, s-a afirmat că, deși El nu are simțuri ca ale noastre, El poate îndeplini toate activitățile senzoriale; de aceea, simțurile Sale nu sunt nici imperfecte, nici limitate. Nimeni nu poate fi mai mare decât El, nimeni nu poate fi egalul Său și toți sunt mai prejos decât El. Cunoașterea, puterea și activitățile Persoanei Supreme sunt toate transcendente, așa cum se afirmă în *Bhagavad-gītā* (4.9):

> *janma karma ca me divyam*
> *evaṁ yo vetti tattvataḥ*
> *tyaktvā dehaṁ punar janma*
> *naiti mām eti so 'rjuna*

Oricine cunoaște corpul transcendent al lui Krșņa, faptele și perfecțiunea Sa, după ce își părăsește corpul se întoarce la El și nu mai revine în această lume plină de suferință. Deci trebuie să știm că activitățile lui Krșņa sunt diferite de ale altora. Cea mai bună politică este aceea de a urma principiile lui Krșņa; aceasta ne va face perfecți. Se mai spune de asemenea că nimeni nu este stăpânul lui Krșņa; toți sunt servitorii Săi. *Caitanya-caritāmṛta* (*Ādi* 5.142) confirmă: *ekale īśvara krșņa, āra saba bhṛtya*—doar Krșņa este Dumnezeu iar toți ceilalți sunt slujitorii Săi. Fiecare îndeplinește porunca Sa. Nimeni nu poate să respingă această poruncă. Toți acționează potrivit poruncii Sale, sub supravegherea Sa. Așa cum se spune în *Brahma-saṁhitā*, El este cauza tuturor cauzelor.

TEXTUL 44

तस्मात्प्रणम्य प्रणिधाय कायं
प्रसादये त्वामहमीशमीड्यम् ।
पितेव पुत्रस्य सखेव सख्युः
प्रियः प्रियायार्हसि देव सोढुम् ॥४४॥

> *tasmāt praṇamya praṇidhāya kāyaṁ*
> *prasādaye tvām aham īśam īḍyam*
> *piteva putrasya sakheva sakhyuḥ*
> *priyaḥ priyāyārhasi deva soḍhum*

tasmāt—de aceea; *pranamya*—închinându-mă; *praṇidhāya*—plecându-mi la pământ; *kāyam*—corpul; *prasādaye*—pentru a cere îndurare; *tvām*—către Tine; *aham*—Eu; *īśam*—către Domnul Suprem; *īḍyam*—cel de adorat; *pitā iva*—ca un tată; *putrasya*—a fiului; *sakhā iva*—ca un prieten; *sakhyuḥ*—a prietenului; *priyaḥ*—un iubit; *priyāyāḥ*—a celei mai îndrăgite; *arhasi*—Tu trebuie; *deva*—Doamne al meu; *soḍhum*—să ierţi.

Tu eşti Domnul Suprem ce trebuie adorat de fiecare fiinţă. De aceea, cad la pământ pentru a-Ţi aduce supunerea mea respectuoasă şi pentru a-Ţi cere îndurare. Aşa cum un tată tolerează lipsa de respect a fiului său, un prieten tolerează necuviinţa unui prieten sau un soţ iartă familiarităţile soţiei lui, Te rog iartă-mi greşelile pe care le-am putut săvârşi faţă de Tine.

COMENTARIU

Devoţii lui Kṛṣṇa sunt legaţi de El prin diferite relaţii. Unul Îl poate trata pe Kṛṣṇa ca pe fiul său, un altul Îl poate trata ca soţ, prieten sau stăpân. Kṛṣṇa şi Arjuna sunt legaţi prin prietenie. Aşa cum tatăl, soţul sau stăpânul iartă, la fel iartă şi Kṛṣṇa.

TEXTUL 45

अदृष्टपूर्वं हृषितोऽस्मि दृष्ट्वा
भयेन च प्रव्यथितं मनो मे ।
तदेव मे दर्शय देव रूपं
प्रसीद देवेश जगन्निवास ॥४५॥

adṛṣṭa-pūrvaṁ hṛṣito 'smi dṛṣṭvā
bhayena ca pravyathitaṁ mano me
tad eva me darśaya deva rūpaṁ
prasīda deveśa jagan-nivāsa

adṛṣṭa-pūrvam—nemaivăzut vreodată; *hṛṣitaḥ*—mulţumit; *asmi*—sunt; *dṛṣṭvā*—văzând; *bhayena*—de spaimă; *ca*—şi; *pravyathitam*—cutremurată; *manaḥ*—mintea; *me*—mea; *tat*—aceea; *eva*—desigur; *me*—mie; *darśaya*—

arată; *deva*—o, Doamne; *rūpam*—forma; *prasīda*—îndură-Te; *deva-īśa*—o, Domn al domnilor; *jagat-nivāsa*—o, refugiu al universului.

Văzând această formă universală pe care nu am mai văzut-o vreodată, sunt cuprins de bucurie, dar, în acelaşi timp, mintea mea este tulburată de teamă. De aceea, o, Domn al domnilor, o, sălaş al universului, te rog, îndură-Te de mine şi revelează-Ţi din nou forma Ta ca Personalitate a Divinităţii.

COMENTARIU

Arjuna este întotdeauna într-o relaţie foarte strânsă cu Krṣṇa pentru că este prietenul Său drag şi, ca prieten iubitor, este mulţumit de măreţia prietenului său. Arjuna este foarte bucuros să vadă că prietenul său Krṣṇa este Suprema Personalitate a Divinităţii şi poate să manifeste această minunată formă universală. Dar în acelaşi timp, după ce a văzut această formă universală, el se teme că a comis atât de multe ofense faţă de Krṣṇa din pricina prieteniei sale necondiţionate. De aceea, mintea sa se tulbură de teamă, deşi nu are motive de înfricoşare. Prin urmare, Arjuna Îi cere lui Krṣṇa să-Şi arate forma Sa ca Nārāyaṇa, căci El îşi poate asuma orice formă. Această formă universală este materială şi trecătoare, aşa cum trecătoare este şi lumea materială. Dar pe planetele din Vaikuṇṭha, El are forma Sa transcendentă cu patru braţe, în chip de Nārāyaṇa. Există nenumărate planete în cerul spiritual şi, în fiecare din ele, Krṣṇa este prezent prin manifestările Sale plenare ce poartă diferite nume. Astfel, Arjuna dorea să vadă una din formele manifeste în planetele din Vaikuṇṭha. Desigur că în fiecare din planetele din Vaikuṇṭha forma lui Nārāyaṇa are patru braţe, dar cele patru braţe ţin diferitele simboluri—scoica, buzduganul, lotusul şi discul—aranjate în diverse feluri. După modul în care aceste patru lucruri sunt ţinute de către cele patru braţe, aceşti Nārāyaṇa poartă diferite nume. Toate aceste forme sunt una cu Krṣṇa; de aceea, Arjuna cere să vadă aspectul Său cu patru braţe.

TEXTUL 46

किरीटिनं गदिनं चक्रहस्त-
मिच्छामि त्वां द्रष्टुमहं तथैव ।
तेनैव रूपेण चतुर्भुजेन
सहस्रबाहो भव विश्वमूर्ते ॥४६॥

kirīṭinaṁ gadinaṁ cakra-hastam
icchāmi tvāṁ draṣṭum ahaṁ tathaiva
tenaiva rūpeṇa catur-bhujena
sahasra-bāho bhava viśva-mūrte

kirīṭinam—cu diademă; *gadinam*—cu buzdugan; *cakra-hastam*—disc în mână; *icchāmi*—doresc; *tvām*—pe Tine; *draṣṭum*—să văd; *aham*—eu; *tathā eva*—în acea poziție; *tena eva*—cu acea; *rūpeṇa*—formă; *catuḥ-bhujena*—cu patru brațe; *sahasra-bāho*—o, Tu Cel cu o mie de brațe; *bhava*—devino; *viśva-mūrte*—o, formă universală.

O, formă universală, o, Domn cu o mie de brațe, aș vrea să Te văd în forma Ta cu patru brațe, cu coiful pe cap și cu buzduganul, discul, scoica și floarea de lotus în mâinile Tale. Îmi este dor să Te văd în această formă.

COMENTARIU

În *Brahma-saṁhitā* (5.39) se afirmă: *rāmādi-mūrtiṣu kalā-niyamena tiṣṭhan*—Domnul este situat veșnic în sute și mii de forme, iar formele principale sunt cele precum Rāma, Nṛsiṁha, Nārāyaṇa etc. Există nenumărate forme, dar Arjuna știe că Kṛṣṇa este Personalitatea Divinității originară, care Își asumă forma Sa universală temporară. Acum el cere să vadă forma lui Nārāyaṇa, care este o formă spirituală. Acest verset dovedește fără nici o îndoială afirmația din *Śrīmad-Bhāgavatam*, care spune că Kṛṣṇa este Personalitatea Divinității originară și toate celelalte aspecte își au originea în El. El nu este diferit de expansiunile Sale plenare și este Dumnezeu în oricare din nenumăratele Sale forme. În toate aceste forme El își păstrează tinerețea unui adolescent. Aceasta este trăsătura permanentă a Personalității Supreme a Divinității. Cel ce Îl cunoaște pe Kṛṣṇa se eliberează de îndată de contaminarea lumii materiale.

TEXTUL 47

श्रीभगवानुवाच
मया प्रसन्नेन तवार्जुनेदं
रूपं परं दर्शितमात्मयोगात् ।

तेजोमयं विश्वमनन्तमाद्यं
यन्मे त्वदन्येन न दृष्टपूर्वम् ॥४७॥

śrī-bhagavān uvāca
mayā prasannena tavārjunedaṁ
rūpaṁ paraṁ darśitam ātma-yogāt
tejo-mayaṁ viśvam anantam ādyaṁ
yan me tvad anyena na dṛṣṭa-pūrvam

śrī-bhagavān uvāca—Suprema Personalitate a Divinității a spus; mayā—de către Mine; prasannena—cu bunăvoință; tava—către tine; arjuna—o, Arjuna; idam—această; rūpam—formă; param—transcendentă; darśitam—arătată; ātma-yogāt—prin puterea Mea internă; tejaḥ-mayam—plină de strălucire; viśvam—întregul univers; anantam—nesfârșită; ādyam—originară; yat—cel care; me—a Mea; tvat anyena—în afară de tine; na dṛṣṭa-pūrvam—nimeni nu a văzut-o mai înainte.

Suprema Personalitate a Divinității a spus: Dragul Meu Arjuna, cu bucurie ți-am arătat, prin puterea Mea internă, această formă universală supremă din cadrul lumii materiale. Nimeni înaintea ta nu a mai văzut vreodată această formă primordială, nelimitată și plină de o strălucire orbitoare.

COMENTARIU

Arjuna dorea să vadă forma universală a Domnului Suprem, astfel că Śrī Kṛṣṇa, din îndurare față de devotul Său Arjuna, Și-a arătat forma Sa universală, plină de strălucire și opulență. Această formă era orbitoare precum soarele, iar multele Sale fațete se schimbau cu rapiditate. Kṛṣṇa Și-a arătat această formă tocmai pentru a îndeplini dorința prietenului Său, Arjuna. Această formă a fost manifestată de Kṛṣṇa prin puterea Sa internă, care este de neconceput prin speculații umane. Nimeni nu a văzut această formă universală a Domnului înainte de Arjuna, dar pentru că forma a fost înfățișată lui Arjuna, și alți devoți de pe planetele cerești și de pe alte planete au putut de asemenea să o vadă. Cu alte cuvinte, toți devoții autentici ai Domnului au putut să vadă forma universală care a fot arătată lui Arjuna prin mila lui Kṛṣṇa. Un comentator al Bhagavad-gītei a susținut că această formă a fost arătată și lui

Duryodhana atunci când Kṛṣṇa S-a dus la Duryodhana pentru a duce tratative de pace. Din nefericire, Duryodhana nu a acceptat oferta de pace, iar atunci Kṛṣṇa Şi-a manifestat unele dintre formele Sale universale. Dar acele forme sunt diferite de cea arătată lui Arjuna. Aici se spune în mod clar că nimeni nu a mai văzut această formă înainte.

TEXTUL 48

न वेद्यज्ञाध्ययनैर्न दानै-
र्न च क्रियाभिर्न तपोभिरुग्रैः ।
एवंरूपः शक्य अहं नृलोके
द्रष्टुं त्वदन्येन कुरुप्रवीर ॥४८॥

na veda-yajñādhyayanair na dānair
na ca kriyābhir na tapobhir ugraiḥ
evaṁ-rūpaḥ śakya ahaṁ nṛ-loke
draṣṭuṁ tvad anyena kuru-pravīra

na—niciodată; *veda-yajña*—prin sacrificiu; *adhyayanaiḥ*—sau studierea Vedelor; *na*—niciodată; *dānaiḥ*—prin caritate; *na*—niciodată; *ca*—de asemenea; *kriyābhiḥ*—prin fapte pioase; *na*—niciodată; *tapobhiḥ*—prin asceze; *ugraiḥ*—severe; *evaṁ-rūpaḥ*—în această formă; *śakyaḥ*—pot; *aham*—Eu; *nṛ-loke*—în această lume materială; *draṣṭum*—să fiu văzut; *tvat*—decât tine; *anyena*—de un altul; *kuru-pravīra*—o, cel mai bun dintre luptătorii dinastiei Kuru.

O, cel mai bun dintre războinicii dinastiei Kuru, nimeni îninte de tine n-a mai văzut această formă universală a Mea, pentru că nici prin studierea Vedelor, nici prin îndeplinirea de sacrificii, nici prin caritate, nici prin fapte pioase, nici prin asceze severe, Eu nu pot fi văzut în această formă în lumea materială.

COMENTARIU

Trebuie să înțelegem limpede viziunea divină de care este vorba aici. Cine poate avea viziunea divină? Divin înseamnă dumnezeiesc. Până când cineva nu atinge statutul divinității ca semizeu, el nu poate avea viziune divină. Şi ce este un semizeu? În scripturile vedice se afirmă că aceia care sunt devoţi ai lui Śrī Viṣṇu sunt semizei (viṣṇu-bhaktāḥ smṛtā devāḥ). Cei ce sunt atei, adică cei ce nu cred în Viṣṇu sau care recunosc doar partea impersonală a lui Kṛṣṇa ca fiind Cel Suprem, nu pot avea viziunea divină. Nu este posibil să-L denigrezi pe Kṛṣṇa şi în acelaşi timp să ai viziune divină. Omul nu poate avea viziunea divină fără să ajungă divin. Cu alte cuvinte, cei ce au viziune divină pot şi ei să vadă la fel ca Arjuna.

În Bhagavad-gītā se dă descrierea formei universale. Deşi această descriere fusese necunoscută tuturor înainte de Arjuna, după această întâmplare putem să ne facem o oarecare idee despre viśva-rūpa. Cei ce sunt cu adevărat divini pot vedea forma universală a Domnului. Dar omul nu poate ajunge divin fără a fi un devot pur al lui Kṛṣṇa. Însă devoţii care se află cu adevărat în natura divină şi au viziunea divină nu sunt foarte interesaţi să vadă forma universală a Domnului. Aşa cum arată textul precedent, Arjuna dorea să vadă forma cu patru braţe a lui Śrī Kṛṣṇa ca Viṣṇu şi, de fapt, era înspăimântat de forma universală.

În acest verset există câteva cuvinte semnificative, cum ar fi veda-yajñādhyayanaiḥ, care se referă la studierea scrierilor vedice şi la cele ce ţin de regulile sacrificiului. Cuvântul Veda se referă la toate felurile de scrieri vedice, cum sunt cele patru Vede (Ṛg, Yajur, Sāma şi Atharva), cele optsprezece Purāṇe, Upaniṣadele şi Vedānta-sūtra. Aceste scrieri pot fi studiate acasă sau oriunde altundeva. Există de asemenea sūtra—Kalpa-sūtra şi Mīmāṁsā-sūtra—pentru studierea metodei de sacrificiu. Dānaiḥ se referă la pomana dată celor care o merită, cum ar fi cei ce sunt angajaţi în slujirea transcendentă cu iubire a Domnului—brahmanii şi vaiṣṇava. În mod similar, „faptele pioase" se referă la agni-hotra şi la datoriile prescrise pentru diferitele caste. Iar acceptarea de bunăvoie a unor chinuri trupeşti este numită tapasya. Deci omul poate să săvârşească toate aceste lucruri—să accepte penitenţe corporale, să dea de pomană, să studieze Vedele, etc.—dar până ce nu devine un devot ca Arjuna, nu poate să vadă forma universală. Cei ce sunt impersonalişti îşi imaginează şi ei că văd forma universală a Domnului, dar din Bhagavad-gītā înţelegem că impersonaliştii nu sunt devoţi. De aceea, ei nu sunt în stare să vadă forma universală a Domnului.

Există multe persoane care fabrică încarnări. Ei proclamă în mod fals pe un om obişnuit ca fiind o încarnare, dar aceasta este în întregime o nebunie. Trebuie să urmăm principiile din Bhagavad-gītā, altfel nu este posibil să atingem cunoaşterea spirituală perfectă. Deşi Bhagavad-gītā este socotită a fi studiul preliminar al ştiinţei de Dumnezeu, ea este totuşi atât de perfectă încât îl face pe om capabil să distingă cine ce este. Cei ce devin discipolii unei pretinse încarnări pot spune că și ei au văzut încarnarea transcendentă a lui Dumnezeu, forma universală, dar acest lucru este inacceptabil, căci aici se spune în mod clar că până ce omul nu devine un devot al lui Kṛṣṇa, nu poate să vadă forma universală a lui Dumnezeu. Deci, înainte de toate, omul trebuie să devină un devot pur al lui Kṛṣṇa; atunci el poate să proclame că poate descrie forma universală, pe care a văzut-o. Un devot al lui Kṛṣṇa nu poate accepta false încarnări sau să devină discipolul unor false încarnări.

TEXTUL 49

मा ते व्यथा मा च विमूढभावो
दृष्ट्वा रूपं घोरमीदृङ् ममेदम् ।
व्यपेतभीः प्रीतमनाः पुनस्त्वं
तदेव मे रूपमिदं प्रपश्य ॥४९॥

mā te vyathā mā ca vimūḍha-bhāvo
dṛṣṭvā rūpaṁ ghoram īdṛṅ mamedam
vyapeta-bhīḥ prīta-manāḥ punas tvaṁ
tad eva me rūpam idaṁ prapaśya

mā—să nu mai fie; *te*—ție; *vyathā*—necaz; *mā*—să nu mai fie; *ca*—și; *vimūḍha-bhāvaḥ*—tulburare; *dṛṣṭvā*—văzând; *rūpam*—forma; *ghoram*—îngrozitoare; *īdṛk*—așa cum este ea; *mama*—a Mea; *idam*—aceasta; *vyapeta-bhīḥ*—eliberat de orice teamă; *prīta-manāḥ*—cu mintea senină; *punaḥ*—din nou; *tvam*—tu; *tat*—această; *eva*—astfel; *me*—a Mea; *rūpam*—formă; *idam*—aceasta; *prapaśya*—privește.

Ai fost tulburat și zăpăcit văzând această groaznică înfățișare a Mea. Acum totul s-a sfârșit. Devotul Meu, eliberează-te din nou de toate neliniștile. Cu mintea senină poți acum să vezi forma pe care o dorești.

COMENTARIU

La începutul *Bhagavad-gītei*, Arjuna era tulburat de uciderea lui Bhīṣma și Droṇa, bunicul și maestrul său, cei demni de venerare. Dar Kṛṣṇa spune că nu trebuie să se teamă să-și ucidă bunicul. Când fiii lui Dhṛtarāṣṭra au încercat să o dezbrace pe Draupadī la întrunirea dinastiei Kuru, Bhīşma şi Droņa nu au spus nimic, iar pentru această neglijare a datoriei lor, trebuiau să fie ucişi. Krşņa Şi-a arătat forma universală lui Arjuna tocmai pentru a arăta că aceşti oameni fuseseră deja ucişi pentru fapta lor nelegiuită. Această scenă i-a fost arătată lui Arjuna pentru că devoţii sunt întotdeauna paşnici şi nu pot să îndeplinească asemenea fapte oribile. Deci scopul revelării formei universale a fost dezvăluit; acum Arjuna voia să vadă forma cu patru braţe şi Krşņa i-a arătat-o. Devotul nu este prea mult interesat de forma universală, căci nu poate stabili simţăminte reciproce de dragoste. Un devot doreşte ori să ofere simţămintele sale de adorare plină de respect, ori să vadă forma lui Krşņa cu două braţe, astfel încât să poată avea o relaţie de slujire cu iubire a Personalităţii Supreme a Divinităţii.

TEXTUL 50

सञ्जय उवाच
इत्यर्जुनं वासुदेवस्तथोक्त्वा
स्वकं रूपं दर्शयामास भूयः ।
आश्वासयामास च भीतमेनं
भूत्वा पुनः सौम्यवपुर्महात्मा ॥५०॥

sañjaya uvāca
ity arjunaṁ vāsudevas tathoktvā
svakaṁ rūpaṁ darśayām āsa bhūyaḥ
āśvāsayām āsa ca bhītam enaṁ
bhūtvā punaḥ saumya-vapur mahātmā

sañjayaḥ uvāca—Sañjaya a spus; *iti*—astfel; *arjunam*—lui Arjuna; *vāsudevaḥ* —Krşņa; *tathā*—în acest fel; *uktvā*—vorbind; *svakam*—propria Sa; *rūpam* —formă; *darśayām āsa*—înfăţişă; *bhūyaḥ*—din nou; *āśvāsayām āsa*—încurajă; *ca*—şi; *bhītam*—înfricoşatul; *enam*—pe el; *bhūtvā*—devenind; *punaḥ* —din nou; *saumya-vapuḥ*—minunata formă; *mahā-ātmā*—cel măreţ.

Sañjaya i-a spus lui Dhṛtarāṣṭra: După ce a rostit aceste cuvinte către Arjuna, Suprema Personalitate a Divinităţii, Krşņa, Şi-a arătat forma Sa reală cu patru braţe, iar în cele din urmă Şi-a arătat forma Sa cu două braţe, încurajându-l astfel pe înfricoşatul Arjuna.

COMENTARIU

Atunci când Kṛṣṇa a apărut ca fiul lui Vasudeva și Devakī, El a apărut mai întâi cu chipul lui Nārāyaṇa cu patru braṭe, dar, la cererea părinṭilor Săi, S-a transformat pe Sine într-un copil aparent obișnuit. Tot așa și acum, Kṛṣṇa știa că Arjuna nu era interesat să vadă forma cu patru braṭe, dar întrucât Arjuna ceruse să vadă această formă cu patru braṭe, Kṛṣṇa i-a arătat din nou și această formă și apoi S-a înfățișat pe Sine în forma Sa cu două braṭe. Cuvântul *saumya-vapuḥ* este foarte semnificativ. *Saumya-vapuḥ* înseamnă o formă extrem de frumoasă; aceasta este cunoscută ca fiind forma cea mai frumoasă. Când El este prezent, oricine este atras doar de forma lui Kṛṣṇa, iar pentru că Kṛṣṇa este conducătorul universului, El a alungat teama lui Arjuna, devotul Său, și i-a arătat din nou forma Sa minunată, cea a lui Kṛṣṇa. În *Brahma-saṁhitā* (5.38) se spune *premāñjana-cchurita-bhakti-vilocanena*: doar cel ai cărui ochi sunt unși cu balsamul dragostei poate vedea minunata formă a lui Śrī Kṛṣṇa.

TEXTUL 51

अर्जुन उवाच
दृष्ट्वेदं मानुषं रूपं तव सौम्यं जनार्दन ।
इदानीमस्मि संवृत्तः सचेताः प्रकृतिं गतः ॥५१॥

arjuna uvāca
dṛṣṭvedaṁ mānuṣaṁ rūpaṁ
tava saumyaṁ janārdana
idānīm asmi saṁvṛttaḥ
sa-cetāḥ prakṛtiṁ gataḥ

arjunaḥ uvāca—Arjuna a spus; *dṛṣṭvā*—văzând; *idam*—această; *mānuṣam* —umană; *rūpam*—formă; *tava*—a Ta; *saumyam*—foarte frumoasă; *janārdana*—o, Tu Cel ce-ți învingi vrăjmașii; *idānīm*—acum; *asmi*—sunt; *saṁvṛttaḥ*—încredințat; *sa-cetāḥ*—în conștiința mea; *prakṛtim*—la natura mea proprie; *gataḥ*—reîntors.

Când Arjuna L-a văzut astfel pe Kṛṣṇa în forma Sa originară, a spus: O, Janārdana, văzând această formă precum cea umană, atât de minunată, mintea îmi este împăcată și am revenit la firea mea originară.

COMENTARIU

Cuvintele *mānuṣaṁ rūpam* indică aici în mod clar că Suprema Personalitate a Divinităţii apare în forma originară cu două braţe. Cei ce Îl denigrează pe Kṛṣṇa, ca şi cum El ar fi un om obişnuit, sunt prezentaţi aici ca necunoscători ai naturii Sale divine. Dacă Kṛṣṇa este la fel ca un om obişnuit, atunci cum poate El să manifeste forma universală şi apoi forma lui Nārāyaṇa cu patru braţe? De aceea se afirmă foarte clar în *Bhagavad-gītā* că acela care crede că Kṛṣṇa este un om obişnuit şi care îl induce în eroare pe cititor declarând că prin intermediul lui Kṛṣṇa vorbeşte impersonalul Brahman, comite cea mai mare nelegiuire. Kṛṣṇa Şi-a arătat în mod real forma Sa universală şi forma Sa ca Viṣṇu cu patru braţe. Deci cum poate fi El o fiinţă umană obişnuită? Un devot pur nu este încurcat de comentariile eronate făcute la *Bhagavad-gītā*, căci el cunoaşte lucrurile aşa cum sunt. Textele originale din *Bhagavad-gītā* sunt clare ca lumina soarelui; ele nu au nevoie de lumina opaiţului comentatorilor smintiţi.

TEXTUL 52

श्रीभगवानुवाच
सुदुर्दर्शमिदं रूपं दृष्टवानसि यन्मम ।
देवा अप्यस्य रूपस्य नित्यं दर्शनकाङ्क्षिणः ॥५२॥

*śrī-bhagavān uvāca
su-durdarśam idaṁ rūpaṁ
dṛṣṭavān asi yan mama
devā apy asya rūpasya
nityaṁ darśana-kāṅkṣiṇaḥ*

śrī-bhagavān uvāca—Suprema Personalitate a Divinităţii a spus; *su-durdarśam* —foarte greu de văzut; *idam*—această; *rūpam*—formă; *dṛṣṭavān asi*—aşa cum ai văzut-o tu; *yat*—care; *mama*—a Mea; *devāḥ*—semizeii; *api*—chiar şi; *asya*—a acestei; *rūpasya*—forme; *nityam*—veşnic; *darśana-kāṅkṣiṇaḥ*— aspiră la vederea.

Suprema Personalitate a Divinităţii a spus: Dragul Meu Arjuna, aceas-tă formă a Mea pe care o vezi acum este foarte greu de zărit. Chiar şi

semizeii caută mereu prilejul să vadă această formă, care este atât de îndrăgită.

COMENTARIU

În textul patruzeci și opt din acest capitol, Domnul Kṛṣṇa își încheia revelarea formei Sale universale și îl informa pe Arjuna că această formă nu este posibil să fie văzută nici printr-o mulțime de fapte pioase, sacrificii etc. Aici se folosește cuvântul *su-durdarśam*, indicând faptul că forma lui Kṛṣṇa cu două brațe este încă și mai confidențială. O persoană poate să ajungă să vadă forma universală a lui Kṛṣṇa adăugând o oarecare nuanță de slujire devoțională la diferite alte activități, cum ar fi penitențele, studiul Vedelor și speculația filosofică. Acest lucru este posibil, dar fără o nuanță de *bhakti* omul nu poate vedea; acest lucru a fost deja explicat. Însă, dincolo de această formă universală, forma lui Kṛṣṇa cu două brațe este încă și mai greu de văzut, chiar pentru semizei precum Brahmā și Domnul Śiva. Ei doresc să Îl vadă, și avem dovada acestui fapt în *Śrīmad-Bhāgavatam:* atunci când El se presupune că se afla în pântecele mamei Sale, Devakī, toți semizeii din cer au venit să vadă splendoarea lui Kṛṣṇa, oferind rugăciuni plăcute Domnului, deși El nu era vizibil în acel moment. Ei așteptau să Îl vadă. Un smintit poate să-L denigreze gândind că El este un om obișnuit și poate să nu-I ofere respect Lui, ci acelui „ceva" impersonal aflat înăuntrul Lui, dar toate acestea sunt lucruri lipsite de sens. Kṛṣṇa, în forma Sa cu două brațe, este cu adevărat dorit să fie văzut de semizei precum Brahmā și Śiva.

În *Bhagavad-gītā* (9.11) acest lucru este de asemenea confirmat: *avajānanti māṁ mūḍhā mānuṣīṁ tanum āśritaḥ:* El nu poate fi văzut de oamenii sminiți care-L denigrează. Corpul lui Kṛṣṇa, așa cum confirmă *Brahma-saṁhitā*, ca și Kṛṣṇa Însuși în *Bhagavad-gītā*, este complet spiritual, plin de beatitudine și etern. Corpul Său nu este niciodată un corp material. Dar pentru unii care fac un simplu obiect de studiu din Kṛṣṇa citind *Bhagavad-gītā* sau alte scripturi vedice similare, Kṛṣṇa rămâne o problemă. Pentru cei ce rămân la nivelul material, Kṛṣṇa este considerat a fi o mare personalitate istorică și un filosof foarte învățat, dar totuși un om obișnuit, și deși atât de puternic, obligat să poarte un corp material. În ultimă instanță, aceștia cred că Adevărul Absolut este impersonal; de aceea ei cred că, pornind de la aspectul Său impersonal, El Și-a asumat un aspect personal legat de natura materială. Aceasta este o apreciere materialistă a Domnului Suprem. O altă apreciere poate fi speculativă. Cei ce caută cunoașterea speculează și ei asupra lui Kṛṣṇa și Îl consideră a fi mai puțin important decât forma universală a Supremului. Aceștia consideră că forma universală a lui Kṛṣṇa, care a fost înfățișată lui Arjuna, este mai importantă decât forma Sa personală. După părerea lor, forma personală a Supremului este ceva imaginar. Ei cred că, în ultimă instanță, Adevărul Absolut nu este persoană. Dar metoda transcendentă este descrisă în *Bhagavad-gītā*, capitolul patru: să asculți despre Kṛṣṇa de la cei autorizați. Aceasta este adevărata metodă vedică, iar cel ce se află cu adevărat pe linia învățăturii vedice ascultă despre Kṛṣṇa de la cei autorizați și astfel prin repetată ascultare despre El, Kṛṣṇa îi devine drag. Așa cum am mai spus de multe ori, Kṛṣṇa este acoperit de *yoga-māyā*, energia Sa. El nu poate fi văzut sau revelat oricui și fiecăruia. El poate fi văzut doar de cel căruia El Însuși i Se revelează. Acest fapt este confirmat în scrierile vedice; cel ce este un suflet dăruit poate să înțeleagă în mod real Adevărul Absolut. Un transcendentalist, prin permanenta conștiință de Kṛṣṇa și prin serviciul devoțional față de Kṛṣṇa, poate ajunge la deschiderea ochilor săi spirituali și Îl poate vedea pe Kṛṣṇa prin revelație. Această revelație nu este posibilă nici măcar pentru semizei; de aceea, este greu și pentru semizei să-L înțeleagă pe Kṛṣṇa, iar semizeii cei mai avansați speră mereu să-L vadă pe Kṛṣṇa în forma Sa cu două brațe. În concluzie, deși este foarte dificil să vedem forma universală a lui Kṛṣṇa, și acest lucru nu este cu putință pentru oricine, este încă și mai dificil să înțelegem forma Sa personală ca Śyāmasundara.

TEXTUL 53

नाहं वेदैर्न तपसा न दानेन न चेज्यया ।
शक्य एवंविधो द्रष्टुं दृष्टवानसि मां यथा ॥५३॥

nāhaṁ vedair na tapasā
na dānena na cejyayā
śakya evaṁ-vidho draṣṭum
dṛṣṭavān asi māṁ yathā

na—niciodată; *aham*—Eu; *vedaiḥ*—prin studierea *Vedelor*; *na*—niciodată; *tapasā*—prin penitențe severe; *na*—niciodată; *dānena*—prin caritate; *na*— niciodată; *ca*—și; *ijyayā*—prin venerare; *śakyaḥ*—este posibil; *evam-vidhaḥ* —în acest fel; *draṣṭum*—să fiu văzut; *dṛṣṭavān*—cel care a văzut; *asi*—ești; *mām*—pe Mine; *yathā*—precum.

Forma pe care o vezi cu ochii tăi transcendenți nu poate fi înțeleasă doar prin studierea Vedelor, nici prin supunerea la penitențe severe, nici prin caritate, nici prin venerare. Nu prin aceste mijloace poate cineva să Mă vadă așa cum sunt Eu.

COMENTARIU

Kṛṣṇa a apărut mai întâi în fața părinților Săi, Devakī și Vasudeva, într-o formă cu patru brațe, și apoi S-a transformat El Însuși într-o formă cu două brațe. Acest mister este foarte greu de înțeles de către cei care sunt atei sau lipsiți de slujire devoțională. Erudiții care studiază scrierile vedice doar din punct de vedere gramatical sau din simple rațiuni academice nu pot să-L înțeleagă pe Kṛṣṇa. El nu va putea fi înțeles nici de cei ce se duc în mod formal la templu pentru a se închina. Aceștia își fac vizita, dar nu-L pot înțelege pe Kṛṣṇa așa cum este El. Kṛṣṇa poate fi înțeles doar pe calea slujirii devoționale, așa cum Însuși Kṛṣṇa explică în versetul următor.

TEXTUL 54

भक्त्या त्वनन्यया शक्य अहमेवंविधोऽर्जुन ।
ज्ञातुं द्रष्टुं च तत्त्वेन प्रवेष्टुं च परन्तप ॥५४॥

bhaktyā tv ananyayā śakya
aham evaṁ-vidho 'rjuna
jñātuṁ draṣṭuṁ ca tattvena
praveṣṭuṁ ca parantapa

bhaktyā—prin slujire devoțională; *tu*—însă; *ananyayā*—neamestecată cu activități fructuoase sau cu cunoaștere speculativă; *śakyaḥ*—posibil; *aham*—Eu; *evam-vidhaḥ*—în acest fel; *arjuna*—o, Arjuna; *jñātum*—să cunoști; *draṣṭum*—să vezi; *ca*—și; *tattvena*—în mod exact; *praveṣṭum*—să intri în; *ca*—precum și; *parantapa*—o, cel cu braț puternic.

Dragul Meu Arjuna, doar printr-o slujire devoțională nemijlocită pot fi Eu înțeles așa cum sunt, stând în fața ta, și numai astfel pot fi văzut în mod direct. Numai în acest fel poți tu să pătrunzi în tainele înțelegerii Mele.

COMENTARIU

Kṛṣṇa poate fi înţeles doar prin metoda slujirii devoţionale nemijlocite. El dezvăluie acest lucru în mod explicit în acest verset, astfel încât comentatorii neautorizaţi, care încearcă să înţeleagă *Bhagavad-gītā* pe cale speculativă, să priceapă că nu fac decât să-şi piardă timpul. Nimeni nu-L poate înţelege pe Kṛṣṇa sau felul în care a apărut din părinţii Săi într-o formă cu patru braţe şi dintr-odată S-a preschimbat într-o formă cu două braţe. Aceste lucruri sunt foarte greu de înţeles prin studierea *Vedelor* sau prin speculaţie filosofică. De aceea se afirmă în mod clar aici că nimeni nu poate să-L vadă pe El sau să pătrundă înţelesul acestor lucruri. Însă cei care sunt foarte experimentaţi în studiul scrierilor vedice pot afla despre El din aceste scrieri în foarte multe feluri. Există atâtea legi şi reglementări, iar dacă cineva chiar vrea să-L înţeleagă pe Kṛṣṇa, el trebuie să urmeze principiile regulatoare descrise în scripturi. Unii pot să îndeplinească penitenţe conform acestor principii. De exemplu, pentru a îndeplini penitenţe serioase se poate ţine post în ziua de Janmāṣṭamī, ziua în care a apărut Kṛṣṇa, şi în cele două zile de Ekādaśī (a unsprezecea zi după luna nouă şi a unsprezecea zi după luna plină). În ceea ce priveşte caritatea este evident că trebuie dat de pomană devoţilor lui Kṛṣṇa, care sunt angajaţi în slujirea Sa devoţională pentru răspândirea filosofiei despre Kṛṣṇa sau a conştiinţei de Kṛṣṇa în lume. Conştiinţa de Kṛṣṇa este o binefacere faţă de omenire. Śrī Caitanya a fost apreciat de Rūpa Gosvāmī ca fiind cel mai generos binefăcător, căci dragostea de Kṛṣṇa, care este foarte greu de dobândit, era împărţită gratuit de către El. Astfel că dacă cineva dă o sumă din banii săi celor ce sunt ocupaţi cu răspândirea conştiinţei de Kṛṣṇa, această caritate dată pentru răspândirea conştiinţei de Kṛṣṇa este cea mai mare binefacere din lume. Iar adorarea în templu (în templele din India există întotdeauna o anumită statuie, de obicei a lui Viṣṇu sau Kṛṣṇa), conform prescripţiilor, dă omului şansa să progreseze prin venerarea şi cinstirea Personalităţii Supreme a Divinităţii. Pentru începătorii în slujirea devoţională a Domnului adorarea în templu este esenţială şi acest lucru este confirmat în scrierile vedice (*Śvetāśvatara Upaniṣad* 6.23):

yasya deve parā bhaktir
yathā deve tathā gurau
tasyaite kathitā hy arthāḥ
prakāśante mahātmanaḥ

Cel care are devoţiune neclintită faţă de Domnul Suprem şi este îndrumat de maestrul spiritual în care are de asemenea credinţă neclintită, poate să vadă

Suprema Personalitate a Divinității prin revelație. Omul nu-L poate înțelege pe Kṛṣṇa prin speculație mentală. Pentru cel ce nu s-a supus unei practici personale sub îndrumarea unui maestru spiritual autentic este imposibil chiar să înceapă să-L înțeleagă pe Kṛṣṇa. Cuvântul *tu* este folosit aici în mod special pentru a indica faptul că nici o altă metodă nu poate fi folosită, nu poate fi recomandată sau eficientă pentru înțelegerea lui Kṛṣṇa.

Formele personale ale lui Kṛṣṇa, forma cu două brațe și cea cu patru brațe, sunt complet diferite de forma universală temporară arătată lui Arjuna. Forma cu patru brațe a lui Nārāyaṇa și forma cu două brațe a lui Kṛṣṇa sunt eterne și transcendente, în timp ce forma dezvăluită lui Arjuna este temporară. Chiar cuvântul *su-durdarśam*, însemnând „greu de văzut", sugerează că nimeni nu a văzut acestă formă universală. El mai sugerează că printre devoți nu era nevoie de arătarea ei. Această formă a fost dezvăluită de Kṛṣṇa la cererea lui Arjuna, astfel încât în viitor, când cineva se va prezenta pe sine ca încarnare a lui Dumnezeu, oamenii să-i poată cere să vadă forma sa universală.

Cuvântul *na,* folosit în mod repetat în versetul precedent, indică faptul că omul nu trebuie să fie prea mândru de asemenea înalte calificări, cum ar fi un titlu academic în scrierile vedice. Omul trebuie să se dedice slujirii devoționale a lui Kṛṣṇa. Doar atunci poate încerca să scrie comentarii la *Bhagavad-gītā.*

Kṛṣṇa se preschimbă de la forma universală la forma cu patru brațe a lui Nārāyaṇa și apoi la forma Sa firească cu două brațe. Aceasta indică faptul că forma cu patru brațe și celelalte forme menționate în scrierile vedice sunt toate emananții ale originarului Kṛṣṇa cu două brațe. El este originea tuturor emanațiilor. Kṛṣṇa este diferit chiar și de aceste forme, spre a nu mai vorbi de conceptul impersonal. În ceea ce privește formele cu patru brațe ale lui Kṛṣṇa, se spune că fie și cea mai identică formă cu patru brațe a lui Kṛṣṇa (care este cunoscută ca Mahā-Viṣṇu care stă culcat pe suprafața oceanului cosmic și din respirația căruia nenumărate universuri apar și dispar) este și ea o expansiune a Domnului Suprem. Aceasta se afirmă și în *Brahma-saṁhitā* (5.48):

> *yasyaika-niśvasita-kālam athāvalambya*
> *jīvanti loma-vila-jā jagad-aṇḍa-nāthāḥ*
> *viṣṇur mahān sa iha yasya kalā-viśeṣo*
> *govindam ādi-puruṣaṁ tam ahaṁ bhajāmi*

„Mahā-Viṣṇu în care intră toate universurile fără de număr și din care ele apar din nou doar prin simpla Sa respirație este o expansiune plenară a lui Kṛṣṇa. De aceea Îl ador pe Govinda, Kṛṣṇa, cauza tuturor cauzelor." Prin urmare, omul trebuie să adore fără nici o îndoială forma personală a lui Kṛṣṇa ca

Suprema Personalitate a Divinității, care este înzestrată cu eternă beatitudine și cunoaștere. El este sursa tuturor formelor lui Vișņu, sursa tuturor formelor de încarnare și Personalitatea Supremă originară, așa cum confirmă *Bhagavad-gītā*.

În scrierile vedice (*Gopāla-tāpanī Upanişad* 1.1) apare următoarea declarație:

> *sac-cid-ānanda-rūpāya*
> *krșņāyāklişța-kāriņe*
> *namo vedānta-vedyāya*
> *gurave buddhi-sākşiņe*

„Mă închin cu respect în fața lui Krșņa care are o formă transcendentă de beatitudine, eternitate și cunoaștere. Mă închin cu respect Lui, căci a-L înțelege pe El înseamnă înțelegerea *Vedelor*, El fiind de aceea supremul maestru spiritual." Apoi se spune: *krșņo vai paramam daivatam:* „Krșņa este Suprema Personalitate a Divinității" (*Gopāla-tāpanī* 1.3). *Eko vaśī sarva-gah krșņa īḍyah:* „Acel Krșņa care este unic este Suprema Personalitate a Divinității și El este Cel care trebuie adorat." *Eko 'pi san bahudhā yo 'vabhāti:* „Krșņa este unul singur, dar El se manifestă în nelimitate forme și încarnări." (*Gopāla-tāpanī* 1.21).

Brahma-samhitā (5.1) spune:

> *īśvarah paramah krșņah*
> *sac-cid-ānanda-vigrahah*
> *anādir ādir govindah*
> *sarva-kāraņa-kāraņam*

„Suprema Personalitate a Divinității este Krșņa, care are un corp etern, plin de cunoaștere și beatitudine. El nu are început, căci El este începutul tuturor. El este cauza tuturor cauzelor."

În altă parte se spune *yatrāvatīrņam krșņākhyam param brahma narākrti:* „Adevărul Absolut suprem este o persoană, numele Său este Krșņa și uneori El descinde pe pământ." La fel și în *Śrīmad-Bhāgavatam* găsim descrierea tuturor tipurilor de încarnări ale Personalității Supreme a Divinității, iar în această listă apare și numele de Krșņa. Dar apoi se spune că acest Krșņa nu este o încarnare a lui Dumnezeu, ci este Suprema Personalitate a Divinității Însăși (*ete cāmśa-kalāh pumsah krșņas tu bhagavān svayam*).

Tot așa, în *Bhagavad-gītā*, Domnul Spune: *mattah parataram nānyat:* „Nimic nu este superior formei Mele ca Personalitate a Divinității Krșņa." Și în alt loc din *Bhagavad-gītā*, El spune: *aham ādir hi devānām:* „Eu sunt originea tuturor semizeilor." Iar după ce a înțeles *Bhagavad-gītā* de la Kṛṣṇa, Arjuna confirmă și el aceasta prin cuvintele: *paraṁ brahma paraṁ dhāma pavitraṁ paramaṁ bhavān:* „Acum înțeleg pe deplin că Tu ești Suprema Personalitate a Divinității, Adevărul Absolut, și că Tu ești adăpostul tuturor." Deci forma universală pe care Kṛṣṇa a arătat-o lui Arjuna nu este forma originară a lui Dumnezeu. Forma originară este cea de Kṛṣṇa. Forma universală, cu mii și mii de capete și brațe, se manifestă doar pentru a atrage atenția celor ce nu Îl iubesc pe Dumnezeu. Ea nu este forma originară a lui Dumnezeu.

Forma universală nu este atrăgătoare pentru devoții puri, care sunt îndrăgostiți de Domnul, aflându-se cu El în diferite relații transcendente. Divinitatea Supremă împărtășește dragostea transcendentă în forma Sa originară, cea a lui Kṛṣṇa. De aceea, pentru Arjuna care era atât de intim legat de Kṛṣṇa prin prietenie, această formă a manifestării universale nu era plăcută, ci mai degrabă înfricoșătoare. Arjuna, care era un însoțitor permanent al lui Kṛṣṇa, trebuie să fi avut ochi transcendenți; el nu era un om obișnuit. De aceea, el nu era captivat de forma universală. Această formă poate părea minunată celor preocupați să se ridice pe ei înșiși prin activități fructuoase, dar pentru persoanele angajate în slujirea devoțională forma lui Kṛṣṇa cu două brațe este cea mai dragă.

TEXTUL 55

मत्कर्मकृन्मत्परमो मद्भक्तः सङ्गवर्जितः ।
निर्वैरः सर्वभूतेषु यः स मामेति पाण्डव ॥५५॥

mat-karma-kṛn mat-paramo
mad-bhaktaḥ saṅga-varjitaḥ
nirvairaḥ sarva-bhūteṣu
yaḥ sa mām eti pāṇḍava

mat-karma-kṛt—angajat în îndeplinirea lucrării Mele; *mat-paramaḥ*—considerându-Mă pe Mine ca Suprem; *mat-bhaktaḥ*—angajat în slujirea Mea devoțională; *saṅga-varjitaḥ*—eliberat de contaminarea activităților fructuoase și a speculației mentale; *nirvairaḥ*—fără vreun dușman; *sarva-bhūteṣu*—printre toate ființele; *yaḥ*—cel care; *saḥ*—acela; *mām*—la Mine; *eti*—vine; *pāṇḍava*—o, fiu al lui Pāṇḍu.

Dragul Meu Arjuna, cel care se angajează în slujirea Mea devoțională pură, eliberat de contaminarea activităților fructuoase și a speculației mentale, cel care acționează pentru Mine, care Mă face țelul suprem al vieții sale și care este prieten cu toate ființele vii, acela cu siguranță vine la Mine.

COMENTARIU

Cel ce dorește să se apropie de cea mai supremă dintre toate Personalitățile Divinității, ajungând pe planeta Kṛṣṇaloka din cerul spiritual, și care vrea să fie intim legat de Persoana Supremă, Kṛṣṇa, trebuie să ia aceste cuvinte așa cum au fost ele rostite de Însuși Cel Suprem. De aceea, acest text este considerat a fi esența întregii *Bhagavad-gītā*. *Bhagavad-gītā* este o carte destinată sufletelor condiționate, care sunt angajate în lumea materială cu scopul de a domni asupra naturii și care nu cunosc nimic despre viața reală, spirituală. *Bhagavad-gītā* are rolul de a arăta felul în care omul poate să-și înțeleagă existența spirituală și relația sa eternă cu personalitatea spirituală supremă și de a-l învăța pe om cum să se întoarcă acasă, înapoi la Divinitate. Aici se află textul care explică în mod clar procesul prin care omul poate reuși în activitatea sa spirituală: slujirea devoțională.

În ceea ce privește activitatea, omul trebuie să-și transfere energia în întregime activităților conștiinței de Kṛṣṇa, așa cum se afirmă în *Bhakti-rasāmṛta-sindhu* (2.255):

> *anāsaktasya viṣayān*
> *yathārham upayuñjataḥ*
> *nirbandhaḥ kṛṣṇa-sambandhe*
> *yuktaṁ vairāgyam ucyate*

Nici o muncă nu trebuie făcută de nimeni în afară de cea legată de Kṛṣṇa. Aceasta se numește *kṛṣṇa-karma*. Omul poate fi angajat în diferite activități, dar nu trebuie să fie atașat de rezultatele muncii sale; rezultatul trebuie obținut doar pentru El. De exemplu, cineva poate fi angajat în afaceri, dar ca să transforme această activitate în conștiință de Kṛṣṇa, el trebuie să facă afaceri pentru Kṛṣṇa. Dacă Kṛṣṇa este proprietarul afacerii respective, atunci Kṛṣṇa trebuie să se bucure de profitul acelei afaceri. Dacă un om de afaceri posedă mii și mii de dolari și dacă trebuie să-i ofere pe toți lui Kṛṣṇa, el poate să o facă. Aceasta înseamnă o activitate pentru Kṛṣṇa. În loc să construiască o clădire uriașă pentru satisfacerea simțurilor sale, el poate construi un templu frumos pentru Kṛṣṇa, poate să instaleze în el forma de adorare a lui Kṛṣṇa și să întocmească cele necesare slujirii acesteia, așa cum se descrie în cărțile autorizate despre slujirea devoțională. Toate acestea sunt *kṛṣṇa-karma*. Omul nu trebuie să fie atașat de rezultatul muncii sale, ci trebuie să-l ofere lui Kṛṣṇa și trebuie să accepte ca *prasādam* rămășițele din hrana oferită lui Kṛṣṇa. Dacă cineva construiește o mare clădire pentru Kṛṣṇa și instalează forma de adorare a lui Kṛṣṇa în ea, el nu este oprit să locuiască acolo, dar se înțelege că proprietarul clădirii este Kṛṣṇa. Însă dacă cineva nu este în stare să construiască un templu pentru Kṛṣṇa, se poate ocupa cu curățenia în templul lui Kṛṣṇa; aceasta este de asemenea *kṛṣṇa-karma*. Altcineva poate cultiva grădina. Oricine are pământ—iar în India cel puțin, orice om, fie și sărac, are puțin pământ—îl poate folosi pentru a crește flori pe care să le ofere Lui. El poate semăna plante de *tulasī*, căci frunzele de *tulasī* sunt foarte importante și Kṛṣṇa a recomandat acest lucru în *Bhagavad-gītā*. *Patraṁ puṣpaṁ phalaṁ toyam*. Kṛṣṇa dorește ca omul să-I ofere fie o frunză, o floare, un fruct sau puțină apă—iar prin asemenea ofrandă, El este mulțumit. Această frunză se referă în mod special la *tulasī*. Astfel, omul poate să semene *tulasī* și să ude plantele cu apă. Astfel, chiar și omul cel mai sărac se poate angaja în slujba lui Kṛṣṇa. Acestea sunt câteva exemple asupra felului în care omul se poate angaja în activitatea pentru Kṛṣṇa.

Cuvântul *mat-paramaḥ* se referă la cel ce socotește că asocierea cu Kṛṣṇa în sălașul Său suprem este cea mai înaltă perfecțiune a vieții. Un asemenea om nu dorește să fie înălțat pe planetele superioare, precum luna sau soarele, sau planetele cerești, sau chiar cea mai înaltă dintre planetele acestui univers, Brahmaloka. El nu este atras de aceasta. El este atras doar de a fi transferat în cerul spiritual. Și chiar și în cerul spiritual, el nu se mulțumește să se contopească cu strălucirea orbitoare a lui *brahmajyoti*, căci dorește să pătrundă pe cea mai elevată planetă spirituală, Kṛṣṇaloka, Goloka Vṛndāvana. El știe totul despre acea planetă și de aceea nu este interesat de vreo alta. Așa cum indică cuvântul *mad-bhaktaḥ*, el se angajează pe deplin în slujirea devoțională, mai ales în cele nouă procese ale practicii devoționale: ascultarea, cântarea, reamintirea, adorarea, slujirea picioarelor de lotus ale Domnului, oferirea de rugăciuni, îndeplinirea poruncilor Domnului, împrietenirea cu El și predarea totală față de El. Omul se poate angaja în toate aceste nouă procese devoționale, sau în opt, sau în șapte, sau cel puțin în unul, și aceasta îl va face cu siguranță perfect.

Cuvântul *saṅga-varjitaḥ* este foarte semnificativ. Omul trebuie să se îndepărteze de pesoanele care sunt împotriva lui Kṛṣṇa. Nu numai ateii sunt împotriva lui Kṛṣṇa, ci şi cei ce sunt atraşi de activităţile ce aduc fruct şi de speculaţia mentală. De aceea, forma pură a slujirii devoţionale este descrisă astfel în *Bhakti-rasāmṛta-sindhu* (1.1.11):

> *anyābhilāṣitā-śūnyaṁ*
> *jñāna-karmādy-anāvṛtam*
> *ānukūlyena kṛṣṇānu-*
> *śīlanaṁ bhaktir uttamā*

În acest verset, Śrīla Rūpa Gosvāmī afirmă în mod clar că dacă cineva doreşte să îndeplinească o slujire devoţională pură, el trebuie să fie eliberat de orice fel de contaminare materială. El trebuie să fie eliberat de compania persoanelor ce sunt ataşate de activităţile fructuoase şi de speculaţia mentală. Atunci când omul, ferit de asemenea companie nedorită şi de contaminarea dorinţelor materiale, cultivă în mod favorabil cunoaşterea lui Kṛṣṇa, aceasta se numeşte slujire devoţională pură. *Ānukūlyasya saṅkalpaḥ prātikūlyasya varjanam* (*Hari-bhakti-vilāsa* 11.676). Omul trebuie să se gândească la Kṛṣṇa şi să acţioneze pentru Kṛṣṇa în mod favorabil, nu nefavorabil. Kaṁsa era duşmanul lui Kṛṣṇa. Încă înainte de naşterea lui Kṛṣṇa, Kaṁsa plănuia în toate felurile cum să-L ucidă, şi pentru că nu găsea niciodată o soluţie, se gândea mereu la Kṛṣṇa. Astfel, în timp ce lucra, mânca şi dormea, el rămânea conştient de Kṛṣṇa în toate privinţele, dar această conştiinţă de Kṛṣṇa nu era favorabilă şi de aceea, în ciuda faptului că se gândea mereu la Kṛṣṇa 24 de ore pe zi, el a fost socotit un demon şi până la urmă Kṛṣṇa l-a ucis. Desigur, oricine este ucis de Kṛṣṇa atinge de îndată eliberarea, dar nu acesta este scopul unui devot pur. Devotul pur nici măcar nu doreşte eliberarea. El nu doreşte să fie transferat nici măcar pe cea mai elevată planetă, Goloka Vṛndāvana. Singurul său obiectiv este acela de a-L sluji pe Kṛṣṇa, oriunde s-ar afla.

Un devot al lui Kṛṣṇa este prietenos cu oricine. De aceea se spune aici că el nu are duşmani (*nirvairaḥ*). Cum este posibil? Un devot situat în conştiinţa de Kṛṣṇa ştie că numai slujirea devoţională a lui Kṛṣṇa poate să-l scape pe om de toate problemele vieţii. El are experienţa personală a acestui fapt şi de aceea doreşte să introducă acest sistem, conştiinţa de Kṛṣṇa, în societatea umană. Există în istorie multe exemple de devoţi ai Domnului care şi-au riscat viaţa pentru răspândirea conştiinţei de Dumnezeu. Exemplul favorit este Domnul Isus Hristos. El a fost crucificat de către cei ce nu erau devoţi, dar şi-a sacrificat viaţa pentru răspândirea conştiinţei de Dumnezeu. Desigur, este un lucru superficial să înţelegem că a fost ucis. La fel şi în India există multe exemple, cum ar fi Ṭhākura Haridāsa și Prahlāda Mahārāja. De ce aceste riscuri? Pentru că ei doreau să răspândească conștiința de Kṛṣṇa și acest lucru este dificil. Un om conștient de Kṛṣṇa știe că dacă cineva suferă, aceasta se datorează uitării relației sale eterne cu Kṛṣṇa. De aceea, cea mai mare binefacere pe care o putem aduce societății umane este eliberarea aproapelui nostru de toate problemele materiale. În acest fel, un devot pur este angajat în slujba Domnului. Deci putem să ne imaginăm cât de milos este Kṛṣṇa față de cei angajați în slujba Sa, riscând totul pentru El. De aceea, este sigur că aceste persoane trebuie să ajungă pe planeta supremă după ce își părăsesc corpul.

În rezumat, forma universală a lui Kṛṣṇa, care este o manifestare temporară, și forma timpului care devorează totul, și chiar forma lui Viṣṇu cu patru brațe, toate au fost înfățișate de Kṛṣṇa. Astfel, Kṛṣṇa este originea tuturor acestor manifestări. Nu este adevărat că Kṛṣṇa este o manifestare a formei *viśva-rūpa* originare, sau Viṣṇu. Kṛṣṇa este originea tuturor formelor. Există sute și mii de Viṣṇu, dar pentru un devot nici o altă formă nu este importantă, în afară de forma originară, cea de Śyāmasundara cu două brațe. În *Brahma-saṁhitā* se spune că cei ce sunt atașați de forma lui Kṛṣṇa ca Śyāmasundara cu dragoste și devoțiune pot să-L vadă pe El întotdeauna în inima lor și nu mai pot să vadă nimic altceva. De aceea, trebuie să înțelegem că semnificația acestui al unsprezecelea capitol este aceea că forma lui Kṛṣṇa este esențială și supremă.

Astfel se încheie comentariul lui Bhaktivedanta la capitolul al unsprezecelea din Śrīmad Bhagavad-gītā, care tratează despre „Forma universală".

CAPITOLUL DOISPREZECE

Slujirea devoțională

TEXTUL 1

अर्जुन उवाच
एवं सततयुक्ता ये भक्तास्त्वां पर्युपासते ।
ये चाप्यक्षरमव्यक्तं तेषां के योगवित्तमाः ॥१॥

arjuna uvāca
evaṁ satata-yuktā ye
bhaktās tvāṁ paryupāsate
ye cāpy akṣaram avyaktaṁ
teṣāṁ ke yoga-vittamāḥ

arjunaḥ uvāca—Arjuna a spus; *evam*—astfel; *satata*—mereu; *yuktāḥ*—angajați; *ye*—cei care; *bhaktāḥ*—devoții; *tvām*—pe Tine; *paryupāsate*—adoră așa cum se cuvine; *ye*—cei care; *ca*—și; *api*—apoi; *akṣaram*—dincolo de simțuri; *avyaktam*—cel nemanifestat; *teṣām*—dintre aceștia; *ke*—care; *yoga-vit-tamāḥ*—cei mai desăvârșiți în cunoașterea yogăi.

Arjuna a întrebat: Care sunt considerați a fi cei mai perfecți, cei care întotdeauna se angajează corect în slujirea Ta devoțională, sau cei care adoră impersonalul Brahman, cel nemanifestat?

COMENTARIU

Kṛṣṇa deci a explicat până acum aspectul Său personal, cel impersonal și cel universal, și a descris toate felurile de devoți și yoghini. În general, transcendentaliștii se pot împărți în două categorii. Una este cea impersonalistă iar cealaltă cea personalistă. Devotul personalist se angajează cu toată energia în slujba Supremului Domn. Impersonalistul se angajează și el, dar nu direct în slujba lui Kṛṣṇa, ci în meditația asupra impersonalului Brahman, cel nemanifestat.

În acest capitol aflăm faptul că dintre diferitele procese de realizare a Adevărului Absolut, *bhakti-yoga,* slujirea devoțională, este procesul cel mai elevat. Dacă cineva dorește cu adevărat să ajungă alături de Personalitatea Supremă a Divinității, trebuie să se dedice slujirii devoționale.

Cei ce Îl adoră direct pe Domnul Suprem prin slujire devoțională se numesc personaliști. Cei ce se angajează în meditația asupra impersonalului Brahman se numesc impersonaliști. Arjuna întreabă aici care din aceste stări este mai bună. Există diferite căi de a realiza Adevărul Absolut, dar Kṛṣṇa indică în acest capitol că *bhakti-yoga* sau slujirea devoțională față de El este cea mai înaltă dintre toate. Ea este cea mai directă și este mijlocul cel mai simplu de a ajunge în asociere cu Divinitatea.

În capitolul al doilea din *Bhagavad-gītā,* Domnul Suprem a explicat că entitatea vie nu este corpul material; ea este o scânteie spirituală. Iar Adevărul Absolut este întregul spiritual. În capitolul al șaptelea El vorbește despre entitatea vie ca parte integrantă a întregului suprem și recomandă ca aceasta să-și îndrepte cu totul atenția către întreg. Apoi în capitolul al optulea s-a spus că oricine se gândește la Kṛṣṇa în momentul când își părăsește corpul este de îndată transferat în cerul spiritual, în sălașul lui Kṛṣṇa. Iar la sfârșitul capitolului al șaselea Domnul spune clar că dintre toți yoghinii, cel ce se gândește mereu la Kṛṣṇa înăuntrul său, este socotit ca fiind cel mai perfect. Astfel, practic în fiecare capitol se ajunge la concluzia că omul trebuie să se atașeze de forma personală a lui Kṛṣṇa, pentru că aceasta este cea mai înaltă realizare spirituală.

Cu toate acestea, există persoane care nu sunt atașate de forma personală a lui Kṛṣṇa. Ei sunt atât de puternic detașați, încât chiar și în alcătuirea comentariilor la *Bhagavad-gītā* ei vor să-i abată pe ceilalți oameni de la Kṛṣṇa și să transfere întreaga devoțiune către impersonalul *brahmajyoti*. Ei preferă să mediteze asupra formei impersonale a Adevărului Absolut, care este dincolo de simțuri și nu este manifestat.

Astfel, există de fapt două categorii de transcendentaliști. Arjuna încearcă să rezolve problema referitoare la care dintre metode este mai simplă și care din aceste categorii este mai perfectă. Cu alte cuvinte, el își clarifică propria poziție, deoarece este atașat de forma personală a lui Kṛṣṇa. El nu este atașat de impersonalul Brahman și ar vrea să știe dacă poziția sa este sigură. Manifestarea impersonală a Domnului Suprem, fie în această lume materială, fie în cea spirituală, este o temă de meditație. În realitate, aspectul impersonal al Adevărului Absolut nu poate fi conceput în mod perfect. De aceea Arjuna vrea să spună „Ce rost are această pierdere de timp?". În capitolul al unsprezecelea Arjuna a experimentat faptul că a fi atașat de forma personală a lui Kṛṣṇa este cel mai bun lucru, căci astfel a putut să înțeleagă toate celelalte forme în același timp iar dragostea sa față de Kṛṣṇa nu a fost tulburată. Această problemă importantă pusă lui Kṛṣṇa de către Arjuna va clarifica distincția între concepția personală și cea impersonală asupra Adevărului Absolut.

TEXTUL 2

श्रीभगवानुवाच
मय्यावेश्य मनो ये मां नित्ययुक्ता उपासते ।
श्रद्धया परयोपेतास्ते मे युक्ततमा मताः ॥ २ ॥

śrī-bhagavān uvāca
mayy āveśya mano ye mām
nitya-yuktā upāsate
śraddhayā parayopetās
te me yuktatamā matāḥ

śrī-bhagavān uvāca—Personalitatea Supremă a Divinității a spus; *mayi*—asupra Mea; *āveśya*—fixând; *manaḥ*—mintea; *ye*—cei care; *mām*—pe Mine; *nitya*—mereu; *yuktāḥ*—angajați; *upāsate*—adoră; *śraddhayā*—cu credință; *parayā*—transcendentă; *upetāḥ*—angajați; *te*—ei; *me*—de către Mine; *yukta-tamāḥ*—cei mai perfecți în yoga; *matāḥ*—sunt considerați.

Personalitatea Supremă a Divinității a spus: aceia care își fixează mintea asupra formei Mele personale și sunt mereu angajați în adora-

rea Mea cu mare şi transcendentă credinţă, sunt consideraţi de Mine ca fiind cei mai perfecţi.

COMENTARIU

Ca răspuns la întrebarea lui Arjuna, Kṛṣṇa spune clar că acela care se concentrează asupra formei Sale personale şi care Îl adoră pe El cu credinţă şi devoţiune trebuie socotit ca fiind cel mai perfect în yoga. Pentru cel aflat într-o astfel de conştiinţă de Kṛṣṇa, nu există activităţi materiale, pentru că totul este făcut pentru Kṛṣṇa. Un devot pur este tot timpul ocupat. Uneori el cântă, uneori ascultă sau citeşte cărţi despre Kṛṣṇa, uneori găteşte *prasādam* sau merge la piaţă să cumpere câte ceva pentru Kṛṣṇa, alteori spală templul sau vasele; orice ar face, el nu lasă să treacă nici măcar o clipă fără să-şi dedice activităţile lui Kṛṣṇa. O asemenea activare se află cu totul în *samādhi*.

TEXTELE 3–4

ये त्वक्षरमनिर्देश्यमव्यक्तं पर्युपासते ।
सर्वत्रगमचिन्त्यं च कूटस्थमचलं ध्रुवम् ॥ ३ ॥

सन्नियम्येन्द्रियग्रामं सर्वत्र समबुद्धयः ।
ते प्राप्नुवन्ति मामेव सर्वभूतहिते रताः ॥ ४ ॥

ye tv akṣaram anirdeśyam
avyaktaṁ paryupāsate
sarvatra-gam acintyaṁ ca
kūṭa-stham acalaṁ dhruvam

sanniyamyendriya-grāmaṁ
sarvatra sama-buddhayaḥ
te prāpnuvanti mām eva
sarva-bhūta-hite ratāḥ

ye—cei care; *tu*—dar; *akṣaram*—ceea ce e dincolo de percepţia simţurilor; *anirdeśyam*—nedefinit; *avyaktam*—nemanifestat; *paryupāsate*—se angajează complet în adorare; *sarvatra-gam*—atotpătrunzător; *acintyam*—de neînchipuit; *ca*—precum şi; *kūṭa-stham*—neschimbător; *acalam*—nemişcător; *dhruvam*—fix; *sanniyamya*—controlând; *indriya-grāmam*—toate simţurile;

sarvatra—pretutindeni; *sama-buddhayaḥ*—cu aceeași dispoziție; *te*—aceia; *prāpnuvanti*—dobândesc; *mām*—pe Mine; *eva*—cu siguranță; *sarva-bhūta-hite*—binelui tuturor entităților vii; *ratāḥ*—dedicați.

Iar aceia care adoră pe deplin nemanifestatul, care se întinde dincolo de percepția simțurilor, cel atotpătrunzător, de neconceput, neschimbător, fix și de neclintit—conceptul impersonal al Adevărului Absolut—stăpânindu-și diferitele simțuri și fiind egal dispuși în fața fiecăruia, asemenea persoane, angajate pentru bunăstarea tuturor, Mă obțin după mult timp tot pe Mine.

COMENTARIU

Cei ce nu Îl adoră direct pe Kṛṣṇa, Suprema Divinitate, ci încearcă să atingă același țel printr-un proces indirect, ajung și ei în cele din urmă la același țel, Śrī Kṛṣṇa. „După multe nașteri, omul care a dobândit cunoașterea își caută refugiul în Mine, știind că Vāsudeva este totul." Când omul ajunge la deplina cunoaștere după mai multe nașteri, el se predă Domnului Kṛṣṇa. Cel ce se apropie de Divinitate prin metoda menționată în această strofă trebuie să-și controleze simțurile, să slujească pe toată lumea și să se dedice binelui tuturor ființelor. Se deduce faptul că omul trebuie să se apropie de Domnul Kṛṣṇa, altfel nu ajunge la realizarea perfectă. Adeseori, înainte de a se preda cu totul lui Kṛṣṇa, omul trebuie să treacă printr-o mulțime de asceze.

Pentru a putea percepe Suprasufletul înăuntrul sufletului individual, omul trebuie să oprească activitățile simțurilor—văzul, auzul, gustul, acțiunea, etc. Atunci ajunge să înțeleagă că Sufletul Suprem este prezent pretutindeni. Realizând aceasta, el nu mai invidiază nici o entitate vie; el nu mai vede nici o deosebire între om și animal, pentru că vede numai sufletul, nu învelișul exterior. Dar pentru omul obișnuit, această metodă de realizare impersonală este foarte dificilă.

TEXTUL 5

क्लेशोऽधिकतरस्तेषामव्यक्तासक्तचेतसाम् ।
अव्यक्ता हि गतिर्दुःखं देहवद्भिरवाप्यते ॥ ५ ॥

kleśo 'dhikataras teṣām
avyaktāsakta-cetasām

avyaktā hi gatir duḥkhaṁ
dehavadbhir avāpyate

kleśaḥ—necazuri; *adhika-taraḥ*—foarte multe; *teṣām*—ale acestora; *avyakta*
—de cel manifestat; *āsakta*—ataşaţi; *cetasām*—cei ale căror minţi; *avyaktā*—
către cel nemanifestat; *hi*—cu adevărat; *gatiḥ*—progresul; *duḥkham*—cu
greutate; *deha-vadbhiḥ*—de către cel întrupat; *avāpyate*—se dobândeşte.

**Pentru aceia a căror minte este ataşată de aspectul impersonal şi nema-
nifestat al Supremului, avansul este foarte anevoios. A face progres în
această direcţie este întotdeauna dificil pentru cei ce sunt întrupaţi.**

COMENTARIU

Grupul de transcendentalişti care urmează calea aspectului de neconceput,
nemanifestat şi impersonal al Domnului Suprem poartă numele de *jñāna-
yogī* iar cei ce sunt cu totul în conştiinţa de Kṛṣṇa, angajaţi în slujirea devo-
ţională a Domnului, sunt numiţi *bhakti-yogī*. Diferenţa între *jñāna-yoga* şi
bhakti-yoga este exprimată aici în mod precis. Metoda *jñāna-yoga*, deşi până
la urmă duce la acelaşi ţel, este plină de dificultăţi, pe când calea lui *bhakti-
yoga*, metoda angajării directe în slujba Supremei Personalităţi a Divinităţii,
este mai uşoară şi firească pentru sufletul întrupat. Sufletul individual s-a
întrupat din timpuri imemoriale. Este foarte dificil pentru el să înţeleagă doar
teoretic că nu este acelaşi cu corpul. De aceea, *bhakti-yoga* acceptă adorarea
lui Kṛṣṇa sub forma statuii Divinităţii din templu, căci în minte este fixată
o oarecare concepţie corporală care poate fi astfel folosită. Desigur că adora-
rea Supremei Personalităţi a Divinităţii în forma Sa din templu nu înseamnă
adorarea unui idol. În scrierile vedice se evidenţiază faptul că adorarea poate
fi *saguṇa* şi *nirguṇa*—adorarea Supremului care posedă sau nu posedă atri-
bute. Adorarea Divinităţii din templu este adorare de tip *saguṇa*, căci Domnul
este reprezentat prin calităţi materiale. Dar forma Domnului, deşi reprezen-
tată prin elemente materiale, cum este piatra, lemnul sau pictura în ulei, nu
este materială. Aceasta este natura absolută a Domnului Suprem.

Să luăm un exemplu mai rudimentar. Pe stradă există cutii poştale în care,
dacă introducem scrisorile, ele vor ajunge în mod firesc la destinaţie, fără
dificultăţi. Dar nu acelaşi lucru se va întâmpla dacă găsim undeva o cutie
veche sau o imitaţie neautorizată de oficiul poştal. În mod similar, Dumne-
zeu are o reprezentare autorizată în forma statuii Divinităţii, numită *arcā-*

vigraha. Acest *arcā-vigraha* este o întrupare a Domnului Suprem. Dumnezeu va accepta slujirea prin intermediul acestei forme. Domnul este atotputernic; deci, prin întruparea Sa ca *arcā-vigraha*, El poate să accepte slujirea devotului, tocmai pentru a o face accesibilă omului a cărui viață este condiționată. Astfel, pentru un devot nu este dificil să se apropie de Cel Suprem direct și imediat, dar pentru cei ce urmează calea impersonală către realizarea spirituală, drumul este foarte dificil. Ei trebuie să înțeleagă reprezentarea nemanifestată a Supremului prin intermediul scrierilor vedice cum sunt *Upaniṣadele*, să învețe limbajul, să înțeleagă stările imperceptibile și să realizeze toate aceste procese. Acest lucru nu este foarte ușor pentru omul obișnuit. Omul aflat în conștiința de Kṛṣṇa, angajat în slujirea devoțională, prin simpla îndrumare a maestrului spiritual autentic, prin simpla închinare constantă în fața Divinității, prin simpla ascultare a gloriilor Domnului și prin simpla consumare a rămășițelor din hrana oferită Domnului, realizează Suprema Personalitate a Divinității foarte ușor. Fără îndoială că impersonaliștii apucă fără rost pe un drum plin de greutăți, cu riscul ca în final să nu realizeze Adevărul Absolut. Dar personalistul, fără nici un risc, suferință sau dificultate, se apropie de Persoana Supremă în mod direct. Un pasaj similar apare și în *Śrīmad-Bhāgavatam*. Acolo se afirmă că dacă cineva, în loc să se predea cu totul Supremei Personalități a Divinității (proces care poartă numele de *bhakti*), își asumă dificultățile înțelegerii a ceea ce este și ceea ce nu este Brahman și își petrece întreaga viață în acest mod, se alege doar cu neplăceri. De aceea suntem sfătuiți aici să nu pornim pe această cale de realizare de sine plină de neplăceri, pentru că rezultatul ultim este nesigur.

Entitatea vie este veșnic un suflet individual, iar dacă dorește să se contopească cu întregul spiritual, ea poate să ajungă la realizarea aspectelor eternității și cunoașterii aparținând naturii sale originare, dar nu va realiza acea parte care ține de beatitudine. Prin grația unui devot, un astfel de transcendentalist foarte erudit în procesul de *jñāna-yoga* poate ajunge la nivelul de *bhakti-yoga* sau slujirea devoțională. În acel moment, practicarea îndelungată a impersonalismului devine de asemenea o sursă de necazuri, pentru că el nu poate să renunțe la acea idee. Prin urmare, un suflet întrupat este permanent în dificultate în raport cu nemanifestatul, atât în timpul practicii, cât și în momentul realizării spirituale. Fiecare suflet individual este parțial independent, iar omul trebuie să fie convins că această realizare a nemanifestatului este contrară naturii sinelui său spiritual plin de beatitudine. Omul nu trebuie să se dedice acestui proces. Pentru oricare entitate vie individuală procesul conștiinței de Kṛṣṇa, care cuprinde angajarea deplină în slujirea devoţională, este calea optimă. Dacă cineva doreşte să ignore această slujire devoţională, există pericolul de a fi abătut către ateism. Astfel, aşa cum s-a arătat deja în acest text, procesul centrării atenţiei asupra celui nemanifestat, de neconceput şi care este dincolo de limitele simţurilor, nu trebuie încurajat în nici un moment, mai ales în această epocă. Acest lucru nu este recomandat de Domnul Krṣṇa.

TEXTELE 6–7

ये तु सर्वाणि कर्माणि मयि सन्न्यस्य मत्पराः ।
अनन्येनैव योगेन मां ध्यायन्त उपासते ॥ ६ ॥

तेषामहं समुद्धर्ता मृत्युसंसारसागरात् ।
भवामि न चिरात्पार्थ मय्यावेशितचेतसाम् ॥ ७ ॥

ye tu sarvāṇi karmāṇi
   mayi sannyasya mat-parāḥ
ananyenaiva yogena
   mām dhyāyanta upāsate

teṣām ahaṁ samuddhartā
   mṛtyu-saṁsāra-sāgarāt
bhavāmi na cirāt pārtha
   mayy āveśita-cetasām

ye—cei care; *tu*—dar; *sarvāṇi*—toate; *karmāṇi*—faptele; *mayi*—la Mine; *sannyasya*—abandonând; *mat-parāḥ*—fiind ataşaţi de Mine; *ananyena*—fără întrerupere; *eva*—cu siguranţă; *yogena*—prin practicarea de *bhakti-yoga*; *mām*—asupra Mea; *dhyāyantaḥ*—meditând; *upāsate*—adoră; *teṣām*—acestora; *aham*—Eu; *samuddhartā*—eliberatorul; *mṛtyu*—de moarte; *saṁsāra*—în existenţa materială; *sāgarāt*—din oceanul; *bhavāmi*—Eu devin; *na*—nu; *cirāt*—după mult timp; *pārtha*—o, fiu al lui Pṛthā; *mayi*—asupra Mea; *āveśita*—fixate; *cetasām*—cei ale căror minţi.

Dar aceia care Mă adoră pe Mine, abandonându-şi toate activităţile în Mine şi fiind devotaţi Mie fără abatere, angajaţi în slujirea devoţională şi meditând întotdeauna asupra Mea, cu minţile fixate asupra Mea—

pentru ei, o, fiu al lui Pṛthā, Eu sunt Cel ce îi eliberează imediat din oceanul nașterii și morții.

COMENTARIU

Aici se afirmă în mod explicit că devoții au marele noroc de a fi scăpați foarte curând de existența materială de către Domnul. În slujirea devoțională omul ajunge la realizarea faptului că Dumnezeu este mare iar sufletul individual este subordonat Lui. Datoria sa este de a-L sluji pe Domnul; dacă nu face acest lucru, atunci va fi slujitorul lui *māyā*.

Așa cum s-a afirmat anterior, Domnul Suprem poate fi apreciat doar prin slujirea devoțională. De aceea, omul trebuie să fie pe deplin devotat; el trebuie să-și fixeze cu totul mintea asupra lui Kṛṣṇa, pentru a-L putea dobândi. Omul trebuie să lucreze numai pentru Kṛṣṇa. Nu are importanță în ce fel de muncă se angajează, însă această muncă trebuie să fie făcută doar pentru Kṛṣṇa. Aceasta este regula slujirii devoționale. Devotul nu dorește nici o altă împlinire decât plăcerea Supremei Personalități a Divinității. Misiunea vieții sale este aceea de a-i face plăcere lui Kṛṣṇa, putând să sacrifice totul pentru satisfacția lui Kṛṣṇa, exact așa cum a făcut Arjuna în bătălia de la Kurukṣetra. Metoda este foarte simplă: omul se poate dedica activității sale și în același timp poate să cânte Hare Kṛṣṇa, Hare Kṛṣṇa, Kṛṣṇa Kṛṣṇa, Hare Hare/ Hare Rāma, Hare Rāma, Rāma Rāma, Hare Hare. Această cântare transcendentă îl atrage pe devot către Personalitatea Divinității.

Domnul Suprem promite aici că El îl va elibera fără întârziere din oceanul existenței materiale pe devotul pur angajat în acest fel. Cei ce sunt avansați în practica yoga pot să-și transfere sufletul după dorință pe orice planetă preferă, prin procesul yoga, iar alții pot să facă același lucru prin diverse alte metode, dar în ce-l privește pe devot, aici se afirmă limpede că el este dus de către Domnul Însuși. Devotul nu are nevoie să devină foarte experimentat pentru a se transfera el însuși în cerul spiritual.

În *Varāha Purāṇa* există această strofă:

> *nayāmi paramam sthānam*
> *arcir-ādi-gatim vinā*
> *garuḍa-skandham āropya*
> *yatheccham anivāritaḥ*

Sensul acestei strofe este acela că devotul nu are nevoie să practice *aṣṭāṅga-*

yoga pentru a-şi transfera sufletul pe planetele spirituale. Domnul Suprem Îşi ia El Însuşi această responsabilitate. El afirmă clar aici că El Însuşi devine eliberatorul. Un copil este cu totul ocrotit de părinţii săi, astfel că poziţia sa este sigură. În mod similar, devotul nu are nevoie să se străduiască pentru a se transfera pe alte planete prin practica yoga. Mai degrabă Domnul Suprem, prin marea Sa milă, vine de îndată călare pe vulturul Garuḍa şi îl eliberează imediat pe devot din existenţa materială. Chiar dacă omul căzut în ocean se luptă din greu şi este foarte iscusit la înnot, el nu se poate salva singur. Dar dacă vine cineva şi-l scoate din apă, atunci el scapă foarte uşor. La fel şi Domnul îl scoate pe devot din această existenţă materială. Omul trebuie doar să practice metoda accesibilă a conştiinţei de Kṛṣṇa şi să se angajeze pe deplin în slujirea devoţională. Orice om inteligent trebuie să prefere întotdeauna metoda slujirii devoţionale oricăror altor căi. În *Nārāyaṇīya* acest lucru e confirmat astfel:

> *yā vai sādhana-sampattiḥ*
> *puruṣārtha-catuṣṭaye*
> *tayā vinā tad āpnoti*
> *naro nārāyaṇāśrayaḥ*

Înţelesul acestei strofe este acela că omul nu trebuie să se angajeze în diferitele procese ale activităţilor ce aduc fruct sau să cultive cunoaşterea prin metoda speculaţiei mentale. Cel ce e devotat Personalităţii Supreme poate obţine toate beneficiile ce decurg din alte metode yoghine, din speculaţie, ritualuri, sacrificii, acte de caritate, etc. Aceasta este binecuvântarea specială a slujirii devoţionale.

Doar prin simpla cântare a numelui sfânt al lui Kṛṣṇa—Hare Kṛṣṇa, Hare Kṛṣṇa, Kṛṣṇa Kṛṣṇa, Hare Hare/ Hare Rāma, Hare Rāma, Rāma Rāma, Hare Hare—devotul Domnului se poate apropia de destinaţia supremă uşor şi plăcut, dar această destinaţie nu poate fi atinsă prin celelalte procese ale religiei.

Concluzia din *Bhagavad-gītā* apare în capitolul al optsprezecelea:

> *sarva-dharmān parityajya*
> *mām ekaṁ śaraṇaṁ vraja*
> *ahaṁ tvāṁ sarva-pāpebhyo*
> *mokṣayiṣyāmi mā śucaḥ*

Omul trebuie să renunțe la toate celelalte metode de realizare de sine și să îndeplinească doar slujirea devoțională în conștiința de Kṛṣṇa. Aceasta îl va face capabil să atingă cea mai înaltă perfecțiune a vieții. El nu trebuie să se preocupe de păcatele săvârșite în trecutul vieții sale, căci Domnul Suprem îl ocrotește pe deplin. Prin urmare, omul nu trebuie să încerce zadarnic să se elibereze prin el însuși în realizarea spirituală. Fiecare trebuie să-și caute refugiul în Kṛṣṇa, Dumnezeul suprem atotputernic. Aceasta este cea mai înaltă perfecțiune a vieții.

TEXTUL 8

मय्येव मन आधत्स्व मयि बुद्धिं निवेशय ।
निवसिष्यसि मय्येव अत ऊर्ध्वं न संशयः ॥ ८ ॥

mayy eva mana ādhatsva
mayi buddhiṁ niveśaya
nivasiṣyasi mayy eva
ata ūrdhvaṁ na saṁśayaḥ

mayi—asupra Mea; *eva*—desigur; *manaḥ*—mintea; *ādhatsva*—fixează; *mayi*—asupra Mea; *buddhim*—inteligența; *niveśaya*—aplică; *nivasiṣyasi*—vei trăi; *mayi*—în Mine; *eva*—desigur; *ataḥ ūrdhvam*—după aceea; *na*—niciodată; *saṁśayaḥ*—îndoială.

Doar fixează-ți mintea asupra Mea, Suprema Personalitate a Divinității, și angajează-ți întreaga inteligență în Mine. Astfel, tu vei trăi în Mine întotdeauna, fără nici o îndoială.

COMENTARIU

Cel ce este angajat în slujirea devoțională a Domnului Kṛṣṇa trăiește în legătură directă cu Domnul Suprem, astfel că nu e nici o îndoială că poziția sa este transcendentă chiar de la început. Un devot nu trăiește la nivel material, el trăiește în Kṛṣṇa. Numele sfânt al Domnului și Domnul Însuși nu diferă; deci când devotul cântă Hare Kṛṣṇa, atunci Kṛṣṇa și puterea Sa internă dansează pe limba devotului. Când îi oferă hrană lui Kṛṣṇa, El acceptă direct această hrană, iar devotul devine Kṛṣṇa-izat mâncând aceste rămășițe. Cel ce nu se angajează în această slujire, nu poate înțelege cum are loc acest fapt, deși acest proces e recomandat în *Bhagavad-gītā* și în alte scrieri vedice.

TEXTUL 9

अथ चित्तं समाधातुं न शक्नोषि मयि स्थिरम् ।
अभ्यासयोगेन ततो मामिच्छाप्तुं धनञ्जय ॥ ९ ॥

atha cittaṁ samādhātuṁ
na śaknoṣi mayi sthiram
abhyāsa-yogena tato
māṁ icchāptuṁ dhanañjaya

atha—însă dacă; *cittam*—mintea; *samādhātum*—să fixezi; *na*—nu; *śaknoṣi* —ești în stare; *mayi*—asupra Mea; *sthiram*—neclintit; *abhyāsa-yogena*— prin practicarea slujirii devoționale; *tataḥ*—atunci; *mām*—pe Mine; *icchā*— dorința; *āptum*—de a dobândi; *dhanam-jaya*—o, Arjuna, cuceritorule de bogății.

Dragul Meu Arjuna, o, cuceritor al bogăției, dacă nu poți să-ți fixezi mintea asupra Mea fără deviație, atunci urmează principiile regulatoare de bhakti-yoga. În acest fel, dezvoltă-ți dorința de a Mă atinge.

COMENTARIU

În această strofă se indică două procese diferite de *bhakti-yoga*. Primul se aplică la cel ce și-a dezvoltat deja atașamentul față de Kṛṣṇa, Suprema Personalitate a Divinității, prin dragoste spirituală. Iar celălalt este pentru cel ce nu și-a dezvoltat atașamentul față de Persoana Supremă prin dragoste spirituală. Pentru cei din a doua categorie sunt prescrise diferite legi și reglementări pe care le pot urma, pentru ca în final să fie înălțați la stadiul atașamentului față de Kṛṣṇa.

Bhakti-yoga este purificarea simțurilor. În momentul de față, în existența materială simțurile sunt permanent impure, fiind angajate în satisfacere senzorială. Dar prin practicarea de *bhakti-yoga* simțurile ajung să fie purificate, iar în starea purificată ele vin în contact direct cu Domnul Suprem. În existența materială eu pot să fiu angajat în slujba unui anumit stăpân, dar de fapt nu îmi servesc stăpânul cu dragoste, ci îl servesc doar pentru a câştiga nişte bani. Şi nici stăpânul nu mă iubeşte; el îmi foloseşte serviciile şi mă plăteşte. Deci nu se pune problema dragostei. Dar pentru viaţa spirituală omul trebuie să se ridice la stadiul pur al dragostei. Acest stadiu al dragostei poate fi dobândit prin practicarea slujirii devoţionale, îndeplinită cu simţurile actuale.

Această dragoste de Dumnezeu este acum într-o stare de adormire în inima fiecăruia. Acolo, dragostea lui Dumnezeu se manifestă în diferite feluri, dar este contaminată de asocierea materială. Inima trebuie să fie purificată de asocierea materială iar dragostea naturală pentru Kṛṣṇa, care este adormită, trebuie să fie reînviată. Acesta este întregul proces.

Pentru a practica principiile regulatoare de *bhakti-yoga* omul trebuie ca, sub îndrumarea unui maestru spiritual iscusit, să respecte anumite reguli: să se scoale dimineaţa devreme, să facă baie, să intre în templu, să ofere rugăciuni şi să cânte Hare Kṛṣṇa, apoi să culeagă flori pentru a le oferi Divinităţii, să gătească hrana pentru a fi oferită Divinităţii, să mănânce *prasādam* şi aşa mai departe. Există diferite legi şi reglementări care trebuie respectate. Şi mai trebuie să ascultăm permanent *Bhagavad-gītā* şi *Śrīmad-Bhāgavatam* de la devoţii puri. Această practică îl poate ajuta pe orice om să se ridice la nivelul dragostei de Dumnezeu şi atunci va fi sigur de progresul său către împărăţia spirituală a lui Dumnezeu. Această practicare a procesului *bhakti-yoga* supusă legilor şi regulamentelor, sub conducerea maestrului spiritual, ne va duce cu siguranţă la stadiul dragostei de Dumnezeu.

TEXTUL 10

अभ्यासेऽप्यसमर्थोऽसि मत्कर्मपरमो भव ।
मदर्थमपि कर्माणि कुर्वन् सिद्धिमवाप्स्यसि ॥१०॥

abhyāse 'py asamartho 'si
mat-karma-paramo bhava
mad-artham api karmāṇi
kurvan siddhim avāpsyasi

abhyāse—în practică; *api*—chiar dacă; *asamarthaḥ*—incapabil; *asi*—eşti; *mat-karma*—activării pentru Mine; *paramaḥ*—dedicat; *bhava*—devino; *mat-artham*—în folosul Meu; *api*—chiar; *karmāṇi*—faptele; *kurvan*—îndeplinind; *siddhim*—perfecţiunea; *avāpsyasi*—vei obţine.

Dacă nu poţi să practici regulile de bhakti-yoga, atunci încearcă măcar să activezi pentru Mine, deoarece activând pentru Mine vei ajunge la stadiul perfecţiunii.

COMENTARIU

Cel ce nu e capabil nici măcar să practice principiile regulatoare de *bhakti-yoga* sub îndrumarea unui maestru spiritual, poate totuşi să fie adus la acest stadiu de perfecţiune activând pentru Domnul Suprem. Felul în care se poate realiza această activitate a fost deja explicat în strofa cincizeci şi cinci din capitolul unsprezece. Omul trebuie să manifeste simpatie faţă de răspândirea conştiinţei de Kṛṣṇa. Există mulţi devoţi angajaţi în răspândirea conştiinţei de Kṛṣṇa, şi ei au nevoie de ajutor. Astfel, chiar dacă cineva nu poate practica direct principiile regulatoare de *bhakti-yoga,* el poate încerca să ajute această activitate. Orice întreprindere are nevoie de teren, capital, organizare şi mână de lucru. La fel cum într-o afacere este nevoie de un local, un anumit capital ce trebuie rulat, o anume mână de lucru şi o anumită organizare pentru a se extinde, aceleaşi lucruri sunt necesare şi în slujirea lui Kṛṣṇa. Singura diferenţă este aceea că în materialism omul lucrează pentru satisfacerea simţurilor. Însă aceeaşi muncă poate fi făcută pentru satisfacerea lui Kṛṣṇa şi aceasta este activitate spirituală. Dacă cineva are suficienţi bani, el poate să ajute la construirea unui centru sau templu pentru propagarea conştiinţei de Kṛṣṇa. Unii pot să ajute la publicarea cărţilor. Există diferite domenii de activitate, iar omul trebuie să acorde interes acestor activităţi. Dacă cineva nu poate să sacrifice rezultatul activităţilor sale, acelaşi om poate însă să sacrifice un anumit procent pentru răspândirea conştiinţei de Kṛṣṇa. Această slujire voluntară a cauzei conştiinţei de Kṛṣṇa îl va ajuta pe om să se ridice la starea mai înaltă a dragostei de Dumnezeu, prin care va ajunge la perfecţiune.

TEXTUL 11

अथैतदप्यशक्तोऽसि कर्तुं मद्योगमाश्रितः ।
सर्वकर्मफलत्यागं ततः कुरु यतात्मवान् ॥११॥

athaitad apy aśakto 'si
kartuṁ mad-yogam āśritaḥ
sarva-karma-phala-tyāgaṁ
tataḥ kuru yatātmavān

atha—chiar dacă; *etat*—aceasta; *api*—de asemenea; *aśaktaḥ*—incapabil; *asi*—ești; *kartum*—să îndeplinești; *mat*—la Mine; *yogam*—în slujirea devoțională; *āśritaḥ*—căutând refugiu; *sarva-karma*—tuturor faptelor; *phala*—toate rezultatele; *tyāgam*—renunțarea la; *tataḥ*—atunci; *kuru*—să faci; *yata-ātma-vān*—situat în sine.

Dacă, totuși, tu ești incapabil să activezi în această conștiință de Mine, atunci încearcă să acționezi renunțând la toate rezultatele muncii tale și încearcă să fii de sine stătător.

COMENTARIU

Se poate întâmpla ca cineva să nu fie în stare nici măcar să-și manifeste simpatia față de activitățile conștiinței de Kṛṣṇa datorită unor motive sociale, familiale sau religioase, sau datorită altor impedimente. Dacă cineva se atașează direct activităților conștiinței de Kṛṣṇa, ar putea apare obiecții din partea membrilor familiei sau multe alte dificultăți. Pentru cel care are asemenea probleme, se recomandă să-și sacrifice rezultatele acumulate prin activitățile sale pentru o cauză bună. Asemenea procedee sunt descrise în regulile vedice. Există multe descrieri ale sacrificiilor și funcțiilor speciale ale lui *puṇya* sau fapta specială în care se pot aplica rezultatele unei acțiuni precedente. Astfel, omul poate fi ridicat în mod treptat la starea de cunoaștere. Se întâmplă de asemenea ca atunci când cineva, care nu este nici măcar interesat de activitățile conștiinței de Kṛṣṇa, face o donație caritabilă unui spital sau altei instituții sociale, el să renunțe la rezultatele activităților sale, agonisite cu multă trudă. Acest lucru este de asemenea recomandat aici, pentru că prin practica renunțării la roadele activităților sale omul este sigur că-și va purifica mintea în mod treptat, și în acest stadiu de purificare a minții el ajunge în stare să înțeleagă conștiința de Kṛṣṇa. Desigur că conștiința de Kṛṣṇa nu depinde de nici o altă experiență, căci conștiința de Kṛṣṇa însăși poate purifica mintea omului, dar dacă există impedimente în acceptarea conștiinței de Kṛṣṇa, omul poate încerca să renunțe la rezultatele acțiunilor sale. În această privință, serviciul social, servirea comunității sau a națiunii, sacrificiul pentru propria țară etc., pot fi acceptate, astfel ca într-o zi omul să poată ajunge în stadiul slujirii devoționale pure față de Domnul Suprem. În *Bhagavad-gītā* (18.46) găsim afirmația *yataḥ pravṛtti bhūtānām:* dacă cineva hotărăște să sacrifice pentru cauza supremă, chiar dacă nu știe că această cauză supremă este Kṛṣṇa, el va ajunge treptat să înțeleagă că Kṛṣṇa este cauza supremă prin metoda sacrificiului.

TEXTUL 12

श्रेयो हि ज्ञानमभ्यासाज्ज्ञानाद्ध्यानं विशिष्यते ।
ध्यानात्कर्मफलत्यागस्त्यागाच्छान्तिरनन्तरम् ॥१२॥

śreyo hi jñānam abhyāsāj
jñānād dhyānaṁ viśiṣyate
dhyānāt karma-phala-tyāgas
tyāgāc chāntir anantaram

śreyaḥ—mai bună; *hi*—cu siguranță; *jñānam*—cunoașterea; *abhyāsāt*—decât practica; *jñānāt*—decât cunoașterea; *dhyānam*—meditația; *viśiṣyate*—este considerată mai bună; *dhyānāt*—decât meditația; *karma-phala-tyāgaḥ*—renunțarea la rezultatele faptelor cu fruct; *tyāgāt*—prin această renunțare; *śāntiḥ*—pacea; *anantaram*—după aceea.

Dacă nu poți să adopți această practică, atunci angajează-te în cultivarea cunoașterii. Mai bună decât cunoașterea, totuși, este meditația și mai bună decât meditația este renunțarea la rezultatele acțiuni, căci printr-o astfel de renunțare cineva poate să atingă pacea minții.

COMENTARIU

Așa cum s-a menționat în textele precedente, există două feluri de slujire devoțională: calea principiilor regulatoare și calea atașamentului deplin în dragostea față de Suprema Personalitate a Divinității. Pentru cei ce nu sunt în stare să urmeze principiile conștiinței de Kṛṣṇa este mai bine să cultive cunoașterea, căci prin cunoaștere omul poate fi în stare să-și înțeleagă poziția reală. Treptat, cunoașterea se va dezvolta până la nivelul meditației. Prin meditație omul poate înțelege Suprema Personalitate a Divinității printr-un proces treptat. Există unele procese care îl fac pe om să înțeleagă că el însuși este Supremul, iar acest tip de meditație este preferabil dacă omul este incapabil să se angajeze în slujirea devoțională. Dacă cineva nu e capabil să mediteze în acest fel, atunci, așa cum recomandă scrierile vedice, există datoriile prescrise pentru *brāhmaṇa, kṣatriya, vaiśya* și *śūdra,* pe care le vom găsi în ultimul capitol din *Bhagavad-gītā.* Dar în toate cazurile, trebuie să se renunțe la rezultatul sau roadele muncii; aceasta înseamnă să folosești rezultatul lui *karma* pentru o cauză bună.

În rezumat, pentru a ajunge la Suprema Personalitate a Divinității, țelul cel mai înalt, există două procese: unul este procesul dezvoltării treptate, iar celălalt este procesul direct. Slujirea devoțională în conștiința de Kṛṣṇa este metoda directă, iar cealaltă metodă cuprinde renunțarea la rezultatele activităților. După aceasta, omul poate ajunge la stadiul cunoașterii, apoi la stadiul meditației, apoi la stadiul înțelegerii Suprasufletului și apoi la stadiul Supremei Personalități a Divinității. Omul poate adopta fie procesul treaptă cu treaptă, fie calea directă. Procesul direct nu e posibil pentru orice om; de aceea procesul indirect este de asemenea bun. Se înțelege totuși că acest proces indirect nu este recomandat pentru Arjuna, pentru că el se află deja în stadiul slujirii devoționale din dragoste față de Domnul Suprem. Acesta este pentru ceilalți, care nu se află în acest stadiu; ei trebuie să urmeze procesul treptat al renunțării, cunoașterii, meditației și realizării Suprasufletului și a lui Brahman. Dar în ceea ce privește *Bhagavad-gītā*, se pune accentul pe metoda directă. Toți oamenii sunt sfătuiți să adopte metoda directă și să se predea lui Kṛṣṇa, Suprema Personalitate a Divinității.

TEXTELE 13–14

अद्वेष्टा सर्वभूतानां मैत्रः करुण एव च ।
निर्ममो निरहङ्कारः समदुःखसुखः क्षमी ॥१३॥

सन्तुष्टः सततं योगी यतात्मा दृढनिश्चयः ।
मय्यर्पितमनोबुद्धियों मद्भक्तः स मे प्रियः ॥१४॥

advesṭā sarva-bhūtānāṁ
maitraḥ karuṇa eva ca
nirmamo nirahaṅkāraḥ
sama-duḥkha-sukhaḥ kṣamī

santuṣṭaḥ satataṁ yogī
yatātmā dṛḍha-niścayaḥ
mayy arpita-mano-buddhir
yo mad-bhaktaḥ sa me priyaḥ

advesṭā—cel neinvidios; *sarva-bhūtānām*—față de toate entitățile vii; *maitraḥ*—prietenos; *karuṇaḥ*—cu bunăvoință; *eva*—desigur; *ca*—precum și;

nirmamaḥ—lipsit de simţul proprietăţii; *nirahaṅkāraḥ*—fără falsul ego; *sama* —egal; *duḥkha*—la suferinţă; *sukhaḥ*—şi fericire; *kṣamī*—iertător; *santuṣṭaḥ* —împăcat; *satatam*—întotdeauna; *yogī*—cel angajat în devoţiune; *yata-ātmā* —cu stăpânire de sine; *dṛḍha-niścayaḥ*—cu hotărâre; *mayi*—asupra Mea; *arpita*—angajată; *manaḥ*—mintea; *buddhiḥ*—şi intelectul; *yaḥ*—cel care; *mat-bhaktaḥ*—devotul Meu; *saḥ*—el; *me*—Mie; *priyaḥ*—drag.

Cel ce nu este invidios, ci este prieten binevoitor cu toate entităţile vii, care nu se crede pe sine proprietar şi este eliberat de falsul ego, care este egal în faţa atât a fericirii cât şi a necazului, care este tolerant, întotdeauna satisfăcut, controlat de sine şi angajat cu hotărâre în slujirea devoţională, cu mintea şi inteligenţa fixate asupra Mea—un astfel de devot al Meu Îmi este foarte drag.

COMENTARIU

Revenind la subiectul slujirii devoţionale pure, Domnul descrie calităţile transcendente ale unui devot pur în aceste două strofe. Devotul pur nu e tulburat în nici o împrejurare şi nici nu e invidios pe nimeni. Un devot nu devine duşmanul duşmanului său; el gândeşte astfel: „Această persoană acţionează ca duşman al meu datorită propriilor mele fapte rele din trecut. Deci e mai bine să sufăr decât să protestez". În *Śrīmad-Bhāgavatam* se afirmă: *tat te 'nukampāṁ susamīkṣamāṇo bhuñjāna evātma-kṛtaṁ vipākam*. Ori de câte ori devotul este supărat sau a dat de vreun necaz, el se gândeşte că aceasta este mila Domnului asupra sa. El gândeşte astfel: „Datorită greşelilor mele trecute, ar trebui să sufăr mult mai mult decât sufăr acum. Astfel, prin mila Domnului Suprem nu primesc întreaga pedeapsă pe care o merit. Prin îndurarea Supremei Personalităţi a Divinităţii primesc doar o mică parte din ea." De aceea, el este mereu calm, liniştit, răbdător, în ciuda multor situaţii neplăcute. Devotul este de asemenea întotdeauna binevoitor faţă de oricine, chiar şi faţă de duşmanul său. *Nirmama* înseamnă că devotul nu dă prea multă importanţă durerilor şi necazurilor legate de corp, căci ştie foarte bine că el nu este corpul material. El nu se identifică cu corpul; de aceea, el este eliberat de concepţia falsului ego şi rămâne echilibrat la fericire şi suferinţă. El este tolerant şi se mulţumeşte cu orice vine prin graţia Domnului Suprem. El nu trudeşte peste măsură pentru a obţine ceva foarte dificil; prin urmare, el e mereu vesel. El este în întregime un mistic perfect, căci nu se abate de la instrucţiunile primite de la maestrul spiritual; iar pentru că simţurile sale sunt stăpânite, el este hotărât şi ferm. El nu poate fi derutat de argumente false, căci nimeni nu-l poate clinti din hotărârea fermă a slujirii devoționale. El este pe deplin conștient că Kṛṣṇa este Domnul etern, astfel că nimeni nu-l poate tulbura. Toate aceste calități îl fac capabil să-și fixeze mintea și inteligența în întregime asupra Domnului Suprem. Un asemenea nivel al slujirii devoționale este fără îndoială foarte rar, dar un devot ajunge să fie situat în acest stadiu urmând principiile regulatoare ale slujirii devoționale. Mai mult, Domnul spune că un asemenea devot Îi este foarte drag, căci Domnul este întotdeauna încântat de toate aceste activități săvârșite în deplină conștiință de Kṛṣṇa.

TEXTUL 15

यस्मान्नोद्विजते लोको लोकान्नोद्विजते च यः ।
हर्षामर्षभयोद्वेगैर्मुक्तो यः स च मे प्रियः ॥१५॥

yasmān nodvijate loko
lokān nodvijate ca yaḥ
harṣāmarṣa-bhayodvegair
mukto yaḥ sa ca me priyaḥ

yasmāt—de la care; *na*—niciodată; *udvijate*—se tulbură; *lokaḥ*—lumea; *lokāt*—de către lume; *na*—niciodată; *udvijate*—este tulburat; *ca*—și; *yaḥ*—oricine; *harṣa*—de bucurie; *amarṣa*—supărare; *bhaya*—frică; *udvegaiḥ*—și neliniște; *muktaḥ*—eliberat; *yaḥ*—cel care; *saḥ*—acela; *ca*—și; *me*—Mie; *priyaḥ*—foarte drag.

Cel din cauza căruia nimeni nu este pus în dificultate și care nu este tulburat de nimeni, care este egal situat în fața fericirii și nefericirii, fricii și anxietății, acela îmi este foarte drag.

COMENTARIU

Se continuă descrierea altor calități ale devotului. Nimeni nu este pus în dificultate, neliniște, frică sau insatisfacție de un astfel de devot. Deoarece devotul este bun față de oricine, el nu acționează în așa fel încât să producă neliniște altora. În același timp, dacă alții încearcă să-i provoace neliniște devotului, el nu se tulbură. Prin grația Domnului, el este astfel antrenat încât nu-l tulbură nici o agitație exterioară. De fapt, întrucât un devot este mereu absorbit în conştiinţa de Kṛṣṇa şi angajat în slujirea devoţională, asemenea circumstanţe materiale nu îl pot afecta. În general, omul materialist devine foarte fericit când are ceva pentru satisfacerea simţurilor şi pentru corpul său, dar când vede că alţii au ceva pentru satisfacerea simţurile şi el nu are, îi pare rău şi e invidios. Când se aşteaptă la represalii din partea unui duşman, el e într-o stare de frică, iar când nu poate să execute cu succes un anumit lucru, este dezamăgit. Un devot care este mereu transcendent tuturor acestor tulburări este foarte drag lui Kṛṣṇa.

TEXTUL 16

अनपेक्षः शुचिर्दक्ष उदासीनो गतव्यथः ।
सर्वारम्भपरित्यागी यो मद्भक्तः स मे प्रियः ॥१६॥

anapekṣaḥ śucir dakṣa
udāsīno gata-vyathaḥ
sarvārambha-parityāgī
yo mad-bhaktaḥ sa me priyaḥ

anapekṣaḥ—neutru; *śuciḥ*—pur; *dakṣaḥ*—expert; *udāsīnaḥ*—fără de griji; *gata-vyathaḥ*—fără nici o supărare; *sarva-ārambha*—la toate eforturile; *parityāgī*—cel ce a renunţat; *yaḥ*—cel care; *mat-bhaktaḥ*—devotul Meu; *saḥ*—el; *me*—Mie; *priyaḥ*—foarte drag.

Devotul Meu care nu este dependent de mersul obişnuit al lucrurilor, care este pur, expert, fără griji, eliberat de toate suferinţele şi care nu caută să obţină un anumit rezultat, Îmi este foarte drag.

COMENTARIU

Devotului i se pot oferi bani, dar el nu se va trudi ca să-i obţină. Dacă aceşti bani îi vin automat, prin graţia Celui Suprem, el nu e tulburat. În mod normal devotul face baie cel puţin de două ori pe zi şi se scoală dimineaţa devreme pentru slujirea devoţională. Astfel el este în mod firesc curat, atât în exterior, cât şi în interior. Devotul este întotdeauna expert, căci el cunoaşte în întregime esenţa tuturor activităţilor vieţii şi e convins de autoritatea scripturilor. Devotul nu ia niciodată partea unei anumite tabere; de aceea este lipsit de griji. El nu suferă niciodată, căci s-a eliberat de toate denumirile; el ştie că trupul său este o denumire, așa că, dacă apar niște dureri ale corpului, el nu este afectat. Devotul pur nu se străduiește pentru nimic din ceea ce este contrar principiilor slujirii devoționale. De exemplu, construirea unei clădiri uriașe cere o mare energie, iar un devot nu se apucă de o asemenea treabă dacă aceasta nu îi aduce un beneficiu prin avanasarea slujirii sale devoționale. El poate construi un templu pentru Domnul, iar pentru aceasta își asumă tot felul de griji, dar el nu-și va construi o casă mare pentru relațiile sale personale.

TEXTUL 17

यो न हृष्यति न द्वेष्टि न शोचति न काङ्क्षति ।
शुभाशुभपरित्यागी भक्तिमान् यः स मे प्रियः ॥१७॥

yo na hṛṣyati na dveṣṭi
na śocati na kāṅkṣati
śubhāśubha-parityāgī
bhaktimān yaḥ sa me priyaḥ

yaḥ—cel care; *na*—niciodată; *hṛṣyati*—se bucură; *na*—niciodată; *dveṣṭi*—se întristează; *na*—niciodată; *śocati*—se lamentează; *na*—niciodată; *kāṅkṣati*—dorește; *śubha*—la cele favorabile; *aśubha*—și nefavorabile; *parityāgī*—cel ce renunță; *bhakti-mān*—devot; *yaḥ*—cel care; *saḥ*—el este; *me*—Mie; *priyaḥ*—drag.

Acela care nici nu se bucură, nici nu se îndurerează, care nici nu se lamentează și nici nu dorește și care renunță atât la lucrurile favorabile cât și la cele nefavorabile—un astfel de devot Îmi este foarte drag.

COMENTARIU

Un devot pur nu este nici fericit, nici supărat în ce privește câștigurile sau pierderile materiale, nici nu se preocupă să obțină un fiu sau un discipol și nici nu e necăjit dacă nu-i obține. Când pierde ceva la care ține foarte mult, el nu se lamentează. Tot așa, atunci când nu obține ceea ce dorește, nu este supărat. El este transcendent față de toate felurile de activități păcătoase, fie favorabile sau nefavorabile și este pregătit să accepte orice fel de riscuri pentru satisfacerea Domnului Suprem. Nimic nu îi este un impediment în îndeplinirea slujirii sale devoționale. Un asemenea devot Îi este foarte drag lui Kṛṣṇa.

TEXTELE 18-19

समः शत्रौ च मित्रे च तथा मानापमानयोः ।
शीतोष्णसुखदुःखेषु समः सङ्गविवर्जितः ॥१८॥
तुल्यनिन्दास्तुतिर्मौनी सन्तुष्टो येन केनचित् ।
अनिकेतः स्थिरमतिर्भक्तिमान्मे प्रियो नरः ॥१९॥

samaḥ śatrau ca mitre ca
tathā mānāpamānayoḥ
śītoṣṇa-sukha-duḥkheṣu
samaḥ saṅga-vivarjitaḥ

tulya-nindā-stutir maunī
santuṣṭo yena kenacit
aniketaḥ sthira-matir
bhaktimān me priyo naraḥ

samaḥ—egal; *śatrau*—față de dușmani; *ca*—ca și; *mitre*—față de un prieten; *ca*—și; *tathā*—precum și; *māna*—la onoare; *apamānayoḥ*—și dezonoare; *śīta*—la frig; *uṣṇa*—căldură; *sukha*—fericire; *duḥkheṣu*—și nefericire; *samaḥ*—echilibrat; *saṅga-vivarjitaḥ*—lipsit de orice asociere; *tulya*—egal; *nindā*—la defăimare; *stutiḥ*—și laudă; *maunī*—tăcut; *santuṣṭaḥ*—împăcat; *yena kenacit*—cu orice; *aniketaḥ*—fără reședință; *sthira*—neclintită; *matiḥ*—hotărâre; *bhakti-mān*—angajat în devoțiune; *me*—Mie; *priyaḥ*—drag; *naraḥ*—omul.

Acela care este egal în fața prietenilor și dușmanilor, care este echilibrat în fața onoarei și dezonoarei, căldurii și frigului, fericirii și nefericirii, faimei și infamiei, care este întotdeauna liber de asocierea contaminată, întotdeauna tăcut și satisfăcut cu orice, căruia îi este indiferentă orice reședință, care este fixat în cunoaștere și este angajat în slujirea devoțională—un astfel de om Îmi este foarte drag.

COMENTARIU

Un devot nu se află niciodată în proastă asociere. Uneori unii oameni sunt lăudați, alteori sunt defăimați; aceasta este natura societății umane. Dar un devot este întotdeauna transcendent față de această faimă sau defăimare artificială, față de fericire sau necaz. El este foarte răbdător și nu vorbește de nimic altceva decât despre subiecte legate de Kṛṣṇa; de aceea se spune că este tăcut. Tăcut nu înseamnă că nu trebuie să vorbească; tăcut înseamnă că nu trebuie să vorbească lucruri fără rost. Omul trebuie să vorbească numai ceea ce este esențial, iar pentru un devot lucrul esențial este să vorbească în folosul Domnului Suprem. Devotul e fericit în orice condiții; uneori el poate obține hrană foarte gustoasă, alteori nu, dar el e mulțumit. Și nici nu se preocupă de o locuință comodă. Uneori el poate locui sub un copac, alteori poate trăi într-un adevărat palat; el nu e atras de nicicare din acestea. Se spune că el este neclintit, deoarece este fixat în hotărârea sa și în cunoaștere. Uneori pot apărea unele repetări în descrierea calităților devotului, dar aceasta are rostul tocmai de a sublinia faptul că devotul trebuie să dobândească toate aceste calități. Fără aceste calități virtuoase omul nu poate fi un devot pur. *Harāv abhaktasya kuto mahad-guṇāḥ:* cel ce nu e devot nu are calitățile virtuții. Cel ce dorește să fie recunoscut ca devot, trebuie să-și dezvolte aceste calități virtuoase. Desigur că el nu trebuie să se străduiască în mod exterior să obțină aceste calități, ci angajarea în conștiința de Kṛṣṇa și în slujirea devoțională îl ajută în mod automat să și le dezvolte.

TEXTUL 20

ये तु धर्मामृतमिदं यथोक्तं पर्युपासते ।
श्रद्दधाना मत्परमा भक्तास्तेऽतीव मे प्रियाः ॥२०॥

ye tu dharmāmṛtam idaṁ
yathoktaṁ paryupāsate
śraddadhānā mat-paramā
bhaktās te 'tīva me priyāḥ

ye—cei care; *tu*—dar; *dharma*—al religiei; *amṛtam*—nectar; *idam*—acest; *yathā*—așa cum; *uktam*—spus; *paryupāsate*—se angajează complet; *śraddadhānāḥ*—cu credință; *mat-paramāḥ*—considerând că Eu, Domnul Suprem, sunt totul; *bhaktāḥ*—devoți; *te*—ei; *atīva*—foarte; *me*—Mie; *priyāḥ*—dragi.

Cei care urmează această cale nepieritoare a slujirii devoționale și care se angajează pe deplin cu credință, făcând din Mine țelul suprem, Îmi sunt foarte foarte dragi Mie.

COMENTARIU

În acest capitol, de la strofa a doua şi până la sfârşit—de la *mayy āveśya mano ye mām* („fixându-şi mintea asupra Mea") până la *ye tu dharmāmṛtam idam* („această religie a angajării eterne")—Domnul Suprem a explicat procesul slujirii transcendente pentru a ne apropia de El. Acest proces e foarte drag Domnului şi El îl acceptă pe acela care se angajează în el. Arjuna a ridicat problema referitoare la cine e mai bun—cel angajat pe calea impersonalului Brahman, sau cel angajat în serviciul personal al Supremei Personalităţi a Divinităţii—iar Domnul i-a răspuns atât de explicit, încât nu e nici o îndoială că slujirea devoţională către Personalitatea Divinităţii este cel mai bun dintre toate procesele realizării spirituale. Cu alte cuvinte, în acest capitol se certifică faptul că printr-o bună asociere omul îşi dezvoltă ataşamentul faţă de slujirea devoţională pură şi prin aceasta el acceptă un maestru spiritual autentic, începând să asculte de la el, să cânte şi să respecte principiile regulatoare ale slujirii devoţionale cu credinţă, ataşament şi devoţiune, şi astfel devine angajat în slujirea transcendentă a Domnului. Această cale este recomandată în capitolul de faţă; deci nu e nici o îndoială că slujirea devoţională este singura cale absolută pentru realizarea de sine, pentru a ajunge la Suprema Personalitate a Divinităţii. Concepţia impersonală a Adevărului Absolut Suprem, aşa cum e descrisă în acest capitol, e recomandată numai până în momentul când cineva se dedică total realizării de sine. Cu alte cuvinte, atâta timp cât omul nu are norocul de a se asocia cu un devot pur, concepţia impersonalistă îi poate fi benefică. În concepţia impersonală asupra Adevărului Absolut omul activează fără fructul faptei şi cultivă cunoaşterea pentru a înţelege spiritul şi materia. Acest lucru e necesar atâta timp cât omul nu ajunge în asociere cu un devot pur. Din fericire, dacă cineva îşi dezvoltă în mod direct dorinţa de a se angaja în conştiinţa de Kṛṣṇa în slujire devoţională pură, el nu mai are nevoie să urmeze avansarea pas cu pas în realizarea spirituală. Slujirea devoţională, aşa cum e descrisă în cele şase capitole de la mijlocul *Bhagavad-gītei*, este cea mai firească. Omul nu trebuie să se îngrijească de cele materiale, necesare menţinerii corpului împreună cu sufletul, căci prin graţia Domnului totul îi vine în mod automat.

Astfel sfârşeşte comentariul lui Bhaktivedanta la capitolul al doisprezecelea din Śrīmad Bhagavad-gītā, care tratează despre „Slujirea devoţională".

Natura, Cel care se bucură și conștiința

Textele 1–2

अर्जुन उवाच
प्रकृतिं पुरुषं चैव क्षेत्रं क्षेत्रज्ञमेव च ।
एतद्वेदितुमिच्छामि ज्ञानं ज्ञेयं च केशव ॥१॥

श्रीभगवानुवाच
इदं शरीरं कौन्तेय क्षेत्रमित्यभिधीयते ।
एतद्यो वेत्ति तं प्राहुः क्षेत्रज्ञ इति तद्विदः ॥२॥

arjuna uvāca
prakṛtiṁ puruṣaṁ caiva
kṣetraṁ kṣetra-jñam eva ca

etad veditum icchāmi
jñānaṁ jñeyaṁ ca keśava

śrī-bhagavān uvāca
idaṁ śarīraṁ kaunteya
kṣetram ity abhidhīyate
etad yo vetti taṁ prāhuḥ
kṣetra-jña iti tad-vidaḥ

arjunaḥ uvāca—Arjuna a spus; prakṛtim—natura; puruṣam—cel care se bucură; ca—precum şi; eva—desigur; kṣetram—câmpul; kṣetra-jñam—cunoscătorul câmpului; eva—desigur; ca—şi; etat—toate acestea; veditum—să înţeleg; icchāmi—doresc; jñānam—cunoaşterea; jñeyam—obiectul cunoaşterii; ca—ca şi; keśava—o, Kṛṣṇa; śrī-bhagavān uvāca—Personalitatea Divinităţii a spus; idam—acest; śarīram—corp; kaunteya—o, fiu al lui Kuntī; kṣetram—câmp; iti—astfel; abhidhīyate—este denumit; etat—acesta; yaḥ—cel care; vetti—cunoaşte; tam—el; prāhuḥ—este numit; kṣetra-jñaḥ—cunoscătorul câmpului; iti—astfel; tat-vidaḥ—de către cei ce cunosc aceasta.

Arjuna a spus: O, dragul meu Kṛṣṇa, aş dori să cunosc despre prakṛti [natura] şi puruṣa [cel care se bucură], despre câmp şi cunoscătorul câmpului, precum şi despre cunoaştere şi obiectul cunoaşterii.
Suprema Personalitate a Divinităţii a spus: Acest corp, o fiu al lui Kuntī, se numeşte câmp iar cel ce cunoaşte corpul se numeşte cunoscătorul câmpului.

COMENTARIU

Arjuna era curios să afle despre prakṛti (natură), puruṣa (cel care se bucură), kṣetra (câmp), kṣetra-jña (cunoscătorul câmpului) şi despre cunoaştere şi obiectul cunoaşterii. La întrebarea despre toate acestea, Kṛṣṇa îi răspunde că corpul se numeşte „câmp" iar cel ce cunoaşte corpul este numit „cunoscător al câmpului". Corpul este câmpul de activitate al sufletului condiţionat. Sufletul condiţionat este prins în capcana existenţei materiale şi încearcă să stăpânească asupra naturii materiale. Astfel, potrivit capacităţii sale de a domina natura materială, el obţine un câmp de activitate. Câmpul de activitate este corpul. Şi ce anume este corpul? Corpul este făcut din simţuri. Sufletul condiţionat doreşte să se bucure de plăcerile simţurilor şi, în funcție de capacitatea sa de a se bucura de plăcerile simțurilor, i se oferă un corp sau un câmp de acțiune. Prin urmare, corpul este numit *kṣetra* sau câmpul de activitate al sufletului condiționat. Persoana care se identifică pe sine cu corpul se numește *kṣetra-jña*, cunoscătorul câmpului. Nu este foarte greu de înțeles diferența între corp și cunoscătorul corpului. Orice om poate să-și dea seama că din copilărie și până la bătrânețe se petrec o mulțime de schimbări în corpul său și totuși el rămâne mereu aceeași persoană. Deci există o diferență între cunoscătorul câmpului de activitate și câmpul de activitate însuși. În acest fel, sufletul condiționat poate înțelege că este diferit de corp. Încă de la început în *Bhagavad-gīta* (*dehino 'smin* 2.13) se spune că entitatea vie se află înăuntrul corpului și că corpul se transformă de la copilărie la adolescență, de la adolescență la tinerețe și de la tinerețe la bătrânețe, iar cel ce posedă corpul știe că acesta este schimbător. Posesorul său este fără îndoială *kṣetra-jña*. Uneori gândim: „eu sunt fericit", „eu sunt bărbat", „eu sunt femeie", „eu sunt câine", „eu sunt pisică". Acestea sunt desemnările corporale ale cunoscătorului. Dar cunoscătorul este diferit de corp. Așa cum atunci când folosim diferite accesorii—îmbrăcăminte etc.—știm că suntem diferiți de lucrurile pe care le folosim. În mod similar, dacă stăm să analizăm puțin, înțelegem că suntem diferiți de corp. Eu, tu sau oricine altcineva care posedă un corp se numește *kṣetra-jña*, cunoscătorul câmpului de activitate, iar corpul este numit *kṣetra*, câmpul de activitate în sine.

În primele șase capitole din *Bhagavad-gītā* este descris cunoscătorul corpului (entitatea vie) și poziția de pe care el poate să-L înțeleagă pe Domnul Suprem. În cele șase capitole de mijloc din *Bhagavad-gītā* este descrisă Suprema Personalitate a Divinității și relația dintre sufletul individual și Suprasuflet în cadrul slujirii devoționale. Poziția superioară a Supremei Personalități a Divinității și poziția subordonată a sufletului individual sunt definite în mod categoric în aceste capitole. Entitățile vii sunt subordonate în toate împrejurările, dar datorită uitării acestui fapt, ele suferă. Când ajung să fie iluminate prin activități pioase, ele se apropie de Domnul Suprem în diferitele lor calități—cea de năpăstuiți, cea de doritori de bani, cea de curioși și cea de căutători de cunoaștere—așa cum au fost descrise. Începând cu capitolul al treisprezecelea se explică felul în care entitatea vie vine în contact cu natura materială și felul cum este eliberată de Domnul Suprem prin diversele metode ce țin de activitățile fructuoase, de cultivarea cunoașterii și de îndeplinirea slujirii devoționale. Deși entitatea vie este complet diferită de corpul material, ea ajunge totuși să fie legată într-un anume fel. Acest lucru este explicat de asemenea.

TEXTUL 3

क्षेत्रज्ञं चापि मां विद्धि सर्वक्षेत्रेषु भारत ।
क्षेत्रक्षेत्रज्ञयोर्ज्ञानं यत्तज्ज्ञानं मतं मम ॥ ३ ॥

kṣetra-jñaṁ cāpi māṁ viddhi
sarva-kṣetreṣu bhārata
kṣetra-kṣetrajñayor jñānaṁ
yat taj jñānaṁ matam mama

kṣetra-jñam—cunoscătorul câmpului; *ca*—de asemenea; *api*—desigur; *mām*
—pe Mine; *viddhi*—cunoaşte; *sarva*—toate; *kṣetreṣu*—în câmpurile cor-
purilor; *bhārata*—o, fiu al lui Bharata; *kṣetra*—a câmpului de activitate
(corpul); *kṣetra-jñayoḥ*—şi a cunoscătorului câmpului; *jñānam*—cunoaş-
terea; *yat*—cea care; *tat*—aceea; *jñānam*—cunoaştere; *matam*—părerea;
mama—Mea.

**O, vlăstar al lui Bharata, trebuie să înţelegi că Eu sunt de asemenea
cunoscătorul tuturor corpurilor, iar înţelegerea acestui corp şi a cunos-
cătorului său se numeşte cunoaştere. Aceasta este opinia Mea.**

COMENTARIU

Discutând subiectul corpului şi al cunoscătorului corpului, sufletul şi Supra-
sufletul, vom descoperi trei subiecte de studiu diferite: Domnul, entitatea vie
şi materia. În orice câmp de activitate, în orice corp, se află două suflete:
sufletul individual şi Suprasufletul. Deoarece Suprasufletul este expansiunea
plenară a lui Kṛṣṇa, Suprema Personalitate a Divinităţii, Kṛṣṇa spune: „Eu
sunt de asemenea cunoscătorul, dar nu sunt cunoscătorul individual al cor-
pului. Eu sunt cunoscătorul suprem. Eu sunt prezent în fiecare corp ca Para-
mātmā sau Suprasuflet." Cel ce studiază foarte amănunţit subiectul referitor
la câmpul de activitate şi cunoscătorul acestui câmp, în termenii din această
Bhagavad-gītā, poate obţine cunoaşterea.

Domnul spune: „Eu sunt cunoscătorul câmpului de activitate în fieca-
re corp individual". Individul poate fi cunoscătorul propriului corp, dar nu
cunoaşte celelalte corpuri. Suprema Personalitate a Divinităţii, care este pre-
zentă ca Suprasuflet în toate corpurile, cunoaşte totul despre toate corpurile.

El cunoaște toate corpurile diferite ale variatelor specii de viață. Un cetățean poate să știe totul despre peticul său de pământ, dar regele cunoaște nu numai palatul său, ci toate proprietățile aflate în posesia cetățenilor individuali. În mod similar, cineva poate să fie proprietarul corpului în mod individual, dar Domnul Suprem este proprietarul tuturor corpurilor. Regele este proprietarul primordial al regatului, iar cetățeanul este proprietarul secund. În același fel, Domnul Suprem este proprietarul suprem al tuturor corpurilor.

Corpul constă din simțuri. Domnul Suprem este Hṛṣīkeśa, care înseamnă „Cel care controlează simțurile". El este conducătorul primordial al simțurilor, exact așa cum regele este conducătorul primordial al activităților statului; cetățenii sunt doar conducători de ordin secund. Domnul spune: „Eu sunt de asemenea cunoscătorul". Aceasta înseamnă că El este cunoscătorul suprem; sufletul individual cunoaște doar corpul său particular. În scrierile vedice se afirmă următoarele:

> kṣetrāṇi hi śarīrāṇi
> bījaṁ cāpi śubhāśubhe
> tāni vetti sa yogātmā
> tataḥ kṣetra-jña ucyate

Acest corp este numit *kṣetra,* iar înăuntrul său locuiește proprietarul corpului și Domnul Suprem care cunoaște atât corpul, cât și pe proprietarul corpului. De aceea El este numit cunoscătorul tuturor câmpurilor. Deosebirea dintre câmpul de activitate, cunoscătorul activităților și supremul cunoscător al activităților este descrisă în felul următor. Cunoașterea perfectă a alcătuirii corpului, a alcătuirii sufletului individual și a alcătuirii Suprasufletului este denumită în limbajul scrierilor vedice *jñāna.* Aceasta este părerea lui Kṛṣṇa. Înțelegerea sufletului și Suprasufletului ca fiind una și totuși deosebite înseamnă cunoaștere. Cel ce nu înțelege câmpul de activitate și pe cunoscătorul activității, nu are cunoașterea perfectă. Omul trebuie să înțeleagă poziția lui *prakṛti* (natura), a lui *puruṣa* (cel care se bucură de natură) și a lui *īśvara* (cunoscătorul care domină sau controlează natura și sufletul individual). Nu trebuie confundate diferitele capacități ale acestor trei entități. Nu trebuie să se confunde pictorul, pictura și șevaletul. Lumea materială, care este câmpul activităților, este natura, iar cea care se bucură de această natură este entitatea vie; deasupra lor se află supremul care controlează, Personalitatea Divinității. În limbaj vedic (*Śvetāśvatara Upaniṣad* 1.12) se afirmă: *bhoktā bhogyaṁ preritāraṁ ca matvā/ sarvaṁ proktaṁ tri-vidhaṁ brahmam etat.* Există trei

concepţii despre Brahman: *prakṛti* este Brahman în calitate de câmp al acti-
vităţilor, *jīva* (sufletul individual) este de asemenea Brahman şi încearcă să
controleze natura materială, iar cel care îi controlează pe ambii este de ase-
menea Brahman, dar El este cel care controlează cu adevărat.

În acest capitol se va mai explica şi faptul că, dintre cei doi cunoscători,
unul este failibil, iar celălalt infailibil. Unul este superior, iar celălalt subor-
donat. Cel ce îi consideră pe cei doi cunoscători ai câmpului ca fiind unul şi
acelaşi, contrazice Suprema Personalitate a Divinităţii care afirmă foarte clar
aici: „Eu sunt de asemenea cunoscătorul câmpului de activitate". Cel ce con-
fundă frânghia cu un şarpe nu are cunoaştere. Există diferite tipuri de corpuri
şi diferiţi proprietari ai acestor corpuri. Întrucât fiecare suflet individual are
propria capacitate individuală de a controla natura materială, există diferite
feluri de corpuri. Dar Supremul este şi El prezent în ele în calitate de stăpâni-
tor. Cuvântul *ca* este semnificativ aici, deoarece indică numărul total de cor-
puri. Aceasta este opinia lui Śrīla Baladeva Vidyābhūṣaṇa. Kṛṣṇa este Supra-
sufletul prezent în fiecare şi în toate corpurile alături de sufletul individual.
Kṛṣṇa spune aici în mod explicit că Suprasufletul controlează atât câmpul de
activitate, cât şi pe beneficiarul său limitat.

TEXTUL 4

तत्क्षेत्रं यच्च यादृक्च यद्विकारि यतश्च यत् ।
स च यो यत्प्रभावश्च तत्समासेन मे शृणु ॥ ४ ॥

tat kṣetraṁ yac ca yādṛk ca
yad-vikāri yataś ca yat
sa ca yo yat-prabhāvaś ca
tat samāsena me śṛṇu

tat—acest; *kṣetram*—câmp al activităţilor; *yat*—ce; *ca*—şi; *yādṛk*—cum
este; *ca*—şi; *yat*—care sunt; *vikāri*—schimbările; *yataḥ*—din care; *ca*—
şi; *yat*—ce; *saḥ*—el; *ca*—şi; *yaḥ*—cine; *yat*—care; *prabhāvaḥ*—influenţă;
ca—precum şi; *tat*—aceasta; *samāsena*—în rezumat; *me*—de la Mine; *śṛṇu*
—află.

**Acum, ascultă te rog descrierea Mea pe scurt a acestui câmp de activi-
tate şi a felului în care este el alcătuit, care îi sunt transformările, de**

unde provine, cine este cunoscătorul câmpului de activități și care este influența sa.

COMENTARIU

Domnul descrie câmpul de activitate și pe cunoscătorul câmpului, potrivit pozițiilor lor constitutive. Trebuie să știm cum este alcătuit acest corp, materialele din care este făcut, sub controlul cui activează corpul, cum au loc schimbările sale, de unde vin aceste schimbări, care sunt cauzele, care sunt motivele, care este țelul final al sufletului individual și care este forma reală a sufletului individual. Trebuie de asemenea să cunoaștem deosebirea dintre sufletul viu individual și Suprasuflet, influențele lor diferite, potențialitățile lor etc. De fapt, trebuie doar să înțelegem această *Bhagavad-gītā* direct din descrierea dată de Suprema Personalitate a Divinității și toate aceste lucruri se vor lămuri. Dar trebuie să avem grijă să nu considerăm că Suprema Personalitate a Divinității din fiecare corp este una cu sufletul individual, *jīva*. Aceasta ar fi ca și cum ai pune semnul egalității între puternic și neputincios.

TEXTUL 5

ऋषिभिर्बहुधा गीतं छन्दोभिर्विविधैः पृथक् ।
ब्रह्मसूत्रपदैश्चैव हेतुमद्भिर्विनिश्चितैः ॥ ५॥

ṛṣibhir bahudhā gītaṁ
chandobhir vividhaiḥ pṛthak
brahma-sūtra-padaiś caiva
hetumadbhir viniścitaiḥ

ṛṣibhiḥ—de către înțelepți; *bahudhā*—în multe feluri; *gītam*—descris; *chandobhiḥ*—de către imnurile vedice; *vividhaiḥ*—diferite; *pṛthak*—în mod variat; *brahma-sūtra*—din *Vedānta*; *padaiḥ*—de către aforismele; *ca*—precum și; *eva*—desigur; *hetu-madbhiḥ*—cu cauza și efectul; *viniścitaiḥ*—stabilite în mod cert.

Această cunoaștere a câmpului de activitate și a cunoscătorului activităților este descrisă de diverși înțelepți în diferite scrieri vedice. Ea este

prezentată în mod special în Vedānta-sūtra, împreună cu toate raţio-
namentele privitoare la cauză şi efect.

COMENTARIU

Suprema Personalitate a Divinităţii, Kṛṣṇa, este cea mai înaltă autoritate în
explicarea acestei cunoaşteri. Totuşi, aşa cum se cuvine, savanţii erudiţi şi
autorităţile recunoscute aduc întotdeauna dovezi de la autorităţile preceden-
te. Kṛṣṇa explică subiectul cel mai controversat, referitor la dualitatea şi non-
dualitatea sufletului şi Suprasufletului, prin referire la una dintre scripturi,
Vedānta-sūtra, acceptată ca autoritate. Mai întâi El spune: „Aceasta corespun-
de părerii mai multor înţelepţi". În ce-i priveşte pe aceşti înţelepţi, în afară
de El Însuşi, unul din aceşti mari înţelepţi este Vyāsadeva (autorul Vedānta-
sūtrei), iar în Vedānta-sūtra dualitatea este explicată în mod perfect. Iar tatăl
lui Vyāsadeva, Parāśara, este şi el un mare înţelept şi scrie în cărţile sale cu
subiect religios aham tvaṁ ca tathānye...„Noi—tu, eu şi celelalte entităţi vii—
suntem cu toţii transcendenţi, deşi ne aflăm în corpuri materiale. Acum am
căzut sub influenţa celor trei moduri ale naturii materiale, conform cu diferi-
tele noastre feluri de karma. Ca atare, unii sunt situaţi la niveluri mai înalte,
iar alţii se situează în natura inferioară. Natura superioară şi natura inferioară
există datorită ignoranţei şi se manifestă într-un număr infinit de entităţi vii.
Dar Suprasufletul care este infailibil nu este contaminat de cele trei moduri
ale naturii şi este transcendent." La fel şi în Vedele originare se face distincţie
între suflet, Suprasuflet şi corp, mai ales în Kaṭha Upaniṣad. Există o mulţi-
me de mari înţelepţi care au explicat acest lucru, iar Parāśara este considerat
a fi cel mai important dintre aceştia.

Cuvântul chandobhiḥ se referă la diferitele scrieri vedice. De exemplu,
Taittirīya Upaniṣad, care este o ramură a Yajur Vedei, descrie natura, entitatea
vie şi Suprema Personalitate a Divinităţii.

Aşa cum s-a arătat anterior, kṣetra este câmpul de activitate, şi există două
feluri de kṣetra-jña: entitatea vie individuală şi entitatea vie supremă. Aşa
cum se afirmă în Tattirīya Upaniṣad (2.9), brahma pucchaṁ pratiṣṭhā. Există
o manifestare a energiei Domnului Suprem numită anna-maya, dependenţa
de hrană pentru existenţă. Aceasta este o realizare de tip materialist a Supre-
mului. Apoi, în prāṇa-maya, după realizarea Adevărului Absolut Suprem în
hrană, se poate realiza Adevărul Absolut în simptomele de viaţă sau formele
vii. În jñāna-maya, realizarea se extinde dincolo de semnele de viaţă, până
în punctul gândirii, simţirii şi voinţei. Apoi urmează realizarea Brahman

numită *vijñāna-maya*, în care mintea și semnele de viață ale entității vii sunt deosebite de entitatea vie în sine. Stadiul următor, care este și cel suprem, este *ānanda-maya*, realizarea stării de deplină beatitudine. Astfel, există cinci stadii de realizare Brahman, numite *brahma puccham*. Dintre acestea, primele trei—*anna-maya*, *prāṇa-maya* și *jñāna-maya*—implică câmpurile de activitate ale entităților vii. Transcendent față de toate aceste câmpuri de activitate este Domnul Suprem, care este numit *ānanda-maya*. De asemenea, și *Vedānta-sūtra* Îl descrie pe Cel Suprem cu cuvintele *ānanda-mayo 'bhyāsāt*: Suprema Personalitate a Divinității este prin natura Sa plină de bucurie. Pentru a se bucura de beatitudinea Sa transcendentă, El se extinde în *vijñāna-maya*, *prāṇa-maya*, *jñāna-maya* și *anna-maya*. În câmpul activităților, entitatea vie este considerată a fi cea care se bucură, iar *ānanda-maya* este diferit de ea. Aceasta înseamnă că dacă entitatea vie hotărăște să guste desfătarea reunirii cu *ānanda-maya*, atunci ea devine perfectă. Aceasta este imaginea reală a Domnului Suprem în calitate de suprem cunoscător al câmpului, a entității vii în calitate de cunoscător subordonat și a naturii câmpului de activitate. Acest adevăr trebuie căutat în *Vedānta-sūtra* sau *Brahma-sūtra*.

Aici se menționează faptul că codificările din *Brahma-sūtra* sunt foarte bine aranjate, în funcție de cauză și efect. Unele *sūtra* sau aforisme sunt *na vidyad aśruteḥ* (2.3.2), *nātmā śruteḥ* (2.3.18) și *parāt tu tac-chruteḥ* (2.3.40). Primul aforism indică câmpul de activitate, al doilea indică entitatea vie, iar al treilea Îl indică pe Cel Suprem, Cel ce este *summum bonum* între toate manifestările diferitelor entități.

TEXTELE 6-7

महाभूतान्यहङ्कारो बुद्धिरव्यक्तमेव च ।
इन्द्रियाणि दशैकं च पञ्च चेन्द्रियगोचराः ॥ ६ ॥

इच्छा द्वेषः सुखं दुःखं सङ्घातश्चेतना धृतिः ।
एतत्क्षेत्रं समासेन सविकारमुदाहृतम् ॥ ७ ॥

mahā-bhūtāny ahaṅkāro
buddhir avyaktam eva ca
indriyāṇi daśaikaṁ ca
pañca cendriya-gocarāḥ

icchā dveṣaḥ sukhaṁ duḥkhaṁ
saṅghātaś cetanā dhṛtiḥ
etat kṣetraṁ samāsena
sa-vikāram udāhṛtam

mahā-bhūtāni—marile elemente; *ahaṅkāraḥ*—falsul ego; *buddhiḥ*—inteligenţa; *avyaktam*—cel nemanifestat; *eva*—desigur; *ca*—precum şi; *indriyāṇi*—simţurile; *daśa-ekam*—unsprezece; *ca*—şi; *pañca*—cinci; *ca*—şi; *indriya-go-carāḥ*—obiectele simţurilor; *icchā*—dorinţa; *dveṣaḥ*—ura; *sukham*—fericirea; *duḥkham*—durerea; *saṅghātaḥ*—însumarea; *cetanā*—semnele vieţii; *dhṛtiḥ*—convingerea; *etat*—toate acestea; *kṣetram*—câmpul de activitate; *samāsena*—pe scurt; *sa-vikāram*—cu interacţiuni; *udāhṛtam*—exemplificat.

Cele cinci mari elemente, falsul ego, inteligenţa, cel nemanifestat, cele zece simţuri şi mintea, cele cinci obiecte ale simţurilor, dorinţa, ura, fericirea, nefericirea, totalul, simptomele de viaţă şi convingerile— toate acestea sunt considerate, în rezumat, a fi câmpul de activităţi şi interacţiunile sale.

COMENTARIU

Din toate afirmaţiile autorizate ale marilor înţelepţi, din imnurile vedice şi din aforismele din *Vedānta-sūtra* se pot înţelege componentele acestei lumi în felul următor. În primul rând există cele cinci elemente principale (*mahā-bhūta*)—pământul, apa, focul, aerul şi eterul. Apoi există falsul ego, inteligenţa şi stadiul nemanifestat al celor trei moduri ale naturii. Există apoi cinci organe de simţ pentru a obţine cunoaşterea: ochii, urechile, nasul, limba şi pielea. Există apoi cinci organe de simţ pentru acţiune: vocea, picioarele, mâinile, anusul şi organele genitale. Deasupra simţurilor se află mintea, care este plasată înăuntru şi de aceea poate fi numită simţul intern. Deci incluzând mintea, există în total unsprezece simţuri. Mai există apoi cinci obiecte ale simţurilor: mirosul, gustul, forma, tactilul şi sunetul. Totalitatea acestor douăzeci şi patru de elemente se numeşte câmp de activitate. Cel ce studiază în mod analitic aceste douăzeci şi patru de subiecte poate să înţeleagă foarte bine câmpul de activitate. Mai există apoi dorinţa, ura, fericirea şi durerea, care sunt interacţiuni, reprezentări ale celor cinci elemente majore din corpul fizic. Semnele de viaţă, reprezentate de conştiinţă şi convingeri, sunt manifestări ale corpului subtil—mintea, egoul şi inteligenţa. Aceste elemente subtile sunt incluse în câmpul de activitate.

Cele cinci elemente majore sunt o reprezentare grosieră a falsului ego, reprezentând la rândul lor stadiul prim al falsului ego, tehnic numit concepţie materialistă sau *tāmasa-buddhi*, inteligenţa aflată în ignoranţă. Mergând apoi mai departe, această inteligenţă reprezintă stadiul nemanifestat al celor trei moduri ale naturii materiale. Tendinţele naturii materiale nemanifestate poartă numele de *pradhāna*.

Cel ce doreşte să cunoască cele douăzeci şi patru de elemente în detaliu, împreună cu interacţiunile lor, trebuie să studieze filosofia mai amănunţit. În *Bhagavad-gītā* se dă doar un rezumat al acestor subiecte.

Corpul este reprezentarea tuturor acestor factori, iar corpul suferă anumite transformări, care sunt în număr de şase: corpul se naşte, creşte, se reproduce, apoi intră în declin şi în final dispare. Deci câmpul este un lucru material trecător. Totuşi *kṣetra-jña*, cunoscătorul câmpului şi proprietarul lui, este diferit.

TEXTELE 8–12

अमानित्वमदम्भित्वमहिंसा क्षान्तिरार्जवम् ।
आचार्योपासनं शौचं स्थैर्यमात्मविनिग्रहः ॥ ८ ॥

इन्द्रियार्थेषु वैराग्यमनहङ्कार एव च ।
जन्ममृत्युजराव्याधिदुःखदोषानुदर्शनम् ॥ ९ ॥

असक्तिरनभिष्वङ्गः पुत्रदारगृहादिषु ।
नित्यं च समचित्तत्वमिष्टानिष्टोपपत्तिषु ॥१०॥

मयि चानन्ययोगेन भक्तिरव्यभिचारिणी ।
विविक्तदेशसेवित्वमरतिर्जनसंसदि ॥११॥

अध्यात्मज्ञाननित्यत्वं तत्त्वज्ञानार्थदर्शनम् ।
एतज्ज्ञानमिति प्रोक्तमज्ञानं यदतोऽन्यथा ॥१२॥

amānitvam adambhitvam
ahiṁsā kṣāntir ārjavam

ācāryopāsanaṁ śaucaṁ
sthairyam ātma-vinigrahaḥ

indriyārtheṣu vairāgyam
anahaṅkāra eva ca
janma-mṛtyu-jarā-vyādhi-
duḥkha-doṣānudarśanam

asaktir anabhiṣvaṅgaḥ
putra-dāra-gṛhādiṣu
nityaṁ ca sama-cittatvam
iṣṭāniṣṭopapattiṣu

mayi cānanya-yogena
bhaktir avyabhicāriṇī
vivikta-deśa-sevitvam
aratir jana-saṁsadi

adhyātma-jñāna-nityatvaṁ
tattva-jñānārtha-darśanam
etaj jñānam iti proktam
ajñānaṁ yad ato 'nyathā

amānitvam—umilinţa; *adambhitvam*—lipsa de orgoliu; *ahiṁsā*—nonviolenţa; *kṣāntiḥ*—toleranţa; *ārjavam*—simplitatea; *ācārya-upāsanam*—apropierea de un maestru veritabil; *śaucam*—curăţenia; *sthairyam*—statornicia; *ātma-vinigrahaḥ*—stăpânirea de sine; *indriya-artheṣu*—în ceea ce priveşte simţurile; *vairāgyam*—renunţarea; *anahaṅkāraḥ*—lipsa falsului ego; *eva*—desigur; *ca*—precum şi; *janma*—naşterii; *mṛtyu*—morţii; *jarā*—bătrâneţii; *vyādhi*—şi bolii; *duḥkha*—a suferinţei; *doṣa*—greşeală; *anudarśanam*—observarea; *asaktiḥ*—lipsa de ataşament; *anabhiṣvaṅgaḥ*—nepăstrând legătura cu; *putra*—fiul; *dāra*—soţia; *gṛha-ādiṣu*—căminul etc.; *nityam*—permanent; *ca*—şi de asemenea; *sama-cittatvam*—echilibru; *iṣṭa*—ceea ce este de dorit; *aniṣṭa*—şi de nedorit; *upapattiṣu*—obţinând; *mayi*—la Mine; *ca*—şi; *ananya-yogena*—prin slujire cu devoţiune neprihănită; *bhaktiḥ*—devoţiune; *avyabhicāriṇī*—fără nici o întrerupere; *vivikta*—în singuratice; *deśa*—locuri; *sevitvam*—aspirând; *aratiḥ*—a fi fără ataşament; *jana-saṁsadi*—faţă de oameni în general; *adhyātma*—aparţinând sinelui; *jñāna*—în cunoaştere;

nityatvam—permanentă; *tattva-jñāna*—cunoașterii adevărului; *artha*—față de obiectul; *darśanam*—filosofie; *etat*—toate acestea; *jñānam*—cunoaște-re; *iti*—astfel; *proktam*—sunt declarate; *ajñānam*—ignoranță; *yat*—ceea ce; *atah*—de acestea; *anyathā*—diferit.

Umilința, lipsa de mândrie, nonviolența, toleranța, simplitatea, apropierea de un maestru spiritual autentic, curățenia, statornicia, stăpânirea de sine, renunțarea la obiectele satisfacerii simțurilor, absența falsului ego, perceperea răului nașterii, morții, bătrâneții și bolii, detașarea, eliberarea de legăturile cu copii, soție, casă și celelalte, mintea echilibrată în orice împrejurare, fie plăcută, fie neplăcută, devoțiunea constantă și pură față de Mine, năzuința de a trăi într-un loc solitar, detașarea de masa generală de oameni, acceptarea importanței realizării de sine și cercetarea filosofică pentru aflarea Adevărului Absolut—toate acestea Eu le declar a fi cunoaștere, iar orice altceva în afară de ele este ignoranță.

COMENTARIU

Acest proces al cunoașterii este înțeles uneori în mod greșit de către oamenii cu inteligență limitată ca fiind produs de interacțiunea elementelor câmpului de activitate, dar de fapt acesta este procesul real al cunoașterii. Dacă omul acceptă acest proces, atunci există posibilitatea apropierii de Adevărul Absolut. Nu este vorba de interacțiunea celor douăzeci și patru de elemente, descrisă anterior, ci de adevăratul mijloc de ieșire din capcana acestor elemente. Sufletul întrupat este captivat de către corp, care este un înveliș alcătuit din cele douăzeci și patru de elemente, iar procesul cunoașterii așa cum este descris aici este mijlocul de a ieși afară din el. Dintre toate descrierile procesului de cunoaștere, lucrul cel mai important este descris în primul vers din textul al unsprezecelea. *Mayi cānanya-yogena bhaktir avyabhicāriṇī:* procesul cunoașterii sfârșește în slujirea cu devoțiune pură a Domnului. Astfel, pentru cel ce nu se apropie sau nu este în stare să se apropie de slujirea transcendentă a Domnului, ceilalți nouăsprezece factori nu au nici o valoare. Dar în cazul celui ce se dedică slujirii cu devoțiune în deplină conștiință de Kṛṣṇa, ceilalți nouăsprezece factori se dezvoltă automat înăuntrul său. Așa cum se afirmă în *Śrīmad-Bhāgavatam* (5.18.12), *yasyāsti bhaktir bhagavaty akiñcanā sarvair guṇais tatra samāsate surāḥ.* Toate însușirile bune ale cunoașterii se dezvoltă în cel ce a atins stadiul slujirii cu devoțiune. Principiul acceptării unui maestru spiritual, menționat în versetul opt, este esențial. Chiar și pentru cel ce se dedică slujirii cu devoțiune, acesta este lucrul cel mai important. Viața transcendentă începe atunci când omul acceptă un maestru spiritual autentic. Suprema Personalitate a Divinității, Śrī Kṛṣṇa, afirmă în mod clar că acest proces al cunoașterii este adevărata cale. Orice altă speculație ce se abate de la această cale este lipsită de sens.

În ce privește cunoașterea menționată aici, componentele sale pot fi analizate în felul următor. Umilința înseamnă că omul nu trebuie să alerge după satisfacția de a fi onorat de alții. Concepția materială asupra vieții ne face foarte dornici de a primi onoruri din partea celorlalți, dar din punctul de vedere al omului care a obținut cunoașterea perfectă—care știe că nu este una cu corpul său—atât onoarea cât și dezonoarea ce țin de acest corp nu sunt bune de nimic. Omul nu trebuie să tânjească după această amăgire materială. Oamenii sunt foarte aviзi să ajungă renumiți pentru credința lor și, în consecință, uneori se întâmplă ca cineva, care nu înțelege principiile religiei, să intre într-un anumit grup care de fapt nu urmează principiile religiei, dorind apoi să se proclame pe sine însuși ca îndrumător religios. În ce privește adevărata înaintare în știința spirituală, omul trebuie să se poată verifica, pentru a vedea cât de mult a progresat. El poate face acest lucru prin factorii menționați aici.

În general, se consideră că nonviolența înseamnă a nu ucide sau vătăma corpul, dar de fapt nonviolența înseamnă a nu provoca altora suferință. Oamenii sunt de obicei atrași prin ignoranță în capcana concepției materiale asupra vieții, îndurând necontenit suferințele materiale. Deci, până ce nu îi ridicăm pe oameni la cunoașterea spirituală, practicăm violența. Omul trebuie să facă tot ce poate pentru a răspândi cunoașterea reală printre oameni, astfel încât aceștia să poată fi iluminați și să părăsească legăturile materiale. Aceasta este nonviolența.

Toleranța înseamnă că omul trebuie să fie pregătit să îndure insulta și disprețul altora. Cel ce a pornit pe calea cunoașterii spirituale va întâlni multe insulte și mult dispreț din partea altora. Acest lucru se întâmplă pentru că astfel este alcătuită natura materială. Chiar un copil ca Prahlāda, care la vârsta de numai cinci ani se angajase în cultivarea cunoașterii spirituale, s-a aflat în primejdie atunci când tatăl său s-a opus devoțiunii sale. Tatăl său a încercat de mai multe ori să-l ucidă, dar Prahlāda l-a tolerat. Deci pot apărea o mulțime de impedimente în calea înaintării în cunoașterea spirituală, dar trebuie să fim toleranți și să continuăm să progresăm cu multă hotărâre.

Simplitatea înseamnă a fi atât de sincer și direct încât să poți, fără prea multe ocolișuri, să dezvălui purul adevăr chiar față de un potrivnic. În ce privește acceptarea unui maestru spiritual, acest lucru este esențial, căci fără îndrumarea unui maestru spiritual autentic omul nu poate progresa în știința spirituală. Trebuie să ne apropiem de maestrul spiritual cu umilință și să-i dăruim toată slujirea noastră, astfel încât el să binevoiască să-i acorde discipolului binecuvântările sale. Întrucât un maestru spiritual autentic este reprezentantul lui Kṛṣṇa, dacă el îi acordă discipolului o oarecare binecuvântare, aceasta îl va face pe discipol să progreseze imediat, fără ca să urmeze principiile regulatoare, sau aceste principii vor fi mai ușor de practicat pentru cel ce și-a slujit maestrul spiritual fără nici o reținere.

Curățenia este esențială pentru a face progrese în viața spirituală. Există două feluri de curățenie, exterioară și interioară. Curățenia exterioară înseamnă îmbăierea, însă pentru a obține curățenia interioară trebuie să ne gândim întotdeauna la Kṛṣṇa și să cântăm Hare Kṛṣṇa, Hare Kṛṣṇa, Kṛṣṇa Kṛṣṇa, Hare Hare/ Hare Rāma, Hare Rāma, Rāma Rāma, Hare Hare. Acest proces curăță praful adunat în minte de *karma* trecută.

Statornicia înseamnă că omul trebuie să fie foarte hotărât să facă progrese în viața spirituală. Fără această hotărâre nu se poate face nici un progres vizibil. Stăpânirea de sine înseamnă că omul nu trebuie să accepte nimic din ceea ce este în detrimentul înaintării pe calea spirituală. Trebuie să ne obișnuim cu acest lucru și să respingem orice este contrar căii progresului spiritual. Aceasta este adevărata renunțare. Simțurile sunt atât de puternice, încât sunt întotdeauna dornice de desfătare. Nu trebuie să ne conformăm acestor cerințe, care nu sunt necesare. Simțurile trebuie satisfăcute numai pentru a păstra corpul în bună stare, astfel încât omul să-și poată îndeplini datoria de a înainta în viața spirituală. Simțul cel mai important și cel mai greu de stăpânit este cel al limbii. Cel ce-și poate stăpâni limba, are toate șansele să-și stăpânească și celelalte simțuri. Funcția limbii este aceea de a gusta și de a articula sunetele. De aceea, printr-o disciplină sistematică, limba trebuie să fie mereu angajată în gustarea resturilor din hrana oferită lui Kṛṣṇa și în a cânta Hare Kṛṣṇa. În ce privește ochii, nu trebuie să li se îngăduie să privească nimic altceva în afară de încântătoarea formă a lui Kṛṣṇa. În acest fel ochii vor fi ținuți sub control. În mod similar, urechile trebuie să fie ocupate cu ascultarea celor referitoare la Kṛṣṇa iar nasul să fie ocupat cu mirosirea florilor oferite lui Kṛṣṇa. Acesta este procesul slujirii cu devoțiune și de aici se poate înțelege că *Bhagavad-gītā* expune doar știința slujirii cu devoțiune. Slujirea cu devoțiune este principalul și singurul său obiectiv. Cei lipsiți de inteligență care comentează *Bhagavad-gīta* încearcă să abată mintea cititorului către alte subiecte, dar nu există un alt subiect în *Bhagavad-gītā* în afară de slujirea cu devoţiune.

Falsul ego înseamnă să accepţi corpul ca fiind propriul sine. Când omul înţelege că el nu este una cu corpul său şi că este un suflet spiritual, ajunge la adevăratul său ego. Egoul există. Cel condamnat este falsul ego, nu egoul real. În scrierile vedice (*Bṛhad-āraṇyaka Upaniṣad* 1.4.10) se spune *aham brahmāsmi:* eu sunt Brahman, eu sunt spirit. Acest „eu sunt", simţământul sinelui, există chiar şi în stadiul când s-a atins eliberarea prin realizarea de sine. Acest simţ al lui „eu sunt" este egoul, dar când sensul de „eu sunt" este aplicat acestui fals corp, el devine un fals ego. Când simţământul sine-lui este aplicat realităţii, el este adevăratul ego. Există unii filosofi care spun că trebuie să renunţăm cu totul la egoul nostru, dar nu putem să renunţăm la acest ego, căci ego înseamnă identitate. Desigur că trebuie să renunţăm la falsa identificare cu corpul.

Omul trebuie să înţeleagă suferinţa acceptării naşterii, bătrâneţii, bolii şi morţii. Naşterea este descrisă în diferite scrieri vedice. În *Śrīmad-Bhāgavatam,* lumea celui nenăscut, viaţa pruncului în pântecele mamei, suferinţele sale etc., sunt descrise în mod foarte sugestiv. La fel şi în clipa morţii există tot felul de suferinţe, descrise şi ele în scripturile autorizate. Aceste lucruri trebuie discutate. În ce priveşte boala şi bătrâneţea, fiecare le cunoaşte din experien-ţa sa directă. Nimeni nu doreşte să fie bolnav şi nimeni nu doreşte să îmbă-trânească, dar aceste lucruri nu pot fi evitate. Până când nu vom dobândi o concepţie pesimistă asupra vieţii materiale, luând în considerare suferinţele naşterii, bătrâneţii, bolii şi morţii, nu vom avea impulsul care să ne facă să avansăm în viaţa spirituală.

Referitor la detaşarea faţă de copii, soţie şi cămin, aceasta nu înseamnă că nu trebuie să avem nici un sentiment faţă de aceştia, care sunt în mod firesc obiecte ale afecţiunii. Dar când ele nu sunt favorabile progresului spiritual, nu trebuie să ne ataşăm de ele. Cea mai bună metodă de a face ca un cămin să devină plăcut este conştiinţa de Kṛṣṇa. Dacă un om se află cu totul în con-ştiinţa de Kṛṣṇa, el poate să-şi facă un cămin fericit, căci acest proces al con-ştiinţei de Kṛṣṇa este foarte uşor. Trebuie doar să cântăm Hare Kṛṣṇa, Hare Kṛṣṇa, Kṛṣṇa Kṛṣṇa, Hare Hare/ Hare Rāma, Hare Rāma, Rāma Rāma, Hare Hare, să acceptăm resturile din hrana oferită lui Kṛṣṇa, să discutăm din cărţi precum *Bhagavad-gītā* şi *Śrīmad-Bhāgavatam* şi să ne angajăm în adorarea Divinităţii în templu. Aceste patru lucruri ne vor face fericiţi. În acelaşi mod trebuie să ne educăm şi membrii familiei. Ei pot să se aşeze dimineaţa şi seara pentru a cânta împreună Hare Krṣṇa, Hare Krṣṇa, Krṣṇa Krṣṇa, Hare Hare/ Hare Rāma, Hare Rāma, Rāma Rāma, Hare Hare. Cel ce poate să-și modeleze viața de familie în acest mod, pentru a dezvolta conștiința de Krṣṇa urmând aceste patru principii, nu mai are nevoie să treacă de la viața de familie la viața de renunțare. Dar dacă viața de familie nu este prielnică, nefiind favorabilă progresului spiritual, atunci ea trebuie să fie abandonată. Omul trebuie să sacrifice totul pentru a-L realiza sau a-L sluji pe Krṣṇa, întocmai cum a făcut Arjuna. Arjuna nu dorea să-și ucidă membrii familiei, dar când și-a dat seama că membrii familiei sale îi erau obstacole în calea realizării de Krṣṇa, a acceptat îndrumările lui Krṣṇa, luptând și ucigându-i. În orice caz, omul trebuie să fie detașat de fericirea și necazurile vieții de familie, căci în această lume omul nu poate niciodată să fie pe deplin fericit sau cu totul nenorocit.

Fericirea și nefericirea sunt factorii ce însoțesc mereu viața materială. Omul trebuie să învețe să îndure, așa cum ne sfătuiește *Bhagavad-gītā*. Bucuriile și necazurile vin și se duc, fără să le putem opri; de aceea trebuie să ne detașăm de modul materialist de viață și să ne regăsim automat echilibrul în ambele situații. În general, atunci când obținem un lucru dorit suntem foarte fericiți, iar când apare ceva nedorit suntem nefericiți. Dar dacă suntem cu adevărat situați la nivel spiritual, aceste lucruri nu ne vor mai tulbura. Pentru a atinge acest stadiu trebuie să practicăm slujirea cu devoțiune neîntreruptă. Slujirea cu devoțiune fără abatere față de Krṣṇa înseamnă angajarea în cele nouă procese ale slujirii cu devoțiune—cântatul, ascultatul, adorarea, închinarea etc.—așa cum sunt descrise în ultimul verset al capitolului al nouălea. Acesta este procesul ce trebuie urmat.

Firește că atunci când omul se dedică unui mod de viață spiritual, el nu mai dorește să se amestece cu oameni materialiști, căci aceasta ar fi împotriva firii sale. În acest fel ne putem pune la încercare, observând cât suntem de înclinați să trăim într-un loc retras, lipsiți de o tovărășie nedorită. Desigur că un devot nu este atras de sporturi inutile, de cinema sau de funcțiuni sociale, căci el înțelege că toate acestea sunt doar pierdere de timp. Există mulți cercetători științifici și filosofi care studiază viața sexuală sau alte subiecte, dar conform cu *Bhagavad-gītā* aceste lucrări de cercetare și speculații filosofice nu au nici o valoare. Ele sunt mai mult sau mai puțin lipsite de sens. Conform cu *Bhagavad-gītā*, omul trebuie să folosească analiza filosofică pentru a cerceta natura sufletului. Cercetarea trebuie să aibă drept scop înțelegerea sinelui. Acest lucru este recomandat aici.

În ce privește realizarea de sine, se afirmă în mod clar aici că *bhakti-yoga* este calea cea mai practică. De îndată ce se pune problema devoțiunii, omul trebuie să ia în considerare relaţia dintre Suprasuflet şi sufletul individual. Sufletul individual nu poate fi una cu Suprasufletul, cel puţin nu în *bhakti*, concepţia devoţională asupra vieţii. Aşa cum se arată în mod limpede aici, slujirea adusă de sufletul individual către Sufletul Suprem este eternă, *nityam*. Deci *bhakti* sau slujirea cu devoţiune este eternă. Această convingere filosofică trebuie să fie neclintită.

Śrīmad-Bhāgavatam (1.2.11) explică acest lucru. *Vadanti tat tattva-vidas tattvaṁ yaj jñānam advayam.* „Cei ce cunosc în realitate Adevărul Absolut ştiu că Sinele se realizează în trei faze diferite, ca Brahman, Paramātmā şi Bhagavān." Bhagavān este culminarea realizării Adevărului Absolut; de aceea omul trebuie să se ridice la nivelul acestei concepţii asupra înţelegerii Supremei Personalităţi a Divinităţii şi astfel să se angajeze în slujirea cu devoţiune a Domnului. Aceasta este perfecţiunea cunoaşterii.

Începând cu practicarea umilinţei şi până la realizarea Adevărului Absolut, Personalitatea Absolută a Divinităţii, acest proces este exact ca o scară ce începe de la parter şi duce până la ultimul etaj. Pe această scară se află o mulţime de oameni care au ajuns la primul, la al doilea sau la al treilea etaj, dar până ce omul nu ajunge la ultimul etaj, care este înţelegerea lui Kṛṣṇa, el se află încă într-un stadiu inferior de cunoaştere. Cel ce doreşte să se ia la întrecere cu Dumnezeu şi în acelaşi timp să avanseze în cunoaşterea spirituală, va ajunge să fie frustrat. Aici se afimă în mod clar că fără umilinţă nu este posibilă o înţelegere adevărată. A te crede pe tine însuţi Dumnezeu este cea mai mare îngâmfare. Deşi entitatea vie este mereu lovită de legile neîndurătoare ale naturii materiale, ea continuă totuşi să gândească „eu sunt Dumnezeu", datorită ignoranţei. Deci începutul cunoaşterii este *amānitva*, umilinţa. Omul trebuie să fie umil şi să ştie că este supus Domnului Suprem. Revoltându-se împotriva Domnului Suprem, el ajunge să fie supus naturii materiale. Trebuie deci să cunoaştem acest adevăr şi să fim convinşi de el.

TEXTUL 13

ज्ञेयं यत्तत्प्रवक्ष्यामि यज्ज्ञात्वामृतमश्नुते ।
अनादि मत्परं ब्रह्म न सत्तन्नासदुच्यते ॥१३॥

jñeyaṁ yat tat pravakṣyāmi
yaj jñātvāmṛtam aśnute
anādi mat-paraṁ brahma
na sat tan nāsad ucyate

jñeyam—de cunoscut; *yat*—ceea ce; *tat*—aceea; *pravakṣyāmi*—voi explica acum; *yat*—ceea ce; *jñātvā*—cunoscând; *amṛtam*—nectarul; *aśnute*—omul gustă; *anādi*—fără început; *mat-param*—subordonat Mie; *brahma*—spiritul; *na*—nici; *sat*—cauză; *tat*—acesta; *na*—nici; *asat*—efect; *ucyate*—se spune că este.

Acum am să-ți explic ceea ce poate fi cunoscut, prin a cărei cunoaștere vei gusta eternitatea. Brahman, spiritul, fără de început și subordonat Mie, se întinde dincolo de cauza și efectul acestei lumi materiale.

COMENTARIU

Domnul a explicat câmpul de activitate și cunoscătorul câmpului. De asemenea, El a explicat și procesul de cunoaștere a cunoscătorului câmpului de activitate. Acum El începe să explice obiectul cunoașterii, începând cu sufletul și continuând cu Suprasufletul. Prin cunoașterea cunoscătorului, deci a sufletului și Suprasufletului, omul poate gusta nectarul vieții. Așa cum s-a explicat în capitolul al doilea, entitatea vie este eternă. Acest lucru este confirmat din nou aici. Nu există o dată anume la care să se fi născut acest *jīva* și nimeni nu poate desluși istoricul manifestării lui *jīvātmā* din Domnul Suprem. De aceea el este fără de început. Scrierile vedice confirmă acest lucru: *na jāyate mriyate vā vipaścit* (*Kaṭha Upaniṣad* 1.2.18). Cunoscătorul corpului nu se naște și nu moare niciodată și este plin de cunoaștere.

Domnul Suprem ca și Suprasuflet este de asemenea descris în scrierile vedice (*Śvetāśvatara Upaniṣad* 6.16) ca fiind *pradhāna-kṣetrajña-patir guṇeśaḥ*, cunoscătorul suprem al corpului și stăpânul celor trei moduri ale naturii materiale. În *smṛti* se spune *dāsa-bhūto harer eva nānyasvaiva kadācana*: entitățile vii se află veșnic în slujba Domnului Suprem. Acest fapt este confirmat și de Śrī Caitanya în învățăturile Sale. Deci descrierea lui Brahman menționată în acest verset este pusă în relație cu sufletul individual, iar când cuvântul Brahman este aplicat entității vii, trebuie să se înțeleagă că aceasta este *vijñāna-brahman*, în opoziție cu *ānanda-brahman*, care îl desemnează pe Supremul Brahman, Personalitatea Divinității.

TEXTUL 14

सर्वतः पाणिपादं तत्सर्वतोऽक्षिशिरोमुखम् ।
सर्वतः श्रुतिमल्लोके सर्वमावृत्य तिष्ठति ॥१४॥

sarvataḥ pāṇi-pādaṁ tat
sarvato 'kṣi-śiro-mukham
sarvataḥ śrutimal loke
sarvam āvṛtya tiṣṭhati

sarvataḥ—pretutindeni; pāṇi—mâini; pādam—picioare; tat—acesta; sarvataḥ—pretutindeni; akṣi—ochi; śiraḥ—capete; mukham—feţe; sarvataḥ—pretutindeni; śruti-mat—având urechi; loke—în lume; sarvam—totul; āvṛtya—acoperind; tiṣṭhati—există.

Pretutindeni se află mâinile şi picioarele Sale, ochii, capetele şi feţele Sale şi El are urechi pretutindeni. În felul acesta există Suprasufletul, care pătrunde totul.

COMENTARIU

Aşa cum soarele îşi răspândeşte razele fără vreo limitare, tot aşa există şi Suprasufletul sau Suprema Personalitate a Divinităţii. El există în forma Sa atotpătrunzătoare, iar în El există toate entităţile vii individuale, începând de la primul mare învăţător, Brahmā, până la micile furnici. Există nenumărate capete, picioare, mâini şi ochi, şi nenumărate entităţi vii. Toate există în şi prin Suprasuflet. De aceea Suprasufletul este atotpătrunzător. Însă sufletul individual nu poate susţine că mâinile, picioarele şi ochii săi se află pretutindeni. Acest lucru nu este posibil. Dacă el crede că, aflându-se sub influenţa ignoranţei, nu este conştient de faptul că mâinile şi picioarele sale sunt răspândite peste tot, însă atunci când va atinge cunoaşterea reală va ajunge la acest stadiu, gândirea sa este contradictorie. Aceasta înseamnă că sufletul individual, ajungând să fie condiţionat de către natura materială, nu este suprem. Supremul este diferit de sufletul individual. Domnul Suprem Îşi poate întinde mâna în mod nelimitat, dar sufletul individual nu o poate face. În *Bhagavad-gītā* Domnul spune că dacă cineva Îi oferă o floare, un fruct sau puţină apă, El primeşte aceste lucruri. Dacă Domnul se află foarte departe, atunci cum poate să primească aceste lucruri? Aceasta este omnipotenţa Domnului: chiar dacă se află în sălaşul Său, foarte departe de pământ, El poate să-Şi întindă mâna pentru a primi ceea ce I se oferă. Aceasta este puterea Sa. În *Brahma-saṁhitā* (5.37) se spune *goloka eva nivasaty akhilātma-bhūtaḥ:* deşi rămâne mereu angajat în petrecerile Sale de pe planeta Sa spirituală, El este atotpătrunzător. Sufletul individual nu poate pretinde că este atotpătrunzător. Deci acest verset descrie Sufletul Suprem, Personalitatea Divinității, și nu sufletul individual.

TEXTUL 15

सर्वेन्द्रियगुणाभासं सर्वेन्द्रियविवर्जितम् ।
असक्तं सर्वभृच्चैव निर्गुणं गुणभोक्तृ च ॥१५॥

sarvendriya-guṇābhāsaṁ
sarvendriya-vivarjitam
asaktaṁ sarva-bhṛc caiva
nirguṇaṁ guṇa-bhoktṛ ca

sarva—al tuturor; *indriya*—simțurilor; *guṇa*—al calităților; *ābhāsam*—sursa originară; *sarva*—toate; *indriya*—simțurile; *vivarjitam*—lipsit de; *asaktam*—fără atașament; *sarva-bhṛt*—susținătorul tuturor; *ca*—precum și; *eva*—desigur; *nirguṇam*—fără modurile materiale; *guṇa-bhoktṛ*—stăpânul peste *guṇa; ca*—de asemenea.

Suprasufletul este sursa originară a tuturor simțurilor, deși El este fără simțuri. El nu este atașat, deși este menținătorul tuturor ființelor vii. El transcende modurile naturii și în același timp este stăpânul tuturor modurilor naturii materiale.

COMENTARIU

Deși Domnul Suprem este sursa tuturor simțurilor entităților vii, El nu are simțuri materiale la fel ca acestea. De fapt, și sufletele individuale au simțuri spirituale, dar în viața condiționată ele sunt acoperite de elementele materiale și de aceea activitatea simțurilor se înfățișează prin intermediul materiei. Dar simțurile Domnului Suprem nu sunt acoperite astfel. Simțurile Sale sunt transcendente și de aceea sunt numite *nirguṇa. Guṇa* se referă la modurile materiale, dar simțurile Sale nu sunt acoperite de materie. Trebuie să înțelegem că simțurile Sale nu sunt întocmai ca ale noastre. Deși este sursa tuturor activităților senzoriale, El are propriile Sale simțuri transcendente, care sunt necontaminate. Acest lucru este foarte frumos explicat în *Śvetāśvatara*

Upaniṣad (3.19) în versetul *apāṇi-pādo-javano grahītā*. Suprema Personalitate a Divinităţii nu are mâini contaminate de materie, dar are propriile Sale mâini şi primeşte orice sacrificiu I se oferă Lui. Aceasta este deosebirea între sufletul condiţionat şi Suprasuflet. El nu are ochi materiali, dar are proprii Săi ochi—altfel cum ar putea vedea? El vede totul—trecut, prezent şi viitor. El trăieşte în inima fiinţei vii şi ştie ceea ce am făcut în trecut, ce facem acum şi ce ne aşteaptă în viitor. Acest lucru este de asemenea confirmat şi în *Bhagavad-gītā*: El cunoaşte totul, dar nimeni nu-L cunoaşte pe El. Se spune că Domnul Suprem nu are picioare la fel ca noi, dar poate călători prin spaţiu, pentru că El are picioare spirituale. Cu alte cuvinte, Domnul nu este impersonal; El are proprii Săi ochi, propriile picioare, mâini ş.a.m.d., şi pentru că noi suntem părţile integrante ale Domnului Suprem, avem şi noi aceste lucruri. Dar mâinile, picioarele, ochii şi simţurile Sale nu sunt contaminate de natura materială.

Bhagavad-gītā confirmă faptul că atunci când Domnul apare, El apare aşa cum este, prin puterea Sa internă. El nu este contaminat de energia materială, căci El este Domnul energiei materiale. Literatura vedică spune că întregul Său trup este spiritual. El are forma Sa eternă, numită *sac-cid-ānanda-vigraha*. El posedă toate opulenţele. El este proprietarul tuturor bogăţiilor şi posesorul tuturor energiilor. El este cel mai inteligent şi plin de cunoaştere. Acestea sunt câteva din trăsăturile Supremei Personalităţi a Divinităţii. El este susţinătorul tuturor fiinţelor şi martorul tuturor faptelor. Pe cât putem să ne dăm seama din scripturile vedice, Domnul Suprem este întotdeauna transcendent. Deşi nu Îi vedem capul, braţele sau picioarele, El totuşi le are, iar când ajungem să fim situaţi la nivel transcendent, putem să vedem chipul Domnului. Datorită simţurilor noastre contaminate de materie, noi nu putem vedea forma Sa. De aceea impersonaliştii care rămân încă contaminaţi de materie, nu pot să înţeleagă Personalitatea Divinităţii.

TEXTUL 16

बहिरन्तश्च भूतानामचरं चरमेव च ।
सूक्ष्मत्वात्तदविज्ञेयं दूरस्थं चान्तिके च तत् ॥१६॥

bahir antaś ca bhūtānām
acaraṁ caram eva ca
sūkṣmatvāt tad avijñeyaṁ
dūra-sthaṁ cāntike ca tat

bahiḥ—în afară; *antaḥ*—înăuntru; *ca*—și; *bhūtānām*—tuturor entităților vii; *acaram*—nemișcătoare; *caram*—mișcătoare; *eva*—de asemenea; *ca*—și; *sūkṣmatvāt*—datorită subtilității; *tat*—acesta; *avijñeyam*—de necunoscut; *dūra-stham*—îndepărtat; *ca*—și; *antike*—aproape; *ca*—precum și; *tat*—acesta.

Adevărul Suprem există în afara și în interiorul tuturor ființelor vii, mișcătoare și nemișcătoare. Deoarece El este subtil, El este dincolo de puterea de a vedea sau de a cunoaște a simțurilor materiale. Deși este foarte departe, El este de asemenea aproape de toate.

COMENTARIU

Din scrierile vedice înțelegem că Nārāyaṇa, Persoana Supremă, sălășluiește atât în afara, cât și înăuntrul fiecărei entități vii. El este prezent atât în lumea spirituală, cât și în cea materială. Deși se află foarte departe, totuși El este alături de noi. Acestea sunt afirmațiile *Vedelor*. *Āsīno dūraṁ vrajati śayāno yāti sarvataḥ* (*Kaṭha Upaniṣad* 1.2.21). Și pentru că El rămâne necontenit angajat în beatitudinea transcendentă, noi nu putem să înțelegem felul în care El se bucură de desăvârșirea opulenței Sale. Cu simțurile noastre materiale noi nu putem percepe sau înțelege. De aceea în limbajul vedic se spune că mintea și simțurile noastre materiale sunt neputincioase în a-L înțelege pe El. Dar cel ce și-a purificat mintea și simțurile practicând conștiința de Kṛṣṇa în slujirea cu devoțiune poate să-L vadă pe El în mod permanent. În *Brahma-saṁhitā* se confirmă faptul că devotul care și-a dezvoltat dragostea față de Dumnezeul Suprem, Îl poate vedea întotdeauna, fără întrerupere. Iar în *Bhagavad-gītā* se confirmă că El poate fi văzut și înțeles numai prin slujirea cu devoțiune. *Bhaktyā tv ananyayā śakyaḥ*.

TEXTUL 17

अविभक्तं च भूतेषु विभक्तमिव च स्थितम् ।
भूतभर्तृ च तज्ज्ञेयं ग्रसिष्णु प्रभविष्णु च ॥१७॥

avibhaktaṁ ca bhūteṣu
vibhaktam iva ca sthitam
bhūta-bhartṛ ca taj jñeyaṁ
grasiṣṇu prabhaviṣṇu ca

avibhaktam—neîmpărţit; *ca*—şi; *bhūteşu*—în toate fiinţele; *vibhaktam*—divizat; *iva*—ca şi cum; *ca*—de asemenea; *sthitam*—situat; *bhūta-bhartṛ*—susţinătorul tuturor entităţilor vii; *ca*—şi; *tat*—acesta; *jñeyam*—trebuie înţeles; *grasiṣṇu*—cel care devorează; *prabhaviṣṇu*—cel care dezvoltă; *ca*—precum şi.

Deşi Suprasufletul pare a fi divizat între toate fiinţele, El nu este niciodată divizat. El este situat ca unul. Deşi El este menţinătorul fiecărei entităţi vii, trebuie înţeles că El devorează şi dezvoltă totul.

COMENTARIU

Domnul este situat în inima fiecăruia, în calitate de Suprasuflet. Oare aceasta înseamnă că El S-a împărţit? Nu. În realitate, El este unul singur. Acest lucru este exemplificat de către soare. Soarele este situat la locul său pe meridian, dar dacă cineva se deplasează pe o rază de cinci mii de mile de jur împrejur şi întreabă „Unde este soarele?", oricine îi va răspunde că acesta străluceşte chiar deasupra capului său. Acest exemplu este dat în scrierile vedice tocmai pentru a arăta că deşi este nedivizat, Sufletul Suprem se situează ca şi cum ar fi divizat. Tot în scrierile vedice se mai spune că unicul Viṣṇu este prezent pretutindeni prin omnipotenţa Sa, aşa cum soarele se înfăţişează în mai multe locuri, mai multor persoane. Domnul Suprem, deşi este susţinătorul oricărei entităţi vii, devorează totul în momentul anihilării universului. Acest lucru este confirmat în capitolul al unsprezecelea, atunci când Domnul spune că a venit să-i devoreze pe toţi războinicii adunaţi la Kurukşetra. De asemenea El menţionează că şi în forma timpului devorează. El este distrugătorul şi ucigătorul tuturor. În momentul creaţiei El dezvoltă toate lucrurile din starea lor originară, iar la vremea anihilării El devorează aceste creaţii. Imnurile vedice confirmă faptul că El este originea tuturor entităţilor vii şi locul lor de repaos. După creaţie, totul este sprijinit de atotputernicia Sa, iar după anihilare toate se reîntorc spre a-şi găsi repaosul în El. Aceste lucruri sunt confirmate de imnurile vedice. *Yato vā imāni bhūtāni jāyante yena jātāni jīvanti yat prayanty abhisaṁviśanti tad brahma tad vijijñāsasva* (*Taittirīya Upaniṣad* 3.1).

TEXTUL 18

ज्योतिषामपि तज्ज्योतिस्तमसः परमुच्यते ।
ज्ञानं ज्ञेयं ज्ञानगम्यं हृदि सर्वस्य विष्ठितम् ॥१८॥

jyotiṣām api taj jyotis
tamasaḥ param ucyate
jñānaṁ jñeyaṁ jñāna-gamyaṁ
hṛdi sarvasya viṣṭhitam

jyotiṣām—în toate obiectele luminoase; api—de asemenea; tat—acesta; jyotiḥ —sursa luminii; tamasaḥ—întunecime; param—dincolo de; ucyate—se spune; jñānam—cunoașterea; jñeyam—ceea ce este de cunoscut; jñāna-gamyam—cel de care trebuie să te apropii prin cunoaștere; hṛdi—în inima; sarvasya—fiecăruia; viṣṭhitam—situat.

El este sursa luminii în toate cele luminoase. El este dincolo de întunecimea materiei și este nemanifestat. El este cunoașterea, El este obiectul cunoașterii și tot El este țelul cunoașterii. El este situat în inima fiecăruia.

COMENTARIU

Suprasufletul, Suprema Personalitate a Divinității, este sursa luminii în toate obiectele luminoase, cum ar fi soarele, luna și stelele. În scrierile vedice aflăm că în împărăția spirituală nu este nevoie de soare sau lună, datorită prezenței strălucirii Domnului Suprem. În lumea materială acest *brahmajyoti*, strălucirea spirituală a Domnului, este acoperită de *mahat-tattva,* elementele materiale; de aceea, în lumea materială avem nevoie de ajutorul soarelui, lunii, electricității etc. pentru a obține lumina. Dar în lumea spirituală nu este nevoie de aceste lucruri. În scrierile vedice se spune clar că, datorită strălucirii luminii Sale, totul este iluminat. Este deci limpede că locul Său nu este în lumea materială. El este situat în lumea spirituală, care este foarte departe, în cerul spiritual. Acest lucru este de asemenea confirmat în *Vede. Āditya-varṇaṁ tamasaḥ parastāt* (*Śvetāśvatara Upaniṣad* 3.8). El este întocmai precum soarele, veșnic luminos, dar este foarte departe, mult dincolo de întunericul acestei lumi materiale.

Cunoașterea Sa este transcendentă. Scrierile vedice confirmă faptul că Brahman este cunoaștere transcendentă sub formă concentrată. Cunoașterea celui dornic să ajungă în acea lume spirituală este dată de Domnul Suprem care este situat în inima fiecăruia. Una dintre aceste *mantra* vedice (*Śvetāśvatara Up.* 6.18) spune: *taṁ ha devam ātma-buddhi-prakāśaṁ mumukṣur vai śaraṇam aham prapadye.* Cel ce doreşte cu adevărat eliberarea trebuie să se predea Supremei Personalităţi a Divinităţii. În ce priveşte ţelul cunoaşterii ultime, acesta este de asemenea confirmat în scrierile vedice: *tam eva viditvāti mṛtyum eti.* „Doar cunoscându-L pe El putem trece dincolo de hotarele naşterii şi morţii" (*Śvetāśvatara Up.* 3.8).

El este situat în inima fiecăruia, ca supremul care controlează. Cel Suprem are picioare şi mâini răspândite pretutindeni, dar acest lucru nu poate fi spus despre sufletul individual. De aceea trebuie să admitem existenţa a doi cunoscători ai câmpului de activitate—sufletul individual şi Suprasufletul. Mâinile şi picioarele unui individ au o cuprindere limitată la un anumit loc, dar mâinile şi picioarele lui Kṛṣṇa sunt răspândite pretutindeni. Acest lucru este confirmat în *Śvetāśvatara Upaniṣad* (3.17): *sarvasya prabhum īśānaṁ sarvasya śaraṇaṁ bṛhat.* Acest Suprasuflet, Suprema Personalitate a Divinităţii, este *prabhu* sau Domn al tuturor fiinţelor; prin urmare, El este refugiul ultim al tuturor entităţilor vii. Astfel, nu se poate nega faptul că Sufletul Suprem şi sufletul individual sunt întotdeauna diferite.

TEXTUL 19

इति क्षेत्रं तथा ज्ञानं ज्ञेयं चोक्तं समासतः ।
मद्भक्त एतद्विज्ञाय मद्भावायोपपद्यते ॥१९॥

iti kṣetraṁ tathā jñānaṁ
jñeyaṁ coktaṁ samāsataḥ
mad-bhakta etad vijñāya
mad-bhāvāyopapadyate

iti—astfel; *kṣetram*—câmpul de activitate (corpul); *tathā*—precum şi; *jnanam*—cunoaşterea; *jneyam*—ceea ce este de cunoscut; *ca*—şi; *uktam*—descrise; *samāsataḥ*—pe scurt; *mat-bhaktaḥ*—devotul Meu; *etat*—toate acestea; *vijñāya*—după ce a înţeles; *mat-bhāvāya*—la natura Mea; *upapadyate*—ajunge.

Astfel câmpul de activităţi [corpul], cunoaşterea şi ceea ce poate fi cunoscut, au fost pe scurt descrise de Mine. Doar devoţii Mei pot înţelege aceste lucruri pe deplin şi astfel să atingă natura Mea.

COMENTARIU

Domnul a descris pe scurt corpul, cunoașterea și ceea ce trebuie cunoscut. Cunoașterea se referă la trei factori: cunoscătorul, ceea ce este de cunoscut și procesul cunoașterii. Acestea combinate poartă numele de *vijñāna* sau știința cunoașterii. Cunoașterea perfectă poate fi înțeleasă în mod direct de către devoții puri ai Domnului. Ceilalți nu sunt în stare să o înțeleagă. Moniștii spun că în stadiul ultim acești trei factori devin una, dar devoții nu acceptă acest lucru. Cunoașterea și dezvoltarea cunoașterii înseamnă a-ți înțelege propriul sine în conștiința de Kṛṣṇa. Noi suntem conduși de conștiința materială, dar de îndată ce ne transferăm întreaga conștiință către activitățile legate de Kṛṣṇa și realizăm că Kṛṣṇa este totul, atunci atingem cunoașterea reală. Cu alte cuvinte, cunoașterea nu este altceva decât stadiul preliminar al înțelegerii perfecte a slujirii cu devoțiune. Acest lucru va fi explicat cu claritate în capitolul al cincisprezecelea.

Deci, în rezumat, putem înțelege că versetele 6 și 7, începând de la *mahābhūtāni* și până la *cetanā dhṛtiḥ*, analizează elementele materiale și anumite manifestări ale semnelor vieții. Acestea se combină pentru a alcătui corpul sau câmpul de activitate. Iar versetele 8—12, de la *amānitvam* până la *tattvajñānārtha-darśanam*, descriu procesul cunoașterii necesare înțelegerii ambelor tipuri de cunoscători ai câmpului de activitate, adică sufletul și Suprasufletul. Apoi versetele 13—18, începând de la *anādi mat-param* și până la *hṛdi sarvasya viṣṭhitam*, descriu sufletul și pe Domnul Suprem sau Suprasufletul.

Deci până aici au fost descrise aceste trei subiecte: câmpul de activitate (corpul), procesul cunoașterii, precum și sufletul împreună cu Suprasufletul. Aici se specifică faptul că numai devoții puri ai Domnului pot înțelege aceste trei subiecte în mod clar. Deci pentru acești devoți *Bhagavad-gītā* este pe deplin folositoare; ei sunt cei ce pot atinge țelul suprem, natura lui Kṛṣṇa, Domnul Suprem. Cu alte cuvinte, doar devoții și nu alții pot înțelege *Bhagavad-gītā* și să obțină din ea rezultatele dorite.

TEXTUL 20

प्रकृतिं पुरुषं चैव विद्ध्यनादी उभावपि ।
विकारांश्च गुणांश्चैव विद्धि प्रकृतिसम्भवान् ॥२०॥

prakṛtiṁ puruṣaṁ caiva
viddhy anādī ubhāv api

vikārāṁś ca guṇāṁś caiva
viddhi prakṛti-sambhavān

prakṛtim—natura materială; *puruṣam*—entităţile vii; *ca*—precum şi; *eva*—desigur; *viddhi*—trebuie să ştii; *anādī*—fără început; *ubhau*—amândouă; *api*—de asemenea; *vikārān*—transformările; *ca*—şi; *guṇān*—cele trei moduri ale naturii; *ca*—precum şi; *eva*—desigur; *viddhi*—cunoaşte; *prakṛti*—natura materială; *sambhavān*—produse de.

Natura materială şi entităţile vii trebuie înţelese a fi fără de început. Transformările lor şi modurile materiei sunt produsele naturii materiale.

COMENTARIU

Prin cunoaşterea dată în acest capitol putem înţelege corpul (sau câmpul de activitate) şi cunoscătorii corpului (sufletul şi Suprasufletul). Corpul este câmpul de activitate şi este alcătuit de natura materială. Sufletul individual care este întrupat şi care beneficiază de activităţile corpului este *puruṣa* sau entitatea vie. Acesta este unul din cunoscători iar celălalt este Suprasufletul. Desigur că trebuie să înţelegem că atât Suprasufletul cât şi entitatea individuală sunt diferitele manifestări ale Supremei Personalităţi a Divinităţii. Entitatea vie face parte din categoria energiilor Sale, iar Suprasufletul se află în categoria expansiunilor Sale personale.

Atât natura materială, cât şi entitatea vie sunt eterne. Aceasta presupune faptul că ele au existat înaintea creaţiei. Manifestarea materială provine din energia Domnului Suprem, la fel ca şi entităţile vii, dar aceste entităţi vii ţin de o energie superioară. Atât entităţile vii cât şi natura materială au existat înainte de manifestarea acestui cosmos. Natura materială era absorbită în Suprema Personalitate a Divinităţii, Mahā-Viṣṇu, iar la momentul oportun ea a fost manifestată prin intermediul lui *mahat-tattva*. În mod similar şi entităţile vii se află în El şi pentru că ele sunt condiţionate, se împotrivesc slujirii Domnului Suprem. Astfel, lor nu li se îngăduie să pătrundă în cerul spiritual. Dar odată cu apariţia naturii materiale, acestor entităţi vii li se dă din nou şansa să acţioneze în lumea materială şi să se pregătească să intre în lumea spirituală. Acesta este misterul creaţiei materiale. În realitate, entitatea vie este în mod originar parte spirituală integrantă a Domnului Suprem, dar datorită naturii sale rebele, ajunge să fie condiționată înăuntrul naturii materiale. De fapt, nu are nici o importanță felul în care aceste entități vii sau entități superioare ale Domnului Suprem au ajuns în contact cu natura materială. Însă Suprema Personalitate a Divinității știe cum și de ce s-a produs acest fapt. În scripturi Domnul spune că aceia care sunt atrași de natura materială trudesc din greu pentru a-și duce existența. Dar din descrierile acestor câteva versete trebuie să fim încredințați că toate transformările și influențele naturii materiale prin intermediul celor trei moduri sunt și ele produse ale naturii materiale. Toate transformările, ca și varietatea entităților vii, se datorează corpului. În privința spiritului, toate entitățile vii au aceeași natură.

TEXTUL 21

कार्यकारणकर्तृत्वे हेतुः प्रकृतिरुच्यते ।
पुरुषः सुखदुःखानां भोक्तृत्वे हेतुरुच्यते ॥२१॥

kārya-kāraṇa-kartṛtve
hetuḥ prakṛtir ucyate
puruṣaḥ sukha-duḥkhānāṁ
bhoktṛtve hetur ucyate

kārya—a efectului; *kāraṇa*—și cauzei; *kartṛtve*—în ce privește crearea; *hetuḥ*—instrumentul; *prakṛtiḥ*—natura materială; *ucyate*—se spune că este; *puruṣaḥ*—entitatea vie; *sukha*—fericirii; *duḥkhānām*—și durerii; *bhoktṛtve*—în desfătare; *hetuḥ*—instrument; *ucyate*—se spune că este.

Se spune că natura este cauza tuturor cauzelor și efectelor materiale, în timp ce entitatea vie este cauza diferitelor suferințe și bucurii în această lume.

COMENTARIU

Diferitele manifestări ale corpului și simțurilor în rândul entităților vii se datorează naturii materiale. Există 8.400.000 de specii diferite de viață și aceste varietăți sunt creații ale naturii materiale. Ele apar din diferitele plăceri senzoriale ale entităților vii, care doresc să trăiască într-un tip sau altul de corp. Trecând prin diferite corpuri, entitatea vie beneficiază de diferite tipuri de fericire şi durere. Fericirea şi durerea sa materială se datorează corpului său şi nu ei însăşi, aşa cum este în sine. În starea ei originară, ea în mod sigur se bucură; de aceea, aceasta este starea sa reală. Datorită dorinţei de a stăpâni asupra naturii materiale, ea se află în lumea materială. În lumea spirituală nu există aşa ceva. Lumea spirituală este pură, dar în lumea materială fiecare se trudeşte din greu să obţină tot felul de plăceri pentru corp. Poate că este mai exact să afirmăm că acest corp este efectul simţurilor. Simţurile sunt instrumentele pentru satisfacerea dorinţei. Ansamblul acestora—corpul şi instrumentele senzoriale—este oferit de către natura materială şi aşa cum se va preciza în versetul următor, entitatea vie este binecuvântată sau osândită să primească condiţiile care i se cuvin în funcţie de dorinţele şi faptele sale trecute. În funcţie de dorinţele şi faptele lor, fiinţele sunt plasate de către natura materială în diferite situaţii de viaţă. Fiinţa însăşi este cauza obţinerii de către ea a unor anumite situaţii în viaţă, împreună cu plăcerile şi suferinţele inerente acestora. Odată plasată într-un anumit tip de corp, ea ajunge sub stăpânirea naturii, căci corpul, fiind materie, acţionează potrivit legilor naturii. În acel moment, entitatea vie nu are puterea de a schimba această lege. Să presupunem că o entitate oarecare este plasată în corpul unui câine. De îndată ce este pusă în corpul câinelui, ea trebuie să acţioneze ca un câine. Ea nu poate acţiona altfel. Iar dacă entitatea vie este plasată în corpul unui porc, ea este silită să mănânce excremente şi să se comporte ca un porc. În mod similar, atunci când entitatea vie ajunge într-un corp de semizeu, ea trebuie să se comporte în acord cu acest corp. Aceasta este legea naturii. Dar, în toate împrejurările, Suprasufletul se află alături de sufletul individual. Acest lucru este explicat în *Vede* (*Muṇḍaka Upaniṣad* 3.1.1) în felul următor: *dvā suparṇā sayujā sakhāyaḥ*. Domnul Suprem este atât de bun cu entitatea vie, încât El însoţeşte mereu sufletul individual şi este prezent în orice împrejurare în calitate de Suprasuflet sau Paramātmā.

TEXTUL 22

पुरुषः प्रकृतिस्थो हि भुङ्क्ते प्रकृतिजान् गुणान् ।
कारणं गुणसङ्गोऽस्य सदसद्योनिजन्मसु ॥२२॥

puruṣaḥ prakṛti-stho hi
bhuṅkte prakṛti-jān guṇān

kāraṇaṁ guṇa-saṅgo 'sya
sad-asad-yoni-janmasu

puruṣaḥ—entitatea vie; *prakṛti-sthaḥ*—fiind situată în energia materială; *hi*—cu siguranță; *bhuṅkte*—se bucură; *prakṛti-jān*—produse de natura materială; *guṇān*—modurile naturii; *kāraṇam*—cauza; *guṇa-saṅgaḥ*—asocierea cu modurile naturii; *asya*—a entității vii; *sat-asat*—bune și rele; *yoni*—în specii de viață; *janmasu*—nașteri.

Entitatea vie în natura materială urmează astfel căile vieții, trăind cele trei moduri ale naturii. Acest fapt se datorează asocierii sale cu natura materială. În acest fel, ea întâlnește binele și răul în diferite specii de viață.

COMENTARIU

Acest verset este foarte important pentru a înțelege felul în care entitățile vii transmigrează dintr-un corp în altul. În capitolul al doilea s-a explicat faptul că entitatea vie transmigrează dintr-un corp în altul, așa cum și-ar schimba cineva hainele. Această schimbare a hainei se datorează atașării de existența materială. Atâta timp cât este captivată de manifestarea iluzorie, ea trebuie să transmigreze dintr-un corp în altul. Datorită dorinței sale de a stăpâni asupra naturii materiale, ea este pusă în această situație de nedorit. Sub influența dorinței materiale, entitatea vie se naște uneori ca semizeu, alteori ca om, mamifer, pasăre, vierme sau animal acvatic, ca sfânt ori ca insectă ș.a.m.d. În toate aceste cazuri entitatea vie se crede a fi stăpână pe situație, deși se află sub influența naturii materiale.

Aici se explică felul în care entitatea vie este plasată în diferite corpuri. Aceasta se datorează asocierii cu diferitele moduri ale naturii. De aceea omul trebuie să se ridice deasupra celor trei moduri materiale și să devină situat la nivel transcendent. Aceasta se numește conștiința de Kṛṣṇa. Până ce omul nu se situează în conștiința de Kṛṣṇa, conștiința sa materială îl va obliga să treacă dintr-un corp în altul, căci dorințele sale materiale există din vremuri imemoriale. El trebuie să-și modifice această concepție. Schimbarea se poate produce doar ascultând învățăturile dintr-o sursă autorizată. Exemplul cel mai bun se află aici: Arjuna ascultă știința de Dumnezeu de la Kṛṣṇa. Pe măsură ce se dedică acestui proces de ascultare, entitatea vie își va pierde îndelung-

cultivata dorință de a domina natura materială și, în mod treptat și propor-
țional cu această scădere a îndelungatei sale dorințe de dominare, va ajunge
să se bucure de fericirea spirituală. Într-o *mantra* vedică se spune că cu cât
devine mai învățată prin asocierea cu Suprema Personalitate a Divinității, în
aceeași măsură ea își savurează viața eternă și plină de beatitudine.

TEXTUL 23

उपद्रष्टानुमन्ता च भर्ता भोक्ता महेश्वरः ।
परमात्मेति चाप्युक्तो देहेऽस्मिन् पुरुषः परः ॥२३॥

upadraṣṭānumantā ca
bhartā bhoktā maheśvaraḥ
paramātmeti cāpy ukto
dehe 'smin puruṣaḥ paraḥ

upadraṣṭā—cel ce supraveghează; *anumantā*—cel care îngăduie; *ca*—ca și;
bhartā—stăpân; *bhoktā*—supremul care se bucură; *mahā-īśvaraḥ*—Domnul
Suprem; *parama-ātmā*—Suprasufletul; *iti*—de asemenea; *ca*—și; *api*—
chiar; *uktaḥ*—se spune; *dehe*—în corp; *asmin*— în acest; *puruṣaḥ*—cel care
se bucură; *paraḥ*—transcendent.

**Însă în corp se află și un altul, transcendent, care se bucură, care este
Domnul, supremul proprietar, cel care există ca supraveghetor și per-
mițător și care este cunoscut ca Suprasuflet.**

COMENTARIU

Aici se afirmă faptul că Suprasufletul care este mereu alături de sufletul indi-
vidual este reprezentarea Domnului Suprem. El nu este o entitate vie obiș-
nuită. Întrucât filosofii moniști consideră că există un unic cunoscător al
corpului, ei socotesc că nu este nici o diferență între Suprasuflet și sufletul
individual. Pentru a clarifica acest lucru, Domnul spune că El este reprezentat
ca Paramātmā în fiecare corp. El diferă de sufletul individual; El este *para* sau
transcendent. Sufletul individual se bucură de activitățile unui câmp particu-
lar, dar Suprasufletul este prezent nu ca unul care se bucură limitat și nici ca

participant la activitățile corporale, ci ca martor, supraveghetor și aprobator, precum și ca supremul care se bucură. El nu este numit *ātmā*, ci Paramātmā și este transcendent. Este foarte limpede că *ātmā* și Paramātmā sunt diferiți. Suprasufletul, Paramātmā, are picioare și mâini pretutindeni, dar nu și sufletul individual. Și întrucât Paramātmā este Domnul Suprem, El este prezent în interiorul ființelor, pentru a aproba dorințele de desfătare materială ale sufletului individual. Fără aprobarea Sufletului Suprem, sufletul individual nu poate să facă nimic. Individul este *bhukta* sau cel susținut, iar Domnul este *bhoktā* sau susținătorul. Există nenumărate entități vii, iar El sălășluiește în ele în calitate de prieten.

De fapt, fiecare entitate vie individuală este în mod etern parte integrantă a Domnului Suprem și amândoi sunt legați printr-o strânsă prietenie. Dar entitatea vie are tendința de a respinge aprobarea Domnului Suprem și de a acționa în mod independent, încercând să domine natura; datorită acestei tendințe ea poartă numele de energie marginală a Domnului Suprem. Entitatea vie poate fi situată fie în energia materială, fie în energia spirituală. Atâta vreme cât este condiționată de energia materială, Domnul Suprem sau Suprasufletul în calitatea Sa de prieten stă împreună cu aceasta, tocmai spre a o face să se întoarcă la energia spirituală. Domnul este întotdeauna dornic să o aducă înapoi la energia spirituală, dar, datorită minusculei sale independențe, entitatea individuală respinge mereu asocierea cu lumina spirituală. Această folosire greșită a independenței sale este cauza luptei materiale în cadrul naturii condiționate. De aceea Domnul ne îndrumă neîncetat, atât dinăuntru, cât și din afară. Din afară El dă învățături precum cele din *Bhagavad-gītā*, iar dinăuntru El încearcă să convingă entitatea vie că acțiunile sale în domeniul materiei nu o conduc la o fericire reală. El spune: „Renunță la acestea și întoarce-ți credința către Mine. Atunci vei fi fericit". Astfel, omul înțelept care își pune credința în Paramātmā sau Suprema Personalitate a Divinității începe să înainteze către viața eternă, plină de beatitudine și cunoaștere.

TEXTUL 24

य एवं वेत्ति पुरुषं प्रकृतिं च गुणैः सह ।
सर्वथा वर्तमानोऽपि न स भूयोऽभिजायते ॥२४॥

ya evaṁ vetti puruṣaṁ
prakṛtiṁ ca guṇaiḥ saha

sarvathā vartamāno 'pi
na sa bhūyo 'bhijāyate

yaḥ—cel care; *evam*—aceasta; *vetti*—cunoaşte; *puruṣam*—entitatea vie; *prakṛtim*—natura materială; *ca*—şi; *guṇaiḥ*—modurile naturii materiale; *saha*—împreună cu; *sarvathā*—în orice fel; *vartamānaḥ*—ar fi situat; *api*—în ciuda faptului; *na*—niciodată; *saḥ*—el; *bhūyaḥ*—din nou; *abhijāyate*—se va naşte.

Cel care înţelege această filosofie privitoare la natura materială, entitatea vie şi interacţiunea modurilor naturii, va atinge în mod sigur eliberarea. El nu se va mai naşte aici din nou, indiferent de poziţia sa prezentă.

COMENTARIU

Înţelegerea clară a naturii materiale, a Suprasufletului, a sufletului individual şi a relaţiilor dintre ele îl face pe om să fie apt de a atinge eliberarea şi de a se întoarce în lumea spirituală fără a fi silit să mai vină înapoi în natura materială. Acesta este rezultatul cunoaşterii. Scopul cunoaşterii este înţelegerea precisă a faptului că entitatea vie a căzut în mod accidental în această existenţă materială. Ea trebuie ca prin efortul său personal, în asociere cu cei autorizaţi, cum sunt oamenii sfinţi sau un maestru spiritual, să-şi înţeleagă poziţia şi apoi să revină la conştiinţa spirituală sau conştiinţa de Kṛṣṇa înţelegând *Bhagavad-gīta* aşa cum este explicată de Personalitatea Divinităţii. Atunci poate fi sigură că nu se va mai întoarce niciodată în această existenţă materială, ci va fi transferată în lumea spirituală, pentru o viaţă eternă, plină de beatitudine şi cunoaştere.

TEXTUL 25

ध्यानेनात्मनि पश्यन्ति केचिदात्मानमात्मना ।
अन्ये साङ्ख्येन योगेन कर्मयोगेन चापरे ॥२५॥

dhyānenātmani paśyanti
kecid ātmānam ātmanā
anye sāṅkhyena yogena
karma-yogena cāpare

dhyānena—prin meditație; *ātmani*—în sine; *paśyanti*—văd; *kecit*—unii; *ātmānam*—Suprasufletul; *ātmanā*—cu mintea; *anye*—alții; *sāṅkhyena*—prin discuții filosofice; *yogena*—prin sistemul yoga; *karma-yogena*—prin activitatea fără dorința de fruct; *ca*—precum și; *apare*—alții.

Unii percep Suprasufletul în ei înșiși prin meditație, alții prin cultivarea cunoașterii, iar alții prin activitatea fără dorințe fructuoase.

COMENTARIU

Domnul îl înștiințează pe Arjuna că sufletele condiționate pot fi împărțite în două categorii, în funcție de felul în care caută realizarea de sine. Cei ce sunt atei, agnostici și sceptici rămân lipsiți de simțul unei cunoașteri spirituale. Dar mai există și ceilalți, cei care se dedică cu credință înțelegerii vieții spirituale, iar aceștia sunt numiți devoți introspectivi, filozofi sau cei ce activează renunțând la fructul faptelor. Cei ce încearcă să răspândească mereu doctrina monismului sunt și ei socotiți printre atei și agnostici. Cu alte cuvinte, numai devoții Supremei Personalități a Divinității sunt situați într-o poziție privilegiată în înțelegerea spirituală, deoarece ei înțeleg că dincolo de această natură materială se află lumea spirituală și Suprema Personalitate a Divinității care se extinde sub forma lui Paramātmā, Suprasufletul aflat în orice ființă, Divinitatea atotpătrunzătoare. Desigur, există și oameni care încearcă să înțeleagă Adevărul Absolut Suprem prin cultivarea cunoașterii, iar aceștia pot fi socotiți în categoria celor credincioși. Filozofii școlii Sāṅkhya clasifică lumea materială în douăzeci și patru de elemente, plasând sufletul individual ca al douăzeci și cincelea factor. Când aceștia sunt capabili să înțeleagă natura sufletului individual ca fiind transcendent elementelor materiale, ei pot să înțeleagă de asemenea că deasupra sufletului individual se află Suprema Personalitate a Divinității. El este cel de-al douăzeci și șaselea element. Astfel, treptat ei ajung la nivelul slujirii cu devoțiune în conștiința de Kṛṣṇa. Cei ce activează fără rezultate fructuoase sunt și ei perfecți în atitudinea lor. Acestora li se dă șansa să înainteze către nivelul slujirii cu devoțiune în conștiința de Kṛṣṇa. Aici se afirmă că există unii oameni care au o conștiință pură și care încearcă să descopere Suprasufletul prin meditație, iar când descoperă Suprasufletul înăuntrul lor, ajung să fie situați la nivel transcendent. În mod similar, există alți oameni care încearcă să înțeleagă Sufletul Suprem prin cultivarea cunoașterii, tot așa cum există alții care cultivă sistemul *haṭha-yoga* și care încearcă să satisfacă Suprema Personalitate a Divinității prin activități puerile.

TEXTUL 26

अन्ये त्वेवमजानन्तः श्रुत्वान्येभ्य उपासते ।
तेऽपि चातितरन्त्येव मृत्युं श्रुतिपरायणाः ॥२६॥

anye tv evam ajānantaḥ
śrutvānyebhya upāsate
te 'pi cātitaranty eva
mṛtyuṁ śruti-parāyaṇāḥ

anye—alţii; *tu*—însă; *evam*—astfel; *ajānantaḥ*—fără cunoaştere spirituală; *śrutvā*—auzind; *anyebhyaḥ*—de la alţii; *upāsate*—încep să adore; *te*—aceştia; *api*—de asemenea; *ca*—şi; *atitaranti*—transcend; *eva*—cu siguranţă; *mṛtyum*—calea morţii; *śruti-parāyaṇāḥ*—înclinaţi spre procesul ascultării.

Mai sunt apoi cei care, deşi nu sunt pricepuţi în cunoaşterea spirituală, încep să adore Persoana Supremă auzind despre El de la alţii. Datorită înclinaţiei lor de a asculta de la cei autorizaţi, ei transcend la rându-le calea naşterii şi morţii.

COMENTARIU

Acest verset se aplică în mod special societăţii moderne, căci în societatea modernă practic nu există educaţie spirituală. Unii oameni pot părea atei sau agnostici, sau înclinaţi spre filosofare, dar de fapt sunt lipsiţi de cunoaştere filosofică. În ce priveşte omul obişnuit, dacă are un suflet bun, el are şansa să progreseze prin audiere. Acest proces de audiere este foarte important. Śrī Caitanya, care a predicat conştiinţa de Kṛṣṇa în lumea modernă, a dat multă importanţă audierii, căci dacă omul obişnuit aude de la persoanele autorizate, el poate progresa, mai ales dacă, aşa cum spune Śrī Caitanya, ascultă vibraţia transcendentă a *mantrei* Hare Kṛṣṇa, Hare Kṛṣṇa, Kṛṣṇa Kṛṣṇa, Hare Hare/ Hare Rāma, Hare Rāma, Rāma Rāma, Hare Hare. De aceea se spune că toţi oamenii trebuie să beneficieze audiind învăţăturile sufletelor realizate, devenind treptat capabili să înţeleagă orice lucru. Atunci vor ajunge în mod sigur să Îl adore pe Domnul Suprem. Śrī Caitanya a spus că în această epocă nimeni nu trebuie să-şi modifice poziţia socială, dar trebuie să renunţe la înţelegerea Adevărului Absolut prin raţionamente speculative. Trebuie să învăţăm să devenim slujitorii celor ce au realizat cunoașterea Domnului Suprem. Cel ce este destul de norocos să-și găsească adăpost la un devot pur, să asculte de la el despre realizarea de sine și să pășească pe urmele sale, se va ridica în mod treptat la nivelul unui devot pur. Mai ales în acest verset se recomandă în mod special acest proces al audierii, care este foarte oportun. Deși adeseori omul obișnuit nu este la fel de înzestrat ca așa-numiții filosofi, ascultarea cu credință a celor spuse de persoanele autorizate îl va ajuta în a transcende existența materială și în a se întoarce la Divinitate, înapoi acasă.

TEXTUL 27

यावत्सञ्जायते किञ्चित्सत्त्वं स्थावरजङ्गमम् ।
क्षेत्रक्षेत्रज्ञसंयोगात्तद्विद्धि भरतर्षभ ॥२७॥

yāvat sañjāyate kiñcit
sattvaṁ sthāvara-jaṅgamam
kṣetra-kṣetrajña-saṁyogāt
tad viddhi bharatarṣabha

yāvat—oricare; *sañjāyate*—ia ființă; *kiñcit*—orice; *sattvam*—existență; *sthāvara*—nemișcătoare; *jaṅgamam*—mișcătoare; *kṣetra*—a corpului; *kṣetra-jña*—și a cunoscătorului corpului; *saṁyogāt*—prin unirea; *tat viddhi*—trebuie să știi aceasta; *bharata-ṛṣabha*—o, cel dintâi din dinastia Bhārata.

O, tu, cel mai de seamă din dinastia Bhārata, să știi că tot ceea ce vezi în existență, fie mișcător, fie nemișcător, este doar o combinație a câmpului de activități și a cunoscătorului câmpului.

COMENTARIU

În acest verset se explică atât natura materială, cât și entitățile vii, care existau înainte de crearea cosmosului. Toate cele create sunt combinații între entitatea vie și natura materială. Există multe manifestări, cum ar fi copacii, munții și dealurile, care sunt nemișcătoare și există multe ființe care se mișcă, dar toate sunt doar combinații ale naturii materiale și ale naturii superioare care este entitatea vie. Fără atingerea naturii superioare, adică entitatea vie, nimic nu poate crește. Relația între materie și natura superioară continuă veșnic, iar această combinare este efectuată de către Domnul Suprem; de aceea El controlează atât natura superioară, cât şi pe cea inferioară. Natura materială este creată de El, iar natura superioară este plasată în această natură materială, producând toate aceste activităţi şi manifestări.

TEXTUL 28

समं सर्वेषु भूतेषु तिष्ठन्तं परमेश्वरम् ।
विनश्यत्स्वविनश्यन्तं यः पश्यति स पश्यति ॥२८॥

samam sarveşu bhūteşu
tişthantam parameśvaram
vinaśyatsv avinaśyantam
yah paśyati sa paśyati

samam—în mod egal; *sarveşu*—în toate; *bhūteşu*—entităţile vii; *tişthantam*—sălăşluind; *parama-īśvaram*—Suprasufletul; *vinaśyatsu*—în cel pieritor; *avinaśyantam*—nedistrus; *yah*—cel care; *paśyati*—vede; *sah*—acela; *paśyati*—vede cu adevărat.

Cel care vede Suprasufletul ce însoţeşte sufletul individual în toate corpurile şi care înţelege că nici sufletul şi nici Suprasufletul din corpul pieritor nu sunt niciodată distruse, acela vede cu adevărat.

COMENTARIU

Cel care printr-o bună asociere reuşeşte să vadă cele trei lucruri combinate—corpul, proprietarul corpului sau sufletul individual, şi prietenul sufletului individual—acela a ajuns cu adevărat la cunoaştere. Până ce omul nu se alătură unui adevărat cunoscător al celor spirituale, el nu poate să vadă aceste trei lucruri. Cei lipsiţi de o asemenea asociere sunt ignoranţi; ei văd doar corpul şi cred că atunci când corpul piere, totul se sfârşeşte. Dar în realitate nu este aşa. După distrugerea corpului, atât sufletul cât şi Suprasufletul continuă să existe, trecând în mod etern prin diferite forme mişcătoare şi nemişcătoare. Cuvântul sanscrit *parameśvara* este uneori tradus ca „suflet individual", pentru că sufletul este stăpânitorul corpului iar după distrugerea corpului el se transferă la o altă formă. În acest fel el este stăpân. Alţii însă interpretează termenul *parameśvara* ca Suprasuflet. În ambele cazuri, atât Suprasufletul cât și sufletul individual continuă să existe. Ele nu sunt distruse. Cel ce poate vedea lucrurile în acest fel, poate să vadă cu adevărat ceea ce se întâmplă.

TEXTUL 29

समं पश्यन् हि सर्वत्र समवस्थितमीश्वरम् ।
न हिनस्त्यात्मनात्मानं ततो याति परां गतिम् ॥२९॥

samam paśyan hi sarvatra
samavasthitam īśvaram
na hinasty ātmanātmānam
tato yāti parām gatim

samam—în mod egal; *paśyan*—văzând; *hi*—cu adevărat; *sarvatra*—pretutindeni; *samavasthitam*—situat în mod egal; *īśvaram*—Suprasufletul; *na*—nu; *hinasti*—se degradează; *ātmanā*—de către minte; *ātmānam*—sufletul; *tatah*—apoi; *yāti*—atinge; *parām*—transcendentă; *gatim*—destinația.

Cel care vede Suprasufletul egal prezent peste tot, în fiecare ființă vie, nu se degradează prin mintea sa. Astfel, el se apropie de destinația transcendentă.

COMENTARIU

Acceptând existența materială, entitatea vie a ajuns să fie situată altundeva decât în existența sa spirituală. Dar atunci când omul înțelege că Supremul în manifestarea Sa ca Paramātmā este situat pretutindeni, adică dacă el poate percepe prezența Supremei Personalități a Divinității în orice ființă vie, el nu se mai degradează pe sine printr-o mentalitate distructivă și, ca urmare, avansează treptat către lumea spirituală. Mintea este în general preocupată de procesul satisfacerii simțurilor; dar atunci când mintea se întoarce către Sufletul Suprem, omul ajunge la o înțelegere spirituală superioară.

TEXTUL 30

प्रकृत्यैव च कर्माणि क्रियमाणानि सर्वशः ।
यः पश्यति तथात्मानमकर्तारं स पश्यति ॥३०॥

prakṛtyaiva ca karmāṇi
kriyamāṇāni sarvaśaḥ
yaḥ paśyati tathātmānam
akartāraṁ sa paśyati

prakṛtyā—de către natura materială; eva—desigur; ca—de asemenea; karmāṇi—activitățile; kriyamāṇāni—fiind îndeplinite; sarvaśaḥ—în toate privințele; yaḥ—cel care; paśyati—vede; tathā—de asemenea; ātmānam—el însuşi; akartāram—nefăptuitor; saḥ—el; paśyati—vede în mod perfect.

Cel care poate vedea că toate activitățile sunt îndeplinite de către corp, care este creat de natura materială şi vede că sinele nu face nimic, acela vede cu adevărat.

COMENTARIU

Corpul este realizat de natura materială sub îndrumarea Suprasufletului şi oricare ar fi activitățile ce se desfăşoară în raport cu corpul cuiva, ele nu sunt faptele sale. Orice trebuie să facă cineva, fie în fericire sau în suferință, este forțat să acționeze datorită alcătuirii sale corporale. Sinele însă este în afara tuturor acestor activități corporale. Corpul îi este dat în funcție de dorințele sale trecute. Pentru a-şi împlini aceste dorințe, sufletul condiționat primeşte corpul cu care poate acționa în mod adecvat. Practic vorbind, corpul este o maşinărie proiectată de Domnul Suprem pentru a îndeplini dorințele. Datorită dorințelor, sufletul condiționat ajunge în situații dificile pentru a suferi, sau se desfată. Când această viziune transcendentă a entității vii ajunge să se dezvolte, ea o face să se detaşeze de activitățile corporale. Cel care are o asemenea viziune, vede cu adevărat.

TEXTUL 31

यदा भूतपृथग्भावमेकस्थमनुपश्यति ।
तत एव च विस्तारं ब्रह्म सम्पद्यते तदा ॥३१॥

yadā bhūta-pṛthag-bhāvam
eka-stham anupaśyati
tata eva ca vistāraṁ
brahma sampadyate tadā

yadā—când; *bhūta*—ale entităților vii; *pṛthak-bhāvam*—identități separate; *eka-stham*—situate în unul; *anupaśyati*—încearcă să vadă prin intermediul unei autorități; *tataḥ eva*—după aceea; *ca*—și; *vistāram*—expansiunea; *brahma*—Absolutul; *sampadyate*—atinge; *tadā*—atunci.

Când un om rațional încetează de a vedea diferitele identități datorându-se diferitelor corpuri materiale și vede cum ființele sunt expandate peste tot, el atinge concepția Brahman.

COMENTARIU

Când cineva poate să vadă că diferitele corpuri ale entităților vii apar datorită diferitelor dorințe ale sufletului individual și nu aparțin de fapt sufletului însuși, acela vede cu adevărat. În concepția materială a vieții noi vedem pe cineva ca semizeu, pe altcineva ca ființă umană, câine, pisică etc. Aceasta este viziunea materială, nu adevărata viziune. Această diferențiere materială se datorează unei concepții materiale asupra vieții. După distrugerea corpului material, sufletul spiritual este unul. Datorită contactului cu natura materială, sufletul spiritual dobândește diferite tipuri de corpuri. Când omul poate percepe acest fapt, el atinge viziunea spirituală; astfel, eliberat de diferențierile de genul: oameni, animale, mare, mic etc., omul ajunge să-și purifice conștiința și este capabil să-și dezvolte conștiința de Kṛṣṇa în identitatea sa spirituală. Felul în care el vede lucrurile după aceea va fi explicat în versetul următor.

TEXTUL 32

अनादित्वान्निर्गुणत्वात्परमात्मायमव्ययः ।
शरीरस्थोऽपि कौन्तेय न करोति न लिप्यते ॥३२॥

anāditvān nirguṇatvāt
paramātmāyam avyayaḥ
śarīra-stho 'pi kaunteya
na karoti na lipyate

anāditvāt—datorită eternității; *nirguṇatvāt*—datorită faptului de a fi transcendent; *parama*—dincolo de natura materială; *ātmā*—spiritul; *ayam*—acesta; *avyayaḥ*—inepuizabil; *śarīra-sthaḥ*—sălășluind în corp; *api*—deși;

kaunteya—o, fiu al lui Kuntī; *na karoti*—niciodată nu făptuieşte nimic; *na lipyate*—şi nici nu este încurcat.

Cei ce au viziunea eternităţii pot vedea că sufletul nepieritor este trans-cendent, etern şi dincolo de modurile naturii. În pofida contactului cu corpul material, o, Arjuna, sufletul nici nu face nimic şi nici nu este încurcat.

COMENTARIU

Entitatea vie pare a se naşte datorită naşterii corpului material, dar de fapt ea este eternă; ea nu se naşte şi, în ciuda faptului de a fi situată în corpul mate-rial, ea este transcendentă şi eternă. Deci ea nu poate fi distrusă. Prin natura sa, ea este plină de beatitudine. Ea nu se angajează în nici o activitate mate-rială; de aceea, acţiunile îndeplinite datorită contactului cu corpurile mate-riale nu o încătuşează în nici un fel.

TEXTUL 33

यथा सर्वगतं सौक्ष्म्यादाकाशं नोपलिप्यते ।
सर्वत्रावस्थितो देहे तथात्मा नोपलिप्यते ॥३३॥

yathā sarva-gataṁ saukṣmyād
ākāśaṁ nopalipyate
sarvatrāvasthito dehe
tathātmā nopalipyate

yathā—aşa cum; *sarva-gatam*—atotpătrunzător; *saukṣmyāt*—datorită subti-lităţii; *ākāśam*—eterul; *na*—niciodată; *upalipyate*—se amestecă; *sarvatra*—pretutindeni; *avasthitaḥ*—situat; *dehe*—în corp; *tathā*—la fel; *ātmā*—sinele; *na*—niciodată; *upalipyate*—se amestecă.

Cerul, datorită naturii sale subtile, nu se amestecă cu nimic, deşi pătrunde în toate. În mod similar sufletul situat în viziunea Brahman nu se amestecă cu corpul, deşi este situat în acel corp.

COMENTARIU

Eterul pătrunde în apă, noroi, excremente sau în orice altceva, şi totuşi nu se amestecă cu nimic. În mod similar, chiar dacă entitatea vie este situată în diferite feluri de corpuri, ea rămâne distinctă de acestea datorită naturii sale subtile. De aceea este imposibil să vedem cu ochii materiali felul în care entitatea vie se află în contact cu corpul și felul în care există în afara corpului după distrugerea acestuia. Nici un om de știință nu poate explica aceste lucruri.

TEXTUL 34

यथा प्रकाशयत्येकः कृत्स्नं लोकमिमं रविः ।
क्षेत्रं क्षेत्री तथा कृत्स्नं प्रकाशयति भारत ॥३४॥

yathā prakāśayaty ekaḥ
kṛtsnaṁ lokam imaṁ raviḥ
kṣetraṁ kṣetrī tathā kṛtsnaṁ
prakāśayati bhārata

yathā—așa cum; *prakāśayati*—iluminează; *ekaḥ*—singur; *kṛtsnam*—întreg; *lokam*—universul; *imam*—acest; *raviḥ*—soare; *kṣetram*—acest corp; *kṣetrī*—sufletul; *tathā*—în mod similar; *kṛtsnam*—în totalitate; *prakāśayati*—iluminează; *bhārata*—o, fiu al lui Bharata.

O, fiu al lui Bharata, precum soarele singur iluminează tot acest univers, la fel entitatea vie, cea din interiorul corpului, iluminează întregul corp prin conștiință.

COMENTARIU

Există diferite teorii referitoare la conștiință. În *Bhagavad-gītā* se dă exemplul soarelui și al luminii sale. Așa cum soarele este situat într-un loc, dar luminează întregul univers, la fel și minuscula particulă de suflet spiritual, deși este situată în inima acestui corp, iluminează întregul corp prin conștiință. Astfel, conștiința este dovada prezenței sufletului, așa cum lumina este dovada prezenței soarelui. Când sufletul este prezent în corp, conștiința este și ea prezentă pretutindeni în corp, însă de îndată ce sufletul a părăsit corpul, conștiința nu mai este prezentă. Acest lucru poate fi ușor înțeles de omul inteligent. Prin urmare, conștiința nu este produsul combinațiilor materiei. Ea este semnul entității vii. Deși din punct de vedere calitativ conștiința entității vii este una cu conștiința supremă, ea nu este supremă pentru că conștiința unui corp particular nu se extinde și la un alt corp. Iar Suprasufletul care este situat în toate corpurile în calitate de prieten al sufletului individual este conştient de toate corpurile. Aceasta este diferenţa între conştiinţa supremă şi conştiinţa individuală.

TEXTUL 35

क्षेत्रक्षेत्रज्ञयोरेवमन्तरं ज्ञानचक्षुषा ।
भूतप्रकृतिमोक्षं च ये विदुर्यान्ति ते परम् ॥३५॥

kṣetra-kṣetrajñayor evam
antaraṁ jñāna-cakṣuṣā
bhūta-prakṛti-mokṣaṁ ca
ye vidur yānti te param

kṣetra—dintre corp; *kṣetra-jñayoḥ*—şi proprietarul corpului; *evam*—astfel; *antaram*—diferenţa; *jñāna-cakṣuṣā*—prin viziunea cunoaşterii; *bhūta*—a entităţii vii; *prakṛti*—de natura materială; *mokṣam*—eliberarea; *ca*—precum şi; *ye*—cei care; *viduḥ*—cunosc; *yānti*—ating; *te*—ei; *param*—pe Cel Suprem.

Aceia care văd cu ochii cunoaşterii diferenţa dintre corp şi cunoscătorul corpului şi pot de asemenea să înţeleagă procesul eliberării de legătura naturii materiale, ating ţelul suprem.

COMENTARIU

Scopul acestui al treisprezecelea capitol este cunoaşterea diferenţei între corp, proprietarul corpului şi Suprasuflet. Omul trebuie să-şi dea seama de acest proces al eliberării, descris în versetele opt până la doisprezece. Atunci poate să pornească spre destinaţia supremă.

Omul credincios trebuie mai întâi să ajungă într-o asociere bună pentru a asculta despre Dumnezeu şi astfel, treptat, să ajungă să fie iluminat. Dacă cineva acceptă un maestru spiritual, el poate învăţa să distingă între materie şi spirit, iar aceasta va fi temelia viitoarei sale realizări spirituale. Prin diferitele sale învăţături maestrul spiritual îşi învaţă discipolii cum să se elibereze de concepţia materială asupra vieţii. De exemplu, în *Bhagavad-gītā* vedem cum Kṛṣṇa îl învaţă pe Arjuna pentru a-l elibera de ideile materialiste.

Se poate deci înțelege că acest corp este materie; el poate fi analizat în funcție de cele douăzeci și patru de elemente ale sale. Corpul este manifestarea grosieră, iar mintea și fenomenele psihice sunt manifestările subtile. Semnele vieții sunt interacțiuni ale acestor aspecte. Dar deasupra acestora și dominându-le se află sufletul și de asemenea Suprasufletul. Sufletul și Suprasufletul sunt două entități diferite. Lumea materială funcționează datorită conjuncției sufletului cu cele douăzeci și patru de elemente materiale. Cel ce poate vedea alcătuirea întregii manifestări materiale ca fiind combinația sufletului cu elementele materiale și care poate percepe poziția Sufletului Suprem, devine calificat pentru a intra în lumea spirituală. Aceste lucruri sunt destinate a fi contemplate și realizate și trebuie să ajungem la înțelegerea deplină a acestui capitol cu ajutorul maestrului spiritual.

Astfel se încheie comentariul lui Bhaktivedanta la capitolul al treisprezecelea din Śrīmad Bhagavad-gītā, care tratează despre „Natura, Cel care se bucură și conștiința".

Cele trei moduri ale naturii materiale

TEXTUL 1

श्रीभगवानुवाच
परं भूयः प्रवक्ष्यामि ज्ञानानां ज्ञानमुत्तमम् ।
यज्ज्ञात्वा मुनयः सर्वे परां सिद्धिमितो गताः ॥ १ ॥

śrī-bhagavān uvāca
param bhūyaḥ pravakṣyāmi
jñānānāṁ jñānam uttamam
yaj jñātvā munayaḥ sarve
parāṁ siddhim ito gatāḥ

śrī-bhagavān uvāca—Suprema Personalitate a Divinității a spus; *param*—transcendentă; *bhūyaḥ*—din nou; *pravakṣyāmi*—voi spune; *jñānānām*—

dintre toate cunoaşterile; *jñānam*—cunoaşterea; *uttamam*—supremă; *yat*—pe care; *jñātvā*—cunoscând-o; *munayaḥ*—înţelepţii; *sarve*—toţi; *param*—transcendentă; *siddhim*—perfecţiunea; *itaḥ*—din această lume; *gatāḥ*—au atins.

Suprema Personalitate a Divinităţii a spus: Îţi voi spune din nou această înţelepciune supremă, cea mai bună din toată cunoaşterea, pe care cunoscând-o, toţi înţelepţii au atins perfecţiunea supremă.

COMENTARIU

Începând cu capitolul al şaptelea şi până la capitolul al doisprezecelea Śrī Kṛṣṇa dezvăluie în mod detaliat Adevărul Suprem, Suprema Personalitate a Divinităţii. Acum Domnul Însuşi continuă să-l ilumineze pe Arjuna. Cel ce reuşeşte ca prin analiza filosofică să înţeleagă acest capitol, va ajunge să înţeleagă slujirea cu devoţiune. În capitolul al treisprezecelea s-a explicat în mod clar faptul că prin dezvoltarea cu umilinţă a cunoaşterii ne putem elibera de cătuşele materiei. De asemenea, tot acolo s-a explicat şi faptul că datorită asocierii sale cu modurile naturii, entitatea vie a fost capturată de lumea materială. În acest capitol Persoana Supremă explică ce sunt aceste moduri ale naturii, cum acţionează, cum leagă şi cum aduc eliberarea. Cunoaşterea dezvăluită în acest capitol este declarată de Domnul Suprem ca fiind superioară cunoaşterii date în capitolele precedente. Înţelegând această cunoaştere, mulţi dintre marii înţelepţi au atins perfecţiunea şi au trecut în lumea spirituală. Acum Domnul explică aceeaşi cunoaştere în mod şi mai exact. Această cunoaştere este mult superioară tuturor celorlalte procese de cunoaştere explicate până aici şi mulţi au atins perfecţiunea prin această cunoaştere. De aceea, se presupune că acela care înţelege acest al paisprezecelea capitol, va atinge perfecţiunea.

TEXTUL 2

इदं ज्ञानमुपाश्रित्य मम साधर्म्यमागताः ।
सर्गेऽपि नोपजायन्ते प्रलये न व्यथन्ति च ॥ २ ॥

idaṁ jñānam upāśritya
mama sādharmyam āgatāḥ

sarge 'pi nopajāyante
pralaye na vyathanti ca

idam—această; *jñānam*—cunoaștere; *upāśritya*—găsindu-și refugiul în; *mama*—a Mea; *sādharmyam*—aceeași natură; *āgatāḥ*—atingând; *sarge api* —chiar la vremea creației; *na*—niciodată; *upajāyante*—se nasc; *pralaye*—la anihilarea lumii; *na*—nici nu; *vyathanti*—sunt tulburați; *ca*—de asemenea.

Devenind fixat în această cunoaștere cineva poate atinge o natură transcendentă ca a Mea. Astfel stabilit, el nu va fi născut la momentul creației sau tulburat la vremea anihilării.

COMENTARIU

Prin dobândirea cunoașterii transcendente perfecte omul obține egalitatea calitativă cu Suprema Personalitate a Divinității, eliberându-se de nașterile și morțile repetate. Cu toate acestea, el nu-și pierde identitatea ca suflet individual. Din scrierile vedice se înțelege că sufletele eliberate care au ajuns pe planetele transcendente ale cerului spiritual contemplă mereu picioarele de lotus ale Domnului Suprem, fiind angajate în slujirea Sa transcendentă plină de dragoste. Astfel, chiar și după eliberare, devoții nu-și pierd identitățile individuale.

În general, în lumea materială orice cunoaștere pe care o obținem este contaminată de cele trei moduri ale naturii materiale. Cunoașterea necontaminată de cele trei moduri ale naturii este numită cunoaștere transcendentă. De îndată ce omul se situează în cunoașterea transcendentă, el se află la același nivel cu Persoana Supremă. Cei ce nu știu nimic despre cerul spiritual susțin că după eliberarea de activitățile materiale ale formei materiale, această identitate spirituală își pierde forma, rămânând lipsită de orice diferențiere. Dar așa cum în această lume există varietate materială, există varietate și în lumea spirituală. Cei ce ignoră acest fapt cred că existența spirituală este opusul varietății materiale. Dar în realitate, în cerul spiritual se dobândește o formă spirituală. Acolo se desfășoară activități spirituale iar existența spirituală poartă numele de slujire cu devoțiune. Acea atmosferă este considerată a fi necontaminată iar cel aflat acolo este egal din punct de vedere calitativ cu Domnul Suprem. Pentru a dobândi o astfel de cunoaștere omul trebuie să-și dezvolte toate calitățile spirituale. Cel ce își dezvoltă în acest fel calitățile spirituale nu mai este afectat nici de creația și nici de distrugerea lumii materiale.

TEXTUL 3

मम योनिर्महद् ब्रह्म तस्मिन् गर्भं दधाम्यहम् ।
सम्भवः सर्वभूतानां ततो भवति भारत ॥ ३ ॥

mama yonir mahad brahma
tasmin garbham dadhāmy aham
sambhavaḥ sarva-bhūtānāṁ
tato bhavati bhārata

mama—a Mea; *yoniḥ*—sursă a naşterii; *mahat*—existenţa materială totală; *brahma*—suprem; *tasmin*—în acesta; *garbham*—embrionul; *dadhāmi*—creez; *aham*—Eu; *sambhavaḥ*—posibilitatea; *sarva-bhūtānām*—tuturor entităţilor vii; *tataḥ*—din aceasta; *bhavati*—apare; *bhārata*—o, fiu al lui Bharata.

Substanţa totală materială, numită Brahman, este sursa naşterii şi este acel Brahman pe care Eu îl însămânţez, făcând posibilă naşterea tuturor fiinţelor vii, o, fiu al lui Bharata.

COMENTARIU

Aceasta este o explicare a lumii: tot ceea ce are loc este o combinare dintre *kṣetra* şi *kṣetra-jña,* dintre corp şi suflet. Această combinaţie a naturii materiale şi a entităţii vii este făcută posibilă de către Însuşi Dumnezeul Suprem. *Mahat-tattva* este cauza globală a întregii manifestări cosmice; iar această substanţă globală a cauzei materiale, în care sunt cuprinse cele trei moduri ale naturii, este uneori numită Brahman. Persoana Supremă însămânţează această substanţă globală, şi astfel devin posibile nenumăratele universuri. Această substanţă materială globală, *mahat-tattva,* este descrisă în scrierile vedice (*Muṇḍaka Upaniṣad* 1.1.9) ca Brahman: *tasmād etad brahma nāma-rūpam annaṁ ca jāyate.* Persoana Supremă îl însămânţează pe Brahman cu sămânţa entităţilor vii. Cele douăzeci şi patru de elemente, începând cu pământul, apa, focul şi aerul, constituie împreună energia materială, alcătuind ceea ce se cheamă *mahad brahma* sau marele Brahman, natura materială. Aşa cum s-a explicat în capitolul al şaptelea, dincolo de aceasta se află o altă natură superioară—entitatea vie. Prin voinţa Supremei Personalităţi a Divinităţii, natura superioară este amestecată în natura materială şi ca urmare toate entităţile vii se nasc din această natură materială.

Scorpionul își depune ouăle în grămezile de orez, iar uneori se spune că scorpionii se nasc din orez. Dar orezul nu este cauza nașterii scorpionilor. De fapt, ouăle au fost depuse de către mamă. La fel și natura materială nu este cauza nașterii entităților vii. Sămânța lor este pusă de către Suprema Personalitate a Divinității, iar ele doar par că se ivesc ca produse ale naturii materiale. Astfel, fiecare entitate vie, în funcție de activitățile sale trecute, obține un corp diferit, creat de natura materială, astfel încât acea entitate vie să se poată desfăta sau să sufere pe măsura faptelor sale. Însă cauza tuturor manifestărilor entităților vii în lumea materială este Domnul.

TEXTUL 4

सर्वयोनिषु कौन्तेय मूर्तयः सम्भवन्ति याः ।
तासां ब्रह्म महद्योनिरहं बीजप्रदः पिता ॥ ४ ॥

sarva-yoniṣu kaunteya
mūrtayaḥ sambhavanti yāḥ
tāsāṁ brahma mahad yonir
ahaṁ bīja-pradaḥ pitā

sarva-yoniṣu—în toate speciile de viață; *kaunteya*—o, fiu al lui Kuntī; *mūrtayaḥ*—formele; *sambhavanti*—apar; *yāḥ*—care; *tāsām*—ale tuturor acestora; *brahma*—cel suprem; *mahat yoniḥ*—sursa nașterii în substanța materială; *aham*—Eu; *bīja-pradaḥ*—dătătorul sămânței; *pitā*—tatăl.

Trebuie înțeles că toate speciile de viață, o, fiu al lui Kuntī, s-au făcut posibile prin naștere în această natură materială și că Eu sunt tatăl care dă sămânța.

COMENTARIU

În acest verset se explică în mod clar că Suprema Personalitate a Divinității, Kṛṣṇa, este tatăl originar al tuturor entităților vii. Entitățile vii sunt combinații ale naturii materiale și ale naturii spirituale. Asemenea entități vii nu se află doar pe această planetă, ci pe fiecare planetă, chiar și pe cea mai înaltă, cea în care se află Brahmā. Entitățile vii se află pretutindeni; ele există în pământ, în apă și chiar în foc. Toate aceste întruchipări se datorează naturii materiale care este mama, precum și lui Kṛṣṇa, tatăl care dă sămânța. Sensul acestui verset este acela că lumea materială este însămânţată cu entităţile vii care apar sub diferite forme la vremea creaţiei, în funcţie de faptele lor trecute.

TEXTUL 5

सत्त्वं रजस्तम इति गुणाः प्रकृतिसम्भवाः ।
निबध्नन्ति महाबाहो देहे देहिनमव्ययम् ॥ ५ ॥

sattvaṁ rajas tama iti
guṇāḥ prakṛti-sambhavāḥ
nibadhnanti mahā-bāho
dehe dehinam avyayam

sattvam—modul bunătăţii; *rajaḥ*—modul pasiunii; *tamaḥ*—modul igno-ranţei; *iti*—astfel; *guṇāḥ*—modurile; *prakṛti*—natura materială; *sambhavāḥ*—produse din; *nibadhnanti*—condiţionează; *mahā-bāho*—o, tu cel puternic înarmat; *dehe*—în acest corp; *dehinam*—entitatea vie; *avyayam*—eternă.

Natura materială constă din trei moduri—bunătate, pasiune şi igno-ranţă. Când entitatea vie eternă vine în contact cu natura, o, puternic înarmatule Arjuna, ea devine condiţionată de aceste moduri.

COMENTARIU

Întrucât entitatea vie este transcendentă, ea nu are nimic de-a face cu natura materială. Totuşi, deoarece a ajuns să fie condiţionată de natura materială, ea acţionează sub vraja celor trei moduri ale naturii materiale. Întrucât entităţi-le vii au diferite feluri de corpuri, corespunzând diferitelor aspecte ale natu-rii, ele sunt puse să acţioneze conform cu această natură. Aceasta este cauza varietăţii bucuriilor şi necazurilor.

TEXTUL 6

तत्र सत्त्वं निर्मलत्वात्प्रकाशकमनामयम् ।
सुखसङ्गेन बध्नाति ज्ञानसङ्गेन चानघ ॥ ६ ॥

tatra sattvaṁ nirmalatvāt
prakāśakam anāmayam

sukha-saṅgena badhnāti
jñāna-saṅgena cānagha

tatra—dintre acestea; *sattvam*—modul bunătății; *nirmalatvāt*—fiind cel mai pur din lumea materială; *prakāśakam*—cel care iluminează; *anāmayam*— fără nici o reacție păcătoasă; *sukha*—cu fericirea; *saṅgena*—prin asociere; *badhnāti*—condiționează; *jñāna*—cu cunoașterea; *saṅgena*—prin asociere; *ca*—și; *anagha*—o, tu cel fără de păcat.

O, tu cel fără de păcat, modul bunătății fiind mai pur decât celelalte este cel care iluminează și-l eliberează pe om de toate urmările păcatului. Cei ce aparțin acestui mod sunt condiționați prin perceperea fericirii și cunoașterii.

COMENTARIU

Entitățile vii condiționate de natura materială sunt de mai multe tipuri. Una este fericită, alta foarte activă, iar alta neajutorată. Toate aceste tipuri de manifestare psihologică sunt cauze pentru starea de condiționare a acestor entități în natură. În această secțiune din *Bhagavad-gītā* se explică felul diferit în care ele sunt condiționate. Mai întâi se discută modul bunătății. Efectul dezvoltării modului bunătății în lumea materială este obținerea unei înțelepciuni superioare față de cei ce sunt condiționați în alt mod. Omul aflat în modul bunătății nu este prea tare afectat de suferințele materiale și este conștient de progresul său în cunoașterea materială. Tipul reprezentativ este brahmanul, care ar trebui să se situeze în modul bunătății. Sentimentul de fericire se datorează înțelegerii faptului că în modul bunătății omul este mai mult sau mai puțin liber de reacțiile păcatului. În scrierile vedice se spune că modul bunătății presupune o mai mare cunoaștere și un mai puternic sentiment de fericire.

Însă dificultatea pe care o prezintă această stare este aceea că, atunci când entitatea vie se află în modul bunătății ea este condiționată să simtă că este mai avansată în cunoaștere și este mai bună decât ceilalți. În acest fel ea ajunge să fie condiționată. Exemplul cel mai bun sunt savanții și filozofii. Oricare din ei este foarte mândru de cunoașterea sa și, pentru că în general reușesc să-și îmbunătățească condițiile de viață, ei ajung să simtă o oarecare fericire materială. Acest sentiment al unei fericiri mai mari în viața condiționată îi face să fie legați de către modul bunătății ce aparține naturii materiale. Ca atare, ei sunt atrași de a activa în acest mod al bunătății și, atâta vreme cât sunt atraşi să activeze în acest fel, ei trebuie să primească un anumit tip de corp în cadrul modurilor naturii. Deci, în acest caz nu există probabilitatea eliberării sau transferării în lumea spirituală. Omul poate deveni în mod repetat filozof, savant sau poet şi în mod repetat va fi captivat de aceleaşi neajunsuri ale naşterii şi morţii. Dar datorită iluziei energiei materiale, omul crede că acest fel de viaţă este plăcut.

TEXTUL 7

रजो रागात्मकं विद्धि तृष्णासङ्गसमुद्भवम् ।
तन्निबध्नाति कौन्तेय कर्मसङ्गेन देहिनम् ॥ ७ ॥

rajo rāgātmakaṁ viddhi
tṛṣṇā-saṅga-samudbhavam
tan nibadhnāti kaunteya
karma-saṅgena dehinam

rajaḥ—modul pasiunii; *rāga-ātmakam*—născută din dorinţă sau poftă; *viddhi*—să ştii; *tṛṣṇā*—setea arzătoare; *saṅga*—asocierea cu; *samudbhavam*—produsă din; *tat*—aceasta; *nibadhnāti*—leagă; *kaunteya*—o, fiu al lui Kuntī; *karma-saṅgena*—prin asocierea cu activităţile fructuoase; *dehinam*—pe cel întrupat.

Modul pasiunii este născut din dorinţe şi năzuinţe nelimitate, o, fiu al lui Kuntī şi datorită acestuia, entitatea vie întrupată este legată de activităţile fructuoase materiale.

COMENTARIU

Modul pasiunii este caracterizat de atracţia dintre bărbat şi femeie. Femeia este atrasă de bărbat şi bărbatul este atras de femeie. Aceasta se cheamă modul pasiunii. Iar când modul pasiunii sporeşte, omul începe să tânjească după desfătări materiale. El vrea să se bucure de plăcerile simţurilor. Pentru satisfacerea simţurilor, cel aflat în modul pasiunii doreşte să obţină onoruri în societate sau în cadrul naţiunii, doreşte o familie fericită, cu copii frumoşi, soţie şi un cămin. Toate acestea sunt rezultatul modului pasiunii. Atâta timp cât omul tânjeşte după aceste lucruri, el trebuie să trudească din greu. De aceea se spune foarte clar aici că el se ataşează de fructele activităţilor sale şi astfel ajunge să fie legat de ele. Pentru a face pe placul nevestei, copiilor și societății, ca și pentru a-și menține prestigiul, el trebuie să muncească. De aceea, întreaga lume materială se află mai mult sau mai puțin în modul pasiunii. Civilizația modernă este considerată a fi foarte avansată în ce privește nivelul modului pasiunii. În trecut, starea cea mai avansată era socotită cea aflată în modul bunătății. Dacă pentru cei aflați în modul bunătății nu există eliberare, atunci ce să mai vorbim de cei înlănțuiți de modul pasiunii?

TEXTUL 8

तमस्त्वज्ञानजं विद्धि मोहनं सर्वदेहिनाम् ।
प्रमादालस्यनिद्राभिस्तन्निबध्नाति भारत ॥ ८ ॥

tamas tv ajñāna-jaṁ viddhi
mohanaṁ sarva-dehinām
pramādālasya-nidrābhis
tan nibadhnāti bhārata

tamaḥ—modul ignoranței; *tu*—însă; *ajñāna-jam*—produsă de ignoranță; *viddhi*—să știi; *mohanam*—iluzia; *sarva-dehinām*—tuturor ființelor întrupate; *pramāda*—cu nebunie; *ālasya*—indolență; *nidrābhiḥ*—și somn; *tat*—aceasta; *nibadhnāti*—leagă; *bhārata*—o, fiu al lui Bharata.

O, fiu al lui Bharata, să știi că modul întunecimii, născut din ignoranță, este iluzia tuturor entităților vii întrupate. Rezultatele acestui mod sunt nebunia, indolența și somnul, care leagă sufletul condiționat.

COMENTARIU

Folosirea specială în acest verset a cuvântului *tu* este foarte semnificativă. Aceasta înseamnă că modul ignoranței este o trăsătură foarte specifică a sufletului întrupat. Modul ignoranței este exact opusul modului bunătății. În modul bunătății, prin dezvoltarea cunoașterii omul poate înțelege lucrurile așa cum sunt, dar modul ignoranței este exact opusul acesteia. Sub vraja modului ignoranței omul ajunge nebun, iar un nebun nu poate înțelege lucrurile așa cum sunt. În loc să progreseze, omul decade. Definiția modului ignoranței se află în scrierile vedice. *Vastu-yāthātmya-jñānāvarakaṁ viparyaya-jñāna-janakaṁ tamaḥ*: sub vraja ignoranței omul nu poate înțelege lucrurile aşa cum sunt. De exemplu, oricine poate vedea că bunicul său a murit şi deci şi el însuşi va muri; omul este muritor. Copiii pe care-i concepe vor muri şi ei. Deci moartea este sigură. Totuşi oamenii adună nebuneşte bani, muncind din greu zi şi noapte, fără să se preocupe de spiritul care este etern. Aceasta înseamnă nebunie. În nebunia lor, ei sunt foarte potrivnici progresului în cunoaşterea spirituală. Aceşti oameni sunt foarte leneşi. Când sunt invitaţi să vină să primească cunoaşterea spirituală, ei nu manifestă prea mult interes. Ei nu sunt nici măcar activi, precum cei dominaţi de pasiune. Un alt semn al celui prins în modul ignoranţei este faptul că doarme mai mult decât este necesar. Sunt de ajuns şase ore de somn, dar cel aflat în modul ignoranţei doarme cel puţin 10 sau 12 ore pe zi. Un asemenea om este mereu deprimat şi este sclavul substanţelor intoxicante şi al somnului. Acestea sunt semnele unei persoane condiţionate de modul ignoranţei.

TEXTUL 9

सत्त्वं सुखे सञ्जयति रजः कर्मणि भारत ।
ज्ञानमावृत्य तु तमः प्रमादे सञ्जयत्युत ॥ ९ ॥

sattvaṁ sukhe sañjayati
rajaḥ karmaṇi bhārata
jñānam āvṛtya tu tamaḥ
pramāde sañjayaty uta

sattvam—modul bunătăţii; *sukhe*—în fericire; *sañjayati*—leagă; *rajaḥ*—modul pasiunii; *karmaṇi*—în activităţile fructuoase; *bhārata*—o, fiu al lui Bharata; *jñānam*—cunoaşterea; *āvṛtya*—acoperind; *tu*—dar; *tamaḥ*—modul ignoranţei; *pramāde*—în nebunie; *sañjayati*—leagă; *uta*—s-a spus.

O, fiu al lui Bharata, modul bunătăţii condiţionează pe cineva prin fericire, pasiunea condiţionează pe cineva prin activităţile fructuoase iar ignoranţa, acoperind cunoaşterea cuiva îl leagă prin nebunie.

COMENTARIU

Omul aflat în modul bunătăţii este mulţumit cu munca sa ori cu preocupările sale intelectuale, aşa cum un filozof, om de ştiinţă sau profesor se poate angaja într-un anumit domeniu de cunoaştere şi poate fi mulţumit cu acesta. Omul în modul pasiunii poate fi angajat în activitățile fructuoase; el agonisește cât mai mult și cheltuiește pentru activități de binefacere. Uneori încearcă să deschidă spitale, face donații unor instituții etc. Acestea sunt semnele celui aflat în starea pasiunii. Iar modul ignoranței este acela care acoperă cunoașterea. Orice ar face cineva aflat în modul ignoranței nu este benefic nici pentru el, nici pentru nimeni altcineva.

TEXTUL 10

रजस्तमश्चाभिभूय सत्त्वं भवति भारत ।
रजः सत्त्वं तमश्चैव तमः सत्त्वं रजस्तथा ॥१०॥

rajas tamaś cābhibhūya
sattvaṁ bhavati bhārata
rajaḥ sattvaṁ tamaś caiva
tamaḥ sattvaṁ rajas tathā

rajaḥ—modul pasiunii; *tamaḥ*—modul ignoranței; *ca*—precum și; *abhibhūya*—întrecând; *sattvam*—modul bunătății; *bhavati*—ajunge predominant; *bhārata*—o, fiu al lui Bharata; *rajaḥ*—modul pasiunii; *sattvam*—modul bunătății; *tamaḥ*—modul ignoranței; *ca*—și; *eva*—precum; *tamaḥ*—modul ignoranței; *sattvam*—modul bunătății; *rajaḥ*—modul pasiunii; *tathā*—astfel.

Uneori modul bunătății devine predominant, învingând modul pasiunii și pe cel al ignoranței, o, fiu al lui Bharata. Alteori modul pasiunii învinge bunătatea și ignoranța, iar alteori ignoranța învinge bunătatea și pasiunea. Astfel, există întotdeauna o competiție pentru supremație.

COMENTARIU

Când predomină modul pasiunii, modurile bunătății și ignoranței sunt înfrânte. Când predomină modul bunătății, sunt înfrânte pasiunea și ignoranța. Iar când predomină modul ignoranței, pasiunea și bunătatea sunt înfrânte. Această competiție continuă neîncetat. De aceea, cel ce tinde cu adevărat să progreseze în conștiința de Kṛṣṇa trebuie să treacă dincolo de aceste moduri. Predominanța unor anumite moduri ale naturii se manifestă în raporturile omului cu alții, în faptele sale, în felul de a se hrăni etc. Toate acestea vor fi explicate în ultimele capitole. Însă cel care dorește, poate să-și dezvolte prin practică modul bunătății, învingând astfel modurile pasiunii și ignoranței. Tot astfel, se poate dezvolta modul pasiunii, învingând bunătatea și ignoranța sau se poate dezvolta modul ignoranței învingând bunătatea și pasiunea. În ciuda existenței acestor trei moduri ale naturii materiale, cel ce este hotărât poate fi binecuvântat cu modul bunătății și, trecând dincolo de modul bunătății, se poate situa în pura virtute, care se numește starea de *vasudeva*, stare în care omul poate înțelege știința de Dumnezeu. Prin manifestarea anumitor activități se poate înțelege în care dintre moduri este situat cineva.

TEXTUL 11

सर्वद्वारेषु देहेऽस्मिन् प्रकाश उपजायते ।
ज्ञानं यदा तदा विद्याद्विवृद्धं सत्त्वमित्युत ॥११॥

sarva-dvāreṣu dehe 'smin
prakāśa upajāyate
jñānaṁ yadā tadā vidyād
vivṛddhaṁ sattvam ity uta

sarva-dvāreṣu—în toate porțile; *dehe asmin*—din acest corp; *prakāśaḥ*—calitatea de a lumina; *upajāyate*—se dezvoltă; *jñānam*—cunoașterea; *yadā*—când; *tadā*—atunci; *vidyāt*—să știi; *vivṛddham*—sporit; *sattvam*—modul bunătății; *iti uta*—astfel s-a spus.

Manifestările modului bunătății pot fi experimentate atunci când toate porțile corpului sunt iluminate de cunoaștere.

COMENTARIU

Corpul are nouă porți: doi ochi, două urechi, două nări, gura, organul genital și anusul. Când fiecare din aceste porți este iluminată de semnele modului bunătății, trebuie să se înțeleagă că omul și-a dezvoltat modul bunătății. Cel aflat în modul bunătății poate vedea lucrurile în mod corect, poate auzi lucrurile în mod corect și poate gusta lucrurile în mod corect. Omul devine curat pe dinăuntru și pe dinafară. În oricare din porțile corpului apar semnele fericirii, iar această stare este cea a bunătății.

TEXTUL 12

लोभः प्रवृत्तिरारम्भः कर्मणामशमः स्पृहा ।
रजस्येतानि जायन्ते विवृद्धे भरतर्षभ ॥१२॥

lobhaḥ pravṛttir ārambhaḥ
karmaṇām aśamaḥ spṛhā
rajasy etāni jāyante
vivṛddhe bharatarṣabha

lobhaḥ—lăcomia; *pravṛttiḥ*—activitatea; *ārambhaḥ*—efortul; *karmaṇām*—în activităţi; *aśamaḥ*—nestăpânită; *spṛhā*—dorinţa; *rajasi*—al modului pasiunii; *etāni*—toate acestea; *jāyante*—se dezvoltă; *vivṛddhe*—când există un exces; *bharata-ṛṣabha*—o, cel dintâi din dinastia Bharata.

O, cel dintâi printre descendenţii lui Bharata, când există o creştere în modul pasiunii se dezvoltă simptome de mare ataşament, activitate fructuoasă, strădanie intensă şi dorinţe şi aspiraţii necontrolate.

COMENTARIU

Cel aflat în modul pasiunii nu este niciodată mulţumit cu situaţia pe care a dobândit-o deja; el tânjeşte după o situaţie mai înaltă. Când vrea să-şi construiască o casă în care să locuiască, el face tot ce poate ca să aibă un palat, ca şi cum ar putea să locuiască în el o veşnicie. El îşi dezvoltă pofta de satisfacere a simţurilor. Satisfacerea simţurilor nu are sfârşit. Acest om doreşte să rămână mereu în casa sa, împreună cu familia şi să-şi continue satisfacerea simţurilor. Acest proces nu se încheie niciodată. Toate aceste semne trebuie înţelese ca fiind caracteristice modului pasiunii.

TEXTUL 13

अप्रकाशोऽप्रवृत्तिश्च प्रमादो मोह एव च ।
तमस्येतानि जायन्ते विवृद्धे कुरुनन्दन ॥१३॥

aprakāśo 'pravṛttiś ca
pramādo moha eva ca

tamasy etāni jāyante
vivṛddhe kuru-nandana

aprakāśaḥ—întunericul; *apravṛttiḥ*—inactivitatea; *ca*—şi; *pramādaḥ*—nebunia; *mohaḥ*—iluzia; *eva*—desigur; *ca*—şi; *tamasi*—în modul ignoranţei; *etāni*—acestea; *jāyante*—se manifestă; *vivṛddhe*—atunci când sunt dezvoltate; *kuru-nandana*—o, fiu al lui Kuru.

Când există o creştere în modul ignoranţei, o, fiu al lui Kuru, se manifestă întunecimea, inerţia, nebunia şi iluzia.

COMENTARIU

Când nu există iluminare, cunoaşterea este absentă. Cel aflat în modul ignoranţei nu acţionează conform principiilor regulatoare; el vrea să acţioneze în mod imprevizibil, fără nici un scop. Chiar dacă are capacitatea de a munci, nu face nici un efort. Aceasta se numeşte iluzie. Deşi conştiinţa lui continuă să funcţioneze, viaţa sa este inactivă. Acestea sunt semnele celui aparţinând modului ignoranţei.

TEXTUL 14

यदा सत्त्वे प्रवृद्धे तु प्रलयं याति देहभृत् ।
तदोत्तमविदां लोकानमलान् प्रतिपद्यते ॥१४॥

yadā sattve pravṛddhe tu
pralayaṁ yāti deha-bhṛt
tadottama-vidāṁ lokān
amalān pratipadyate

yadā—când; *sattve*—modul bunătăţii; *pravṛddhe*—dezvoltat; *tu*—însă; *pralayam*—disoluţia; *yāti*—se duce; *deha-bhṛt*—cel întrupat; *tadā*—atunci; *uttama-vidām*—ale marilor înţelepţi; *lokān*—planetele; *amalān*—pure; *pratipadyate*—atinge.

Când cineva moare în modul bunătăţii, el atinge planetele superioare şi pure ale marilor înţelepţi.

COMENTARIU

Cel aflat în modul bunătății ajunge pe sistemele planetare mai înalte, cum ar fi Brahmaloka sau Janoloka, iar acolo se bucură de fericirea divină. Cuvântul *amalān* este semnificativ; el înseamnă „liber de modul pasiunii și al ignoranței". În lumea materială există impurități, dar modul bunătății este forma cea mai pură a existenței în lumea materială. Există diferite feluri de planete pentru diferite feluri de entități vii. Cei ce mor în modul bunătății sunt înălțați pe planetele unde trăiesc marii înțelepți și marii devoți.

TEXTUL 15

रजसि प्रलयं गत्वा कर्मसङ्गिषु जायते ।
तथा प्रलीनस्तमसि मूढयोनिषु जायते ॥१५॥

*rajasi pralayaṁ gatvā
karma-saṅgiṣu jāyate
tathā pralīnas tamasi
mūḍha-yoniṣu jāyate*

rajasi—în pasiune; *pralayam*—disoluția; *gatvā*—atingând; *karma-saṅgiṣu*—în tovărășia celor angajați în activitățile fructuoase; *jāyate*—se naște; *tathā*—în mod similar; *pralīnaḥ*—fiind anihilat; *tamasi*—în ignoranță; *mūḍha-yoniṣu*—în specii de animale; *jāyate*—se naște.

Când cineva moare în modul pasiunii, el se va naște printre aceia angajați în activități fructuoase, iar când cineva moare în modul ignoranței, se va naște în domeniul animalelor.

COMENTARIU

Unii oameni cred că atunci când sufletul ajunge la nivelul vieții umane el nu mai cade din nou niciodată. Acest lucru nu este corect. Potrivit acestui verset, cel ce își dezvoltă modul ignoranței decade după moarte într-o formă de viață animală. De acolo el trebuie să se înalțe din nou printr-un proces de evoluție, pentru a ajunge din nou la forma umană de viață. De aceea, cei ce iau cu adevărat în serios existența umană trebuie să se situeze în modul bunătății și printr-o bună asociere să treacă dincolo de moduri, ajungând să se situeze în conştiinţa de Kṛṣṇa. Aceasta este ţinta vieţii umane. Altfel, nu există nici o garanţie că fiinţa umană va atinge din nou statutul de om.

TEXTUL 16

कर्मणः सुकृतस्याहुः सात्त्विकं निर्मलं फलम् ।
रजसस्तु फलं दुःखमज्ञानं तमसः फलम् ॥१६॥

karmaṇaḥ sukṛtasyāhuḥ
sāttvikaṁ nirmalaṁ phalam
rajasas tu phalaṁ duḥkham
ajñānaṁ tamasaḥ phalam

karmaṇaḥ—al activităţii; *su-kṛtasya*—pioase; *āhuḥ*—s-a spus; *sāttvikam*—în modul bunătăţii; *nirmalam*—purificat; *phalam*—rezultatul; *rajasaḥ*—în modul pasiunii; *tu*—dar; *phalam*—rezultatul; *duḥkham*—suferinţa; *ajñānam*—inepţia; *tamasaḥ*—al modului ignoranţei; *phalam*—rezultatul.

Rezultatul acţiunii pioase este pur şi se spune a fi în modul bunătă-ţii. În schimb acţiunea făcută în modul pasiunii rezultă în mizerie, iar acţiunea executată în modul ignoranţei rezultă în prostie.

COMENTARIU

Rezultatul activităţilor pioase în modul bunătăţii este pur. Deci înţelepţii care s-au eliberat de iluzie sunt situaţi în starea de fericire. Dar activităţile îndeplinite în modul pasiunii aduc doar suferinţă. Orice acţiune îndreptată spre fericirea materială este făcută să fie zădărnicită. De exemplu, dacă cineva doreşte să aibă un zgârie-nori, este nevoie de multă trudă şi suferinţă umană pentru a putea construi acest zgârie-nori. Cel care finanţează trebuie să facă mari eforturi pentru a aduna o grămadă de bani, iar cei ce muncesc ca nişte sclavi ca să realizeze construcţia trebuie să depună efort fizic. Toate acestea implică suferinţă. Astfel, *Bhagavad-gītā* spune că în orice acţiune îndeplinită sub vraja modului pasiunii apare neapărat foarte multă suferinţă. Se poate să apară şi o aşa-numită fericire mentală—„Casa aceasta îmi aparţine sau banii aceştia sunt ai mei"—dar aceasta nu este adevărata fericire.

În ce priveşte modul ignoranţei, cel ce activează este lipsit de cunoaştere şi de aceea toate activităţile sale au ca rezultat imediat suferinţa iar în viitor el va cădea în starea animală. Viaţa unui animal este întotdeauna plină de suferință, deși sub vraja energiei iluzorii, *māyā*, animalele nu înțeleg acest lucru. Tăierea bietelor animale se datorează și ea modului ignoranței. Cei ce omoară animalele nu știu că în viitor animalul va obține un corp cu care va putea la rândul său să-i ucidă pe ei. Aceasta este legea naturii. În societatea umană, cel ce ucide un om este condamnat la spânzurătoare. Aceasta este legea statului. Datorită ignoranței, oamenii nu-și dau seama că există un stat atotcuprinzător, condus de Domnul Suprem. Orice făptură vie este fiu al Domnului Suprem și El nu îngăduie să fie ucisă nici măcar o furnică. Cine ucide trebuie să plătească. Astfel, obișnuința de a ucide animalele doar pentru a oferi un gust plăcut limbii este forma cea mai grosolană de ignoranță. Ființa umană nu are nevoie să ucidă animalele, pentru că Dumnezeu i-a dat atâtea alte lucruri plăcute. Cel ce continuă totuși să mănânce carne, trebuie socotit că acționează în ignoranță și-și pregătește un viitor foarte întunecat. Dintre toate felurile de ucidere a animalelor, uciderea vacilor este cea mai gravă, căci vaca ne oferă atâtea lucruri plăcute prin laptele ei. Tăierea vacilor este o faptă ce ține de cea mai adâncă ignoranță. În scrierile vedice (*Ṛg Veda* 9.4.64) cuvintele *gobhiḥ prīṇita-matsaram* arată că acela care, fiind pe deplin satisfăcut de lapte, dorește să ucidă vaca, se află în cea mai adâncă ignoranță. De asemenea, există în scrierile vedice o rugăciune care spune astfel:

> *namo brahmaṇya-devāya*
> *go-brāhmaṇa-hitāya ca*
> *jagad-dhitāya kṛṣṇāya*
> *govindāya namo namaḥ*

„O, Doamne, Tu ești ocrotitorul vacilor și al brahmanilor, și ocrotitorul întregii societăți umane și al lumii" (*Viṣṇu Purāṇa* 1.19.65). În această rugăciune se menționează în mod special protejarea vacilor și a brahmanilor. Brahmanii sunt simbolul educației spirituale iar vacile sunt simbolul hranei celei mai prețioase; aceste două categorii de ființe, brahmanii și vacile, trebuie ocrotite în mod deosebit—acesta este progresul real al civilizației. În societatea modernă cunoașterea spirituală este neglijată și se încurajează uciderea vacilor. Se poate deci înțelege că societatea umană înaintează într-o direcție greșită, netezind calea propriei condamnări. O civilizație care-și îndrumă proprii cetățeni să devină animale în viețile viitoare, nu este cu siguranță o civilizație umană. Civilizația umană actuală este desigur indusă în eroare de către modurile pasiunii și ignoranței. Este o epocă foarte periculoasă și toate națiunile ar trebui să aibă grijă să ofere oamenilor cea mai simplă metodă, conștiința de Kṛṣṇa, pentru a salva omenirea de la cea mai mare primejdie.

TEXTUL 17

सत्त्वात्सञ्जायते ज्ञानं रजसो लोभ एव च ।
प्रमादमोहौ तमसो भवतोऽज्ञानमेव च ॥१७॥

sattvāt sañjāyate jñānaṁ
rajaso lobha eva ca
pramāda-mohau tamaso
bhavato 'jñānam eva ca

sattvāt—din modul bunătății; *sañjāyate*—se dezvoltă; *jñānam*—cunoaște-rea; *rajasaḥ*—din modul pasiunii; *lobhaḥ*—lăcomia; *eva*—desigur; *ca*—iar; *pramāda*—nebunia; *mohau*—și iluzia; *tamasaḥ*—din modul ignoranței; *bhavataḥ*—se dezvoltă; *ajñānam*—prostia; *eva*—desigur; *ca*—de asemenea.

Din modul bunătății se dezvoltă adevărata cunoașterea; din modul pasiunii se dezvoltă lăcomia; iar din modul ignoranței se dezvoltă prostia, nebunia și iluzia.

COMENTARIU

Întrucât civilizația actuală nu este foarte prielnică entităților vii, pentru ea se recomandă conștiința de Kṛṣṇa. Prin practicarea conștiinței de Kṛṣṇa societatea își va dezvolta modul bunătății. Când se dezvoltă modul bunătății oamenii văd lucrurile așa cum sunt. În modul ignoranței oamenii sunt exact ca animalele și nu pot vedea lucrurile în mod clar. De exemplu, oamenii aflați în ignoranță nu-și dau seama că ucigând un animal, riscă să fie uciși ei înșiși de acel animal în existența viitoare. Deoarece oamenii nu sunt educați în adevărata cunoaștere, ei devin iresponsabili. Pentru a pune capăt acestei iresponsabilități este nevoie de o educație care să dezvolte în oameni modul bunătății. Când sunt cu adevărat educați în modul bunătății oamenii devin cumpătați, cunoscând pe deplin lucrurile așa cum sunt. Atunci ei vor fi fericiți și prosperi. Chiar dacă nu toți oamenii vor fi fericiți și prosperi, dacă un anumit procent din populație își dezvoltă conștiința de Kṛṣṇa și ajunge să se situeze în modul bunătății, atunci apare posibilitatea păcii și prosperității întregii lumi. Altfel, dacă lumea se dedică modurilor pasiunii și ignoranței, nu poate să existe pace și prosperitate. În modul pasiunii oamenii devin lacomi și aviditatea lor după plăcerile simțurilor este nelimitată. Se poate însă vedea că, chiar dacă cineva are destui bani și condiții prielnice pentru satisfacerea simţurilor, el nu este nici fericit şi nici cu cugetul împăcat. Aceste lucruri nu sunt posibile pentru că el este situat în modul pasiunii. Dacă cineva doreşte cu adevărat fericirea, banii săi nu-l pot ajuta s-o obţină; el trebuie să se eleveze până la modul bunătăţii prin practicarea conştiinţei de Kṛṣṇa. Cel aflat sub influenţa modului pasiunii nu este nefericit doar mental, ci chiar profesiunea şi preocupările sale îi aduc numai necazuri. El trebuie să născocească tot felul de planuri şi scheme pentru a dobândi destui bani ca să-şi menţină statutul social. Toate acestea provoacă suferinţă. În modul ignoranţei oamenii îşi pierd minţile. Deznădăjduiţi de situaţia în care se află, ei se refugiază în tot felul de substanţe intoxicante, scufundându-se şi mai mult în ignoranţă. Viitorul lor este foarte întunecat.

TEXTUL 18

ऊर्ध्वं गच्छन्ति सत्त्वस्था मध्ये तिष्ठन्ति राजसाः ।
जघन्यगुणवृत्तिस्था अधो गच्छन्ति तामसाः ॥१८॥

ūrdhvaṁ gacchanti sattva-sthā
madhye tiṣṭhanti rājasāḥ
jaghanya-guṇa-vṛtti-sthā
adho gacchanti tāmasāḥ

ūrdhvam—în sus; *gacchanti*—se duc; *sattva-sthāḥ*—cei situaţi în modul bunătăţii; *madhye*—la mijloc; *tiṣṭhanti*—locuiesc; *rājasāḥ*—cei situaţi în modul pasiunii; *jaghanya*—abominabilă; *guṇa*—de calitate; *vṛtti-sthāḥ*—cei a căror ocupaţie; *adhaḥ*—în jos; *gacchanti*—se duc; *tāmasāḥ*—persoanele aflate în modul ignoranţei.

Aceia situaţi în modul bunătăţii avansează gradat spre planetele superioare; cei în modul pasiunii trăiesc pe planetele pământene; iar aceia în modul abominabil al ignoranţei se duc în jos către lumile infernale.

COMENTARIU

În acest verset se descrie şi mai explicit rezultatul acţiunilor îndeplinite în cadrul celor trei moduri ale naturii. Există un sistem planetar superior, alcătuit din planetele cereşti, unde toate fiinţele sunt foarte evoluate. În funcţie de gradul de dezvoltare a modului bunătăţii, entitatea vie poate fi transferată pe diferite planete din acest sistem. Planeta cea mai înaltă este Satyaloka sau Brahmaloka, în care îşi are reşedinţa Brahmā, cea dintâi persoană din acest univers. Am văzut deja cât este de greu să ne imaginăm minunatele condiţii de viaţă din Brahmaloka, dar modul bunătăţii, cea mai elevată stare a vieţii, ne poate duce acolo.

Modul pasiunii este mixt; acesta stă la mijloc, între bunătate şi ignoranţă. Omul nu este întotdeauna guvernat de un mod pur, însă chiar dacă ar fi dominat de modul purei pasiuni, el ar reuşi doar să rămână pe pământ în chip de rege sau bogătaş. Dar din pricina amestecului altor moduri, omul poate să şi cadă în jos. Oamenii aflaţi pe pământ, ţinând de modurile pasiunii şi ignoranţei, nu pot ajunge pe planetele superioare prin forţa maşinilor lor. În modul pasiunii există de asemenea posibilitatea de a ajunge la nebunie în viaţa următoare. Calitatea cea mai de jos, modul ignoranţei, este numită aici abominabilă. Dezvoltarea ignoranţei prezintă un foarte mare risc. Ea este calitatea cea mai de jos din natura materială. Sub nivelul uman se situează opt milioane de specii de viaţă—păsări, mamifere, reptile, arbori etc.—şi în funcţie de dezvoltarea modului ignoranţei oamenii cad în aceste stări îngrozitoare. Cuvântul *tāmasāḥ* este foarte semnificativ în acest context. *Tāmasāḥ* îi indică pe cei ce rămân perpetuu în ignoranţă, fără să se ridice la o stare superioară. Viitorul lor este foarte întunecat.

Există însă o ocazie pentru oamenii aflaţi în modurile pasiunii şi ignoranţei de a fi elevaţi la modul bunătăţii, iar acest sistem este conştiinţa de Kṛṣṇa. Dar cel ce nu profită de această ocazie va continua să rămână în modurile inferioare.

TEXTUL 19

नान्यं गुणेभ्यः कर्तारं यदा द्रष्टानुपश्यति ।
गुणेभ्यश्च परं वेत्ति मद्भावं सोऽधिगच्छति ॥१९॥

nānyaṁ guṇebhyaḥ kartāram
yadā draṣṭānupaśyati
guṇebhyaś ca paraṁ vetti
mad-bhāvaṁ so 'dhigacchati

na—nu; *anyam*—altul; *guṇebhyaḥ*—decât modurile; *kartāram*—executorul; *yadā*—când; *draṣṭā*—un privitor; *anupaśyati*—vede în mod exact;

gunebhyah—față de modurile naturii; *ca*—și; *param*—transcendent; *vetti*—cunoaște; *mat-bhāvam*—la natura Mea spirituală; *sah*—el; *adhigacchati*—este promovat.

Când cineva vede corect că în toate activitățile nu este un alt executor al acțiunii în afara modurilor naturii și Îl cunoaște pe Domnul Suprem care este transcendent față de aceste moduri, acela va atinge natura Mea spirituală.

COMENTARIU

Pentru a transcende toate acțiunile modurilor naturii materiale este suficient ca omul să le înțeleagă în mod corect, învățând de la sufletele realizate. Adevăratul maestru spiritual este Kṛṣṇa, iar El împărtășește această cunoaștere spirituală lui Arjuna. În mod similar, această știință a acțiunilor în funcție de modurile naturii trebuie învățată de la cei ce sunt pe deplin în conștiința de Kṛṣṇa. Altfel, viața omului apucă pe o cale greșită. Prin învățătura unui maestru spiritual autorizat, o ființă poate să-și cunoască poziția spirituală, corpul material, simțurile, felul în care este captivat și cum a ajuns sub vraja modurilor naturii materiale. Această ființă este neajutorată, fiind prinsă în încleștarea modurilor, dar atunci când își dă seama de poziția sa reală, ea poate ajunge la nivel transcendent, având capacitatea necesară pentru viața spirituală. În realitate, nu entitatea vie este cea care îndeplinește diferitele acțiuni. Ea este silită să acționeze, deoarece se află într-un anumit tip de corp, guvernat de un anumit mod al naturii materiale. Fără ajutorul unei autorități spirituale omul nu-și poate înțelege adevărata poziție spirituală. Prin asocierea cu un maestru spiritual autentic el poate să-și vadă poziția reală și prin această cunoaștere ajunge să fie fixat în deplina conștiință de Kṛṣṇa. Omul aflat în conștiința de Kṛṣṇa nu este stăpânit de vraja modurilor materiale ale naturii. În capitolul al șaptelea s-a arătat deja că cel ce s-a predat lui Kṛṣṇa este eliberat de acțiunile naturii materiale. Pentru cel care este în stare să vadă lucrurile așa cum sunt, influența naturii materiale dispare în mod treptat.

TEXTUL 20

गुणानेतानतीत्य त्रीन्देही देहसमुद्भवान् ।
जन्ममृत्युजरादुःखैर्विमुक्तोऽमृतमश्नुते ॥२०॥

guṇān etān atītya trīn
dehī deha-samudbhavān
janma-mṛtyu-jarā-duḥkhair
vimukto 'mṛtam aśnute

guṇān—moduri; etān—toate aceste; atītya—transcezând; trīn—trei; dehī—
cel întrupat; deha—trup; samudbhavān—produs din; janma—al naşterii;
mṛtyu—morţii; jarā—şi bătrâneţii; duḥkhaiḥ—suferinţele; vimuktaḥ—eli-
berat de; amṛtam—nectarul; aśnute—savurează.

**Când fiinţa întrupată este capabilă să treacă dincolo de aceste trei
moduri asociate cu corpul material, ea poate deveni liberă de naştere,
moarte, bătrâneţe şi de suferinţele acestora şi se poate bucura de nectar
chiar în această viaţă.**

COMENTARIU

În acest verset se explică felul în care se poate ajunge la nivel transcendent
chiar în acest corp, în deplină conştiinţă de Kṛṣṇa. Cuvântul sanskrit dehī
înseamnă „întrupat". Deşi aflat în corpul material, prin progresul în cunoaş-
terea spirituală omul poate scăpa de influenţa modurilor naturii. El se poate
bucura de fericirea vieţii spirituale chiar în acest corp, căci după ce îşi pără-
seşte corpul va merge cu siguranţă în cerul spiritual. Însă chiar şi în acest
corp el poate să se bucure de fericirea spirituală. Cu alte cuvinte, slujirea cu
devoţiune în conştiinţa de Kṛṣṇa este semnul eliberării din capcana materiei,
lucru ce va fi explicat în capitolul al optsprezecelea. Când omul se eliberează
de sub influenţa modurilor naturii materiale, el se dedică slujirii cu devoţiune.

TEXTUL 21

अर्जुन उवाच
कैर्लिङ्गैस्त्रीन् गुणानेतानतीतो भवति प्रभो ।
किमाचारः कथं चैतांस्त्रीन् गुणानतिवर्तते ॥२१॥

arjuna uvāca
kair liṅgais trīn guṇān etān
atīto bhavati prabho

*kim ācāraḥ katham caitāṁs
trīn guṇān ativartate*

arjunaḥ uvāca—Arjuna a spus; *kaiḥ*—prin care; *liṅgaiḥ*—semne; *trīn*—trei; *guṇān*—moduri; *etān*—toate aceste; *atītaḥ*—cel transcendent; *bhavati*—este; *prabho*—o, Domnul meu; *kim*—ce; *ācāraḥ*—comportament; *katham*—cum; *ca*—și; *etān*—aceste; *trīn*—trei; *guṇān*—moduri; *ativartate*—transcede.

Arjuna a întrebat: O, dragul meu Domn, prin ce simptoame este cineva cunoscut că este transcendent față de aceste trei moduri? Care este comportamentul său? Și cum transcende el modurile naturii?

COMENTARIU

Întrebările lui Arjuna din acest verset sunt foarte bine venite. El vrea să știe semnele unei persoane care a trecut deja dincolo de modurile materiale. Mai întâi el întreabă despre semnele specifice acestei persoane transcendente. Cum se poate ști că cineva a trecut dincolo de influența modurilor naturii materiale? A doua întrebare se referă la felul în care trăiește acel om și care sunt faptele sale. Sunt ele reglementate sau nereglementate? Apoi Arjuna întreabă despre mijloacele prin care poate atinge natura transcendentă. Acest lucru este foarte important. Până ce nu cunoaștem mijloacele directe prin care putem rămâne mereu în transcendență, nu este posibil să apară semnele corespunzătoare. Deci toate aceste întrebări puse de Arjuna sunt foarte importante, iar Domnul răspunde la ele.

TEXTELE 22–25

श्रीभगवानुवाच
प्रकाशं च प्रवृत्तिं च मोहमेव च पाण्डव ।
न द्वेष्टि सम्प्रवृत्तानि न निवृत्तानि काङ्क्षति ॥२२॥

उदासीनवदासीनो गुणैर्यो न विचाल्यते ।
गुणा वर्तन्त इत्येवं योऽवतिष्ठति नेङ्गते ॥२३॥

समदुःखसुखः स्वस्थः समलोष्टाश्मकाञ्चनः ।
तुल्यप्रियाप्रियो धीरस्तुल्यनिन्दात्मसंस्तुतिः ॥२४॥

मानापमानयोस्तुल्यस्तुल्यो मित्रारिपक्षयोः ।
सर्वारम्भपरित्यागी गुणातीतः स उच्यते ॥२५॥

śrī-bhagavān uvāca
prakāśam ca pravṛttiṁ ca
    moham eva ca pāṇḍava
na dveṣṭi sampravṛttāni
    na nivṛttāni kāṅkṣati

udāsīna-vad āsīno
    guṇair yo na vicālyate
guṇā vartanta ity evaṁ
    yo 'vatiṣṭhati neṅgate

sama-duḥkha-sukhaḥ sva-sthaḥ
    sama-loṣṭāśma-kāñcanaḥ
tulya-priyāpriyo dhīras
    tulya-nindātma-saṁstutiḥ

mānāpamānayos tulyas
    tulyo mitrāri-pakṣayoḥ
sarvārambha-parityāgī
    guṇātītaḥ sa ucyate

śrī-bhagavān uvāca—Suprema Personalitate a Divinităţii a spus; *prakāśam* —iluminarea; *ca*—şi; *pravṛttim*—ataşamentul; *ca*—şi; *moham*—iluzia; *eva ca*—precum şi; *pāṇḍava*—o, fiu al lui Pāṇḍu; *na dveṣṭi*—nu urăşte; *sampravṛttāni*—deşi dezvoltate; *na nivṛttāni*—nici oprindu-le dezvoltarea; *kāṅkṣati*—doreşte; *udāsīna-vat*—ca şi cum în mod neutru; *āsīnaḥ*—situat; *guṇaiḥ*—de către moduri; *yaḥ*—cel care; *na*—niciodată; *vicālyate*—este tulburat; *guṇāḥ*—modurile; *vartante*—acţionează; *iti evam*—ştiind astfel; *yaḥ* —cel care; *avatiṣṭhati*—rămâne; *na*—niciodată; *iṅgate*—şovăie; *sama*— egal; *duḥkha*—la durere; *sukhaḥ*—şi fericire; *sva-sthaḥ*—situat în sine însuşi; *sama*—în mod egal; *loṣṭa*—un bulgăre de pământ; *aśma*—piatră; *kāñcanaḥ* —aur; *tulya*—cu aceeaşi dispoziţie; *priya*—faţă de cel îndrăgit; *apriyaḥ*— şi cel nedorit; *dhīraḥ*—neclintit; *tulya*—egal; *nindā*—la defăimare; *ātma-saṁstutiḥ*—şi lauda lui însuşi; *māna*—la onoare; *apamānayoḥ*—şi dezo-noare; *tulyaḥ*—egal; *tulyaḥ*—egal; *mitra*—a prietenilor; *ari*—şi duşmani-lor; *pakṣayoḥ*—faţă de cele două părţi; *sarva*—la toate; *ārambha*—eforturile;

parityāgī—cel ce renunță; *guṇa-atītaḥ*—transcendent față de modurile naturii materiale; *saḥ*—el; *ucyate*—se spune că este.

Suprema Personalitate a Divinității a spus: O, fiu al lui Pāṇḍu, cel ce nu urăște iluminarea, atașamentul și iluzia atunci când ele sunt prezente și nici nu tânjește după ele atunci când dispar; care este neoscilant și netulburat de toate aceste reacții ale calităților materiale, rămânând neutru și transcendent, cunoscând că doar modurile acționează; cel care este situat în sine și privește la fel fericirea și nefericirea; care privește cu aceiași ochi o grămadă de pământ, o piatră sau o bucată de aur; care este egal în fața dezirabilului și indezirabilului; care este stabil, situat la fel de bine în prețuire și disprețuire, onoare și dezonoare; care tratează la fel atât prietenul cât și dușmanul și care a renunțat la toate activitățile materiale—o astfel de persoană se spune că a transcens modurile naturii.

COMENTARIU

Arjuna adresase trei întrebări diferite iar Domnul răspunde la ele una după alta. În aceste versete, Kṛṣṇa arată mai întâi că cel ce este situat la nivel transcendent nu râvnește și nu tânjește după nimic. Când o entitate vie rămâne în lumea materială, întrupată într-un corp material, trebuie să înțelegem că ea se află sub dominația unuia din cele trei moduri ale naturii materiale. Când se eliberează cu adevărat de corp, ea scapă din ghearele modurilor materiale ale naturii. Dar atâta vreme cât nu s-a eliberat de corp, ea trebuie să rămână neutră. Ea trebuie să se angajeze în slujirea cu devoțiune a Domnului, astfel încât să uite în mod automat identificarea cu corpul material. Cel ce este conștient de corpul material acționează doar pentru satisfacerea simțurilor, dar când omul își întoarce conștiința către Kṛṣṇa, satisfacerea simțurilor se întrerupe în mod automat. Ființa nu are nevoie de acest corp material și nu trebuie să accepte cerințele acestui corp. În corp acționează calitățile modurilor naturii, dar ca suflet spiritual, sinele rămâne separat de aceste activități. Cum face să rămână separat? El nu dorește să se bucure de corp și nici nu dorește să-l părăsească. Astfel, situat la nivel transcendent, devotul ajunge automat să fie eliberat. El nu mai trebuie să încerce să se elibereze de influența modurilor naturii materiale.

Următoarea întrebare se referă la comportamentul unei persoane situată la nivel transcendent. Omul situat la nivel material este afectat de așa-numita onoare și dezonoare adusă corpului, dar cel ce este situat la nivel transcendent nu este afectat de o asemenea falsă onoare și dezonoare. El își îndeplinește

datoria în conştiinţa de Kṛṣṇa şi nu ţine seama de faptul că un altul îl ono-
rează sau defăimează. El acceptă doar lucrurile favorabile îndeplinirii datoriei
sale în conştiinţa de Kṛṣṇa şi astfel el nu are nevoie de nici un lucru mate-
rial, fie piatră sau aur. El îi consideră pe toţi ca pe prietenii săi dragi, care-l
ajută în realizarea conştiinţei de Kṛṣṇa şi nu-şi urăşte aşa-numiţii duşmani.
El este imparţial şi vede totul la acelaşi nivel, deoarece ştie foarte bine că nu
are nimic de-a face cu existenţa materială. Evenimentele sociale şi politice nu
îl afectează, căci el cunoaşte caracterul trecător al acestor răsturnări şi tulbu-
rări sociale. El nu întreprinde nimic în folosul său. El poate întreprinde orice
pentru Kṛṣṇa, dar nu va întreprinde nimic pentru sine. Printr-un asemenea
comportament, omul ajunge cu adevărat la nivel transcendent.

TEXTUL 26

मां च योऽव्यभिचारेण भक्तियोगेन सेवते ।
स गुणान् समतीत्यैतान् ब्रह्मभूयाय कल्पते ॥२६॥

māṁ ca yo 'vyabhicāreṇa
bhakti-yogena sevate
sa guṇān samatītyaitān
brahma-bhūyāya kalpate

māṁ—la Mine; *ca*—şi; *yaḥ*—cel care; *avyabhicāreṇa*—neabătută; *bhakti-
yogena*—prin slujire cu devoţiune; *sevate*—înfăptuieşte slujirea; *saḥ*—acela;
guṇān—moduri ale naturii materiale; *samatītya*—transcezând; *etān*—toate
aceste; *brahma-bhūyāya*—elevat la platforma Brahman; *kalpate*—devine.

**Cel ce se angajează în deplina slujire cu devoţiune, neabătut în toate
împrejurările, transcende de îndată modurile naturii materiale şi astfel
ajunge la platforma Brahman.**

COMENTARIU

Acest verset este răspunsul la a treia întrebare a lui Arjuna: Care este metoda
de a ajunge la nivel transcendent? Aşa cum am explicat, lumea materială se
mişcă sub vraja modurilor naturii materiale. Omul nu trebuie să se lase tul-
burat de acţiunea modurilor naturii; în loc să-şi lase conştiinţa să fie absor-

bită în astfel de acțiuni, el ar putea să-și întoarcă conștiința către activitățile dedicate lui Kṛṣṇa. Activitățile dedicate lui Kṛṣṇa sunt cunoscute ca *bhakti-yoga*—a acționa permanent pentru Kṛṣṇa. Acest tip de activitate nu Îl include numai pe Kṛṣṇa, ci și diferitele Sale expansiuni plenare, cum sunt Rāma și Nārāyaṇa. El are nenumărate expansiuni. Cel ce este angajat în slujirea oricăreia dintre formele lui Kṛṣṇa sau ale expansiunilor Sale plenare, este considerat a fi la nivel transcendent. Trebuie remarcat faptul că toate formele lui Kṛṣṇa sunt pe deplin transcendente, pline de beatitudine și cunoaștere și eterne. Aceste personalități ale Divinității sunt omnipotente și omnisciente și posedă toate calitățile transcendente. Astfel, cel ce se angajează în slujirea lui Kṛṣṇa sau a expansiunilor Sale plenare cu hotărâre neabătută, poate depăși cu ușurință modurile naturii materiale, deși acestea sunt foarte greu de depășit. Acest lucru a fost deja explicat în capitolul al șaptelea. Cel ce se predă lui Kṛṣṇa învinge de îndată influența modurilor naturii materiale. A te afla în conștiința de Kṛṣṇa sau în slujirea cu devoțiune înseamnă a ajunge la egalitate cu Kṛṣṇa. Domnul spune că natura Sa este eternă, plină de beatitudine și cunoaștere, iar entitățile vii sunt părți integrante ale Supremului, așa cum bucățelele de aur sunt părți din mina de aur. Deci entitatea vie în poziția sa spirituală este la fel de bună ca aurul, la fel de bună precum Kṛṣṇa din punct de vedere calitativ. Ea continuă să-și păstreze individualitatea distinctă, altfel nu ar mai fi vorba de *bhakti-yoga*. *Bhakti-yoga* înseamnă prezența Domnului, prezența celui devotat și prezența unei relații de dragoste între Domnul și cel devotat Lui. Prin urmare, Suprema Personalitate a Divinității și persoana individuală constituie două identități diferite, altfel *bhakti-yoga* nu ar avea nici un sens. Cel ce nu se situează la același nivel transcendent cu Domnul, nu-L poate sluji pe Domnul Suprem. Numai o persoană care are calificarea necesară poate deveni slujitorul personal al regelui. Calificarea necesară aici este aceea de a deveni Brahman, deci liber de orice contaminare materială. În *Vede* se spune: *brahmaiva san brahmāpy eti.* Se poate ajunge la Supremul Brahman doar devenind Brahman. Aceasta înseamnă că trebuie să devi una cu Brahman din punct de vedere calitativ. Dar prin atingerea platformei Brahman, o persoană nu-și pierde identitatea Brahman eternă ca suflet individual.

TEXTUL 27

ब्रह्मणो हि प्रतिष्ठाहममृतस्याव्ययस्य च ।
शाश्वतस्य च धर्मस्य सुखस्यैकान्तिकस्य च ॥२७॥

brahmaṇo hi pratiṣṭhāham
amṛtasyāvyayasya ca
śāśvatasya ca dharmasya
sukhasyaikāntikasya ca

brahmaṇaḥ—al impersonalului *brahmajyoti; hi*—cu adevărat; *pratiṣṭhā*—suportul; *aham*—Eu sunt; *amṛtasya*—al celui nemuritor; *avyayasya*—al celui nepieritor; *ca*—şi; *śāśvatasya*—al celui etern; *ca*—şi; *dharmasya*—al poziţiei constitutive; *sukhasya*—a fericirii; *aikāntikasya*—ultime; *ca*—precum şi.

Eu sunt baza impersonalului Brahman care este nemuritor, indestructibil şi etern şi care este poziţia constitutivă a fericirii ultime.

COMENTARIU

Natura impersonalului Brahman este imortalitatea, indestructibilitatea, eternitatea şi fericirea. Brahman este începutul realizării spirituale. Paramātmā sau Suprasufletul este mijlocul, stadiul al doilea în realizarea spirituală, iar Suprema Personalitate a Divinităţii este realizarea ultimă a Adevărului Absolut. Deci atât Paramātmā cât şi impersonalul Brahman sunt cuprinşi în Persoana Supremă. În capitolul al şaptelea se explică faptul că natura materială este manifestarea energiei inferioare a Domnului Suprem. Domnul însămânţează natura materială inferioară cu fragmente ale naturii superioare, iar aceasta constituie contactul spiritului cu natura materială. Când entitatea vie condiţionată de natura materială începe cultivarea cunoaşterii spirituale, ea se înalţă de la nivelul existenţei materiale, ridicându-se treptat la conceperea Celui Suprem ca Brahman. Ajungerea la conceperea vieţii ca Brahman este primul stadiu în realizarea de sine. În acest stadiu, persoana care a ajuns la realizarea Brahman este transcendentă faţă de nivelul material, dar nu este cu adevărat desăvârşită în această realizare Brahman. Dacă doreşte, ea poate continua să rămână la nivelul Brahman, apoi treptat să se înalţe la realizarea Paramātmā, iar apoi la realizarea Supremei Personalităţi a Divinităţii. Există multe exemple de acest fel în scrierile vedice. La început cei patru Kumāra concepeau adevărul ca fiind impersonalul Brahman, dar apoi treptat s-au ridicat la nivelul slujirii cu devoţiune. Cel ce nu poate să treacă dincolo de concepţia impersonală Brahman, riscă să cadă din nou în jos. În *Śrīmad-Bhāgavatam* se spune că dacă o persoană se înalţă la stadiul impersonalului Brahman și nu merge mai departe, neavând cunoaștere despre Persoana Supremă, inteligența sa nu este perfect pură. De aceea, în ciuda elevării la nivelul Brahman, fără angajarea în slujirea cu devoțiune a Domnului există posibilitatea căderii. În limbajul vedic se spune de asemenea *raso vai saḥ, rasaṁ hy evāyaṁ labdhvānandī bhavati:* „Când omul înțelege Personalitatea Divinității, sursa tuturor plăcerilor, Kṛṣṇa, el devine cu adevărat plin de fericire transcendentă" (*Taittirīya Upaniṣad* 2.7.1). Domnul Suprem este înzestrat cu cele șase opulențe pe care le împărtășește cu devotul ce se apropie de El. Servitorul unui rege se bucură de aproape toate avantajele regelui. Astfel slujirea cu devoțiune este însoțită de fericirea eternă, fericirea nepieritoare și viața veșnică. Deci realizarea Brahman, adică realizarea eternității și indestructibilității, este inclusă în slujirea cu devoțiune. Aceste lucruri se află deja în posesia celui angajat în slujirea cu devoțiune.

Deși prin natura sa entitatea vie este Brahman, ea dorește să stăpânească asupra naturii materiale și datorită acestui fapt ea cade. În pozița sa constitutivă entitatea vie este deasupra celor trei moduri ale naturii materiale, dar asocierea cu natura materială o face să rămână prizoniera diferitelor moduri ale naturii materiale—bunătatea, pasiunea și ignoranța. Datorită asocierii cu aceste trei moduri, apare dorința dominării lumii materiale. Prin angajarea în slujirea cu devoțiune în deplină conștiință de Kṛṣṇa, ea se situează de îndată la nivel transcendent, iar dorința sa nelegitimă de a controla natura materială este înlăturată. De aceea, procesul slujirii cu devoțiune, începând cu ascultatul, cântatul și reamintirea—cele nouă metode prescrise pentru realizarea slujirii cu devoțiune— trebuie practicate alături de devoți. Treptat, prin această asociere și prin influența maestrului spiritual, dorința materială de a domina este înlăturată și omul ajunge să fie ferm situat în slujirea transcendentă cu dragoste a Domnului. Această metodă este prescrisă începând cu versetul douăzeci și doi până la ultimul verset din acest capitol. Slujirea cu devoțiune a Domnului este foarte simplă: omul trebuie să se angajeze permanent în slujba Domnului, să mănânce rămășițele din hrana oferită Divinității, să miroasă florile oferite la picioarele de lotus ale Domnului, să viziteze locurile în care s-au desfășurat petrecerile transcendente ale Domnului, să citească despre diferitele activități ale Domnului, despre relațiile reciproce de dragoste dintre El și devoții Săi, să intoneze mereu vibrația transcendentă Hare Kṛṣṇa, Hare Kṛṣṇa, Kṛṣṇa Kṛṣṇa, Hare Hare/ Hare Rāma, Hare Rāma, Rāma Rāma, Hare Hare și să țină zilele de post care comemorează aparițiile și disparițiile Domnului și ale devoților Săi. Urmând această metodă, omul devine complet detașat de toate activitățile materiale. Cel ce poate să se situeze astfel în *brahmajyoti* sau în diferitele modalități de a-l concepe pe Brahman, devine egal în calitate cu Suprema Personalitate a Divinității.

Astfel se încheie comentariul lui Bhaktivedanta la capitolul al paisprezecelea din Śrīmad Bhagavad-gītā, tratând despre „Cele trei moduri ale naturii materiale".

Yoga Persoanei Supreme

TEXTUL 1

श्रीभगवानुवाच
ऊर्ध्वमूलमधःशाखमश्वत्थं प्राहुरव्ययम् ।
छन्दांसि यस्य पर्णानि यस्तं वेद स वेदवित् ॥ १ ॥

śrī-bhagavān uvāca
ūrdhva-mūlam adhaḥ-śākham
aśvatthaṁ prāhur avyayam
chandāṁsi yasya parṇāni
yas taṁ veda sa veda-vit

śrī-bhagavān uvāca—Suprema Personalitate a Divinităţii a spus; *ūrdhva-mūlam*—cu rădăcinile în sus; *adhaḥ*—în jos; *śākham*—crengile; *aśvattham*—un banyan; *prāhuḥ*—s-a spus; *avyayam*—etern; *chandāṁsi*—imnurile vedice; *yasya*—ale cărui; *parņāni*—frunze; *yaḥ*—cel care; *tam*—pe acesta; *veda*—cunoaște; *saḥ*—acela; *veda-vit*—cunoscător al *Vedelor.*

Suprema Personalitate a Divinității a spus: Se spune că există un copac banyan nepieritor care are rădăcinile în sus și ramurile în jos și ale cărui frunze sunt imnurile vedice. Cel ce cunoaște acest copac, este cunoscătorul Vedelor.

COMENTARIU

După discutarea importanței procesului *bhakti-yoga* se poate pune întrebarea „Care este rolul *Vedelor?*". În acest capitol se explică faptul că scopul studierii *Vedelor* este înțelegerea lui Kṛṣṇa. Prin urmare, cel aflat în conștiința de Kṛṣṇa, angajat în slujirea cu devoțiune, cunoaște deja *Vedele.*

Încătușarea în această lume materială este comparată aici cu un copac banyan. Pentru cel angajat în activități fructuoase, acest copac banyan nu are sfârșit. El rătăcește mereu de pe o creangă pe alta. Arborele acestei lumi materiale nu are sfârșit, iar pentru cel ce este atașat de el nu există posibilitatea eliberării. Imnurile vedice, destinate elevării noastre, sunt numite „frunze" ale acestui copac. Rădăcinile copacului cresc în sus, pentru că ele pornesc de pe planeta lui Brahmā, care este situată în locul cel mai de sus din acest univers. Cel ce poate înțelege acest nepieritor arbore al iluziei are posibilitatea să iasă din el.

Acest proces de eliberare trebuie înțeles foarte bine. În capitolele precedente s-a explicat faptul că există multe metode de a ieși din capcana materiei, iar până la capitolul al treisprezecelea am văzut că slujirea cu devoțiune a Domnului Suprem este calea cea mai bună. Principiul de bază al slujirii cu devoțiune este detașarea de activitățile materiale și atașarea de slujirea transcendentă a Domnului. Procesul întreruperii atașamentului față de lumea materială este discutat la începutul acestui capitol. Rădăcina existenței materiale crește în sus. Aceasta înseamnă că ea își are începutul în substanța materială globală din planeta cea mai importantă a universului. De acolo se răspândește întreg univers, cu o mulțime de ramuri ce reprezintă diferitele sisteme planetare. Fructele reprezintă rezultatele activităților entităților vii, adică religia, dezvoltarea economică, satisfacerea simțurilor și eliberarea.

S-ar părea că nu se poate vedea în acestă lume un copac așezat cu crengile în jos și rădăcinile în sus, totuși el există. Acest copac poate fi văzut pe marginea unei ape. Copacii de pe mal se reflectă în apă cu crengile în jos și rădăcinile în sus. Cu alte cuvinte, copacul acestei lumi materiale este doar o reflexie a copacului real al lumii spirituale. Această reflexie a lumii spirituale stă aşezată pe dorință, aşa cum reflexia copacului stă pe suprafața apei. Dorința este cauza aşezării lucrurilor în această lumină reflectată a lumii materiale. Cel ce doreşte să iasă din această existență materială trebuie să cunoască amănunțit acest copac prin studiu analitic. Atunci va putea să-şi taie legătura cu el.

Acest copac, fiind reflexia copacului real, este replica sa exactă. Toate lucrurile există în lumea spirituală. Impersonaliştii consideră că Brahman este rădăcina acestui copac material, iar din rădăcină—conform filosofiei Sāṅkhya—apare *prakṛti*, *puruṣa* apoi cele trei *guṇa*, apoi cele cinci elemente grosiere (*pañca-mahā-bhūta*), apoi cele zece simțuri (*daśendriya*), mintea etc. În acest mod, ei împart întreaga lume materială în douăzeci şi patru de elemente. Dacă Brahman este centrul tuturor manifestărilor, atunci lumea materială cuprinde 180 de grade din cercul manifestat de acest centru, iar celelalte 180 de grade constituie lumea spirituală. Lumea materială este o reflexie deformată; deci lumea spirituală trebuie să conțină aceeaşi varietate, dar în mod real. *Prakṛti* este energia externă a Domnului Suprem şi *puruṣa* este Domnul Suprem Însuşi, iar acest lucru este explicat în *Bhagavad-gītā*. Întrucât această manifestare este materială, ea este temporară. O reflexie este temporară, căci uneori este vizibilă, alteori nu este vizibilă. Însă originea de unde această reflexie îşi are începutul este eternă. Reflexia materială a arborelui real trebuie tăiată. Când se spune că cineva cunoaşte *Vedele*, aceasta implică faptul că el ştie cum să taie ataşamentul față de lumea materială. Cel ce cunoaşte acest proces, cunoaşte cu adevărat *Vedele*. Cel ce este atras de formulele rituale ale *Vedelor*, este atras de frumusețea frunzişului copacului. El nu cunoaşte exact scopul *Vedelor*. Aşa cum ne dezvăluie Însăşi Suprema Personalitate a Divinității, scopul *Vedelor* este tăierea acestui copac reflectat şi ajungerea la copacul real al lumii spirituale.

TEXTUL 2

अधश्चोर्ध्वं प्रसृतास्तस्य शाखा
गुणप्रवृद्धा विषयप्रवालाः ।
अधश्च मूलान्यनुसन्ततानि
कर्मानुबन्धीनि मनुष्यलोके ॥ २ ॥

adhaś cordhvaṁ prasṛtās tasya śākhā
guṇa-pravṛddhā viṣaya-pravālāḥ

adhaś ca mūlāny anusantatāni
karmānubandhīni manuṣya-loke

adhaḥ—în jos; *ca*—şi; *ūrdhvam*—în sus; *prasṛtāḥ*—întinse; *tasya*—ale sale; *śākhāḥ*—crengi; *guṇa*—de către modurile naturii materiale; *pravṛddhāḥ*—dezvoltate; *viṣaya*—obiectele simţurilor; *pravālāḥ*—mlădiţele; *adhaḥ*—în jos; *ca*—şi; *mūlāni*—rădăcini; *anusantatāni*—întinse; *karma*—de activităţi; *anubandhīni*—legate; *manuṣya-loke*—în lumea societăţii umane.

Crengile acestui copac se întind în jos şi în sus, hrănite de cele trei moduri ale naturii materiale. Rămurelele sunt obiectele simţurilor. Acest copac are de asemenea rădăcini care merg în jos şi acestea sunt legate de activităţile fructuoase ale societăţii umane.

COMENTARIU

În acest verset continuă descrierea copacului banyan. Crengile sale sunt răspândite în toate direcţiile. În partea de jos se află diferitele manifestări ale entităţilor vii—oameni, animale sălbatice, cai, vaci, câini, pisici etc. Acestea sunt situate în partea de jos a crengilor, în timp ce pe vârful lor se află formele superioare de entităţi vii: semizeii, *gandharva* şi multe alte specii superioare de viaţă. Aşa cum un copac este hrănit de apă, la fel şi acest copac este hrănit de cele trei moduri ale naturii materiale. Aşa cum unele bucăţi de pământ sunt sterpe din pricina lipsei de apă iar altele sunt pline de verdeaţă, la fel şi acolo unde anumite moduri ale naturii materiale sunt prezente într-o proporţie mai mare, se manifestă diferite specii de viaţă, în funcţie de aceste moduri.

Mlădiţele copacului sunt considerate a fi obiectele simţurilor. Prin dezvoltarea diferitelor moduri ale naturii materiale se dezvoltă diferitele noastre simţuri, iar prin aceste simţuri noi experimentăm diferite feluri de obiecte ale simţurilor. Vârfurile crengilor sunt organele de simţ—urechile, nasul, ochii etc.—care sunt legate de experimentarea diferitelor obiecte ale simţurilor. Mlădiţele sunt sunetul, forma, tactilul ş.a.m.d.—deci obiectele simţurilor. Rădăcinile secundare sunt ataşamentele şi aversiunile care sunt produsele secundare ale diferitelor tipuri de suferinţe şi plăceri ale simţurilor. Se consideră că înclinaţiile către pietate sau impietate se dezvoltă din aceste rădăcini secundare, care se răspândesc în toate direcţiile. Rădăcina reală este cea care porneşte din Brahmaloka, iar celelalte rădăcini se află în sistemul planetar uman. După ce se bucură de rezultatele activităților sale virtuoase pe sistemele planetare superioare, entitatea vie revine înapoi pe pământ și își reia *karma* sau activitățile fructuoase pentru o nouă promovare. De aceea, această planetă a ființelor umane este considerată drept câmp de activitate.

TEXTELE 3–4

न रूपमस्येह तथोपलभ्यते
नान्तो न चादिर्न च सम्प्रतिष्ठा ।
अश्वत्थमेनं सुविरूढमूल-
मसङ्गशस्त्रेण दृढेन छित्त्वा ॥ ३ ॥

ततः पदं तत्परिमार्गितव्यं
यस्मिन् गता न निवर्तन्ति भूयः ।
तमेव चाद्यं पुरुषं प्रपद्ये
यतः प्रवृत्तिः प्रसृता पुराणी ॥ ४ ॥

na rūpam asyeha tathopalabhyate
nānto na cādir na ca sampratiṣṭhā
aśvattham enaṁ su-virūḍha-mūlam
asaṅga-śastreṇa dṛḍhena chittvā

tataḥ padaṁ tat parimārgitavyaṁ
yasmin gatā na nivartanti bhūyaḥ
tam eva cādyaṁ puruṣaṁ prapadye
yataḥ pravṛttiḥ prasṛtā purāṇī

na—nu; *rūpam*—forma; *asya*—acestui copac; *iha*—în această lume; *tathā* —de asemenea; *upalabhyate*—poate fi percepută; *na*—niciodată; *antaḥ*— sfârșit; *na*—niciodată; *ca*—precum și; *ādiḥ*—început; *na*—niciodată; *ca*— și; *sampratiṣṭhā*—temelia; *aśvattham*—copacul banyan; *enam*—acesta; *su-virūḍha*—puternic; *mūlam*—înrădăcinat; *asaṅga-śastreṇa*—cu arma detașării; *dṛḍhena*—puternică; *chittvā*—tăind; *tataḥ*—după aceea; *padam*—tărâmul; *tat*—acela; *parimārgitavyam*—trebuie aflat; *yasmin*—în care; *gatāḥ*— mergând; *na*—niciodată; *nivartanti*—se reîntorc; *bhūyaḥ*—din nou; *tam*— la El; *eva*—desigur; *ca*—de asemenea; *ādyam*—originară; *puruṣam*—Personalitatea Divinităţii; *prapadye*—să se predea; *yataḥ*—din care; *pravṛttiḥ*—începutul; *prasṛtā*—extins; *purāṇi*—străvechi.

Forma adevărată a acestui copac nu poate fi percepută în această lume. Nimeni nu poate înţelege unde se sfârşeşte, unde începe sau unde îi este temelia. Dar cu hotărâre, cineva trebuie să doboare acest copac puternic înrădăcinat, cu arma detaşării. După aceea, trebuie să caute acel loc, de unde, odată ajuns, nu se mai întoarce niciodată şi acolo să se predea la acea Personalitate Supremă a Divinităţii de la care totul a început şi de la care totul s-a extins din timpuri imemoriale.

COMENTARIU

Este limpede acum că forma reală a acestui copac banyan nu poate fi înţeleasă în lumea materială. Întrucât rădăcina sa este în sus, copacul real se întinde în partea cealaltă. Prins de prelungirile materiale ale copacului, omul nu poate vedea cât de departe se întinde acesta şi nici nu-i poate zări începutul. Totuşi, cauza lui trebuie descoperită. „Eu sunt fiul tatălui meu, tatăl meu este fiul lui cutare şi cutare etc." Mergând mai departe pe acest fir, se ajunge la Brahmā, care este generat de Garbhodakaśāyī Viṣṇu. În final, ajungându-se la Suprema Personalitate a Divinităţii, procesul ia sfârşit. Deci omul trebuie să descopere originea acestui copac, Suprema Personalitate a Divinităţii, prin asocierea cu persoanele care posedă această cunoaştere a Supremei Personalităţi a Divinităţii. Apoi, prin înţelegere, omul ajunge treptat să se detaşeze de această falsă reflexie a realităţii, iar prin cunoaştere el poate tăia legătura cu ea şi poate să se stabilească în copacul real.

Cuvântul *asaṅga* este foarte important în acest context, pentru că ataşarea de plăcerea simţurilor şi de dorinţa de dominare a naturii materiale este foarte puternică. De aceea, omul trebuie să înveţe detaşarea prin discuţii despre ştiinţa spirituală, bazate pe scripturile autorizate şi să asculte învăţăturile persoanelor care se află cu adevărat în cunoaştere. Ca rezultat al acestor discuţii în asociere cu devoţii, omul vine la Suprema Personalitate a Divinităţii. Primul lucru pe care trebuie să-l facă apoi este să se predea Lui. Ni se descrie aici acel tărâm în care, odată ajuns, omul nu se mai întoarce niciodată la acest fals copac reflectat. Kṛṣṇa, Suprema Personalitate a Divinităţii, este rădăcina originară din care emană totul. Pentru a câştiga bunăvoinţa Personalităţii Divinităţii omul nu are decât să I se predea Lui, iar acest lucru se obţine prin îndeplinirea slujirii cu devoţiune prin cântat, ascultat etc. El este cauza extinderii lumii materiale. Acest lucru a fost deja explicat de Însuși Domnul. *Aham sarvasya prabhavaḥ:* „Eu sunt originea tuturor lucrurilor". Deci pentru a ieși din hățișul acestui puternic copac banyan al vieții materiale omul trebuie să se predea lui Kṛṣṇa. De îndată ce omul se predă lui Kṛṣṇa, el se detașează automat de manifestarea materială.

TEXTUL 5

निर्मानमोहा जितसङ्गदोषा
अध्यात्मनित्या विनिवृत्तकामाः ।
द्वन्द्वैर्विमुक्ताः सुखदुःखसंज्ञै-
र्गच्छन्त्यमूढाः पदमव्ययं तत् ॥ ५ ॥

nirmāna-mohā jita-saṅga-doṣā
adhyātma-nityā vinivṛtta-kāmāḥ
dvandvair vimuktāḥ sukha-duḥkha-saṁjñair
gacchanty amūḍhāḥ padam avyayaṁ tat

niḥ—fără; *māna*—prestigiu fals; *mohāḥ*—și iluzie; *jita*—învingând; *saṅga* —ale asocierii; *doṣāḥ*—greșelile; *adhyātma*—în cunoașterea spirituală; *nityāḥ* —în eternitate; *vinivṛtta*—detașați; *kāmāḥ*—de pofta; *dvandvaiḥ*—de dualități; *vimuktāḥ*—eliberați; *sukha-duḥkha*—fericire și suferință; *saṁjñaiḥ*— numite; *gacchanti*—ating; *amūḍhāḥ*—netulburați; *padam*—tărâmul; *avyayam*—etern; *tat*—acela.

Aceia care sunt eliberați de falsul prestigiu, iluzie și falsa asociere, care înțeleg eternul, care au pus capăt poftelor materiale, care sunt eliberați de dualitățile fericirii și nefericirii și care, netulburați, știu cum să se predea Persoanei Supreme, ating acea împărăție eternă.

COMENTARIU

În acest verset se descrie foarte frumos procesul predării către Persoana Supremă. Prima calitate necesară este aceea de a nu ne lăsa înșelați de mândrie. Deoarece sufletul condiționat este foarte îngâmfat, crezându-se stăpânul naturii materiale, este foarte greu pentru el să se predea Supremei Personalități a Divinității. Prin cultivarea cunoașterii reale omul trebuie să înțeleagă că nu el este stăpânul naturii materiale ci Suprema Personalitate a Divinității. Când omul s-a eliberat de amăgirea pricinuită de orgoliu, el poate începe procesul predării. Cel ce se aşteaptă mereu la anumite onoruri în această lume materială, nu poate să se predea Persoanei Supreme. Orgoliul se datorează iluziei, deoarece, deşi omul vine în lume, rămâne o scurtă perioadă de timp şi apoi pleacă, el are totuşi ideea nesăbuită că este stăpânul acestei lumi. Astfel el complică toate lucrurile şi are numai necazuri. Întreaga lume se mişcă sub puterea acestei concepții. Oamenii socotesc că pământul aparține societății umane şi astfel şi-au împărțit terenurile, sub falsa impresie că ei sunt proprietarii acestora. Trebuie să scăpăm de această idee falsă că societatea umană este proprietarul acestei lumi. Când omul se eliberează de aceste noțiuni false, ajunge să scape de toate falsele asocieri pricinuite de sentimentele familiale, sociale sau naționale. Aceste asocieri greşite îl leagă pe om de lumea materială. După acest stadiu, omul trebuie să-şi dezvolte cunoaşterea spirituală. El trebuie să-şi cultive cunoaşterea a ceea ce este cu adevărat al său şi a ceea ce nu îi aparține cu adevărat. Iar când ajunge la înțelegerea lucrurilor aşa cum sunt ele, el se eliberează de toate concepțiile dualiste, cum ar fi fericirea şi nefericirea, plăcerea şi durerea. El obține cunoaşterea completă şi atunci are posibilitatea să se predea Supremei Personalități a Divinității.

TEXTUL 6

न तद्भासयते सूर्यो न शशाङ्को न पावकः ।
यद्गत्वा न निवर्तन्ते तद्धाम परमं मम ॥ ६ ॥

na tad bhāsayate sūryo
na śaśāṅko na pāvakaḥ
yad gatvā na nivartante
tad dhāma paramaṁ mama

na—nu; *tat*—acela; *bhāsayate*—iluminează; *sūryaḥ*—soarele; *na*—nici; *śaśāṅkaḥ*—luna; *na*—nici; *pāvakaḥ*—focul, electricitatea; *yat*—unde; *gatvā* —plecând; *na*—niciodată; *nivartante*—se întorc; *tat dhāma*—acel sălaş; *paramam*—suprem; *mama*—al Meu.

Acel sălaş suprem al Meu nu este iluminat de soare sau de lună, nici de foc sau electricitate. Cei ce ajung acolo, nu se mai întorc niciodată în această lume materială.

COMENTARIU

Lumea spirituală, sălașul lui Kṛṣṇa, Suprema Personalitate a Divinității—cunoscut ca Kṛṣṇaloka sau Goloka Vṛndāvana—este descris în acest verset. În cerul spiritual nu este nevoie de lumina soarelui sau a lunii, nici de foc sau electricitate, deoarece toate planetele iradiază propria lumină. În universul nostru există doar o singură planetă care are propria lumină, soarele, dar în cerul spiritual toate planetele sunt luminoase. Strălucirea orbitoare a tuturor acelor planete (numite Vaikuṇṭha) formează cerul strălucitor cunoscut ca *brahmajyoti*. De fapt, strălucirea emană din planeta lui Kṛṣṇa, Goloka Vṛndāvana. O parte a acelei străluciri este acoperită de *mahat-tattva*, lumea materială. Cealaltă parte, care constituie cea mai mare parte a cerului spiritual, este ocupată de planetele spirituale, numite Vaikuṇṭha, dintre care cea mai importantă este Goloka Vṛndāvana.

Atâta timp cât entitatea vie se află în această întunecată lume materială, ea aparține vieții condiționate, dar de îndată ce ajunge în cerul spiritual, tăind complet acest fals și deformat copac al lumii materiale, ea devine eliberată. Atunci nu mai există posibilitatea să se întoarcă aici. În viața condiționată, entitatea vie se crede stăpânitoarea lumii materiale, dar în starea de eliberare ea pătrunde în împărăția spirituală și se alătură Domnului Suprem. Acolo ea se bucură de beatitudine eternă, viață veșnică și cunoaștere deplină.

Această veste ar trebui să ne cucerească inimile. Ar trebui să dorim să ne mutăm în această lume eternă și să ne desprindem de această falsă reflexie a realității. Pentru cel ce este prea puternic atașat de lumea materială este foarte dificil să-și taie această legătură, dar dacă se dedică conștiinței de Kṛṣṇa, el are șansa să se detașeze în mod treptat. El trebuie să se asocieze cu devoții aflați în conștiința de Kṛṣṇa. Omul trebuie să caute compania celor ce se dedică conștiinței de Kṛṣṇa și să învețe cum se îndeplinește slujirea cu devoțiune. În acest fel, el poate să-și taie legăturile care-l țin atașat de lumea materială. Omul nu se poate detașa de atracția lumii materiale doar îmbrăcându-se în veșminte de culoarea șofranului. El trebuie să se atașeze de slujirea cu devoțiune a Domnului. De aceea, trebuie să luăm foarte în serios afirmația că slujirea cu devoțiune descrisă în capitolul al doisprezecelea este singura cale de a ieși din această falsă reprezentare a copacului real. În capitolul al paisprezecelea s-a descris felul în care toate celelalte metode sunt contaminate de natura materială. Numai slujirea cu devoțiune este descrisă ca fiind pur transcendentă.

Cuvintele *paramaṁ mama* sunt foarte importante aici. De fapt, orice colț al lumii este proprietatea Domnului Suprem, dar lumea spirituală este *paramaṁ*, plină de cele şase opulenţe. *Kaţha Upaniṣad* (2.2.15) confirmă că în lumea spirituală nu este nevoie de lumina soarelui, lunii sau stelelor (*na tatra sūryo bhāti na candra-tārakam*), căci întregul cer spiritual este iluminat de puterea internă a Domnului Suprem. Acest sălaş suprem nu poate fi dobândit prin nici un alt mijloc în afară de predarea către Domnul Suprem.

TEXTUL 7

ममैवांशो जीवलोके जीवभूतः सनातनः ।
मनःषष्ठानीन्द्रियाणि प्रकृतिस्थानि कर्षति ॥ ७ ॥

mamaivāṁśo jīva-loke
jīva-bhūtaḥ sanātanaḥ
manaḥ-ṣaṣṭhānīndriyāṇi
prakṛti-sthāni karṣati

mama—a Mea; *eva*—desigur; *aṁśaḥ*—particulă fragmentară; *jīva-loke*—în lumea vieţii condiţionate; *jīva-bhūtaḥ*—entitatea vie condiţionată; *sanātanaḥ* —veşnic; *manaḥ*—cu mintea; *ṣaṣṭhāni*—cele şase; *indriyāṇi*—simţuri; *prakṛti*—în natura materială; *sthāni*—situată; *karṣati*—se luptă din greu.

Entităţile vii în această lume condiţionată sunt eternele Mele părţi fragmentare. Datorită vieţii condiţionate, ele se luptă din greu cu cele şase simţuri care includ şi mintea.

COMENTARIU

În acest verset se defineşte clar identitatea entităţii vii. Entitatea vie este un fragment, o parte integrantă a Domnului Suprem în mod etern. Nu este adevărat că ea îşi asumă individualitatea doar în viaţa condiţionată iar în starea de eliberare devine una cu Domnul Suprem. Ea rămâne în mod etern fragmentară. Cum se spune aici în mod clar, *sanātanaḥ*. Potrivit concepţiei vedice, Domnul Suprem se manifestă şi se răspândeşte pe Sine în nenumărate expansiuni, dintre care expansiunile primare sunt numite *viṣṇu-tattva* iar expansiunile secundare sunt entităţile vii. Cu alte cuvinte, *viṣṇu-tattva* este expansiunea personală iar entităţile vii sunt expansiuni separate. Prin expansiunea Sa personală El se manifestă în diferite forme, cum ar fi Śrī Rāma, Nṛsiṁhadeva, Viṣṇumūrti și toate Divinitățile ce predomină în planetele Vaikuṇṭha. Expansiunile separate, entitățile vii, sunt slujitori eterni. Expansiunile plenare ale Supremei Personalități a Divinității sau identitățile individuale ale Divinității sunt prezente permanent. În mod similar și expansiunile separate ale entităților vii își au propriile identități. În calitate de părți integrante fragmentare ale Domnului Suprem, entitățile vii posedă și ele porțiuni fragmentare ale calităților Sale, una dintre acestea fiind independența. Ca suflet individual, fiecare entitate vie are individualitate personală și o formă minusculă de independență. Folosind în mod greșit acestă independență, ea ajunge un suflet condiționat, iar prin folosirea corectă a independenței ea este permanent liberă. În orice caz, ea posedă calitatea eternității, la fel ca Domnul Suprem. În starea de eliberare ea este lipsită de condiționarea materială și este angajată în slujirea transcendentă a Domnului. În viața sa condiționată ea este dominată de modurile materiale ale naturii și uită slujirea transcendentă cu iubire a Domnului. Ca rezultat, ea trebuie să lupte din greu pentru a-și menține existența în lumea materială.

Entitățile vii, nu doar oamenii, câinii și pisicile, ci și marii conducători ai lumii materiale—Brahmā, Śiva și chiar Viṣṇu—toți sunt părți integrante ale Domnului Suprem. Toți aceștia sunt eterni și nu manifestări temporare. Cuvântul *karṣati* („se luptă", „se încleștează puternic") este foarte semnificativ. Sufletul condiționat este legat, ca și cum ar fi încătușat cu lanțuri de oțel. El este legat de către falsul ego iar mintea este agentul principal care îl trage în existența materială. Când mintea se află în starea bunătății, activitățile sale sunt bune; când mintea se află în starea de pasiune, activitățile sale îi provoacă necazuri; iar când mintea este în ignoranță, el se îndreaptă spre speciile inferioare de viață. Însă în acest verset se arată limpede că sufletul condiționat este acoperit de corpul material cu mintea și simțurile lui, iar când este eliberat, acest înveliș material dispare, dar corpul său spiritual se manifestă de la sine în propria-i capacitate individuală. În *Mādhyandināyana-śruti* există următoarea informație: *sa vā eṣa brahma-niṣṭha idaṁ śarīram martyam atisṛjya brahmābhisampadya brahmaṇā paśyati brahmaṇā śṛṇoti brahmaṇaivedaṁ sarvam anubhavati.* Aici se afirmă că atunci când o entitate vie își părăsește întruparea materială și intră în lumea spirituală, ea își regenerează corpul spiritual și în acest corp spiritual poate să vadă Suprema Personalitate a Divinității față în față. Ea poate să-I vorbească Lui față în față și poate să înțeleagă Suprema Personalitate așa cum este Ea. De asemenea, din *smṛti* aflăm că *vasanti yatra puruṣāḥ sarve vaikuṇṭha-mūrtayaḥ:* pe planetele spirituale toți trăiesc în corpuri cu aceleași trăsături ca ale Supremei Personalități a Divinității. În ce privește alcătuirea corpului, nu există deosebire între entitățile vii care sunt părți integrante și expansiunile lui *vișnu-mūrti*. Cu alte cuvinte, în momentul eliberării entitatea vie primește un corp spiritual, prin grația Supremei Personalități a Divinității.

Cuvintele *mamaivāṁśaḥ* („părți fragmentare integrante ale Domnului Suprem") sunt și ele foarte semnificative. Partea fragmentară a Domnului Suprem nu este aidoma unui ciob dintr-un obiect material spart. Am văzut deja în capitolul al doilea că spiritul nu poate fi tăiat în bucăți. Acest fragment nu este conceput în mod material. El nu este la fel ca materia care poate fi tăiată în bucăți ce pot fi puse apoi din nou laolaltă. Această concepție nu poate fi aplicată aici, datorită folosirii cuvântului sanskrit *sanātana* („etern"). Partea fragmentară este eternă. Tot la începutul capitolului al doilea se spune că în fiecare corp individual este prezentă partea fragmentară a Domnului Suprem (*dehino 'smin yathā dehe*). Această parte fragmentară, atunci când se eliberează din închisoarea corpului, își regenerează corpul spiritual originar, în cerul spiritual și într-o planetă spirituală, bucurându-se de asocierea cu Domnul Suprem. Se înțelege deci de aici că entitatea vie, fiind parte fragmentară integrantă a Domnului Suprem, este una cu Domnul din punct de vedere calitativ, așa cum părțile componente ale aurului sunt și ele aur.

TEXTUL 8

शरीरं यदवाप्नोति यच्चाप्युत्क्रामतीश्वरः ।
गृहीत्वैतानि संयाति वायुर्गन्धानिवाशयात् ॥ ८ ॥

śarīraṁ yad avāpnoti
yac cāpy utkrāmatīśvaraḥ
gṛhītvaitāni saṁyāti
vāyur gandhān ivāśayāt

śarīram—corpul; *yat*—așa cum; *avāpnoti*—dobândește; *yat*—așa cum; *ca api*—precum și; *utkrāmati*—părăsește; *īśvaraḥ*—stăpânul corpului; *gṛhītvā* —luând; *etāni*—toate acestea; *saṁyāti*—se duce; *vāyuḥ*—aerul; *gandhān*— aromele; *iva*—precum; *āśayāt*—de la sursa lor.

Entitatea vie în lumea materială poartă diferitele sale concepții de viață de la un corp la altul, așa precum aerul poartă aromele. Astfel, ea pri-

meşte un anumit fel de corp, părăsindu-l din nou pentru a primi un altul.

COMENTARIU

Entitatea vie este denumită aici *īśvara*, stăpânitoarea propriului corp. Dacă doreşte, ea poate să îşi schimbe corpul pentru un stadiu mai evoluat, sau dacă doreşte poate trece într-o categorie inferioară. Există deci o minimă independenţă. Schimbarea corpului său depinde de ea. În momentul morţii, conştiinţa pe care şi-a creat-o, o duce către următorul tip de corp. Dacă şi-a creat o conştiinţă asemeni celei de pisică sau de câine, poate fi sigură că se va muta într-un corp de pisică sau câine. Dacă şi-a fixat conştiinţa asupra calităţilor zeieşti, se va întrupa într-un semizeu. Iar dacă se află în conştiinţa de Kṛṣṇa, va fi transferată în Kṛṣṇaloka, lumea spirituală şi se va alătura lui Kṛṣṇa. Afirmaţia că după distrugerea corpului totul se sfârşeşte este falsă. Sufletul individual transmigrează dintr-un corp în altul, iar corpul său prezent şi activităţile sale prezente formează temelia viitorului său corp. Sufletul individual obţine un alt corp în funcţie de *karma* şi îşi va părăsi corpul prezent la timpul potrivit. Aici se afirmă că corpul subtil, care poartă cu el concepţia viitorului corp, dezvoltă un alt corp în viaţa viitoare. Acest proces al transmigrării dintr-un corp în altul şi al luptei ce se duce în timpul cât sufletul se află în corp, poartă numele de *karṣati* sau lupta pentru existenţă.

TEXTUL 9

श्रोत्रं चक्षुः स्पर्शनं च रसनं घ्राणमेव च ।
अधिष्ठाय मनश्चायं विषयानुपसेवते ॥ ९ ॥

*śrotraṁ cakṣuḥ sparśanaṁ ca
rasanaṁ ghrāṇam eva ca
adhiṣṭhāya manaś cāyaṁ
viṣayān upasevate*

śrotram—urechi; *cakṣuḥ*—ochi; *sparśanam*—pipăit; *ca*—şi; *rasanam*—limbă; *ghrāṇam*—capacitatea de a mirosi; *eva*—de asemenea; *ca*—şi; *adhiṣṭhāya*—fiind situat în; *manaḥ*—minte; *ca*—şi; *ayam*—el; *viṣayān*—obiectele simţurilor; *upasevate*—se bucură de.

Entitatea vie, luând astfel un alt corp grosier, obține un anumit tip de urechi, ochi, limbă, nas și simț al pipăitului, care sunt grupate în jurul minții. Astfel, ea se bucură de un anumit set particular de obiecte de simț.

COMENTARIU

Cu alte cuvinte, dacă entitatea vie își lasă conștiința să fie coruptă de însușirile pisicilor sau câinilor, în viața viitoare ea va obține un corp de pisică sau de câine și se va bucura de plăcerile acestora. La origine, conștiința este pură ca apa limpede. Dar dacă apa se amestecă cu o anumită culoare, ea se schimbă. La fel și conștiința este pură, căci sufletul spirual este pur. Dar conștiința se schimbă în funcție de asocierea ei cu calitățile materiale. Conștiința reală este conștiința de Kṛṣṇa. De aceea, atunci când omul se situează în conștiința de Kṛṣṇa, el se află în existența sa pură. Dar dacă conștiința sa este coruptă de un anumit tip de mentalitate materială, în viața viitoare el va obține un corp pe măsură. El nu va obține neapărat un alt corp uman, ci poate primi un corp de pisică, de câine, porc, semizeu sau orice altă formă din cele 8.400.000 de specii care există.

TEXTUL 10

उत्क्रामन्तं स्थितं वापि भुञ्जानं वा गुणान्वितम् ।
विमूढा नानुपश्यन्ति पश्यन्ति ज्ञानचक्षुषः ॥१०॥

utkrāmantaṁ sthitaṁ vāpi
bhuñjānaṁ vā guṇānvitam
vimūḍhā nānupaśyanti
paśyanti jñāna-cakṣuṣaḥ

utkrāmantam—părăsind corpul; *sthitam*—stând în corp; *vā api*—fie; *bhuñjānam*—bucurându-se; *vā*—sau; *guṇa-anvitam*—sub influența modurilor naturii materiale; *vimūḍhāḥ*—cei smintiți; *na*—niciodată; *anupaśyanti*—pot să vadă; *paśyanti*—pot vedea; *jñāna-cakṣuṣaḥ*—cei ce au ochii cunoașterii.

Cei smintiți nu pot să înțeleagă cum o entitate vie poate să-și părăsească acest corp și nici nu pot înțelege de ce fel de corp se bucură ea

sub influența modurilor naturii. Dar cel ai cărui ochi sunt instruiți în cunoaștere, poate să vadă toate acestea.

COMENTARIU

Cuvântul *jñāna-cakṣuṣaḥ* este foarte semnificativ. Fără cunoaștere, omul nu poate înțelege cum își părăsește entitatea vie corpul prezent, nici ce formă va lua corpul său în viața viitoare și nici chiar motivul pentru care trăiește într-un anumit tip de corp. Aceasta cere un înalt grad de cunoaștere obținută din *Bhagavad-gītā* și din alte scrieri similare și auzită din gura unui maestru spiritual autorizat. Cel ce se deprinde să perceapă toate aceste lucruri este un om norocos. Fiecare entitate vie își părăsește corpul în anumite împrejurări, trăiește în anumite împrejurări și se bucură în anumite împrejurări, sub influența naturii materiale. Ca urmare, ea suportă diferite tipuri de fericire și suferință, sub iluzia plăcerii simțurilor. Cei ce se lasă permanent înșelați de poftă și dorință își pierd întreaga putere de a înțelege felul în care își schimbă corpul și motivul aflării într-un anumit corp. Ei nu pot să înțeleagă. Însă cei ce și-au dezvoltat cunoașterea spirituală pot vedea faptul că spiritul este diferit de corp, că își schimbă corpul și se bucură în diverse moduri. Cel ce ajunge la această cunoaștere poate înțelege modul în care suferă entitatea vie în existența materială. De aceea, cei care sunt foarte avansați în dezvoltarea conștiinței de Kṛṣṇa încearcă să facă tot ce pot pentru a da această cunoaștere tuturor oamenilor, deoarece viața lor condiționată este plină de necazuri. Ei trebuie să iasă din această existență, să devină conștienți de Kṛṣṇa și să se elibereze pentru a se transfera în lumea spirituală.

TEXTUL 11

यतन्तो योगिनश्चैनं पश्यन्त्यात्मन्यवस्थितम् ।
यतन्तोऽप्यकृतात्मानो नैनं पश्यन्त्यचेतसः ॥११॥

yatanto yoginaś cainaṁ
paśyanty ātmany avasthitam
yatanto 'py akṛtātmāno
nainaṁ paśyanty acetasaḥ

yatantaḥ—care se străduiesc; *yoginaḥ*—transcendentaliștii; *ca*—de asemenea; *enam*—aceasta; *paśyanti*—pot vedea; *ātmani*—în sine; *avasthitam*—

situaţi; *yatantaḥ*—care se străduiesc; *api*—deşi; *akṛta-ātmānaḥ*—cei fără rea-lizarea de sine; *na*—nu; *enam*—aceasta; *paśyanti*—văd; *acetasaḥ*—cei cu mintea neevoluată.

Silitorii transcendentalişti care sunt situaţi în realizarea de sine, pot vedea clar toate aceste lucruri. Dar aceia ale căror minţi nu sunt dez-voltate şi care nu sunt situaţi în realizarea de sine, nu pot să vadă ce se întâmplă, deşi ei ar putea încerca aceasta.

COMENTARIU

Există mulţi transcendentalişti pe calea realizării de sine, dar cel ce nu a ajuns la realizarea de sine nu poate vedea cum se produc schimbările în corpul entităţii vii. Cuvântul *yoginaḥ* este semnificativ în acest context. În ziua de azi există o mulţime de aşa-zişi yoghini şi o mulţime de aşa-numite asocia-ţii de yoghini, dar de fapt ei sunt orbi în ce priveşte realizarea de sine. Ei se ocupă doar cu nişte exerciţii fizice, fiind mulţumiţi când corpul este bine clădit şi sănătos. Ei nu au alte cunoştinţe. Aceştia sunt cei numiţi *yatanto 'py akṛtātmānaḥ*. Chiar dacă depun eforturi în aşa numitul sistem yoga, ei nu obţin realizarea de sine. Aceşti oameni nu pot înţelege procesul transmigrării sufletului. Doar cei ce practică cu adevărat sistemul yoga şi au realizat sinele, natura lumii şi pe Domnul Suprem—cu alte cuvinte, *bhakti-yogī*, cei angajaţi în slujirea cu devoţiune pură în conştiinţa de Kṛṣṇa—pot să înţeleagă felul în care se petrec lucrurile.

TEXTUL 12

यदादित्यगतं तेजो जगद्भासयतेऽखिलम् ।
यच्चन्द्रमसि यच्चाग्नौ तत्तेजो विद्धि मामकम् ॥१२॥

yad āditya-gataṁ tejo
jagad bhāsayate 'khilam
yac candramasi yac cāgnau
tat tejo viddhi māmakam

yat—cea care; *āditya-gatam*—din soare; *tejaḥ*—strălucirea; *jagat*—întrea-ga lume; *bhāsayate*—iluminează; *akhilam*—în întregime; *yat*—cea care;

candramasi—în lună; *yat*—cea care; *ca*—şi; *agnau*—în foc; *tat*—acea; *tejaḥ* —strălucire; *viddhi*—înţelege; *māmakam*—din Mine.

Strălucirea soarelui, care risipeşte întunericul întregii lumi, vine de la Mine. Iar strălucirea lunii şi strălucirea focului sunt de asemenea de la Mine.

COMENTARIU

Cei lipsiţi de inteligenţă nu pot înţelege cum se desfăşoară fenomenele. Dar prin înţelegerea celor explicate aici de către Domnul, omul poate începe să se stabilească în cunoaştere. Oricine poate vedea soarele, luna, focul sau lumina electrică. Omul trebuie doar să încerce să înţeleagă faptul că strălucirea soarelui, a lunii, a focului sau a luminii electrice vine de la Suprema Personalitate a Divinităţii. Într-o asemenea concepţie asupra vieţii, marcând începutul conştiinţei de Kṛṣṇa, se află un înalt grad de progres al sufletului condiţionat în această lume materială. Entităţile vii sunt în mod esenţial părţi integrante ale Domnului Suprem, iar El sugerează aici felul în care acestea se pot întoarce la Divinitate, înapoi acasă.

Din acest verset putem înţelege că soarele iluminează întregul sistem solar. Există diferite universuri şi sisteme solare şi există diferiţi sori, diferite lumi şi diferite planete, dar în fiecare univers există doar un singur soare. Aşa cum afirmă *Bhagavad-gītā* (10.21), luna este una dintre stele (*nakṣatrāṇām aham śaśī*). Lumina soarelui se datorează strălucirii spirituale a Domnului Suprem în cerul spiritual. Odată cu răsăritul soarelui încep şi activităţile fiinţelor umane. Ele aprind focul pentru a-şi pregăti hrana sau pornesc focurile în fabrici etc. Deci foarte multe lucruri se fac cu ajutorul focului. De aceea răsăritul soarelui, focul şi lumina lunii sunt atât de îndrăgite de către fiinţe. Fără ajutorul lor n-ar putea trăi nici o fiinţă. Deci, dacă omul poate înţelege că strălucirea soarelui, a lunii şi a focului emană de la Suprema Personalitate a Divinităţii, Kṛṣṇa, aceasta constituie pentru el începutul conştiinţei de Kṛṣṇa. Clarul de lună hrăneşte toate plantele. Clarul de lună este atât de plăcut, încât oamenii pot înţelege cu uşurinţă că trăiesc graţie îndurării lui Kṛṣṇa, Suprema Personalitate a Divinităţii. Fără îndurarea Sa nu poate exista soarele, fără îndurarea Sa nu poate exista luna, şi fără îndurarea sa nu poate exista focul, iar fără ajutorul soarelui, lunii şi focului nimeni nu poate vieţui. Acestea sunt câteva din gândurile ce determină conştiinţa de Kṛṣṇa în sufletul condiţionat.

TEXTUL 13

गामाविश्य च भूतानि धारयाम्यहमोजसा ।
पुष्णामि चौषधीः सर्वाः सोमो भूत्वा रसात्मकः ॥१३॥

gām āviśya ca bhūtāni
dhārayāmy aham ojasā
puṣṇāmi cauṣadhīḥ sarvāḥ
somo bhūtvā rasātmakaḥ

gām—planete; *āviśya*—intrând în; *ca*—şi; *bhūtāni*—entitățile vii; *dhārayāmi*—susțin; *aham*—Eu; *ojasā*—prin energia Mea; *puṣṇāmi*—hrănesc; *ca*—precum şi; *auṣadhīḥ*—plantele; *sarvāḥ*—toate; *somaḥ*—luna; *bhūtvā*—devenind; *rasa-ātmakaḥ*—furnizând seva.

Eu pătrund în fiecare planetă şi prin energia Mea ele se mențin pe orbite. Eu devin luna şi astfel furnizez seva vieții tuturor vegetalelor.

COMENTARIU

Se poate înțelege de aici că toate planetele plutesc în spațiu doar prin energia Domnului. Domnul intră în fiecare atom, fiecare planetă şi fiecare entitate vie. Acest lucru este discutat în *Brahma-saṁhitā*. Acolo se spune că una din părțile plenare ale Supremei Personalități a Divinității, Paramātmā, intră în planete, în univers, în entitatea vie şi chiar în atom. Deci, datorită intrării Sale, toate lucrurile se manifestă în mod adecvat. Când sufletul spiritual este prezent, omul aflat în viață poate pluti pe apă, dar când scânteia vieții iese din corp şi corpul moare, acest corp se scufundă. Desigur că atunci când se descompune, corpul plutește la fel ca un fir de pai, dar imediat după ce omul moare, corpul său se scufundă în apă. În mod similar, planetele plutesc în spațiu datorită intrării în ele a supremei energii a Personalității Divinității. Energia Sa susține fiecare planetă ca şi cum ar fi un pumn de țărână. Atâta timp cât ținem țărâna în pumn, ea nu poate cădea, dar dacă o aruncăm în aer, ea va cădea pe jos. La fel şi planetele care plutesc în spațiu sunt de fapt susținute în pumnul formei universale a Domnului Suprem. Prin puterea şi energia Sa, toate cele mişcătoare şi nemişcătoare rămân la locurile lor. În imnurile vedice se spune că datorită Supremei Personalități a Divinității soarele strălucește şi planetele îşi urmează cursul. Fără El planetele s-ar risipi și ar pieri ca praful aruncat în vânt. Tot datorită Supremei Personalități a Divinității luna hrănește toate plantele. Datorită influenței lunii, legumele își dobândesc savoarea. Fără lumina lunii vegetalele nu pot nici să crească, nici să devină suculente și gustoase. Societatea umană muncește, trăiește confortabil și savurează hrana datorită darurilor date de Domnul Suprem. Altfel omenirea n-ar putea supraviețui. Cuvântul *rasātmakaḥ* este foarte semnificativ. Toate lucrurile își dobândesc savoarea prin acțiunea Domnului Suprem exercitată prin influența lunii.

TEXTUL 14

अहं वैश्वानरो भूत्वा प्राणिनां देहमाश्रितः ।
प्राणापानसमायुक्तः पचाम्यन्नं चतुर्विधम् ॥१४॥

aham vaiśvānaro bhūtvā
prāṇinām deham āśritaḥ
prāṇāpāna-samāyuktaḥ
pacāmy annam catur-vidham

aham—Eu; *vaiśvānaraḥ*—porțiunea Mea plenară ca foc digestiv; *bhūtvā*—devenind; *prāṇinām*—tuturor entităților vii; *deham*—în corpurile; *āśritaḥ*—situat; *prāṇa*—aerul care iese; *apāna*—aerul care merge în jos; *samāyuktaḥ*—ținând în echilibru; *pacāmi*—mistui; *annam*—hrana; *catuḥ-vidham*—de patru feluri.

Eu sunt focul digestiei în corpurile tuturor entităților vii și Mă unesc cu aerul vieții, care intră și iese, pentru a digera cele patru feluri de hrană.

COMENTARIU

Conform cu *śāstra* numită *Āyur-veda*, există un foc în stomac care digeră toate alimentele care ajung în el. Când acest foc nu arde, foamea nu se manifestă, iar când focul este în ordine, ni se face foame. Când acest foc nu funcționează cum trebuie este nevoie de tratament. În orice caz, acest foc reprezintă Suprema Personalitate a Divinității. Anumite *mantra* vedice (*Bṛhad-āraṇyaka Upaniṣad* 5.9.1) confirmă că Domnul Suprem sau Brahman este situat în stomac sub formă de foc și digeră toate felurile de alimente (*ayam agnir vaiśvānaro yo 'yam antaḥ puruṣe yenedam annaṁ pacyate).* Deci, întrucât El ajută la digerarea tuturor felurilor de hrană, entitatea vie nu este independentă în procesul de hrănire. Fără ajutorul Domnului Suprem în procesul digestiei, nu ar exista posibilitatea hrănirii. Deci El produce şi digeră hrana, iar prin graţia Sa noi ne bucurăm de viaţă. În *Vedānta-sūtra* (1.2.27) se confirmă acest lucru. *Śabdādibhyo 'ntaḥ pratiṣṭhānāc ca:* Domnul este situat în sunet şi în corp, în aer şi chiar în stomac, ca putere digestivă. Există patru feluri de alimente—cele care se înghit, cele care se mestecă, cele care se ling şi cele care se sug—iar El este forţa care le digeră pe toate.

TEXTUL 15

सर्वस्य चाहं हृदि सन्निविष्टो
मत्तः स्मृतिर्ज्ञानमपोहनं च ।
वेदैश्च सर्वैरहमेव वेद्यो
वेदान्तकृद्वेदविदेव चाहम् ॥१५॥

sarvasya cāhaṁ hṛdi sanniviṣṭo
mattaḥ smṛtir jñānam apohanaṁ ca
vedaiś ca sarvair aham eva vedyo
vedānta-kṛd veda-vid eva cāham

sarvasya—a tuturor fiinţelor; *ca*—şi; *aham*—Eu; *hṛdi*—în inima; *sanniviṣṭaḥ*—situat; *mattaḥ*—de la Mine; *smṛtiḥ*—reamintirea; *jñānam*—cunoaşterea; *apohanam*—uitarea; *ca*—şi; *vedaiḥ*—prin *Vede; ca*—şi; *sarvaiḥ*—toate; *aham*—Eu sunt; *eva*—cu siguranţă; *vedyaḥ*—cel de cunoscut; *vedānta-kṛt*—cel care a alcătuit *Vedānta; veda-vit*—cunoscătorul *Vedelor; eva*—desigur; *ca*—şi; *aham*—Eu.

Eu sunt aşezat în inima fiecăruia şi de la Mine vine amintirea, cunoaşterea şi uitarea. Din toate Vedele, Eu trebuie să fiu cunoscut. Într-adevăr, Eu am alcătuit Vedānta şi tot Eu sunt cunoscătorul Vedelor.

COMENTARIU

Domnul Suprem este situat în inima fiecăruia ca Paramātmā şi de la El pornesc toate activităţile. Entitatea vie uită totul despre viaţa sa trecută, dar trebuie să acționeze potrivit îndrumării Domnului Suprem care este martorul tuturor faptelor sale. În acest fel, ea își începe activitatea în acord cu faptele sale trecute, dându-i-se cunoașterea necesară, amintirea, precum și uitarea vieții trecute. Astfel, Domnul nu este numai atotpătrunzător, El este de asemenea localizat în fiecare inimă individuală. El acordă diferitele rezultate ale activităților fructuoase. El nu este adorat doar ca impersonalul Brahman, ca Suprema Personalitate a Divinității și ca Paramātmā, ci și ca formă de încarnare a *Vedelor*. *Vedele* îndreaptă oamenii în direcția cea bună, astfel ca aceștia să-și poată modela viața așa cum se cuvine și să se întoarcă înapoi acasă, înapoi la Divinitate. *Vedele* oferă cunoașterea de Kṛṣṇa, Suprema Personalitate a Divinității, iar Kṛṣṇa în încarnarea Sa ca Vyāsadeva este cel ce a compilat *Vedānta-sūtra*. Comentariul la *Vedānta-sūtra* făcut de Vyāsadeva în *Śrīmad-Bhāgavatam* ne dezvăluie adevăratul sens din *Vedānta-sūtra*. Domnul Suprem este atât de desăvârșit, încât pentru eliberarea sufletului condiționat El îi dă hrană și tot El o digeră, este martorul faptelor sale, îi dă cunoaștere sub forma *Vedelor* și, ca Suprema Personalitate a Divinității, Śrī Kṛṣṇa, îi dă învățătura din *Bhagavad-gītā*. El este adorat de către sufletul condiționat. Astfel Dumnezeu este bun și milostiv fără margini.

Antaḥ-praviṣṭaḥ śāstā janānām. Entitatea vie își uită trecutul de îndată ce-și părăsește corpul prezent, dar la inițiativa Domnului Suprem ea își reia din nou acțiunile. Deși ea uită, Domnul îi dă inteligența necesară pentru a-și relua activitățile din punctul în care le-a încheiat în viața precedentă. Însă entitatea vie nu numai că se bucură sau suferă în această lume potrivit ordinului Domnului Suprem situat în inima sa, ci are prilejul să înțeleagă *Vedele* de la El. Dacă o persoană este cu adevărat interesată de înțelegerea cunoașterii vedice, Kṛṣṇa îi dă inteligența necesară. Dar de ce prezintă El cunoașterea vedică pentru a fi înțeleasă? Deoarece entitatea vie are nevoie să-L înțeleagă pe Kṛṣṇa în mod individual. Scrierile vedice confirmă acest lucru: *yo 'sau sarvair vedair gīyate*. În toate scrierile vedice, începând cu cele patru *Vede*, *Vedānta-sūtra*, *Upaniṣadele* și *Purāṇele*, sunt celebrate gloriile Domnului Suprem. Prin îndeplinirea ritualurilor vedice, discutarea filosofiei *Vedelor* și adorarea Domnului în slujirea cu devoțiune, se ajunge la El. Prin urmare, scopul *Vedelor* este cunoașterea de Kṛṣṇa. *Vedele* ne dau îndrumările prin care să-L cunoaștem pe Kṛṣṇa și procesul prin care El poate fi realizat. Țelul ultim este Suprema Personalitate a Divinității. *Vedānta-sūtra* (1.1.4) confirmă acest fapt prin cuvintele următoare: *tat tu samanvayāt*. Omul poate atinge perfecțiunea în trei stadii. Prin înțelegerea scrierilor vedice omul își poate înțelege relația cu Suprema Personalitate a Divinității, prin aplicarea diferitelor metode prescrise se poate apropia de El, iar la sfârşit poate atinge ţelul suprem, care nu este altul decât Suprema Personalitate a Divinităţii. Astfel semnificaţia *Vedelor*, procesul înţelegerii lor şi ţelul *Vedelor* sunt definite în mod clar în acest verset.

TEXTUL 16

द्वाविमौ पुरुषौ लोके क्षरश्चाक्षर एव च ।
क्षरः सर्वाणि भूतानि कूटस्थोऽक्षर उच्यते ॥१६॥

*dvāv imau puruşau loke
kşaraś cākşara eva ca
kşaraḥ sarvāṇi bhūtāni
kūṭa-stho 'kṣara ucyate*

dvau—două; *imau*—aceste; *puruşau*—entităţi vii; *loke*—în lume; *kşaraḥ*—supus greşelii; *ca*—şi; *akşaraḥ*—fără de greşeală; *eva*—cu siguranţă; *ca*—şi; *kşaraḥ*—supus greşelii; *sarvāṇi*—toate; *bhūtāni*—entităţile vii; *kūṭa-sthaḥ*—în unitate; *akşaraḥ*—fără de greşeală; *ucyate*—este numit.

Există două categorii de fiinţe, cele supuse greşelii şi cele fără de greşeală. În lumea materială fiecare entitate vie este supusă greşelilor, iar în lumea spirituală fiecare entitate vie este numită fără de greşeală.

COMENTARIU

Aşa cum s-a explicat deja, în încarnarea Sa ca Vyāsadeva, Domnul a compilat *Vedānta-sūtra*. Aici Domnul ne dă în rezumat conţinutul acestei *Vedānta-sūtra*. El spune că nenumăratele entităţi vii pot fi împărţite în două categorii—cele supuse greşelilor şi cele fără de greşeală. Entităţile vii sunt în mod etern părţi integrante separate al Supremei Personalităţi a Divinităţii. Când ajung în contact cu lumea materială, ele sunt numite *jīva-bhūta* iar cuvintele sanskrite folosite aici, *kşaraḥ sarvāṇi bhūtāni*, arată că ele sunt supuse greşelilor. Însă cele aflate în unire cu Suprema Personalitate a Divinităţii sunt numite fără de greşeală. Unitatea nu înseamnă că ele sunt lipsite de individualitate, ci doar că nu sunt despărţite de Domnul Suprem. Ele se află în deplin acord cu scopul creaţiei. Desigur că în lumea spirituală nu există un astfel de lucru ca şi creaţia, însă această concepţie se explică prin faptul că

Suprema Personalitate a Divinității, așa cum afirmă *Vedānta-sūtra,* este sursa tuturor emanațiilor. Potrivit afirmațiilor lui Kṛṣṇa, Suprema Personalitate a Divinității, există două categorii de entități vii. *Vedele* aduc dovezi în această privință, deci nu există nici o îndoială. Entitățile vii care se înfruntă în această lume cu mintea și cu cele cinci simțuri au corpuri materiale supuse schimbărilor. Atâta vreme cât entitatea vie este condiționată, corpul său se schimbă datorită contactului cu materia; materia se schimbă, astfel că și entitatea vie pare că se schimbă. Dar în lumea spirituală corpul nu este făcut din materie; de aceea nu există schimbare. În lumea materială entitatea vie suferă șase transformări—nașterea, creșterea, menținerea, reproducerea, decăderea și dispariția. Acestea sunt schimbările corpului material. Dar în lumea spirituală corpul nu se schimbă; nu există bătrânețe, nu există naștere, nu există moarte. Acolo toate există în unitate. *Kṣaraḥ sarvāṇi bhūtāni:* orice entitate vie care a ajuns în contact cu materia, începând de la Brahmā, prima ființă creată, până la minuscula furnică, își modifică corpul; de aceea ele sunt supuse greșelilor. Însă în lumea spirituală, ele sunt permanent eliberate în unitate.

TEXTUL 17

उत्तमः पुरुषस्त्वन्यः परमात्मेत्युदाहृतः ।
यो लोकत्रयमाविश्य बिभर्त्यव्यय ईश्वरः ॥१७॥

uttamaḥ puruṣas tv anyaḥ
paramātmety udāhṛtaḥ
yo loka-trayam āviśya
bibharty avyaya īśvaraḥ

uttamaḥ—cea mai bună; *puruṣaḥ*—personalitate; *tu*—însă; *anyaḥ*—altul; *parama*—cel suprem; *ātmā*—sinele; *iti*—astfel; *udāhṛtaḥ*—este numit; *yaḥ* —care; *loka*—ale universului; *trayam*—cele trei diviziuni; *āviśya*—intrând în; *bibharti*—menține; *avyayaḥ*—nepieritor; *īśvaraḥ*—Domnul.

În afară de acestea două, mai există Sufletul Suprem, cea mai măreață personalitate vie, Domnul Însuși Cel indestructibil, care a pătruns în cele trei lumi și care le menține.

COMENTARIU

Ideea acestui verset este foarte frumos exprimată în *Kaṭha Upaniṣad* (2.2.13) și în *Śvetāśvatara Upaniṣad* (6.13). Acolo se arată în mod clar că deasupra nenumăratelor entități vii, dintre care unele sunt condiționate iar altele sunt eliberate, se află Persoana Supremă care este Paramātmā. Versetul din *Upaniṣade* sună astfel: *nityo nityānāṁ cetanaś cetanānām*. Sensul acestui verset este acela că între toate entitățile vii, atât condiționate cât și eliberate, trăiește o personalitate supremă, Suprema Personalitate a Divinității, care le menține și le crează toate condițiile de a se bucura potrivit cu faptele lor. Această Supremă Personalitate a Divinității este situată în inima fiecăruia ca și Paramātmā. Doar omul înțelept, care Îl poate înțelege, este eligibil să atingă pacea perfectă, și nu alții.

TEXTUL 18

यस्मात्क्षरमतीतोऽहमक्षरादपि चोत्तमः ।
अतोऽस्मि लोके वेदे च प्रथितः पुरुषोत्तमः ॥१८॥

yasmāt kṣaram atīto 'ham
akṣarād api cottamaḥ
ato 'smi loke vede ca
prathitaḥ puruṣottamaḥ

yasmāt—deoarece; *kṣaram*—față de imperfecțiune; *atītaḥ*—transcendent; *aham*—Eu sunt; *akṣarāt*—dincolo de perfecțiune; *api*—de asemenea; *ca*—și; *uttamaḥ*—cel mai bun; *ataḥ*—de aceea; *asmi*—Eu sunt; *loke*—în lume; *vede*—în scrierile vedice; *ca*—și; *prathitaḥ*—celebrat; *puruṣa-uttamaḥ*—ca Persoana Supremă.

Deoarece Eu sunt transcendent, dincolo și de imperfecțiune cât și de perfecțiune, și deoarece Eu sunt cel mai mare, Eu sunt celebrat atât în lume cât și în Vede ca Persoana Supremă.

COMENTARIU

Nimeni nu poate să-L depășească pe Kṛṣṇa, Suprema Personalitate a Divinității, nici sufletul condiționat și nici sufletul eliberat. De aceea El este cea mai măreață personalitate. Acum este limpede că atât entitățile vii cât și Suprema Personalitate a Divinității sunt entități individuale. Deosebirea constă în faptul că entitățile vii, fie în starea condiționată, fie în cea de eliberare, nu pot depăși din punct de vedere cantitativ puterile de neînchipuit ale Supremei Personalități a Divinității. Este incorect să considerăm că Domnul Suprem și entitățile vii ar putea fi la același nivel sau la egalitate în toate privințele. Rămâne întotdeauna problema superiorității și inferiorității între personalitățile lor. Cuvântul *uttama* este foarte semnificativ: nimeni nu poate întrece Suprema Personalitate a Divinității.

Cuvântul *loke* înseamnă „în *paurușa āgama* (adică scripturile de tip *smṛti)*". Așa cum atestă dicționarul *Nirukti, lokyate vedārtho 'nena:* „Semnificația *Vedelor* este explicată în scripturile *smṛti."*

Domnul Suprem în aspectul Său localizat ca Paramātmā este de asemenea descris chiar în *Vede*. În *Chāndogya Upaniṣad*, 8.12.3, apare următorul verset: *tāvad eṣa samprasādo 'smāc charīrāt samutthāya param jyoti-rūpaṁ sampadya svena rūpeṇābhiniṣpadyate sa uttamaḥ puruṣaḥ.* „Suprasufletul ieșind din corp intră în impersonalul *brahmajyoti;* apoi în forma Sa, El Își păstrează identitatea Sa spirituală. Acest Suprem se numește Persoana Supremă." Aceasta înseamnă că Persoana Supremă Își manifestă și răspândește strălucirea Sa spirituală, care este iluminarea ultimă. Această Personalitate Supremă are și un aspect localizat, cunoscut ca Paramātmā. El explică cunoașterea vedică, încarnându-se El Însuși ca fiul lui Satyavatī și Parāśara și apărând sub forma lui Vyāsadeva.

TEXTUL 19

यो मामेवमसम्मूढो जानाति पुरुषोत्तमम् ।
स सर्वविद्भजति मां सर्वभावेन भारत ॥१९॥

yo mām evam asammūḍho
jānāti puruṣottamam
sa sarva-vid bhajati māṁ
sarva-bhāvena bhārata

yaḥ—cel care; *mām*—pe Mine; *evam*—astfel; *asammūḍhaḥ*—fără să aibă îndoieli; *jānāti*—cunoaște; *puruṣa-uttamam*—Suprema Personalitate a Divinității; *saḥ*—el; *sarva-vit*—cunoscătorul tuturor lucrurilor; *bhajati*—îndeplineşte slujirea cu devoţiune; *mām*—către Mine; *sarva-bhāvena*—în toate privinţele; *bhārata*—o, fiu al lui Bharata.

Oricine Mă cunoaşte ca Suprema Personalitate a Divinităţii fără să aibă îndoieli, este cunoscătorul tuturor lucrurilor. Ca urmare, o, fiu al lui Bharata, el se angajează în slujirea cu devoţiune deplină către Mine.

COMENTARIU

Există o mulţime de speculaţii filosofice asupra poziţiei constitutive a entităţilor vii şi a Adevărului Absolut Suprem. În acest verset, Suprema Personalitate a Divinităţii explică în mod clar că oricine Îl cunoaşte pe Domnul Kṛṣṇa ca fiind Persoana Supremă, acela este cu adevărat cunoscătorul tuturor lucrurilor. Cunoscătorul imperfect continuă doar să speculeze asupra Adevărului Absolut, dar cunoscătorul perfect, fără să piardă un timp preţios, se angajează direct în conştiinţa de Kṛṣṇa, slujirea cu devoţiune a Domnului Suprem. De-a lungul întregii *Bhagavad-gītā* acest fapt este subliniat la fiecare pas. Şi totuşi, există atâţia încăpăţânaţi ce comentează *Bhagavad-gīta,* care consideră că Adevărul Absolut Suprem şi entităţile vii sunt unul şi acelaşi lucru.

Cunoaşterea vedică se numeşte *śruti,* adică percepută prin intermediul auzului. Omul trebuie de fapt să primească mesajul *Vedelor* de la persoanele autorizate, cum ar fi Kṛṣṇa şi reprezentanţii Săi. Aici Kṛṣṇa determină foarte bine toate lucrurile şi trebuie să ascultăm de la această sursă. Însă a auzi doar ca un animal nu este suficient; trebuie să fim în stare să înţelegem mesajul acestor autorităţi. Nu trebuie doar să facem speculaţii academice, ci trebuie să ascultăm cu supunere din *Bhagavad-gītā* faptul că aceste entităţi vii sunt întotdeauna subordonate Supremei Personalităţi a Divinităţii. Orice persoană care este capabilă să înţeleagă aceasta, conform spuselor lui Śrī Kṛṣṇa, Suprema Personalitate a Divinităţii, cunoaşte semnificaţia *Vedelor;* nimeni altul nu cunoaşte această semnificaţie.

Cuvântul *bhajati* este foarte semnificativ. În mai multe locuri se foloseşte cuvântul *bhajati* în legătură cu slujirea Domnului Suprem. Dacă o persoană este angajată pe deplin în conştiinţa de Kṛṣṇa, în slujirea cu devoţiune a Domnului, se vede că ea a înţeles întreaga cunoaştere vedică. În *vaiṣṇava-paramparā* se spune că dacă cineva este angajat în slujirea cu devoţiune a lui Kṛṣṇa, el nu mai are nevoie de nici o altă metodă pentru a înţelege Adevărul Absolut Suprem. El a ajuns deja acolo, deoarece este angajat în slujirea cu devoţiune a Domnului. El şi-a încheiat toate procesele premergătoare înţelegerii. Dar dacă cineva care a speculat sute de mii de vieţi nu ajunge la concluzia că

Kṛṣṇa este Suprema Personalitate a Divinității și că trebuie să se predea Lui, toate speculațiile sale timp de atât de multe vieți sunt doar o inutilă pierdere de timp.

TEXTUL 20

इति गुह्यतमं शास्त्रमिदमुक्तं मयानघ ।
एतद् बुद्ध्वा बुद्धिमान् स्यात्कृतकृत्यश्च भारत ॥२०॥

iti guhyatamaṁ śāstram
idam uktaṁ mayānagha
etad buddhvā buddhimān syāt
kṛta-kṛtyaś ca bhārata

iti—astfel; *guhya-tamam*—cea mai confidențială; *śāstram*—scriptură revelată; *idam*—aceasta; *uktam*—dezvăluită; *mayā*—de Mine; *anagha*—o, tu cel fără de păcat; *etat*—aceasta; *buddhvā*—înțelegând; *buddhi-mān*—înțelept; *syāt*—devine; *kṛta-kṛtyaḥ*—cel mai perfect în strădaniile sale; *ca*—și; *bhārata*—o, fiu al lui Bharata.

Aceasta este cea mai confidențială parte a scripturilor vedice, o, tu cel fără de păcat, și ea este dezvăluită acum de Mine. Oricine o înțelege devine înțelept iar străduințele sale vor cunoaște perfecțiunea.

COMENTARIU

Domnul explică aici limpede că această învățătură este esența tuturor scripturilor revelate și ea trebuie înțeleasă așa cum este dată de Suprema Personalitate a Divinității. În acest mod, omul ajunge înțelept și perfect în cunoașterea transcendentă. Cu alte cuvinte, prin înțelegerea acestei filosofii a Supremei Personalități a Divinității și prin angajarea în slujirea Sa transcendentă, orice om poate fi eliberat de toate contaminările modurilor naturii materiale. Slujirea cu devoțiune este un proces de înțelegere spirituală. Oriunde există slujire cu devoțiune, nu poate să existe în același timp contaminare materială. Slujirea cu devoțiune a Domnului și Domnul Însuși sunt unul și același lucru, căci sunt realități spirituale; slujirea cu devoțiune se desfășoară în domeniul energiei interne a Domnului Suprem. Se spune că Domnul este soarele iar ignoranța este întunericul. Acolo unde este prezent soarele, nu poate fi vorba de întuneric. De aceea, oriunde este prezentă slujirea cu devoţiune sub îndrumarea potrivită a unui maestru spiritual autentic, nu poate fi vorba de ignoranţă.

Fiecare om trebuie să se dedice acestei conştiinţe de Kṛṣṇa şi să se angajeze în slujirea cu devoţiune pentru a deveni înţelept şi purificat. Până ce omul nu ajunge la acest nivel al înţelegerii lui Kṛṣṇa şi nu se angajează în slujirea cu devoţiune, oricât de înţelept ar fi el socotit de către oamenii obişnuiţi, el nu este cu desăvârşire înţelept.

Cuvântul *anagha* cu care Kṛṣṇa se adresează lui Arjuna este semnificativ. *Anagha*, „o, tu cel fără de păcat!", înseamnă că până ce omul nu se eliberează de toate reacţiile păcătoase este foarte greu să-L înţeleagă pe Kṛṣṇa. Omul trebuie să devină liber de toate contaminările, de toate faptele păcătoase; abia atunci el poate să înţeleagă. Dar slujirea cu devoţiune este atât de pură şi puternică, încât de îndată ce omul se angajează în slujirea cu devoţiune ajunge automat la stadiul eliberării de păcat.

În cursul îndeplinirii slujirii cu devoţiune în compania devoţilor puri aflaţi în deplină conştiinţă de Kṛṣṇa există anumite lucruri ce se cer să fie depăşite complet. Lucrul cel mai important ce trebuie depăşit este slăbiciunea inimii. Prima cădere este pricinuită de dorinţa de a domni asupra naturii materiale. În acest fel omul renunţă la slujirea transcendentă în dragoste faţă de Domnul Suprem. A doua slăbiciune a inimii ţine de faptul că, cu cât sporeşte înclinaţia de a stăpâni asupra naturii materiale, omul devine tot mai ataşat de materie şi de posesiunea materială. Problemele existenţei materiale se datorează acestor slăbiciuni ale inimii. În acest capitol primele cinci versete descriu procesul eliberării de aceste slăbiciuni ale inimii, iar restul capitolului, de la versetul al şaselea până la sfârşit, discută *puruşottama-yoga*.

Aici se încheie comentariul lui Bhaktivedanta la capitolul al cincisprezecelea din Śrīmad Bhagavad-gītā, tratând despre Puruşottama-yoga sau „Yoga Persoanei Supreme".

Natura divină și cea demonică

TEXTELE 1–3

श्रीभगवानुवाच
अभयं सत्त्वसंशुद्धिर्ज्ञानयोगव्यवस्थितिः ।
दानं दमश्च यज्ञश्च स्वाध्यायस्तप आर्जवम् ॥ १ ॥

अहिंसा सत्यमक्रोधस्त्यागः शान्तिरपैशुनम् ।
दया भूतेष्वलोलुप्त्वं मार्दवं ह्रीरचापलम् ॥ २ ॥

तेजः क्षमा धृतिः शौचमद्रोहो नातिमानिता ।
भवन्ति सम्पदं दैवीमभिजातस्य भारत ॥ ३ ॥

śrī-bhagavān uvāca
abhayaṁ sattva-saṁśuddhir
jñāna-yoga-vyavasthitiḥ

dānaṁ damaś ca yajñaś ca
svādhyāyas tapa ārjavam

ahiṁsā satyam akrodhas
tyāgaḥ śāntir apaiśunam
dayā bhūteṣv aloluptvaṁ
mārdavaṁ hrīr acāpalam

tejaḥ kṣamā dhṛtiḥ śaucam
adroho nāti-mānitā
bhavanti sampadaṁ daivīm
abhijātasya bhārata

śrī-bhagavān uvāca—Suprema Personalitate a Divinității a spus; *abhayam*—neînfricarea; *sattva-saṁśuddhiḥ*—purificarea propriei existențe; *jñāna*—în cunoașterea; *yoga*—legăturii; *vyavasthitiḥ*—situarea; *dānam*—caritatea; *damaḥ*—stăpânirea minții; *ca*—și; *yajñaḥ*—îndeplinirea sacrificiului; *ca*—și; *svādhyāyaḥ*—studierea scrierilor vedice; *tapaḥ*—asceza; *ārjavam*—simplitatea; *ahiṁsā*—nonviolența; *satyam*—sinceritatea; *akrodhaḥ*—lipsa mâniei; *tyāgaḥ*—renunțarea; *śāntiḥ*—liniștea; *apaiśunam*—necăutarea de cusururi; *dayā*—mila; *bhūteṣu*—față de toate entitățile vii; *aloluptvam*—nelăcomia; *mārdavam*—blândețea; *hrīḥ*—modestia; *acāpalam*—hotărârea; *tejaḥ*—vigoarea; *kṣamā*—iertarea; *dhṛtiḥ*—tăria; *śaucam*—curăția; *adrohaḥ*—lipsa invidiei; *na*—nu; *ati-mānitā*—așteptarea onorurilor; *bhavanti*—sunt; *sampadam*—însușirile; *daivīm*—natura transcendentală; *abhijātasya*—celui născut din; *bhārata*—o, fiu al lui Bharata.

Suprema Personalitate a Divinității a spus: neînfricarea, purificarea propriei existențe, cultivarea cunoașterii spirituale, caritatea, stăpânirea de sine, îndeplinirea sacrificiului, studierea Vedelor, asceza, simplitatea, nonviolența, sinceritatea, lipsa mâniei, renunțarea, liniștea, necăutarea de cusururi, compasiunea față de toate entitățile vii, nelăcomia, blândețea, modestia, hotărârea neclintită, vigoarea, iertarea, tăria, curăția, precum și lipsa invidiei și-a setei de onoruri—aceste însușiri transcendente, o, fiu al lui Bharata, aparțin oamenilor cucernici, înzestrați cu o natură divină.

COMENTARIU

La începutul capitolului al cincisprezecelea a fost descris banyanul care reprezintă lumea materială. Rădăcinile secundare care pornesc din el erau comparate cu faptele entităților vii, unele favorabile, altele nefavorabile. De asemenea, în capitolul al nouălea s-a vorbit despre *deva* sau cei ce țin de natura divină și despre *asura*, cei lipsiți de pietate sau demonici. Potrivit riturilor vedice, activitățile îndeplinite în modul bunătății sunt socotite favorabile progresului pe calea eliberării, aceste activități fiind cunoscute ca *daivī prakṛti*, de natură transcendentală. Cei situați în natura transcendentală progresează pe calea eliberării. Pe de altă parte, cei ce activează în stările de pasiune și ignoranță nu au posibilitatea eliberării. Aceștia fie că trebuie să rămână în lumea materială ca ființe umane, fie că vor coborî printre speciile de animale sau chiar în forme de viață și mai puțin evoluate. În acest al șaisprezecelea capitol Domnul explică atât natura transcendentală împreună cu însușirile care o însoțesc, cât și natura demonică împreună cu însușirile sale. El explică de asemenea avantajele și dezavantajele acestor însușiri.

Cuvântul *abhijātasya,* care se referă la omul născut cu calități spirituale sau moduri cucernice, este foarte semnificativ. Conceperea unui copil într-o atmosferă de cucernicie este cunoscută în scripturile vedice drept *Garbhādhāna-saṁskāra.* Dacă părinții doresc un copil cu însușiri cucernice, trebuie să urmeze cele zece principii recomandate pentru viața socială a ființei umane. Am văzut anterior în *Bhagavad-gītā* că viața sexuală destinată conceperii unui copil virtuos îl reprezintă pe Kṛṣṇa Însuși. Viața sexuală nu este condamnată, cu condiția ca acest proces să fie folosit în conștiința de Kṛṣṇa. Cei aflați în conștiința de Kṛṣṇa ar trebui cel puțin să nu conceapă copii la fel ca pisicile sau câinii, ci ar trebui să-i conceapă în așa fel încât după naștere aceștia să devină conștienți de Kṛṣṇa. Acesta ar trebui să fie avantajul copiilor născuți dintr-un tată și o mamă absorbiți în conștiința de Kṛṣṇa.

Instituția socială cunoscută ca *varṇāśrama-dharma*—instituția care împarte societatea în patru etape ale vieții sociale și patru diviziuni profesionale sau caste—nu este destinată împărțirii societății umane în funcție de naștere. Aceste împărțiri se bazează pe calificările dobândite prin educație. Ele trebuie să mențină societatea înr-o stare de pace și prosperitate. Calitățile menționate aici sunt desemnate drept calități spiriuale menite să-l facă pe om să progreseze în cunoașterea spirituală, astfel încât să ajungă la eliberarea de lumea materială.

În cadrul instituției numită *varṇāśrama-dharma,* cel ce este *sannyāsī* sau cel aflat în ordinul vieții de renunțare este socotit a fi capul sau maestrul spiritual al tuturor celorlalte stări sociale şi etape ale existenţei. Un *brāhmaṇa* este socotit a fi maestrul spiritual al celorlalte trei secţiuni ale societăţii, adică *kṣatriya, vaiśya* şi *śūdra,* dar un *sannyāsī,* aflat în vârful acestei instituţii, este socotit a fi maestrul spiritual chiar şi pentru brahmani. Prima calitate a unui *sannyāsī* trebuie să fie neînfricarea. Întrucât un *sannyāsī* trebuie să fie singur, fără nici un sprijin sau garanţia vreunui sprijin, el trebuie să depindă doar de mila Supremei Personalităţi a Divinităţii. Cel ce se întreabă „Cine mă va ocroti dacă îmi întrerup toate legăturile?" nu trebuie să accepte ordinul renunţării. Omul trebuie să fie pe deplin convins că Kṛṣṇa sau Suprema Personalitate a Divinităţii în aspectul Său localizat ca Paramātmā este întotdeauna înăuntrul său, că El vede totul şi ştie întotdeauna ceea ce vrea să facă cineva. Omul trebuie să aibă convingerea fermă că Kṛṣṇa sub forma lui Paramātmā va avea grijă de un suflet care s-a predat Lui. El trebuie să-şi spună: „Niciodată nu voi fi singur; chiar dacă trăiesc în cele mai întunecate locuri din pădure, voi fi însoţit de Kṛṣṇa iar El îmi va da întreaga ocrotire". Această convingere se numeşte *abhayam* sau neînfricare. Atitudinea aceasta a minţii este necesară pentru cel aflat în ordinul renunţării.

În continuare, el trebuie să-şi purifice existenţa. Există o mulţime de legi şi reglementări ce trebuie respectate în ordinul renunţării. Dar mai presus de toate, unui *sannyāsī* îi este strict interzis să aibă orice fel de relaţie intimă cu vreo femeie. El nici măcar nu are voie să vorbească cu o femeie într-un loc retras. Śrī Caitanya era un *sannyāsī* ideal, iar atunci când era la Purī, discipolele sale n-au putut nici măcar să se apropie de El pentru a I se închina. Ele au fost sfătuite să se plece la pământ de la distanţă. Acesta nu este un semn de ură faţă de întreaga categorie a femeilor, ci o regulă strictă impusă unui *sannyāsī* de a nu avea legături stânse cu femeile. Omul trebuie să urmeze legile şi reglementările specifice fiecărei etape a vieţii, cu scopul de a-şi purifica existenţa. Pentru un *sannyāsī,* relaţiile intime cu femeile şi posesiunea de bogăţii destinate satisfacerii simţurilor sunt strict interzise. Un *sannyāsī* ideal a fost Śrī Caitanya Însuşi, iar noi putem învăţa din viaţa Sa faptul că era foarte strict în ce priveşte femeile. Deşi El este socotit a fi una din cele mai îngăduitoare încarnări ale lui Dumnezeu, acceptând până şi sufletele condiţionate cele mai decăzute, El repecta cu stricteţe legile şi reglementările etapei vieţii numite *sannyāsa* în ce priveşte asocierea cu femeile. Unul din asociaţii Săi personali, Choţa Haridāsa, deşi era unul dintre apropiaţii lui Śrī Caitanya şi al celorlalţi asociaţi personali ai Săi, totuşi acest Choţa Haridāsa s-a uitat cu o privire oarecum lascivă la o tânără femeie, iar Śrī Caitanya era atât de strict, încât l-a alungat de îndată din rândul asociaţilor Săi personali. Śrī Caitanya a spus: „Pentru un *sannyāsī* sau orice om care aspiră să scape din ghearele naturii materiale, încercând să se înalțe la natura spirituală și să se întoarcă acasă, înapoi la Dumnezeu, a privi la posesiunile materiale și la femei pentru a-și satisface simțurile—nu doar desfătarea cu ele, ci chiar privirea lor cu o astfel de înclinație—este atât de condamnabilă, încât mai bine s-ar fi sinucis decât să cunoască dorințe atât de ilicite." Acestea sunt deci metodele de purificare.

Urmează apoi *jñāna-yoga-vyavasthiti:* a fi angajat în cultivarea cunoașterii. Viața de *sannyāsī* este destinată răspândirii cunoașterii în rândul oamenilor căsătoriți și a celorlalți oameni care și-au uitat adevărata existență de înaintare spirituală. Un *sannyāsī* trebuie să cerșească din poartă în poartă pentru a-și duce existența, dar aceasta nu înseamnă că el este un cerșetor. Smerenia este iarăși una din însușirile unei persoane situate la nivel transcendent și numai din simplă smerenie merge un *sannyāsī* din poartă în poartă, nu tocmai pentru a cerși, ci pentru a-i vizita pe oamenii angajați în viața de familie și pentru a-i trezi la conștiința de Kṛṣṇa. Aceasta este datoria unui *sannyāsī*. Dacă el este cu adevărat avansat și i se poruncește de către maestrul său spiritual, el trebuie să predice conștiința de Kṛṣṇa în mod logic și pe înțeles, iar cel ce nu este destul de avansat, nu trebuie să accepte ordinul renunțării. Însă chiar dacă cineva a acceptat starea de renunțare fără a avea suficientă cunoaștere, el trebuie să se dedice cu totul ascultării spuselor unui maestru spiritual autentic, pentru a-și cultiva cunoașterea. Deci un *sannyāsī* sau cel aflat în ordinul vieții de renunțare trebuie să fie situat în neînfricare, *sattva-saṁśuddhi* (puritate) și *jñāna-yoga* (cunoaștere).

Urmează apoi caritatea. Caritatea este rânduită pentru oamenii aflați în viața de familie. Oamenii care au familie trebuie să-și câștige existența prin mijloace cinstite și să cheltuiască cinzeci la sută din venit pentru răspândirea conștiinței de Kṛṣṇa în întreaga lume. Deci un om căsătorit trebuie să facă donații societăților instituționalizate care sunt angajate pe această cale. Pomana trebuie dată celui care este îndreptățit s-o primească. Există mai multe feluri de caritate, așa cum se va explica în continuare—caritatea făcută în modul bunătății, în cel al pasiunii și în cel al ignoranței. Caritatea ce ține de modul bunătății este recomandată de scripturi, dar caritatea ce ține de pasiune sau ignoranță nu este recomandată, căci ea nu este decât risipă de bani. Donațiile caritabile trebuie făcute doar pentru propagarea conștiinței de Kṛṣṇa în întreaga lume. Aceasta este caritatea ce ține de modul bunătății.

În ce privește *dama* (stăpânirea de sine) ea nu este destinată doar celor din celelalte etape ale societății religioase, ci este destinată în mod special oame-

nilor căsătoriți. Deşi are soţie, omul căsătorit nu trebuie să-şi folosească sim-
ţurile în viaţa sexuală fără a fi necesar. Există restricţii pentru omul căsătorit
chiar şi în viaţa sexuală, care trebuie folosită doar pentru conceperea copiilor.
Dacă nu doreşte copii, atunci el şi soţia sa trebuie să se abţină de la plăcerile
vieţii sexuale. Societatea modernă se bucură de plăcerile vieţii sexuale folo-
sind metode contraceptive sau alte metode şi mai îngrozitoare pentru a înlă-
tura responsabilitatea conceperii copiilor. Acest lucru nu ţine de spiritualitate,
ci este demonic. Dacă cineva, chiar căsătorit, vrea să progreseze în viaţa spi-
rituală, el trebuie să îşi controleze viaţa sexuală şi să nu conceapă copii fără
scopul de a-L sluji pe Kṛṣṇa. Dacă este în stare să dea naştere unor copii care
se vor afla în conştiinţa de Kṛṣṇa, el poate avea sute de copii, dar fără această
capacitate omul nu trebuie să profite doar de plăcerile simţurilor.

Sacrificiul este un alt lucru ce trebuie îndeplinit de către cei aflaţi în viaţa
de familie, căci sacrificiile necesită o mare sumă de bani. Cei aflaţi în celelal-
te etape ale vieţii, adică *brahmacarya, vānaprastha* şi *sannyāsa* nu posedă bani;
ei trăiesc din cerşit. Deci îndeplinirea diferitelor tipuri de sacrificii este desti-
nată oamenilor căsătoriţi. Ei trebuie să îndeplinească sacrificiile de tip *agni-
hotra* care sunt prescrise în scrierile vedice, dar aceste sacrificii sunt în prezent
foarte costisitoare şi nici un om căsătorit nu-şi poate permite să le îndepli-
nească. Cel mai bun sacrificiu recomandat în această epocă este *saṅkīrtana-
yajña.* Acest *saṅkīrtana-yajña,* cântarea lui Hare Kṛṣṇa, Hare Kṛṣṇa, Kṛṣṇa
Kṛṣṇa, Hare Hare/ Hare Rāma, Hare Rāma, Rāma Rāma, Hare Hare este cel
mai puţin costisitor sacrificiu; oricine poate să-l adopte şi să tragă foloase de
pe urma sa. Deci aceste trei lucruri—caritatea, stăpânirea simţurilor şi înde-
plinirea sacrificiului—sunt destinate oamenilor aflaţi în viaţa de familie.

Apoi *svādhyāya,* studierea *Vedelor,* este destinată pentru *brahmacarya* sau
viaţa de discipol. Aceşti *brahmacārī* nu trebuie să aibă legături cu femeile; ei
trebuie să ducă o viaţă de celibat şi să-şi absoarbă mintea în studierea scrieri-
lor vedice şi cultivarea cunoaşterii spirituale. Aceasta se numeşte *svādhyāya.*

Tapas sau asceza este destinată în mod special vieţii retrase. Omul nu tre-
buie să rămână în viaţa de familie pentru totdeauna; el trebuie să-şi aminteas-
că mereu că există patru etape ale vieţii—*brahmacarya, gṛhastha, vānaprastha*
şi *sannyāsa.* Deci după *gṛhastha,* viaţa de familie, omul trebuie să se retragă.
Dacă omul trăieşte o sută de ani, el trebuie să-şi petreacă douăzeci şi cinci de
ani în viaţa de discipol, douăzeci şi cinci de ani în viaţa de familie, două-
zeci şi cinci de ani în viaţa retrasă şi douăzeci şi cinci de ani în etapa vieţii
de renunţare. Acestea sunt reglementările disciplinei religioase vedice. Un om
retras din viaţa de familie trebuie să practice asceza corpului, minţii şi limbii.

Aceasta este *tapasya*. Fără *tapasya* sau asceză nici un om nu poate obține eliberarea. Teoria că nu este nevoie de asceză în viață, că omul poate continua să speculeze și totul va fi bine, nu este recomandată nici în scrierile vedice, nici în *Bhagavad-gītā*. Asemenea teorii sunt fabricate de către spiritualiștii de paradă, care încearcă să adune cât mai mulți discipoli.

Oamenii nu sunt atrași de restricții, legi și reglemetări. De aceea, cei ce doresc să obțină adepți în numele religiei, doar pentru a face paradă de ea, nu pun restricții în viața discipolilor lor și nici în propria viață. Dar această metodă nu este aprobată de *Vede*.

În ce privește calitatea brahmanică a simplității, ea nu este destinată doar unei anumite etape a vieții, ci oricărui membru al societății, fie că este în *brahmacārī āśrama, gṛhastha āśrama, vānaprastha āśrama* ori *sannyāsa āśrama*. Omul tebuie să fie foarte simplu și direct.

Ahiṁsā înseamnă a nu întrerupe evoluția nici unei entități vii. Nu trebuie să credem că întrucât scânteia spirituală nu este niciodată ucisă, nici chiar după uciderea corpului, uciderea animalelor pentru satisfacerea simțurilor nu ar fi dăunătoare. Oamenii de azi s-au obișnuit să mănânce animalele, în ciuda faptului că există o mare cantitate de cereale, fructe și lapte. Uciderea animalelor nu este necesară. Această poruncă este valabilă pentru toți. Când nu există altă alternativă, se poate ucide un animal, dar el trebuie oferit ca sacrificiu. Însă atunci când se găsește hrană din belșug, cei ce doresc să progreseze în realizarea spirituală nu trebuie cu nici un chip să comită violență asupra animalelor. Adevărata *ahiṁsā* înseamnă a nu opri evoluția vieții nimănui. Animalele progresează și ele, evoluând prin transmigrare de la o categorie de animale la alta. Dacă un animal este omorât, atunci progresul său este oprit. Dacă un animal rămâne într-un anumit corp mai multe zile sau mai mulți ani și este ucis înainte de vreme, el trebuie să se reîntoarcă din nou în acea formă de viață pentru a-și duce până la capăt zilele care i-au mai rămas pentru a fi promovat la o altă specie de viață. Deci progresul său nu trebuie stopat doar pentru satisfacerea cerului gurii. Aceasta se numește *ahiṁsā*.

Satyam. Acest cuvânt înseamnă că nu trebuie să distorsionăm adevărul din pricina unui interes personal. În *Vede* există anumite pasaje dificile, dar sensul sau explicația lor trebuie învățată de la un maestru spiritual autorizat. Acesta este procesul înțelegerii *Vedelor*. *Śruti* înseamnă că omul trebuie să asculte de o autoritate. Omul nu trebuie să extragă o anumită interpretare pentru interese personale. Există atât de multe comentarii la *Bhagavad-gītā* care interpretează în mod greșit textul original. Trebuie prezentat sensul real al cuvântului, iar acesta trebuie învățat de la un maestru spiritual autentic.

Akrodha înseamnă a opri mânia. Chiar atunci când este provocat, omul trebuie să fie răbdător, căci de îndată ce se mânie, întregul său corp este pângărit. Mânia este produsul modului pasiunii şi dorinţei, deci cel situat la nivel transcendent trebuie să se păzească de mânie.

Apaiśunam înseamnă că nu trebuie să găsim cusururi celorlalţi sau să-i corectăm atunci când nu este nevoie. Desigur că a-l numi hoţ pe un hoţ nu înseamnă a-l critica, dar a-l numi hoţ pe un om cinstit este foarte dăunător pentru cel ce caută să înainteze în viaţa spirituală. *Hrī* înseamnă că omul trebuie să fie foarte modest şi să nu îndeplinească nici o faptă nedemnă. *Acāpalam,* hotărârea, înseamnă că omul nu trebuie să fie tulburat sau frustrat de nici o încercare. Uneori poate să eşueze în anumite lucruri, dar nu trebuie să-i pară rău de aceasta; el trebuie să progreseze cu răbdare şi hotărâre.

Cuvântul *tejas* folosit aici este destinat pentru *kşatriya. Kşatriya* trebuie să fie întotdeauna foarte puternici pentru a fi în stare să-i ocrotească pe cei slabi. Ei nu trebuie să pretindă că nu sunt violenţi. Dacă este nevoie de violenţă, ea trebuie folosită. Dar cel ce este capabil să-şi înfrângă duşmanul, trebuie uneori, în anumite condiţii, să dea dovadă de iertare. El trebuie să treacă peste ofensele mărunte.

Śaucam înseamnă curăţia, nu numai curăţia minţii şi a corpului, ci şi a raporturilor cu alţii. Ea este destinată mai ales comercianţilor, care nu trebuie să facă tranzacţii clandestine. *Nāti-mānitā,* a nu aştepta onoruri, se aplică la *śūdra,* categoria lucrătorilor, care după prescripţiile *Vedelor* sunt socotiţi a fi clasa cea mai de jos din cele patru. Ei nu trebuie să se împăuneze cu un fals prestigiu sau onoare şi trebuie să rămână la locul lor. Datoria acestor *śūdra* este aceea de a cinsti pe cei din clasele superioare pentru menţinerea ordinii sociale.

Toate aceste douăzeci şi şase de calităţi menţionate aici sunt transcendente. Ele trebuie cultivate în funcţie de diversele statute ale ordinii sociale şi profesionale. Trebuie deci să înţelegem că, chiar dacă condiţiile materiale sunt nefavorabile, dacă aceste calităţi sunt dezvoltate prin practică de către toate categoriile de oameni, atunci se poate ajunge în mod treptat la nivelul cel mai înalt al realizării spirituale.

TEXTUL 4

दम्भो दर्पोऽभिमानश्च क्रोधः पारुष्यमेव च ।
अज्ञानं चाभिजातस्य पार्थ सम्पदमासुरीम् ॥ ४ ॥

dambho darpo 'bhimānaś ca
krodhaḥ pāruṣyam eva ca
ajñānaṁ cābhijātasya
pārtha sampadam āsurīm

dambhaḥ—mândria; *darpaḥ*—aroganța; *abhimānaḥ*—îngâmfarea; *ca*—și; *krodhaḥ*—mânia; *pāruṣyam*—duritatea; *eva*—desigur; *ca*—și; *ajñānam*—ignoranța; *ca*—și; *abhijātasya*—ale celui născut din; *pārtha*—o, fiu al lui Pṛthā; *sampadam*—calitățile; *āsurīm*—natura demonică.

Mândria, aroganța, îngâmfarea, duritatea și ignoranța—acestea sunt însușirile celor cu natură demonică, o, fiu al lui Pṛthā.

COMENTARIU

În acest verset este descrisă calea regală ce duce spre iad. Cei demonici vor să facă paradă de religiozitate și avansare în știința spirituală, deși nu respectă principiile acesteia. Ei sunt întotdeauna aroganți sau mândri de a poseda un anumit tip de educație sau multă avere. Ei vor să fie adorați de ceilalți și cer să fie respectați, deși nu au nimic care să inspire respect. Se mânie pentru orice fleac, vorbind cu asprime, nu cu blândețe. Ei nu știu ce trebuie și ce nu trebuie făcut. Acționează capricios, după bunul lor plac, nerecunoscând nici un fel de autoritate. Ei dobândesc aceste însușiri demonice încă de când se întrupează în pântecele mamei lor și, pe măsură ce cresc, își manifestă toate aceste trăsături nefavorabile.

TEXTUL 5

दैवी सम्पद्विमोक्षाय निबन्धायासुरी मता ।
मा शुचः सम्पदं दैवीमभिजातोऽसि पाण्डव ॥ ५ ॥

daivī sampad vimokṣāya
nibandhāyāsurī matā
mā śucaḥ sampadaṁ daivīm
abhijāto 'si pāṇḍava

daivī—transcendente; *sampat*—calitățile; *vimokṣāya*—destinate eliberării; *nibandhāya*—legării; *āsurī*—calitățile demonice; *matā*—sunt socotite; *mā*—

nu; *śucaḥ*—te îngrijora; *sampadam*—calităţi; *daivīm*—transcendente; *abhijātaḥ*—născut din; *asi*—eşti; *pāṇḍava*—o, fiu al lui Pāṇḍu.

Însuşirile transcendente duc la eliberare, în vreme ce însuşirile demonice duc la înlănţuire. Dar nu te teme, o fiu al lui Pāṇḍu, căci tu eşti născut cu însuşiri divine.

COMENTARIU

Domnul Kṛṣṇa îl încurajează pe Arjuna, spunându-i că nu s-a născut cu însuşiri demonice. Implicarea sa în luptă nu era demonică, căci luase în considerare argumentele pro şi contra. El chibzuia dacă persoanele respectabile precum Bhīṣma şi Droṇa trebuie sau nu să fie ucise, deci nu acţiona sub influenţa mâniei, slavei deşarte sau durităţii. De aceea, el nu ţine de natura demonică. Pentru un *kṣatria*, un războinic, a trage cu săgeţi în duşman este o faptă transcendentală, iar abţinerea de la această datorie este demonică. De aceea, Arjuna nu avea motiv de lamentare. Oricine îndeplineşte principiile regulatoare ale diferitelor etape ale vieţii este situat la nivel transcendent.

TEXTUL 6

द्वौ भूतसर्गौ लोकेऽस्मिन्दैव आसुर एव च ।
दैवो विस्तरशः प्रोक्त आसुरं पार्थ मे शृणु ॥ ६ ॥

dvau bhūta-sargau loke 'smin
daiva āsura eva ca
daivo vistaraśaḥ prokta
āsuraṁ pārtha me śṛṇu

dvau—două; *bhūta-sargau*—fiinţe create; *loke*—în lumea; *asmin*—aceasta; *daivaḥ*—zeiesc; *āsuraḥ*—demonic; *eva*—desigur; *ca*—şi; *daivaḥ*—cea divină; *vistaraśaḥ*—pe larg; *proktaḥ*—spusă; *āsuram*—cea demonică; *pārtha*—o, fiu al lui Pṛthā; *me*—de la Mine; *śṛṇu*—ascultă.

O, fiu al lui Pṛthā, în această lume există două categorii de făpturi create. Una este numită divină, cealaltă demonică. Ţi-am explicat deja pe larg calităţile divine. Ascultă acum de la Mine despre cele demonice.

COMENTARIU

După ce l-a asigurat pe Arjuna că s-a născut cu însuşiri divine, Domnul Kṛṣṇa descrie acum pe cele demonice. Entităţile vii condiţionate din această lume se împart în două categorii. Cei născuţi cu însuşiri divine urmează o viaţă reglementată; aceasta înseamnă că ei se supun poruncilor scripturilor şi persoanelor autorizate. Omul trebuie să-şi împlinească datoria în lumina scripturilor autorizate. Această mentalitate este numită divină. Cel ce nu respectă principiile reglementative aşa cum sunt prescrise în scripturi şi care acţionează după capriciile sale este numit demonic sau asuric. Nu există un alt criteriu decât supunerea faţă de principiile regulatoare ale scripturilor. În *Vede* se menţionează faptul că atât semizeii cât şi demonii sunt născuţi din Prajā-pati; singura diferenţă între ei este aceea că o categorie se supune poruncilor vedice, pe când cealaltă nu face acest lucru.

TEXTUL 7

प्रवृत्तिं च निवृत्तिं च जना न विदुरासुराः ।
न शौचं नापि चाचारो न सत्यं तेषु विद्यते ॥ ७ ॥

pravṛttiṁ ca nivṛttiṁ ca
janā na vidur āsurāḥ
na śaucaṁ nāpi cācāro
na satyaṁ teṣu vidyate

pravṛttim—a acţiona aşa cum se cuvine; *ca*—precum şi; *nivṛttim*—a nu acţiona în mod nepotrivit; *ca*—şi; *janāḥ*—persoanele; *na*—niciodată; *viduḥ*—ştiu; *āsurāḥ*—cu însuşiri demonice; *na*—niciodată; *śaucam*—curăţia; *na*—nici; *api*—de asemenea; *ca*—şi; *ācāraḥ*—purtarea; *na*—niciodată; *satyam*—adevăr; *teṣu*—în acestea; *vidyate*—există.

Cei demonici nu ştiu ce se cuvine şi ce nu se cuvine să fie făcut. În ei nu se află nici curăţie, nici bună purtare, nici adevăr.

COMENTARIU

În orice societate umană civilizată există un set de legi şi reglemetări scripturale care este respectat încă de la început. În special printre arieni (*ārya*), cei ce adoptă civilizația vedică și sunt cunoscuți ca fiind populațiile cu cea mai avansată civilizație, aceia care nu respectă poruncile scripturilor sunt socotiți drept demoni. De aceea se spune aici că demonii nu cunosc legile scripturilor și nici nu au nici un fel de înclinație către respectarea lor. Mulți dintre ei nu cunosc aceste legi, iar dacă unii dintre ei le cunosc, nu au tendința să le și respecte. Ei nu au credință și nici voința de a acționa potrivit poruncilor vedice. Demonii nu sunt curați nici înafară, nici înăuntru. Omul trebuie să aibă întotdeauna grijă să-și păstreze corpul curat prin îmbăiere, spălarea dinților, spălarea și schimbarea hainelor etc. În ce privește curăția interioară, omul trebuie să-și amintească mereu numele sfinte ale lui Dumnezeu și să cânte Hare Kṛṣṇa, Hare Kṛṣṇa, Kṛṣṇa Kṛṣṇa, Hare Hare/ Hare Rāma, Hare Rāma, Rāma Rāma, Hare Hare. Demonilor nu le plac aceste reguli de curățenie interioară și exterioară și nici nu le respectă.

În ce privește comportamentul, există o mulțime de legi și reglementări ce îndrumă comportamentul uman, cum sunt cele din *Manu-saṁhitā*, care este legea întregii rase umane. Chiar și în ziua de azi, cei ce sunt numiți hinduși respectă *Manu-saṁhitā*. Legile referitoare la moștenire sau celelalte proceduri legale derivă din această carte. În *Manu-saṁhitā* se spune clar că femeia nu trebuie lăsată liberă. Aceasta nu înseamnă că femeile trebuie ținute în sclavie, ci faptul că ele sunt precum copiii. Copiii nu sunt lăsați liberi, dar asta nu înseamnă că sunt sclavi. În prezent, demonii au renunțat la aceste prescripții și socotesc că femeilor trebuie să li se dea tot atâta libertate ca și bărbaților. Totuși aceasta nu a dus la îmbunătățirea condițiilor sociale în lume. De fapt femeia trebuie ocrotită în oricare din etapele vieții. Ea trebuie ocrotită de tată în copilărie, de soț în tinerețe și de către fiii adulți la bătrânețe. Aceasta este comportarea socială corectă conform cu *Manu saṁhitā*. Dar educația modernă a născocit în mod artificial o concepție foarte exagerată asupra vieții feminine și de aceea căsătoria este practic doar o himeră în societatea umană. Nici măcar condiția morală a femeii nu este foarte bună. Însă demonii nu acceptă nici o învățătură care este bună pentru societate și, pentru că ei nu respectă experiența marilor înțelepți, precum și legile și reglementările stabilite de acești înțelepți, condiția socială a oamenilor demonici este foarte jalnică.

TEXTUL 8

असत्यमप्रतिष्ठं ते जगदाहुरनीश्वरम् ।
अपरस्परसम्भूतं किमन्यत्कामहैतुकम् ॥ ८॥

asatyam apratiṣṭhaṁ te
jagad āhur anīśvaram
aparaspara-sambhūtaṁ
kim anyat kāma-haitukam

asatyam—ireală; apratiṣṭham—fără temei; te—ei; jagat—manifestarea cosmică; āhuḥ—spun; anīśvaram—fără stăpânitor; aparaspara—fără cauză; sambhūtam—ivită; kim anyat—nu are altă cauză; kāma-haitukam—se datorează numai dorinței.

Aceștia spun că lumea este ireală, fără temei, nestăpânită de nici un Dumnezeu. Ei spun că ea este produsă de dorința sexuală și nu are altă cauză decât senzualitatea.

COMENTARIU

Cei demonici ajung la concluzia că lumea este o fantasmă. Nu există cauză sau efect, nu există stăpânitor, nu există scop: totul este ireal. Ei spun că manifestarea cosmică apare datorită acțiunilor și reacțiunilor materiale întâmplătoare. Ei nu cred că lumea a fost creată de Dumnezeu cu un anumit scop, ci au propria lor teorie: lumea s-a ivit prin propriile mijloace și nu există nici un motiv să credem că există un Dumnezeu în spatele ei. Pentru ei nu există deosebire între spirit și materie și nu acceptă Spiritul Suprem. Totul este doar materie și întregul cosmos este considerat a fi o masă de ignoranță. După părerea lor, totul este vid și orice manifestare care există se datorează ignoranței noastre în procesul percepției. Ei iau drept sigur faptul că toate manifestările diversității sunt o întruchipare a ignoranței. Așa cum în vis putem crea o mulțime de lucruri care de fapt nu există, la fel și când ne trezim vedem că totul n-a fost decât un vis. Dar de fapt, deși demonii spun că viața este un vis, ei sunt foarte pricepuți să se bucure de plăcerile acestui vis. Și astfel, în loc să dobândească cunoaștere, ei se afundă tot mai mult în lumea lor de vise. Ei trag concluzia că așa cum un copil este doar rezultatul actului sexual dintre bărbat și femeie, la fel și lumea aceasta s-a născut fără nici un suflet. Pentru ei, ea nu este decât o combinație de elemente materiale ce produc entitățile vii și nici nu se pune problema existenței sufletului. Așa cum multe făpturi vii se ivesc din transpirație sau dintr-un cadavru, fără nici o cauză, întreaga lume vie a apărut din combinațiile materiale ale manifestării cosmice. Deci natura materială este cauza acestei manifestări și nu există o altă cauză. Ei nu cred în cuvintele lui Kṛṣṇa din *Bhagavad-gītā: mayādhyakṣeṇa prakṛtiḥ sūyate sa-carācaram.* „Sub conducerea Mea se mişcă întreaga lume materială." Cu alte cuvinte, printre demoni nu se găseşte cunoaşterea desăvârşită a creaţiei lumii; fiecare dintre ei are o anumită teorie proprie. După părerea lor, orice interpretare a scripturilor este la fel de bună ca oricare alta, căci ei nu cred într-un sens general valabil al prescripţiilor scripturale.

TEXTUL 9

एतां दृष्टिमवष्टभ्य नष्टात्मानोऽल्पबुद्धयः ।
प्रभवन्त्युग्रकर्माणः क्षयाय जगतोऽहिताः ॥ ९ ॥

etāṁ dṛṣṭim avaṣṭabhya
naṣṭātmāno 'lpa-buddhayaḥ
prabhavanty ugra-karmāṇaḥ
kṣayāya jagato 'hitāḥ

etām—această; *dṛṣṭim*—viziune; *avaṣṭabhya*—acceptând; *naṣṭa*—pierzându-se; *ātmānaḥ*—pe ei înşişi; *alpa-buddhayaḥ*—cei cu inteligenţă redusă; *prabhavanti*—prosperă; *ugra-karmāṇaḥ*—angajaţi în activităţi ce produc durere; *kṣayāya*—pentru distrugerea; *jagataḥ*—lumii; *ahitāḥ*—care nu sunt benefice.

Bazându-se pe asemenea concluzii, cei demonici care s-au pierdut pe ei înşişi şi care sunt lipsiţi de inteligenţă se angajează în activităţi oribile şi răufăcătoare, destinate distrugerii lumii.

COMENTARIU

Cei demonici se angajează în activităţi care vor duce lumea la distrugere. Domnul afirmă aici că aceştia au o inteligenţă redusă. Materialiştii lipsiţi de orice concepţie asupra lui Dumnezeu cred că ei progresează. Dar potrivit cu *Bhagavad-gītā,* ei sunt lipsiţi de inteligenţă şi de orice bun simţ. Ei încearcă să se bucure de lumea materială până la limita maximă şi de aceea inventează mereu câte ceva destinat satisfacerii simţurilor. Asemenea invenţii materialiste sunt considerate drept progres al civilizaţiei umane, dar rezultatul este acela că oamenii devin din ce în ce mai violenţi şi din ce în ce mai cruzi, atât faţă de animale cât şi faţă de celelalte fiinţe umane. Ei nu au nici o idee despre felul în care să se poarte unii faţă de alţii. Tăierea animalelor este foarte răspândită printre oamenii demonici. Aceşti oameni sunt consideraţi duşmanii lumii, pentru că în final vor ajunge să inventeze sau să creeze ceva care va duce totul la distrugere. În mod indirect, acest verset anticipează inventarea armelor nucleare de care întreaga lume este atât de mândră astăzi. În orice clipă poate izbucni un război, iar aceste arme atomice pot duce la dezastru. Aceste lucruri, aşa cum se arată aici, sunt create doar pentru distrugerea lumii. Astfel de arme sunt inventate în societatea umană datorită lipsei de credinţă; ele nu sunt destinate păcii şi prosperităţii lumii.

TEXTUL 10

काममाश्रित्य दुष्पूरं दम्भमानमदान्विता: ।
मोहाद् गृहीत्वासद्ग्राहान् प्रवर्तन्तेऽशुचिव्रता: ॥१०॥

kāmam āśritya duṣpūraṁ
dambha-māna-madānvitāḥ
mohād gṛhītvāsad-grāhān
pravartante 'śuci-vratāḥ

kāmam—pofta trupească; *āśritya*—căutându-şi refugiul în; *duṣpūram*—fără de saţ; *dambha*—orgoliului; *māna*—slavei deşarte; *mada-anvitāḥ*—cufundaţi în vanitatea; *mohāt*—datorită iluziei; *gṛhītvā*—luând; *asat*—nepermanente; *grāhān*—lucrurile; *pravartante*—ei prosperă; *aśuci*—celor necurate; *vratāḥ*—dedicaţi făţiş.

Căutându-şi refugiul în pofta trupească fără de saţ şi cufundaţi în vanitatea orgoliului şi slavei deşarte, cei demonici, amăgiţi astfel, se consacră întotdeauna activităţilor necurate, atraşi de cele vremelnice.

COMENTARIU

Aici este descrisă mentalitatea demonică. Poftele senzuale ale demonilor sunt nesăţioase. Ei îşi sporesc mereu şi mereu nesăţioasele dorinţe de plăceri materiale. Deşi sunt mereu plini de griji datorită acceptării lucrurilor nepermanente, totuşi continuă să se angajeze în asemenea activităţi, din pricina iluziei.

Fiind lipsiţi de cunoaştere, ei nu pot spune că merg pe o cale greşită. Acceptând lucrurile trecătoare, aceşti oameni demonici îşi crează propriul Dumnezeu şi propriile imnuri pe care le cântă în felul lor. Rezultatul este acela că sunt atraşi din ce în ce mai mult de două lucruri: plăcerea sexuală şi bogăţia materială. Cuvântul *aśuci-vratāḥ,* „legăminte necurate", este foarte semnificativ în acest context. Aceşti oameni demonici sunt atraşi numai de vin, femei, jocuri de noroc şi mâncărurile cu carne; toate acestea sunt *aśuci,* deprinderi necurate. Împinşi de orgoliu şi slava deşartă, ei crează anumite principii ale religiei care nu sunt încuviinţate de prescripţiile vedice. Deşi aceşti oameni demonici sunt cei mai odioşi din lume, prin mijloace artificiale societatea le crează un renume fals. Deşi alunecă spre iad, ei se socotesc a fi foarte avansaţi.

TEXTELE 11–12

चिन्तामपरिमेयां च प्रलयान्तामुपाश्रिताः ।
कामोपभोगपरमा एतावदिति निश्चिताः ॥११॥

आशापाशशतैर्बद्धाः कामक्रोधपरायणाः ।
ईहन्ते कामभोगार्थमन्यायेनार्थसञ्चयान् ॥१२॥

cintām aparimeyāṁ ca
pralayāntām upāśritāḥ
kāmopabhoga-paramā
etāvad iti niścitāḥ

āśā-pāśa-śatair baddhāḥ
kāma-krodha-parāyaṇāḥ
īhante kāma-bhogārtham
anyāyenārtha-sañcayān

cintām—frică şi îngrijorare; *aparimeyām*—de nemăsurat; *ca*—şi; *pralaya-antām*—până în momentul morţii; *upāśritāḥ*—căutându-şi refugiul; *kāma-upabhoga*—satisfacrea simţurilor; *paramāḥ*—cel mai înalt ţel al vieţii; *etāvat*—aşa; *iti*—în acest fel; *niścitāḥ*—fiind încredinţaţi; *āśā-pāśa*—încâlceli în plasa speranţei; *śataiḥ*—cu sute de; *baddhāḥ*—fiind prinşi; *kāma*—a dorinţelor senzuale; *krodha*—şi mâniei; *parāyaṇāḥ*—permanent situaţi în mentalitatea; *īhante*—ei doresc; *kāma*—pofta trupească; *bhoga*—şi desfătarea simțurilor; *artham*—având drept scop; *anyāyena*—în mod ilegitim; *artha*—a bogăției; *sañcayān*—acumularea.

Aceștia cred că satisfacerea simțurilor este necesitatea primordială a civilizației umane. Astfel, până la sfârșitul vieții, neliniștea lor este fără de margini. Prinși în plasa sutelor și miilor de dorințe și absorbiți de poftă și mânie, ei adună bani prin mijloace necinstite, pentru satisfacerea simțurilor.

COMENTARIU

Cei demonici acceptă faptul că plăcerea simțurilor este țelul ultim al vieții, menținându-și această concepție până la moarte. Ei nu cred în viața de după moarte și nu cred că o ființă se întrupează în diferite feluri de corpuri, în funcție de *karma* sau activitățile sale din această lume. Ei își fac nesfârșite planuri pentru această viață, pregătind mereu plan după plan, fără să ajungă vreodată la capăt. Noi înșine avem experiența unei persoane cu o astfel de mentalitate demonică și care chiar și în momentul morții îi cerea medicului să-i prelungească viața cu încă patru ani, căci nu-și încheiase încă planurile. Acești oameni smintiți nu știu că medicul nu poate să prelungească viața nici măcar cu o clipă. Când vine vremea, nu se mai ține seama de dorința omului. Legile naturii nu îngăduie nici măcar o secundă în plus peste ceea ce ne este destinat să trăim.

Omul demonic care nu crede în Dumnezeu sau în Suprasufletul dinăuntrul său îndeplinește tot felul de activități păcătoase doar pentru satisfacerea simțurilor. El nu știe că există un martor ce stă în inima sa. Suprasufletul observă activitățile sufletului individual. Așa cum se afirmă în *Upanișade,* există două păsări ce stau pe același copac; una activează, bucurându-se sau suferind de pe urma fructelor de pe crengi, iar cealaltă este doar martoră. Dar omul demonic nu cunoaște scripturile vedice și nici nu are nici un fel de credință; de aceea el se simte liber să facă orice pentru plăcerea simțurilor, indiferent de consecințe.

TEXTELE 13–15

इदमद्य मया लब्धमिमं प्राप्स्ये मनोरथम् ।
इदमस्तीदमपि मे भविष्यति पुनर्धनम् ॥१३॥

असौ मया हतः शत्रुर्हनिष्ये चापरानपि ।
ईश्वरोऽहमहं भोगी सिद्धोऽहं बलवान् सुखी ॥१४॥

आढ्योऽभिजनवानस्मि कोऽन्योऽस्ति सदृशो मया ।
यक्ष्ये दास्यामि मोदिष्य इत्यज्ञानविमोहिताः ॥१५॥

idam adya mayā labdham
    imaṁ prāpsye manoratham
idam astīdam api me
    bhaviṣyati punar dhanam

asau mayā hataḥ śatrur
    haniṣye cāparān api
īśvaro 'ham ahaṁ bhogī
    siddho 'haṁ balavān sukhī

āḍhyo 'bhijanavān asmi
    ko 'nyo 'sti sadṛśo mayā
yakṣye dāsyāmi modiṣya
    ity ajñāna-vimohitāḥ

idam—aceasta; adya—astăzi; mayā—de către mine; labdham—câştigat;
imam—aceasta; prāpsye—voi câştiga; manaḥ-ratham—după dorinţele mele;
idam—acesta; asti—este; idam—acesta; api—de asemenea; me—al meu;
bhaviṣyati—va spori în viitor; punaḥ—din nou; dhanam—bogăţia; asau—
acela; mayā—de mine; hataḥ—a fost ucis; śatruḥ—duşmanul; haniṣye—
voi ucide; ca—precum şi; aparān—pe ceilalţi; api—desigur; īśvaraḥ—stăpâ-
nul; aham—eu sunt; aham—eu sunt; bhogī—beneficiarul; siddhaḥ—desă-
vârşit; aham—eu sunt; bala-vān—puternic; sukhī—fericit; āḍhyaḥ—bogat;
abhijana-vān—înconjurat de rubedenii nobile; asmi—eu sunt; kaḥ—cine;
anyaḥ—altul; asti—este; sadṛśaḥ—ca; mayā—mine; yakṣye—voi face sacri-
ficii; dāsyāmi—voi da de pomană; modiṣye—mă voi bucura; iti—astfel;
ajñāna—de ignoranţă; vimohitāḥ—sunt amăgiţi.

**Omul demonic gândeşte: „Am astăzi atâtea bogăţii, iar mâine, potrivit
planurilor mele, voi câştiga şi mai mult. Am atât de multe acum, iar în
viitor vor spori din ce în ce mai mult. L-am ucis pe duşmanul acela şi-i
voi ucide şi pe ceilalţi. Eu sunt stăpânul tuturor lucrurilor. Eu sunt cel**

ce se desfată. Eu sunt desăvârșit, puternic și fericit. Sunt omul cel mai bogat, înconjurat de rude de neam nobil. Nimeni nu este atât de puternic și fericit ca mine. Voi face sacrificii, voi da de pomană și astfel mă voi bucura." Astfel, acești oameni sunt amăgiți de către ignoranță.

TEXTUL 16

अनेकचित्तविभ्रान्ता मोहजालसमावृताः ।
प्रसक्ताः कामभोगेषु पतन्ति नरकेऽशुचौ ॥१६॥

aneka-citta-vibhrāntā
moha-jāla-samāvṛtāḥ
prasaktāḥ kāma-bhogeṣu
patanti narake 'śucau

aneka—numeroase; *citta*—de griji; *vibhrāntāḥ*—copleșiți; *moha*—a iluziilor; *jāla*—de plasa; *samāvṛtāḥ*—înfășurați; *prasaktāḥ*—atașați; *kāma-bhogeṣu*—de plăcerile simțurilor; *patanti*—ei alunecă în jos; *narake*—înspre iadul; *aśucau*—cel necurat.

Astfel, copleșiți de felurite griji și prinși în plasa iluziilor, ei se atașează mult prea tare de plăcerile simțurilor, căzând în infern.

COMENTARIU

Dorința omului demonic de a obține bani nu cunoaște limită. Ea este nemărginită. Acest om nu se gândește decât la evaluarea averii sale prezente și face planuri cum să o sporească în continuare. Pentru aceasta, el nu ezită să acționeze pe căi păcătoase, făcând negoț clandestin pentru a obține câștiguri ilegale. El este fascinat de posesiunile pe care le are deja, cum ar fi pământul, familia, casa și contul în bancă și plănuiește mereu cum să le sporească. El se încrede în propria-i putere și nu știe că tot ce câștigă se datorează faptelor sale din trecut. Lui i s-a dat prilejul să acumuleze aceste bunuri, dar nu are idee despre cauzele lor din trecut. El crede că toată această cantitate de bogății se datorează doar propriului său efort. Persoana demonică crede în puterea propriei sale fapte și nu în legea *karmei*. Potrivit legii *karmei*, omul se naște într-o familie de vază, sau ajunge bogat, sau foarte învățat, sau foarte frumos datorită faptelor bune din trecut. Cel demonic crede că toate acestea sunt întâmplătoare, datorându-se puterii iscusinței sale personale. Ei nu intuiesc nici o ordine îndărătul tuturor tipurilor de oameni, tipurilor de frumusețe sau de învățătură. Oricine ajunge în concurență cu un astfel de om demonic îi este dușman. Există mulți oameni demonici și fiecare este dușmanul celorlalți. Această dușmănie devine din ce în ce mai profundă—întâi între persoane, apoi între familii, apoi între grupuri sociale și apoi între națiuni. Ca urmare, apare o necontenită concurență, luptă și dușmănie în întreaga lume.

Fiecare persoană demonică crede că poate trăi pe seama sacrificării tuturor celorlalți. În general, omul demonic se crede pe sine însuși a fi Dumnezeul Suprem iar predicatorii demonici le spun adepților lor: „De ce îl căutați pe Dumnezeu în altă parte? Voi înșivă sunteți Dumnezeu! Puteți face tot ce vă place. Nu credeți în Dumnezeu! Dezbărați-vă de Dumnezeu. Dumnezeu a murit." Acestea sunt predicile celor demonici.

Deși vede că alții sunt la fel sau mai bogați și influenți decât el, omul demonic crede că nimeni nu este mai influent ca el. În ce privește promovarea pe planetele superioare, el nu crede în îndeplinirea de *yajña* sau sacrificii. Demonii cred că ei își vor fabrica propria lor metodă de *yajña* și vor alcătui vreo mașină cu care vor putea ajunge pe orice planetă superioară. Cel mai bun exemplu de astfel de om demonic a fost Rāvaṇa. El le-a propus oamenilor să construiască o scară pe care orice om putea să ajungă pe planetele cerești fără să îndeplinească sacrificiile prescrise în *Vede*. În mod similar, oamenii demonici de astăzi se trudesc să ajungă în sistemele planetare superioare prin mijloace mecanice. Acestea sunt exemple de rătăcire. Rezultatul este că, fără să știe, ei alunecă spre infern. În acest context, cuvântul sanskrit *moha-jāla* este foarte semnificativ. *Jāla* înseamnă „plasă"; așa cum peștele este prins în plasă, ei nu au nici un fel de scăpare.

TEXTUL 17

आत्मसम्भाविताः स्तब्धा धनमानमदान्विताः ।
यजन्ते नामयज्ञैस्ते दम्भेनाविधिपूर्वकम् ॥१७॥

ātma-sambhāvitāḥ stabdhā
dhana-māna-madānvitāḥ
yajante nāma-yajñais te
dambhenāvidhi-pūrvakam

ātma-sambhāvitāḥ—plini de sine; *stabdhāḥ*—insolenți; *dhana-māna*—bogă-ției și slavei deșarte; *mada*—în amăgirea; *anvitāḥ*—absorbiți; *yajante*—înde-plinesc sacrificii; *nāma*—doar cu numele; *yajñaiḥ*—cu sacrificii; *te*—ei; *dambhena*—din orgoliu; *avidhi-pūrvakam*—fără să respecte nici o lege.

Plini de sine și mereu insolenți, amăgiți de bogăție și slava deșartă, aceș-tia, în mod fățarnic, îndeplinesc sacrificii doar cu numele, fără să res-pecte nici o lege sau rânduială.

COMENTARIU

Socotindu-se pe ei înșiși ca factor hotărâtor, neținând seama de nici o auto-ritate, cei demonici îndeplinesc uneori așa numite ritualuri religioase sau sacrificiale. Și pentru că nu cred în vreo autoritate, ei sunt foarte insolenți. Aceasta se datorează iluziei pricinuite de acumularea de bogății și de slava deșartă. Uneori asemenea demoni își asumă rolul de predicatori, rătăcesc oamenii și ajung cunoscuți ca reformatori religioși sau încarnări ale lui Dum-nezeu. Ei fac un spectacol din îndeplinirea de sacrificii, ori îi adoră pe semi-zei sau își fabrică propriul Dumnezeu. Oamenii de rând îi proclamă ca fiind Dumnezeu și îi venerează, iar neghiobii îi consideră avansați în cunoașterea principiilor religioase sau a principiilor cunoașterii spirituale. Ei îmbracă haina celor aflați în ordinul vieții de renunțare și se dedau la tot felul de absurdități îmbrăcați în acest veșmânt. De fapt există o mulțime de restricții pentru cel ce a renunțat la lume, dar demonii nu țin seama de aceste restric-ții. Ei cred că orice cale și-ar crea cineva, aceea este propria sa cale și nu există o cale general valabilă care să trebuiască să fie urmată. Cuvântul *aviddhi-pūrvakam*, însemnând disprețul față de legi și reglementări, este evidențiat aici în mod special. Aceste lucruri se datorează întotdeauna ignoranței și ilu-ziei.

TEXTUL 18

अहङ्कारं बलं दर्पं कामं क्रोधं च संश्रिताः ।
मामात्मपरदेहेषु प्रद्विषन्तोऽभ्यसूयकाः ॥१८॥

ahaṅkāraṁ balaṁ darpaṁ
kāmaṁ krodhaṁ ca saṁśritāḥ

mām ātma-para-deheṣu
pradviṣanto 'bhyasūyakāḥ

ahaṅkāram—falsul ego; *balam*—putere; *darpam*—orgoliu; *kāmam*—dorin-
ţă; *krodham*—mânie; *ca*—precum şi; *saṁśritāḥ*—căutându-şi refugiul în;
mām—pe Mine; *ātma*—în al lor; *para*—şi în alte; *deheṣu*—corpuri;
pradviṣantaḥ—hulind; *abhyasūyakāḥ*—invidioşi.

**Amăgiţi de falsul ego, de putere, orgoliu, dorinţă şi mânie, demonii
ajung să-L invidieze pe Dumnezeu, Persoana Supremă, care este situat
în propriul lor corp şi în corpurile altora, hulind adevărata religie.**

COMENTARIU

Împotrivindu-se mereu supremaţiei lui Dumnezeu, omului demonic nu-i
place să creadă în scripturi. El este invidios atât pe scripturi, cât şi pe exis-
tenţa Supremei Personalităţi a Divinităţii. Aceasta se datorează aşa numitu-
lui său prestigiu şi acumulării de bogăţie şi putere. El nu ştie că viaţa prezen-
tă este doar o pregătire pentru viaţa viitoare. Neştiind aceasta, el este de fapt
invidios pe propriul sine, ca şi pe al altora. El comite violenţă asupra altor
corpuri, ca şi asupra propriului corp. Nu ţine seama de stăpânirea supremă
a Personalităţii Divinităţii, căci nu are cunoştinţă despre aceasta. Fiind invi-
dios pe scripturi şi pe Suprema Personalitate a Divinităţii, aduce argumen-
te false împotriva existenţei lui Dumnezeu şi neagă autoritatea scripturilor.
El se socoteşte pe sine independent şi puternic în orice activitate şi crede că,
întrucât nimeni nu-l poate egala în forţă, putere sau bogăţie, poate face orice
şi nimeni nu poate să-l oprească. Dacă are vreun duşman care i-ar putea opri
sporirea activităţilor sale semzuale, el face planuri să-l doboare prin propria-i
putere.

TEXTUL 19

तानहं द्विषतः क्रूरान् संसारेषु नराधमान् ।
क्षिपाम्यजस्रमशुभानासुरीष्वेव योनिषु ॥१९॥

tān ahaṁ dviṣataḥ krūrān
saṁsāreṣu narādhamān

kṣipāmy ajasram aśubhān
āsurīṣv eva yoniṣu

tān—pe acei; *aham*—Eu; *dviṣataḥ*—invidioși; *krūrān*—făcători de rău; *saṁsāreṣu*—în oceanul existenței materiale; *nara-adhamān*—cei mai josnici dintre oameni; *kṣipāmi*—îi pun; *ajasram*—de-a pururi; *aśubhān*—nefavorabile; *āsurīṣu*—demonice; *eva*—desigur; *yoniṣu*—în matrici.

Pe cei invidioși și făcători de rele, care sunt cei mai josnici dintre oameni, Eu îi arunc mereu în oceanul existenței materiale, în felurite specii de viață demonică.

COMENTARIU

În acest verset se indică în mod clar că plasarea unui anumit suflet individual într-un anumit fel de corp este prerogativa voinței supreme. Un om demonic poate să nu fie de acord să accepte supremația Domnului și de fapt chiar poate să acționeze după bunul său plac, dar viața sa viitoare va depinde de hotărârea Supremei Personalități a Divinității și nu de el. În *Śrīmad-Bhāgavatam*, cântul al treilea, se spune că după moarte sufletul individual este pus în pântecele unei mame, unde va dobândi un anumit tip de corp, sub supravegherea unei puteri superioare. Ca urmare, în existența materială întâlnim o mulțime de specii de viață—mamifere, insecte, oameni ș.a.m.d. Toate acestea sunt aranjate de către o putere superioară. Ele nu sunt întâmplătoare. Cât despre cei demonici, se spune clar aici că aceștia sunt puși în mod perpetuu în pântece de demoni și astfel continuă să fie invidioși și cei mai josnici dintre oameni. Aceste feluri de oameni demonici sunt socotiți ca fiind mereu plini de pofte, mereu violenți și plini de ură și totdeauna necurați. Diferitele tipuri de vânători din junglă sunt considerați ca aparținând speciilor de viață demonică.

TEXTUL 20

आसुरीं योनिमापन्ना मूढा जन्मनि जन्मनि ।
मामप्राप्यैव कौन्तेय ततो यान्त्यधमां गतिम् ॥२०॥

āsurīṁ yonim āpannā
mūḍhā janmani janmani

mām aprāpyaiva kaunteya
tato yānty adhamāṁ gatim

āsurīm—demonice; *yonim*—specii; *āpannāḥ*—dobândind; *mūḍhāḥ*—cei
smintiţi; *janmani janmani*—naştere după naştere; *mām*—pe Mine; *aprāpya*
—nedobândind; *eva*—desigur; *kaunteya*—o, fiu al lui Kuntī; *tataḥ*—după
aceea; *yānti*—se duc; *adhamām*—condamnată; *gatim*—destinaţie.

**O, fiu al lui Kuntī, dobândind repetate naşteri în specii de viaţă demo-
nică, aceste persoane nu se apropie niciodată de Mine. Ei se scufundă
treptat în cea mai înfiorătoare stare de existenţă.**

COMENTARIU

Se ştie că Dumnezeu este atotmilostiv, dar aici aflăm că Dumnezeu nu este
deloc milostiv faţă de cei demonici. Aici se afirmă clar că oamenii demonici
sunt puşi viaţă după viaţă în pântecele unor demoni asemenea lor şi, nedo-
bândind îndurarea Domnului Suprem, ei cad din ce în ce mai jos, ajungând
până la urmă în corpuri de pisici, câini şi porci. E limpede că aceşti demoni
nu au practic nici o şansă să primească îndurarea lui Dumnezeu în nici un
stadiu dintr-o viaţă viitoare. Şi în *Vede* se afirmă că aceşti oameni se scu-
fundă treptat, până ce devin câini sau porci. În acest sens se poate susţine că
dacă Dumnezeu nu este milostiv faţă de aceşti demoni, El nu ar trebui să fie
numit atotmilostiv. Ca răspuns la această problemă, în *Vedānta-sūtra* aflăm că
Domnul Suprem nu urăşte pe nimeni. Plasarea acestor demoni sau *asura* în
starea cea mai de jos a vieţii este un alt aspect al îndurării Sale. Uneori aceşti
asura sunt ucişi de către Domnul Suprem, dar această ucidere este şi ea bene-
fică pentru ei, căci în scrierile vedice se spune că oricine este ucis de Domnul
Suprem devine eliberat. Există multe exemple de *asura* în istorie—Rāvaṇa,
Kaṁsa, Hiraṇyakaśipu—cărora Domnul le-a apărut în diferitele Sale încar-
nări tocmai pentru a-i ucide. Deci îndurarea lui Dumnezeu se arată acestor
asura dacă sunt destul de norocoşi să fie ucişi de către El.

TEXTUL 21

त्रिविधं नरकस्येदं द्वारं नाशनमात्मनः ।
कामः क्रोधस्तथा लोभस्तस्मादेतत्त्रयं त्यजेत् ॥२१॥

tri-vidhaṁ narakasyedaṁ
dvāraṁ nāśanam ātmanaḥ
kāmaḥ krodhas tathā lobhas
tasmād etat trayaṁ tyajet

tri-vidham—de trei feluri; *narakasya*—a iadului; *idam*—acesta; *dvāram*—poarta; *nāśanam*—distrugătoare; *ātmanaḥ*—a sinelui; *kāmaḥ*—pofta trupească; *krodhaḥ*—mânia; *tathā*—precum şi; *lobhaḥ*—lăcomia; *tasmāt*—de aceea; *etat*—acestea; *trayam*—trei; *tyajet*—trebuie lepădate.

Există trei porţi ce duc la acest iad—pofta trupească, mânia şi lăcomia. Orice om cu mintea sănătoasă trebuie să se lepede de ele, căci ele duc sufletul la pierzanie.

COMENTARIU

Aici se descrie începutul vieţii demonice. Omul încearcă să-şi satisfacă pofta senzuală, iar dacă nu poate, apare mânia şi lăcomia. Omul cu mintea sănătoasă, care nu doreşte să alunece în jos în specii de viaţă demonică, trebuie să încerce să se lepede de aceşti trei vrăjmaşi care pot distruge sinele în aşa măsură, încât să nu mai aibă posibilitatea eliberării din capcana materiei.

TEXTUL 22

एतैर्विमुक्तः कौन्तेय तमोद्वारैस्त्रिभिर्नरः ।
आचरत्यात्मनः श्रेयस्ततो याति परां गतिम् ॥२२॥

etair vimuktaḥ kaunteya
tamo-dvārais tribhir naraḥ
ācaraty ātmanaḥ śreyas
tato yāti parāṁ gatim

etaiḥ—de acestea; *vimuktaḥ*—fiind eliberat; *kaunteya*—o, fiu al lui Kuntī; *tamaḥ-dvāraiḥ*—de porţile ignoranţei; *tribhiḥ*—de trei feluri; *naraḥ*—omul; *ācarati*—realizează; *ātmanaḥ*—pentru sine; *śreyaḥ*—binecuvântarea; *tataḥ*—apoi; *yāti*—se duce; *parām*—către suprema; *gatim*—destinaţie.

Omul care a scăpat de aceste trei porți ale iadului, o, fiu al lui Kuntī, îndeplinește activități care duc la realizarea de sine și astfel treptat atinge destinația supremă.

COMENTARIU

Omul trebuie să fie foarte atent la acești trei vrăjmași ai vieții umane: pofta trupească, mânia și lăcomia. Cu cât se eliberează de pofta trupească, de mânie și de lăcomie, cu-atât existența sa devine mai pură. Atunci el poate urma legile și reglementările prescrise în scrierile vedice. Respectând principiile regulatoare ale vieții umane, omul se ridică treptat la nivelul realizării spirituale. Cel care printr-o asemenea practică are norocul să se ridice la nivelul conștiinței de Kṛṣṇa, are reușita garantată. În scrierile vedice sunt prescrise căile de acțiune și reacțiune care să-l facă pe om capabil de a ajunge la stadiul purificării. Întreaga metodă se bazează pe renunțarea la pofta trupească, la mânie și la lăcomie. Prin cultivarea cunoașterii acestui proces, omul poate fi înălțat până la cel mai înalt nivel al realizării de sine; această realizare de sine se desăvârșește în slujirea cu devoțiune. În slujirea cu devoțiune, eliberarea sufletului condiționat este garantată. De aceea, potrivit sistemului vedic, s-au instituit cele patru ordine ale vieții și cele patru stări sociale, cunoscute ca sistemul ordinelor spirituale și sistemul castelor. Există diferite legi și reglementări pentru diferitele caste sau diviziuni ale societății, iar dacă o persoană este capabilă să le urmeze, va fi automat înălțată la cel mai înalt nivel al realizării spirituale. Atunci eliberarea sa nu mai poate fi pusă la îndoială.

TEXTUL 23

यः शास्त्रविधिमुत्सृज्य वर्तते कामकारतः ।
न स सिद्धिमवाप्नोति न सुखं न परां गतिम् ॥२३॥

yaḥ śāstra-vidhim utsṛjya
vartate kāma-kārataḥ
na sa siddhim avāpnoti
na sukhaṁ na parāṁ gatim

yaḥ—cel care; *śāstra-vidhim*—reglemetările scripturilor; *utsṛjya*—lepădându-se de; *vartate*—rămâne; *kāma-kārataḥ*—acționând după capriciile dorinței; *na*—niciodată; *saḥ*—el; *siddhim*—desăvârșirea; *avāpnoti*—atinge; *na*—

niciodată; *sukham*—fericirea; *na*—niciodată; *parām*—supremul; *gatim*—stadiu al desăvârșirii.

Cel ce se leapădă de poruncile scripturii și acționează după propriile-i capricii nu atinge nici desăvârșirea, nici fericirea, nici destinația supremă.

COMENTARIU

Așa cum s-a explicat anterior, *śāstra-viddhi* sau poruncile din *śāstra* sunt date diferitelor caste sau ordine ale societății umane. Oricine trebuie să respecte aceste legi și reglementări. Cel ce nu le respectă și acționează în mod capricios, după pofta, lăcomia și dorința sa, nu va ajunge niciodată la o viață desăvârșită. Cu alte cuvinte, omul poate cunoaște toate aceste lucruri în mod teoretic, dar dacă nu le aplică în viața sa, atunci trebuie considerat ca fiind cel mai josnic dintre oameni. În forma umană de viață, entitatea vie are datoria să se poarte cu chibzuință și să urmeze rânduielile lăsate pentru a-și ridica viața la cel mai înalt nivel, dar dacă nu le urmează, atunci va ajunge să se autodegradeze. Însă chiar dacă urmează legile și reglemetările, ca și principiile morale, dar în final nu ajunge la stadiul înțelegerii Domnului Suprem, întreaga sa cunoaștere se risipește. Și chiar dacă acceptă existența lui Dumnezeu, dar nu se angajează în slujirea Domnului, încercările sale sunt vane. De aceea omul trebuie să se ridice treptat la nivelul conștiinței de Kṛṣṇa și al slujirii devoționale; doar atunci și acolo poate să atingă stadiul celei mai înalte desăvârșiri și nu altfel.

Cuvântul *kāma-kārataḥ* este foarte semnificativ. Cel ce cu bunăștiință încalcă legile, acționează împins de poftă. El știe că acest lucru este interzis, dar totuși îl face. Aceasta înseamnă să acționezi după bunul tău plac. El știe că acest lucru trebuie făcut și totuși nu-l face; de aceea, se spune că este capricios. Aceste persoane sunt destinate să fie osândite de către Domnul Suprem. Astfel de persoane nu pot obține desăvârșirea care este destinată existenței umane. Viața umană este în mod special destinată purificării propriei existențe, iar cel ce nu se supune legilor și reglementărilor, nu se poate purifica pe sine și nici nu poate atinge adevăratul stadiu al fericirii.

TEXTUL 24

तस्माच्छास्त्रं प्रमाणं ते कार्याकार्यव्यवस्थितौ ।
ज्ञात्वा शास्त्रविधानोक्तं कर्म कर्तुमिहार्हसि ॥२४॥

tasmāc chāstram pramāṇam te
kāryākārya-vyavasthitau
jñātvā śāstra-vidhānoktam
karma kartum ihārhasi

tasmāt—de aceea; *śāstram*—scripturile; *pramāṇam*—dovadă; *te*—a ta; *kārya*
—datoriei; *akārya*—şi faptelor neîngăduite; *vyavasthitau*—în determinarea;
jñātvā—cunoscând; *śāstra*—ale scripturii; *vidhāna*—prescripţii; *uktam*—
aşa cum sunt declarate; *karma*—activitate; *kartum*—să îndeplineşti; *iha*—
în această lume; *arhasi*—trebuie.

**De aceea trebuie să înţelegi care ţi-e datoria şi ceea ce nu se cuvine să
faci, conform prescripţiilor scripturii. Cunoscând aceste legi şi regle-
mentări, omul trebuie să acţioneze în aşa fel încât să se înalţe în mod
treptat.**

COMENTARIU

Aşa cum se spune în capitolul al cincisprezecelea, toate legile şi reglementările
Vedelor sunt destinate cunoaşterii lui Kṛṣṇa. Dacă omul Îl înţelege pe Kṛṣṇa
din *Bhagavad-gītā* şi ajunge să se situeze în conştiinţa de Kṛṣṇa, angajându-
se în slujirea cu devoţiune, el a atins cea mai înaltă desăvârşire a cunoaşte-
rii oferită de scrierile vedice. Śrī Caitanya Mahāprabhu a făcut acest proces
foarte accesibil: El a cerut oamenilor să cânte doar Hare Kṛṣṇa, Hare Kṛṣṇa,
Kṛṣṇa Kṛṣṇa, Hare Hare/ Hare Rāma, Hare Rāma, Rāma Rāma, Hare Hare
şi să se angajeze în slujirea cu devoţiune a Domnului, mâncând rămăşiţele
din hrana oferită Divinităţii. Cel ce s-a angajat în mod direct în toate aceste
activităţi devoţionale trebuie considerat ca unul care a studiat toate scrierile
vedice. El a ajuns la concluzia desăvârşită. Desigur că pentru oamenii desă-
vârşiţi, care nu sunt în conştiinţa de Kṛṣṇa sau nu sunt angajaţi în slujirea
cu devoţiune, ceea ce trebuie sau nu trebuie făcut va fi hotărât în funcţie de
poruncile *Vedelor*. Omul trebuie să acţioneze conform cu aceste porunci, fără
nici o discuţie. Aceasta înseamnă a urma prescripţiile scripturilor sau *śāstra*.
Śāstra este lipsită de cele patru defecte care se observă în viaţa condiţionată:
imperfecţiunea simţurilor, înclinaţia spre înşelăciune, certitudinea comiterii
erorilor şi certitudinea de a fi amăgit. Aceste patru defecte principale din viaţa
condiţionată îl descalifică pe om în încercarea de a crea legi şi reglementări.
De aceea, legile şi reglementările descrise în *śāstra,* fiind deasupra acestor defi-

ciențe, sunt acceptate fără nici o abatere de către toți marii sfinți, *ācārya* și mari suflete.

În India există mai multe școli de cunoaștere spirituală, care pot fi clasificate în două mari categorii: impersonaliști și personaliști. Însă amândouă aceste categorii își duc viața conform principiilor *Vedelor*. Fără respectarea principiilor scripturii omul nu se poate înălța la stadiul desăvârșirii. De aceea, cel ce înțelege cu adevărat scopul și semnificația acestor *śāstra* este socotit a fi foarte norocos.

În societatea umană, aversiunea față de principiile înțelegerii Supremei Personalități a Divinității este cauza tuturor decăderilor. Aceasta este cea mai mare ofensă adusă vieții umane. Ca urmare, *māyā* sau energia materială a Supremei Personalități a Divinității ne produce mereu necazuri sub forma celor trei feluri de suferințe. Această energie materială este alcătuită din cele trei moduri ale naturii materiale. Omul trebuie să se înalțe cel puțin la modul bunătății, înainte de a i se deschide calea înțelegerii Domnului Suprem. Fără a se ridica la nivelul modului bunătății, omul rămâne în ignoranța și pasiune, care sunt cauzele vieții demonice. Cei ce țin de modul pasiunii și al ignoranței își bat joc de scripturi, își bat joc de oamenii sfinți și de înțelegerea corectă a Supremei Personalități a Divinității. Ei nu se supun îndrumărilor maestrului spiritual și nu țin seama de reglemetările scripturilor. În ciuda faptului că aud despre gloriile slujirii devoționale, ei nu se simt atrași de ea. Astfel, ei își fabrică propria cale de înălțare. Acestea sunt câteva din defectele societății umane care conduc către o stare de viață demonică. Dacă însă cineva este în stare să se lase îndrumat de către un maestru spiritual autentic, care-l poate conduce pe calea înlățării către stadiul cel mai înalt, atunci viața sa va ajunge la împlinire.

Astfel sfârșește comentariul lui Bhaktivedanta la capitolul al șaisprezecelea din Śrīmad Bhagavad-gītā, care tratează despre „Natura divină și cea demonică".

Diferitele tipuri de credințe

TEXTUL 1

अर्जुन उवाच
ये शास्त्रविधिमुत्सृज्य यजन्ते श्रद्धयान्विताः ।
तेषां निष्ठा तु का कृष्ण सत्त्वमाहो रजस्तमः ॥१॥

arjuna uvāca
ye śāstra-vidhim utsṛjya
yajante śraddhayānvitāḥ
teṣāṁ niṣṭhā tu kā kṛṣṇa
sattvam āho rajas tamaḥ

arjunaḥ uvāca—Arjuna a spus; *ye*—cei care; *śāstra-vidhim*—reglementări-
le scripturilor; *utsṛjya*—dând la o parte; *yajante*—se închină; *śraddhayā*—
cu credință deplină; *anvitāḥ*—înzestrați; *teṣām*—acestora; *niṣṭhā*—credin-
ța; *tu*—însă; *kā*—care; *kṛṣṇa*—o, Kṛṣṇa; *sattvam*—în bunătate; *āho*—sau
poate; *rajaḥ*—în pasiune; *tamaḥ*—în ignoranță.

Arjuna a întrebat: O, Kṛṣṇa, care e starea celor ce nu urmează princi-piile scripturilor, dar se închină după propria lor închipuire? Sunt ei în bunătate, în pasiune sau în ignoranță?

COMENTARIU

În capitolul al patrulea, textul treizeci și nouă, se spune că o persoană cre-dincioasă unui anumit tip de adorare ajunge treptat să fie înălțată la stadiul cunoașterii și atinge stadiul celei mai înalte desăvârșiri a păcii și prosperității. În capitolul al șaisprezecelea se ajunge la concluzia că acela care nu urmea-ză principiile din scripturi este numit *asura* sau demon, iar cel ce urmează poruncile scripturilor cu credință este numit *deva* sau semizeu. Însă care e situația celui ce urmează cu credință anumite legi ce nu sunt menționate în prescripțiile scripturale? Această îndoială a lui Arjuna trebuie să fie înlăturată de Kṛṣṇa. Oare adorarea celor ce își alcătuiesc un fel de Dumnezeu, alegând o ființă umană în care își pun credința, ține de bunătate, pasiune sau ignoran-ță? Oare aceștia ating stadiul perfecțiunii vieții? Este posibil ca acești oameni să fie situați în cunoașterea reală și să se înalțe la stadiul celei mai înalte per-fecțiuni? Oare cei ce nu respectă legile și reglementările scripturilor, dar cred în ceva și îi adoră pe zei și semizei sau pe oameni, ating reușita în eforturile lor? Arjuna îi pune aceste întrebări lui Kṛṣṇa.

TEXTUL 2

श्रीभगवानुवाच
त्रिविधा भवति श्रद्धा देहिनां सा स्वभावजा ।
सात्त्विकी राजसी चैव तामसी चेति तां शृणु ॥ २॥

śrī-bhagavān uvāca
tri-vidhā bhavati śraddhā
dehināṁ sā svabhāva-jā
sāttvikī rājasī caiva
tāmasī ceti tāṁ śṛṇu

śrī-bhagavān uvāca—Suprema Personalitate a Divinității a spus; *tri-vidhā*—
de trei feluri; *bhavati*—este; *śraddhā*—credința; *dehinām*—celui întrupat;
sā—aceasta; *sva-bhāva-jā*—conform modului naturii materiale care-i este
propriu; *sāttvikī*—în modul bunătății; *rājasī*—în modul pasiunii; *ca*—

precum și; *eva*—desigur; *tāmasī*—în modul ignoranței; *ca*—și; *iti*—astfel; *tām*—aceasta; *śṛṇu*—ascultă de la Mine.

Suprema Personalitate a Divinității a spus: Potrivit cu modurile naturii dobândite de sufletul întrupat, credința unei persoane poate fi de trei feluri—ținând de bunătate, de pasiune sau de ignoranță. Ascultă acum despre acestea.

COMENTARIU

Cei ce cunosc legile și reglementările scripturilor, dar, din lene sau indolență, renunță să respecte aceste legi și reglementări, sunt guvernați de cele trei moduri ale naturii materiale. În funcție de faptele lor anterioare îndeplinite în modul bunătății, pasiunii sau ignoranței, ei dobândesc o natură care are o calitate specifică. Asocierea entității vii cu diferitele moduri ale naturii s-a desfășurat neîntrerupt; întrucât entitatea vie e în contact cu natura materială, ea dobândește diferite tipuri de mentalitate, conform asocierii ei cu modurile materiale. Dar această fire poate fi schimbată dacă cineva se asociază cu un maestru spiritual autentic și se supune preceptelor sale și scripturilor. Treptat, o persoană poate să-și schimbe poziția, de la ignoranță sau pasiune, la bunătate. Concluzia este aceea că o credință oarbă, ținând de unul din modurile naturii, nu poate ajuta pe cineva să se înalțe la stadiul perfecțiunii. El trebuie să cântărească lucrurile cu grijă, cu înțelepciune, în asociere cu un maestru spiritual autentic. În acest fel, el își poate schimba poziția, ajungând să se situeze în modul superior al naturii.

TEXTUL 3

सत्त्वानुरूपा सर्वस्य श्रद्धा भवति भारत ।
श्रद्धामयोऽयं पुरुषो यो यच्छ्रद्धः स एव सः ॥ ३ ॥

sattvānurūpā sarvasya
śraddhā bhavati bhārata
śraddhā-mayo 'yaṁ puruṣo
yo yac-chraddhaḥ sa eva saḥ

sattva-anurūpā—conformă cu existența; *sarvasya*—fiecăruia; *śraddhā*—credința; *bhavati*—devine; *bhārata*—o, fiu al lui Bharata; *śraddhā*—credință;

mayaḥ—plin de; *ayam*—această; *puruṣaḥ*—entitate vie; *yaḥ*—cel care; *yat* —pe care având-o; *śraddhaḥ*—credință; *saḥ*—astfel; *eva*—desigur; *saḥ*—el.

O, fiu al lui Bharata, după felul în care existența cuiva este influențată de modurile naturii, acesta își dezvoltă un anumit tip de credință. Se spune că entitatea vie ține de o anumită credință în funcție de modurile pe care le-a dobândit.

COMENTARIU

Fiecare are un anumit tip de credință, indiferent de condiția sa. Dar credința sa este considerată ca ținând de bunătate, pasiune sau ignoranță, în funcție de natura pe care el o dobândește. Deci în funcție de tipul său particular de credință, cineva se asociază cu anumite persoane. Însă realitatea este că fiecare entitate vie, așa cum se afirmă în capitolul al cincisprezecelea, este în mod originar o parte integrantă fragmentară a Domnului Suprem. Deci în mod originar o persoană este transcendentă față de toate modurile naturii materiale. Dar când cineva își uită relația cu Suprema Personalitate a Divinității și ajunge în contact cu natura materială în viața condiționată, el își generează propriul statut prin asociere cu diferitele varietăți ale naturii materiale. Credința și existența care rezultă astfel în mod artificial sunt doar materiale. Deși cineva poate fi dominat de o anume părere sau concepție asupra vieții, în mod originar el este *nirguṇa* sau transcendent. De aceea, el trebuie să se purifice de contaminarea materială pe care a dobândit-o, pentru a-și redobândi legătura cu Domnul Suprem. Acesta este singurul drum de întoarcere lipsit de primejdie: conștiința de Kṛṣṇa. Dacă cineva se situează în conștiința de Kṛṣṇa, atunci acea cale îi garantează înălțarea la stadiul desăvârșirii. Dacă el nu apucă pe această cale a realizării de sine, atunci în mod sigur va fi condus de influența modurilor naturii.

Cuvântul *śraddhā* sau „credință" este foarte semnificativ în acest verset. *Śraddhā* sau credința apare în mod originar din modul bunătății. Cineva poate să creadă într-un semizeu, într-un Dumnezeu imaginar sau într-o născocire a minții. Se consideră că o credință puternică produce activități de binefacere materială. Dar în viața materială condiționată nici o activitate nu este complet pură. Ele sunt amestecate, nu țin de bunătatea pură. Bunătatea pură este transcendentă; în bunătatea purificată o persoană poate înțelege natura reală a Supremei Personalități a Divinității. Atâta vreme cât credința cuiva nu se află cu totul în bunătatea pură, ea este supusă contaminării cu oricare din modurile naturii materiale. Modurile impure ale naturii materiale se extind până la inimă. De aceea, în funcție de felul în care inima intră în contact cu un anumit mod al naturii materiale, se stabilește și felul credinței unei persoane. Trebuie deci să înțelegem că dacă inima sa se află în modul bunătății, credința sa ține și ea de modul bunătății. Dacă inima sa e stăpânită de modul pasiunii, credința sa ține și ea de modul pasiunii. Iar dacă inima sa se află în modul întunericului, al iluziei, credința sa este și ea contaminată în acest fel. Astfel găsim diferite tipuri de credințe în lume, iar existența diferitelor tipuri de religie se datorează acestor diferite tipuri de credințe. Adevăratul principiu al credinței religioase se situează în modul bunătății pure, dar întrucât inima este maculată, apar diferite tipuri de principii religioase. Astfel, în funcție de diferitele tipuri de credință, există diferite tipuri de adorare.

TEXTUL 4

यजन्ते सात्त्विका देवान् यक्षरक्षांसि राजसाः ।
प्रेतान् भूतगणांश्चान्ये यजन्ते तामसा जनाः ॥ ४ ॥

yajante sāttvikā devān
yakṣa-rakṣāṁsi rājasāḥ
pretān bhūta-gaṇāṁś cānye
yajante tāmasā janāḥ

yajante—adoră; *sāttvikāḥ*—cei ce țin de modul bunătății; *devān*—pe semizei; *yakṣa-rakṣāṁsi*—pe demoni; *rājasāḥ*—cei aflați în modul pasiunii; *pretān*—spiritele celor morți; *bhūta-gaṇān*—stafiile; *ca*—și; *anye*—ceilalți; *yajante*—adoră; *tāmasāḥ*—în modul ignoranței; *janāḥ*—oamenii.

Oamenii ce țin de modul bunătății îi adoră pe semizei; cei ce țin de modul pasiunii îi adoră pe demoni; iar cei ce țin de modul ignoranței adoră stafiile și spiritele.

COMENTARIU

În acest verset Suprema Personalitate a Divinității descrie diferitele feluri de adoratori în funcție de activitățile lor exterioare. Conform poruncilor scripturilor, numai Suprema Personalitate a Divinității trebuie adorată, dar cei ce nu cunosc prescripţiile scripturale sau nu cred în ele adoră diferite lucruri, potrivit cu situarea lor specifică în cadrul modurilor naturii materiale. Cei situaţi în bunătate îi adoră în general pe semizei, care includ pe Brahmā, Śiva, Indra, Candra, zeul-soare şi alţii. Cei ce ţin de modul bunătăţii adoră un anumit semizeu pentru un anumit scop. În mod similar, cei aflaţi în modul pasiunii îi adoră pe demoni. Ne aducem aminte că în timpul celui de-al doilea război mondial un om din Calcutta îl venera pe Hitler, pentru că datorită războiului adunase o mare avere prin afaceri la bursa neagră. La fel şi cei aflaţi în modul pasiunii şi ignoranţei îşi aleg un om puternic pentru a le fi Dumnezeu. Ei cred că oricine poate fi adorat ca Dumnezeu şi că se va obţine acelaşi rezultat.

Aici se explică deci în mod clar că cei ce ţin de modul pasiunii îşi creează şi adoră asemenea zei, iar cei ce ţin de ignoranţă, aflaţi în întuneric, adoră spiritele celor morţi. Uneori oamenii se închină la mormântul unui om mort. De asemenea, cultele religioase bazate pe sexualitate sunt considerate ca ţinând de modul întunericului. Tot astfel, în unele sate înapoiate din India există adoratori ai stafiilor. Am văzut în India cum oamenii de condiţie inferioară se duc uneori în pădure, acolo unde ştiu că se află o stafie care locuieşte în trunchiul unui copac şi venerează acel copac, oferindu-i sacrificii. Aceste diverse tipuri de adorare nu înseamnă de fapt adorarea lui Dumnezeu. Adorarea lui Dumnezeu aparţine celor situaţi la nivel transcendent, în pura bunătate. În *Śrīmad-Bhāgavatam* (4.3.23) se spune *sattvaṁ viśuddhaṁ vasudeva-śabditam*: „Când un om e situat în bunătatea pură, el Îl adoră pe Vasudeva". Aceasta înseamnă că aceia care sunt complet purificaţi de modurile naturii materiale şi care sunt situaţi la nivel transcendent pot adora Suprema Personalitate a Divinităţii.

Se consideră că impersonaliştii se situează în modul bunătăţii şi adoră cinci feluri de semizei. Ei adoră forma impersonală a lui Viṣṇu în lumea materială, cunoscută ca „Viṣṇu conceptualizat". Viṣṇu este expansiunea Supremei Personalităţi a Divinităţii, dar pentru că impersonaliştii nu cred în Suprema Personalitate a Divinităţii ca realitate ultimă, ei îşi imaginează că forma lui Viṣṇu este doar un alt aspect al impersonalului Brahman; în mod similar, ei îşi imaginează că Domnul Brahmā este tot o formă a impersonalului, ţinând de modul material al pasiunii. Astfel ei descriu uneori cinci feluri de zei ce trebuie adoraţi, dar pentru că ei cred că unicul adevăr este impersonalul Brahman, se dispensează în ultimă instanţă de toate obiectele de adorare. În concluzie, diferitele calităţi ale modurilor naturii materiale pot fi purificate prin asocierea cu persoanele înzestrate cu o natură transcendentă.

TEXTELE 5-6

अशास्त्रविहितं घोरं तप्यन्ते ये तपो जनाः ।
दम्भाहङ्कारसंयुक्ताः कामरागबलान्विताः ॥ ५॥

कर्षयन्तः शरीरस्थं भूतग्राममचेतसः ।
मां चैवान्तः शरीरस्थं तान् विद्ध्यासुरनिश्चयान् ॥ ६॥

aśāstra-vihitaṁ ghoraṁ
tapyante ye tapo janāḥ
dambhāhaṅkāra-saṁyuktāḥ
kāma-rāga-balānvitāḥ

karṣayantaḥ śarīra-sthaṁ
bhūta-grāmam acetasaḥ
māṁ caivāntaḥ śarīra-sthaṁ
tān viddhy āsura-niścayān

aśāstra—ce nu sunt în scripturi; *vihitam*—stabilite; *ghoram*—vătămătoare pentru alții; *tapyante*—îndeplinesc; *ye*—cei care; *tapaḥ*—austerități; *janāḥ*—persoanele; *dambha*—cu orgoliu; *ahaṅkāra*—și egoism; *saṁyuktāḥ*—angajați; *kāma*—a dorinței; *rāga*—și atașamentului; *bala*—de forța; *anvitāḥ*—împinși; *karṣayantaḥ*—chinuind; *śarīra-stham*—situată în corp; *bhūta-grāmam*—combinația elementelor materiale; *acetasaḥ*—având o mentalitate greșită; *mām*—pe Mine; *ca*—precum și; *eva*—desigur; *antaḥ*—înăuntru; *śarīra-stham*—situat în corp; *tān*—pe ei; *viddhi*—cunoaște; *āsura-niścayān*—demoni.

Aceia care îndeplinesc austerități și penitențe crunte, care nu sunt recomandate în scripturi, îndeplinindu-le din mândrie și egoism, împinși de dorință și atașament, cei ce sunt nesăbuiți și care torturează elementele materiale ale corpului și de asemenea Suprasufletul ce sălășluiește înăuntrul său, trebuie cunoscuți ca demoni.

COMENTARIU

Există persoane care născocesc diferite asceze și penitențe care nu sunt menționate în prescripțiile scripturilor. De exemplu postirea cu un anumit scop, cum ar fi realizarea unui ideal politic, nu este menționată în poruncile scripturii. Scripturile recomandă postul pentru avansul spiritual și nu pentru vreun țel politic sau social. Cei ce se dedau unor astfel de asceze sunt, conform cu *Bhagavad-gītā*, cu siguranță demonici. Faptele lor sunt contrare poruncilor scripturii și nu sunt benefice pentru oameni în general. De fapt ei acționează din mândrie și împinși de falsul ego, dorință și atașament față de plăcerile materiale. Prin asemenea fapte, nu este deranjată doar combinația elementelor materiale din care e alcătuit corpul, ci și Suprema Personalitate a Divinității Însăși care sălășluiește înăuntrul corpului. Aceste posturi neautorizate sau îndeplinite cu un scop politic sunt cu siguranță foarte inoportune pentru alții. Ele nu sunt menționate în scrierile vedice. O persoană demonică crede că îi poate sili pe inamicii săi sau pe cei din tabăra adversă să se supună dorințelor sale prin această metodă și uneori chiar moare din pricina acestui post. Aceste fapte nu sunt aprobate de Suprema Personalitate a Divinității și El spune că aceia care le practică sunt demoni. Astfel de demonstrații sunt ofense la adresa Supremei Personalități a Divinității, deoarece sunt îndeplinite prin nesupunerea la poruncile scripturilor vedice. Cuvântul *acetasaḥ* este semnificativ în acest context. Persoanele cu o stare mentală normală trebuie să se supună poruncilor scripturii. Cei ce nu sunt într-o asemenea stare neglijează scripturile și nu se supun lor, fabricându-și propria lor metodă de asceză și penitență. Trebuie să ne amintim mereu destinația ultimă a oamenilor demonici, așa cum a fost descrisă în capitolul precedent. Domnul îi silește să se nască în pântecele persoanelor demonice. În consecință, ei vor trăi conform principiilor demonice viață după viață, fără a-și cunoaște relația cu Suprema Personalitate a Divinității. Însă dacă aceste persoane au norocul să fie îndrumate de un maestru spiritual care să-i îndrepte pe calea înțelepciunii vedice, ei pot să iasă din această capcană și în final să atingă țelul suprem.

TEXTUL 7

आहारस्त्वपि सर्वस्य त्रिविधो भवति प्रियः ।
यज्ञस्तपस्तथा दानं तेषां भेदमिमं शृणु ॥ ७ ॥

āhāras tv api sarvasya
tri-vidho bhavati priyaḥ
yajñas tapas tathā dānaṁ
teṣāṁ bhedam imaṁ śṛṇu

āhāraḥ—hrana; *tu*—desigur; *api*—chiar și; *sarvasya*—a fiecăruia; *tri-vidhaḥ*—de trei feluri; *bhavati*—este; *priyaḥ*—îndrăgită; *yajñaḥ*—sacrificiul; *tapaḥ*—asceza; *tathā*—precum și; *dānam*—caritatea; *teṣām*—acestora; *bhedam*—diferențele; *imam*—aceasta; *śṛṇu*—ascultă.

Chiar și hrana pe care o preferă fiecare persoană este de trei feluri, potrivit modurilor naturii materiale. Același lucru este valabil pentru sacrificii, aseceze și caritate. Ascultă acum deosebirile dintre acestea.

COMENTARIU

În funcție de situarea diferită în cadrul modurilor naturii materiale, apar diferențe în modul de hrănire, îndeplinirea de sacrificii, austerități și acte de caritate. Ele nu se desfășoară toate la același nivel. Cei ce pot înțelege în mod analitic în care din modurile naturii materiale sunt îndeplinite diferitele activități, sunt cu adevărat înțelepți. Cei ce consideră că toate tipurile de sacrificii, de hrană sau toate actele de caritate sunt la fel, aceia nu au discernământ și sunt lipsiți de minte. Aceștia sunt misionarii care susțin că o persoană poate face orice îi place și poate ajunge la desăvârșire. Dar aceste călăuze nesăbuite nu acționează potrivit prescripțiilor scripturii. Ei fabrică metode și îi induc în eroare pe oamenii obișnuiți.

TEXTUL 8

आयुःसत्त्वबलारोग्यसुखप्रीतिविवर्धनाः ।
रस्याः स्निग्धाः स्थिरा हृद्या आहाराः सात्त्विकप्रियाः ॥ ८ ॥

āyuḥ-sattva-balārogya-
sukha-prīti-vivardhanāḥ
rasyāḥ snigdhāḥ sthirā hṛdyā
āhārāḥ sāttvika-priyāḥ

āyuḥ—durata vieții; *sattva*—existența; *bala*—puterea; *ārogya*—sănătatea; *sukha*—fericirea; *prīti*—și satisfacția; *vivardhanāḥ*—sporind; *rasyāḥ*—suculente; *snigdhāḥ*—uleioase; *sthirāḥ*—care durează; *hṛdyāḥ*—plăcute inimii; *āhārāḥ*—mâncărurile; *sāttvika*—celui aflat în bunătate; *priyāḥ*—plăcute.

Mâncărurile plăcute celor ce ţin de modul bunătăţii prelungesc durata vieţii, purifică existenţa şi dau putere, sănătate, fericire şi mulţumire. Această hrană este suculentă, grasă, sănătoasă şi plăcută inimii.

TEXTUL 9

कट्वम्ललवणात्युष्णतीक्ष्णरूक्षविदाहिनः ।
आहारा राजसस्येष्टा दुःखशोकामयप्रदाः ॥ ९ ॥

katv-amla-lavaṇāty-uṣṇa-
tīkṣṇa-rūkṣa-vidāhinaḥ
āhārā rājasasyeṣṭā
duḥkha-śokāmaya-pradāḥ

kaṭu—amară; *amla*—acră; *lavaṇa*—sărată; *ati-uṣṇa*—foarte fierbinte; *tīkṣṇa* —iute; *rūkṣa*—uscată; *vidāhinaḥ*—care provoacă arsuri; *āhārāḥ*—hrana; *rājasasya*—celui aflat în modul pasiunii; *iṣṭāḥ*—plăcută; *duḥkha*—durere; *śoka*—întristare; *āmaya*—boală; *pradāḥ*—pricinuind.

Mâncărurile prea amare, prea acre, sărate, fierbinţi, iuţi, uscate şi care provoacă arsuri sunt îndrăgite de cei ce ţin de modul pasiunii. Aceste bucate pricinuiesc durere, întristare şi boală.

TEXTUL 10

यातयामं गतरसं पूति पर्युषितं च यत् ।
उच्छिष्टमपि चामेध्यं भोजनं तामसप्रियम् ॥१०॥

yāta-yāmaṁ gata-rasaṁ
pūti paryuṣitaṁ ca yat
ucchiṣṭam api cāmedhyaṁ
bhojanaṁ tāmasa-priyam

yāta-yāmam—hrana gătită cu trei ore înainte de a fi mâncată; *gata-rasam*— fără gust; *pūti*—rău mirositoare; *paryuṣitam*—stricată; *ca*—şi; *yat*—cea care; *ucchiṣṭam*—rămăşiţele din hrana altora; *api*—de asemenea; *ca*—şi;

amedhyam—de neatins; *bhojanam*—hrana; *tāmasa*—celui aflat în modul întunericului; *priyam*—dragă.

Hrana pregătită cu mai mult de trei ore înainte de a fi mâncată, fără gust, stricată și rău mirositoare, ca și hrana ce constă din rămășițe și lucrurile de neatins, acestea sunt îndrăgite de cei aflați în modul întunericului.

COMENTARIU

Rostul hranei este acela de a spori durata vieții, de a purifica mintea și de a întări corpul. Acesta este singurul său rost. Mari autorități din trecut au ales acele alimente care sunt cele mai bune pentru sănătate și sporesc durata vieții, cum ar fi produsele lactate, orezul, grâul, fructele și legumele. Aceste alimente sunt foarte îndrăgite de cei ce țin de modul bunătății. Alte câteva alimente, cum ar fi porumbul sau melasa, deși nu sunt foarte gustoase în sine, pot fi făcute să fie plăcute prin amestecarea cu lapte sau alte alimente. Ele țin de asemenea de modul bunătății. Toate aceste alimente sunt pure prin natura lor. Ele sunt complet diferite de lucrurile de neatins, cum ar fi carnea sau băuturile alcoolice. Mâncărurile grase menționate în a-l optulea verset nu au nimic de-a face cu grăsimea animală obținută prin tăierea animalelor. Grăsimea animală este folosită sub forma laptelui, care e cel mai minunat dintre toate alimentele. Laptele, untul, brânza și alte produse similare furnizează grăsimea animală sub o formă care elimină orice nevoie de a ucide făpturile nevinovate. Doar o mentalitate barbară permite continuarea uciderii animalelor. Metoda civilizată de a obține grăsimea necesară este prin intermediul laptelui. Tăierea vitelor este o metodă subumană. Proteinele se pot obține din belșug din mazăre, *dāl*, grâu integral etc.

Alimentele ce țin de modul pasiunii, care sunt amare, prea sărate sau prea fierbinți, ori cu prea mult ardei iute, produc dureri prin reducerea mucusului din stomac, ceea ce duce la îmbolnăvire. Alimentele ce țin de modul ignoranței sau întunericului sunt în principal cele care nu sunt proaspete. Orice hrană gătită cu mai mult de trei ore înainte de a fi mâncată (exceptând *prasādam*, hrana oferită Domnului) este considerată a fi în modul întunericului. Datorită descompunerii, această hrană miroase urât, ceea ce adesea îi atrage pe cei aflați în ignoranță, dar îi îndepărtează pe cei ce țin de modul bunătății.

Rămășițele de hrană pot fi mâncate doar atunci când fac parte din felurile care au fost mai întâi oferite Domnului Suprem sau din care au mâncat mai întâi persoanele sfinte, în special maestrul spiritual. Altfel, rămășițele de hrană sunt considerate ca ținând de modul întunericului și ele sporesc infecția și boala. Asemenea alimente, chiar dacă sunt foarte gustoase pentru cei aflaţi în modul întunericului, nu sunt nici dorite şi nici măcar atinse de către cei aflaţi în modul bunătăţii. Cea mai bună hrană este cea rămasă din hrana oferită Supremei Personalităţi a Divinităţii. În *Bhagavad-gītā* Domnul Suprem spune că El acceptă preparate din legume, făină şi lapte, atunci când sunt oferite cu devoţiune. *Patraṁ puṣpaṁ phalaṁ toyam.* Desigur că devoţiunea şi dragostea sunt lucrurile cele mai importante pe care le acceptă Suprema Personalitate a Divinităţii. Dar se menţionează de asemenea că *prasādam* trebuie preparat într-un anumit fel. Orice hrană preparată conform prescripţiilor scripturilor şi oferită Supremei Personalităţi a Divinităţii poate fi consumată chiar dacă a fost preparată cu mult timp în urmă, căci această hrană este transcendentă. Deci pentru a face ca hrana să devină antiseptică, hrănitoare şi pe gustul tuturor, ea trebuie să fie oferită Supremei Personalităţi a Divinităţii.

TEXTUL 11

अफलाकाङ्क्षिभिर्यज्ञो विधिदिष्टो य इज्यते ।
यष्टव्यमेवेति मनः समाधाय स सात्त्विकः ॥११॥

aphalākāṅkṣibhir yajño
vidhi-diṣṭo ya ijyate
yaṣṭavyam eveti manaḥ
samādhāya sa sāttvikaḥ

aphala-ākāṅkṣibhiḥ—de către cei ce nu doresc rezultatul; *yajñaḥ*—sacrificiul; *vidhi-diṣṭaḥ*—conform poruncilor scripturii; *yaḥ*—cel care; *ijyate*—este îndeplinit; *yaṣṭavyam*—trebuie îndeplinit; *eva*—desigur; *iti*—astfel; *manaḥ*—mintea; *samādhāya*—fixând; *saḥ*—acela; *sāttvikaḥ*—ţine de modul bunătăţii.

Dintre sacrificii, acel sacrificiu îndeplinit conform recomandărilor din scripturi, ca o îndatorire, de către cei ce nu doresc răsplată, are natura bunătăţii.

COMENTARIU

Tendinţa generală este aceea de a oferi sacrificii având în minte un anumit scop, dar aici se afirmă că sacrificiul trebuie îndeplinit fără nici o dorinţă de acest fel. El trebuie făcut ca o datorie. Să luăm, de exemplu, ritualurile îndeplinite în temple și biserici. În general ele sunt îndeplinite în scopul obținerii unor beneficii materiale, dar aceasta nu ține de modul bunătății. O persoană trebuie să meargă la templu sau la biserică din datorie, să se închine Supremei Personalități a Divinității și să ofere flori și hrană. Mulți cred că nu are rost să te duci la templu doar pentru a-L adora pe Dumnezeu. Dar adorarea pentru obținerea de beneficii economice nu este recomandată de poruncile scripturii. O persoană trebuie să meargă la templu doar pentru a se închina Divinității. Acest lucru îl va situa în modul bunătății. Este datoria oricărui om civilizat să se supună poruncilor scripturii și să ofere respect Supremei Personalități a Divinității.

TEXTUL 12

अभिसन्धाय तु फलं दम्भार्थमपि चैव यत् ।
इज्यते भरतश्रेष्ठ तं यज्ञं विद्धि राजसम् ॥१२॥

abhisandhāya tu phalaṁ
dambhārtham api caiva yat
ijyate bharata-śreṣṭha
taṁ yajñaṁ viddhi rājasam

abhisandhāya—dorind; *tu*—dar; *phalam*—rezultatul; *dambha*—mândrie; *artham*—pentru a satisface; *api*—precum; *ca*—și; *eva*—desigur; *yat*—cel care; *ijyate*—este îndeplinit; *bharata-śreṣṭha*—o, cel dintâi din dinastia Bharata; *tam*—acel; *yajñam*—sacrificiu; *viddhi*—cunoaște; *rājasam*—ținând de modul pasiunii.

Însă sacrificiul îndeplinit pentru un beneficiu material, sau din mândrie, o, cel dintâi din dinastia Bharata, acela trebuie cunoscut ca ținând de modul pasiunii.

COMENTARIU

Uneori sacrificiile și ritualurile sunt îndeplinite pentru înălțarea în împărăția cerurilor sau pentru anumite beneficii materiale în această lume. Astfel de sacrificii și ritualuri sunt considerate ca ținând de modul pasiunii.

TEXTUL 13

विधिहीनमसृष्टान्नं मन्त्रहीनमदक्षिणम् ।
श्रद्धाविरहितं यज्ञं तामसं परिचक्षते ॥१३॥

vidhi-hīnam asṛṣṭānnaṁ
mantra-hīnam adakṣiṇam
śraddhā-virahitaṁ yajñaṁ
tāmasaṁ paricakṣate

vidhi-hīnam—fără îndrumarea scripturilor; *asṛṣṭa-annam*—fără distribuirea de *prasādam; mantra-hīnam*—fără intonarea imnurilor vedice; *adakṣiṇam* —fără remunerarea preoților; *śraddhā*—credință; *virahitam*—lipsit de; *yajñam*—sacrificiul; *tāmasam*—în modul ignoranței; *paricakṣate*—trebuie considerat.

Orice sacrificiu îndeplinit fără a ține seama de prescripțiile scripturilor, fără a distribui prasādam [hrană spirituală], fără intonarea imnurilor vedice, fără răsplată pentru preoți și fără credință, este considerat a fi în modul ignoranței.

COMENTARIU

Credința aflată în modul întunericului sau ignoranței este de fapt necredință. Uneori oamenii adoră un anumit semizeu numai pentru a câștiga bani pentru distracții, ignorând poruncile scripturii. Această paradă de religiozitate nu este acceptată ca autentică. Ea ține de modul întunericului și produce o mentalitate demonică, fără să aducă vreun beneficiu societății umane.

TEXTUL 14

देवद्विजगुरुप्राज्ञपूजनं शौचमार्जवम् ।
ब्रह्मचर्यमहिंसा च शारीरं तप उच्यते ॥१४॥

deva-dvija-guru-prājña-
pūjanaṁ śaucam ārjavam

brahmacaryam ahiṁsā ca
śārīraṁ tapa ucyate

deva—a Domnului Suprem; *dvija*—a brahmanilor; *guru*—a maestrului spi-
ritual; *prājña*—și a personalităților venerabile; *pūjanam*—adorarea; *śaucam*
—curățenia; *ārjavam*—simplitatea; *brahmacaryam*—celibatul; *ahiṁsā*—
nonviolența; *ca*—precum și; *śārīram*—aparținând corpului; *tapaḥ*—asceza;
ucyate—se spune că este.

**Asceza corpului constă din venerarea Domnului Suprem, a brahmani-
lor, a maestrului spiritual și a superiorilor, cum ar fi tatăl și mama,
precum și din curățenie, simplitate, celibat și nonviolență.**

COMENTARIU

Suprema Divinitate explică aici diferitele feluri de asceză și penitență. El
explică mai întâi ascezele și penitențele practicate de către corp. O persoană
trebuie să cinstească sau să învețe să cinstească pe Dumnezeu sau pe semizei,
pe brahmanii desăvârșiți sau calificați, precum și pe maestrul spiritual și pe
superiori, cum ar fi tatăl, mama și orice altă persoană care cunoaște învățătu-
rile *Vedelor*. Aceștia sunt cei ce trebuie cinstiți după cuviință. O persoană tre-
buie să se curețe pe dinafară și pe dinăuntru și trebuie să învețe să se poarte
cu simplitate. Ea nu trebuie să facă nici un lucru neîngăduit de poruncile
scripturilor. Nu trebuie să practice viața sexuală în afara căsătoriei, căci în
scripturi viața sexuală este îngăduită doar în cadrul căsătoriei și nu altunde-
va. Aceasta se numește celibat. Acestea sunt ascezele și penitențele referitoare
la corp.

TEXTUL 15

अनुद्वेगकरं वाक्यं सत्यं प्रियहितं च यत् ।
स्वाध्यायाभ्यसनं चैव वाङ्मयं तप उच्यते ॥१५॥

anudvega-karaṁ vākyaṁ
satyaṁ priya-hitaṁ ca yat
svādhyāyābhyasanaṁ caiva
vāṅ-mayaṁ tapa ucyate

anudvega-karam—care nu produc tulburare; *vākyam*—cuvinte; *satyam*—adevărate; *priya*—plăcute; *hitam*—binefăcătoare; *ca*—și; *yat*—care; *svādhyāya*—studiului vedic; *abhyasanam*—practicarea; *ca*—precum și; *eva*—desigur; *vāk-mayam*—a vorbirii; *tapaḥ*—asceză; *ucyate*—se spune că este.

Asceza vorbirii constă în rostirea cuvintelor adevărate, plăcute, benefice și care nu-i tulbură pe ceilalţi, ca și în recitarea cu regularitate a scrierilor vedice.

COMENTARIU

O persoană nu trebuie să vorbească într-un mod care să tulbure mințile celorlalți. Desigur, când vorbește un profesor, el poate spune adevărul pentru instruirea elevilor săi, dar nu poate să spună același lucru celor care nu-i sunt elevi, dacă aceasta le-ar tulbura mintea. Aceasta este penitența ce ține de vorbire. În afară de aceasta, o persoană nu trebuie să spună lucruri fără rost. În cercul celor care practică viața spirituală trebuie spuse acele lucruri care sunt susținute de scripturi. Trebuie să citam de îndată din scripturile autorizate pentru a confirma ceea ce spunem. În același timp, aceste discuții trebuie să fie foarte plăcute auzului. Prin aceste conversații o persoană poate trage cele mai mari foloase și poate contribui la elevarea societății umane. Există o cantitate nelimitată de scrieri vedice care trebuiesc studiate. Aceasta se numește penitența vorbirii.

TEXTUL 16

मनःप्रसादः सौम्यत्वं मौनमात्मविनिग्रहः ।
भावसंशुद्धिरित्येतत्तपो मानसमुच्यते ॥१६॥

manaḥ-prasādaḥ saumyatvaṁ
maunam ātma-vinigrahaḥ
bhāva-saṁśuddhir ity etat
tapo mānasam ucyate

manaḥ-prasādaḥ—împăcarea minții; *saumyatvam*—fără a fi fățarnic față de alții; *maunam*—gravitatea; *ātma*—a sinelui; *vinigrahaḥ*—stăpânire; *bhāva*—a propriei naturi; *saṁśuddhiḥ*—purificarea; *iti*—astfel; *etat*—aceasta; *tapaḥ*—austeritatea; *mānasam*—a minții; *ucyate*—se spune că este.

Iar satisfacția, simplitatea, gravitatea, stăpânirea de sine și purificarea propriei existențe reprezintă austeritatea minții.

COMENTARIU

A practica austeritatea minții înseamnă a detașa mintea de satisfacerea simțurilor. Ea trebuie să fie astfel antrenată încât să poată să se gândească la felul în care să facă bine altora. Cel mai bun antrenament pentru minte este seriozitatea în gândire. O persoană nu trebuie să se abată de la conștiința de Kṛṣṇa și trebuie să înlăture mereu satisfacerea simțurilor. Purificarea propriei naturi înseamnă să devii conștient de Kṛṣṇa. Împăcarea minții se poate obține doar prin ținerea minții departe de gândurile legate de plăcerile simțurilor. Cu cât ne gândim mai mult la desfătarea simțurilor, cu atât mintea noastră ajunge tot mai nesățioasă. În epoca actuală noi ne angajăm mintea în mod inutil în atâtea feluri de satisfacere a simțurilor, încât este imposibil ca mintea să fie împăcată. Metoda cea mai bună este aceea de a orienta mintea către scrierile vedice, care sunt pline de povești ce aduc satisfacție, cum sunt cele din *Purāṇa* și *Mahābhārata*. O persoană poate trage foloase din această cunoaștere și astfel să devină purificată. Mintea unei persoane trebuie să fie lipsită de duplicitate, iar aceasta trebuie să se gândească la binele tuturor. Tăcerea înseamnă că cineva se gândește permanent la realizarea de sine. În acest sens, o persoană aflată în conștiința de Kṛṣṇa păstrează cea mai perfectă tăcere. Stăpânirea minții înseamnă detașarea minții de plăcerile simțurilor. Trebuie să fim direcți și deschiși în relațiile noastre și prin aceasta să ne purificăm existența. Toate aceste calități laolaltă alcătuiesc austeritatea activităților mentale.

TEXTUL 17

श्रद्धया परया तप्तं तपस्तत्त्रिविधं नरैः ।
अफलाकाङ्क्षिभिर्युक्तैः सात्त्विकं परिचक्षते ॥१७॥

śraddhayā parayā taptaṁ
tapas tat tri-vidhaṁ naraiḥ
aphalākāṅkṣibhir yuktaiḥ
sāttvikaṁ paricakṣate

śraddhayā—cu credință; *parayā*—transcendentă; *taptam*—îndeplinită; *tapaḥ* —asceza; *tat*—aceasta; *tri-vidham*—de trei feluri; *naraiḥ*—de către oameni;

aphala-ākāṅkṣibhiḥ—care nu doresc fructele; *yuktaiḥ*—angajaţi; *sāttvikam*—în modul bunătăţii; *paricakṣate*—se numeşte.

Această întreită asceză, îndeplinită cu credinţă transcendentă de către oamenii ce nu aşteaptă beneficii materiale, ci se angajează doar de dragul Celui Suprem, se numeşte asceza ce ţine de bunătate.

TEXTUL 18

सत्कारमानपूजार्थं तपो दम्भेन चैव यत् ।
क्रियते तदिह प्रोक्तं राजसं चलमध्रुवम् ॥१८॥

satkāra-māna-pūjārtham
tapo dambhena caiva yat
kriyate tad iha proktam
rājasaṁ calam adhruvam

sat-kāra—respect; *māna*—onoruri; *pūjā*—venerare; *artham*—în scopul obţinerii de; *tapaḥ*—asceza; *dambhena*—cu orgoliu; *ca*—precum şi; *eva*—desigur; *yat*—care; *kriyate*—e îndeplinită; *tat*—aceea; *iha*—în această lume; *proktam*—se spune; *rājasam*—în modul pasiunii; *calam*—nestabilă; *adhruvam*—temporară.

Penitenţa făcută din orgoliu şi pentru a câştiga respect, onoruri şi venerare se spune că ţine de modul pasiunii. Ea nu e nici stabilă, nici permanentă.

COMENTARIU

Uneori penitenţa şi asceza e îndeplinită pentru a atrage oamenii şi a dobândi onoruri, respect şi venerare din partea altora. Cei aflaţi în modul pasiunii aranjează să fie veneraţi de către subordonaţii lor, îi lasă să le spele picioarele şi să le ofere bogăţii. Astfel de aranjamente artificiale realizate prin îndeplinirea de penitenţe sunt considerate a fi în modul pasiunii. Rezultatele acestor penitenţe sunt vremelnice; ele pot fi continuate un timp, dar nu sunt permanente.

TEXTUL 19

मूढग्राहेणात्मनो यत्पीडया क्रियते तपः ।
परस्योत्सादनार्थं वा तत्तामसमुदाहृतम् ॥१९॥

mūḍha-grāheṇātmano yat
pīḍayā kriyate tapaḥ
parasyotsādanārthaṁ vā
tat tāmasam udāhṛtam

mūḍha—în mod nechibzuit; *grāheṇa*—cu trudă; *ātmanaḥ*—a propriului sine; *yat*—care; *pīḍayā*—prin chinuirea; *kriyate*—e îndeplinită; *tapaḥ*—penitența; *parasya*—altora; *utsādana-artham*—în scopul nimicirii; *vā*—sau; *tat*—aceea; *tāmasam*—în modul întunericului; *udāhṛtam*—se spune că este.

Penitența îndeplinită din sminteală, prin chinuirea propriului sine sau pentru a-i distruge sau vătăma pe alții, se spune că ține de modul ignoranței.

COMENTARIU

Există exemple de penitență nebunească practicată de demoni precum Hiraṇyakaśipu, care a îndeplinit penitențe foarte severe pentru a deveni nemuritor și a-i ucide pe semizei. El s-a rugat lui Brahmā pentru a obține toate acestea, dar până la urmă a fost ucis de Suprema Personalitate a Divinității. Îndeplinirea de penitențe pentru a obține ceva imposibil ține cu siguranță de modul ignoranței.

TEXTUL 20

दातव्यमिति यद्दानं दीयतेऽनुपकारिणे ।
देशे काले च पात्रे च तद्दानं सात्त्विकं स्मृतम् ॥२०॥

dātavyam iti yad dānaṁ
dīyate 'nupakāriṇe
deśe kāle ca pātre ca
tad dānaṁ sāttvikaṁ smṛtam

dātavyam—care se cuvine să fie dată; *iti*—astfel; *yat*—cea care; *dānam*—caritate; *dīyate*—este dată; *anupakārine*—fără a aştepta răsplată; *deśe*—în locul potrivit; *kāle*—la timpul potrivit; *ca*—precum şi; *pātre*—persoanei potrivite; *ca*—şi; *tat*—această; *dānam*—caritate; *sāttvikam*—ţine de modul bunătăţii; *smṛtam*—este considerată că.

A da în caritate ca o îndatorire, fără a aştepta vreo răsplată, la timpul şi locul potrivit şi dată celui care o merită, aceea este socotită ca ţinând de modul bunătăţii.

COMENTARIU

În scrierile vedice este recomandat ca donaţiile să fie date unei persoane angajate în activităţi spirituale. Nu se recomandă ca daniile să se facă fără discernământ. Trebuie să se ţină seama întotdeauna de desăvârşirea spirituală. De aceea se recomandă ca daniile să fie făcute într-un loc de pelerinaj şi în perioadele de eclipsă lunară sau solară, ori la sfârşitul lunii, ori unui brahman înzestrat cu calificarea necesară, ori unui Vaişnava (devot), ori în temple. Aceste danii trebuie făcute fără a aştepta nici un fel de răsplată. Uneori se dă de pomană unui sărac din milă, dar dacă acelui sărac nu se cuvine să i se da de pomană, atunci nu poate exista progres spiritual. Cu alte cuvinte, caritatea lipsită de discernământ nu e recomandată de scrierile vedice.

TEXTUL 21

यत्तु प्रत्युपकारार्थं फलमुद्दिश्य वा पुनः ।
दीयते च परिक्लिष्टं तद्दानं राजसं स्मृतम् ॥२१॥

yat tu pratyupakārārthaṁ
phalam uddiśya vā punaḥ
dīyate ca parikliṣṭaṁ
tad dānaṁ rājasaṁ smṛtam

yat—cea care; *tu*—dar; *prati-upakāra-artham*—cu scopul de a obţine o răsplată; *phalam*—rezultatul; *uddiśya*—dorind; *vā*—sau; *punaḥ*—din nou; *dīyate*—este dată; *ca*—precum şi; *parikliṣṭam*—cârtind; *tat*—acea; *dānam*—danie; *rājasam*—ţine de modul pasiunii; *smṛtam*—se înţelege că.

Însă dania săvârşită aşteptând vreo răsplată sau cu dorinţa obţinerii fructului, sau făcută în silă, se spune că ţine de modul pasiunii.

Caritatea se dă uneori pentru a obţine înălţarea în împărăţia cerurilor iar alteori se dă cu mult necaz şi părere de rău: „De ce am cheltuit atât de mult cu asta?" Uneori dania este făcută din obligaţie, la cererea unui superior. Aceste feluri de danii se spune că sunt făcute în modul pasiunii.

Există multe fundaţii caritabile care fac daruri instituţiilor în care se promovează desfătarea simţurilor. Astfel de danii nu sunt recomandate în scripturile vedice. Singura danie recomandată este cea care ţine de bunătate.

TEXTUL 22

अदेशकाले यद्दानमपात्रेभ्यश्च दीयते ।
असत्कृतमवज्ञातं तत्तामसमुदाहृतम् ॥२२॥

adeśa-kāle yad dānam
upātrebhyaś ca dīyate
asat-kṛtam avajñātaṁ
tat tāmasam udāhṛtam

adeśa—într-un loc impur; *kāle*—şi într-un moment impur; *yat*—care; *dānam*—dania; *upātrebhyaḥ*—persoanelor nedemne; *ca*—precum şi; *dīyate* —este dată; *asat-kṛtam*—fără respect; *avajñātam*—fără atenţia cuvenită; *tat* —aceea; *tāmasam*—în modul întunericului; *udāhṛtam*—se spune că este.

Iar dania făcută într-un loc necurat, la vreme nepotrivită, dată persoanelor nedemne sau fără atenţia şi respectul cuvenit, se spune că ţine de modul ignoranţei.

Donaţiile care să fie folosite pentru beţii şi jocuri de noroc nu sunt încurajate aici. Acest tip de donaţie ţine de modul ignoranţei. O astfel de danie nu este benefică, ci mai degrabă încurajează pe cei păcătoşi. La fel şi atunci când cineva dă de pomană unei persoane potrivite, dar fără respect şi fără atenţie, se spune că această pomană ţine tot de modul întunericului.

TEXTUL 23

ॐ तत्सदिति निर्देशो ब्रह्मणस्त्रिविधः स्मृतः ।
ब्राह्मणास्तेन वेदाश्च यज्ञाश्च विहिताः पुरा ॥२३॥

oṁ tat sad iti nirdeśo
brahmaṇas tri-vidhaḥ smṛtaḥ
brāhmaṇās tena vedāś ca
yajñāś ca vihitāḥ purā

oṁ—desemnarea Celui Suprem; *tat*—acesta; *sat*—etern; *iti*—astfel; *nirdeśaḥ*—desemnarea; *brahmaṇaḥ*—Celui Suprem; *tri-vidhaḥ*—întreit; *smṛtaḥ*—este socotită; *brāhmaṇāḥ*—brahmanii; *tena*—cu aceasta; *vedāḥ*—scrierile vedice; *ca*—precum şi; *yajñāḥ*—sacrificiul; *ca*—şi; *vihitāḥ*—folosită; *purā*—la început.

De la începutul creaţiei, cele trei cuvinte oṁ tat sat au fost folosite pentru a desemna Supremul Adevăr Absolut. Aceste trei reprezentări simbolice au fost folosite de brahmani atunci când intonau imnurile Vedelor şi în timpul sacrificiilor întru satisfacţia Celui Suprem.

COMENTARIU

S-a explicat că penitenţele, sacrificiile, daniile şi alimentele se împart în trei categorii: ţinând de modul bunătăţii, al pasiunii sau al ignoranţei. Dar fie că fac parte din prima, a doua sau a treia categorie, ele sunt toate condiţionate, fiind contaminate de modurile materiale ale naturii. Când ele sunt îndreptate către Cel Suprem—*oṁ tat sat*, Suprema Personalitate a Divinităţii, care este eternă—ele devin mijloace de înălţare spirituală. În prescripţiile scripturilor se indică un astfel de obiectiv. Aceste trei cuvinte, *oṁ tat sat*, desemnează în mod particular Adevărul Absolut, Suprema Personalitate a Divinităţii. Cuvântul *oṁ* se găseşte întotdeauna în imnurile vedice.

Cel ce acţionează fără să respecte rânduielile scripturilor nu va atinge Adevărul Absolut. El va obţine doar un anumit rezultat trecător, dar nu va ajunge la ţelul ultim al vieţii. În concluzie, îndeplinirea daniei, sacrificiului şi penitenței trebuie să țină de modul bunătății. Îndeplinite în modul pasiunii sau ignoranței, ele sunt cu siguranță de o calitate inferioară. Cele trei cuvinte *oṁ tat sat* sunt rostite în legătură cu sfântul nume al Stăpânului Suprem, adică *oṁ tad viṣṇoḥ*. De câte ori se recită un imn vedic sau se rostește sfântul nume al Stăpânului Suprem, se adaugă și *oṁ*. Acestea sunt indicațiile scrierilor vedice. Aceste trei cuvinte sunt luate din imnurile vedice. *Oṁ ity etad brahmaṇo nediṣṭham nāma (Ṛg Veda)* indică primul țel. Apoi *tat tvam asi (Chāndogya Upaniṣad 6.8.7)* indică al doilea țel. Iar *sad eva saumya (Chāndogya Upaniṣad 6.2.1)* indică al treilea țel. Acestea combinate devin *oṁ tat sat*. La început când Brahmā, prima ființă creată, a făcut sacrificii, el a desemnat prin aceste trei cuvinte Suprema Personalitate a Divinității. Ca urmare, același principiu a fost respectat mereu prin succesiunea disciplică. Deci acest imn are o foarte mare importanță. *Bhagavad-gītā* recomandă deci ca orice activitate să fie făcută pentru *oṁ tat sat* sau pentru Suprema Personalitate a Divinității. Cel ce a îndeplinit penitența, dania și sacrificiul cu aceste trei cuvinte, acționează în conștiința de Kṛṣṇa. Conștiința de Kṛṣṇa este o aplicare științifică a activităților spirituale, făcându-l pe om capabil să se reîntoarcă acasă, înapoi la Divinitate. Acționând astfel în mod transcendent, nu se pierde nici un fel de energie.

TEXTUL 24

तस्मादों इत्युदाहृत्य यज्ञदानतपःक्रियाः ।
प्रवर्तन्ते विधानोक्ताः सततं ब्रह्मवादिनाम् ॥२४॥

tasmād oṁ ity udāhṛtya
yajña-dāna-tapaḥ-kriyāḥ
pravartante vidhānoktāḥ
satataṁ brahma-vādinām

tasmāt—de aceea; *oṁ*—începând cu *oṁ*; *iti*—astfel; *udāhṛtya*—indicând; *yajña*—sacrificiului; *dāna*—daniei; *tapaḥ*—și penitenței; *kriyāḥ*—îndeplinirile; *pravartante*—încep; *vidhāna-uktāḥ*—potrivit reglementărilor scripturale; *satatam*—întotdeauna; *brahma-vādinām*—a transcendentaliștilor.

De aceea, transcendentaliștii care îndeplinesc sacrificii, danii și penitențe după rânduielile scripturilor încep întotdeauna cu oṁ, pentru a-L atinge pe Cel Suprem.

COMENTARIU

Oṁ tad viṣṇoḥ paramaṁ padam (Ṛg Veda 1.22.20). Picioarele de lotus ale lui Viṣṇu reprezintă platforma supremei devoţiuni. Îndeplinirea tuturor lucrurilor în numele Supremei Personalităţi a Divinităţii asigură perfecţiunea tuturor acţiunilor.

TEXTUL 25

तदित्यनभिसन्धाय फलं यज्ञतपःक्रियाः ।
दानक्रियाश्च विविधाः क्रियन्ते मोक्षकाङ्क्षिभिः ॥२५॥

tad ity anabhisandhāya
phalaṁ yajña-tapaḥ kriyāḥ
dāna-kriyāś ca vividhāḥ
kriyante mokṣa-kāṅkṣibhiḥ

tat—acesta; *iti*—astfel; *anabhisandhāya*—fără a dori; *phalam*—fructul care rezultă; *yajña*—de sacrificiu; *tapaḥ*—şi penitenţă; *kriyāḥ*—activităţi; *dāna*—de caritate; *kriyāḥ*—activităţi; *ca*—precum şi; *vividhāḥ*—diferite; *kriyante*—sunt făcute; *mokṣa-kāṅkṣibhiḥ*—de către cei ce doresc cu adevărat eliberarea.

Fără să dorească rezultatele fructuoase, o persoană trebuie să îndeplinească diferitele sacrificii, penitenţe şi danii cu cuvântul tat. Scopul acestor activităţi transcendente este acela de a se elibera din capcana materiei.

COMENTARIU

Pentru a fi înălţat la nivel spiritual cineva nu trebuie să acţioneze pentru nici un câştig material. Toate activităţile trebuie îndeplinite pentru câştigul suprem al transferării în împărăţia spirituală, al reîntoarcerii acasă, înapoi la Divinitate.

TEXTUL 26–27

सद्भावे साधुभावे च सदित्येतत्प्रयुज्यते ।
प्रशस्ते कर्मणि तथा सच्छब्दः पार्थ युज्यते ॥२६॥

यज्ञे तपसि दाने च स्थितिः सदिति चोच्यते ।
कर्म चैव तदर्थीयं सदित्येवाभिधीयते ॥२७॥

sad-bhāve sādhu-bhāve ca
sad ity etat prayujyate
praśaste karmaṇi tathā
sac-chabdaḥ pārtha yujyate

yajñe tapasi dāne ca
sthitiḥ sad iti cocyate
karma caiva tad-arthīyaṁ
sad ity evābhidhīyate

sat-bhāve—în sensul naturii Celui Suprem; sādhu-bhāve—în sensul naturii devotului; ca—precum și; sat—cuvântul sat; iti—astfel; etat—acesta; prayujyate—este folosit; praśaste—autorizate; karmaṇi—activități; tathā—de asemenea; sat-śabdaḥ—sunetul sat; pārtha—o, fiu al lui Pṛthā; yujyate—este folosit; yajñe—în sacrificiu; tapasi—în penitență; dāne—în danie; ca—precum și; sthitiḥ—statornicia; sat—Cel Suprem; iti—astfel; ca—și; ucyate—este pronunțat; karma—activitatea; ca—precum și; eva—desigur; tat—pentru acesta; arthīyam—destinată; sat—Cel Suprem; iti—astfel; eva—desigur; abhidhīyate—este indicată.

Adevărul Absolut constituie obiectivul în îndeplinirea sacrificiului cu devoțiune și este indicat prin cuvântul sat. Cel ce îndeplinește acest sacrificiu este numit și el sat, la fel ca și toate acțiunile de sacrificare, penitență și caritate care, conformându-se naturii absolute, sunt îndeplinite pentru a face plăcere Persoanei Supreme, o, fiu al lui Pṛthā.

COMENTARIU

Cuvintele praśaste karmaṇi sau „îndatoririle prescrise" arată că există multe activități prescrise de scrierile vedice care sunt procese de purificare, începând din momentul concepției și până la sfârșitul vieții unei persoane. Aceste procese de purificare sunt adoptate pentru eliberarea finală a entității vii. În toate aceste activități se recomandă ca o persoană să pronunțe oṁ tat sat. Cuvintele sad-bhāve și sādhu-bhāve indică situarea transcendentă. Acțiunea în conștiința de Kṛṣṇa este numită sattva iar cel ce e pe deplin conștient de activitățile conștiinței de Kṛṣṇa este numit sādhu. În Śrīmad-Bhāgavatam (3.25.25) se spune că subiectele transcendente devin clare în compania devoţilor. Cuvintele folosite acolo sunt *satāṁ prasaṅgāt*. Fără a avea o bună asociere, o persoană nu poate realiza cunoaşterea transcendentă. La iniţierea unei persoane sau când se oferă şnurul sacru se pronunţă cuvintele *oṁ tat sat*. La fel şi la îndeplinirea tuturor felurilor de *yajña* obiectivul este Supremul, *oṁ tat sat*. Mai mult, cuvântul *tad-arthīyam* înseamnă slujirea oricărui lucru care Îl reprezintă pe Cel Suprem, incluzând gătitul şi ajutorul dat în templul Domnului, sau orice alt fel de lucrare pentru răspândirea gloriilor Domnului. Aceste cuvinte supreme, *oṁ tat sat,* sunt folosite deci în mai multe feluri, pentru a perfecţiona toate activităţile şi a face ca totul să fie desăvârşit.

TEXTUL 28

अश्रद्धया हुतं दत्तं तपस्तप्तं कृतं च यत् ।
असदित्युच्यते पार्थ न च तत्प्रेत्य नो इह ॥२८॥

aśraddhayā hutaṁ dattaṁ
tapas taptaṁ kṛtaṁ ca yat
asad ity ucyate pārtha
na ca tat pretya no iha

aśraddhayā—fără credinţă; *hutam*—ca ofrandă în sacrificiu; *dattam*—dat; *tapaḥ*—penitenţa; *taptam*—îndeplinită; *kṛtam*—îndeplinită; *ca*—precum şi; *yat*—cea care; *asat*—falsă; *iti*—astfel; *ucyate*—se spune că este; *pārtha*—o, fiu al lui Pṛthā; *na*—niciodată; *ca*—precum şi; *tat*—aceasta; *pretya*—după moarte; *na u*—nici; *iha*—în această viaţă.

O, fiu al lui Pṛthā, orice se face fără credinţă în Cel Suprem, fie că e sacrificiu, danie sau penitenţă, este nepermanent. Aceasta se numeşte asat şi este fără de folos atât în viaţa aceasta, cât şi în cea viitoare.

COMENTARIU

Orice lucru făcut fără un obiectiv spiritual—fie că e sacrificiu, danie sau penitenţă—este nefolositor. De aceea, în acest verset se spune că aceste activităţi sunt odioase. Totul trebuie făcut pentru Cel Suprem, în conştiinţa de Kṛṣṇa. Fără o asemenea credinţă şi fără îndrumarea potrivită nu se ajunge la nici un rezultat. În toate scripturile vedice se recomandă credinţa în Cel

Suprem. Țelul ultim al îndeplinirii tuturor învățăturilor vedice este înțelegerea lui Kṛṣṇa. Nimeni nu poate reuși fără a urma acest principiu. De aceea, cea mai bună metodă este aceea de a activa încă de la început în conștiința de Kṛṣṇa, sub îndrumarea unui maestru spiritual autentic. Aceasta este calea ce duce la reușita deplină.

În starea condiționată, oamenii sunt atrași de venerarea semizeilor, stafiilor sau a unor *yakṣa*, cum ar fi Kuvera. Tendința bunătății este superioară modurilor pasiunii și ignoranței, dar cel ce se dedică direct conștiinței de Kṛṣṇa transcede toate cele trei moduri ale naturii materiale. Deși procesul de elevare este gradat, dacă prin asociere cu devoții puri o persoană se dedică direct conștiinței de Kṛṣṇa, calea sa este cea mai bună, iar acest lucru este recomandat în acest capitol. Pentru a reuși pe această cale, cineva trebuie să-și găsească mai întâi maestrul spiritual potrivit și să practice sub îndrumarea sa. Atunci el poate să dobândească credința în Cel Suprem. Când această credință se maturizează în decursul timpului, ea poartă numele de dragoste de Dumnezeu. Această dragoste este țelul suprem al entităților vii. De aceea o persoană trebuie să se dedice conștiinței de Kṛṣṇa în mod direct. Acesta e mesajul capitolului al șaptespezecelea.

Astfel sfârșește comentariul lui Bhaktivedanta la capitolul al șaptesprezecelea din Śrīmad Bhagavad-gītā, care tratează despre „Diferitele tipuri de credințe".

Concluzie — Perfecțiunea renunțării

TEXTUL 1

अर्जुन उवाच
सन्न्यासस्य महाबाहो तत्त्वमिच्छामि वेदितुम् ।
त्यागस्य च हृषीकेश पृथक्केशिनिषूदन ॥१॥

arjuna uvāca
sannyāsasya mahā-bāho
tattvam icchāmi veditum
tyāgasya ca hṛṣīkeśa
pṛthak keśi-niṣūdana

arjunaḥ uvāca—Arjuna a spus; *sannyāsasya*—al renunțării; *mahā-bāho*—o, tu cel cu braț puternic; *tattvam*—adevărul; *icchāmi*—doresc; *veditum*—

801

să înțeleg; *tyāgasya*—al renunțării; *ca*—și; *hṛṣīkeśa*—o, stăpân al simțurilor; *pṛthak*—în mod diferit; *keśi-niṣūdana*—o, ucigător al demonului Keśī.

Arjuna a spus: O, Tu cel cu braț puternic, aș dori să înțeleg scopul renunțării [tyāga] și al ordinului de viață în renunțare [sannyāsa], o, ucigător al demonului Keśī și stăpân al simțurilor.

COMENTARIU

De fapt, *Bhagavad-gītā* se încheie cu capitolul al șaptesprezecelea. Capitolul al optsprezecelea este un rezumat suplimentar al subiectelor discutate anterior. În fiecare capitol din *Bhagavad-gītā* Domnul Kṛṣṇa subliniază faptul că slujirea cu devoțiune a Supremei Personalități a Divinității este țelul suprem al vieții. Același lucru este rezumat în capitolul optsprezece ca fiind cea mai confidențială cale a cunoașterii. În primele șase capitole se punea accentul pe slujirea cu devotament: *yoginām api sarveṣām...*"Dintre toți yoghinii sau transcendentaliștii, cel ce se gândește mereu la Mine înăuntrul său, acela este cel mai bun". În următoarele șase capitole s-a discutat despre slujirea cu devoțiune pură, natura ei și activitățile legate de ea. În următoarele șase capitole sunt descrise cunoașterea, renunțarea, activitățile naturii materiale și ale naturii transcendente, precum și slujirea cu devotament. S-a ajuns la concluzia că toate activitățile trebuie îndeplinite în legătură cu Domnul Suprem, reprezentat de cuvintele *oṁ tat sat,* care-L indică pe Viṣṇu, Persoana Supremă. Partea a treia din *Bhagavad-gītā* a arătat că doar slujirea cu devotament reprezintă scopul ultim al vieții. Acest fapt a fost stabilit prin citarea unor *ācārya* din trecut și prin citate din *Brahma-sūtra* sau *Vedānta-sūtra.* Unii impersonaliști consideră că ei au monopolul asupra cunoașterii din *Vedānta-sūtra,* dar de fapt *Vedānta-sūtra* este destinată înțelegerii slujirii cu devotament, deoarece este compusă de Domnul Însuși și tot El este cunoscătorul acesteia. Acest lucru este descris în capitolul al cincisprezecelea. În orice scriptură, în orice *Veda,* obiectivul este slujirea cu devotament. Acest lucru este explicat în *Bhagavad-gītā.*

Așa cum în capitolul al doilea se dădea un rezumat al tuturor subiectelor, în capitolul al optsprezecelea se face un rezumat al tuturor învățăturilor. Aici se arată că scopul vieții este renunțarea și atingerea nivelului transcendent, deasupra celor trei moduri ale naturii materiale. Arjuna dorea să clarifice cele două subiecte distincte din *Bhagavad-gītā,* adică renunțarea (*tyāga*) și ordinul de viață în renunțare (*sannyāsa*). Astfel, el întreabă care este înțelesul acestor două cuvinte.

Cuvintele folosite ca adresare către Domnul Suprem în acest text—Hṛṣīke-śa și Keśī-niṣūdana—sunt semnificative. Hṛṣīkeśa este Kṛṣṇa, stăpânul tutu-ror simțurilor, care ne poate ajuta să atingem seninătatea mentală. Arjuna Îi cere să rezume totul în așa fel încât să rămână netulburat. Totuși el mai are unele îndoieli, iar îndoielile sunt ca niște demoni. De aceea, el se adresează lui Kṛṣṇa cu numele de Keśī-niṣūdana. Keśī era unul din cei mai formidabili demoni uciși de Domnul; acum Arjuna așteaptă ca demonul îndoielii să fie ucis de Kṛṣṇa.

TEXTUL 2

श्रीभगवानुवाच
काम्यानां कर्मणां न्यासं सन्न्यासं कवयो विदुः ।
सर्वकर्मफलत्यागं प्राहुस्त्यागं विचक्षणाः ॥ २ ॥

śrī-bhagavān uvāca
kāmyānāṁ karmaṇāṁ nyāsaṁ
sannyāsaṁ kavayo viduḥ
sarva-karma-phala-tyāgaṁ
prāhus tyāgaṁ vicakṣaṇāḥ

śrī-bhagavān uvāca—Suprema Personalitate a Divinității a spus; *kāmyānām*—cu dorință; *karmaṇām*—la activitățile; *nyāsam*—renunțarea; *sannyāsam*—ordinul de viață în renunțare; *kavayaḥ*—cei învățați; *viduḥ*—știu; *sarva*—al tuturor; *karma*—activităților; *phala*—la rezultatele; *tyāgam*—renunțarea; *prāhuḥ*—numesc; *tyāgam*—renunțare; *vicakṣaṇāḥ*—cei iscusiți.

Suprema Personalitate a Divinității a spus: Renunțarea la toate activi-tățile bazate pe dorința materială este ceea ce marii învățați numesc ordinul de viață în renunțare (sannyāsa). Iar a abandona rezultatele tuturor activităților este ceea ce înțelepții numesc renunțare (tyāga).

COMENTARIU

Trebuie să renunțăm la îndeplinirea activităților pentru rezultate. Aceasta este învățătura din *Bhagavad-gītā*. Însă nu trebuie înlăturate acele activități care conduc la progresul în cunoașterea spirituală. Acest lucru va fi explicat mai clar în textele următoare. În scrierile vedice sunt prescrise multe metode pentru îndeplinirea de sacrificii într-un anumit scop. Există anumite sacrificii care se îndeplinesc pentru a obține un fiu bun sau pentru înălțarea pe planetele superioare, dar sacrificiile pornite din dorință trebuie oprite. Totuși, sacrificiul pentru purificarea inimii ori pentru înaintarea în știința spirituală nu trebuie înlăturat.

TEXTUL 3

त्याज्यं दोषवदित्येके कर्म प्राहुर्मनीषिणः ।
यज्ञदानतपःकर्म न त्याज्यमिति चापरे ॥ ३ ॥

tyājyaṁ doṣa-vad ity eke
karma prāhur manīṣiṇaḥ
yajña-dāna-tapaḥ-karma
na tyājyam iti cāpare

tyājyam—trebuie părăsită; *doṣa-vat*—ca un rău; *iti*—astfel; *eke*—un grup; *karma*—activitatea; *prāhuḥ*—ei spun; *manīṣiṇaḥ*—mari gânditori; *yajña*—sacrificiului; *dāna*—caritate; *tapaḥ*—și penitență; *karma*—activitatea; *na*—niciodată; *tyājyam*—trebuie părăsită; *iti*—astfel; *ca*—și; *apare*—ceilalți.

Unii învățați declară că toate tipurile de activități fructuoase trebuie abandonate ca fiind greșite, iar alți înțelepți susțin că actele de sacrificiu, caritate și penitență nu trebuie niciodată abandonate.

COMENTARIU

Multe din activitățile descrise în scrierile vedice sunt subiect de controversă. De exemplu, se spune că un animal poate fi ucis în cadrul unui sacrificiu, dar alții susțin că uciderea animalelor este în întregime condamnabilă. Deși uciderea animalelor în sacrificiu e recomandată în scrierile vedice, animalul nu e considerat ucis. Sacrificiul trebuie să-i dea animalului o nouă viață. Uneori, după ce e ucis în sacrificiu, animalului i se dă o altă viață animală, iar alteori el este promovat imediat la forma de viață umană. Dar printre înțelepți există păreri diferite. Unii spun că uciderea animalelor ar trebui înlăturată complet, alții spun că pentru anumite sacrificii ea este bună. Toate aceste opinii diferite asupra sacrificiului sunt clarificate acum de către Domnul Însuși.

TEXTUL 4

निश्चयं शृणु मे तत्र त्यागे भरतसत्तम ।
त्यागो हि पुरुषव्याघ्र त्रिविधः सम्प्रकीर्तितः ॥ ४ ॥

niścayaṁ śṛṇu me tatra
tyāge bharata-sattama
tyāgo hi puruṣa-vyāghra
tri-vidhaḥ samprakīrtitaḥ

niścayam—certitudinea; *śṛṇu*—ascultă; *me*—de la Mine; *tatra*—în ceea ce; *tyāge*—se referă la renunțare; *bharata-sat-tama*—o, cel mai bun din dinastia Bharata; *tyāgaḥ*—renunțarea; *hi*—desigur; *puruṣa-vyāghra*—o, tu cel ca un tigru printre oameni; *tri-vidhaḥ*—de trei feluri; *samprakīrtitaḥ*—este declarată.

O, tu cel mai bun din dinastia Bharata, ascultă acum verdictul Meu despre renunțare. O, tigrule printre oameni, se spune în scripturi că renunțarea este de trei feluri.

COMENTARIU

Deși există opinii diferite despre renunțare, Śrī Kṛṣṇa, Suprema Personalitate a Divinității, dă aici verdictul Său, care trebuie luat ca definitiv. De fapt, *Vedele* sunt diferitele legi date de Dumnezeu. Aici însă, Domnul este prezent personal, iar cuvântul Său trebuie luat ca definitiv. Domnul spune că procesul renunțării trebuie considerat în funcție de cele trei moduri ale naturii materiale în care este îndeplinit.

TEXTUL 5

यज्ञदानतपःकर्म न त्याज्यं कार्यमेव तत् ।
यज्ञो दानं तपश्चैव पावनानि मनीषिणाम् ॥ ५ ॥

yajña-dāna-tapaḥ-karma
na tyājyaṁ kāryam eva tat
yajño dānaṁ tapaś caiva
pāvanāni manīṣiṇām

yajña—a sacrificiului; *dāna*—caritate; *tapaḥ*—şi penitenţă; *karma*—activitatea; *na*—niciodată; *tyājyam*—trebuie părăsită; *kāryam*—trebuie îndeplinită; *eva*—cu siguranţă; *tat*—aceasta; *yajñaḥ*—sacrificiul; *dānam*—caritate; *tapaḥ*—penitenţă; *ca*—precum şi; *eva*—desigur; *pāvanāni*—purificatoare; *manīṣiṇām*—chiar pentru marile suflete.

Actele de sacrificiu, caritate şi penitenţă nu trebuie abandonate; ele trebuie să fie îndeplinite. Într-adevăr, sacrificiul, caritatea şi penitenţa purifică chiar şi marile suflete.

COMENTARIU

Yoghinii trebuie să îndeplinească activităţi pentru înaintarea societăţii umane. Există multe procese de purificare pentru a face ca o fiinţă umană să avanseze către viaţa spirituală. De exemplu, ceremonia căsătoriei este considerată ca unul din aceste sacrificii. Ea poartă numele de *vivāha-yajña*. Oare un *sannyāsī* care face parte din ordinul de viaţă în renunţare şi care a părăsit relaţiile sale de familie trebuie să încurajeze îndeplinirea ceremoniei de căsătorie? Domnul spune aici că orice sacrificiu care este destinat bunăstării oamenilor nu trebuie niciodată părăsit. *Vivāha-yajña*, ceremonia de căsătorie, este destinată să ordoneze mintea omului, astfel încât ea să-şi dobândească pacea necesară progresului spiritual. Acest *vivāha-yajña* trebuie încurajat în cazul majorităţii oamenilor, chiar de către cei aflaţi în ordinul renunţării. Cei ce sunt *sannyāsī* nu trebuie să aibă niciodată de-a face cu femeile, dar aceasta nu înseamnă că o persoană aflată în stadiile mai puţin înalte ale vieţii, un bărbat tânăr, nu ar trebui să accepte o soţie prin ceremonia căsătoriei. Toate sacrificiile prescrise sunt destinate ajungerii la Domnul Suprem. De aceea, în stadiile mai puţin avansate ele nu trebuie abandonate. La fel şi caritatea e destinată purificării inimii. Dacă se dă în caritate persoanelor potrivite, aşa cum s-a arătat anterior, acest fapt îl conduce pe om către o viaţă spirituală avansată.

TEXTUL 6

एतान्यपि तु कर्माणि सङ्गं त्यक्त्वा फलानि च ।
कर्तव्यानीति मे पार्थ निश्चितं मतमुत्तमम् ॥ ६ ॥

etāny api tu karmāṇi
saṅgaṁ tyaktvā phalāni ca

kartavyānīti me pārtha
niścitaṁ matam uttamam

etāni—toate acestea; *api*—desigur; *tu*—însă; *karmāṇi*—activități; *saṅgam*
—asociere; *tyaktvā*—renunțând la; *phalāni*—rezultate; *ca*—și; *kartavyāni*—
trebuie îndeplinite ca datorie; *iti*—astfel; *me*—a Mea; *pārtha*—o, fiu al lui
Pṛthā; *niścitam*—fermă; *matam*—părere; *uttamam*—cea mai bună.

**Toate aceste activități trebuie îndeplinite fără atașament și fără a aștep-
ta vreun rezultat; ele trebuie îndeplinite ca o datorie, o, fiu al lui Pṛthā.
Aceasta este părerea Mea definitivă.**

COMENTARIU

Deși toate sacrificiile sunt purificatoare, o persoană nu trebuie să aștepte nici
un rezultat din îndeplinirea lor. Cu alte cuvinte, toate sacrificiile destinate
progresului material al vieții trebuie abandonate, dar sacrificiile care purifi-
că existența și înalță pe cineva pe plan spiritual nu trebuie oprite. Tot ceea
ce duce la conștiința de Kṛṣṇa trebuie încurajat. Și în *Śrīmad-Bhāgavatam* se
spune că orice acțiune care ne îndreaptă către slujirea cu devotament a Dom-
nului trebuie să fie acceptată. Acesta este criteriul cel mai înalt al religiozită-
ții. Un devot al Domnului trebuie să accepte orice fel de activitate, sacrificiu
sau caritate care-l va ajuta să-și îndeplinească slujirea cu devotament față de
Domnul.

TEXTUL 7

नियतस्य तु सन्न्यासः कर्मणो नोपपद्यते ।
मोहात्तस्य परित्यागस्तामसः परिकीर्तितः ॥ ७ ॥

niyatasya tu sannyāsaḥ
karmaṇo nopapadyate
mohāt tasya parityāgas
tāmasaḥ parikīrtitaḥ

niyatasya—prescrise; *tu*—însă; *sannyāsaḥ*—renunțarea; *karmaṇaḥ*—la acti-
vitățile; *na*—niciodată; *upapadyate*—se cuvine; *mohāt*—datorită iluziei;

tasya—a lor; *parityāgaḥ*—abandonare; *tāmasaḥ*—în modul ignoranţei; *parikīrtitaḥ*—este declarată.

Nu trebuie să se renunţe niciodată la îndatoririle prescrise. Dacă din cauza iluziei se abandonează îndatoririle prescrise, această renunţare se spune a fi în modul ignoranţei.

COMENTARIU

Munca pentru satisfacţii materiale trebuie abandonată, însă activităţile care înalţă o persoană la activitatea spirituală, cum ar fi gătitul pentru Domnul Suprem, oferirea hranei Domnului şi apoi consumarea acestei hrane, sunt recomandate. Se spune că cel ce se află în ordinul de viaţă în renunţare nu trebuie să gătească pentru el însuşi. Gătitul pentru sine este interzis, însă gătitul pentru Domnul Suprem nu este interzis. În mod similar, un *sannyāsī* poate oficia o ceremonie de căsătorie pentru a-şi ajuta discipolul să avanseze în conştiinţa de Kṛṣṇa. Cel ce se retrage de la astfel de activităţi trebuie considerat că acţionează influenţat de modul întunericului.

TEXTUL 8

दुःखमित्येव यत्कर्म कायक्लेशभयात्त्यजेत् ।
स कृत्वा राजसं त्यागं नैव त्यागफलं लभेत् ॥८॥

duḥkham ity eva yat karma
kāya-kleśa-bhayāt tyajet
sa kṛtvā rājasaṁ tyāgaṁ
naiva tyāga-phalaṁ labhet

duḥkham—nenorocită; *iti*—astfel; *eva*—desigur; *yat*—care; *karma*—activitatea; *kāya*—pentru corp; *kleśa*—suferinţei; *bhayāt*—de frica; *tyajet*—abandonează; *saḥ*—el; *kṛtvā*—după ce o face; *rājasam*—în modul pasiunii; *tyāgam*—renunţarea; *na*—nu; *eva*—desigur; *tyāga*—ale renunţării; *phalam*—rezultate; *labhet*—câştigă.

Cel ce-şi abandonează îndatoririle prescrise ca fiind neplăcute sau de teama disconfortului corporal se spune că renunţă în modul pasiunii. O astfel de acţiune nu duce niciodată la măreţia renunţării.

COMENTARIU

Cel ce se află în conștiința de Kṛṣṇa nu trebuie să se abțină de la a câștiga bani de teama de a nu îndeplini activități fructuoase. Dacă prin muncă cineva poate să-și pună banii în folosul conștiinței de Kṛṣṇa sau dacă trezindu-se dimineața devreme poate să progreseze în practica transcendentă a conștiinței de Kṛṣṇa, el nu trebuie să renunțe la aceasta doar din teamă sau pentru că aceste activități sunt considerate ca fiind neplăcute. O astfel de renunțare ține de modul pasiunii. Rezultatul unei astfel de activități ce ține de pasiune este întotdeauna dureros. Cel ce renunță la activitate în acest spirit nu obține niciodată rezultatul renunțării.

TEXTUL 9

कार्यमित्येव यत्कर्म नियतं क्रियतेऽर्जुन ।
सङ्गं त्यक्त्वा फलं चैव स त्यागः सात्त्विको मतः ॥ ९ ॥

kāryam ity eva yat karma
niyataṁ kriyate 'rjuna
saṅgaṁ tyaktvā phalaṁ caiva
sa tyāgaḥ sāttviko mataḥ

kāryam—trebuie să fie făcută; *iti*—astfel; *eva*—cu adevărat; *yat*—care; *karma*—activitatea; *niyatam*—prescrisă; *kriyate*—este îndeplinită; *arjuna*—o, Arjuna; *saṅgam*—asocierea; *tyaktvā*—părăsind; *phalam*—rezultatul; *ca*—și; *eva*—desigur; *saḥ*—acea; *tyāgaḥ*—renunțare; *sāttvikaḥ*—în modul bunătății; *mataḥ*—după părerea Mea.

O, Arjuna, când o persoană își îndeplinește îndatoririle prescrise doar pentru că așa se cuvine să facă și renunță la întreaga asociere materială și la atașamentul pentru rezultate, se spune că renunțarea sa este în modul bunătății.

COMENTARIU

Aceasta este mentalitatea cu care trebuie îndeplinite îndatoririle prescrise. Cineva trebuie să activeze fără atașament pentru rezultat; el trebuie să se detașeze de modurile activității. Omul aflat în conștiința de Kṛṣṇa, care muncește într-o fabrică, nu se identifică nici cu munca din fabrică, nici cu ceilalți muncitori. El munceşte doar pentru Kṛṣṇa. Iar atunci când renunţă la rezultat pentru Kṛṣṇa, activitatea lui este transcendentală.

TEXTUL 10

न द्वेष्ट्यकुशलं कर्म कुशले नानुषज्जते ।
त्यागी सत्त्वसमाविष्टो मेधावी छिन्नसंशयः ॥१०॥

na dvesty akuśalaṁ karma
kuśale nānuṣajjate
tyāgī sattva-samāviṣṭo
medhāvī chinna-saṁśayaḥ

na—niciodată; *dveṣṭi*—urăşte; *akuśalam*—nefavorabilă; *karma*—activitatea; *kuśale*—de cea favorabilă; *na*—nici; *anuṣajjate*—devine ataşat; *tyāgī*—cel ce renunţă; *sattva*—în bunătate; *samāviṣṭaḥ*—absorbit; *medhāvī*—inteligent; *chinna*—tăind cu totul; *saṁśayaḥ*—orice îndoieli.

Renunţatul inteligent, situat în modul bunătăţii, fără a urî activitatea nefavorabilă şi fără a fi ataşat de activitatea favorabilă, nu are nici o îndoială asupra activităţii.

COMENTARIU

Cel aflat în conştiinţa de Kṛṣṇa sau în modul bunătăţii nu urăşte pe nimeni şi nimic din ceea ce îi provoacă suferinţe corpului. El munceşte în locul şi la timpul cuvenit, fără a se teme de efectele neplăcute ale îndeplinirii datoriei. O asemenea persoană situată în transcendenţă trebuie considerată ca fiind cea mai inteligentă şi dincolo de orice îndoieli în activităţile sale.

TEXTUL 11

न हि देहभृता शक्यं त्यक्तुं कर्माण्यशेषतः ।
यस्तु कर्मफलत्यागी स त्यागीत्यभिधीयते ॥११॥

na hi deha-bhṛtā śakyaṁ
tyaktuṁ karmāṇy aśeṣataḥ

yas tu karma-phala-tyāgī
sa tyāgīty abhidhīyate

na—niciodată; *hi*—desigur; *deha-bhṛtā*—de către cel întrupat; *śakyam*—este posibil; *tyaktum*—să renunțe la; *karmāṇi*—activități; *aśeṣataḥ*—în între-gime; *yaḥ*—oricine; *tu*—însă; *karma*—a activității; *phala*—al rezultatului; *tyāgī*—cel care renunță; *saḥ*—acela; *tyāgī*—cel care renunță; *iti*—astfel; *abhidhīyate*—este numit.

Este cu adevărat imposibil pentru cel întrupat să renunțe la toate acti-vitățile. Însă cel ce renunță la fructele activităților, acela se spune că renunță cu adevărat.

COMENTARIU

Este spus în *Bhagavad-gītā* că o persoană nu poate să abandoneze activitatea nici un moment. De aceea, cel care lucrează pentru Kṛṣṇa și nu profită de fructul care rezultă, cel ce oferă totul lui Kṛṣṇa, acela renunță cu adevărat. Există mulți membrii ai Societății Internaționale pentru Conștiința de Kṛṣṇa care lucrează din greu la birou, în fabrică sau în orice alt loc și tot ce câștigă, oferă Societății. Aceste suflete mărețe sunt de fapt niște *sannyāsī* și fac parte din ordinul de viață în renunțare. Aici se subliniază foarte clar cum să renun-țăm la fructele activităților și în ce scop trebuie să se renunțe la aceste fructe.

TEXTUL 12

अनिष्टमिष्टं मिश्रं च त्रिविधं कर्मणः फलम् ।
भवत्यत्यागिनां प्रेत्य न तु सव्ह्यासिनां कचित् ॥१२॥

aniṣṭam iṣṭaṁ miśraṁ ca
tri-vidhaṁ karmaṇaḥ phalam
bhavaty atyāginām pretya
na tu sannyāsināṁ kvacit

aniṣṭam—ducând către infern; *iṣṭam*—ducând la ceruri; *miśram*—mixtă; *ca*—și; *tri-vidham*—de trei feluri; *karmaṇaḥ*—al activității; *phalam*—rezul-tatul; *bhavati*—vine; *atyāginām*—pentru cei ce nu au renunțat; *pretya*—

după moarte; *na*—nu; *tu*—însă; *sannyāsinām*—pentru cei din ordinul renunţării; *kvacit*—nicicând.

Cel ce nu se află în renunţare, după moarte gustă din întreitul fruct al activităţilor—dorit, nedorit şi mixt. Dar cei ce fac parte din ordinul de viaţă în renunţare nu au asemenea rezultate de pe urma cărora să sufere sau să se bucure.

COMENTARIU

O persoană aflată în conştiinţa de Kṛṣṇa, care activează cunoscându-şi legătura cu Kṛṣṇa, este eliberat pentru totdeauna. De aceea el nu trebuie să se bucure sau să sufere de pe urma activităţilor sale după moarte.

TEXTUL 13

पञ्चैतानि महाबाहो कारणानि निबोध मे ।
साङ्ख्ये कृतान्ते प्रोक्तानि सिद्धये सर्वकर्मणाम् ॥१३॥

pañcaitāni mahā-bāho
kāraṇāni nibodha me
sāṅkhye kṛtānte proktāni
siddhaye sarva-karmaṇām

pañca—cinci; *etāni*—aceste; *mahā-bāho*—o, tu cel cu braţul puternic; *kāraṇāni*—cauze; *nibodha*—înţelege-le; *me*—de la Mine; *sāṅkhye*—în *Vedānta*; *kṛta-ante*—în concluzie; *proktāni*—spuse; *siddhaye*—pentru desăvârşirea; *sarva*—tuturor; *karmaṇām*—activităţilor.

O, Arjuna, cel cu braţul puternic, conform filozofiei Vedānta, există cinci cauze pentru îndeplinirea oricărei acţiuni. Acum află despre ele de la Mine.

COMENTARIU

S-ar putea ridica următoarea problemă: întrucât orice acţiune îndeplinită trebuie să aibă o reacţie, cum se face că o persoană aflată în conştiinţa de Kṛṣṇa nu suferă şi nu se bucură de reacţiile activităţilor? Domnul citează filozofia *Vedānta* pentru a arăta cum este posibil acest lucru. El spune că pentru toate activităţile există cinci cauze, iar pentru a reuşi în orice activitate trebuie ţinut seama de aceste cinci cauze. *Sāṅkhya* înseamnă baza cunoașterii iar *Vedānta* este încununarea cunoașterii, acceptată de toți marii *ācārya*. Chiar și Śaṅkara acceptă *Vedānta-sūtra* ca atare. Deci aceste autorități trebuie consultate. Decizia finală o are Suprasufletul. Așa cum spune *Bhagavad-gītā, sarvasya cāhaṁ hṛdi sanniviṣṭaḥ*. El angajează pe fiecare în anumite activități, aducându-i aminte de faptele sale trecute. Iar activitățile în conștiința de Kṛṣṇa, îndeplinite sub îndrumarea Sa dinăuntru, nu provoacă reacții nici în această viață, nici în viața de după moarte.

TEXTUL 14

अधिष्ठानं तथा कर्ता करणं च पृथग्विधम् ।
विविधाश्च पृथक्चेष्टा दैवं चैवात्र पञ्चमम् ॥१४॥

*adhiṣṭhānaṁ tathā kartā
karaṇaṁ ca pṛthag-vidham
vividhāś ca pṛthak ceṣṭā
daivaṁ caivātra pañcamam*

adhiṣṭhānam—locul; *tathā*—ca și; *kartā*—cel ce îndeplinește; *karaṇam*—instrumentele; *ca*—și; *pṛthak-vidham*—de diferite feluri; *vividhāḥ*—variate; *ca*—și; *pṛthak*—separate; *ceṣṭāḥ*—eforturi; *daivam*—Supremul; *ca*—precum și; *eva*—desigur; *atra*—aici; *pañcamam*—al cincelea.

Locul acțiunii (corpul), cel ce îndeplinește, diferitele simțuri, diversele feluri de străduințe și în cele din urmă Suprasufletul—sunt cei cinci factori ai acțiunii.

COMENTARIU

Cuvântul *adhiṣṭhānam* se referă la corp. Sufletul aflat în corp acționează pentru ca rezultatele acțiunii să apară și de aceea este cunoscut sub denumirea de *kartā*, „cel ce îndeplinește". Faptul că sufletul este cunoscătorul și cel ce îndeplinește este afirmat în *śruti*. *Eṣa hi draṣṭā sraṣṭā* (*Praśna Upaniṣad* 4.9). Același lucru e confirmat și în *Vedānta-sūtra* în versetele *jño 'ta eva* (2.3.18) și *kartā śāstrārthavattvāt* (2.3.33). Instrumentele acțiunii sunt simțurile, iar prin simțuri sufletul acționează în diferite feluri. Pentru fiecare acțiune există un alt tip de efort. Dar toate acțiunile cuiva depind de voința Suprasufletului, care se află înăuntrul inimii în calitate de prieten. Domnul Suprem este cauza supremă. În aceste împrejurări, cel ce acţionează în conştiinţa de Kṛṣṇa, fiind îndrumat de Suprasufletul din inimă, în mod firesc nu este încătuşat de nici o activitate. Cei ce sunt în deplină conştiinţă de Kṛṣṇa nu mai sunt în ultimă instanţă responsabili pentru activităţile lor. Totul depinde de voinţa supremă, Suprasufletul, Suprema Personalitate a Divinităţii.

TEXTUL 15

शरीरवाङ्मनोभिर्यत्कर्म प्रारभते नरः ।
न्याय्यं वा विपरीतं वा पञ्चैते तस्य हेतवः ॥१५॥

*śarīra-vāṅ-manobhir yat
karma prārabhate naraḥ
nyāyyaṁ vā viparītaṁ vā
pañcaite tasya hetavaḥ*

śarīra—cu corpul; *vāk*—vorbirea; *manobhiḥ*—şi mintea; *yat*—care; *karma*—activitate; *prārabhate*—începe; *naraḥ*—o persoană; *nyāyyam*—dreaptă; *vā*—sau; *viparītam*—dimpotrivă; *vā*—sau; *pañca*—cinci; *ete*—toate acestea; *tasya*—ale sale; *hetavaḥ*—cauze.

Orice acţiune bună sau rea pe care o îndeplineşte omul cu corpul, mintea sau vorba este cauzată de aceşti cinci factori.

COMENTARIU

Cuvintele „bună" şi „rea" sunt foarte semnificative în acest text. Acţiunea bună este acea acţiune îndeplinită în acord cu îndrumările prescrise în scripturi, iar acţiunea rea este cea făcută contrar principiilor din scripturi. Dar orice lucru s-ar îndeplini, el necesită aceşti cinci factori pentru a fi dus la îndeplinire.

TEXTUL 16

तत्रैवं सति कर्तारमात्मानं केवलं तु यः ।
पश्यत्यकृतबुद्धित्वान्न स पश्यति दुर्मतिः ॥१६॥

tatraivaṁ sati kartāram
ātmānaṁ kevalaṁ tu yaḥ
paśyaty akṛta-buddhitvān
na sa paśyati durmatiḥ

tatra—acolo; *evam*—astfel; *sati*—fiind; *kartāram*—cel ce îndeplinește; *ātmānam*—el însuși; *kevalam*—numai; *tu*—însă; *yaḥ*—oricine; *paśyati*—vede; *akṛta-buddhitvāt*—datorită lipsei de inteligență; *na*—niciodată; *saḥ*—el; *paśyati*—vede; *durmatiḥ*—prost.

De aceea, cel care se crede pe sine a fi singurul care îndeplinește, neținând seama de cei cinci factori, cu siguranță că nu e prea inteligent și nu poate să vadă lucrurile așa cum sunt.

COMENTARIU

Un prost nu poate înțelege că Suprasufletul se află ca prieten înăuntrul său și îi conduce faptele. Deși cauzele materiale sunt locul, cel ce îndeplinește, efortul și simțurile, cauza ultimă este Supremul, Personalitatea Divinității. Prin urmare, nu trebuie să vedem doar cele patru cauze materiale, ci și cauza eficientă supremă. Acela care nu-L vede pe Suprem se crede pe sine însuși cel ce îndeplinește.

TEXTUL 17

यस्य नाहङ्कृतो भावो बुद्धिर्यस्य न लिप्यते ।
हत्वापि स इमाँल्लोकान्न हन्ति न निबध्यते ॥१७॥

yasya nāhaṅkṛto bhāvo
buddhir yasya na lipyate
hatvāpi sa imāl lokān
na hanti na nibadhyate

yasya—cel care; *na*—niciodată; *ahaṅkṛtaḥ*—falsului ego; *bhāvaḥ*—natura; *buddhiḥ*—inteligență; *yasya*—cel a cărui; *na*—niciodată; *lipyate*—se ataşează; *hatvā*—ucigând; *api*—chiar; *saḥ*—el; *imān*—această; *lokān*—lume; *na*—niciodată; *hanti*—ucide; *na*—niciodată; *nibadhyate*—devine înlănţuit.

Cel ale cărui activităţi nu sunt motivate de falsul ego şi a cărui inteligenţă nu este încurcată, chiar dacă ucide oameni în această lume, acela nu ucide şi nici nu e înlănţuit de activităţile sale.

COMENTARIU

În această strofă Domnul îl înştiinţează pe Arjuna că dorinţa de a nu lupta porneşte din falsul ego. Arjuna se credea pe sine a fi cel ce îndeplineşte acţiunea, neţinând seama de aprobarea supremă dinăuntrul şi din afara sa. De ce ar trebui să se angajeze în acţiune cineva care nu ştie că există o asemenea aprobare supremă? Însă cel care cunoaşte instrumentele acţiunii, pe sine însuşi ca cel ce îndeplineşte şi pe Domnul Suprem ca supremul aprobator este desăvârşit în tot ce face. Această persoană nu se află niciodată în iluzie. Acţiunea şi responsabilitatea personală pornesc din falsul ego şi lipsa de credinţă în Dumnezeu sau lipsa conştiinţei de Kṛṣṇa. Oricine acţionează în conştiinţa de Kṛṣṇa, fiind îndrumat de Suprasuflet sau de Suprema Personalitate a Divinităţii, chiar ucigând, nu ucide. Şi nici nu e afectat vreodată de reacţia acelei ucideri. Când un soldat ucide la ordinul unui ofiţer superior, el nu poate fi judecat pentru aceasta. Dar dacă soldatul ucide din propria-i iniţiativă, atunci va fi cu siguranţă judecat de către tribunal.

TEXTUL 18

ज्ञानं ज्ञेयं परिज्ञाता त्रिविधा कर्मचोदना ।
करणं कर्म कर्तेति त्रिविधः कर्मसङ्ग्रहः ॥१८॥

jñānaṁ jñeyaṁ parijñātā
tri-vidhā karma-codanā
karaṇaṁ karma karteti
tri-vidhaḥ karma-saṅgrahaḥ

jñānam—cunoaşterea; *jñeyam*—obiectul cunoaşterii; *parijñātā*—cunoscătorul; *tri-vidhā*—de trei feluri; *karma*—al activităţii; *codanā*—imboldul; *karaṇam*—simţurile; *karma*—activitatea; *kartā*—cel ce îndeplineşte; *iti*—astfel; *tri-vidhaḥ*—de trei feluri; *karma*—activităţii; *saṅgrahaḥ*—ansamblul.

Cunoașterea, obiectul cunoașterii și cunoscătorul sunt cei trei factori care motivează acțiunea; simțurile, activitatea și cel ce îndeplinește sunt cei trei constituenți ai acțiunii.

COMENTARIU

Există trei feluri de imbolduri pentru activitatea zilnică: cunoașterea, obiectul cunoașterii și cunoscătorul. Instrumentul activității, activitatea însăși și cel ce îndeplinește se numesc constituenții activității. Orice activitate îndeplinită de orice ființă umană are aceste elemente. Înainte ca o persoană să acționeze există un impuls care se numește inspirație. Orice hotărâre luată înainte de îndeplinirea activității este o formă subtilă a activității. Apoi activitatea ia forma acțiunii. Mai întâi cineva trece prin procesul psihologic al gândirii, simțirii și voinței, iar acest proces poartă numele de imbold. Inspirația de a îndeplini este aceeași, fie că vine din scripturi ori din instrucțiunile maestrului spiritual. Când există inspirația și cel ce îndeplinește atunci are loc activitatea propriu-zisă, cu ajutorul simțurilor, inclusiv mintea care e centrul tuturor simțurilor. Suma totală a constituenților unei activități se numește ansamblul activității.

TEXTUL 19

ज्ञानं कर्म च कर्ता च त्रिधैव गुणभेदतः ।
प्रोच्यते गुणसङ्ख्याने यथावच्छृणु तान्यपि ॥१९॥

jñānaṁ karma ca kartā ca
tridhaiva guṇa-bhedataḥ
procyate guṇa-saṅkhyāne
yathāvac chṛṇu tāny api

jñānam—cunoașterea; *karma*—activitatea; *ca*—și; *kartā*—cel ce îndeplinește; *ca*—precum și; *tridhā*—de trei feluri; *eva*—desigur; *guṇa-bhedataḥ*—în funcție de diferitele moduri ale naturii materiale; *procyate*—sunt denumite; *guṇa-saṅkhyāne*—după diferitele moduri; *yathā-vat*—așa cum sunt ele; *śṛṇu*—ascultă; *tāni*—toate acestea; *api*—de asemenea.

Potrivit cu cele trei moduri diferite ale naturii materiale, există trei tipuri de cunoaștere, acțiune și de executori ai acțiunii. Acum ascultă despre ele de la Mine.

COMENTARIU

În capitolul al paisprezecelea au fost descrise amănunțit cele trei categorii de moduri ale naturii materiale. Acolo se spunea că modul bunătății este cel care iluminează, modul pasiunii este materialist iar cel al ignoranței duce la lenevie și indolență. Toate modurile naturii leagă; ele nu sunt surse ale eliberării. Chiar și în modul bunătății o persoană este condiționată. În capitolul al șaptesprezecelea s-au descris diferitele feluri de adorare îndeplinite de diferitele tipuri de oameni, ținând de diferitele moduri ale naturii materiale. În acest verset Domnul spune că El dorește să vorbească despre diferitele tipuri de cunoaștere, de executori și de activități, în funcție de cele trei moduri materiale.

TEXTUL 20

सर्वभूतेषु येनैकं भावमव्ययमीक्षते ।
अविभक्तं विभक्तेषु तज्ज्ञानं विद्धि सात्त्विकम् ॥२०॥

sarva-bhūteṣu yenaikaṁ
bhāvam avyayam īkṣate
avibhaktaṁ vibhakteṣu
taj jñānaṁ viddhi sāttvikam

sarva-bhūteṣu—în toate entitățile vii; *yena*—prin care; *ekam*—unică; *bhāvam*—natură; *avyayam*—nepieritoare; *īkṣate*—se vede; *avibhaktam*—nedivizată; *vibhakteṣu*—împărțită în nenumărate; *tat*—acea; *jñānam*—cunoaștere; *viddhi*—cunoaște; *sāttvikam*—în modul bunătății.

Acea cunoaștere prin care natura spirituală unică și nedivizată este văzută în toate entitățile vii, chiar dacă acestea se împart în nenumărate forme, trebuie să o înțelegi ca ținând de modul bunătății.

COMENTARIU

Cel ce vede un suflet spiritual în fiecare ființă vie, fie semizeu, ființă umană, mamifer, pasăre, animal acvatic sau plantă, posedă cunoașterea ce ține de modul bunătății. În toate entitățile vii există un suflet spiritual, deși ele au corpuri diferite, în funcție de activitățile lor trecute. Așa cum se arată în capitolul al șaptelea, manifestarea forței vitale în fiecare corp se datorează naturii superioare a Domnului Suprem. A vedea deci această natură superioară unică, această forţă vitală în fiecare corp înseamnă a vedea în modul bunătăţii. Acea energie vitală este nepieritoare, deşi corpurile sunt pieritoare. Diferenţele sunt percepute datorită corpului; deoarece există multe forme de existenţă materială în viaţa condiţionată, forţa vitală pare a fi divizată. O asemenea cunoaştere impersonală este un aspect al realizării de sine.

TEXTUL 21

पृथक्त्वेन तु यज्ज्ञानं नानाभावान् पृथग्विधान् ।
वेत्ति सर्वेषु भूतेषु तज्ज्ञानं विद्धि राजसम् ॥२१॥

pṛthaktvena tu yaj jñānaṁ
nānā-bhāvān pṛthag-vidhān
vetti sarveṣu bhūteṣu
taj jñānaṁ viddhi rājasam

pṛthaktvena—datorită divizării; *tu*—însă; *yat*—care; *jñānam*—cunoaştere; *nānā-bhāvān*—multiple naturi; *pṛthak-vidhān*—diferite; *vetti*—cunoaşte; *sarveṣu*—în toate; *bhūteṣu*—entităţile vii; *tat*—acea; *jñānam*—cunoaştere; *viddhi*—trebuie considerată; *rājasam*—ca ţinând de pasiune.

Acea cunoaştere prin care o persoană vede că în fiecare corp diferit există un tip diferit de entitate vie trebuie s-o înţelegi ca ţinând de modul pasiunii.

COMENTARIU

Concepţia potrivit căreia corpul material este entitatea vie, iar odată cu distrugerea corpului este distrusă şi conştiinţa se numeşte cunoaştere în modul pasiunii. Potrivit acestei cunoaşteri, corpurile diferă unul de altul datorită dezvoltării unor tipuri diferite de conştiinţă, neexistând un suflet distinct care să manifeste conştiinţa. Corpul este el însuşi suflet iar în afara corpului nu există suflet. Conform acestei cunoaşteri, conştiinţa este temporară. Sau, după o altă concepţie, nu există suflete individuale, ci doar un suflet atotpătrunzător, care e plin de cunoaştere, iar corpul este o manifestare temporară a ignoranţei. Sau se mai susţine că dincolo de acest corp nu există un suflet special, individual sau suprem. Toate aceste concepţii sunt considerate produsul modului pasiunii.

TEXTUL 22

यत्तु कृत्स्नवदेकस्मिन् कार्ये सक्तमहैतुकम् ।
अतत्त्वार्थवदल्पं च तत्तामसमुदाहृतम् ॥२२॥

yat tu kṛtsna-vad ekasmin
kārye saktam ahaitukam
atattvārtha-vad alpaṁ ca
tat tāmasam udāhṛtam

yat—cel care; *tu*—însă; *kṛtsna-vat*—ca fiind tot ceea ce există; *ekasmin*—într-o singură; *kārye*—îndeplinire; *saktam*—atașat; *ahaitukam*—fără cauză; *atattva-artha vat*   fără cunoașterea realității; *alpam*—foarte limitată; *ca*—și; *tat*—aceea; *tāmasam*—în modul întunericului; *udāhṛtam*—se spune că este.

Iar acea cunoaștere prin care cineva se atașează de un singur fel de activitate ca și cum ar fi totul, fără cunoașterea adevărului și care este foarte limitată, se spune că ține de modul întunericului.

COMENTARIU

„Cunoașterea" omului obișnuit ține întotdeauna de modul întunericului sau al ignoranței, deoarece orice entitate vie aflată în viața condiționată se naște în modul ignoranței. Cel ce nu-și dezvoltă o cunoaștere bazată pe autorități sau pe prescripțiile scripturii are o cunoaștere limitată la corp. El nu se preocupă să acționeze conform instrucțiunilor din scripturi. Pentru el Dumnezeu înseamnă bani iar cunoașterea înseamnă satisfacerea cerințelor corpului. O asemenea cunoaștere nu are legătură cu Adevărul Absolut. Ea este mai mult sau mai puțin asemenea cunoașterii animalelor: cunoașterea hrănirii, somnului, apărării și împerecherii. O astfel de cunoaștere este descrisă aici ca fiind produsul modului ignoranței. Cu alte cuvinte, cunoașterea referitoare la sufletul spiritual aflat dincolo de corp este cunoașterea ce ține de modul bunătății, cea care produce multe teorii și doctrine cu ajutorul logicii lumești și a speculației mentale este produsul modului pasiunii, iar cunoașterea preocupată doar de menținerea unei stări confortabile a corpului se spune că ține de modul ignoranței.

TEXTUL 23

नियतं सङ्गरहितमरागद्वेषतः कृतम् ।
अफलप्रेप्सुना कर्म यत्तत्सात्त्विकमुच्यते ॥२३॥

niyataṁ saṅga-rahitam
arāga-dveṣataḥ kṛtam
aphala-prepsunā karma
yat tat sāttvikam ucyate

niyatam—reglementată; *saṅga-rahitam*—fără atașament; *arāga-dveṣataḥ*—fără iubire sau ură; *kṛtam*—îndeplinită; *aphala-prepsunā*—de către cel ce nu dorește fructul ce rezultă; *karma*—acțiunea; *yat*—care; *tat*—aceea; *sāttvikam*—în modul bunătății; *ucyate*—este numită.

Acea acțiune care este reglementată și care este îndeplinită fără atașament, fără iubire sau ură și fără dorința pentru fruct, se spune că ține de modul bunătății.

COMENTARIU

Datoriile profesionale reglementate, așa cum sunt ele prescrise în scripturi potrivit cu diferitele ordine și diviziuni ale societății, îndeplinite fără atașament și fără sentimentul proprietății, deci fără nici un fel de iubire sau ură și îndeplinite în conștiința de Kṛṣṇa, pentru mulțumirea Supremului și nu pentru propria satisfacție sau propria plăcere, sunt numite acțiuni ce țin de modul bunătății.

TEXTUL 24

यत्तु कामेप्सुना कर्म साहङ्कारेण वा पुनः ।
क्रियते बहुलायासं तद्राजसमुदाहृतम् ॥२४॥

yat tu kāmepsunā karma
sāhaṅkāreṇa vā punaḥ
kriyate bahulāyāsaṁ
tad rājasam udāhṛtam

yat—cea care; *tu*—însă; *kāma-īpsunā*—de către cel ce doreşte fructul rezultat; *karma*—activitatea; *sa-ahaṅkāreṇa*—cu egoism; *vā*—sau; *punaḥ*—din nou; *kriyate*—este îndeplinită; *bahula-āyāsam*—cu mare trudă; *tat*—aceea; *rājasam*—în modul pasiunii; *udāhṛtam*—se spune că este.

Însă acţiunea îndeplinită cu multă trudă de către cineva care caută să-şi satisfacă dorinţele fiind pornită din falsul ego, poartă numele de acţiune ce ţine de modul pasiunii.

TEXTUL 25

अनुबन्धं क्षयं हिंसामनपेक्ष्य च पौरुषम् ।
मोहादारभ्यते कर्म यत्तत्तामसमुच्यते ॥२५॥

anubandhaṁ kṣayaṁ hiṁsām
anapekṣya ca pauruṣam
mohād ārabhyate karma
yat tat tāmasam ucyate

anubandham—a legăturii viitoare; *kṣayam*—nimicirea; *hiṁsām*—şi suferinţele celorlalţi; *anapekṣya*—care nu ţine seama de consecinţele; *ca*—de asemenea; *pauruṣam*—auto-aprobată; *mohāt*—din iluzie; *ārabhyate*—este începută; *karma*—activitatea; *yat*—care; *tat*—aceea; *tāmasam*—în modul ignoranţei; *ucyate*—se spune că este.

Acţiunea îndeplinită sub influenţa iluziei, dispreţuind instrucţiunile din scripturi şi fără a ţine seama de urmările ce vor provoca încătuşarea sau de violenţa şi suferinţa cauzată altora, se spune că ţine de modul ignoranţei.

COMENTARIU

O persoană trebuie să dea socoteală pentru acţiunile sale în faţa legilor statului sau în faţa trimişilor Domnului Suprem numiţi Yamadūta. Activitatea iresponsabilă este distructivă, căci ea distruge principiile regulatoare ale instrucţiunilor din scripturi. Adeseori ea se întemeiază pe violenţă şi produce suferinţă altor entităţi vii. Aceste activităţi iresponsabile sunt îndeplinite doar pe temeiul experienţei personale. Aceasta se numeşte iluzie. Şi orice astfel de îndeplinire iluzorie este produsul modului ignoranţei.

TEXTUL 26

मुक्तसङ्गोऽनहंवादी धृत्युत्साहसमन्वितः ।
सिद्ध्यसिद्ध्योर्निर्विकारः कर्ता सात्त्विक उच्यते ॥२६॥

mukta-saṅgo 'naham-vādī
dhṛty-utsāha-samanvitaḥ
siddhy-asiddhyor nirvikāraḥ
kartā sāttvika ucyate

mukta-saṅgaḥ—eliberat de orice asociere materială; *anaham-vādī*—lipsit de
falsul ego; *dhṛti*—hotărâre; *utsāha*—și mare entuziasm; *samanvitaḥ*—carac-
terizată de; *siddhi*—la împlinire; *asiddhyoḥ*—și neîmplinire; *nirvikāraḥ*—
neschimbat; *kartā*—cel ce îndeplinește; *sāttvikaḥ*—în modul bunătății;
ucyate—se spune că este.

**Cel ce-și împlinește datoria liber de influența modurilor naturii mate-
riale și a falsului ego, cu multă hotărâre și entuziasm, care rămâne
neclintit atât la reușită cât și la nereușită, se spune că acționează în
modul bunătății.**

COMENTARIU

Cel aflat în conștiința de Kṛṣṇa este întotdeauna transcendent față de modu-
rile naturii materiale. El nu așteaptă rezultate de pe urma muncii ce i-a fost
încredințată, căci se află deasupra mândriei și falsului ego. Totuși el rămâne
mereu entuziast până ce-și duce munca la bun sfârșit. El nu-și face griji pentru
greutățile întâlnite, rămânând mereu plin de entuziasm. Nu ține seama de
reușită sau nereușită; el rămâne mereu același, atât la suferință cât și la feri-
cire. Acela care activează astfel e situat în modul bunătății.

TEXTUL 27

रागी कर्मफलप्रेप्सुर्लुब्धो हिंसात्मकोऽशुचिः ।
हर्षशोकान्वितः कर्ता राजसः परिकीर्तितः ॥२७॥

rāgī karma-phala-prepsur
lubdho himsātmako 'śuciḥ

harṣa-śokānvitaḥ kartā
rājasaḥ parikīrtitaḥ

rāgī—foarte ataşat; *karma-phala*—fructul activităţii; *prepsuḥ*—dorind; *lubdhaḥ*—lacom; *hiṁsā-ātmakaḥ*—mereu invidios; *aśuciḥ*—necurat; *harṣa-śoka-anvitaḥ*—supus bucuriei şi întristării; *kartā*— cel ce îndeplineşte; *rājasaḥ*—în modul pasiunii; *parikīrtitaḥ*—este declarat.

Cel ce activează fiind ataşat de activitate şi de fructul activităţii, dorind să se bucure de acest fruct, care e lacom, mereu invidios, impur şi stăpânit de bucurie şi întristare, acela este considerat a fi în modul pasiunii.

COMENTARIU

O persoană este prea mult ataşată de un anumit tip de activitate sau de rezultat datorită unui prea mare ataşament faţă de materialism, faţă de vatra şi căminul său, de soţie şi de copii. O astfel de persoană nu doreşte să se înalţe la o poziţie superioară în viaţă. Ea nu se preocupă decât de a face ca această lume să-i fie cât mai confortabilă posibil. De obicei este foarte lacomă şi crede că orice lucru pe care-l obţine este permanent şi nu-l va pierde niciodată. O astfel de persoană este invidioasă pe alţii şi gata să facă orice activitate rea pentru a-şi satisface simţurile. De aceea, această persoană este necurată şi nu-şi face griji dacă câştigul său este pur sau impur. Ea este foarte fericită când reuşeşte şi foarte nefericită când activităţile sale nu reuşesc. Astfel este cel ce activează în modul pasiunii.

TEXTUL 28

अयुक्तः प्राकृतः स्तब्धः शठो नैष्कृतिकोऽलसः ।
विषादी दीर्घसूत्री च कर्ता तामस उच्यते ॥२८॥

ayuktaḥ prākṛtaḥ stabdhaḥ
śaṭho naiṣkṛtiko 'lasaḥ
viṣādī dīrgha-sūtrī ca
kartā tāmasa ucyate

ayuktaḥ—fără referinţe la instrucţiunile din scripturi; *prākṛtaḥ*—materialist; *stabdhaḥ*—încăpăţânat; *śaṭhaḥ*—înşelător; *naiṣkṛtikaḥ*—iscusit în a-i insulta pe alții; *alasah*—leneș; *viṣādī*—posomorât; *dīrgha-sūtrī*—delăsător; *ca*—precum și; *kartā*—cel ce îndeplinește; *tāmasah*—în modul ignoranței; *ucyate*—se spune că este.

Cel ce activează fiind angajat permanent în activități contrare instruc-țiunilor din scripturi, materialist, îndărătnic, înșelător și iscusit în a-i insulta pe alții, leneș, mereu posomorât și delăsător, acela se spune că activează în modul ignoranței.

COMENTARIU

Din învățăturile scripturii aflăm care activități trebuie îndeplinite și care nu trebuie îndeplinite. Cei cărora nu le pasă de aceste instrucțiuni se angajează în acțiuni ce nu trebuie îndeplinite și aceste persoane sunt în general materia-liste. Ei acționează în funcție de modurile naturii, nu în funcție de instruc-țiunile scripturii. Cei ce activează astfel nu sunt prea blânzi și în general sunt șireți și iscusiți în a-i insulta pe alții. Ei sunt foarte leneși; chiar dacă au un lucru de făcut, îl fac de mântuială și amână mereu pe mai târziu. De aceea, aceștia par a fi posomorâți. Ei sunt delăsători; orice lucru care poate fi făcut într-un ceas, ei trag de el ani în șir. Aceștia activează fiind situați în modul ignoranței.

TEXTUL 29

बुद्धेर्भेदं धृतेश्चैव गुणतस्त्रिविधं शृणु ।
प्रोच्यमानमशेषेण पृथक्त्वेन धनञ्जय ॥२९॥

buddher bhedaṁ dhṛteś caiva
guṇatas tri-vidhaṁ śṛṇu
procyamānam aśeṣeṇa
pṛthaktvena dhanañjaya

buddheh—dintre inteligențe; *bhedam*—diferențele; *dhṛteh*—dintre fermități; *ca*—ca și; *eva*—desigur; *guṇatah*—de către modurile naturii materiale; *tri-vidham*—de trei feluri; *śṛṇu*—ascultă; *procyamānam*—așa cum sunt descri-se de Mine; *aśeṣeṇa*—amănunțit; *pṛthaktvena*—diferențiat; *dhanañjaya*—o, cuceritorule de bogății.

O, cuceritor al bogăţiilor, te rog ascultă acum despre diferitele feluri de înţelegere şi hotărâre, aşa cum ţi le voi descrie Eu amănunţit, în conformitate cu cele trei moduri ale naturii materiale.

COMENTARIU

După ce-a explicat cunoaşterea, obiectul cunoaşterii şi cunoscătorul ca făcând parte din cele trei categorii diferite, Domnul explică acum în acelaşi fel inteligenţa şi hotărârea celui ce îndeplineşte.

TEXTUL 30

प्रवृत्तिं च निवृत्तिं च कार्याकार्ये भयाभये ।
बन्धं मोक्षं च या वेत्ति बुद्धिः सा पार्थ सात्त्विकी ॥३०॥

pravṛttiṁ ca nivṛttiṁ ca
kāryākārye bhayābhaye
bandhaṁ mokṣaṁ ca yā vetti
buddhiḥ sā pārtha sāttvikī

pravṛttim—îndeplinirea; *ca*—ca şi; *nivṛttim*—neîndeplinirea; *ca*—şi; *kārya*—ceea ce se cuvine să fie făcut; *akārye*—şi ceea ce nu se cuvine a fi făcut; *bhaya*—frica; *abhaye*—şi neînfricarea; *bandham*—încătuşarea; *mokṣam*—eliberarea; *ca*—şi; *yā*—cea care; *vetti*—cunoaşte; *buddhiḥ*—înţelegerea; *sā*—aceea; *pārtha*—o, fiu al lui Pṛthā; *sāttvikī*—în modul bunătăţii.

O, fiu al lui Pṛthā, acea înţelegere prin care cineva cunoaşte ceea ce se cuvine şi ceea ce nu se cuvine să fie îndeplinit, ceea ce este şi ceea ce nu este de temut, ce este legarea şi ce este eliberarea, se află în modul bunătăţii.

COMENTARIU

Îndeplinirea acţiunilor conform îndrumărilor din scripturi se numeşte *pravṛtti* sau îndeplinirea acţiunilor care merită să fie îndeplinite. Acele acţiuni care nu sunt recomandate de scripturi, nu trebuie îndeplinite. Cel ce nu cunoaşte îndrumările scripturilor este prins în hăţişul acţiunilor şi reacţiunilor activităţii. Înţelegerea care discerne prin intermediul inteligenţei se situează în modul bunătăţii.

TEXTUL 31

यया धर्ममधर्मं च कार्यं चाकार्यमेव च ।
अयथावत्प्रजानाति बुद्धिः सा पार्थ राजसी ॥३१॥

yayā dharmam adharmam ca
kāryam cākāryam eva ca
ayathāvat prajānāti
buddhiḥ sā pārtha rājasī

yayā—prin care; *dharmam*—principiile religiei; *adharmam*—nereligiozitatea; *ca*—şi; *kāryam*—ceea ce se cuvine să fie făcut; *ca*—ca şi; *akāryam*—ceea ce nu se cuvine să fie făcut; *eva*—desigur; *ca*—şi; *ayathā-vat*—în mod imperfect; *prajānāti*—cunoaşte; *buddhiḥ*—inteligenţa; *sā*—aceea; *pārtha*—o, fiu al lui Pṛthā; *rājasī*—în modul pasiunii.

O, fiu al lui Pṛthā, acea înţelegere care nu poate discerne între religie şi lipsa de religiozitate, între activitatea ce trebuie făcută şi cea care nu trebuie făcută, ţine de modul pasiunii.

TEXTUL 32

अधर्मं धर्ममिति या मन्यते तमसावृता ।
सर्वार्थान् विपरीतांश्च बुद्धिः सा पार्थ तामसी ॥३२॥

adharmam dharmam iti yā
manyate tamasāvṛtā
sarvārthān viparītāṁś ca
buddhiḥ sā pārtha tāmasī

adharmam—lipsa de religiozitate; *dharmam*—religie; *iti*—astfel; *yā*—cea care; *manyate*—gândeşte; *tamasā*—de către iluzie; *āvṛtā*—acoperită; *sarva-arthān*—toate lucrurile; *viparītān*—în direcţia greşită; *ca*—precum şi; *buddhiḥ*—inteligenţa; *sā*—aceea; *pārtha*—o, fiu al lui Pṛthā; *tāmasī*—în modul ignoranţei.

Acea înţelegere care sub influenţa iluziei şi a întunericului consideră lipsa de religiozitate drept religie iar religia drept lipsă de religiozitate

și ale cărei eforturi se îndreaptă mereu pe calea greșită, o, Pārtha, ține de modul ignoranței.

COMENTARIU

Inteligența ce ține de modul ignoranței acționează întotdeauna invers decât ar trebui. Ea acceptă religiile care nu sunt adevărate drept religii și respinge religia veritabilă. Oamenii aflați în ignoranță consideră un mare suflet ca fiind un om obișnuit și acceptă un om obișnuit ca fiind un mare suflet. Ei iau adevărul drept neadevăr și neadevărul drept adevăr. În toate activitățile lor ei o iau doar pe calea greșită; de aceea, inteligența lor ține de modul ignoranței.

TEXTUL 33

धृत्या यया धारयते मनःप्राणेन्द्रियक्रियाः ।
योगेनाव्यभिचारिण्या धृतिः सा पार्थ सात्त्विकी ॥३३॥

dhṛtyā yayā dhārayate
manaḥ-prāṇendriya-kriyāḥ
yogenāvyabhicāriṇyā
dhṛtiḥ sā pārtha sāttvikī

dhṛtyā—hotărârea; *yayā*—prin care; *dhārayate*—sunt susținute; *manaḥ*—ale minții; *prāṇa*—vieții; *indriya*—și simțurilor; *kriyāḥ*—activități; *yogena*—prin practica yoga; *avyabhicāriṇyā*—fără nici o întrerupere; *dhṛtiḥ*—hotărârea; *sā*—aceea; *pārtha*—o, fiu al lui Pṛthā; *sāttvikī*—în modul bunătății.

O, fiu al lui Pṛthā, acea hotărâre de neînfrânt, susținută de statornicia în practica yoga și care în acest fel ține sub control activitățile minții, vieții și simțurilor, este hotărârea ce ține de modul bunătății.

COMENTARIU

Yoga este un mijloc de a înțelege Sufletul Suprem. Cel ce e statornic fixat în Sufletul Suprem cu hotărâre, concentrându-și mintea, viața și activitățile senzoriale asupra Supremului, se angajează în conștiința de Kṛṣṇa. Acest fel de hotărâre ține de modul bunătății. Cuvântul *avyabhicāriṇyā* este foarte semnificativ, căci el indică faptul că persoanele angajate în conștiința de Kṛṣṇa nu sunt niciodată deviate de alte activități.

TEXTUL 34

यया तु धर्मकामार्थान्धृत्या धारयतेऽर्जुन ।
प्रसङ्गेन फलाकाङ्क्षी धृतिः सा पार्थ राजसी ॥३४॥

yayā tu dharma-kāmārthān
dhṛtyā dhārayate 'rjuna
prasaṅgena phalākāṅkṣī
dhṛtiḥ sā pārtha rājasī

yayā—prin care; *tu*—însă; *dharma*—religiozitatea; *kāma*—satisfacerea simțurilor; *arthān*—și dezvoltarea economică; *dhṛtyā*—cu hotărâre; *dhārayate*—este susținută; *arjuna*—o, Arjuna; *prasaṅgena*—datorită atașamentului; *phala-ākāṅkṣī*—dorind fructul ce rezultă; *dhṛtiḥ*—hotărârea; *sā*—aceea; *pārtha*—o, fiu al lui Pṛthā; *rājasī*—în modul pasiunii.

Dar hotărârea prin care cineva se agață cu putere de fructul ce rezultă din religie, dezvoltarea economică și satisfacerea simțurilor are natura pasiunii, o, Arjuna.

COMENTARIU

Orice persoană care dorește întotdeauna fructul ce rezultă din religie sau activitățile economice, a cărui singură dorință este satisfacerea simțurilor și care își angajează în acest fel mintea, viața și simțurile, ține de modul pasiunii.

TEXTUL 35

यया स्वप्नं भयं शोकं विषादं मदमेव च ।
न विमुञ्चति दुर्मेधा धृतिः सा पार्थ तामसी ॥३५॥

yayā svapnaṁ bhayaṁ śokaṁ
viṣādaṁ madam eva ca

na vimuñcati durmedhā
dhṛtiḥ sā pārtha tāmasī

yayā—prin care; *svapnam*—visarea; *bhayam*—frică; *śokam*—lamentarea; *viṣādam*—posomorârea; *madam*—iluzia; *eva*—desigur; *ca*—ca și; *na*—niciodată; *vimuñcati*—abandonează; *durmedhā*—lipsită de inteligență; *dhṛtiḥ*—hotărârea; *sā*—aceea; *pārtha*—o, fiu al lui Pṛthā; *tāmasī*—în modul ignoranței.

Iar hotărârea care nu poate trece dincolo de visare, înfricoșare, lamentare, posomorâre și iluzie—o astfel de hotărâre lipsită de inteligență, o, fiu al lui Pṛthā, ține de modul întunericului.

COMENTARIU

Nu trebuie să se tragă concluzia că o persoană aflată în modul bunătății nu visează. Aici cuvântul „vis" înseamnă prea mult somn. Visarea este prezentă permanent; atât în modul bunătății, cât și al pasiunii sau ignoranței visul este un fapt natural. Însă cei ce nu se pot dezbăra de dormitul excesiv, care nu pot înlătura orgoliul de a se bucura de obiectele materiale, care visează mereu să domnească asupra lumii materiale și a căror viață, minte și simțuri sunt angajate în acest fel, sunt socotiți ca având o hotărâre ce ține de modul ignoranței.

TEXTUL 36

सुखं त्विदानीं त्रिविधं शृणु मे भरतर्षभ ।
अभ्यासाद्रमते यत्र दुःखान्तं च निगच्छति ॥३६॥

sukhaṁ tv idānīṁ tri-vidhaṁ
śṛṇu me bharatarṣabha
abhyāsād ramate yatra
duḥkhāntaṁ ca nigacchati

sukham—fericirea; *tu*—însă; *idānīm*—acum; *tri-vidham*—de trei feluri; *śṛṇu*—ascultă; *me*—de la Mine; *bharata-ṛṣabha*—o, cel mai bun din dinastia Bhārata; *abhyāsāt*—prin practică; *ramate*—se desfată; *yatra*—în care; *duḥkha*—al suferinței; *antam*—sfârșit; *ca*—precum și; *nigacchati*—câștigă.

O, cel mai bun din dinastia Bhārata, te rog ascultă acum de la Mine despre cele trei tipuri de fericire de care sufletul condiționat se bucură și prin care uneori ajunge să pună capăt tuturor suferințelor.

COMENTARIU

Sufletul condiționat încearcă mereu și mereu să se bucure de fericirea materială. Astfel el mestecă ceea ce a mai fost mestecat. Însă uneori în cursul acestei desfătări el este salvat din capcana materiei prin asocierea cu un mare suflet. Cu alte cuvinte, un suflet condiționat este întotdeauna angajat într-un anumit tip de satisfacere a simțurilor, dar când printr-o bună asociere înțelege că e vorba doar de o repetare a aceluiași lucru și se trezește la adevărata sa conștiință de Kṛṣṇa, ajunge uneori să scape de această așa-zisă fericire repetată.

TEXTUL 37

यत्तदग्रे विषमिव परिणामेऽमृतोपमम् ।
तत्सुखं सात्त्विकं प्रोक्तमात्मबुद्धिप्रसादजम् ॥३७॥

yat tad agre viṣam iva
pariṇāme 'mṛtopamam
tat sukhaṁ sāttvikaṁ proktam
ātma-buddhi-prasāda-jam

yat—care; *tat*—aceea; *agre*—la început; *viṣam iva*—ca otrava; *pariṇāme*—la sfârșit; *amṛta*—nectarul; *upamam*—comparată cu; *tat*—acea; *sukham*—fericire; *sāttvikam*—în modul bunătății; *proktam*—este numită; *ātma*—în sine; *buddhi*—inteligenței; *prasāda-jam*—născut din satisfacția.

Ceea ce la-nceput este precum otrava, iar la sfârșit precum nectarul și care trezește pe cineva la realizarea de sine, se spune că este fericirea în modul bunătății.

COMENTARIU

Cel ce caută realizarea de sine trebuie să respecte multe legi și reglemetări pentru a-și stăpâni mintea și simțurile și pentru a-și concentra mintea asupra sinelui. Toate aceste procedee sunt foarte dificile, amare ca otrava, dar dacă cineva reuşeşte să respecte regulile şi ajunge la nivel transcendent, el începe să guste adevăratul nectar şi să se bucure de viață.

TEXTUL 38

विषयेन्द्रियसंयोगाद्यत्तदग्रेऽमृतोपमम् ।
परिणामे विषमिव तत्सुखं राजसं स्मृतम् ॥३८॥

*viṣayendriya-saṁyogād
yat tad agre 'mṛtopamam
pariṇāme viṣam iva
tat sukhaṁ rājasaṁ smṛtam*

viṣaya—obiectelor simțurilor; *indriya*—cu simțurile; *saṁyogāt*—din combinarea; *yat*—care; *tat*—aceea; *agre*—la început; *amṛta-upamam*—întocmai ca nectarul; *pariṇāme*—la sfârşit; *viṣam iva*—ca otrava; *tat*—acea; *sukham*—fericire; *rājasam*—în modul pasiunii; *smṛtam*—este socotită.

Acea fericire născută din contactul simțurilor cu obiectele lor şi care pare nectar la început şi otravă la sfârşit se spune că are natura pasiunii.

COMENTARIU

Un bărbat tânăr întâlneşte o tânără femeie iar simțurile îl îndeamnă să o privească, s-o atingă şi să aibă relații sexuale cu ea. La început acest lucru poate fi foarte plăcut pentru simțuri, dar la sfârşit sau după un anumit timp devine ca o otravă. Apare despărțirea, divorțul, lamentarea, supărarea etc. O astfel de fericire ține întotdeauna de modul pasiunii. Fericirea născută din combinarea simțurilor şi a obiectelor simțurilor este întotdeauna pricină de suferință şi trebuie înlăturată prin orice mijloace.

TEXTUL 39

यदग्रे चानुबन्धे च सुखं मोहनमात्मनः ।
निद्रालस्यप्रमादोत्थं तत्तामसमुदाहृतम् ॥३९॥

yad agre cānubandhe ca
sukhaṁ mohanam ātmanaḥ
nidrālasya-pramādottham
tat tāmasam udāhṛtam

yat—cea care; *agre*—la început; *ca*—şi; *anubandhe*—la sfârşit; *ca*—şi; *sukham*—fericirea; *mohanam*—iluzorie; *ātmanaḥ*—a sinelui; *nidrā*—somn; *ālasya*—trândăvie; *pramāda*—şi iluzie; *uttham*—produsă din; *tat*—aceea; *tāmasam*—în modul ignoranţei; *udāhṛtam*—se spune că este.

Iar acea fericire care e oarbă faţă de realizarea de sine, care e iluzorie de la început până la sfârşit şi care apare din somn, trândăvie şi iluzie, se spune că are natura ignoranţei.

COMENTARIU

Cel ce-şi găseşte plăcerea în trândăvie şi somn se află cu siguranţă în întuneric, în ignoranţă, iar cel ce nu are idee despre cum să acţioneze şi cum să nu acţioneze este de asemenea în modul ignoranţei. Pentru cel aflat în modul ignoranţei totul este iluzie. Nu există fericire nici la început, nici la sfârşit. Pentru cel aflat în modul pasiunii poate exista o oarecare fericire efemeră la început, iar la sfârşit e suferinţa, dar pentru cel ce ţine de modul ignoranţei există numai suferinţă, atât la început cât şi la sfârşit.

TEXTUL 40

न तदस्ति पृथिव्यां वा दिवि देवेषु वा पुनः ।
सत्त्वं प्रकृतिजैर्मुक्तं यदेभिः स्यात्त्रिभिर्गुणैः ॥४०॥

na tad asti pṛthivyāṁ vā
divi deveṣu vā punaḥ
sattvaṁ prakṛti-jair muktaṁ
yad ebhiḥ syāt tribhir guṇaiḥ

na—nu; *tat*—acesta; *asti*—există; *pṛthivyām*—pe pământ; *vā*—sau; *divi*—pe sistemele planetare superioare; *deveṣu*—printre semizei; *vā*—sau; *punaḥ*—din nou; *sattvam*—existenţă; *prakṛti-jaiḥ*—născută din natura materială; *muktam*—liber; *yat*—care; *ebhih*—de influența acestor; *syāt*—să fie; *tribhih*—trei; *gunaih*—moduri ale naturii materiale.

Nu există nici aici, nici printre semizeii de pe sistemele planetare superioare, vreo ființă care să fie liberă de aceste trei moduri născute din natura materială.

COMENTARIU

Domnul rezumă aici influența totală a celor trei moduri ale naturii materiale asupra întregului univers.

TEXTUL 41

ब्राह्मणक्षत्रियविशां शूद्राणां च परन्तप ।
कर्माणि प्रविभक्तानि स्वभावप्रभवैर्गुणैः ॥४१॥

brāhmaṇa-kṣatriya-viśāṁ
śūdrāṇāṁ ca parantapa
karmāṇi pravibhaktāni
svabhāva-prabhavair guṇaiḥ

brāhmaṇa—dintre brahmani; *kṣatriya*—kṣatriya; *viśām*—şi *vaiśya*; *śūdrāṇām*—dintre *śūdra; ca*—şi; *parantapa*—o, învingător al duşmanilor; *karmāṇi*—activitățile; *pravibhaktāni*—se împart; *svabhāva*—propria natură; *prabhavaiḥ*—născute din; *guṇaiḥ*—de către modurile naturii materiale.

Brahmanii, kṣatriya, vaiśya şi śūdra se deosebesc prin însuşirile născute din propria lor natură, potrivit cu modurile materiale, o, tu cel ce-ți înfrângi duşmanii.

TEXTUL 42

शमो दमस्तपः शौचं क्षान्तिरार्जवमेव च ।
ज्ञानं विज्ञानमास्तिक्यं ब्रह्मकर्म स्वभावजम् ॥४२॥

śamo damas tapaḥ śaucaṁ
kṣāntir ārjavam eva ca

jñānaṁ vijñānam āstikyaṁ
brahma-karma svabhāva-jam

śamaḥ—seninătatea; *damaḥ*—stăpânirea de sine; *tapaḥ*—austeritatea; *śaucam*—puritatea; *kṣāntiḥ*—toleranța; *ārjavam*—onestitatea; *eva*—desigur; *ca*—și; *jñānam*—cunoașterea; *vijñānam*—înțelepciunea; *āstikyam*—religiozitatea; *brahma*—unui brahman; *karma*—datoriile; *svabhāva-jam*—născute din propria natură.

Seninătatea, stăpânirea de sine, austeritatea, puritatea, toleranța, onestitatea, cunoașterea, înțelepciunea și religiozitatea—toate acestea sunt însușirile naturale cu care activează brahmanii.

TEXTUL 43

शौर्यं तेजो धृतिर्दाक्ष्यं युद्धे चाप्यपलायनम् ।
दानमीश्वरभावश्च क्षात्रं कर्म स्वभावजम् ॥४३॥

śauryaṁ tejo dhṛtir dākṣyaṁ
yuddhe cāpy apalāyanam
dānam īśvara-bhāvaś ca
kṣātraṁ karma svabhāva-jam

śauryam—eroismul; *tejaḥ*—puterea; *dhṛtiḥ*—hotărârea; *dākṣyam*—iscusința; *yuddhe*—în bătălie; *ca*—și; *api*—de asemenea; *apalāyanam*—a nu fugi; *dānam*—generozitatea; *īśvara*—de conducător; *bhāvaḥ*—natura; *ca*—și; *kṣātram*—unui kṣatriya; *karma*—datoria; *svabhāva-jam*—născută din propria natură.

Eroismul, puterea, hotărârea, iscusința, curajul în luptă, generozitatea și capacitatea de a conduce sunt însușirile naturale ale activităților unui kṣatriya.

TEXTUL 44

कृषिगोरक्ष्यवाणिज्यं वैश्यकर्म स्वभावजम् ।
परिचर्यात्मकं कर्म शूद्रस्यापि स्वभावजम् ॥४४॥

krṣi-go-rakṣya-vāṇijyaṁ
vaiśya-karma svabhāva-jam
paricaryātmakaṁ karma
śūdrasyāpi svabhāva-jam

krṣi—aratul; go—vacilor; rakṣya—păzitul; vāṇijyam—negoţul; vaiśya—unui vaiśya; karma—datoria; svabhāva-jam—născută din propria natură; paricaryā—servire; ātmakam—constând din; karma—datoria; śūdrasya—unui śūdra; api—de asemenea; svabhāva-jam—născută din propria natură.

Cultivarea pământului, protejarea vacilor și negoţul sunt activităţile naturale ale unui vaiśya, iar cele ale unui śūdra sunt munca fizică și slujirea celorlalţi.

TEXTUL 45

स्वे स्वे कर्मण्यभिरतः संसिद्धिं लभते नरः ।
स्वकर्मनिरतः सिद्धिं यथा विन्दति तच्छृणु ॥४५॥

sve sve karmaṇy abhirataḥ
saṁsiddhiṁ labhate naraḥ
sva-karma-nirataḥ siddhiṁ
yathā vindati tac chṛṇu

sve sve—fiecare pe a sa; karmaṇi—muncă; abhirataḥ—urmându-și; saṁsiddhim—perfecţiunea; labhate—dobândeşte; naraḥ—omul; sva-karma—în propria datorie; nirataḥ—angajat; siddhim—desăvârşirea; yathā—felul în care; vindati—atinge; tat—aceasta; śṛṇu—ascultă.

Urmând propriile afinităţi în activitate, fiecare om poate deveni perfect. Te rog ascultă acum de la Mine cum se poate aceasta realiza.

TEXTUL 46

यतः प्रवृत्तिर्भूतानां येन सर्वमिदं ततम् ।
स्वकर्मणा तमभ्यर्च्य सिद्धिं विन्दति मानवः ॥४६॥

yataḥ pravṛttir bhūtānāṁ
yena sarvam idaṁ tatam
sva-karmaṇā tam abhyarcya
siddhiṁ vindati mānavaḥ

yataḥ—de la care; *pravṛttiḥ*—emanarea; *bhūtānām*—tuturor entităților vii; *yena*—de către cel care; *sarvam*—în întregime; *idam*—acesta; *tatam*—este pătruns; *sva-karmaṇā*—de îndatoririle sale proprii; *tam*—pe El; *abhyarcya*—adorând; *siddhim*—perfecțiunea; *vindati*—dobândește; *mānavaḥ*—omul.

Adorându-L pe Domnul, care este sursa tuturor ființelor și care este atotpătrunzător, omul poate atinge perfecțiunea îndeplinindu-și propria sa muncă.

COMENTARIU

Așa cum se afirmă în capitolul al cincisprezecelea, toate ființele vii sunt părți fragmentare integrante ale Domnului Suprem. Deci Domnul Suprem este începutul tuturor entităților vii. Acest lucru e confirmat în *Vedānta-sūtra*—*janmādy asya yataḥ*. Prin urmare, Domnul Suprem este începutul vieții fiecărei entități vii. Și așa cum se afirmă în capitolul al șaptelea din *Bhagavad-gītā*, Domnul Suprem, prin cele două energii ale Sale, cea externă și cea internă, este atotpătrunzător. De aceea o persoană trebuie să-L adore pe Domnul Suprem împreună cu energiile Sale. În general devoții *vaiṣṇava* Îl adoră pe Domnul Suprem împreună cu energia Sa internă. Energia Sa externă este o reflexie pervertită a energiei interne. Energia externă reprezintă un fundal, dar Domnul Suprem, prin expansiunea porțiunii Sale plenare ca Paramātmā, este prezent pretutindeni. El este Suprasufletul tuturor semizeilor, tuturor ființelor umane, tuturor animalelor, aflându-se pretutindeni. De aceea o persoană trebuie să știe că, în calitate de parte integrantă a Domnului Suprem, are datoria de a sluji Supremului. Fiecare trebuie să fie angajat în slujirea cu devotament a Domnului, în deplină conștiință de Kṛṣṇa. Acest lucru este recomandat în acest verset.

Fiecare trebuie să se gândească că este angajat într-un anume tip de ocupație de către Hṛṣīkeśa, stăpânul simțurilor. Iar cu rezultatul muncii în care este angajat, el trebuie să-L adore pe Śrī Kṛṣṇa, Suprema Personalitate a Divinității. Dacă cineva gândește mereu în acest fel, în deplina conștiință de Kṛṣṇa, atunci prin grația Domnului ajunge să fie pe deplin conștient de orice lucru.

Aceasta este perfecțiunea vieții. Domnul spune în *Bhagavad-gītā* (12.7) *teṣām aham samuddhartā*—Domnul Suprem Însuși se îngrijește să-l elibereze pe un asemenea devot. Aceasta este cea mai înaltă perfecțiune a vieții. În orice ocupație ar fi angajat, acela care Îl slujește pe Domnul Suprem va atinge cea mai înaltă perfecțiune.

TEXTUL 47

श्रेयान् स्वधर्मो विगुणः परधर्मात्स्वनुष्ठितात् ।
स्वभावनियतं कर्म कुर्वन्नाप्नोति किल्बिषम् ॥४७॥

śreyān sva-dharmo viguṇaḥ
para-dharmāt sv-anuṣṭhitāt
svabhāva-niyataṁ karma
kurvan nāpnoti kilbiṣam

śreyān—mai bună; *sva-dharmaḥ*—propria ocupație; *viguṇaḥ*—făcută în mod imperfect; *para-dharmāt*—decât ocupația altuia; *su-anuṣṭhitāt*—făcută perfect; *svabhāva-niyatam*—prescrisă în funcție de propria natură; *karma*—activitatea; *kurvan*—îndeplinind; *na*—niciodată; *āpnoti*—obține; *kilbiṣam*—reacții păcătoase.

Este mai bine să te angajezi în propria ta ocupație, chiar dacă o îndeplinești în mod imperfect, decât să accepți ocupația altuia pe care s-o îndeplinești în mod perfect. Îndatoririle prescrise conform propriei naturi nu sunt niciodată afectate de reacții păcătoase.

COMENTARIU

Datoria profesională a fiecăruia este prescrisă în *Bhagavad-gītā*. Așa cum s-a discutat în versetele precedente, îndatoririle unui brahman, *kṣatriya, vaiśya* și *śūdra* sunt prescrise în funcție de modurile naturii specifice lor. O persoană nu trebuie să imite datoria altuia. Cel ce prin natura sa este atras de o activitate ce este caracteristică pentru un *śūdra* nu trebuie să se proclame în mod artificial brahman, chiar dacă s-a născut într-o familie de brahmani. În acest fel, o persoană trebuie să muncească potrivit firii sale; nici o activitate nu este degradantă dacă e îndeplinită în slujba Domnului Suprem. Datoria profesională a unui brahman ține desigur de modul bunătății, dar dacă cineva, prin natura sa, nu se află în modul bunătății, nu trebuie să imite datoria profesională a unui brahman. Un *kṣatriya* sau conducător trebuie să facă o mulțime de lucruri abominabile; un *kṣatriya* trebuie să fie violent pentru a-și ucide dușmanii, iar uneori trebuie să spună minciuni din rațiuni diplomatice. Această violență și duplicitate însoțește treburile politice, dar unui *kṣatriya* nu i se cere să-și abandoneze ocupațiile profesionale și să încerce să îndeplinească datoria unui brahman.

O persoană trebuie să acționeze pentru a-L mulțumi pe Domnul Suprem. De exemplu, Arjuna era un *kṣatriya*. El ezita să lupte cu cei din tabăra opusă. Însă când această luptă este îndeplinită de dragul lui Kṛṣṇa, Suprema Personalitate a Divinității, nu trebuie să existe teama de degradare. La fel și în afaceri, uneori comerciantul trebuie să spună multe minciuni pentru a realiza un câștig. Dacă nu face asta, nu are profit. Uneori comerciantul spune: „O, dragul meu client, de la tine nu am nici un profit", dar se știe că fără profit comerciantul nu poate exista. De aceea, când comerciantul spune că nu realizează nici un profit, trebuie să luăm afirmația sa ca o minciună. Dar comerciantul nu trebuie să creadă că, dacă e angajat într-un domeniu în care spunerea minciunilor este obligatorie, trebuie să-și părăsească meseria și să urmeze ocupațiile unui brahman. Acest lucru nu este recomandat. Fie că cineva este un *kṣatriya, vaiśya* sau *śūdra*, acest lucru nu are importanță, dacă prin munca sa slujește Supremei Personalități a Divinității. Chiar brahmanii care îndeplinesc diferite tipuri de sacrificii trebuie uneori să ucidă animale, deoarece în aceste ceremonii uneori se sacrifică animale. La fel, dacă un *kṣatriya* ucide un dușman îndeplinindu-și datoria, el nu-și atrage păcatul. În capitolul al treilea aceste lucruri au fost explicate clar și amănunțit; oricine trebuie să activeze pentru *Yajña* sau Viṣṇu, Suprema Personalitate a Divinității. Orice lucru făcut pentru propria satisfacere a simțurilor este cauză pentru legare. Concluzia este că fiecare trebuie să se angajeze în conformitate cu acel mod al naturii pe care l-a dobândit și trebuie să se hotărască să activeze doar pentru a servi cauza supremă a Domnului Suprem.

TEXTUL 48

सहजं कर्म कौन्तेय सदोषमपि न त्यजेत् ।
सर्वारम्भा हि दोषेण धूमेनाग्निरिवावृताः ॥४८॥

saha-jaṁ karma kaunteya
sa-doṣam api na tyajet

sarvārambhā hi doşeņa
dhūmenāgnir ivāvŗtāḥ

saha-jam—născută simultan; *karma*—activitatea; *kaunteya*—o, fiu al lui
Kuntī; *sa-doşam*—cu greşeala; *api*—chiar dacă; *na*—niciodată; *tyajet*—tre-
buie abandonată; *sarva-ārambhāḥ*—toate tentativele; *hi*—desigur; *doşeņa*—
cu greşeală; *dhūmena*—cu fum; *agniḥ*—focul; *iva*—ca; *āvŗtāḥ*—învăluite.

**Orice efort este învăluit de o anumită greşeală, precum focul este învă-
luit de fum. De aceea o persoană nu trebuie să renunțe la activitatea
născută din firea sa, o, fiu al lui Kuntī, chiar dacă această activitate este
plină de greşeală.**

COMENTARIU

În viața condiționată toate activitățile sunt contaminate de modurile mate-
riale ale naturii. Chiar şi un brahman trebuie să facă sacrificii în care este
necesară uciderea animalelor. În mod similar, un *kşatriya,* oricât ar fi de pios,
trebuie să lupte cu duşmanii. El nu poate evita acest lucru. La fel şi comer-
ciantul, oricât ar fi de pios, trebuie uneori să-şi ascundă profitul pentru a-şi
continua afacerile, sau uneori trebuie să facă comerț clandestin. Aceste activi-
tăți sunt necesare; ele nu pot fi evitate. În mod similar, chiar dacă cineva este
un *śūdra* şi slujeşte unui stăpân rău, el trebuie să îndeplinească ordinul stă-
pânului, chiar dacă acesta n-ar trebui îndeplinit. În ciuda acestor cusururi, el
trebuie să continue să-şi împlinească îndatoririle prescrise, căci ele sunt năs-
cute din propria natură.

Exemplul dat aici este foarte frumos. Deşi focul e pur, are totuşi şi fum.
Însă fumul nu face ca focul să fie impur. Deşi în foc există şi fum, focul este
totuşi considerat ca fiind cel mai pur dintre elemente. Dacă cineva preferă să
renunțe la activitatea de *kşatriya* şi să preia ocupațiile unui brahman, el nu
poate fi sigur că ocupațiile brahmanului nu cuprind şi datorii neplăcute. Se
poate deci trage concluzia că în lumea materială nimeni nu poate fi complet
eliberat de contaminarea naturii materiale. Exemplul focului şi fumului este
foarte potrivit aici. Iarna, când cineva scoate o piatră din foc, fumul îi deran-
jează uneori ochii şi alte părți ale corpului, dar totuşi el trebuie să se folosească
de foc, în ciuda condițiilor neplăcute. În același fel, o persoană nu trebuie să-şi
părăsească ocupația naturală din cauza unor elemente care o deranjează. Mai
degrabă ar trebui să fie hotărâtă să-L slujească pe Domnul Suprem prin ocu-

paţia sa, îndeplinită în conştiinţa de Kṛṣṇa. Aceasta este culmea perfecţiunii. Când un anumit tip de ocupaţie este îndeplinită pentru satisfacţia Domnului Suprem, toate defectele din această ocupaţie sunt purificate. Când rezultatele muncii sunt purificate, fiind legate de slujirea cu devotament, cineva ajunge perfect în a vedea sinele din interior, iar aceasta este realizarea de sine.

TEXTUL 49

असक्तबुद्धिः सर्वत्र जितात्मा विगतस्पृहः ।
नैष्कर्म्यसिद्धिं परमां सन्न्यासेनाधिगच्छति ॥४९॥

*asakta-buddhiḥ sarvatra
jitātmā vigata-spṛhaḥ
naiṣkarmya-siddhiṁ paramāṁ
sannyāsenādhigacchati*

asakta-buddhiḥ—având inteligenţa neataşată; *sarvatra*—pretutindeni; *jita-ātmā*—stăpânindu-şi mintea; *vigata-spṛhaḥ*—fără dorinţe materiale; *naiṣkarmya-siddhim*—perfecţiunea prin lipsa de reacţii; *paramām*—supremă; *sannyāsena*—prin ordinul de viaţă în renunţare; *adhigacchati*—atinge.

Cel ce este stăpân pe sine şi nu este ataşat, care dispreţuieşte toate plăcerile materiale, poate obţine prin practicarea renunţării, stadiul celei mai înalte perfecţiuni a eliberării de reacţie.

COMENTARIU

Adevărata renunţare înseamnă că cineva trebuie să se considere mereu ca parte integrantă a Domnului Suprem şi deci să se gândească că nu are dreptul să se bucure de rezultatul muncii sale. Întrucât este parte integrantă din Domnul Suprem, de rezultatele muncii sale trebuie să se bucure Domnul Suprem. Aceasta este adevărata conştiinţă de Kṛṣṇa. Acela care acţionează în conştiinţa de Kṛṣṇa este un adevărat *sannyāsī*, cel aflat în ordinul renunţării. Cu o asemenea mentalitate el este satisfăcut, deoarece acţionează cu adevărat pentru Suprem. Astfel el nu este ataşat de nimic material; el se obişnuieşte să nu-şi afle plăcerea în nimic altceva în afară de fericirea spirituală ce derivă din slujirea Domnului. Se presupune că un *sannyāsī* este eliberat de reacţiile

activităților sale trecute, dar cineva aflat în conștiința de Kṛṣṇa ajunge auto-
mat la această perfecțiune, chiar fără să accepte așa-numitul ordin al renun-
țării. Această stare a minții se numește *yogārūḍha* sau stadiul perfecțiunii în
yoga. În capitolul al treilea se confirmă: *yas tv ātma-ratir eva syāt*—cel ce e
satisfăcut în sine însuși nu se teme de nici un fel de reacție de pe urma acti-
vităților sale.

TEXTUL 50

सिद्धिं प्राप्तो यथा ब्रह्म तथाप्नोति निबोध मे ।
समासेनैव कौन्तेय निष्ठा ज्ञानस्य या परा ॥५०॥

siddhiṁ prāpto yathā brahma
tathāpnoti nibodha me
samāsenaiva kaunteya
niṣṭhā jñānasya yā parā

siddhim—perfecțiunea; *prāptaḥ*—atingând; *yathā*—așa cum; *brahma*—
Supremul; *tathā*—tot așa; *āpnoti*—atinge; *nibodha*—încearcă să înțelegi; *me*
—de la Mine; *samāsena*—pe scurt; *eva*—desigur; *kaunteya*—o, fiu al lui
Kuntī; *niṣṭhā*—stadiul; *jñānasya*—cunoașterii; *yā*—care; *parā*—transcen-
dent.

**O, fiu al lui Kuntī, învață de la Mine modul în care cel ce a atins aceas-
tă perfecțiune poate ajunge la stadiul suprem al perfecțiunii, Brah-
man, stadiul celei mai înalte cunoașteri, acționând în felul pe care îl
voi rezuma acum.**

COMENTARIU

Domnul descrie pentru Arjuna felul în care se poate atinge stadiul cel mai
înalt al perfecțiunii prin simpla angajare în datoria sa profesională, îndepli-
nind această datorie pentru Suprema Personalitate a Divinității. Putem atinge
stadiul suprem al lui Brahman prin simpla renunțare la rezultatul activită-
ților noastre pentru satisfacția Domnului Suprem. Acesta este procesul rea-
lizării de sine. Adevărata perfecțiune a cunoașterii se află în atingerea purei
conștiințe de Kṛṣṇa; acest lucru este descris în următoarele versete.

TEXTELE 51–53

बुद्ध्या विशुद्धया युक्तो धृत्यात्मानं नियम्य च ।
शब्दादीन् विषयांस्त्यक्त्वा रागद्वेषौ व्युदस्य च ॥५१॥

विविक्तसेवी लघ्वाशी यतवाक्कायमानसः ।
ध्यानयोगपरो नित्यं वैराग्यं समुपाश्रितः ॥५२॥

अहङ्कारं बलं दर्पं कामं क्रोधं परिग्रहम् ।
विमुच्य निर्ममः शान्तो ब्रह्मभूयाय कल्पते ॥५३॥

buddhyā viśuddhayā yukto
dhṛtyātmānaṁ niyamya ca
śabdādīn viṣayāṁs tyaktvā
rāga-dveṣau vyudasya ca

vivikta-sevī laghv-āśī
yata-vāk-kāya-mānasaḥ
dhyāna-yoga-paro nityaṁ
vairāgyaṁ samupāśritaḥ

ahaṅkāraṁ balaṁ darpaṁ
kāmaṁ krodhaṁ parigraham
vimucya nirmamaḥ śānto
brahma-bhūyāya kalpate

buddhyā—cu inteligenţă; *viśuddhayā*—pe deplin purificat; *yuktaḥ*—angajat; *dhṛtyā*—cu hotărâre; *ātmānam*—sinele; *niyamya*—reglementându-şi; *ca*—precum şi; *śabda-ādīn*—cum ar fi sunetul, etc.; *viṣayān*—obiectele simţurilor; *tyaktvā*—abandonând; *rāga*—ataşamentul; *dveṣau*—şi aversiunea; *vyudasya*—dând de-o parte; *ca*—precum şi; *vivikta-sevī*—trăind într-un loc retras; *laghu-āśī*—mâncând o cantitate mică; *yata*—stăpânind; *vāk*—vorbirea; *kāya*—corpul; *mānasaḥ*—şi mintea; *dhyāna-yoga-paraḥ*—absorbit în transă; *nityam*—douăzeci şi patru de ore pe zi; *vairāgyam*—detaşare; *samupāśritaḥ*—căutându-şi refugiul în; *ahaṅkāram*—falsul ego; *balam*—falsa putere; *darpam*—falsa mândrie; *kāmam*—pofta; *krodham*—mânia; *parigraham*—şi acceptarea lucrurilor materiale; *vimucya*—fiind eliberat de;

nirmamaḥ—fără simţul proprietăţii; *śāntaḥ*—împăcat; *brahma-bhūyāya*—pentru realizarea de sine; *kalpate*—este calificat.

Cel ce este purificat de către propria-i inteligenţă, stăpânindu-şi mintea cu hotărâre, renunţând la obiectele satisfacerii senzoriale, liber de ataşament şi aversiune, care trăieşte într-un loc retras, mănâncă puţin, care-şi ţine sub control corpul, mintea şi puterea vorbirii, care se află permanent în transă şi este detaşat, liber de falsul ego, falsa putere, falsa mândrie, de pofta trupească, mânie şi de acceptarea lucrurilor materiale, liber de falsul simţ al proprietăţii şi care este împăcat—o astfel de persoană este cu siguranţă elevată la nivelul realizării de sine.

COMENTARIU

Cel purificat de către inteligenţă se menţine pe sine însuşi în modul bunătăţii. Astfel el devine stăpân pe minte şi rămâne mereu în transă. El nu e ataşat de obiectele satisfacerii simţurilor şi este eliberat de ataşament şi aversiune în acţiunile sale. Un astfel de om detaşat preferă în mod firesc să trăiască într-un loc retras, nu mănâncă mai mult decât are nevoie şi-şi controlează activităţile corpului şi minţii. El e lipsit de falsul ego, căci nu acceptă corpul ca fiind el însuşi. Şi nici nu doreşte să-şi întărească şi să-şi îngraşe corpul acceptând o mulţime de lucruri materiale. Neavând o concepţie corporală asupra vieţii, nu are o falsă mândrie. El se mulţumeşte cu orice i se oferă prin graţia Domnului, nu se mânie niciodată în lipsa satisfacerii simţurilor şi nici nu depune vreun efort pentru a obţine obiectele simţurilor. Astfel, când este cu totul eliberat de falsul ego, ajunge să nu fie ataşat de nici un lucru material, iar acesta este stadiul realizării de sine ca Brahman. Acest stadiu poartă numele de *brahma-bhūta*. Când cineva este eliberat de concepţia materială asupra vieţii, acesta devine împăcat şi nu poate fi tulburat. Acest lucru este descris în *Bhagavad-gītā* (2.70):

> *āpūryamāṇam acala-pratiṣṭhaṁ*
> *samudram āpaḥ praviśanti yadvat*
> *tadvat kāmā yaṁ praviśanti sarve*
> *sa śāntim āpnoti na kāma-kāmī*

„Doar acela care nu este tulburat de curgerea necontenită a dorinţelor—ce intră ca râurile în oceanul ce este umplut mereu dar rămâne întotdeauna liniştit—poate atinge pacea, nu şi cel ce tânjeşte să-şi satisfacă aceste dorinţe."

TEXTUL 54

ब्रह्मभूतः प्रसन्नात्मा न शोचति न काङ्क्षति ।
समः सर्वेषु भूतेषु मद्भक्तिं लभते पराम् ॥५४॥

*brahma-bhūtaḥ prasannātmā
na śocati na kāṅkṣati
samaḥ sarveṣu bhūteṣu
mad-bhaktiṁ labhate parām*

brahma-bhūtaḥ—fiind una cu Absolutul; *prasanna-ātmā*—pe deplin bucuros; *na*—niciodată; *śocati*—se lamentează; *na*—niciodată; *kāṅkṣati*—dorește; *samaḥ*—cu o dispoziție egală; *sarveṣu*—față de toate; *bhūteṣu*—entitățile vii; *mat-bhaktim*—slujirea cu devotament față de Mine; *labhate*—câștigă; *parām*—transcendentă.

Cel ce astfel ajunge să fie situat în mod transcendent, îl realizează de îndată pe Supremul Brahman și devine pe deplin fericit. El nu se mai lamentează niciodată, nu dorește să aibă nimic și este egal dispus față de orice entitate vie. În această stare, el atinge slujirea cu devoțiune pură față de Mine.

COMENTARIU

Pentru un impersonalist, atingerea stadiului de *brahma-bhūta*, ajungerea la a fi una cu Absolutul, este ultimul cuvânt. Dar pentru un personalist sau devot pur, o persoană trebuie să meargă mai departe, pentru a se angaja în slujirea cu devoțiune pură. Aceasta înseamnă că acela care e angajat în slujirea cu devoțiune pură față de Domnul Suprem se află deja în starea de eliberare numită *brahma-bhūta*, unitatea cu Absolutul. Fără a fi una cu Supremul, cu Absolutul, o persoană nu poate să Îl slujească pe El. În concepția absolută nu există diferență între cel servit și servitor; totuși, într-un sens spiritual mai înalt această concepție există.

În concepția materială a vieții, când cineva activează pentru satisfacerea simțurilor, există suferință; dar în lumea absolută, când cineva se angajează în slujirea cu devoțiune pură, nu există suferință. Devotul aflat în conștiința de Kṛṣṇa nu are nimic pentru care să se lamenteze sau să dorească. Întrucât Dumnezeu e complet, entitatea vie angajată în slujirea lui Dumnezeu, în conștiința de Kṛṣṇa, devine și ea completă în sine însăși. Este la fel ca un râu curăţat de toată apa murdară. Deoarece devotul pur nu are alt gând decât Kṛṣṇa, el este în mod firesc mereu vesel. El nu se lamentează pentru nici o pierdere materială şi nu aspiră la câştig, căci el se află cu totul în slujba Domnului. El nu doreşte desfătarea materială, căci ştie că orice entitate vie este o parte integrantă fragmentară a Domnului Suprem şi deci un etern slujitor. În lumea materială el nu vede pe unii mai sus şi pe alţii mai jos; atât poziţia înaltă cât şi cea joasă sunt amândouă efemere, iar devotul nu are nimic de-a face cu efemerele apariţii şi dispariţii. Pentru el piatra şi aurul au aceeaşi valoare. Acesta e stadiul de *brahma-bhūta* şi acest stadiu este atins foarte uşor de către devotul pur. În acest stadiu al existenţei ideea de a deveni una cu Supremul Brahman şi a-ţi anihila individualitatea devine infernală, ideea atingerii împărăţiei cereşti devine o fantasmă, iar simţurile sunt precum colţii sfărâmaţi ai unor şerpi. Aşa cum nu există teamă de un şarpe cu colţii rupţi, la fel nu mai există teama de simţuri atunci când acestea sunt controlate în mod automat. Lumea este mizerabilă pentru o persoană infectată de materialism, dar pentru un devot întreaga lume este la fel de bună ca Vaikuṇṭha sau cerul spiritual. Cea mai măreaţă personalitate din universul material nu este mai însemnată decât o furnică pentru un devot. Un asemenea stadiu poate fi dobândit prin îndrumarea lui Śrī Caitanya, care a predicat slujirea cu devoţiune pură în această epocă.

TEXTUL 55

भक्त्या मामभिजानाति यावान् यश्चास्मि तत्त्वतः ।
ततो मां तत्त्वतो ज्ञात्वा विशते तदनन्तरम् ॥५५॥

bhaktyā mām abhijānāti
yāvān yaś cāsmi tattvataḥ
tato māṁ tattvato jñātvā
viśate tad-anantaram

bhaktyā—prin slujirea cu devoţiune pură; *mām*—pe Mine; *abhijānāti*—poate cunoaşte; *yāvān*—atâta cât; *yaḥ ca asmi*—aşa cum sunt; *tattvataḥ*—cu adevărat; *tataḥ*—apoi; *mām*—pe Mine; *tattvataḥ*—cu adevărat; *jñātvā*—cunoscând; *viśate*—intră; *tat-anantaram*—după aceea.

O persoană Mă poate înţelege aşa cum sunt, ca Suprema Personalitate a Divinităţii, doar prin slujirea cu devotament. Iar când este pe deplin

conștientă de Mine printr-o astfel de devoțiune, aceasta poate intra în împărăția lui Dumnezeu.

Kṛṣṇa, Suprema Personalitate a Divinității, ca și porțiunile Sale plenare, nu poate fi înțeles prin speculație mentală și nici de către nedevoți. Cel ce dorește să înțeleagă Suprema Personalitate a Divinității trebuie să se dedice slujirii cu devoțiune pură sub îndrumarea unui devot pur. Altfel, adevărul despre Suprema Personalitate a Divinității îi va rămâne mereu ascuns. Așa cum s-a afirmat deja în *Bhagavad-gītā* (7.25), *nāhaṁ prakāśaḥ sarvasya*—El nu e revelat oricui. Nimeni nu-L poate înțelege pe Dumnezeu doar prin studii erudite sau speculație mentală. Doar acela care este cu adevărat angajat în conștiința de Kṛṣṇa și în slujirea cu devotament poate înțelege cine este Kṛṣṇa. Diplomele universitare nu ajută.

Cel ce este pe deplin familiarizat cu știința despre Kṛṣṇa ajunge să fie capabil de a intra în împărăția spirituală, sălașul lui Kṛṣṇa. A deveni Brahman nu înseamnă că ființa își pierde individualitatea. Slujirea cu devotament există și atâta vreme cât există slujirea cu devotament, trebuie să existe Dumnezeu, devot și proces de slujire cu devotament. Această cunoaștere nu dispare nici chiar după eliberare. Eliberarea implică a scăpa de concepția vieții materiale; în viața spirituală se păstrează aceeași distincție, aceeași individualitate, însă în pura conștiință de Kṛṣṇa. Nu trebuie să se creadă în mod greșit că cuvântul *viśate*, „intră în Mine", susține teoria monistă a contopirii cu impersonalul Brahman. Nu. *Viśate* înseamnă că entitatea vie poate intra în sălașul Domnului Suprem cu propria-i individualitate, pentru a ajunge în asociere cu El și pentru a-L sluji. De exemplu, o pasăre verde intră în frunzișul verde al unui copac nu pentru a deveni una cu copacul, ci pentru a se bucura de fructele acestuia. De obicei impersonaliștii dau exemplul unui râu care se varsă în ocean, contopindu-se cu el. Poate că aceasta e o sursă de fericire pentru un impersonalist, dar personalistul își păstrează individualitatea personală ca un animal acvatic în ocean. Dacă ne scufundăm în ocean, vom găsi o mulțime de entități vii. Familiarizarea doar cu suprafața oceanului nu este suficientă; trebuie să cunoaștem complet animalele acvatice ce trăiesc în adâncurile oceanului.

Datorită slujirii sale cu devoțiune pură, devotul poate cu adevărat să înțeleagă calitățile transcendente și opulențele Domnului Suprem. Așa cum se afirmă în capitolul al unsprezecelea, doar prin slujirea cu devotament o persoană poate înțelege. Același lucru e confirmat aici; o persoană poate înțelege

Suprema Personalitate a Divinității prin slujirea cu devotament și poate intra în împărăția Sa.

După atingerea stadiului de *brahma-bhūta*, stadiul eliberării de concepțiile materiale, slujirea cu devotament începe prin ascultarea despre Domnul. Când cineva aude despre Domnul Suprem, stadiul *brahma-bhūta* se dezvoltă imediat, iar contaminarea materială—lăcomia și pofta trupească pentru plăceri senzoriale—dispare. Pe măsură ce pofta și dorințele dispar din inima devotului, el devine și mai atașat de slujirea Domnului, iar prin acest atașament se eliberează de contaminarea materială. În această stare a vieții el Îl poate înțelege pe Domnul Suprem. Acest lucru e susținut și în *Śrīmad-Bhāgavatam*. După eliberare, procesul *bhakti* sau slujirea spirituală continuă. *Vedānta-sūtra* confirmă acest lucru: *ā-prāyaṇāt tatrāpi hi dṛṣṭam*. Aceasta înseamnă că după eliberare procesul slujirii cu devotament continuă. În *Śrīmad-Bhāgavatam* eliberarea devoțională reală este definită ca reinstaurarea entității vii în propria-i identitate, în propria poziție constitutivă. Poziția aceasta constitutivă a fost deja explicată: orice entitate vie este o porțiune fragmentară, parte integrantă a Domnului Suprem. De aceea, poziția sa constitutivă este aceea de a sluji. După eliberare, această slujire nu se oprește niciodată. Adevărata eliberare înseamnă a scăpa de concepțiile eronate ale vieții.

TEXTUL 56

सर्वकर्माण्यपि सदा कुर्वाणो मद्व्यपाश्रयः ।
मत्प्रसादादवाप्नोति शाश्वतं पदमव्ययम् ॥५६॥

sarva-karmāṇy api sadā
kurvāṇo mad-vyapāśrayaḥ
mat-prasādād avāpnoti
śāśvataṁ padam avyayam

sarva—toate; *karmāṇi*—activitățile; *api*—deși; *sadā*—mereu; *kurvāṇaḥ*—îndeplinind; *mat-vyapāśrayaḥ*—sub protecția Mea; *mat-prasādāt*—prin mila Mea; *avāpnoti*—atinge; *śāśvatam*—eternul; *padam*—sălaș; *avyayam*—nepieritor.

Deși angajat în tot felul de activități, devotul Meu pur, aflat sub ocrotirea Mea, atinge eternul și nepieritorul sălaș prin grația Mea.

COMENTARIU

Cuvântul *mad-vyapāśrayaḥ* înseamnă „sub ocrotirea Domnului Suprem". Pentru a fi liber de contaminarea materială, devotul pur acționează sub îndrumarea Domnului Suprem sau a reprezentantului Său, maestrul spiritual. Pentru devotul pur nu există limită de timp. El este angajat permanent, două-zeci și patru de ore pe zi și în proporție de sută la sută în activitățile aflate sub îndrumarea Domnului Suprem. Față de un devot angajat în acest fel în con-știința de Kṛṣṇa, Domnul este foarte, foarte bun. În ciuda tuturor dificultăți-lor, el va ajunge până la urmă să fie așezat în sălașul transcendent sau Kṛṣṇa-loka. El are intrarea asigurată în acel loc, fără nici o îndoială. În acest sălaș suprem nu există schimbare; totul este etern, nepieritor și plin de cunoaștere.

TEXTUL 57

चेतसा सर्वकर्माणि मयि सन्न्यस्य मत्परः ।
बुद्धियोगमुपाश्रित्य मच्चित्तः सततं भव ॥५७॥

cetasā sarva-karmāṇi
mayi sannyasya mat-paraḥ
buddhi-yogam upāśritya
mac-cittaḥ satataṁ bhava

cetasā—cu inteligența; *sarva-karmāṇi*—tot felul de activități; *mayi*—în Mine; *sannyasya*—abandonând; *mat-paraḥ*—sub ocrotirea Mea; *buddhi-yogam*—activitățile devoționale; *upāśritya*—aflându-și refugiul în; *mat-cittaḥ*—în conștiința de Mine; *satatam*—douăzeci și patru de ore pe zi; *bhava*—să fii.

În toate activitățile să depinzi doar de Mine și să activezi întotdeauna sub protecția Mea. Astfel slujind cu devoțiune fii pe deplin conștient de Mine.

COMENTARIU

Când cineva acționează în conștiința de Kṛṣṇa, el nu acționează ca stăpân al lumii. La fel ca un slujitor, o persoană trebuie să acționeze cu totul sub îndrumarea Domnului Suprem. Un servitor nu are independență individuală. El acționează doar la ordinul stăpânului. Servitorul care acționează pe seama

Domnului Suprem nu este afectat de câştig sau pierdere. El nu face decât să-şi îndeplinească cu credinţă datoria aşa cum i-a poruncit Stăpânul. Se poate obiecta că Arjuna acţiona sub îndrumarea personală a lui Kṛṣṇa, dar cum se poate acţiona atunci când Kṛṣṇa nu este prezent? Dacă cineva acţionează conform îndrumărilor lui Kṛṣṇa din aceată carte, ca şi sub îndrumarea reprezentantului lui Kṛṣṇa, rezultatul va fi acelaşi. Cuvântul sanscrit *mat-paraḥ* este foarte important în acest verset. El indică faptul că nu avem alt ţel în viaţă decât numai şi numai acela de a acţiona în conştiinţa de Kṛṣṇa, pentru a-L satisface pe Kṛṣṇa. Şi în timp ce acţionăm în acest fel, trebuie să ne gândim numai la Kṛṣṇa: „Îndeplinirea acestei datorii particulare mi-a fost încredinţată de către Kṛṣṇa Însuşi". Acţionând în acest fel, o persoană trebuie în mod firesc să se gândească la Kṛṣṇa. Aceasta este perfecta conştiinţă de Kṛṣṇa. Trebuie totuşi să se observe că atunci când cineva face un lucru după bunul său plac, nu trebuie să ofere rezultatul Domnului Suprem. Acest fel de datorie nu ţine de slujirea cu devotament în conştiinţa de Kṛṣṇa. O persoană trebuie să acţioneze în acord cu ordinul lui Kṛṣṇa. Acesta e un lucru foarte important. Acest ordin al lui Kṛṣṇa, transmis prin succesiunea disciplică, vine de la un maestru spiritual autentic. De aceea, ordinul maestrului spiritual trebuie considerat drept cea dintâi datorie a vieţii. Dacă o persoană acceptă un maestru spiritual autentic şi acţionează potrivit îndrumărilor sale, perfecţiunea vieţii sale în conştiinţa de Kṛṣṇa este garantată.

TEXTUL 58

मच्चित्तः सर्वदुर्गाणि मत्प्रसादात्तरिष्यसि ।
अथ चेत्त्वमहङ्काराब्र श्रोष्यसि विनङ्क्ष्यसि ॥५८॥

mac-cittaḥ sarva-durgāṇi
mat-prasādāt tariṣyasi
atha cet tvam ahaṅkārān
na śroṣyasi vinaṅkṣyasi

mat—a Mea; *cittaḥ*—fiind în conştiinţa; *sarva*—toate; *durgāṇi*—impedimentele; *mat-prasādāt*—prin îndurarea Mea; *tariṣyasi*—vei depăşi; *atha*—dar; *cet*—dacă; *tvam*—tu; *ahaṅkārāt*—datorită falsului ego; *na śroṣyasi*—nu asculţi; *vinaṅkṣyasi*—vei fi pierdut.

Dacă devii conștient de Mine, vei trece peste toate obstacolele vieții condiționate, prin grația Mea. Însă dacă nu activezi într-o astfel de conștiință, ci acționezi condus de falsul ego, neascultând de Mine, atunci vei fi pierdut.

COMENTARIU

O persoană aflată în deplină conștiință de Kṛṣṇa nu este preocupată peste măsură de îndeplinirea datoriilor existenței sale. Neghiobii nu pot înțelege această mare eliberare de toate grijile. Pentru cel ce acționează în conștiința de Kṛṣṇa, Domnul Kṛṣṇa devine cel mai bun și mai apropiat prieten. El are întotdeauna grijă de bunăstarea prietenului Său și Se dăruiește El Însuși prietenului Său care este angajat cu atâta devoțiune în a lucra douăzeci și patru de ore pe zi pentru plăcerea Domnului. De aceea, nimeni nu trebuie să se lase îndepărtat de către falsul ego al concepției corporale asupra vieții. Cineva nu trebuie să se creadă în mod fals ca fiind independent de legile naturii materiale sau liber să acționeze. El este deja supus unor legi materiale stricte. Dar de îndată ce acționează în conștiința de Kṛṣṇa, el este eliberat, scăpat de grijile materiale. Trebuie să fim foarte conștienți de faptul că cel ce nu e activ în conștiința de Kṛṣṇa se pierde pe sine însuși în vârtejul material, în oceanul nașterii și morții. Nici un suflet condiționat nu știe cu adevărat ceea ce trebuie și ceea ce nu trebuie făcut, dar acela care acționează în conștiința de Kṛṣṇa este liber să acționeze, deoarece totul îi este insuflat de Kṛṣṇa, din interior și confirmat de maestrul spiritual.

TEXTUL 59

यदहङ्कारमाश्रित्य न योत्स्य इति मन्यसे ।
मिथ्यैष व्यवसायस्ते प्रकृतिस्त्वां नियोक्ष्यति ॥५९॥

yad ahaṅkāram āśritya
na yotsya iti manyase
mithyaiṣa vyavasāyas te
prakṛtis tvāṁ niyokṣyati

yat—dacă; *ahaṅkāram*—falsul ego; *āśritya*—găsindu-și refugiul în; *na yotsye* —nu voi lupta; *iti*—astfel; *manyase*—gândești; *mithyā eṣaḥ*—aceasta este cu totul falsă; *vyavasāyaḥ*—hotărârea; *te*—a ta; *prakṛtiḥ*—natură materială; *tvām*—pe tine; *niyokṣyati*—te va angaja.

Dacă nu acţionezi conform îndrumării Mele şi nu lupţi, te vei îndrepta pe o cale greşită. Prin natura ta, vei fi nevoit să te angajezi în luptă.

COMENTARIU

Arjuna era un luptător, născut cu o fire de *kṣatriya;* de aceea, datoria sa naturală era aceea de a lupta. Dar din pricina falsului ego, el se temea că prin uciderea învăţătorului său, bunicului şi prietenilor, îşi va atrage urmările păcatului. De fapt, el se considera stăpân pe activităţile sale, ca şi cum el ar fi dispus de rezultatele bune şi rele ale acestor activităţi. El a uitat că Suprema Personalitate a Divinităţii era prezentă acolo, învăţându-l să pornească la luptă. Aceasta este uitarea sufletului condiţionat. Suprema Personalitate dă îndrumări asupra a ceea ce este bun şi ce este rău, iar omul trebuie doar să acţioneze în conştiinţa de Kṛṣṇa, pentru a atinge pefecţiunea vieţii. Nimeni nu-şi poate stabili cu precizie propriul destin, aşa cum poate Domnul Suprem; de aceea, cel mai bun lucru este să acceptăm ordinul venit de la Domnul Suprem şi să acţionăm. Nimeni nu trebuie să neglijeze ordinul Supremei Personalităţi a Divinităţii sau ordinul maestrului spiritual, care este reprezentantul lui Dumnezeu. O persoană trebuie să acţioneze fără ezitare pentru a îndeplini ordinul Supremei Personalităţi a Divinităţii—în acest fel, va fi în siguranţă în toate împrejurările.

TEXTUL 60

स्वभावजेन कौन्तेय निबद्धः स्वेन कर्मणा ।
कर्तुं नेच्छसि यन्मोहात्करिष्यस्यवशोऽपि तत् ॥६०॥

svabhāva-jena kaunteya
nibaddhaḥ svena karmaṇā
kartuṁ necchasi yan mohāt
kariṣyasy avaśo 'pi tat

svabhāva-jena—născute din; *kaunteya*—o, fiu al lui Kuntī; *nibaddhaḥ*—condiţionate; *svena*—de propriile tale; *karmaṇā*—activităţi; *kartum*—să faci; *na*—nu; *icchasi*—îţi place; *yat*—ceea ce; *mohāt*—din iluzie; *kariṣyasi*—vei face; *avaśaḥ*—involuntar; *api*—chiar; *tat*—aceasta.

Copleșit de iluzie, tu refuzi acum să acționezi potrivit îndrumării Mele. Însă constrâns de activitatea născută din propria-ți natură, vei acționa oricum în același fel, o, fiu al lui Kuntī.

COMENTARIU

Dacă cineva refuză să acționeze sub îndrumarea Domnului Suprem, atunci este constrâns să acționeze de către modurile în care este situat. Oricine se află sub vraja unei anumite combinații a modurilor naturii și acționează în acea stare. Însă oricine se angajează de bună voie, sub îndrumarea Domnului Suprem, devine glorios.

TEXTUL 61

ईश्वरः सर्वभूतानां हृद्देशेऽर्जुन तिष्ठति ।
भ्रामयन् सर्वभूतानि यन्त्रारूढानि मायया ॥६१॥

īśvaraḥ sarva-bhūtānāṁ
hṛd-deśe 'rjuna tiṣṭhati
bhrāmayan sarva-bhūtāni
yantrārūḍhāni māyayā

īśvaraḥ—Domnul Suprem; *sarva-bhūtānām*—tuturor entităților vii; *hṛt-deśe* —în zona inimii; *arjuna*—o, Arjuna; *tiṣṭhati*—sălășluiește; *bhrāmayan*— făcând să se deplaseze; *sarva-bhūtāni*—toate entitățile vii; *yantra*—într-o mașină; *ārūḍhani*—fiind plasați; *māyayā*—sub vraja energiei materiale.

Domnul Suprem se află în inima fiecăruia, o, Arjuna și călăuzește mișcările tuturor entităților vii ce stau așezate ca într-o mașină alcătuită din energia materială.

COMENTARIU

Arjuna nu era cunoscătorul suprem, iar hotărârea sa de a lupta sau a nu lupta era redusă la discernământul său limitat. Domnul Kṛṣṇa ne-a învățat că individul nu este tot ceea ce există. Suprema Personalitate a Divinității sau El Însuși, Kṛṣṇa în calitate de Suprasuflet localizat, stă așezat în inimă, călăuzind toate ființele. Schimbându-și corpurile, entitatea vie își uită activitățile trecute, dar Suprasufletul, în calitate de cunoscător al trecutului, prezentului şi viitorului, rămâne martorul tuturor activităţilor sale. De aceea, toate activităţile entităţilor vii sunt îndrumate de acest Suprasuflet. Entitatea vie dobândeşte ceea ce merită şi este purtată de corpul material, care este creat de energia materială la porunca Suprasufletului. De îndată ce o entitate vie este plasată într-un anumit tip de corp, ea trebuie să activeze sub vraja acelei condiţii corporale. O persoană aşezată într-o maşină foarte rapidă se deplasează mai repede decât cineva aşezat într-o maşină mai lentă, chiar dacă entităţile vii care le conduc pot să fie la fel. În mod similar, la porunca Sufletului Suprem, natura materială croieşte un anumit tip de corp pentru un anumit tip de entitate vie, astfel încât aceasta să poată acţiona potrivit dorinţelor sale trecute. Entitatea vie nu este independentă. Cineva nu trebuie să se creadă independent de Suprema Personalitate a Divinităţii. Individul este întotdeauna sub controlul Domnului. De aceea datoria fiecărei persoane este de a se supune şi aceasta este învăţătura din versetul următor.

TEXTUL 62

तमेव शरणं गच्छ सर्वभावेन भारत ।
तत्प्रसादात्परां शान्तिं स्थानं प्राप्स्यसि शाश्वतम् ॥६२॥

tam eva śaraṇaṁ gaccha
sarva-bhāvena bhārata
tat-prasādāt parāṁ śāntiṁ
sthānaṁ prāpsyasi śāśvatam

tam—faţă de El; *eva*—desigur; *śaraṇam gaccha*—supune-te; *sarva-bhāvena* —în toate privinţele; *bhārata*—o, fiu al lui Bharata; *tat-prasādāt*—prin graţia Sa; *parām*—transcendentă; *śāntim*—pacea; *sthānam*—sălaşul; *prāpsyasi*— vei obţine; *śāśvatam*—veşnic.

O, descendent al lui Bharata, predă-te cu totul Lui. Prin graţia Sa vei atinge pacea transcendentă, ca şi sălaşul cel suprem şi veşnic.

COMENTARIU

Prin urmare, entitatea vie trebuie să se predea Supremei Personalităţi a Divinităţii, care e situată în inima fiecăruia şi aceasta o va scăpa de toate felurile de suferinţe ale acestei existenţe materiale. Prin această predare, nu numai că cineva va fi scăpat de toate suferințele acestei vieți, dar la sfârșitul vieții va ajunge la Dumnezeul Suprem. Lumea spirituală este descrisă în scrierile vedice (*Ṛg Veda* 1.22.20) astfel: *tad viṣṇoḥ paramaṁ padam*. Întrucât întreaga creație este împărăția lui Dumnezeu, tot ceea ce e material, este de fapt spiritual, dar *paramaṁ padam* se referă în mod specific la sălașul etern, numit cerul spiritual sau Vaikuṇṭha.

În capitolul al cinsprezecelea din *Bhagavad-gītā* se spune că *sarvasya cāhaṁ hṛdi sanniviṣṭaḥ*: Domnul este așezat în inima fiecăruia. Astfel, această recomandare că cineva trebuie să se predea Suprasufletului așezat înăuntrul său înseamnă că el trebuie să se predea Supremei Personalități a Divinității, Kṛṣṇa. Kṛṣṇa fusese deja acceptat de Arjuna ca fiind Supremul. El fusese acceptat în capitolul al zecelea ca *paraṁ brahma paraṁ dhāma*. Arjuna L-a acceptat pe Kṛṣṇa ca Suprema Personalitate a Divinității și ca sălaș suprem al tuturor entităților vii, nu numai datorită experienței sale personale, ci și datorită mărturiei unor mari autorități precum Nārada, Asita, Devala și Vyāsa.

TEXTUL 63

इति ते ज्ञानमाख्यातं गुह्याद्गुह्यतरं मया ।
विमृश्यैतदशेषेण यथेच्छसि तथा कुरु ॥६३॥

iti te jñānam ākhyātaṁ
guhyād guhyataraṁ mayā
vimṛśyaitad aśeṣeṇa
yathecchasi tathā kuru

iti—astfel; *te*—ție; *jñānam*—cunoașterea; *ākhyātam*—descrisă; *guhyāt*—decât cea confidențială; *guhya-taram*—încă și mai confidențială; *mayā*—de Mine; *vimṛśya*—deliberând; *etat*—asupra acesteia; *aśeṣeṇa*—complet; *yathā*—așa cum; *icchasi*—dorești; *tathā*—astfel; *kuru*—activează.

Astfel ți-am explicat o cunoaștere încă și mai confidențială. Reflectează pe deplin asupra ei și apoi procedează după cum dorești.

COMENTARIU

Domnul i-a explicat deja lui Arjuna cunoașterea *brahma-bhūta*. Cel aflat în starea de *brahma-bhūta* este plin de bucurie; el nu se lamentează și nici nu mai doreşte nimic. Acest lucru se datorează cunoaşterii confidenţiale. Kṛṣṇa dezvăluie de asemenea cunoaşterea Suprasufletului. Aceasta este şi ea cunoaşterea lui Brahman, dar este superioară.

Cuvintele *yathecchasi tathā kuru*—„Poţi să acţionezi aşa cum doreşti"— indică faptul că Dumnezeu nu stânjeneşte puţina independenţă a entităţii vii. În *Bhagavad-gītā* Domnul a explicat în toate privinţele felul în care cineva îşi poate înălţa viaţa. Cel mai bun sfat împărtăşit lui Arjuna este acela de a se preda Suprasufletului situat înăuntrul inimii sale. Printr-un discernământ corect, o persoană trebuie să fie de acord să acţioneze potrivit ordinului primit de la Suprasuflet. Aceasta o va ajuta să se situeze permanent în conştiinţa de Kṛṣṇa, stadiul cel mai înalt al desăvârşirii vieţii umane. Arjuna primeşte ordinul de a lupta direct de la Persoanalitatea Divinităţii. Supunerea faţă de Suprema Personalitate a Divinităţii este în interesul major al entităţilor vii. Ea nu este în interesul Supremului. Înainte de a se supune, o persoană este liberă să delibereze asupra acestui subiect până la limita la care poate ajunge inteligenţa sa; aceasta este calea cea mai bună de a primi învăţătura de la Suprema Personalitate a Divinităţii. Această învăţătură vine şi prin intermediul maestrului spiritual, reprezentantul autentic al lui Kṛṣṇa.

TEXTUL 64

सर्वगुह्यतमं भूयः शृणु मे परमं वचः ।
इष्टोऽसि मे दृढमिति ततो वक्ष्यामि ते हितम् ॥६४॥

sarva-guhyatamaṁ bhūyaḥ
śṛṇu me paramaṁ vacaḥ
iṣṭo 'si me dṛḍham iti
tato vakṣyāmi te hitam

sarva-guhya-tamam—cea mai confidenţială dintre toate; *bhūyaḥ*—din nou; *śṛṇu*—ascultă; *me*—de la Mine; *paramam*—suprema; *vacaḥ*—învăţătură; *iṣṭaḥ asi*—tu eşti drag; *me*—Mie; *dṛḍham*—foarte; *iti*—astfel; *tataḥ*—de aceea; *vakṣyāmi*—vorbesc; *te*—pentru al tău; *hitam*—bine.

Deoarece Îmi eşti cel mai drag prieten, îţi voi da suprema Mea învăţătură, cea mai confidenţială dintre toate cunoaşterile. Ascult-o deci de la Mine, căci e spre binele tău.

COMENTARIU

Domnul i-a dat lui Arjuna cunoașterea confidențială (cunoașterea lui Brahman) și cunoașterea încă și mai confidențială (cunoașterea Suprasufletului aflat în inima fiecăruia), iar acum El îi dă partea cea mai confidențială a cunoașterii: predă-te doar Supremei Personalități a Divinității. La sfârșitul capitolului al nouălea El spunea *man-manāḥ*: „Gândește-te doar la Mine". Aceeași învățătură este repetată aici, pentru a sublinia esența învățăturilor din *Bhagavad-gītā*. Această esență nu este înțeleasă de omul obișnuit, ci de către cel ce este cu adevărat foarte drag lui Kṛṣṇa, un devot pur al lui Kṛṣṇa. Aceasta este cea mai importantă învățătură din toată literatura vedică. Ceea ce spune Kṛṣṇa despre acest subiect constituie partea cea mai importantă a cunoașterii și trebuie dusă la îndeplinire nu numai de către Arjuna, ci de către toate ființele.

TEXTUL 65

मन्मना भव मद्भक्तो मद्याजी मां नमस्कुरु ।
मामेवैष्यसि सत्यं ते प्रतिजाने प्रियोऽसि मे ॥६५॥

man-manā bhava mad-bhakto
mad-yājī mām namaskuru
mām evaiṣyasi satyaṁ te
pratijāne priyo 'si me

mat-manāḥ—cu gândul la Mine; *bhava*—să fii; *mat-bhaktaḥ*—devotul Meu; *mat-yājī*—adoratorul Meu; *mām*—către Mine; *namaskuru*—să-ți oferi plecăciunile; *mām*—la Mine; *eva*—cu siguranță; *eṣyasi*—vei veni; *satyam*—cu adevărat; *te*—ție; *pratijāne*—promit; *priyaḥ*—drag; *asi*—ești; *me*—Mie.

Gândește-te mereu la Mine, fii devotul Meu, adoră-Mă și cinstește-Mă pe Mine. Astfel vei veni la Mine fără nici o îndoială. Eu îți promit acest lucru, deoarece Îmi ești cel mai drag prieten.

COMENTARIU

Cea mai confidențială parte a cunoașterii este aceea că o persoană trebuie să devină un devot pur al lui Kṛṣṇa, să se gândească permanent la El și să acționeze pentru El. Nu trebuie să ne transformăm în profesionişti ai meditaţiei. Viaţa fiecărei persoane trebuie să fie astfel întocmită încât să aibă mereu prilejul de a se gândi la Kṛṣṇa. Cineva trebuie să acţioneze mereu în aşa fel, încât toate activităţile sale cotidiene să fie legate de Kṛṣṇa. El trebuie să-şi ordoneze viaţa astfel încât de-a lungul celor douăzeci şi patru de ore să nu se poată gândi decât la Kṛṣṇa. Iar Domnul a făgăduit că oricine se află într-o astfel de pură conştiinţă de Kṛṣṇa se va reîntoarce cu siguranţă în sălaşul lui Kṛṣṇa, unde va sta alături de Kṛṣṇa, faţă-n faţă. Această parte a celei mai confidenţiale cunoaşteri este spusă lui Arjuna pentru că el este prietenul cel drag al lui Kṛṣṇa. Oricine urmează calea lui Arjuna poate deveni un prieten drag al lui Kṛṣṇa şi poate obţine aceeaşi perfecţiune ca Arjuna.

Aceste cuvinte subliniază faptul că trebuie să ne concentrăm mintea asupra lui Kṛṣṇa, asupra formei Sale adevărate, cu două braţe care ţin flautul, acel băiat cu minunatul său chip albăstrui şi cu pene de păun în păr. În *Brahma-saṁhitā* şi în alte lucrări există descrieri ale lui Kṛṣṇa. Trebuie să ne fixăm mintea asupra lui Kṛṣṇa, această formă originară a lui Dumnezeu. Nu trebuie nici măcar să ne abatem atenţia către alte forme ale Domnului. Domnul are o multitudine de forme, cum ar fi Viṣṇu, Nārāyaṇa, Rāma, Varāha, etc., dar un devot trebuie să-şi concentreze mintea asupra formei care a fost prezentă în faţa lui Arjuna. Concentrarea minţii asupra formei lui Kṛṣṇa constituie partea cea mai confidenţială a cunoaşterii, iar aceasta este dezvăluită lui Arjuna, pentru că Arjuna este prietenul cel mai drag al lui Kṛṣṇa.

TEXTUL 66

सर्वधर्मान् परित्यज्य मामेकं शरणं व्रज ।
अहं त्वां सर्वपापेभ्यो मोक्षयिष्यामि मा शुचः ॥६६॥

sarva-dharmān parityajya
mām ekaṁ śaraṇaṁ vraja
ahaṁ tvāṁ sarva-pāpebhyo
mokṣayiṣyāmi mā śucaḥ

sarva-dharmān—toate varietăţile de religii; *parityajya*—abandonând; *mām*—la Mine; *ekam*—doar; *śaraṇam*—pentru a te preda; *vraja*—du-te; *aham*—Eu; *tvām*—pe tine; *sarva*—toate; *pāpebhyaḥ*—de reacţiile păcatelor; *mokṣayiṣyāmi*—te voi elibera; *mā*—nu; *śucaḥ*—te îngrijora.

Abandonează toate varietățile de religii și predă-te doar Mie. Eu te voi elibera de toate reacțiile păcatelor. Nu-ți fie teamă.

COMENTARIU

Domnul a descris diferitele feluri de cunoaștere și procedee religioase— cunoașterea Supremului Brahman, cunoașterea Suprasufletului, cunoașterea diferitelor tipuri de ordine și categorii ale vieții sociale, cunoașterea ordinului renunțării, cunoașterea detașării, stăpânirea minții și-a simțurilor, meditația, etc. El a descris în multiple feluri diferitele tipuri de religie. Acum, rezumând *Bhagavad-gītā*, Domnul spune că Arjuna trebuie să abandoneze toate procesele ce i-au fost explicate; el trebuie doar să se predea lui Kṛṣṇa. Această predare îl va salva de orice fel de reacții ale păcatelor, căci Domnul promite personal să îl ocrotească.

În capitolul al șaptelea se spunea că doar acela care a ajuns să fie eliberat de toate reacțiile păcatelor poate să se dedice adorării Domnului Kṛṣṇa. Deci unii ar putea crede că până ce nu scapă de toate reacțiile păcatelor nu se pot dedica acestui proces de predare față de Domnul. Acestor îndoieli li se răspunde aici, spunându-se că, chiar dacă cineva nu este eliberat de toate reacțiile păcatelor, prin simplul proces de predare lui Śrī Kṛṣṇa el este automat eliberat. Nu este nevoie de un efort istovitor pentru a ne elibera de reacțiile păcatelor. Trebuie să-L acceptăm fără ezitare pe Kṛṣṇa ca suprem eliberator al tuturor entităților vii. Cu dragoste și credință, trebuie să ne predăm Lui.

Procesul predării către Kṛṣṇa este descris în *Hari-bhakti-vilāsa* (11.676):

> *ānukūlyasya saṅkalpaḥ*
> *prātikūlyasya varjanam*
> *rakṣiṣyatīti viśvāso*
> *goptṛtve varanaṁ tathā*
> *ātma-nikṣepa-kārpaṇye*
> *ṣaḍ-vidhā śaraṇāgatiḥ*

Conform căii devoționale, cineva trebuie doar să accepte acele principii religioase care vor duce în final la slujirea cu devotament a Domnului. O persoană poate să îndeplinească o anumită profesie, conform cu poziția sa în ordinea socială, dar dacă prin îndeplinirea datoriei aceasta nu ajunge la conștiința de Kṛṣṇa, toate activitățile sale sunt zadarnice. Tot ceea ce nu duce la stadiul desăvârșirii conștiinței de Kṛṣṇa trebuie evitat. O persoană trebuie să fie încrezătoare în faptul că, în orice împrejurare, Kṛṣṇa o va proteja de toate greutățile. Nu trebuie să ne preocupăm de păstrarea corpului și sufletului împreună; Krṣṇa veghează la aceasta. Trebuie să ne considerăm întotdeauna neajutorați și trebuie să-L considerăm pe Krṣṇa drept singurul suport al progresului nostru în viață. De îndată ce ne vom angaja cu seriozitate în slujirea cu devotament a Domnului, în deplină conștiință de Krṣṇa, vom fi de îndată eliberați de toate contaminările naturii materiale. Există diferite căi religioase și procese de purificare prin cultivarea cunoașterii, meditație în cadrul sistemului yoga mistică, etc., dar cel ce se predă lui Krṣṇa nu trebuie să aplice atât de multe metode. Această simplă predare lui Krṣṇa îl ferește de a-și mai pierde timpul în mod inutil. Astfel, el poate să progreseze de îndată și să fie eliberat de toate reacțiile păcatelor.

O persoană trebuie să fie atrasă de minunata viziune a lui Krṣṇa. Numele Lui este Krṣṇa deoarece El este atotatrăgător. Cel ce ajunge să fie atras de minunata și atotputernica viziune a lui Krṣṇa este cu adevărat norocos. Există diverse feluri de transcendentaliști—unii sunt atașați de viziunea impersonalului Brahman, alții sunt atrași de aspectul de Suprasuflet etc., dar cel ce este atras de aspectul personal al Supremei Personalități a Divinității și, mai presus de toate, cel ce e atras de Suprema Personalitate a Divinității sub forma lui Krṣṇa Însuși, este cel mai desăvârșit transcendentalist. Cu alte cuvinte, slujirea cu devotament a lui Krṣṇa, în deplina conștiință, este partea cea mai confidențială a cunoașterii și aceasta este esența întregii *Bhagavad-gītā*. Toți cei ce sunt *karma-yogī*, filozofi empirici, mistici și devoți, poartă numele de transcendentaliști, dar devotul pur este cel mai bun dintre toți. Cuvintele folosite anume aici, *mā śucaḥ*, „nu-ți fie teamă, nu ezita, nu-ți fă griji", sunt foarte semnificative. Unii pot fi nedumeriți asupra felului în care pot să renunțe la toate varietățile de forme religioase și să se predea pur și simplu lui Krṣṇa, dar o asemenea grijă este inutilă.

TEXTUL 67

इदं ते नातपस्काय नाभक्ताय कदाचन ।
न चाशुश्रूषवे वाच्यं न च मां योऽभ्यसूयति ॥६७॥

idaṁ te nātapaskāya
nābhaktāya kadācana
na cāśuśrūṣave vācyaṁ
na ca māṁ yo 'bhyasūyati

idam—aceasta; *te*—de tine; *na*—niciodată; *atapaskāya*—unuia care nu este auster; *na*—niciodată; *abhaktāya*—unuia care nu e devot; *kadācana*—vreodată; *na*—nicicând; *ca*—de asemenea; *aśuśrūṣave*—unuia care nu e angajat în slujirea cu devotament; *vācyam*—să fie spusă; *na*—niciodată; *ca*—precum și; *mām*—față de Mine; *yaḥ*—celui care; *abhyasūyati*—este invidios.

Această cunoaștere confidențială nu trebuie dezvăluită celor ce nu sunt austeri sau devotați, sau angajați în slujirea cu devotament, nici celui ce este invidios pe Mine.

COMENTARIU

Persoanele care n-au îndeplinit austeritățile procesului religios, care n-au încercat niciodată să practice slujirea cu devotament în conștiința de Kṛṣṇa, care nu au servit un devot pur și în special acelea care au cunoștință de Kṛṣṇa doar ca personalitate istorică sau care sunt invidioși pe măreția lui Kṛṣṇa, acestora nu trebuie să li se spună partea cea mai confidențială a cunoașterii. Uneori aflăm că și persoane demonice, invidioase pe Kṛṣṇa, care Îl venerează pe Kṛṣṇa în alt mod, se dedică profesiunii de a explica *Bhagavad-gītā* într-un mod aparte, cu scopul de a face din asta o afacere, dar cel ce dorește cu adevărat să-L înțeleagă pe Kṛṣṇa trebuie să evite astfel de comentarii la *Bhagavad-gītā*. În realitate, scopul *Bhagavad-gītei* rămâne de neînțeles celor ce sunt senzuali. Chiar dacă cineva nu este senzual, ci respectă cu strictețe disciplinele recomandate în scripturile vedice, dacă nu este devot, nici el nu poate să-L înțeleagă pe Kṛṣṇa. Și chiar dacă cineva pozează în devot al lui Kṛṣṇa dar nu e angajat în activitățile conștiinței de Kṛṣṇa, nici el nu poate să-L înțeleagă pe Kṛṣṇa. Există mulți oameni care-L invidiază pe Kṛṣṇa pentru că a explicat în *Bhagavad-gītā* că El este Supremul și că nimic nu este mai presus de El sau egal cu El. Mulți sunt cei ce-L invidiază pe Kṛṣṇa. Acestor persoane nu trebuie să li se vorbească despre *Bhagavad-gītā*, căci nu pot să înțeleagă. Oamenii necredincioși nu au posibilitatea să înțeleagă *Bhagavad-gītā* și pe Kṛṣṇa. Fără a-L fi înțeles pe Kṛṣṇa prin autoritatea unui devot pur, nimeni nu trebuie să încerce să facă comentarii la *Bhagavad-gītā*.

TEXTUL 68

य इदं परमं गुह्यं मद्भक्तेष्वभिधास्यति ।
भक्तिं मयि परां कृत्वा मामेवैष्यत्यसंशयः ॥६८॥

> ya idaṁ paramaṁ guhyaṁ
> mad-bhakteṣv abhidhāsyati
> bhaktiṁ mayi parāṁ kṛtvā
> mām evaiṣyaty asaṁśayaḥ

yaḥ—oricine; *idam*—această; *paramam*—cea mai; *guhyam*—ascunsă taină; *mat*—ai Mei; *bhakteṣu*—printre devoţii; *abhidhāsyati*—explică; *bhaktim*—slujirea cu devotament; *mayi*—faţă de Mine; *parām*—transcendentă; *kṛtvā*—îndeplinind; *mām*—la Mine; *eva*—cu siguranţă; *eşyati*—va veni; *asaṁśayaḥ*—fără îndoială.

Celui ce dezvăluie această supremă taină devoţilor Mei, slujirea cu devoţiune pură îi este garantată, iar la sfârşit va veni înapoi la Mine.

COMENTARIU

În general se recomandă ca *Bhagavad-gītā* să fie discutată doar între devoţi, căci cei ce nu sunt devoţi nu-L vor înţelege nici pe Kṛṣṇa, nici *Bhagavad-gītā*. Cei ce nu-L acceptă pe Kṛṣṇa aşa cum este El şi *Bhagavad-gītā* aşa cum este ea, nu trebuie să încerce să explice *Bhagavad-gītā* după bunul lor plac, devenind ofensatori. *Bhagavad-gītā* trebuie explicată persoanelor care sunt gata să-L accepte pe Kṛṣṇa ca Suprema Personalitate a Divinităţii. Acesta e un subiect destinat doar devoţilor şi nu celor ce fac speculaţii filozofice. Însă oricine încearcă să prezinte *Bhagavad-gītā* aşa cum este ea, va progresa în activităţile devoţionale şi va atinge starea vieţii de pură devoţiune. Ca rezultat al acestei devoţiuni pure, el este sigur că se va reîntoarce acasă, înapoi la Divinitate.

TEXTUL 69

न च तस्मान्मनुष्येषु कश्चिन्मे प्रियकृत्तमः ।
भविता न च मे तस्मादन्यः प्रियतरो भुवि ॥६९॥

> na ca tasmān manuṣyeṣu
> kaścin me priya-kṛttamaḥ
> bhavitā na ca me tasmād
> anyaḥ priyataro bhuvi

na—niciodată; *ca*—şi; *tasmāt*—decât el; *manuṣyeṣu*—printre oameni; *kaścit*—vreunul; *me*—Mie; *priya-kṛt-tamaḥ*—mai drag; *bhavitā*—va deveni; *na*

—nici; *ca*—și; *me*—Mie; *tasmāt*—decât el; *anyaḥ*—un altul; *priya-taraḥ*—și mai drag; *bhuvi*—în această lume.

Nici un alt slujitor din această lume nu Îmi este mai drag decât el și nici nu-Mi va fi vreodată un altul mai drag.

TEXTUL 70

अध्येष्यते च य इमं धर्म्यं संवादमावयोः ।
ज्ञानयज्ञेन तेनाहमिष्टः स्यामिति मे मतिः ॥७०॥

adhyeṣyate ca ya imaṁ
dharmyaṁ saṁvādam āvayoḥ
jñāna-yajñena tenāham
iṣṭaḥ syām iti me matiḥ

adhyeṣyate—va studia; *ca*—de asemenea; *yaḥ*—cel care; *imam*—această; *dharmyam*—sacră; *saṁvādam*—conversație; *āvayoḥ*—a noastră; *jñāna*—cunoașterii; *yajñena*—prin sacrificiul; *tena*—de către el; *aham*—Eu; *iṣṭaḥ*—adorat; *syām*—voi fi; *iti*—astfel; *me*—a Mea; *matiḥ*—părere.

Iar Eu spun că acela care studiază această sacră conversație a noastră Mă adoră cu inteligența sa.

TEXTUL 71

श्रद्धावाननसूयश्च शृणुयादपि यो नरः ।
सोऽपि मुक्तः शुभाँल्लोकान् प्राप्नुयात्पुण्यकर्मणाम् ॥७१॥

śraddhāvān anasūyaś ca
śṛṇuyād api yo naraḥ
so 'pi muktaḥ śubhāl lokān
prāpnuyāt puṇya-karmaṇām

śraddhā-vān—credincios; *anasūyaḥ*—neinvidios; *ca*—și; *śṛṇuyāt*—ascultă; *api*—cu siguranță; *yaḥ*—care; *naraḥ*—omul; *saḥ*—el; *api*—de asemenea; *muktaḥ*—fiind eliberat; *śubhān*—binefăcătoare; *lokān*—planetele; *prāpnuyāt*—atinge; *puṇya-karmaṇām*—ale celor pioși.

Iar cel ce ascultă cu credință și fără invidie este eliberat de reacțiile păcatelor și atinge planetele benefice, unde sălășluiesc cei pioși.

COMENTARIU

În versetul șaizeci și șapte din acest capitol Domnul interzicea în mod explicit ca *Gītā* să fie spusă celor ce Îl invidiază pe Domnul. Cu alte cuvinte, *Bhagavad-gītā* este doar pentru devoți. Totuși se întâmplă ca uneori un devot al Domnului să țină lecții deschise, iar la aceste lecții se presupune că nu toți elevii sunt devoți. De ce oare țin aceste persoane lecții deschise? Aici se explică faptul că, deși nu oricine este devot, există totuși mulți oameni care nu sunt invidioși pe Kṛṣṇa. Ei cred în El ca Suprema Personalitate a Divinității. Dacă ei aud despre Domnul de la un devot autentic, rezultatul este acela că ei sunt pe dată eliberați de toate reacțiile păcatelor și vor ajunge pe sistemele planetare unde se află oamenii virtuoși. Deci prin simpla ascultare din *Bhagavadgīta*, chiar și o persoană care nu încearcă să fie un devot pur obține rezultatul unor activități virtuoase. Astfel, un devot pur al Domnului dă fiecăruia șansa să se elibereze de toate reacțiile păcatelor și să devină un devot al Domnului.

În general, cei eliberați de reacțiile păcatelor, cei virtuoși, se dedică cu ușurință conștiinței de Kṛṣṇa. Cuvântul *puṇya-karmaṇām* este foarte semnificativ aici. El se referă la îndeplinirea marilor sacrificii, cum ar fi *aśvamedha-yajña*, menționat în *Vede*. Cei ce îndeplinesc în mod corect slujirea cu devotament dar nu sunt puri, pot ajunge pe sistemul planetar al stelei polare sau Dhruvaloka, unde domnește Dhruva Mahārāja. El este un mare devot al Domnului și are o planetă specială, numită steaua polară.

TEXTUL 72

कच्चिदेतच्छ्रुतं पार्थ त्वयैकाग्रेण चेतसा ।
कच्चिदज्ञानसम्मोहः प्रणष्टस्ते धनञ्जय ॥७२॥

kaccid etac chrutaṁ pārtha
tvayaikāgreṇa cetasā
kaccid ajñāna-sammohaḥ
praṇaṣṭas te dhanañjaya

kaccit—oare; *etat*—aceasta; *śrutam*—ascultat; *pārtha*—o, fiu al lui Pṛthā; *tvayā*—de către tine; *eka-agreṇa*—cu toată atenția; *cetasā*—cu mintea; *kaccit*

—oare; *ajñāna*—ignoranței; *sammohaḥ*—iluzia; *praṇaṣṭaḥ*—risipită; *te*—a
ta; *dhanañjaya*—o, cuceritorule de bogății (Arjuna).

**O, fiu al lui Pṛthā, o, cuceritorule de bogății, oare ai ascultat acestea cu
mintea atentă? Oare ți s-a risipit iluzia și ignoranța?**

COMENTARIU

Domnul a acționat ca maestru spiritual al lui Arjuna. De aceea era de datoria
Sa să îl întrebe pe Arjuna dacă a înțeles întreaga *Bhagavad-gītā* în adevărata ei
perspectivă. Dacă nu, Domnul era gata să-i explice din nou orice subiect, sau
chiar întreaga *Bhagavad-gītā*, dacă I s-ar fi cerut. În realitate, oricine ascultă
Bhagavad-gītā de la un maestru spiritual autentic precum Kṛṣṇa sau repre-
zentanții Săi, își va da seama că întreaga sa ignoranță este risipită. *Bhagavad-
gītā* nu este o carte obișnuită, scrisă de un poet sau scriitor de ficțiune; ea este
rostită de Suprema Personalitate a Divinității. Orice persoană care e destul de
norocoasă să asculte aceste învățături de la Kṛṣṇa sau de la reprezentantul Său
spiritual autorizat, sigur va fi eliberată și va ieși din întunericul ignoranței.

TEXTUL 73

अर्जुन उवाच
नष्टो मोहः स्मृतिर्लब्धा त्वत्प्रसादान्मयाच्युत ।
स्थितोऽस्मि गतसन्देहः करिष्ये वचनं तव ॥७३॥

arjuna uvāca
naṣṭo mohaḥ smṛtir labdhā
tvat-prasādān mayācyuta
sthito 'smi gata-sandehaḥ
kariṣye vacanaṁ tava

arjunaḥ uvāca—Arjuna a spus; *naṣṭaḥ*—risipită; *mohaḥ*—iluzia; *smṛtiḥ*—
memoria; *labdhā*—recâștigată; *tvat-prasādāt*—prin îndurarea Ta; *mayā*—de
către mine; *acyuta*—o, infailibilule Kṛṣṇa; *sthitaḥ*—situat; *asmi*—sunt; *gata*
—înlăturate; *sandehaḥ*—toate îndoielile; *kariṣye*—voi îndeplini; *vacanam*—
porunca; *tava*—Ta.

Arjuna a spus: Dragul meu Kṛṣṇa, o, Tu cel infailibil, acum iluzia mea s-a risipit. Prin mila Ta, mi-am recăpătat memoria. Acum sunt ferm, eliberat de îndoială şi gata să acţionez potrivit îndrumărilor Tale.

COMENTARIU

Poziţia constitutivă a entităţii vii, reprezentată de Arjuna, este aceea de a acţiona potrivit ordinului Domnului Suprem. Ea este destinată autodisciplinării. Śrī Caitanya Mahāprabhu spune că poziţia reală a entităţii vii este aceea de etern slujitor al Domnului Suprem. Uitând acest principiu, entitatea vie ajunge să fie condiţionată de natura materială, dar prin slujirea Domnului Suprem ea ajunge slujitorul eliberat al lui Dumnezeu. Poziţia constitutivă a entităţii vii este aceea de slujitor; ea trebuie să slujească fie pe *māyā* iluzorie, fie pe Domnul Suprem. Dacă Îl slujeşte pe Domnul Suprem, se află în starea sa normală, dar dacă preferă să slujească energia externă iluzorie, atunci va fi cu siguranţă încătuşată. Fiind în iluzie, entitatea vie slujeşte în lumea materială. Deşi este captivată de pofta trupească şi de dorinţele sale, totuşi ea se consideră a fi stăpânul lumii. Aceasta se numeşte iluzie. Când cineva este eliberat, iluzia sa se sfârşeşte şi el se predă de bună voie Supremului, pentru a acţiona potrivit dorinţelor Lui. Ultima iluzie, ultima capcană întinsă de *māyā* entităţii vii este ideea că ea e Dumnezeu. Entitatea vie crede că nu mai este un suflet condiţionat, ci Dumnezeu. Este atât de lipsită de inteligenţă, încât nici nu se gândeşte că, dacă ar fi Dumnezeu, cum ar fi putut să fie supusă îndoielii? Ea nu-şi pune această problemă. Deci aceasta este ultima capcană a iluziei. În realitate, a te elibera de energia iluzorie înseamnă a-L înţelege pe Kṛṣṇa, Suprema Personalitate a Divinităţii şi a accepta să acţionezi conform ordinului Său.

Cuvântul *moha* e foarte important în acest verset. *Moha* se referă la ceea ce se opune cunoaşterii. De fapt, cunoaşterea reală este înţelegerea faptului că orice fiinţă este eternul slujitor al Domnului, dar, în loc să se socotească astfel, entitatea vie crede că nu este slujitor, ci stăpân al acestei lumi materiale, căci doreşte să domnească asupra naturii materiale. Aceasta este iluzie. Această iluzie poate fi depăşită prin îndurarea Domnului sau prin îndurarea unui devot pur. Când iluzia s-a sfârşit, o persoană acceptă să acţioneze în conştiinţa de Kṛṣṇa.

Conştiinţa de Kṛṣṇa înseamnă să acţionezi potrivit poruncii lui Kṛṣṇa. Un suflet condiţionat, iluzionat de energia externă a materiei, nu ştie că Domnul Suprem este stăpânul plin de cunoaştere şi proprietarul tuturor lucrurilor. El poate dărui devoţilor Săi tot ceea ce doreşte; El este prietenul fiecăruia şi are o înclinație specială către devoții Săi. El este Cel ce controlează natura materială și toate entitățile vii. Tot El controlează timpul inepuizabil și este plin de toate opulențele și toate puterile. Suprema Personalitate a Divinității se poate dărui pe Sine Însuși devotului. Cel ce nu Îl cunoaște, se află sub vraja iluziei; el nu ajunge devot, ci slujitor lui *māyā*. Însă Arjuna, după ce a ascultat *Bhagavad-gītā* de la Suprema Personalitate a Divinității, a fost eliberat de iluzie. El a putut să înțeleagă că Kṛṣṇa nu era doar prietenul său, ci Suprema Personalitate a Divinității. El L-a înțeles pe Kṛṣṇa în mod efectiv. Deci a studia *Bhagavad-gītā* înseamnă a-L înțelege efectiv pe Kṛṣṇa. Cel ce ajunge la cunoașterea deplină, se predă în mod firesc lui Kṛṣṇa. Când Arjuna înțelege faptul că Kṛṣṇa plănuise să reducă creșterea inutilă a populației, el este de acord să lupte, așa cum dorise Kṛṣṇa. El își ia din nou armele—arcul și săgețile—pentru a lupta conform ordinului Supremei Personalități a Divinității.

TEXTUL 74

सञ्जय उवाच
इत्यहं वासुदेवस्य पार्थस्य च महात्मनः ।
संवादमिममश्रौषमद्भुतं रोमहर्षणम् ॥७४॥

sañjaya uvāca
ity ahaṁ vāsudevasya
pārthasya ca mahātmanaḥ
saṁvādam imam aśrauṣam
adbhutaṁ roma-harṣaṇam

sañjayaḥ uvāca—Sañjaya a spus; *iti*—astfel; *aham*—eu; *vāsudevasya*—a lui Kṛṣṇa; *pārthasya*—și Arjuna; *ca*—de asemenea; *mahā-ātmanaḥ*—marile suflete; *saṁvādam*—convorbirea; *imam*—aceasta; *aśrauṣam*—am ascultat; *adbhutam*—minunată; *roma-harṣaṇam*—făcând să se ridice părul.

Sañjaya a spus: Astfel eu am auzit conversația dintre două mari suflete, Kṛṣṇa și Arjuna. Și atât de uluitor este acest mesaj, încât mi se ridică părul.

COMENTARIU

La începutul *Bhagavad-gītei*, Dhṛtarāṣṭra îl întreabă pe secretarul său Sañjaya: „Ce s-a întâmplat pe câmpul de bătălie de la Kurukṣetra?" Întreaga *Bhagavad-*

gītā i-a fost revelată lui Sañjaya, în inima sa, prin graţia lui Vyāsa, maestrul său spiritual. Astfel el a explicat ceea ce se petrecea pe câmpul de luptă. Conversaţia era uluitoare, pentru că o astfel de convorbire importantă între două suflete măreţe nu a mai avut loc niciodată înainte şi nu va mai avea loc vreodată. Ea era uluitoare pentru că Suprema Personalitate a Divinităţii vorbea despre Sine Însuşi şi despre energiile Sale unei entităţi vii, lui Arjuna, un mare devot al Domnului. Dacă am păşi pe urmele lui Arjuna pentru a-L înţelege pe Kṛṣṇa, viaţa noastră ar fi fericită şi împlinită. Sañjaya a realizat acest lucru şi, pe măsură ce începea să înţeleagă, relata această convorbire lui Dhṛtarāṣṭra. Se poate deci trage concluzia că oriunde se află Kṛṣṇa şi Arjuna, acolo este şi victoria.

TEXTUL 75

व्यासप्रसादाच्छ्रुतवानेतद्गुह्यमहं परम् ।
योगं योगेश्वरात्कृष्णात्साक्षात्कथयतः स्वयम् ॥७५॥

vyāsa-prasādāc chrutavān
etad guhyam ahaṁ param
yogaṁ yogeśvarāt kṛṣṇāt
sākṣāt kathayataḥ svayam

vyāsa-prasādāt—prin mila lui Vyāsadeva; *śrutavān*—am auzit; *etat*—această; *guhyam*—confidenţială; *aham*—eu; *param*—suprema; *yogam*—mistică; *yoga-īśvarāt*—de la stăpânul oricărei mistici; *kṛṣṇāt*—de la Kṛṣṇa; *sākṣāt*—direct; *kathayataḥ*—vorbind; *svayam*—personal.

Prin mila lui Vyāsa, am auzit cea mai confidenţială discuţie direct de la Kṛṣṇa, stăpânul tuturor felurilor de misticism, vorbindu-i personal lui Arjuna.

COMENTARIU

Vyāsa era maestrul spiritual al lui Sañjaya, iar Sañjaya admite faptul că doar prin îndurarea lui Vyāsa a putut să înţeleagă pe Suprema Personalitate a Divinităţii. Aceasta înseamnă că nu trebuie să încercăm să-L înţelegem direct pe Kṛṣṇa, ci prin intermediul maestrului spiritual. Maestrul spiritual este un mediu transparent, deşi este adevărat că prin aceasta experienţa nu este cu nimic mai puţin directă. Acesta este misterul succesiunii disciplice. Când maestrul spiritual este unul autentic, o persoană poate asculta *Bhagavad-gītā* direct, aşa cum a auzit-o Arjuna. Există mulţi mistici şi yoghini în întreaga lume, dar Krṣṇa este stăpânul peste toate sistemele yoga. Instrucţiunea lui Krṣṇa este afirmată explicit în *Bhagavad-gītā*—să te predai lui Krṣṇa. Cel ce face astfel este cel mai mare dintre yoghini. Acest lucru e confirmat în ultimul verset din capitolul şase. *Yoginām api sarveṣām.* Nārada este discipolul direct al lui Krṣṇa şi maestrul spiritual al lui Vyāsa. De aceea Vyāsa este la fel de autorizat precum Arjuna, căci face parte din succesiunea disciplică, iar Sañjaya este discipolul direct al lui Vyāsa. Deci, graţie lui Vyāsa, simţurile lui Sañjaya au fost purificate şi a putut să-L vadă şi să-L audă direct pe Krṣṇa. Cel ce Îl ascultă direct pe Krṣṇa, poate înţelege această cunoaştere confidenţială. Cel ce nu recurge la succesiunea disciplică, nu-L poate asculta pe Krṣṇa; de aceea, cunoaşterea sa rămâne mereu imperfectă, cel puţin în ce priveşte înţelegerea *Bhagavad-gītei*. În *Bhagavad-gītā* sunt explicate toate sistemele yoga—*karma-yoga, jñāna-yoga* şi *bhakti-yoga*. Krṣṇa este stăpânul tuturor sistemelor mistice. Trebuie însă să se înţeleagă că, aşa cum Arjuna a fost suficient de norocos pentru a-L înţelege pe Krṣṇa în mod direct, la fel şi Sañjaya, graţie lui Vyāsa, a fost şi el în stare să-L asculte pe Krṣṇa în mod direct. De fapt nu e nici o deosebire între a-L asculta direct pe Krṣṇa şi a asculta direct de la Krṣṇa prin intermediul unui maestru spiritual autorizat, cum este Vyāsa. Maestrul spiritual este şi reprezentantul lui Vyāsadeva. De aceea, potrivit sistemului vedic, la ziua de naştere a maestrului spiritual discipolii îndeplinesc ceremonia numită Vyāsa-pūja.

TEXTUL 76

राजन् संस्मृत्य संस्मृत्य संवादमिममद्भुतम् ।
केशवार्जुनयोः पुण्यं हृष्यामि च मुहुर्मुहुः ॥७६॥

rājan saṁsmṛtya saṁsmṛtya
saṁvādam imam adbhutam
keśavārjunayoḥ puṇyaṁ
hṛṣyāmi ca muhur muhuḥ

rājan—o, rege; *saṁsmṛtya*—reamintindu-mi; *saṁsmṛtya*—reamintindu-mi; *saṁvādam*—mesajul; *imam*—acesta; *adbhutam*—minunat; *keśava*—al

Domnului Kṛṣṇa; *arjunayoḥ*—şi Arjuna; *puṇyam*—pios; *hṛṣyāmi*—mă bucur; *ca*—şi; *muhuḥ muhuḥ*—în mod repetat.

O, rege, reamintindu-mi mereu şi mereu de această uimitoare şi sacră discuţie dintre Kṛṣṇa şi Arjuna, eu simt o mare plăcere şi mă înfior în fiecare clipă.

COMENTARIU

Înţelegerea *Bhagavad-gītei* este atât de transcendentă, încât oricine se familiarizează cu subiectele discutate de Arjuna şi de Kṛṣṇa devine virtuos şi nu mai poate să le uite. Acesta este nivelul transcendent al vieţii spirituale. Cu alte cuvinte, cel ce aude *Gītā* din sursa corectă, direct de la Kṛṣṇa, atinge deplina conştiinţă de Kṛṣṇa. Rezultatul conştiinţei de Kṛṣṇa este acela că o persoană devine din ce în ce mai iluminată şi îşi trăieşte viaţa fremătând de bucurie, nu numai un timp, ci clipă de clipă.

TEXTUL 77

तच्च संस्मृत्य संस्मृत्य रूपमत्यद्भुतं हरेः ।
विस्मयो मे महान् राजन् हृष्यामि च पुनः पुनः ॥७७॥

tac ca saṁsmṛtya saṁsmṛtya
rūpam aty-adbhutaṁ hareḥ
vismayo me mahān rājan
hṛṣyāmi ca punaḥ punaḥ

tat—acea; *ca*—de asemenea; *saṁsmṛtya*—amintindu-mi; *saṁsmṛtya*—amintindu-mi; *rūpam*—formă; *ati*—foarte; *adbhutam*—minunată; *hareḥ*—a Domnului Kṛṣṇa; *vismayaḥ*—uluirea; *me*—mea; *mahān*—mare; *rājan*—o, rege; *hṛṣyāmi*—mă bucur; *ca*—şi; *punaḥ punaḥ*—mereu şi mereu.

O, rege, amintindu-mi de minunata formă a Domnului Kṛṣṇa, sunt copleşit de uimire din ce în ce mai mult şi mă bucur din nou şi din nou.

COMENTARIU

Se pare că şi Sañjaya, graţie lui Vyāsa, a putut să vadă forma universală pe care Kṛṣṇa i-a arătat-o lui Arjuna. Desigur, se spune că Domnul Kṛṣṇa nu a mai arătat niciodată cuiva această formă. Ea a fost arătată doar lui Arjuna, totuși unii mari devoți au putut și ei să vadă forma universală a lui Kṛṣṇa atunci când aceasta a fost înfățișată lui Arjuna, iar Vyāsa a fost unul dintre aceștia. El este unul din marii devoți ai Domnului și este considerat o încarnare foarte puternică a lui Kṛṣṇa. Vyāsa a dezvăluit această viziune discipolului său Sañjaya, care și-a amintit minunata formă a lui Kṛṣṇa înfățișată lui Arjuna, bucurându-se mereu și mereu.

TEXTUL 78

यत्र योगेश्वरः कृष्णो यत्र पार्थो धनुर्धरः ।
तत्र श्रीर्विजयो भूतिर्ध्रुवा नीतिर्मतिर्मम ॥७८॥

yatra yogeśvaraḥ kṛṣṇo
yatra pārtho dhanur-dharaḥ
tatra śrīr vijayo bhūtir
dhruvā nītir matir mama

yatra—unde; *yoga-īśvaraḥ*—maestrul misticii; *kṛṣṇaḥ*—Domnul Kṛṣṇa; *yatra*—unde; *pārthaḥ*—fiul lui Pṛthā; *dhanuḥ-dharaḥ*—purtător al arcului cu săgeți; *tatra*—acolo; *śrīḥ*—opulența; *vijayaḥ*—victoria; *bhūtiḥ*—puterea extraordinară; *dhruvā*—sigur; *nītiḥ*—moralitatea; *matiḥ mama*—părerea mea.

Oriunde se află Kṛṣṇa, stăpânul tuturor misticilor și oriunde se află Arjuna, arcașul suprem, acolo va fi cu siguranță opulența, victoria, puterea extraordinară și moralitatea. Aceasta este opinia mea.

COMENTARIU

Bhagavad-gītā a început cu întrebarea lui Dhṛtarāṣṭra. El nădăjduia în victoria fiilor săi, ajutați de mari luptători precum Bhīṣma, Droṇa și Karṇa. El spera că victoria va fi de partea sa. Dar, după ce a descris scena de pe câmpul de luptă, Sañjaya i-a spus regelui: „Tu te gândești la victorie, dar părerea mea este că unde se află Kṛṣṇa și Arjuna, acolo se află și norocul." El confirmă în mod direct faptul că Dhṛtarāṣṭra nu se putea aștepta ca victoria să fie de partea lui. Victoria era sigură pentru cei aflați de partea lui Arjuna, căci Kṛṣṇa era acolo. Acceptarea de către Kṛṣṇa a rolului de vizitiu al lui Arjuna reprezintă înfățișarea unei alte opulențe. Kṛṣṇa este plin de toate opulențele, iar renunțarea este una din ele. Există multe alte exemple de astfel de renunțare, căci Kṛṣṇa este maestrul renunțării.

De fapt, lupta se dădea între Duryodhana și Yudhiṣṭhira. Arjuna lupta pentru a-l sprijini pe fratele său mai mare, Yudhiṣṭhira. Deoarece Kṛṣṇa și Arjuna erau de partea lui Yudhiṣṭhira, victoria lui era asigurată. Bătălia trebuia să decidă cine va guverna lumea, iar Sañjaya a prezis că puterea va trece în mâna lui Yudhiṣṭhira. Tot aici se prevestește că Yudhiṣṭhira, după câștigarea bătăliei, va prospera din ce în ce mai mult, deoarece nu numai că era drept și pios, ci avea și o moralitate exemplară. El nu a spus nici o minciună în toată viața lui.

Există mulți oameni mai puțin inteligenți care iau *Bhagavad-gītā* drept o discuție pe anumite teme ce are loc între doi prieteni aflați pe câmpul de luptă. Dar o asemenea carte nu ar putea să fie scriptură. Unii pot să protesteze împotriva faptului că Kṛṣṇa îl incită pe Arjuna să lupte, ceea ce este imoral, dar adevărul asupra acestei situații este stabilit aici în mod clar: *Bhagavad-gītā* este învățătura supremă în materie de moralitate. Principiul suprem al moralității este expus în capitolul al nouălea, strofa 34: *man-manā bhava mad-bhaktaḥ*. O persoană trebuie să devină devotul lui Kṛṣṇa, iar esența oricărei religii este predarea către Kṛṣṇa (*sarva-dharmān parityajya mām ekaṁ śaraṇaṁ vraja*). Învățăturile din *Bhagavad-gītā* constituie procesul suprem al religiei și moralei. Orice alte procese pot fi purificatoare și pot conduce la acest proces, dar ultima instrucțiune din *Gītā* este cuvântul ultim în materie de morală și religie: predarea către Kṛṣṇa. Acesta e verdictul capitolului al optsprezecelea.

Din *Bhagavad-gītā* putem înțelege că realizarea de sine prin speculație filozofică și prin meditație este doar o metodă, dar deplina supunere și predare lui Kṛṣṇa este cea mai înaltă perfecțiune. Aceasta e esența învățăturilor din *Bhagavad-gītā*. Calea principiilor regulatoare, în conformitate cu ordinele vieții sociale și cu diversele practici religioase, poate constitui o cale confidențială de cunoaștere. Dar deși ritualurile religiei sunt confidențiale, meditația și cultivarea cunoașterii sunt încă și mai confidențiale. Iar predarea către Kṛṣṇa în slujirea cu devotament, în deplina conștiință de Kṛṣṇa, este cea mai confidențială dintre învățături. Aceasta este esența capitolului al optsprezecelea.

O altă trăsătură a *Bhagavad-gītei* este aceea că adevărul ultim este Kṛṣṇa, Suprema Personalitate a Divinității. Adevărul Absolut se realizează în trei aspecte—impersonalul Brahman, Paramātmā localizat și în final Suprema Personalitate a Divinității, Kṛṣṇa. Cunoașterea desăvârșită a Adevărului Absolut înseamnă cunoașterea desăvârșită a lui Kṛṣṇa. Dacă cineva Îl înțelege pe

Kṛṣṇa, atunci toate celelalte ramuri ale cunoașterii sunt părți integrante din această înțelegere. Kṛṣṇa este transcendent, deoarece El este permanent situat în puterea Sa internă care e veșnică. Entitățile vii sunt manifestate de energia Sa și se împart în două categorii, cele etern condiționate și cele etern eliberate. Aceste entități vii sunt nenumărate și sunt considerate părți esențiale ale lui Kṛṣṇa. Energia materială se manifestă în douăzeci și patru de categorii. Creația este efectuată de către timpul etern, fiind creată și dizolvată de energia externă. Această manifestare a lumii cosmice devine vizibilă sau invizibilă în mod repetat.

În *Bhagavad-gītā* s-au discutat cinci subiecte principale: Suprema Personalitate a Divinității, natura materială, entitățile vii, timpul etern și diferitele feluri de activități. Totul depinde de Kṛṣṇa, Suprema Personalitate a Divinității. Toate concepțiile asupra Adevărului Absolut—impersonalul Brahman, Paramātmā localizat și orice altă concepție spirituală—sunt incluse în categoria înțelegerii Supremei Personalități a Divinității. Deși aparent Suprema Personalitate a Divinității, entitatea vie, natura materială și timpul par să fie diferite, totuși nimic nu este diferit de Cel Suprem. Însă Supremul este întotdeauna diferit de orice altceva. Filozofia lui Śrī Caitanya este aceea a „unității și diferenței de neconceput". Acest sistem filozofic constituie cunoașterea perfectă a Adevărului Absolut.

Entitatea vie în poziția sa originară este spirit pur. Ea este întocmai unei particule atomice a Spiritului Suprem. Astfel, Domnul Kṛṣṇa poate fi comparat cu soarele, iar entitățile vii cu razele soarelui. Deoarece entitățile vii formează energia marginală a lui Kṛṣṇa, ele au tendința de a fi în contact fie cu energia materială, fie cu energia spirituală. Cu alte cuvinte, entitatea vie este situată între cele două energii ale Domnului, iar pentru că aparține energiei superioare a lui Dumnezeu, ea are o oarecare independență. Prin folosirea corectă a acestei independențe, ea ajunge sub îndrumarea directă a lui Kṛṣṇa. Astfel ea își atinge condiția normală în potența care dă plăcere.

Astfel se încheie comentariul lui Bhaktivedanta la capitolul al optsprezecelea din Śrīmad Bhagavad-gītā, tratând despre „Concluzia sa—Perfecțiunea renunțării".

Apendice

Despre autor

Graţia Sa Divină A.C. Bhaktivedanta Swami Prabhupāda a apărut în această lume în 1896, în Calcutta, India. Cu maestrul său spiritual, Śrīla Bhaktisiddhānta Sarasvatī Gosvāmī, s-a întâlnit pentru prima dată la Calcutta, în 1922. Lui Bhaktisiddhānta Sarasvatī, eminent învăţat în domeniul religiei şi întemeietor a şaizeci şi patru de Gauḍīya Maṭha (instituţii vedice), i-a plăcut tânărul inteligent şi l-a convins să-şi consacre viaţa răspândirii cunoştinţelor vedice. Śrīla Prabhupāda îi devine elev şi, unsprezece ani mai târziu, discipol oficial iniţiat.

La prima lor întâlnire, Śrīla Bhaktisiddhānta Sarasvatī Ṭhākura i-a propus lui Śrīla Prabhupāda să răspândească ştiinţa vedică prin intermediul limbii engleze. În anii ce au urmat, Śrīla Prabhupāda a scris un comentariu la *Bhagavad-gītā*, a susţinut activitatea instituţiilor Gauḍīya Maṭha şi în 1944 a început să editeze în limba engleză revista bilunară *Back to Godhead*. De unul singur, Śrīla Prabhupāda a scris articolele, a bătut la maşină manuscrisul, a făcut corecturile în şpalt şi a distribuit el însuşi exemplarele. Revista este continuată în prezent de discipolii săi.

În 1950, la vârsta de 54 de ani, Śrīla Prabhupāda a renunţat la viaţa familială, adoptând modul de viaţă retras *vānaprastha*, pentru a se consacra studiului şi scrisului. Śrīla Prabhupāda s-a stabilit în locul sfânt Vṛndāvana (India), în templul istoric Rādhā-Dāmodara, unde a trăit în condiţii modeste şi s-a dedicat pe parcursul câtorva ani aprofundării cunoştinţelor şi activităţii scriitoriceşti. În 1959 el a acceptat modul de viaţă în renunţare (*sannyāsa*). În Rādhā-Dāmodara, Śrīla Prabhupāda a început munca la capodopera sa: traducerea (cu comentarii) în mai multe volume, a optsprezece mii de versete ce constituie *Śrīmad-Bhāgavatam* (*Bhāgavata Purāṇa*). Tot aici el a scris şi *Călătorie uşoară spre alte planete*.

În septembrie 1965, după ce a publicat trei volume din *Bhāgavatam*, Śrīla Prabhupāda a plecat în SUA pentru a îndeplini misiunea primită de la maestrul său spiritual. În anii următori, Graţia Sa Divină a scris mai mult de cincizeci de volume de traduceri comentate în mod autorizat şi studii sumare ale operelor clasice filozofice şi religioase ale Indiei.

Când a ajuns pe un vas comercial la New York, Śrīla Prabhupāda era practic lipsit de orice mijloace de subzistenţă. Numai după un an, în care a trecut prin mari greutăți, a reușit să întemeieze Societatea Internațională a Conștiinței de Kṛṣṇa (ISKCON), în iulie 1966. În momentul când, la 14 noiembrie 1977, el a părăsit această lume, Societatea condusă de el crescuse într-o confederație mondială, având în componența ei mai mult de o sută de *āśrame*, școli, temple, instituții și comunități agricole.

În 1972, Grația Sa Divină a introdus în Apus sistemul vedic de învățământ primar și mediu, fondând în Dallas *gurukula*. De atunci, discipolii săi au organizat școli pentru copii pe cuprinsul Statelor Unite și în toată lumea.

Śrīla Prabhupāda a fost, de asemenea, inițiatorul construirii câtorva mari centre internaționale culturale în India. În Śrīdhāma Māyāpur (Bengalul de Vest) devoții construiesc un oraș spiritual ce are în centru un templu de mari dimensiuni; realizarea acestui ambițios proiect se va extinde pe durata a multor ani de aci înainte. În Vṛndāvana (India), se află un impunător templu Kṛṣṇa-Balarāma și un hotel internațional, o școală *gurukula* și Centrul Memorial și Muzeul Śrīla Prabhupāda . Mari centre de cultură și temple ale ISKCON se găsesc în Mumbai, New Delhi, Ahmedabad, Siliguri și Ujjain. Alte centre sunt în proiect în multe locații de pe subcontinentul indian.

Însă cea mai importantă contribuție a lui Śrīla Prabhupāda sunt cărțile lui, apreciate de savanți pentru autenticitatea, profunzimea și claritatea lor, care servesc drept material didactic în numeroase facultăți. Lucrările lui sunt traduse în mai mult de cincizeci de limbi ale lumii. Editura Bhaktivedanta Book Trust, fondată în 1972 pentru a publica operele Grației Sale Divine, este cea mai mare editură din lume care scoate la lumină lucrări din domeniul filozofiei și religiei indiene.

Timp de doisprezece ani, deși la o vârstă înaintată, Śrīla Prabhupāda a înconjurat globul pământesc de paisprezece ori, ținând lecții pe cele șase continente. Chiar dacă aceste călătorii îi răpeau foarte mult timp, Śrīla Prabhupāda continua să scrie mult, fiind foarte prolific. Scrierile lui constituie o veritabilă enciclopedie a filozofiei, religiei, literaturii și culturii vedice.

Bibliografie

Comentariile *Bhagavad-gītei* sunt confirmate de scrieri vedice autorizate. Dintre acestea, au fost citate următoarele lucrări autentice:

Amṛta-bindu Upaniṣad
Atharva Veda
Bhakti-rasāmṛta-sindhu
Brahma-saṁhitā
Brahma-sūtra
Bṛhad-āraṇyaka Upaniṣad
Bṛhad-viṣṇu-smṛti
Bṛhan-nāradīya Purāṇa
Caitanya-caritāmṛta
Chāndogya Upaniṣad
Gītā-māhātmya
Gopāla-tāpanī Upaniṣad
Hari-bhakti-vilāsa
Īśopaniṣad
Kaṭha Upaniṣad
Kauṣītakī Upaniṣad
Kurma Purāṇa
Mādhyandināyana-śruti
Mahābhārata
Mahā Upaniṣad
Māṇḍūkya Upaniṣad
Mokṣa-dharma

Muṇḍaka Upaniṣad
Nārada-pañcarātra
Nārāyaṇa Upaniṣad
Nārāyaṇīya
Nirukti (dicţionar)
Nṛsiṁha Purāṇa
Padma Purāṇa
Parāśara-smṛti
Praśna Upaniṣad
Puruṣa-bodhinī Upaniṣad
Ṛg Veda
Sātvata-tantra
Śrīmad-Bhāgavatam
Stotra-ratna
Subala Upaniṣad
Śvetāśvatara Upaniṣad
Taittirīya Upaniṣad
Upadeśāmṛta
Varāha Purāṇa
Vedānta-sūtra
Viṣṇu Purāṇa
Yoga-sūtra

În această carte s-au folosit următoarele abrevieri:
Bhagavad-gītā = Bg.
Śrīmad-Bhāgavatam = Bhāg.

Glosar

A

Ācārya — cel care-i învață pe alții prin propriul exemplu; maestru spiritual.

Acintya-bhedābheda-tattva — doctrina Domnului Caitanya cu privire la „identitatea și diferența de neconceput" a lui Dumnezeu și a energiilor Lui.

Agni — semizeul focului.

Agnihotra-yajña — ceremonia sacrificiului focului săvârșită în ritualurile vedice.

Ahaṅkāra — falsul ego, prin care sufletul se identifică greșit cu corpul material.

Ahiṁsā — nonviolență.

Akarma — non-acțiune; activitate devoțională care nu dă reacție *karmică.*

Ānanda — beatitudine spirituală.

Aparā-prakṛti — inferior, energia materială a Domnului (materia).

Arcana — ritualul de închinare la forma *arcā-vigraha.*

Arcā-vigraha — forma lui Dumnezeu reprezentată prin elemente materiale, ca pictură sau statuie a lui Kṛṣṇa venerate acasă sau în templu. Fiind prezent în această formă, Domnul, personal, acceptă de la devoții Săi să fie venerat.

Āryan — adept instruit al culturii vedice; persoană al cărei scop este avansarea spirituală.

Āśrama — patru niveluri de dezvoltare spirituală conform sistemului social vedic: *brahmacarya* (ucenic), *gṛhastha* (familist), *vānaprastha* (viață în singurătate) și *sannyāsa* (renunțare).

Aṣṭāṅga-yoga — „cale cu opt trepte" ce constă din *yama* și *niyama* (practici spirituale), *āsana* (poziții ale corpului), *prāṇāyāma* (controlul asupra respirației), *pratyāhāra* (controlul asupra simțurilor), *dhāraṇā* (controlul asupra minții), *dhyāna* (meditație) și *samādhi* (contemplarea profundă a lui Viṣṇu, în interiorul inimii).

Asura — persoană care se opune slujirii Domnului.

Ātmā — sinele. *Ātmā* se poate referi și la trup, minte, intelect sau Sinele Suprem. De obicei are sens de suflet individual.

Avatāra — „cel ce coboară"; o încarnare parțială sau totală a Domnului, împuternicită să coboare din tărâmul spiritual pentru îndeplinirea unei anumite misiuni.

Avidyā — ignoranță.

B

Bhagavān — Cel care posedă toate opulențele; Domnul Suprem, care este rezervorul totalei frumuseți, puteri, faime, bogății, cunoașteri și renunțări.

Bhakta — devot.

Bhakti — slujire devoțională a Domnului Suprem.

Bhakti-rasāmṛta-sindhu — scriere de texte sanscrite ce conțin îndrumări referitoare la slujirea cu devotament a Domnului întocmită în veacul al 16-lea de Śrīla Rūpa Gosvāmī.

Bhakti-yoga — legătura cu Domnul Suprem prin slujirea cu devotament.

Bharata — vechi împărat în India, strămoșul Pāṇḍavilor.

Bhāva — extaz; etapă a slujirii *bhakti* ce precede nemijlocit dragostea față de Domnul.

Bhīṣma — general nobil respectat ca „strǎbun" al dinastiei Kuru.

Brahmā — prima ființă creată în univers; dirijat de Domnul Viṣṇu, el a creat toate formele de viață în univers și stăpânește modul pasiunii.

Brahmacārī — student celibatar, conform sistemului vedic social (vezi *Āśrama*).

Brahma-jijñāsā — investigație în cunoașterea spirituală.

Brahmajyoti — strălucirea spirituală emanată de corpul transcendental al Domnului Kṛṣṇa, care luminează lumea spirituală.

Brahmaloka — locașul Domnului Brahma, cea mai importantă planetă din lumea materială.

Brahman — (1) sufletul individual; (2) impersonalul, aspectul atotpătrunzător al Supremului; (3) Personalitatea Supremă a Divinității; (4) *mahā-tattva*, sau substanța totală materială.

Brāhmaṇa — reprezentant al clasei celor mai inteligenți oameni, conform celor patru diviziuni vedice ale societății.

Brahma-saṁhitā — carte veche de rugăciuni înălțate de Domnul Brahmā către Domnul Kṛṣṇa, descoperită de Caitanya Mahāprabhu în India de Sud.

Buddhi-yoga — alt termen pentru *bhakti*-yoga (slujire devoțională a lui Kṛṣṇa), cea mai bună utilizare a intelectului (*buddhi*).

C

Caitanya-caritāmṛta — biografia lui Śrī Caitanya Mahāprabhu scrisă în bengală la sfârșitul veacului al 16-lea de Śrīla Kṛṣṇadāsa Kavirāja.

Caitanya Mahāprabhu — încarnarea Domnului Kṛṣṇa în Kali-yuga. El a apărut pe pământ la sfârșitul veacului al 15-lea în Navadvīpa, Bengalul de vest și a propovăduit *yuga-dharma* (realizarea spirituală potrivită pentru timpul dat) — cântarea numelor sfinte ale Domnului.

Caṇḍāla — mâncător de câini; paria.

Candra — zeul lunii (Candraloka).

Cāturmāsya — cele patru luni ale sezonului ploios în India, în timpul cărora devoţii lui Viṣṇu urmează niște restricţii speciale.

D

Deva — semizeu.

Dharma — (1) principii religioase; (2) îndeletnicirea firească eternă a omului (slujirea devoţională a Domnului).

Dhyāna — meditaţie.

Dvāpara-yuga — vezi *Yuga*.

G

Gandharva — muzicieni și cântăreţi celești printre semizei.

Garbhodakaśāyī Viṣṇu — vezi *Puruṣa-avatāra*.

Garuḍa — pasăre care îl poartă pe Domnul Viṣṇu.

Goloka — Kṛṣṇaloka, locașul etern al Domnului Kṛṣṇa.

Gosvāmī — *svāmī*, persoană care-și poate controla pe deplin simţurile.

Gṛhastha — persoană căsătorită care trăiește conform sistemului vedic social.

Guṇa — cele trei moduri, „tendinţe" sau calităţi ale lumii materiale: bunătate sau virtute, pasiune și ignoranţă.

Guru — maestru spiritual.

I

Indra — împărat al tuturor planetelor Raiului și zeu al ploii.

J

Jīva (Jīvātmā) — sufletul individual etern.

Jñāna — cunoaștere transcendentală.

Jñāna-yoga — calea realizării spirituale prin căutări speculativ-filozofice ale adevărului.

Jñānī — persoană care aderă la calea *jñāna*-yoga.

K

Kāla — timp.

Kali-yuga — „epocă a certurilor și ipocriziei", care a început acum cinci mii de ani și durează în total 432 000 de ani. Vezi *Yuga*.

Karma — activitate materială, care atrage după sine reacții.

Karma-yoga — cale prin care omul realizează pe Dumnezeu prin oferirea roadelor muncii sale Domnului.

Karmī — persoană angajată în *karma* (activitate materială); materialist.

Kṛṣṇaloka — locașul Suprem al Domnului Kṛṣṇa.

Kṣīrodakaśāyī Viṣṇu — vezi *Puruṣa-avatāra*.

Kuru — descendenți ai lui Kuru, în special feciorii lui Dhṛtarāṣṭra care se aflau în opoziție cu Pāṇḍavii.

L

Līlā — „joc" transcendental sau activitate desfășurată de către Domnul Suprem.

Loka — planetă.

M

Mahā-mantra — „marea *mantră*": Hare Kṛṣṇa, Hare Kṛṣṇa, Kṛṣṇa Kṛṣṇa, Hare Hare / Hare Rāma, Hare Rāma, Rāma Rāma, Hare Hare.

Mahātmā — „suflet mare"; persoană eliberată care se află în deplină conștiință de Kṛṣṇa.

Mahat-tattva — energia totală materială.

Mantra — sunet transcendental sau imn vedic.

Manu — semizeu care este tatăl omenirii.

Māyā — iluzie; energia Domnului Suprem care le face pe ființele vii să uite de natura lor spirituală și de Dumnezeu.

Māyāvādī — impersonalist.

Mukti — eliberare de existența materială.

Muni — înțelept.

N

Naișkarma — alt termen pentru *akarma*.

Nārāyaṇa — forma cu patru mâini a Domnului Krṣṇa care domină pe planetele Vaikuṇṭha; Domnul Viṣṇu.

Nirguṇa — fără calități, proprietăți; referitor la Domnul Suprem, termenul arată că El se află dincolo de calitățile materiale.

Nirvāṇa — eliberare din existența materială.

O

Oṁ (Oṁkāra) — silaba sacră ce reprezintă Adevărul Absolut.

P

Pāṇḍava — cei cinci fii ai regelui Pāṇḍu: Yudhiṣṭhira, Bhīma, Arjuna, Nakula și Sahadeva.

Pāṇḍu — fratele lui Dhṛtarāṣṭra și tatăl fraților Pāṇḍava.

Paramātmā — Suprasufletul; aspectul localizat al Domnului Suprem; permanentul martor și îndrumător care însoțește fiecare suflet condiționat.

Paramparā — succesiunea de maeștri și discipoli.

Prakṛti — energie sau natură.

Prāṇāyāma — control asupra respirației, ca mijloc de avansare în yoga.

Prasādam — mâncare sfințită; mâncare oferită Domnului Krṣṇa.

Pratyāhāra — control asupra simțurilor ca mijloc de avansare în yoga.

Prema — dragoste devoțională pură, spontană față de Dumnezeu.

Pṛthā — Kuntī, soția regelui Pāṇḍu și mama Pāṇḍavilor.

Purāṇe — cele 18 *śāstre* ce fac parte din *Vede*.

Puruṣa — „cel ce se desfată"; sufletul individual, sau Domnul Suprem.

Puruṣa-avatāra — prima expansiune a Domnului Viṣṇu care creează, menține și distruge universurile materiale. Kāraṇodakaśāyī Viṣṇu (Mahā-Viṣṇu) stă culcat în oceanul cauzal și expiră nenumărate universuri; Garbhodakaśāyī Viṣṇu intră în fiecare univers și creează diversitatea; Kṣīrodakaśāyī Viṣṇu (Suprasufletul) intră în inima fiecărei ființe create și în fiecare atom.

R

Rajo-guṇa — modul pasiunii.

Rākṣasas — demon canibal.

Rāma — (1) nume al Domnului Kṛṣṇa ce înseamnă „sursa tuturor plăcerilor"; (2) Domnul Rāmacandra, o încarnare a lui Kṛṣṇa ca rege perfect.

Rūpa Gosvāmī — liderul celor șase Gosvāmī din Vṛndāvana, principalii adepți ai lui Caitanya Mahāprabhu.

S

Sac-cid-ānanda — etern, plin de beatitudine și cunoaștere.

Sādhu — sfânt sau persoană în conștiința de Kṛṣṇa.

Saguṇa — „cel care posedă proprietăți și calități"; referitor la Domnul Suprem, termenul arată că El are calități spirituale și transcendentale.

Samādhi — transă; absorbirea totală în conștiința de Dumnezeu.

Saṁsāra — ciclul de renașteri în lumea materială.

Sanātana-dharma — religia eternă: slujirea devoțională.

Śaṅkara (Śaṅkarācārya) — marele filozof care a stabilit doctrina de ne-dualitate (*advaita*), accentuând natura impersonală a Domnului și identitatea tuturor sufletelor cu Brahman.

Sāṅkhya — (1) diferențierea analitică între spirit și materie; (2) calea slujirii devoționale descrisă de Domnul Kapila, fiul lui Devahūti.

Saṅkīrtana — glorificarea în comun a Domnului, în special prin cântarea numelui Lui sfânt.

Sannyāsa — modul de viață în renunțare pentru avansarea spirituală.

Sannyāsī — persoană care duce un mod de viață în renunțare.

Śāstra — scriptură vedică sfântă.

Sattva-guṇa — modul bunătății, virtuții.

Satya-yuga — vezi *Yuga*.

Śiva — semizeul care stăpânește modul ignoranței (*tamoguṇa*) și care anihilează cosmosul material.

Smaraṇam — stare în care omul îşi aminteşte permanent de Domnul Kṛṣṇa; una din cele nouă forme de bază din *bhakti-yoga*.

Smṛti — scripturi suplimentare la *Vede*, cum sunt *Purāṇele*.

Śravaṇam — a auzi despre Domnul; una din cele nouă forme de bază ale slujirii cu devotament.

Śrīmad-Bhāgavatam — *Purāṇa*, sau istoria scrisă de către Vyāsadeva special pentru a da o înțelegere profundă a Domnului Kṛṣṇa.

Śruti — *Vedele*.

Śūdra — reprezentant al clasei de muncitori, conform celor patru diviziuni vedice după îndeletniciri, ale societății.

Svāmī — persoană care poate să-şi controleze pe deplin simțurile; care duce un mod de viață în renunțare.

Svargaloka — planetele materiale ale Raiului, locaşurile semizeilor.

Svarūpa — forma originală spirituală sau poziția firească (constituțională) a sufletului.

T

Tamo-guṇa — modul ignoranței.
Tretā-yuga — Vezi *Yuga*.

U

Upaniṣade — cele 108 tratate filozofice care fac parte din *Vede*.

V

Vaikuṇṭha — planetele eterne din lumea spirituală.
Vaiṣṇav — devot al Domnului Suprem.
Vaiśya — reprezentant al clasei de comercianți şi fermieri, conform diviziunii vedice a societății după îndeletniciri.
Vānaprastha — persoană care se retrage de la viața de familie cu scopul de a-şi cultiva renunțarea, conform sistemului vedic social.
Varṇāśrama-dharma — sistemul vedic social, care divizează societatea în patru clase, conform îndeletnicirilor şi nivelului avansării spirituale.

Vasudeva — tatăl Domnului Kṛṣṇa.

Vāsudeva — Kṛṣṇa, fiul lui Vasudeva.

Vedānta-sūtra — tratat filozofic de aforisme succinte care redau esenţa *Upaniṣadelor,* scris de Vyāsadeva.

Vede — cele patru scripturi originale (*Ṛg, Sāma, Atharva* şi *Yajur*).

Vidyā — cunoaştere.

Vikarma — activitate ce contrazice instrucţiunile din scripturi; acţiuni păcătoase.

Virāṭ-rūpa — forma universală a Domnului.

Viṣṇu — Personalitatea Domnului.

Viṣṇu-tattva — statutul sau categoria Domnului.

Viśva-rūpa — forma universală a Domnului Suprem.

Vṛndāvana — locaşul transcendental al Domnului Kṛṣṇa. Se mai numeşte şi Goloka Vṛndāvana sau Kṛṣṇaloka; ţinut din regiunea Mathurā, Uttar Pradesh, India, unde, acum cinci mii de ani, Kṛṣṇa şi-a desfăşurat petrecerile de copilărie, şi care reprezintă manifestarea locaşului lui Kṛṣṇa, din lumea spirituală, pe pământ.

Vyāsadeva — autorul *Vedelor* şi al *Purāṇelor, Mahābhāratei* şi *Vedānta-sūtrei.*

Y

Yajña — sacrificiu.

Yamarāja — semizeul care-i pedepseşte pe păcătoşi după moarte.

Yoga — procesul spiritual de unire a omului cu Supremul.

Yoga-māyā — energia spirituală interioară a Domnului.

Yuga — „epocă." Există patru *yuga* care se succed una după alta: Satya-yuga, Tretā-yuga, Dvāpara-yuga şi Kali-yuga. Pe măsura înaintării de la Satya-yuga spre Kali-yuga, religia şi calităţile religioase merg în declin.

Îndrumător pentru pronunția sanscrită

De-a lungul secolelor, limba sanscrită a fost scrisă într-o multitudine de alfabete. Tipul de scriere cel mai răspândit în India este cel numit *devanāgarī*, ceea ce în traducere exactă înseamnă „scrisul de urbe al zeilor, *deva*". Alfabetul *devanāgarī* constă din patruzeci și opt de caractere, incluzând treisprezece vocale și treizeci și cinci de consoane. Vechile gramatici sanscrite au organizat alfabetul după principii lingvistice concise, iar acest aranjament a fost admis de către toți specialiștii apuseni. Sistemul de transliterație utilizat în această carte corespunde unui sistem acceptat de aproape toți specialiștii din ultimii cincizeci de ani și folosit pentru a indica pronunția fiecărui sunet sanscrit.

Vocala scurtă **a** este pronunțată ca în cuvântul p**a**t; **ā** lung ca **a** în m**a**re; **i** scurt ca **i** în p**i**n. **Ī** lung este pronunțat ca în cuvântul l**i**nă, **u** scurt ca în l**u**p, iar **ū** lung ca în r**u**gă. Vocala **ṛ** e pronunțată ca **ri** în **ri**ng. Vocala **e** se pronunță ca în cuvântul englez th**ey**; **ai** ca în m**ai**; **o** ca în **o**u; iar **au** ca în cuvântul englez h**ow**. *Anusvāra* (**ṁ**), care este o nazală pură, e pronunțată ca **n** în cuvântul francez bo**n**, iar *visarga* (**ḥ**), care e o aspirantă puternică, se pronunță ca sunetul **h** la sfârșit de cuvânt. Astfel **aḥ** se pronunță **aha**, iar **iḥ** ca **ihi**.

Consoanele gutural e–**k, kh, g, gh** și **ṅ**–se pronunță din gât aproape în același fel ca în engleză. **K** se pronunță ca în **c**ântec, **kh** ca în Ec**kh**art, **g** ca în **g**reu, **gh** ca în lar**g h**otar și **ṅ** ca în li**ng**vistic. Consoanele palatale–**c, ch, j, jh** și **ñ**–sunt pronunțate din cerul gurii cu mijlocul limbii. **C** se pronunță ca în **c**eas, **ch** ca în englezescul staun**ch h**eart, **j** ca în **g**er, **jh** ca în cuvântul englez he**dgeh**og, iar **ñ** ca în cuvântul englez ca**ny**on. Consoanele cerebrale– **ṭ, ṭh, ḍ, ḍh** și **ṇ**–se pronunță cu vârful limbii împins spre rădăcina dinților și retras consecutiv. **Ṭ** e pronunțat ca în **t**ub, **ṭh** ca în engleză ligh**t h**eart, **ḍ** ca în **d**ans, **ḍh** ca în engleză re**d-h**ot, iar **ṇ** ca în **n**ucă. Consoanele dentale– **t, th, d, dh** și **n**–se pronunță în același fel ca și cerebralele, însă cu partea din față a limbii îndreptată spre dinți. Consoanele labiale–**p, ph, b, bh** și **m**–sunt pronunțate cu buzele. **P** se pronunță ca în **p**in, **ph** ca în cuvântul englez u**ph**ill, **b** ca în **b**arcă, **bh** ca în engleză în ru**b h**ard iar **m** ca în **m**ama. Semivocalele–**y, r, l** și **v**–se pronunță respectiv ca în **y**es, **r**ugă, l**u**mină și **v**oce. Sibilantele–**ś, ṣ** și **s**–sunt pronunțate respectiv ca în cuvântul german **s**prechen și în cuvintele **ș**ine și **s**oare. Litera **h** se pronunță ca în cuvântul **h**artă.

Indexul versetelor sanscrite

Acest index cuprinde primul și al treilea rând al fiecărui verset sanscrit din *Bhāgavad-gītā*, aranjate în ordine alfabetică. Prima coloană dă transliterarea sanscrită; a doua, capitolul și textul.

Indexul versetelor citate

Acest index cuprinde versetele citate în comentariile din *Bhagavad-gītā*. Cifrele aldine se referă la primul și al treilea rând din versetele citate compact; cifrele albe se referă la versetele citate fragmentar.